ERMATINGER / DEUTSCHE DICHTER 1750-1900

EMIL ERMATINGER

DEUTSCHE DICHTER

1750–1900

EINE GEISTESGESCHICHTE IN LEBENSBILDERN

Überarbeitet, mit Bildern und Bildtexten versehen von
JÖRN GÖRES

Mit 32 Abbildungen im Text
und 209 Abbildungen auf Kunstdrucktafeln

1961

ATHENÄUM VERLAG · FRANKFURT AM MAIN · BONN

Diese Ausgabe ist die 2., neu bearbeitete und bebilderte Auflage der 1948 und 1949 in den Verlagen Universitäts-Verlag und Athenäum-Verlag, Bonn, und im Verlag Huber & Co., Frauenfeld/Schweiz, erschienenen zweibändigen Ausgabe.

Umfang: 844 Seiten und 60 Bildtafeln
© Athenäum Verlag GmbH. · Frankfurt am Main · Bonn 1961
Einband und Schutzumschlag nach Entwurf von Albert Falk /
Atelier Schulenburg-Purkhardt · Wiesbaden
Gesamtherstellung: boldt druck · Boppard, Printed in Germany

INHALT

EINLEITUNG

Im siebenten Buch von „Dichtung und Wahrheit" kommt Goethe auf den Anfang seiner Dichterlaufbahn zu sprechen: Er habe zuerst kleine Gedichte geschrieben, die von Erlebtem handelten. „Und so begann", heißt es dann, „diejenige Richtung, von der ich mein ganzes Leben über nicht abweichen konnte, nämlich dasjenige, was mich erfreute oder quälte, oder sonst beschäftigte, in ein Bild, ein Gedicht zu verwandeln und darüber mit mir selbst abzuschließen, um sowohl meine Begriffe von den äußeren Dingen zu berichtigen, als mich im Innern deshalb zu beruhigen. ... Alles, was daher von mir bekannt geworden, sind nur Bruchstücke einer großen Konfession ..." Beispielhaft hierzu sind „Die Leiden des jungen Werther" im Vergleich mit ihrer Entstehungsgeschichte. Dieses Werk hatte nicht zufällig einen so gewaltigen Erfolg, wie er in jener Zeit einem Buche sonst kaum beschieden war. Der „Werther" war einer empfindsamen Generation aus dem Herzen gesprochen und das Zeichen dafür, daß sich eine neue Haltung in der deutschen Dichtung endgültig Bahn gebrochen hatte und herrschend geworden war: Jene Haltung, von der Goethes Tasso sagt:

> Und wenn der Mensch in seiner Qual verstummt,
> Gab mir ein Gott zu sagen, was ich leide.

Es ist die Haltung der unmittelbaren Ich-Aussprache, in der der Dichter sich vom Herzen schreibt, was ihn betrifft. Diese Bewegung, zu deren Entfaltung der junge Goethe besonders beitrug, wurde bis in die Gegenwart für die deutsche Dichtung charakteristisch. Dichtung war ohne die persönliche Aussage des Dichters nicht mehr denkbar. Am 25. April 1811 schrieb Kleist in diesem Sinne an Fouqué sogar: „Die Erscheinung, die am meisten, bei der Betrachtung eines Kunstwerkes, rührt, ist, dünkt mich, nicht das Werk selbst, sondern die Eigentümlichkeit des Geistes, der es hervorbrachte." Der schaffende Geist, der Mensch, gilt als das Eigentliche, denn er ist der Ursprung des Werkes. Entsprechend schreibt Hebbel am 29. Mai 1837 in sein Tagebuch: „Der Weg zum Dichter geht nur durch den Menschen", und an anderer Stelle heißt es, speziell auf die Lyrik bezogen, „Lyrik ist die Dichtungsform, in der das Herz seine Schätze niederlegt." Der persönliche Anteil des Dichters an seinem Werk tritt deutlich hervor und will beachtet sein.

Das war keineswegs immer so. Wenn wir zurückblicken in die Frühzeit deutscher Dichtung, so ist das auffälligste Kennzeichen, daß man zwar

Denkmäler von einer überragenden künstlerischen Qualität kennt, von ihren Schöpfern aber nichts oder fast nichts weiß. Während man heute über das Leben ungezählter Autoren, die „Dichter" genannt zu werden Anspruch erheben, berichten könnte, deren Werke mit Recht in Vergessenheit geraten sind, so war es damals genau umgekehrt: Der Dichter trat nicht oder nur gelegentlich einer Widmung in Erscheinung. Dabei ist es ziemlich gleichgültig, ob es sich um religiöse oder weltliche Dichtung handelt. In der religiösen Dichtung, die meist Zweckdichtung war und deshalb dem Autor am wenigsten Eigenrecht zugestand, wissen wir über die Dichter, weil sie als Mönche in Klostern lebten, durch Klosteraufzeichnungen weit mehr als über weltliche Dichter. Der tiefere Grund unserer biographischen Unwissenheit über die Dichter jener Zeit ist der, daß es sich, ob weltliche oder religiöse Dichtung, um Gesellschaftsdichtung handelte. Die Dichtung gab dem Denken und Verlangen einer ganzen Gemeinschaft Ausdruck. Etwas anderes, als was die Gesamtheit der Menschen betraf, drang überhaupt nicht in die Öffentlichkeit. Das Gedicht war nicht dazu da, einem privaten Erleben Raum zu geben.

So stehen bezeichnenderweise auch am Anfang des deutschen Minnesangs eine Anzahl kleiner Lieder, die man nach ihrer Herkunft als „namenlos" bezeichnet: Die Dichter sind unbekannt geblieben. Aber ihre Lieder haben sich bis in jene spätere Zeit erhalten, in der man begann, die Texte aufzuzeichnen. Daß sich solche Lieder bis dahin gehalten haben, ist ein Zeichen dafür, wie sehr sie Ausdruck der Gesellschaft waren. Das früheste dieser Art, das wir kennen:

> Dû bist mîn, ich bin dîn:
> des solt dû gewis sîn.
> dû bist beslozzen
> in mînem herzen:
> verlorn ist daz slüzzelîn:
> dû muost immer drinne sîn.

gibt der Liebesempfindung einen so allgemeingültigen Ausdruck, daß jeder individuelle Gedanke dahinter zurücktritt. Das aber bedeutet eben nicht, daß die Dichter früherer Zeiten keine individuellen Empfindungen gekannt hätten, sondern, daß ein persönliches Erlebnis nur sehr beherrscht in streng stilisierten Formen der Gesellschaft vorgetragen werden durfte. Ein mutwilliges Wuchern der Gefühle, wie es im achtzehnten Jahrhundert die Empfindsamkeit mit sich brachte, ist für die Zeit der Hohenstaufen-Herrschaft ganz undenkbar. Dadurch war die Dichtung vor allem f o r m a l e Kunst: Es wurden nur wenige, eng begrenzte Themen behandelt, und die Kunst lag darin, diese Themen in immer neuer metrischer Form zu bewältigen. Durchbrach ein Dichter den Bann, so hatte das einen gesellschaftlichen Skandal zur Folge, als dessen klassisches Beispiel die sogenannte „Reinmar-Fehde" Walthers von der Vogelweide auf uns gekommen ist. Reinmar von Hagenau war Meister des konventionellen, maßvollen, ja kühlen Minnesangs, der der verheirateten Frau galt. Walther dagegen hatte in einem seiner ersten Lieder einen Schluß besonderer Art aufgegriffen, in dem der Sänger beim Anblick der Dame Besinnung und Sprache verliert — ein Zeichen der Maßlosigkeit, das Reinmar zum Ziel seines Spottes wurde. Walther schlug zurück mit krassen Parodien auf Reinmars stilisierte Vorstellungen. Er drängte auf eine der Wirklichkeit nähere Liebesdichtung, die in seinen „Mädchenliedern", den bis dahin ganz unstandesgemäßen Liedern auf die unverheiratete Geliebte auch niederen Standes, ihren Höhepunkt fand:

> Sie verwîzent mir daz ich
> sô nidere wende mînen sanc.
> Daz si niht versinnent sich
> waz liebe sî, des haben undanc!

Gewiß hatte Walther gerade mit diesen Liedern dem Minnesang frisches Blut zugeführt. Aber zuerst entsetzten sie die höfische Gesellschaft. Sie nämlich gaben dem im Minnesang behandelten Geschehen einen fast beängstigenden Wirklichkeitscharakter, während doch bisher bei der Verehrung der verheirateten Dame alles eindeutig als Fiktion gekennzeichnet war! Das nämlich will beachtet sein, daß die Ereignisse der Minnelyrik durchweg Fiktion sind. Die ritterlichen Herren jener Zeit hatten zu handfeste Ehrbegriffe, als daß die Minnedichtung hätte Wirklichkeit werden können. Auch pflegte der Umgang mit Frauen gelegentlich ein anderer als nur Anbetung zu sein. Im Nibelungenlied beispielsweise klagt Kriemhilt, daß sie für die Schande, die sie Prünhilde angetan, von Sîfrit heftig Prügel bezogen habe: „ouch hât er sô zerblouwen darumbe mînen lîp".

Aber nicht nur gehaltlich war die Dichtung früherer Zeit an strenge Maße der Gesellschaft gebunden, sondern auch formal. Anfangs war es keineswegs erlaubt, den Gedanken in eigener Redeweise Ausdruck zu geben, und als es schließlich erlaubt war, da wurde es auch gleich zur Mode und somit wieder Eigenart der Gesellschaft. Zunächst mußte sich jedoch Wolfram von Eschenbach seiner Eigenwilligkeit wegen böse Vorwürfe des Sprachmeisters Gottfried von Straßburg anhören: Einen „Erfinder wilder Geschichten", einen „Geschichtenjäger" schalt er ihn im „Tristan", der wie ein Hase auf der „Wortheide" hohe Sprünge und „Würfelworte" mache. Wolfram gab im „Willehalm" zu, daß ihrer viele waren, die seine Geschichte von Parzival geschmäht hatten und ihre eigene Sprache für besser hielten. Allerdings ließ er erkennen, daß ihn das nicht übermäßig bekümmerte: Gäbe ihm Gott nur Zeit genug, so wollte er über jene Schmähungen hinaus noch seine und anderer Klagen, die alle Welt seit Jesu Taufe übte, berichten.

Die angeführten Beispiele mögen verdeutlichen, wie schlecht man damals auf Eigenwilligkeit zu sprechen war und wie sehr das konventionelle Maß der Gesellschaft entschied. Diese Haltung entspricht nicht nur der mittelalterlichen Dichtung, sondern reicht noch tief in die Neuzeit hinein: Noch die gesamte Barock- und Rokoko-Dichtung bis hin zu Klopstock ist von ihr geprägt. Deshalb zählten in der damaligen Romanliteratur die Simpliziaden Grimmelshausens etwa, die wir heute ihres persönlichen Ausdrucks wegen noch lesen, nur sehr bedingt unter die hohe Literatur. Als hohe Romanliteratur galten dem Gebildeten des Barockzeitalters vielmehr Zesens „Adriatische Rosemund", Herzog Anton Ulrichs „Durchlauchtige Syrerin Aramena", seine „Römische Octavia", Lohensteins „Großmüthiger Feldherr Arminius". Ja, auch Grimmelshausen hat höfische Romane im konventionellen Stil geschrieben, und selbst seine Simpliziaden sind als Satiren mehr stilisiert, das heißt weit weniger urwüchsig, als man heute gemeinhin glauben möchte. Das Drama der Barockzeit hat mit dem deutschen Drama, das sich seit Lessing entwickelte, nichts gemein. Zu tragischen Konflikten in der Seele des Helden kommt es nicht, da der Held der Haupt- und Staatsaktionen als leuchtendes Vorbild stets rein ist. Folglich gibt es auch nicht den komplizierten Zusammenhang des Unschuldig-schuldig-werdens. Der Charakter des Helden ist stets eindeutig und unbelastet, so daß seine Tragik nur im Märtyrertum liegen kann. Das Drama der Barockzeit will keine Wirklichkeit, sondern stilisiertes Ideal. Auch hier bedeutet das nicht, daß es den Menschen damals an zwiespältigen Erfahrungen und seelischem Empfinden gemangelt habe: Nur war die hohe Dichtung nicht der Ort dafür, dergleichen kundzutun, obwohl die Zeit Gelegenheit genug geboten hätte. Gewiß, die Lyrik des Gryphius scheint uns eines anderen zu belehren. Sicher ist ihr dunkler Ton nicht zuletzt auf sein schweres Schicksal zurückzuführen. Dabei muß man aber im übrigen bedenken, daß die Vanitas-Stimmung thematisch der ganzen Epoche eignete und nicht in jedem Falle ein persönliches Erleben voraussetzte. Und wie maßvoll ist des Gryphius Klage über Vergänglichkeit gehalten! Mag sie auch eigenem Erleben entsprungen sein, so ist das stürmische Empfinden seiner Jugend doch schon durch frühe Übung in Rhetorik geläutert worden, daß es sich mühelos einer ausgereiften Metaphorik und der stoischen Metrik des Alexandriners fügen konnte. Erst so gezügelt, durfte es sich der Gesellschaft mitteilen. Denn darauf kommt noch immer alles an: daß man die Form wahrt. Ein Verstoß gegen die Form wird jetzt, da die Rhetorik ein eigenes Bildungsfach ist, noch genau so schwer geahndet wie in der Blütezeit der mittelalterlichen Dichtung. Auch im Barockzeitalter galt es als anstößig, geradeswegs so zu singen, wie einem ums Herz ist. Man klagte deshalb nicht unverhohlen um die entschwundene Geliebte, sondern übertrug die Klage auf ein Schäferidyll. Johann Rist etwa dichtete in solchem Falle „Daphnis bekümmerte Liebesgedanken":

> Daphnis ging für wenig Tagen
> Über die begrünte Heid,
> Heimlich fing er an zu klagen
> Bei sich selbst sein schweres Leid,
> Sang aus hochbetrübtem Herzen
> Von den bittern Liebesschmerzen:
> Ach daß ich dich nicht mehr seh,
> allerschönste Galathee.

Rist weiß diese Klage des Daphnis um seine Galathee noch sieben Strophen lang fortzuführen. Ein solches Schäferidyll hatte für die damalige Zeit einen doppelten Reiz: Einmal war die Schäferei zu jener Zeit gesellschaftlich sehr beliebt. Sie war Gesellschaftsspiel. Schäfergedichte wie dieses gehörten zum guten Ton. Man wußte deshalb nie, ob sie um der Galanterie willen entstanden waren oder ob wirkliche Herzensnot ihr Ursprung gewesen war. Der Dichter hat sich also gesellschaftlich nie etwas vergeben und ist immer unangreifbar geblieben. Außerdem aber führte eine solche Übertragung der Situation zu seelischer Distanzierung. Man kann das gut beobachten an einem Gedicht Paul Flemings, das „An den Mon" überschrieben ist:

> Du, die du standhaft bist in deinem Unbestande,
> Steig, Hekate, herab; ich singe dir ein Lied,
> Ein Lied von meiner Zier, die itzt auch nach dir sieht,
> Ob ich schon bin sehr weit von ihr und ihrem Lande.
>
> Komm, Berezynthie, zu dieses Stromes Rande,
> An dem ich geh herum, da meine Hoffnung blüht,
> Du weißt es Delie, was itzt mit ihr geschieht,
> Du weißt es, wie es steht, um meine Salibande.
>
> Komm, Phöbe, Tag der Nacht, Diane, Borgelicht,
> Wahrsägrin, Liederfreund; komm Lune, säume nicht!
> Die ganze Welt, die schläft. Ich wache, dich zu loben.
>
> Stromfürstin, Jägerfrau, Nachtauge, Horngesicht,
> Herab! Itzt fang ich an das süße Lobgedicht.
> Und kömmst du nicht herab, so hör es nur dort oben!

Das Gedicht, auf Flemings Persienreise entstanden, ist um der Liebsten willen an den Mond gerichtet, weil sie auch nach ihm sieht. Der Mond wird so zum Mittler zwischen beiden Liebenden. Dieses alte Motiv, daß die Sterne besungen werden, weil sie den Getrennten zugleich scheinen

und so eine Brücke zwischen ihnen bilden, ist von Fleming aber in besonderem Sinn rhetorisch ausgenützt: Er nennt den Mond bei all seinen
mythischen Namen, die jeweils eine bestimmte Bedeutung haben. Dadurch
kann Fleming seine Sorge um die Geliebte mitteilen, ohne daß er sie
unmittelbar aussprechen müßte. „Hekate" ruft er den Mond an: Hekate
ist die Göttin des Mondes und die Beschützerin der Jungfräulichkeit. Ihr
singt er sein Lied um des Schutzes seiner fernen Geliebten willen. In der
zweiten Strophe nennt er den Mond „Berecynthie": Es ist der Beiname
der Cybele, der Allkönigin, der Allnährerin. Er ruft sie an das Ufer des
Stromes, an dem er steht, denn der Strom, das Wasser, ist ihr Tempel.
Vielfach sind die Beziehungen zwischen Wasser und Mond. Der Mond
wirkt auf das Wasser, der Voraussetzung alles Lebens, ein. Als Hekate
aber, die in die Unterwelt eintaucht, ist er am Styx, dem Fluß zwischen
Leben und Tod, auch Türhüter des Hades. Deshalb wird der Mond
schließlich noch als „Stromfürstin" gefeiert, die an ihrem Ort über Lebende
und Tote herrscht und auch das Schicksal der Geliebten kennt. Der Mond
wird bei all seinen weiteren Beinamen, wie Delie, Phöbe, Diane, Lune und
endlich auch seinen deutschen rhetorischen Umschreibungen beschworen,
einzig aus dem Grunde, weil er weiß, wie es zur gleichen Zeit der Geliebten
ergeht: „Du weißt es Delie, was itzt mit ihr geschieht, / Du weißt es wie
es steht um meine Salibande." Das ganze Lied richtet sich direkt nur an
den Mond, der in seinen Eigenschaften als Vermittler und Beschützer
gepriesen wird. Das einzige Mal, wo die Geliebte selbst beim Namen
genannt wird, erscheint dieser als Anagramm. Denn „Salibande" wird
von Fleming gelegentlich als Umbildung von „Elsabe", wie seine Geliebte
wirklich hieß, verwendet. So ist das ganze Lied, bei aller erregenden Sorge
um die Geliebte, in äußerst distanziertem Ton gehalten. Disziplin im
Versmaß, Selbstbeherrschung in der Gedankenführung, lassen gesellschaftliche Verpflichtung erkennen.

Das thematisch gleiche Gedicht des jungen Goethe dagegen tönt ganz
anders:

An den Mond.

Füllest wieder 's liebe Tal
Still mit Nebelglanz,
lösest endlich auch einmal
Meine Seele ganz;

Breitest über mein Gefild
Lindernd deinen Blick,
Wie der Liebsten Auge mild
Über mein Geschick.

Das du so beweglich kennst,
Dieses Herz im Brand,
Haltet ihr wie ein Gespenst
An den Fluß gebannt.

Wenn in öder Winternacht
Er vom Tode schwillt
Und in Frühlingslebens Pracht
Er um Knospen quillt.

Selig, wer sich vor der Welt
Ohne Haß verschließt,
Einen Mann am Busen hält
Und mit dem genießt,

Was den Menschen unbewußt,
Oder wohl veracht
Durch das Labyrinth der Brust
Wandelt in der Nacht.

Gerade diese der späteren Fassung gegenüber unbekanntere ursprüng-

12

lichere Gestalt des Gedichts, die auf die Jahre 1776/78 zurückgeht, läßt den erheblichen Unterschied zu Flemings Lied erkennen. Sie ist unmittelbare Ich-Aussprache in bewegter Gedankenführung, die sich dem Rhythmus nicht immer ganz freiwillig unterwerfen will: Die Aphaerese im ersten Vers der ersten Strophe stößt auf. In der dritten Strophe gehen die gefühlsgeladenen Gedanken mit der Syntax durch und führen zu Verständnisschwierigkeiten. In der vierten Strophe bildet im Komposita „Frühlingslebens" das Fugen-S mit dem folgenden Genitiv-S eine Härte. Die drei letzten Strophen sind in der dargestellten Fassung ohnedies nur noch aus den biographischen Zusammenhängen zu verstehen. In einem solchen Fall, in dem das Gemüt sich unmittelbar in ein Gedicht ergießt, ohne seine Empfindungen vorher durch den Filter der Konvention geläutert zu haben, kann eine biographische Untersuchung zur einzigen Interpretationsmöglichkeit werden. So ist es denn beispielsweise für die vorliegende frühe Fassung des Goethe-Gedichts sinnerhellend zu wissen, daß sie in der Zeit qualvoller Liebe zu Frau von Stein entstanden ist. Damals fühlte sich Goethes Herz wiederholt — dem Strömen des Flusses durch die Jahreszeiten vergleichbar — von Seligkeit in tötenden Verzicht zu neu knospender Hoffnung gedrängt. Aus dem Erleben dieses glücklich-unglücklichen Geschicks sprechen auch die beiden letzten Strophen.

Die Beziehung zwischen Mond und Fluß, die bei Fleming rein mythologische Bedeutung hat und rhetorische Bildung verrät, wie sie damals in Kreisen der Gesellschaft üblich war, wird bei Goethe zum fatalen Erlebnis, dessen ursprüngliche Natur dem konventionellen Verständnis keinen Anhalt mehr bietet. Erst später, in der Fassung von 1789, nach dem Abklingen des Erlebnisses, wurde die Erwähnung des Flusses zum Symbol der Unruhe und der fließenden Zeit umgestaltet und erhielt dadurch wieder einen allgemein verständlichen Sinn.

Daß aber ein so unmittelbares Empfinden, wie es der junge Goethe mitteilt, sich in einem Gedicht ausdrücken durfte, ist die Folge des Zusammentreffens zweier entscheidender Bewegungen, die der konventionellen, gesellschaftlich gebundenen und deshalb in erster Linie f o r m a l e n Kunst ein Ende bereiteten: Es ist die Folge von Aufklärung und Empfindsamkeit. Denn die Aufklärung hatte mit ihrem Appell an die Vernunft das Selbstbewußtsein des Menschen ausgebildet, mit dem sich ein Rechtsanspruch auf die Entfaltung der eigenen Persönlichkeit verband. Die Zeit der Individualität war angebrochen. Damit traf zusammen die Bewegung der Empfindsamkeit, die im Appell an das Herz gründete, wie ihn der Pietismus seit Speners „Pia Desideria" predigte, jener 1676 erschienenen Schrift vom „herzlichen Verlangen nach gottgefälliger Besserung", welche durch emsiges Erforschen des eigenen Seelenzustandes bewirkt werden sollte. In der Verbindung mit der Aufklärung säkularisierte sich dieses

Bestreben und bestimmte fortan in nicht vorherzusehendem Maße die deutsche Geisteshaltung.

So war es bezeichnenderweise gerade ein Abkömmling des Pietismus, der, von der individualisierenden Tendenz der Zeit berührt, auf bisher ganz unerlaubte Art seine Stimme erhob und in keckem Handstreich die deutsche Dichtung auf neue Bahnen leitete: Mit dem Erscheinen der ersten drei Gesänge des „Messias" in den „Bremer Beiträgen" von 1748 hatte sich Klopstock bereits einen festen Kreis von Freunden und Verehrern erworben; und mit seiner Ode auf den Zürcher See war schließlich der Beweis erbracht, daß sich die empfindsam gestimmte Seele auch am weltlichen Stoff dichterisch zu bewähren vermochte:

> Schön ist, Mutter Natur, deiner Erfindung Pracht
> Auf die Fluren verstreut, schön ein froh Gesicht,
> Das den großen Gedanken
> Deiner Schöpfung noch einmal denkt.

rauscht es jetzt über vierzehn Strophen aus dem ursprünglichen Erleben dahin.

Klopstock hat dem Dichter das Recht erstritten, seine Individualität und sein persönliches Erleben in der Dichtung auszusprechen. Es setzt daher auch bald nach seiner Tat jenes dem Bemühen um Verständnis der Dichtung fortan parallellaufende Interesse an der Person des Dichters ein, wie es von Kleist so sehr betont wurde. Von jetzt an, wo sich der Geist eines Dichtwerkes bewußt aus der Individualität seines Schöpfers und dessen Erlebnissen bestimmt, ist ohne biographische Kenntnisse über den Dichter ein wirkliches Verständnis seines Werkes nicht mehr gewährleistet. Es ist deshalb zu fragen nach der landschaftlichen Herkunft eines Dichters, nach seiner geistigen Umwelt und seinen persönlichen Schicksalen, seinem Bildungsgang und der Einstellung zu den kulturellen wie politischen Ereignissen seiner Zeit.

Diese Methode literarwissenschaftlicher Untersuchung wurde gegen Ende des neunzehnten Jahrhunderts systematisch ausgebildet. Freilich gibt es gegen die Biographik jener Zeit berechtigte Einwände: Allzuleicht war man damals der Versuchung erlegen, Dunkelstellen im Leben eines Dichters durch dessen Werk zu erhellen. Jede Dichtung galt gleichsam als Autobiographie. Daß davon nicht die Rede sein kann, hat die neuere Forschung eingesehen. Sie hält sich deshalb den Dichtungen als Quellen gegenüber sehr zurück und sucht sich anderer Hilfsmittel zu bedienen, die authentische Auskünfte erteilen können. Dieser Schritt machte möglich, daß sich die Biographik, die wohl in ihrer früheren Form, dagegen aber niemals als wissenschaftliche Methode schlechthin in Frage stand, aufs neue bewährte. Obgleich man die biographische Untersuchung solcher Bewährung wegen auch auf die vor allem formale Dichtung früherer Zeiten anzuwenden sucht und sie gelegentlich als erfolgreiche Interpretationshilfe dienen kann, liegt ihre eigentliche Bedeutung gegenüber den Epochen der Gesellschaftsdichtung doch in der Zeit individueller Ich-Aussprache. Vorliegende Darstellung soll deshalb mit dem Lebensbild Klopstocks beginnen.

Jörn Göres

ERSTES BUCH

DIE AUFKLÄRUNG

1. KLOPSTOCK UND DIE EMPFINDSAMKEIT

> „Ein sanfter Schauer deiner Allgegenwart
> Erschüttert, Gott, mich."
>
> Klopstock

Descartes' rationalistische Psychologie, deren Wirkung in dem deutschen Schrifttum des 17. und 18. Jahrhunderts immer wieder spürbar ist, betrachtet die stimmungsgemäßen Regungen der Seele als „passions", als Leidenschaften im Sinne von Leidenszuständen und damit als Hemmungen eines klaren Denkens und zielbewußten Handelns. Der Mensch kann sich von ihnen befreien, indem er sie in die Klarheit des vernunftbestimmten Urteils erhebt. Diese Auffassung des Gefühlslebens mochte Erfolg haben bei den von Natur zur Klarheit bestimmten, vernunftgeleiteten Menschen. Wo aber die Seele sich durch krankhafte Empfindlichkeit oder sonstige schwere Veranlagung in dunkeln Anfechtungen in sich selber zerquälte, blieb die Lehre des großen Rationalisten ohne Wirkung. Hier galt es, nach dem Grundsatz der medizinischen Homöopathie: Similia similibus curantur, Dunkles mit Dunklem zu heilen.

Die seelische Zerwühltheit der Zeit um 1700 herum erzeugte immer neue Bemühungen, jenseits der Gnadenbotschaft der orthodoxen Kirche, die zu versagen schien, für die im tiefsten verstörte Welt neue Wege des Heils zu finden. Aus Ideen der mittelalterlichen Mystik entstand, durch ähnliche Bewegungen in Spanien, Holland, Frankreich genährt und die vordem so ängstlich behüteten Grenzen der Kirchen überflutend, ein neuer Mystizismus. Stark durch mystisches Gedankengut angeregt ist die Bewegung des Pietismus, deren Begründer Philipp Jakob Spener in Frankfurt, deren willensstarker Verbreiter August Hermann Francke in Halle waren. Um was es dabei ging, umschreibt 1717 ein Gutachten der theologischen Fakultät zu Rostock über die Frage: Ob die Pietisterei eine Fabel sei? mit den Worten: „Worauf denn nach und nach die mystica in consideration kommen und der Geist und das Innerliche allein alles ausmachen müssen." Mit Recht. Hatte doch sogar August Hermann Francke, im Grunde eine durch und durch gesunde, ebenso sehr auf praktisches Weltleben wie auf geistige Zucht bedachte Natur, den geistlichen Wegweiser des spanischen Mystikers Michael de Molinos 1687 in lateinischer Übersetzung den Deutschen zur Benutzung vorgelegt.

Wer will die mystischen und pietistischen Elemente in der religiösen Bewegung der Zeit im einzelnen klar scheiden? Hier wie dort handelt es sich um eine Betätigung der Frömmigkeit im innerlichen Leben. Statt in der Befolgung der allgemeinen Lehren und Gebräuche der orthodoxen Kirche sollte die Beziehung zu Gott und das daraus folgende Heil in dem seelischen Erlebnis des einzelnen bestehen — wie der hallische Pietismus es auffaßte, in einer tiefen Erschütterung und Zerknirschung über das weltliche Sündenleben und dem darauf verliehenen Geschenk der göttlichen Gnadenerleuchtung. Durch alle Volksschichten ging die Abwendung von der als wirkungslos und äußerlich empfundenen Heilsauffassung der Kirche und die Sehnsucht nach religiöser Vertiefung und Verinnerlichung: „Pia desideria oder herzliches Verlangen nach gottgefälliger Besserung der wahren evangelischen Kirche" heißt der bezeichnende Titel von Speners Programmschrift von 1675. Zu allen Zeiten hat es dergleichen Unterströmungen unter den kirchlich gutgeheißenen Glaubensansichten gegeben. Jetzt aber, gegen das Ende des 17. Jahrhunderts, werden sie vor allem breit und kraftvoll; sie werden genährt durch die allgemeine Erregung und Erwartung der Geister, die sich gleichzeitig in der philosophisch-wissenschaftlichen Bewegung der Aufklärung offenbarte.

Mit der Wandlung der allgemeinen Zeitstimmung durch den neuen Lebensglauben der Aufklärung trat auch in der pietistischen Innerlichkeit eine Aufhellung ein. Die Überzeugung setzte sich durch, daß Gott nicht nur ein Herr des Zornes, sondern auch ein Spender der Gnade sei, dem man nicht durch Zerknirschung und Bußkrampf, sondern durch Liebe, Demut und Fröhlichkeit dienen müsse. Graf Nikolaus Ludwig von Zinzendorf, der Begründer der Herrnhutergemeinschaft, hat innerhalb der pietistischen Bewegung diese Wendung vollzogen. In den vornehmen Kreisen aufgewachsen, verband er tiefe Frömmigkeit mit weltmännischer Bildung.

Zinzendorf ist ein Beispiel dafür, wie die Empfindsamkeit aus dem geistlichen Lebensraum allmählich in den weltlichen hinüberfließt: wer wollte im einzelnen Falle genau abgrenzen, ob sein Gefühl geistlichen oder weltlichen Ursprungs war, und behaupten, man könne gefühlvoll sein nur als Christ, nicht auch jenseits des Christentums? In Frankreich wußte Fénélon, der Erzbischof von Cambrai, feinste weltmännische Bildung mit einer durchaus innerlichen und freien Auffassung des Christentums zu verbinden. Sein „Télémaque" war auch in Deutschland das vielgelesene und -nachgeahmte Lehrbuch einer sittlich-religiösen und weltmännisch-freien Lebensführung. Ähnlich weltlich-geistlich erscheint die Empfindsamkeit bei Goethes Großoheim Michael von Loën (1694—1776). Er hatte sich aus Büchern, auf Reisen und im Umgang mit Menschen eine Bildung erworben, die so weltumfassend war, wie sie nur im Zeitalter der Aufklärung sein konnte. Er beschäftigte sich mit Theologie, Politik und Wirtschaft, mit Geschichte, Kriegswissenschaft und Pädagogik. Er sprach und schrieb außer Deutsch Italienisch, Lateinisch und Französisch. Er war Dichter, verstand sich aber auch auf Musik und Malerei. Vor allem aber liebte er die beschauliche Einsamkeit auf seinem Landgut in der Nähe von Frankfurt. „Es denkt sich gar so schön in dem weiten Raume eines offenen Luftkreises bei dem Glanz eines klaren oder mit Licht und Schatten vermengten Himmels, wo breite Ströme fließen oder sanfte Bäche rauschen." In seiner Frömmigkeit ist ein stark pantheistischer Zug. Er erlebte die Offenbarung Gottes nicht nur im frommen Gemüte oder in den Büchern heiliger Urkunden, sondern ebenso innig und tief in der

Natur. Er hat ein Buch über die „Einzig wahre Religion" (1750) geschrieben. Darin verkündet er, daß reine Liebe der Inhalt des Christentums sei.

So zieht sich, neben der Pflege der Vernunft, durch das ganze Jahrhundert die Verherrlichung des Gefühls, und ihre Macht wird um so größer, je mehr der reine Rationalismus in der zierlichen Vergnüglichkeit kleiner Empfindungen oder witzig sein sollender Scherze verödet. Gefühlvoll sein und seine Gefühle gegen Freunde und Geliebte, Männer und Frauen zeigen, wird mehr und mehr Lebenston unter höher Gebildeten. Sogar trockene Verstandesmenschen und Männer in Jahren beugen sich ihm. Als Christian Felix Weiße, der aufklärerische Dramatiker (1726 bis 1804), der Freund Lessings und Nicolais, 1769 in Berlin die Bekanntschaft des damals 44jährigen Ramler machte, mit dem er schon einige Zeit in Briefwechsel gestanden, empfing ihn Ramler mit einer Wärme der Empfindung, die in „Tränen und Schluchzen überging". Zum ersten großen Gipfel erhebt sich der Strom der Empfindsamkeit in K l o p s t o c k.

In der Zeit vor Klopstock trat die Person hinter der Konvention zurück. Auf das Ich des Dichters kam nichts oder nur wenig an. Das Erlebnis wurde in der Form sublimiert und das Gefühl im Wort distanziert. Klopstock ist der erste, der diese Hemmungen nicht mehr kennt, der, von einem hohen Selbstbewußtsein getragen, sich auch die Kraft zutraut, jedes Ziel zu erreichen, das sein Selbstbewußtsein sich setzt. Der jede Schranke überspringt, des andern vorgeschriebenen Maßes nicht achtet und in der Grenzenlosigkeit seines hochgemuten Strebens die Erde in den Himmel emporhebt.

Schon im kindlichen Spiele bekundet sich dieses Überspringen von Schranken. Als die Familie auf den Sommer 1732 — Klopstock war damals acht Jahre alt — nach der vom Vater gepachteten Herrschaft Friedeburg an der Saale übersiedelte, tollte der Sohn sich mit Geschwistern und Freunden in waghalsigen Streichen. Sie sollen sich Stieren an den Schwanz gehängt und sie mit Stacheln gereizt haben, bis die Tiere ihre Peiniger in wildem Wirbel herumschleuderten. Man badete in der Saale zum Schrecken der Mutter, während der Vater dem Treiben der Knaben behaglich zusah und rief: „Jungens, ersauft mir nur nicht!" Oder die Knaben sprangen vor Tagesanbruch mit den beiden Hunden über die hohe Hofmauer, um im Verein mit den Söhnen eines benachbarten Gutsbesitzers in dessen Waldungen Hasen zu jagen.

Später wandelte sich diese kecke Wildheit in die selbstbewußte Betonung eigenen Wertes und persönlicher Würde. Er wußte sich beim Eintritt in Schulpforta, als die Mitschüler über seinen Namen spotteten, mit Nachdruck Achtung zu verschaffen. In den Kämpfen der unteren Klassen gegen die oberen stand er in der vordersten Reihe, indem er die Streiter seiner Partei mit Reden anfeuerte, wie er sie im Livius gelesen. Ebenso trat er gegen Lehrer auf. Er erklärte einmal vor der ganzen Schule dem Rektor, er habe eine Rede, die ihm aufgegeben, nicht gemacht, weil ihm das Thema nicht gefallen habe. Als er durch seinen „Messias" und seine

Oden berühmt geworden war, stellte der Dichter sich den Höchsten der Erde gleich. Sein Aufenthalt im Bodmerschen Hause in Zürich endete mit einem Bruch mit seinem Gastgeber, weil er sich dessen schulmeisterlichen Vorschriften über seine Lebensführung nicht unterwerfen wollte. Was gegenüber dem Bürger der Republik scheiterte, erreichte er von den Fürsten. König Friedrich V. von Dänemark berief ihn nach Kopenhagen und gab ihm ein Ehrengehalt. Markgraf Karl Friedrich von Baden lud ihn auf seinen Wunsch an den Hof nach Karlsruhe, gab ihm Rang und Gehalt eines Hofrates und schenkte ihm Gunst und Freundschaft. Klopstock aber setzte sich stolz über die Formen hinweg, die das Hofzeremoniell vorschrieb, benahm sich, wie er es für gut fand, und erregte durch seine Mißachtung von Takt und guter Sitte den Zorn, durch die Freundschaft des Fürsten den Neid der Höflinge. Als er, verärgert, die Unmöglichkeit eines dauernden Verbleibens an dem badischen Hofe einsah und im Frühjahr 1775 den Besuch seines Bruders zum Vorwand nahm, um Karlsruhe wieder zu verlassen, verletzte er den gesellschaftlichen Anstand, indem er es unterließ, sich förmlich von dem Markgrafen zu verabschieden. Erst von Hamburg aus entschuldigte er sich über seine plötzliche Abreise: Abschied zu nehmen, würde ihm zu empfindlich gefallen sein. Der Markgraf erwies sich als der Größere, indem er über das Versäumte hinwegsah, Klopstock seiner dauernden Freundschaft versicherte und ihm sein Jahresgehalt ließ.

So wenig er sich selbst den Grenzen fügte, die äußere Lebensverhältnisse um ihn zu ziehen versuchten, so wenig tat er sich Zwang an, wenn es galt, andere in die Formen zurückzuweisen, die ihm angemessen erschienen. Als nach Goethes Ankunft in Weimar ein wildes und übermütiges Genietreiben entstand und die Kunde von waghalsigen Abenteuern des jungen Herzogs und seines Freundes die Herzen der in Briefen sich ergießenden Deutschen bekümmerte, hielt Klopstock es für seine Pflicht, zum Rechten zu mahnen: „Lassen Sie mich", schrieb er Goethe, „nicht damit anfangen, daß ich es glaubwürdig weiß; denn ohne Glaubwürdigkeit würde ich ja schweigen. Denken Sie auch nicht, daß ich Ihnen, wenn es auf Ihr Tun und Lassen ankommt, einreden werde... Was wird denn der Erfolg sein, wenn es fortwährt? Der Herzog wird, wenn er sich ferner bis zum Krankwerden betrinkt, anstatt, wie er sagt, seinen Körper dadurch zu stärken, erliegen und nicht lange leben... Die Herzogin wird vielleicht ihren Schmerz jetzo noch niederhalten können; denn sie denkt männlich. Aber dieser Schmerz wird Gram werden und läßt sich der auch etwa niederhalten? Luisens Gram, Goethe! Nein, rühmen Sie sich nur nicht, daß Sie sie lieben wie ich!" Diesmal stieß Klopstock doch an eine Schranke. Goethe wies ihn schroff ab: „Verschonen Sie uns ins Künftige mit solchen Briefen, lieber Klopstock! Sie helfen nichts und machen uns immer ein paar böse Stunden. — Sie fühlen selbst, daß ich nichts darauf zu antworten habe. Entweder müßte ich als Schulknabe ein pater peccavi anstimmen, oder mich sophistisch entschuldigen, oder als ein ehrlicher Kerl verteidigen, und dann käm' vielleicht in der Wahrheit ein Gemisch von allen dreien heraus und wozu? — Also kein Wort mehr zwischen uns über diese Sache! Glauben Sie, daß mir kein Augenblick meiner Existenz überbliebe, wenn ich auf all' solche Briefe, auf all' solche Anmahnungen antworten sollte!"

Sein Verhältnis zu dem größten deutschen Fürsten seiner Zeit, Friedrich II., war das einer Großmacht zu einer andern. 1749 hatte er in den „Bremer Beiträgen" ein Kriegslied erscheinen lassen, worin er Friedrich als den Sieger des Zweiten Schlesischen Krieges verherrlichte. Er war preußischer Untertan und wünschte die Aufmerksamkeit des Königs auf sich zu ziehen. Der Berner Vincenz Bernhard von Tscharner hatte, auf Bodmers Betreiben, die ersten drei Gesänge des „Messias" ins Französische übersetzt und im Frühjahr 1750 veröffentlicht. Klopstock war blind genug zu hoffen, daß sein Gedicht in dieser Form dem König zu Gesicht kommen würde. Er bat Bodmer vor der Drucklegung der Übersetzung, Tscharner möge seiner Arbeit die Widmung voranstellen: „Aux deux grands amis, Frédéric, roi de Prusse, et Arouet de Voltaire, auteur de la Henriade." Dann wurde Sulzer in Berlin bearbeitet, die Übersetzung durch Ewald von Kleist dem Präsidenten der Berliner Akademie, Maupertuis, zu überreichen, der sie dem Könige vorlegen sollte. Aber Maupertuis sah in dem „Messias" nur eine Nachahmung von Miltons „Verlorenem Paradies", der zudem die Übersetzung den Reiz genommen hatte, und als Sulzer Voltaire veranlassen wollte, das Werk zu lesen, spottete dieser: „Je connais bien le Messie, c'est le fils du Père éternel et le frère du Saint-Esprit, et je suis son très humble serviteur; mais profane que je suis, je n'ose pas mettre la main à l'encensoir." So bekam der König die Übersetzung gar nicht zu Gesicht. Klopstock aber, als er von der Mißachtung seines heiligen Gedichtes in Berlin erfuhr und wahrnahm, wie Friedrich der Große der deutschen Literatur überhaupt ohne Verständnis gegenüberstand, verwandelte jetzt die Verehrung in Haß. 1752 ließ er in der Ode „An Gleim" Deutschlands Muse zornig von Friedrich singen:

> „Würdig war er, uns mehr, als dein beglücktester
> Freiheitshasser, o Rom, Oktavian zu sein,
> Mehr als Ludwig, den uns
> Sein Jahrhundert mit aufbewahrt!
>
> So verkündigte ihn, als er noch Jüngling war,
> Sein aufsteigender Geist. Noch, da der Lorbeer ihm
> Schon vom Blute der Schlacht troff
> Und der Denker gepanzert ging,
>
> Floß der dicht'rische Quell Friedrich entgegen, ihm
> Abzuwaschen die Schlacht. Aber er wandte sich,
> Strömt' in Haine, wohin ihm
> Heinrichs Sänger nicht folgen wird.
>
> Sagt's der Nachwelt nicht an, daß er nicht achtete,
> Was er wert war zu sein! Aber sie hört es doch:
> Sagt's ihr traurig und fordert
> Ihre Söhne zu Richtern auf!"

Als er bald darauf seine Oden gesammelt herausgab, trug das Kriegslied den Titel: „Heinrich der Vogler". Er hatte alle Spuren, die auf den preußischen König hinwiesen, getilgt und an seine Statt Heinrich den Vogler gesetzt, den Sieger über die Ungarn bei Merseburg. Sein Groll wuchs, je mehr sein Dichterrum sich steigerte und das Schweigen des Königs andauerte. 1779 klagte er darüber in der Ode „Verkennung":

> „Friedrich, dein Adlerblick,
> Wo war er, da sich regte des Geistes Kraft?"

Er schmähte, anspielend auf des Königs von Franzosen verspottete französische Verse, den „tüdesken Reim":

> „Durch den er jetzt des Thrones Launen
> Scheuchte und jetzo der Schlacht Gespenster."

Und er leugnete, indem er nur dem Dichter dauernden Ruhm zuerkannte, das Andenken des Kriegshelden bei der Nachwelt.

Als im Jahre darauf Maria Theresia, Friedrichs Gegnerin, starb, warf er in der Ode auf ihren Tod die Frage auf, ob Friedrichs Ruhm den der verstorbenen Kaiserin erreichen werde. Im gleichen Jahre erschien Friedrichs Schrift „De la littérature allemande". Es war vielleicht die größte Ungerechtigkeit in dem von Verständnislosigkeit überquellenden Büchlein, daß Klopstocks Name darin völlig totgeschwiegen wurde. Nun stieg dessen Zorn aufs höchste. Drei Oden des Jahres 1782: „Der Traum", „Die Rache", „Delphi" schleuderte er gegen den König.

Seine französische Schriftstellerei wird Friedrich zum Vorwurf gemacht:

> „Wie der Geist dich auch hebt, er fliegt vergebens,
> Wenn das Wort ihm nicht folgt. Der Ungeweihte
> In der Sprache Geheimnis
> Tötet das lebendste Bild.
>
> Du erniedertest dich, Ausländertöne
> Nachzustammeln, dafür den Hohn zu hören:
> Selbst nach Arouets Säub'rung,
> Bleibe dein Lied noch tüdesk."

Längst war in Klopstocks Schätzung ein anderer Friedrich über den preußischen emporgestiegen: Friedrich V. von Dänemark, der Friedefürst über den Kriegshelden.

Es mochte ein Ausfluß der herben Enttäuschung sein, die Friedrich der Große Klopstock bereitet hatte, noch mehr aber seines Strebens ins Ungemessene, wenn er den Ausbruch der französischen Revolution in schwärmenden Oden begrüßte als „des Jahrhunderts edelste Tat."

Man kann sagen, daß Klopstock hier weiter gesehen hat, als die meisten seiner deutschen Zeitgenossen. Aber töricht war es doch, daß er Lafayette politische und strategische Ratschläge gab, und daß er, als 1792 der Herzog von Braunschweig den Oberbefehl über das preußisch-österreichische Heer übernommen hatte, ihn aufforderte, „noch einmal zwischen der wahren und der scheinbaren Ehre zu wählen" und das Kommando niederzulegen.

Am 2. Juli 1724 wurde Friedrich Gottlieb Klopstock zu Quedlinburg am Harz geboren. Das stattliche Geburtshaus steht auf dem freien Platze beim Aufgang auf den Hügel, den der romanische Dom und das Schloß krönen. In der Krypta des Domes waren Heinrich I., der erste König aus dem sächsischen Stamme, und seine Gattin Mathilde beigesetzt worden. In der Nähe steht das „Finkenhäusel" an dem Platze, wo Heinrich dem Finkenfang oblag, als ihm die deutsche Königskrone angeboten wurde. Auf der Burg zu Quedlinburg residierte er, wenn er nicht durch Kriege und politische Händel in die Ferne gerufen wurde. Man mag sich denken, wie stark der tägliche Anblick des hochragenden Dom- und Schloßhügels und vor allem die große Gestalt des ersten Sachsenkönigs zur Bildung von Klopstocks Charakter und geistiger Welt beigetragen haben. Die Familie war angesehen und zunächst in angenehmen Verhältnissen. Der Vater war Verwalter der schleswig-holsteinischen Lehen, Rechtsbeistand des Stiftes Quedlinburg und später fürstlich Mansfeldischer Kommissionsrat, die Mutter die Tochter eines Großkaufmanns Schmidt in Langensalza. Friedrich war das älteste von siebzehn Kindern. Tiefe Frömmigkeit bestimmte das Leben der Familie. In Quedlinburg hatte der Pietismus früh eine Stätte gefunden. Johann Arndt, der Verfasser der vier Bücher vom wahren Christentum, war am Schlusse des 16. Jahrhunderts dort Pfarrer an der Nicolaikirche gewesen. Hundert Jahre später hatte sich Gottfried Arnold zweimal längere Zeit in Quedlinburg aufgehalten und dort den vierten Teil seiner berühmten „Kirchen- und Ketzerhistorie" geschrieben. Unter der Bürgerschaft verbreitete der Goldschmied Kratzenstein um 1700 den Geist einer schwärmerischen Mystik. Das Christentum von Klopstocks Vater aber war keineswegs schwärmerisch, sondern, seiner tapferen und welttüchtigen Art entsprechend, durchaus nüchtern und bibelfest, wobei er auch an die Existenz des Teufels glaubte und von Gespensterfurcht nicht frei war.

Er war kein Freund des pedantischen Schulunterrichts der Zeit und wollte seine Kinder in möglichster Freiheit und in der gesunden Luft der Natur aufwachsen lassen. So zog die Familie 1732 in die von ihm gepachtete Herrschaft Friedeburg, wo die Kinder durch einen Theologiekandidaten Unterricht erhielten. Der Aufenthalt in Friedeburg dauerte etwa vier Jahre und endete mit einem Prozeß, bei dem die Familie den größten Teil ihres Vermögens einbüßte. In Quedlinburg besuchte der Knabe drei Jahre das tüchtige Gymnasium, worauf er auf den Winter 1739 in der Anstalt Schulpforta Aufnahme fand, jener alten, berühmten und reichen Gelehrtenschule, die 1543 in einem aufgehobenen Zisterzienserkloster gegründet worden war. Hier erhielt Klopstock von vortrefflichen Lehrern die altklassische Bildung, die den späteren Dichter kennzeichnet. Horaz war sein Liebling. Die Anfertigung von lateinischen und griechischen Gedichten gehörte zum Schulprogramm, und der Grund seiner Odendichtung wurde hier gelegt. Aber bereits drangen auch die Schöpfungen der aufblühenden deutschen Dichtung in den Bezirk der Schule. Hagedorn vor allem wurde von den Lehrern bewundert und zur Nachahmung empfohlen.

Bald nahm ein wichtigeres Ereignis den Geist des aufstrebenden Dichters gefangen: der Streit zwischen Gottsched und den Zürchern Bodmer und Breitinger. Hier ging es nicht um Richtigkeit oder Schönheit der Verse, sondern um Grund und Wesen der Dichtung. Gottsched galt auch in der Pforta als der allmächtige Lehrmeister des Geschmackes. Er hatte in seiner „Kritischen Dichtkunst" ein Regelbuch geschrieben, das angehende Dichter in ihre Kunst einführen sollte. Die logische Systematik seines Lehrers Wolff hatte er auf die wissenschaftliche Beurteilung von Dichtwerken übertragen. Der Verstand hatte ihm die Regeln verfertigt, die er seinen Schülern zur Befolgung gab, und der Verstand war ihm der oberste Richter aller Dichtung. Er trug den Begriff der Zweckmäßigkeit im Sinne der Nützlichkeit aus der Wolffischen Philosophie in die Dichtung hinein und verlangte von ihr, daß sie moralische Lehren vortrage. Er verwarf alle Erfindungen, die, Erzeugnisse der Phantasie, der Forderung des nüchternen Alltagsverstandes widersprachen, nicht nur die Göttermythen der Alten und Neueren, sondern auch das psychologisch Außergewöhnliche, wie die Rede Hektors an seine Pferde vor der Schlacht um Troja.

Ihm gegenüber verteidigten die Zürcher — Bodmer u. a. in den „Kritischen Betrachtungen über die poetischen Gemälde der Dichter", Breitinger in der „Kritischen Dichtkunst" — das uralte Recht der Phantasie. Homer war ihr größtes Vorbild, unter den Neueren Milton. Sie hatten den Sinn für die große Dichtung, die sie im Epos verwirklicht fanden, und priesen Schwung, Pathos, Empfindung. Der Denker, auf den sie sich stützten, war nicht mehr Wolff, sondern Leibnitz, dessen Monadenlehre und dessen Theodizee ihnen dazu dienen mußten, gegenüber Gottscheds Verstandesforderung das Recht der Phantasie in der Erfindung wunderbarer Gebilde zu verteidigen: gab es diese schon nicht in der wirklichen Welt, so ließen sie sich doch in den unendlich vielen möglichen Welten denken, von denen Leibniz sprach.

Man kann sich Klopstocks Stellung zwischen den beiden Lagern leicht vorstellen. Hatte er zuerst, unter dem überragenden Gewicht Gottscheds, in dessen Sinne Schäfergedichte und Oden verfaßt, so führte ihn seine angeborene Art bald auf die Seite der Zürcher. Das Epos erschien ihm als die große, pathetische Dichtung, für die er bestimmt war. Aber welchen Helden sollte er besingen? Bodmer hatte Kolumbus empfohlen. Aber was bedeutet Kolumbus dem deutschen Denken Klopstocks? Sein Blick fiel auf Heinrich den Vogler, den König, dessen große Gestalt dem Knaben in Quedlinburg täglich vor Augen gestanden. Aber ein größerer, umfassenderer und heiligerer Vorwurf verdrängte den deutschen: die Gestalt des Messias. Milton, auf den die Zürcher immer wieder hinwiesen, mag ihm den Anstoß gegeben haben. Glühend war seine Verehrung für den großen Dichter des englischen Barocks, der in seinem „Verlorenen Paradies" mit gewaltiger Phantasie der Menschen Sündenschuld und Ausstoßung aus dem

Paradiese geschildert und, den Göttermythen der Alten folgend, dazu die personifizierten Mächte von Himmel und Hölle zu gigantischem Kampf gegeneinander aufgerufen hatte. Hier war die christliche Mythologie, deren Klopstock bedurfte.

Der Plan des „Messias" stand schon in Schulpforta klar vor seinem Geiste. In der lateinischen Abschiedsrede am 21. September 1745 sprach er zukunftweisend über die epische Dichtung. Es war nicht eine ästhetische Bereinigung des Wesens des Epos, sondern ein Gang durch die epische Literatur der Zeiten und Völker, soweit er sie damals kannte: Dante, seinen größten Vorgänger, erwähnt er nicht. Er war selbstbewußt genug, die Schau, in der er bei den Großen des Alten Testamentes, bei Homer und Vergil und Milton verweilt hatte, mit dem prophetischen Hinweis auf das geplante eigene Werk zu schließen. Der Franzose Eleazar Mauvillon hatte 1740 die Deutschen aufgefordert, ihm einen bedeutenden schöpferischen Geist auf dem deutschen Parnaß zu nennen. Nun fleht Klopstock den Sänger herbei, der Deutschlands Ehre durch ein unsterbliches Werk räche: „Diesen möge die Tugend, diesen mit der himmlischen Muse die Weisheit in zarten Armen hegen. Vor seinen Augen mag sich auftun das gesamte Gefilde der Natur und die andern nicht zugängliche Weite der anbetungswürdigen Religion, und nicht verschlossen und dunkel soll ihm bleiben die Reihe künftiger Jahrhunderte. Gebildet werden soll er von diesen seinen Lehrerinnen zum Dichter, würdig des menschlichen Geschlechtes, der Unsterblichkeit und Gottes selber, den er vor allem verherrlichen wird."

In Jena begann Klopstock im Herbst 1745 das Studium der Theologie. Es war von der rüstigen Arbeit am „Messias" begleitet. Aber in welcher Form sollte er sein Epos schreiben? Die Griechen hatten ihren Hexameter, die Epiker des Mittelalters ihre volkstümlichen Strophen. Doch seit dem Absterben des Volksepos war auch die naturgemäße epische Versform verlorengegangen. Voltaire hatte die „Henriade" in Alexandrinern gedichtet. Aber Bodmer hatte in Breitingers „Kritischer Dichtkunst" den deutschen Alexandriner eine in der Mitte entzweigeschnittene Schlange genannt, die das Hinterteil ganz beschwerlich nach sich ziehe. Bodmer selber hatte in seiner Uebersetzung von Miltons „Verlorenem Paradies" die Prosa gewählt. So verzichtete auch Klopstock zunächst auf den Vers. Er konnte dies um so eher, als auch der von ihm hochgeschätzte „Télémaque" von Fénélon in Prosa geschrieben war.

Aber das kleine Jena, dessen Straßen von dem wüsten Lärm zechender und radaumachender Studenten widerhallten, bot Klopstock zu wenig geistigen Bewegungsraum. Er entschloß sich, auf den Sommer 1746 nach Leipzig überzusiedeln. Sein Vetter Johann Christoph Schmidt von Langensalza hatte sich kurz vorher in Leipzig immatrikulieren lassen. Leipzig, wo Gottsched den deutschen Geschmack verbesserte, wo Caroline Neuberin eine treffliche Schaubühne gegründet hatte, war eine elegante und bedeutende Handelsstadt, die eben — 1744 — Zachariä in seinem „Renommisten" als Sitz einer feinen Bildung gekennzeichnet hatte. Wichtiger

25

für Klopstock war, daß damals der Kampf um die neue Dichtung zur Abspaltung jüngerer Dichter von der nüchternen Partei Gottscheds geführt hatte. Ihr Organ waren die „Bremer (d. h. in einem bremischen Verlag erscheinenden) Beiträge". Johann Andreas Cramer, Wilhelm Rabener, die Brüder Johann Adolf und Johann Elias Schlegel, Gellert gehörten zu den Bremer Beiträgern. Der Grund ihres Gegensatzes zu Gottsched war mehr ein Streben nach Selbständigkeit und der Widerwille gegen die literarischen Zänkereien als eine wirkliche innerliche Parteinahme für die Zürcher. Denn keiner von ihnen erreichte den Schwung und die Phantasie, die die Zürcher von der Dichtung forderten, und ihre Werke vermochten durchaus vor Gottscheds Regeln zu bestehen. Was Klopstock zu ihnen führte, war der milde und innige Geist der Freundschaft, den er hier fand. Er regte ihn zu Oden in den horazischen Formen an. Und jetzt erreichte auch die Arbeit am „Messias" ein entscheidendes Ziel: er entschloß sich für den Hexameter. Im Sommer 1746 schrieb er den ersten Gesang in das griechische Vermaß um. Anfang 1747 wurde er an Hagedorn gesandt, der dem Kreise der Beiträger nahestand, und im April schickten fast gleichzeitig Hagedorn und Gärtner, der Herausgeber der Beiträge, Proben des Gedichtes an Bodmer. Was Klopstock zu leisten im Begriffe stand, war die Erfüllung alles dessen, was Bodmer stets gefordert hatte: das große Epos nach dem Beispiel Homers und Miltons, Gestaltung großartiger und wunderbarer Geschehnisse, erfüllt von christlichem Geiste. Bodmer war hingerissen. Klopstock schien ihm noch Milton zu übertreffen. Sein „Messias" war die Krönung seines Sieges über Gottsched. Begeistert schrieb er: „Welches Prodigium, daß in dem Lande der Gottscheds ein Gedicht von Teufelsgespenstern und miltonischen Hexenmärchen geschrieben wird ... Die Menschheit wird in einer Würde vorgestellt werden, welche den Rat der Erschaffung rechtfertiget und den Leser in eine so hohe Gemütsverfassung setzt, die ihn vor das Angesicht Gottes nähert."

Nachdem so die Kunstrichter gesprochen, sollte die Allgemeinheit das Werk kennenlernen. Im Frühling 1748 erschienen die drei ersten Gesänge in den Bremer Beiträgen. Klopstock aber fühlte sich durch den Beweis seiner dichterischen Sendung der Pflicht weiteren Studiums enthoben. Er nahm zunächst die Stelle eines Hauslehrers bei den zwei Söhnen des Kaufmanns Weiß in Langensalza an. Hier traf er, im Hause ihrer verwitweten Mutter, sein Bäschen Marie Sophie Schmidt, die Schwester seines Freundes Johann Christoph Schmidt. Das reizvolle, auch geistig begabte Mädchen, das Klopstock, nach einer Gestalt in Fieldings Roman „Joseph Andrews", Fanny nannte, entzündete seine Leidenschaft aufs höchste. Sie sollte ihm sein, was Laura dem Petrarca. Wir kennen Fannys Gefühle nicht genau. Jedenfalls wollte sie nichts von Klopstock wissen, ob sie auch seine Huldigungen sich gefallen ließ. So hoch der Flug seiner Begeisterung gestiegen war, so tief drückte ihn jetzt die Enttäuschung nieder. Der Sieggewohnte hatte eine Niederlage erlitten. Schwermütige Todesvorstellungen umschatteten sein Gemüt. Edward Young hatte in seinen kurz vorher erschienenen „Nachtgedanken" in Empfindungen des Todes und der Unsterblichkeit geschwelgt, und Elizabeth Rowe, eine Nachahmerin Miltons, hatte in ihrem Werke „Freundschaft im Tode" Briefe von Verstorbenen an ihre hinterlassenen Freunde mit inbrünstigen Bildern der Wonnen jenseitiger Seligkeit angefüllt. Auch Klopstocks Seele berauschte sich an dem süßen Gift dieser dichterischen Nachtschattengewächse.

Aber nur für kurze Zeit. Er müßte nicht der hochgemute und selbstbewußte Jüngling gewesen sein, wenn er den Blick nicht rasch wieder in lichtere Reiche erhoben hätte. Wozu war er der große Dichter, dessen Lob, im Auftrag Bodmers, der hallische Professor Friedrich Georg Meier eben erst in eigener Schrift verkündet hatte, wenn sein Ruhm nicht auch für sein leibliches Sein sorgen konnte? Er entschloß sich, Bodmers Hilfe anzurufen, und schrieb ihm am 10. August 1748 einen ersten (lateinischen) Brief: Groß sei das Verdienst Bodmers um seine Entwicklung. „Aber, wenn Sie wollen, bleibt Ihnen noch Größeres zu

Der Anfang des „Messias" als Erstdruck in Band 4, Stück 4 der „Neuen Beiträge zum Vergnügen des Verstandes und des Witzes", 1748

tun. Denn der „Messias" ist kaum begonnen ... Aber mir fehlt die Muße, und da ich von gebrechlichem Körper bin und, wie ich voraussehe, nicht zu hohen Jahren kommen werde, so ist meine Hoffnung, den „Messias" zu vollenden, gering. Ein mühevolles Amt wird meiner warten; und hat es mich erdrückt, wie soll ich dann den Messias würdig besingen! Mein Vaterland sorgt nicht und wird auch in Zukunft nicht für mich sorgen."

Das war deutlich, und Bodmer, wenn anders ihm die Vollendung des „Messias" ein Herzensanliegen war, mußte es verstehen. Aber die Unsicherheit der Zukunft war nicht die einzige Not Klopstocks. Seine unglückliche Liebe kam dazu. Auch sie vertraute er Bodmer an: „Ich liebe das zärtlichste und heiligste Mädchen mit dem zärtlichsten und heiligsten Gefühl. Sie hat sich mir noch nicht erklärt und wird sich mir schwerlich erklären, weil unsere Vermögensverhältnisse zu verschieden sind. Ohne sie aber gibt es für mich kein Glück. Bei Miltons Schatten und dem Ihres kleinen verewigten Sohnes (Bodmer hatte seinen einzigen Sohn verloren), bei Ihrer hohen Gesinnung, beschwöre ich Sie, lieber Bodmer: machen Sie mich glücklich, wenn Sie können! — Befreien Sie mein von der allmächtigen Liebe ergriffenes Gemüt... Befreien Sie es von seinen Sorgen oder drücken Sie es ganz darnieder."

Als erstes und leichtestes Gebot erschien es Bodmer, Fanny umzustimmen. Er verfaßte einen Brief an sie, worin er sie an ihre Pflicht erinnerte, als irdische Muse den göttlichen Sänger zu seinem Werke zu begeistern und ihm so den Weg zu ebnen. Zum Glück setzte er sich nicht dem Spott aus, den Brief abzuschicken. Er tat etwas Klügeres und Nützlicheres: er lud Klopstock für einige Zeit zu sich ein und schickte ihm zugleich dreihundert Taler als Reisegeld. Das war zu Ostern 1750. Am 13. Juli reiste Klopstock mit Johann Georg Sulzer und dem jungen Zürcher Pfarrer Johann Georg Schultheß von Quedlinburg ab, und am 21. Juli war er in Zürich.

Bodmer war damals etwa doppelt so alt als Klopstock. Er war ein gescheiter, beweglicher, witziger Geist, der die deutsche Literatur mit fruchtbaren Ideen bereichert hatte. Aber er war selber kein Dichter, und er teilte, trotz seinen anregenden Gedanken über das Schaffen des Dichters, mit seinen Zeitgenossen die alte Ansicht, daß Kenntnis, Verstand und Fleiß die Hauptanreger der Phantasie seien. Dazu war der kaufmännisch Geschulte ein nüchterner und rechnender Zürcher, dem das ausgelegte Geld auch etwas einbringen sollte. Er hatte Klopstock zu sich kommen lassen, um ihm die Möglichkeit zu geben, den „Messias" zu vollenden. Hatte Fanny versagt, so wollte er sich gleichsam an ihre Stelle setzen und Klopstock die Anregung und Anleitung bieten, deren er, nebst der Sorglosigkeit des Lebens, bedurfte. Klopstock sollte unter seiner Aegide und im Wetteifer mit ihm dichten. Dazu kam, daß er sich seinen Gast als einen zarten, ätherischen Geist vorstellte. Klopstock war an dieser Vorstellung nicht unschuldig; hatte er Bodmer doch, ein bißchen heuchlerisch, in seinem ersten Brief geschrieben, er sei von gebrechlichem Körper und werde wohl nicht zu hohen Jahren kommen. Und nun zeigte es sich: der Ankömmling war kein Duckmäuser und kein Todeskandidat, sondern im Gegenteil ein selbstbewußter, gesunder, lebenslustiger junger Mann, der die Mädchen nicht nur anschwärmen, sondern auch küssen wollte. Bodmer selbst lebte sehr eingezogen in seinem auf einer Anhöhe vor der Stadt liegenden Hause zum Schönenberg, er trank keinen Wein, ging früh zu Bett und sparte seine ganze Kraft für die Arbeit. Klopstock, der offenbar um Bodmers Lebensweise wußte, hatte ihm daraufhin geschrieben: „Meine körperliche Gegenwart muß in Ihrem Hause beinahe unmerklich sein; sie muß da auch nicht die mindeste Veränderung hervorbringen. Aber er hatte sich auch erkundigt: „Wie weit wohnen Mädchens Ihrer Bekanntschaft von Ihnen, von denen Sie glauben, daß ich einigen Umgang mit ihnen haben könnte?" Er hatte dann, den platonischen Sinn seiner Frage unterstreichend, noch hinzugesetzt: „Das Herz der Mädchens ist eine große, weite Aussicht der Natur, in deren Labyrinthen ein Dichter oft gegangen sein muß, wenn er ein tiefsinniger Wisser sein will." Das schiefe, widersprüchliche Bild, das Klopstock zur Beschönigung seines Wunsches gebraucht, hätte Bodmer mißtrauisch stimmen können. Daß er den Widerspruch nicht merkte, war seine Schuld. Neben seinem ehrlichen Bestreben, Klopstock zu fördern und damit der Dichtung einen Dienst zu tun, hatte ihm auch seine Eitelkeit, der Schutzgeist des großen Sängers zu sein, einen Streich gespielt.

Denn neben Bodmer bewarb sich auch ein ganzer Kreis von jüngeren Zürchern und Zürcherinnen heiß um die Gunst des gefeierten Sängers des „Messias", und sie benützten nur zu gern seine Anwesenheit, um durch Feste aller Art, die sie ihm zu Ehren veranstalteten, den steifen Sittenvorschriften von Staat und Kirche ein Schnippchen zu schlagen. Kaum war Klopstock zehn Tage in Zürich, so vereinigte man sich, am 30. Juli, zu der berühmten Fahrt auf dem Zürcher See, die Klopstock besungen und J. C. Hirzel, der Stadtarzt, als Teilnehmer an dem Ausflug in einem Brief an Kleist beschrieben hat. „Die süße Harmonie achtzehn edler Seelen — es waren neun junge Männer und ebenso viele Mädchen und junge Frauen — machte diesen Tag zu einem der glücklichsten unseres Lebens." Seltsam mischte sich in der Stimmung der Gesellschaft seelische Entrücktheit in die höchsten Reiche des Gefühls mit munterster, ja ausgelassenster Lebenslust. Man sang Hallers Lied auf seine Doris; man veranlaßte aber auch Klopstock, aus den noch nicht gedruckten Teilen des „Messias" vorzulesen und empfand dabei „noch nie gefühlte Wehmut". Selbst das Herz des witzigen und nüchternen Stadtarztes „suchte sich durch Tränen zu erleichtern, welche der Wohlstand zurückhalten hieß". Als man in Meilen beim fröhlichen Mahle saß und die Gläser auf Kleists, Gleims und Fannys Gesundheit klangen, „herrschte tiefe Ehrfurcht". Klopstock erwiderte mit einem sanften Ernst, der die Empfindungen „seiner großen Seele verriet". Aber wie man auf der Au landete und die Pärchen sich im Wald zerstreuten, hüpfte Klopstock, von Freude belebt, mit seinem Mädchen durch den Wald, und auf der Rückfahrt eroberte er gar von der Sprödesten einen Kuß, „und wir eroberten auch Küsse", fügt Hirzel beschämt und beglückt bei.

All das war nicht nach Bodmers Sinn. Hatte er noch einen Tag vor der Fahrt gegenüber seinem Freund Zellweger geschwärmt: „Jetzt sind die heiligen Stunden, da der heilige Poet, der liebenswürdigste Jüngling bei mir ist", und von jenem Tag „eine neue Epoque" seines Lebens angefangen, so mußte er Klopstock fünf Wochen später als einen Menschen bezeichnen „so groß in seinem Gedicht, so klein und gemein in seinem Leben". Damals trat der Bruch ein. Klopstocks Lebensführung paßte nicht zu der Bodmers. Er verließ dessen Haus und siedelte in das des jungen Fabrikanten Hartmann Rahn über, der später sein Schwager und Fichtes Schwiegervater wurde. Häßlich war, daß Bodmer jetzt von Klopstock eine Quittung über das vorgeschossene Reisegeld und darauf seine Rückerstat-

tung forderte, worauf Klopstock in schroffster Form ihm seine kleinliche
Gesinnung vorhielt. Es kam im Februar eine Versöhnung zustande, aber
das zärtliche Verhältnis blieb zerstört.

Wenige Wochen vor der Ankunft in Zürich hatte Klopstock durch den
dänischen Minister Bernstorff die Nachricht erhalten, König Friedrich V.
habe ihm ein Ehrengehalt von vierhundert Talern ausgesetzt: zugleich
war er eingeladen worden, nach Kopenhagen zu kommen. Jetzt entschloß er
sich, die Einladung anzunehmen. Am 5. Februar 1751 verließ er Zürich
und reiste über Hamburg nach Kopenhagen. In Hamburg hatte er in
Meta Moller, seiner späteren Frau, einen Ersatz für Fanny gefunden.

Sein Leben in der dänischen Hauptstadt war das eines persönlichen
Gastes des Königs und eines Fürsten der Dichtung. Johann Elias Schlegel,
der etwa ein Jahr lang Professor an der Ritterakademie in Sorö gewesen
war, hatte als Vermittler deutschen und dänischen Geistes in Dänemark
gewirkt. Klopstock trat auf als der Sendbote seines eigenen Ruhmes. Ihm
war die Gunst des Königs zuteil geworden, damit er seinen „Messias"
vollenden könne. Daran hielt er sich. Sein Gönner hätte gerade so gut ein
anderer Fürst sein können, am liebsten ein deutscher. So fühlte er keine
Verpflichtung, unter dem dänischen Volke heimisch zu werden. Er lebte
gleichsam exterritorial unter ihm. Dieses Verhältnis blieb auch unter Friedrichs Nachfolger Christian VII. Als man Ende der 60er Jahre in Wien sich
mit dem Plane der Gründung einer Akademie der Wissenschaft trug,
arbeitete Klopstock auf den Rat des ihm befreundeten österreichischen
Gesandten in Kopenhagen dafür einen Entwurf aus. Er widmete Josef II.,
um ihn seinem Plane geneigter zu machen, sein Schauspiel „Hermanns
Schlacht". Aber er hatte mit dem Habsburger nicht mehr Glück als mit
dem Hohenzollern. Sein Entwurf wurde nicht ernstlich geprüft, und es
blieb ihm nichts anderes übrig, als auch diesen Groll der Muse zu klagen.

Der Sturz seines Gönners Bernstorff im Jahre 1770 bewog Klopstock,
nach Hamburg überzusiedeln. Hier hat er 1773 endlich seinen „Messias"
vollendet und zwei weitere nationale Dramen, „Hermann und die Fürsten" (1784) und „Hermanns Tod" (1787) geschrieben. Auch die aus
kluger Wissenschaft und gelehrter Schrullenhaftigkeit gemischte „Ge-
lehrtenrepublik", ein Entwurf zu einer deutschen Akademie, ist 1774 hier
entstanden. Keines dieser Werke gehört mehr der lebendigen Literatur
seiner Zeit an. Daran ist sein zwanzigjähriger Aufenthalt in Dänemark
nur insofern schuld, als er seinem Hang, nur aus sich und für sich selbst
zu leben, Vorschub leistete. Er war so sehr in sein Selbstbewußsein ver-
sponnen, daß er an der lebendigen Entwicklung des deutschen Schrifttums
nicht innerlich teilzunehmen vermochte. Es ist bezeichnend, daß von
allem, was seit etwa 1760 im literarischen Reiche geschah, ihn nur die
Wiedererweckung der sog. Bardendichtung der alten Germanen mitriß.
Seine eigenen Bardendichtungen oder „Bardiete" entstammten jenem vaterländischen Fühlen, aus dem er in der Jugend das Epos über Heinrich den
Vogler geplant hatte. Aber ebensosehr waren sie eine zornige Flucht aus
der von undankbaren Fürsten beherrschten Gegenwart in die schönere

und freiere Vorzeit. Deutsches Fühlen und deutsche Innigkeit verbanden ihn auch mit den empfindsamen Dichtern des Göttinger Hains, die ihm, als er 1774 auf der Reise nach Karlsruhe Göttingen besuchte, überschwenglichen Weihrauch opferten.

Wenn wohl für die meisten Menschen die Jugend als die Zeit der Bildung der Persönlichkeit der bedeutsamste Abschnitt des Lebens ist, so gilt dies in ganz besonderem Maße für Klopstock. Der Überschwang seines Gefühls, die Besessenheit von sich selber, ein der Kritik oft genug entbehrender Drang ins Grenzenlose, Eigenschaften begabter Jugend, kennzeichnen ihn vor allem als Jüngling. Er ist sein Leben lang der Jüngling geblieben. Er verkörpert mit seinem Werk die Jugendblüte der großen deutschen Dichtung. Als ihren Vater haben die Jüngeren auch den Greis noch geehrt. Als er am 14. März 1803 verschied, gestaltete sich seine Bestattung zu einer Kundgebung, wie sie so großartig später weder Goethe noch Schiller zuteil wurde.

Wie in seiner seelischen Art, seinem Leben und seiner Dichtung, so bildet Klopstock auch geistig in seiner Zeit eine Welt für sich. Man hat sich über seine Zugehörigkeit zu der Aufklärung Gedanken gemacht und sich gefragt, ob er mit seiner Frömmigkeit und Wucht und dem Mangel an Verständigkeit nicht eher noch als ein Nachzügler des Barocks zu werten sei. Sicher gehört er der Aufklärung an. Schon die gewaltige Triebkraft, die sein Leben durchrauscht, das Aufstrebende, Selbstbewußte, die stolze Heiterkeit und Freiheit seines Wesens kennzeichnen ihn als einen Sohn der Aufklärung. Wenn Milton, der Dichter des 17. Jahrhunderts, in seinem „Verlorenen Paradies" die Entstehung jener Sündenschuld und Verderbnis geschildert hatte, deren Bewußtsein schwer auf dem Barockmenschen lastete, so kennzeichnet den Optimismus der Aufklärung schon das Thema von Klopstocks „Messias":

> „Sing, unsterbliche Seele, der sündigen Menschen Erlösung,
> Die der Messias auf Erden in seiner Menschheit vollendet,
> Und durch die er Adams Geschlecht zu der Liebe der Gottheit,
> Leidend getötet und verherrlichet, wieder erhöht hat."

Klopstocks „Messias" ist eine Theodizee, und es ist bedeutsam, daß das einzige Zeugnis, das uns von einem eigentlichen Philosophiestudium des Dichters berichtet, erzählt, er habe in Leipzig einmal vierzehn Tage lang seine Wohnung nicht verlassen, weil er über Leibnizens „Theodizee" gesessen habe. Aber er schrieb seine Theodizee nicht in der Sprache des Philosophen, sondern in der des religiösen Dichters. Ihm genügte, um Gottes Welteinrichtung zu rechtfertigen, der Vorstellungsschatz des Christentums, vor allem in jener Vertiefung ins erschütternde Erlebnis, wie sie der Pietismus vermittelte.

Klopstock war in der Tat des Glaubens, daß es ihm gegönnt sei, in mystischer Erhebung der Seele Gott zu erleben. Als er seine Ode „An den Erlöser" 1773 verfaßte, die am Ende des „Messias" steht, ergoß sich — so erzählt eine Besucherin, Frau von Winthem — seine volle Seele in den heißesten Dank an den Erlöser: „An dem Morgen, wo er diese Ode dichtete, stand er da mit ungewöhnlichem Ernst, mit zurückgebeugten Händen auf dem Rücken (einer ihm überhaupt sehr eigenen Stellung). Sie sieht ihn an. Er schweigt immer ernster. Er atmet kaum. Dieser Anblick ergreift sie so, daß sie fragt: Fehlt Ihnen was, Klopstock? — Noch einen Augenblick, so stürzen ihm die Tränen aus den Augen. Er geht an seinen Tisch, ohne zu antworten, und in wenigen Minuten ist sein Dank aus dem Herzen herausgeströmt: Ich hofft' es zu dir ... !"

Klopstocks Streben ins Grenzenlose erreicht in dieser unio mystica sein höchstes Ziel: das Gefühl wird zum Gedanken, der Denker zum Dichter und der Dichter zum prophetischen Schauer Gottes.

2. WIELAND UND DIE IRONIE

> „Es hat mir so wollen behagen,
> Mit Lachen die Wahrheit zu sagen."
>
> Grimmelshausen

Man kann die Aufklärung betrachten als eine gewaltige Auflehnung des menschlichen Geistes gegen die naturgegebene Wirklichkeit und ihren gottbedingten Ablauf. Was vorher dem menschlichen Urteil entzogen war, wird ihm nun unterstellt. Wenn vorher Gott willkürlich den Gang der Natur lenkte, ihre Gesetze bestimmte, die er auch, in wuderbaren Geschehnissen, durchbrechen konnte, so diktierte nun, wie Kant es ausgedrückt hat, der menschliche Verstand der Natur ihre Gesetze, und diese waren, mathematisch begründet, unverletzlich. Wenn vorher Gottes Güte oder Zorn allmächtig das Schicksal der Menschen bestimmt hatte, so ergriff der mündig gewordene Mensch nun selber die Zügel seines Lebens und baute sich aus eigenem Geiste eine Kultur auf, die den Zweck hatte, ihn auf Erden gegen alle Tücken des Schicksals zu sichern und ihm Glück und Wohlstand zu gewährleisten.

Diese Auflehnung des menschlichen Geistes — der Vernunft, wie man damals mit einem Worte sagte, dessen Inhalt unsern Begriff Vernunft übersteigt — wirkt sich auch im dichterischen Schaffen aus. Der Dichter wird „sentimentalisch". Das ist die große Erkenntnis Schillers, der ja, in viel höherem Maße als Goethe, noch mit dem Denken der Aufklärung verbunden war, indem er sich der Natur nicht einfügte, sondern entgegenstellte, sie mit seinem Verstand durchleuchtete und so überwand. Sentimentalisch wurde der Dichter, indem er die Naturwirklichkeit nicht rein in sich wirken und im Werke sich aussprechen ließ, sondern über den Eindruck reflektierte, den die Gegenstände auf ihn machten, und diese reflektierten Gegenstände im Werke darstellte, nicht als das Bild auf der reinen und ruhigen Oberfläche eines Spiegels, sondern als das auf der flutenden und bewegten Masse eines Gewässers, vertieft, verzerrt, selber lebendig bewegt. Je nach dem Gemüte des Dichters kann die Verzerrung oder Verwandlung der Wirklichkeit eine verschiedene sein. Überwiegt die Empfindungskraft, so löst sie den Gegenstand in der Flut der Gefühle auf, überströmt ihn, macht seine Konturen undeutlich und flimmernd. Der Gegenstand erscheint idealisiert im Sinne von verschönert. Überwiegt die Verstandeskraft, so besteht die Verzerrung in einer übertriebenen Schärfung der Konturen des Gegenstandes, in einer Durchleuchtung mit unbarmherzig hellem Licht, so daß alle Flecken und Mängel überdeutlich sichtbar werden. Schiller spricht im ersten Falle von der elegischen, im zweiten von der satirischen Dichtung. Es ist aber auch möglich, daß die Linien sich überschneiden, und daß das von der Wirklichkeit verletzte Gefühl dem Verstande den Antrieb gibt zur satirischen Verzerrung und

der scharfe Verstand dem Gefühl das mangelhafte Bild vorhält und es
damit in Erregung versetzt. Klopstock, als Mensch des überströmenden
Gefühls, kann im Ganzen als Dichter der Empfindsamkeit betrachtet werden; aber wenn er seine Oden mit zornigen Anklagen gegen Friedrich II.
füllt, so wird seine Elegie zur Satire. Ebenso stehen in den Gedichten des
jungen Schiller Elegien — Die Lauraoden — und Satiren — z. B. „Der
Venuswagen" — nahe nebeneinander.

Die Schärfung des Verstandes durch Kritik und Logik, wie sie das neue
Bildungsideal der Aufklärung mit sich brachte, erleichterte, ja bedingte
die Entstehung satirischer Dichtung. Nicht als ob es dem Barock an Satiri-
kern gefehlt hätte. Aber die Satire wird nun freier, beweglicher, überlegener und umfassender. Sie wächst aus einer ganz anderen Lebensstimmung
hervor. Diese neue Stimmung ist die der Ironie als des Bewußtseins der
Autonomie. Gegen 1740 wird sie der eigentliche Lebensatem der Satire.
Sie besteht in der unbedingten Überlegenheit des freien und selbständigen Geistes über die Bedingtheiten der oft so kleinlichen, bedrängten und
bedrängenden Wirklichkeit. Sie ist der Triumph des Geistes über die Welt
des Stoffes. Wächst sie schon etwa aus dem Gefühl des Zorns, der Rache
hervor, so hat sie in der Leistung, die sie hervorbringt, mit Empfindung
gar nichts mehr zu tun. Sie zerstört sie geflissentlich. Denn für den Ironiker ist Empfindung Unfreiheit, die das Urteil da trübt, wo der Mensch
kraft seiner Menschenwürde Herr sein muß über die Widerstände und
Widersprüche der äußeren Welt. Niemand kennt die Relativitäten der
Wirklichkeit so gut, wie der Ironiker. Er weiß, daß er, als Teil der Wirklichkeit, in sie verflochten, von ihnen gehemmt ist. Er kann nur über sie
triumphieren, indem er sich geistig über sie hinausschwingt; indem er sie
verlacht. Dadurch rettet er nicht nur sich vor der Vergewaltigung durch
die Materie; er vermag dadurch auch den andern die Augen zu öffnen
über den wahren Wert der Dinge und sie mit sich in die Freiheit zu heben.

Der liebenswürdigste derer, die sich im Kampfe gegen die Unwerte aller
Art der Ironie bedienten, war Gottlieb Wilhelm R a b e n e r. Rabener gehörte als Mensch und Schriftsteller in jenen Kreis der Anakreontik, in
dem behaglicher Genuß der Freuden des Tages in den Schranken der Tugend Sinn und Inhalt des Lebens war. Er war, wenn je einer, ein Weiser.
Als 50jähriger schildert er einmal (8. Juli 1764) seinem Freunde Johann
Adolf Schlegel seinen Tageslauf: „Ich bin, trutz aller meiner Arbeit, gesund
und vergnügt; denn das Podagra, von welchem ich ein Kandidat zu sein
glaube, halte ich vor keine Krankheit. Ich habe Ihnen oben gesagt, wie
mein Tag eingeteilt ist, aber jede Stunde, die ich mir abstehlen kann,
wende ich zur Bewegung und zum Vergnügen an. Ich fahre, ich gehe, ich
tanze, ich genieße alle Divertissements. Ich habe Gesellschaften, aber wenige und gewählte. Mit einem Worte, ich lebe glücklich und, weil es nun mit
mir stark bergunter geht, so will ich, so gut ich kann und darf, die Welt
genießen, in die ich niemals wiederkomme, wenn ich hinaus bin, und mit
der ich allemal sehr zufrieden gewesen. Der Gedanke, daß ich vielleicht
bald abtreten muß, ist bei meinen einsamen und ruhigen Stunden dem-

ungeachtet einer von meinen vergnügtesten Gedanken. Sie glauben nicht, wie sehr mir dieses meine Heiterkeit erhält. Überhaupt hat mich Gott vor vielen meiner Freunde glücklich gemacht. Ich genieße dieses Glück in voller Masse. Ich habe seit drei Jahren aufgehört zu wünschen, denn seit drei Jahren bin ich in meinem itzigen Amte (er war Steuerrat), wo ich viel, sehr viel Arbeit habe, die mir aber nicht sauer wird, und mit wenigem Verdrusse verbunden ist; wo ich vielen tausend Untertanen unbemerkt ihre Steuerlast erleichtern kann, wo ich bei meinen Obern und Untern Zutrauen und Freundschaft habe; wo ich, nach dem Verhältnisse meiner Arbeit, nicht reichlich bezahlet werde, aber doch mehr habe, als ich brauche; wo ich, wenn ich heute sterbe, alles in seiner Ordnung hinterlasse: mit einem Worte, wo ich so glücklich bin, daß mir nichts fehlet, als Sie, mein lieber Schlegel, und meine andern freundschaftlichen Beiträger."

Als ihn 1767 ein erster Schlaganfall traf, berichtete er darüber an Christian Felix Weiße: „Sonnabends halb zwei Uhr fuhr ich von Ihnen (von Leipzig) wohl gesättigt ab, und kam bei garstigem Wege und vieler Gefahr Sonntags mittags um zwölf Uhr in Dresden glücklich an. Aber wie befinden Sie sich mit Ihrer guten kranken Frau? Das will ich vorher wissen. — Dienstags abends speisete ich, oder saß vielmehr bei einem guten Freunde, aß gar nichts, und trank nur ein Glas Wein; setzte mich gesund nieder und stund krank auf. Kaum konnte ich meine Wohnung erreichen und fand, daß mir die linke Hüfte ganz kraftlos, die linke Hand eingeschlafen, der linke Backen ohne Empfindung und bei manchen Worten die Sprache stammelnd und schwer war. Die Nacht ging noch gut vorbei. Früh ließ ich meinen Arzt holen, und mußte, nach eingenommener Arznei, über Hals und Kopf zur Ader lassen ... Kurz, es war eine Hemiplegie. Ich habe noch Stubenarrest, befinde mich aber ziemlich besser. Wenn die Holoplegie kömmt: Adieu, mein Herzens-Weiße, ich empfehle mich Ihnen, Ihrer besten Frau und Ihrer kleinen bande joyeuse zu gutem Andenken! Adieu Spargel, Austern, Lerchen und Witz!"

Er war aber nicht nur ein weiser, sondern auch ein gütiger und liebenswürdiger Mensch. Weiße bezeugt, er habe keinen Feind gehabt, und wenn andere, die das Lächerliche und Ungereimte so leicht bemerkten, nach und nach den Menschen gering zu schätzen anfingen, so sei diese Verachtung gegen das menschliche Geschlecht, mit welcher Wohlwollen und Güte nicht bestehen könne, nicht in Rabeners Charakter gewesen. Reizvoll zeigt sich seine Liebenswürdigkeit in einem Briefwechsel, den er über ein Vierteljahr hindurch mit einigen jungen Mädchen geführt hat, die unter dem erdichteten Namen Charitas an ihn geschrieben hatten. Er führte ihn, auch nachdem ihm ein Zufall die Namen der Briefschreiberinnen entdeckt hatte, noch lange fort aus reiner Freude an dem anmutigen Spiel. Immer wieder versuchten die Leute, seine Gemälde menschlicher Torheiten auf bestimmte Personen zu deuten. Da veröffentlichte er in seiner Zeitschrift „Der Jüngling" ein „Märchen vom 1. April" und schilderte darin eine Reihe von Charakteren, die er mit Anfangsbuchstaben bezeichnete. Als die Leser darauf diese auf bestimmte Personen deuteten, beschämte er sie, indem er zum Schlusse nachwies, daß alle diese Initialen zusammen einfach einen Spruch des Persius bildeten.

Vielleicht der geistreichste Witz, aber, den dieser liebenswürdige und gütige Mensch sich leistete, war, daß er in seinem bürgerlichen Leben aus Neigung und Überzeugung Steuerberater war. Am 17. September 1714 in Wachau bei Leipzig als Sohn eines Rittergutsbesitzers geboren, besuchte er die Fürstenschule in Meißen, wo Gellert und Gärtner seine Mitschüler waren, und studierte dann die Rechte in Leipzig. Schon da beschäftigte er sich am liebsten mit Steuersachen. Er wurde darauf Steuerrevisor in Leipzig, später Obersteuersekretär und Steuerrat in Dresden. Sein Amt speiste seine schriftstellerische Tätigkeit aus zwei Quellen: der Verkehr mit den Leuten gab ihm Menschenkenntnis, und die Nüchternheit seiner Beschäftigung regte seine Phantasie an, sich dichterisch auszuleben. „Alle meine Satiren", bekannte er Weiße, „habe ich auf meinen Expeditionen und während solcher Geschäfte gemacht, wo ich mit den Antipoden des Witzes zu tun hatte." Seine Satiren veröffentlichte er zuerst in Schwabes „Belustigungen des Verstandes und Witzes", später in den „Bremer Beiträgen".

Als Dresden im Juli 1760 von den Preußen beschossen wurde, verlor er durch den Brand seines Hauses fast seine ganze Habe, darunter alle seine Manuskripte. „Unsere Briefe", schrieb er in einer Schilderung des Unglücks, „sind so oft vergnügt und scherzhaft gewesen; dieser mag einmal traurig sein. Nicht allzu traurig, ich gebe Ihnen mein Wort; denn mein Verlust, so weh er mir auch tut, hat mir doch nicht eine Träne gekostet und mir keine unruhige Minute gemacht. Mir selbst ist das unbegreiflich. Es war weder Unempfindlichkeit, noch Philosophie; eine Gnade von Gott war es, ich erkenne es dafür, daß ich mit der größten Gelassenheit mein Haus brennen sah, und mit eben der Gelassenheit hernach anhörte, daß alles verloren sei." Bei dem ganzen Unglück reizte das Betragen der andern seine satirische Laune: Einige waren stille und verdrüßlich, einige beteten, und man sahe es ihnen am Maule an, wie sie mit ihrem Gott zankten, daß er es doch soweit habe kommen lassen, ungeachtet sie ihm nun seit vier Jahren die Ehre angetan, und fleißig gebetet. In einem anderen Winkel saßen einige politische Kannengießer und machten für Daunen — den österreichischen Feldmarschall Daun — einen Operationsplan, wurden aber sehr uneinig, weil sie sich über den kleinen Nebenumstand nicht vergleichen konnten, ob sie den König von Preußen mit seiner Armee wollten zu Kriegsgefangenen machen, oder nicht lieber alles über die Klinge springen lassen. Ich war für das letztere, aber ich ward überstimmt." Persönlich hatte er, wie Gellert, die Achtung zu spüren, die seine Satiren ihm eingetragen hatten. Er wurde von den vornehmsten Offizieren des preußischen Heeres aufgesucht. Prinz Heinrich unterhielt sich mehrmals mit ihm. Sogar der König verlangte ihn zu sprechen.

Von dem ersten Schlage, der ihm 1767 die linke Seite lähmte, erholte er sich wieder. Ein zweiter am 7. März 1769 schwächte seine Kräfte und zerstörte seinen Witz und seine Fröhlichkeit. Am 22. März 1771 starb er eines sanften Todes.

So verwunderlich es klingt: gerade Rabener mit seinem gütigen und liebenswürdigen Charakter beweist, daß auch die ironische Verspottung der Verkehrtheiten der Menschen in den Beglückungsplan der Aufklärung gehörte. In dem Aufsatz „Vom Mißbrauche der Satire" bezeichnet Rabener die allgemeine Menschenliebe als den Grund seines Berufes: „Die Laster zu schrecken, die lächerlichen Fehler den Menschen verächtlich vorzustellen, vernünftige Bürger zu schaffen, alle Welt mit mir glücklich zu machen; sind euch diese Ursachen nicht wichtig genug?" Dazu aber muß der Satirenschreiber ein redliches Herz haben. Er muß die Schreibart mit einer außerordentlichen Vorsicht wählen, wenn sie nicht anstößig werden soll, und er darf niemals persönlich werden. Das ist der Unterschied zwischen Satire und Pasquill. Ein Pasquill ist eine Schmähschrift, mit der man anonym den ehrlichen Namen eines andern verunglimpft. Die Satire will durch Aufdeckung allgemeiner Gebrechen oder Fehler die Menschen bessern. Wenn man, sagt er in dem Aufsatz „Von der Zulässigkeit der Satire", den Satirenschreiber fragt, ob er denn selber ohne Fehler sei, daß er sich um die Mängel des Nächsten bekümmern könne, so antwortet er: „Daß ich selbst nicht ohne Fehler bin, solches benimmt dem Wert der Sache nichts. Mancher zeigt den Menschen den Weg zum Himmel, den er vielleicht selbst nicht geht, und dennoch bleibt sein Vortrag eine göttliche Wahrheit, welcher ich zu folgen verbunden bin. Die Erbauung muß allezeit die Hauptabsicht einer Satire sein."

Rabener schöpft klug und behutsam aus dem reichen Schatze einer Menschenkenntnis, die sich frei über das Ganze des bürgerlichen Lebens verbreitet, richtet den Blick nur auf das allgemeine Wesen des Gebrechens und stellt es so dar, daß seinen Gestalten jegliche Beziehung auf einzelne Personen fehlt. Sicherlich hat er viel aus den Gesellschafts- und Charakterschilderungen der Moralischen Wochenschriften gelernt, aber die liebenswürdige Ironie seiner Darstellung entspringt seinem eigenen Gemüt. Ob er den Aberglauben und im Gegensatz dazu, die Freigeisterei verspottet, die stutzerhafte Anwendung der Modephilosophie bloßstellt, den Mißbrauch der Dichtung zu häuslichen Anlässen, die Protektionswirtschaft eines Professors und die hochnäsige Verachtung der Bildung durch einen Landjunker, Titelsucht, Mode und Ämterkauf lächerlich macht: alles ist so tief geschaut und mit so feiner Bosheit dargestellt, daß seine Satiren nicht nur stofflich noch heute wahr sind, sondern auch heute noch zu unterhalten vermögen.

Man bedauert nur, daß seine Erfindungskraft nicht ebenso groß war, wie seine Beobachtungsgabe und sein Witz, und daß es ihm nicht gegeben war, die geistigen und stofflichen Elemente seiner Satire über bloße Ansätze hinaus zu eigentlichen Erzählungen zu verdichten. Das gelang in ganz besonderem Maß Christoph Martin W i e l a n d. Was ihn von den anderen Dichtern seiner Zeit unterscheidet, ist seine Erlebniskraft. Sie zwang ihn zu einer Zeit, wo die meisten das Wort von der besten Welt bereits als etwas Selbstverständliches betrachteten und danach lebten, wo ein Klopstock in seiner geistigen Selbstsicherheit sich hochmütig über die Mängel der Zeit hinwegsetzte, ihr Grundproblem, das Verhältnis von Tugend und Genuß, Geist und Sinnlichkeit an seinen Wurzeln zu packen und aufs neue durchzudenken. Denn seine Natur stellte ihn nicht nur, wie es das Los der andern war, entweder auf die Seite des Verstandes oder auf die Seite der Empfindsamkeit, sie war so beschaffen, daß er ein sehr zärtliches Gemüt mit einem klaren Verstande verband. Es dauerte geraume Zeit, ehe er sich durch die Wirrnisse, in die ihn seine widersprüchliche Begabung immer wieder hineinführte, hindurchgekämpft hatte zu der Ironie eines lächelnden, sowohl verstandesklaren als gemütswarmen Darüberstehens, und es bedurfte der ganzen Beweglichkeit seines Geistes, um an dieses Ziel zu gelangen.

Diese Beweglichkeit ist der Grund seiner Persönlichkeit. Am 27. März 1759 bekannte er seinem Freunde Johann Georg Zimmermann, der damals Stadtarzt in dem bernischen Städtchen Brugg war: „Ich gleiche zu meinem Leidwesen einem Chamäleon. Ich scheine grün gegenüber grünen Gegenständen, und gelb gegenüber gelben, aber ich bin weder gelb noch grün, ich bin durchscheinend oder weiß." Und kurz darauf nennt er sich einen wunderbaren, unbegreiflichen, rätselhaften Menschen, einen Fanatiker in den Augen der einen, einen Heuchler in den Augen der anderen, inkonsequent für ernste und schwerfällige Geister, verrückt für die Weltleute, einen Poeten für die Philosophen, einen Philosophen für die Poeten, oberflächlich für die Pedanten, lächerlich oder vielleicht verächtlich für die mittelmäßiger Geister, „que sais-je moi" (er schreibt französisch). In der Tat. Man braucht bloß die Schriftsteller zu nennen, für die er im Laufe seines langen Lebens bald gleichzeitig, bald nacheinander geschwärmt hat: Klopstock und Voltaire, Plato und den jüngern Crébillon... Er hat an Bodmers Seite gestritten und gedichtet, hat Shakespeare und Lukian übersetzt, im Stile der Stürmer und Dränger Briefe geschrieben und dem jungen Heinrich von Kleist prophetisches Lob gespendet — eine Wendigkeit, die genau das Gegenteil ist von Klopstocks pathetischer Starrheit. Sein Geist ist eine Wasserfläche, die Himmel und Erde in sich spiegelt und jeden Augenblick Gestalt und Farbe wechselt.

Und doch hat er recht, wenn er den Zusammenhang in all seinen Sprüngen und Ungleichheiten betont: „Ich bin weder gelb noch grün, ich bin durchscheinend oder weiß." Den Zusammenhang bildet sein beweglicher Geist. Das im tiefsten Sinn Aufklärerische an ihm. Denn die Aufklärung leitete, nach der langen Starrheit der Orthodoxie, eine Epoche der Bewegung ein. Sicherlich wirkte Wielands Beweglichkeit sehr oft nur auf der Oberfläche der Dinge, denen er gerade seine Liebe schenkte, und wenn man ihn etwa den deutschen Voltaire genannt hat, so ist zu sagen, daß Wieland viel zu weich und verbindlich war, als daß er jenen unweigerlichen Ernst, jene unerbittliche Schärfe und diabolische Bosheit aufgebracht hätte, die Voltaire in den Fragen an den Tag legte, in welchen er keinen Spaß verstand — Wieland verstand nur zuviel Spaß, und er war gutmütiger als Voltaire. Als Goethe seine „Alceste" in „Götter, Helden und Wieland" grausam verspottet hatte, reichte ihm Wieland zuerst die Hand der Versöhnung und nannte das Pamphlet in seinem Deutschen Merkur selber ein Meisterstück von Persiflage und sophistischem Witze. Man muß, wenn man wissen will, wer Wieland als Mensch und Schriftsteller gewesen ist, die wundervolle Gedächtnisrede lesen, die Goethe in der Loge auf Wieland gehalten hat. „Woher kam die große Wirkung", fragte er, „welche er auf die Deutschen ausübte?" Und antwortet: „Sie war eine Folge der Tüchtigkeit und der Offenheit seines Wesens. Mensch und Schriftsteller hatten sich in ihm ganz durchdrungen: er dichtete als ein Lebender und lebte dichtend ... Reizbarkeit und Beweglichkeit, Begleiterinnen dichterischer und rednerischer Talente, beherrschten ihn in hohem Grad; aber eine mehr angebildete als angeborene Mäßigung hielt ihnen das Gleichgewicht." Mit diesen Eigenschaften hat er auf seine Zeit einen Einfluß ausgeübt, wie er Klopstock niemals beschieden war, und man darf sagen, daß ein großer Teil der gebildeten Deutschen der zweiten Hälfte des Jahrhunderts Wertvollstes ihres sittlichen und geistigen Gutes ihm verdankte. Er gehörte zu den Schriftstellern, die man nicht nur lobte, die man auch las.

Aber diese Reizbarkeit und Beweglichkeit, wovon Goethe spricht, macht nun die innere Linie seiner Entwicklung auch viel weniger einfach und klar, als sie bei Klopstock oder auch Lessing ist. Denn indem diese seine angeborne Natur ihn zu allen neuen Ideen bestimmte, die die Zeit aufrührten, stieß sie zugleich mit allem Alten, Steifen und Gerechten zusammen, in das er hineingestellt war. Dieses Alte vermochte ihn, gerade weil der Stoff seiner Seele so weich und biegsam war, immer wieder zu unterjochen; aber ebenso oft entwand sich seine bewegliche Seele dem Zwang, und immer reiner bildete sich sein natürlicher Charakter aus. Der Kampf zwischen diesen beiden Mächten, die sich in ihm in immer neuen Gestalten oder auch nur Masken einander gegenüberstanden, bestimmte den seltsam gewundenen Gang seiner inneren Entwicklung in seiner Jugend und seinen ersten Mannesjahren.

Er war am 5. September 1733 in Oberholzheim, einem Dorfe in der Nähe der schwäbischen Reichsstadt Biberach, als Pfarrerssohn geboren. 1736 wurde der Vater Pfarrer in Biberach selber. Früh zeigte sich eine außergewöhnliche Leichtigkeit zur Verfertigung von lateinischen und deutschen Versen — Brockes war damals sein Vorbild. Mehr Wielandischen Geist dürfte ein Gedicht von sechshundert Versen im Genre Anakreons von der Echo und eine juvenalische Satire gezeigt haben. Der Vater war ein Verwandter von August Hermann Francke, und als man nach einem Gymnasium Umschau hielt, wurde die pietistische Anstalt Kloster Bergen bei Magdeburg gewählt. Hier regte sich bei dem Knaben zum erstenmal deutlich die eigene Art. Er las heimlich französische Aufklärer, Fontenelles „Histoire des oracles", d'Argens, Bayle, Voltaire, von den Deutschen Leibniz und Wolff. Das geschah von 1746 an. Der Kampf zwischen Gottsched und den Zürchern entzündete die Gemüter der Literaturbeflissenen.

Auch Wieland wußte sich die Hauptschriften der beiden Parteien zu beschaffen, dazu Haller und Klopstock und die Werke der Bremer Beiträger. Er habe hier, berichtete er später Bodmer, die Gründe in allen philologischen, mathematischen und philosophischen Wissenschaften, wie auch in der Theologie gelegt, fast alle Autoren des goldenen und silbernen Zeitalters gelesen. Man mag sich denken, wie es in seinem reizbaren Gemüte zu gären anfing. Vor allem philosophische Gedanken zogen ihn an. Hatte er schon in Biberach Schneiders philosophisches Lexikon verschlungen, so „abandonnierte er jetzt alles um die Philosophie": so sehr war er der Sohn seiner Zeit, und so ernsthaft lebte er ihr Werden mit. Aber zugleich war sein Geist so weich und biegsam, daß er sich von den entgegengesetzten Ideen seiner philosophischen Lehrer hin- und herziehen ließ und bald Idealist, bald Materialist und manchmal beides zugleich war. Er soll damals einen philosophischen Aufsatz geschrieben haben, „worin ich — berichtet er Bodmer — aus philosophischen Prinzipien, die ich durch einen Synkretismus der demokratisch-leibnizischen Lehren herausbrachte, zeigen wollte, wie die Venus gar wohl hätte, ohne Zutun eines Gottes, durch die innerliche Gesetze der Bewegung der Atomen, aus Meerschaum entstehen können, und daraus den Schluß machte, die Welt könne ohne Gottes Zutun entstanden sein. Ich bewies aber in eben dieser Schrift, daß Gott nichtsdestoweniger als die Seele dieser Welt existiere."

Soll man hier mehr die geistige Dialektik bestaunen, mit der der Jüngling mit philosophisch-theologischen Ansichten spielte, oder die logische Unklarheit verurteilen, mit der er Unvereinbares vereinte? Es muß ihm ernst gewesen sein mit seinen Bemühungen, und wie er an der Wirklichkeit Gottes zu zweifeln begonnen, habe es ihm viele Tränen und schlaflose Nächte gekostet.

Das mahnte zum Aufsehen. Es kam zu einem kleinen Schulskandal, von dem viel gesprochen worden sein muß; auch Lessing hat davon erfahren, wie eine dunkle Anspielung in den Literaturbriefen beweist. Aber beide Teile hatten ein Interesse daran, die Sache in Güte und ohne unnötiges Aufsehen beizulegen. Das schwarze Schaf wurde ausgesondert, und Wieland wurde für ein Jahr einem Verwandten in Erfurt, Doktor Baumer, zur weiteren Ausbildung übergeben. Die Meinung war sicher gut. Dr. Baumer galt als Philosoph. Er sollte dem erkenntnishungrigen Jüngling den Kopf klären. Aber Wielands Eltern dürften doch kaum gewußt haben, wie sehr er zugleich Aufklärer, Freigeist und Spötter war. Der „Don Quixote", der später das Vorbild für Wielands ersten Roman wurde, war sein Lieblingsbuch. Manches, was er mit überlegenem Spott über Kirche und Staat sagte, mag der Jüngling noch nicht fähig gewesen sein, zu verstehen; er habe von Baumers Philosophie eine abscheuliche Menge von Seelenblähungen bekommen, bekannte er später; aber er dankte ihm doch, daß er „aus seiner Brust den Altweiberglauben ausgerottet" habe. Als er im Frühjahr 1750 nach Biberach zurückkehrte, war er vollgestopft mit philosophischen Kenntnissen, die aber noch nicht in eine bestimmte und persönliche Denkrichtung geordnet waren. Vorherrschend war eine ironischmaterialistische und wohl überhebliche Skepsis, die ihm sein Lehrer eingeträufelt haben dürfte; aber die Möglichkeit eines sehr ausgeprägten Idealismus war nicht ausgeschlossen. Es bedurfte nur des Anlasses, um sein Denken nach einer oder der andern Richtung vorwärts zu treiben.

Er war noch jung, zärtlichen Gemütes und reizbar, und so trieb der Wind des Zufalles es in die Richtung des Idealismus.

In jenem Frühling weilte sein Bäschen Sophie Gutermann in Biberach, um sich da im Hause ihrer Großeltern von einer mißglückten Verlobung zu erholen. Sie war neunzehn, Wieland siebzehn, beide schwärmerisch und empfindsam, beide regen und gebildeten Geistes, und als sie an einem heißen Augustsonntag in der Kirche eine Predigt des Pfarrers Wieland über den Text: „Gott ist die Liebe" angehört hatten und hernach miteinander einen Spaziergang auf einen Aussichtspunkt bei Biberach machten, fanden beide, die Predigt sei in Anbetracht des feurigen Textes doch gar zu steif und kalt gewesen, und jetzt waren es die Schönheit der Natur und die Nähe des schwärmerischen Mädchens, die aus dem gärenden Chaos von Wielands philosophischen Gedanken die idealistischen zusammenfügten und den Bibeltext „Gott ist die Liebe" zur Grundidee eines philosophischen Systems machten. Sophie Gutermann mag, als Wieland, hingerissen von der Glut der Stunde, mit schwärmenden Worten ihr seine Ideen entwickelte, nicht allzu viel davon verstanden haben. Sie gab ihm den Rat, sie aufzuschreiben, und wie Wieland als Sophies neuer Verlobter im Herbst nach Tübingen ging, um die Rechte zu studieren, schrieb er „in einer sehr schwermütigen Einsamkeit" im Frühling 1751 sein erstes weltanschauliches Bekenntnis nieder, das Lehrgedicht „Die Natur der Dinge".

Ein erstaunliches Werk eines noch nicht Achtzehnjährigen, nur denkbar in einer Zeit, die so in philosophischem Denken lebte, wie das heutige Geschlecht in naturwissenschaftlich-technischen Vorstellungen, nicht nur erstaunlich um der Fülle philosophischen Wissens willen, sondern noch eher wegen der Gewandtheit, es klar in flüssigen Versen vorzutragen. Eine Erinnerung an den weltanschaulichen Dualismus in Wielands Geist enthält freilich auch dieses Gedicht: der Titel stammt aus Lukrezens „De natura rerum", jener geistvollen Darstellung des griechisch-römischen Materialismus; der Inhalt aber zeugt von Wielands damaligem Idealismus. Das Christentum, Leibniz, Plato, die pythagoreische Philosophie sind im wesentlichen seine Quellen. Aus dem Christentum stammt die Idee: Gott ist die Liebe. Aus der Monadologie die Vorstellung des Alls als erfüllt von geistigen Einheiten, deren abgestufte Reihen in der Weltvernunft oder Gott gipfeln und durch die prästabilierte Harmonie im Gleichgewicht erhalten werden. Platos Timaios hat zu Leibnizens mathematisch-logischen Ideen die mythologische Vorstellung der Zweiheit von Sein und Werden, Ideen und Sinnenwelt beigetragen. Der Demiurg hat die Welt des Werdens geschaffen. Und damit zu diesen abstrakten Gedankengebäuden ein phantasievoll buntes Gegengewicht geboten werde, webt der schwärmende Sinn des Jünglings aus Ciceros Traum des Scipio in der Schrift über den Staat noch ein pythagoreisches Jenseitsgemälde ein: das All besteht aus neun Sphären, die um den gleichen Mittelpunkt sich drehen, Fixsterne, Planeten, Erde, und dabei eine himmlische Musik, die Sphärenharmonie, erzeugen. Der Sinn und Zweck dieser derart geordneten Welt ist das Glück der Geschöpfe, das durch die Tugend gewährleistet wird — die himmlische Glückseligkeit. Daß Wieland in der „Natur der Dinge" bloß seine Verliebtheit in kosmische Ideen hypostasiert hatte und sein Wesen in Wirklichkeit nicht nach dem Jenseits des Gedankens, sondern dem Diesseits des Wirklichen strebte, zeigt sein nächstes Werk, die „Zwölf moralischen Briefe", die im Winter 1751/52 entstanden. Als er sie beendigt hatte, schrieb er: „Überhaupt bin ich der Meinung, daß Untersuchungen über solche Materien, wie die Ewigkeit der Welt, die Monaden, die Quelle der Bewegung etc. unnützlich sind. Etwa nach vierzig Jahren, so werden wir die Welt aus einem gründlichern Gesichtspunkt ansehen und über unsere Systeme lachen." Er hatte dies, kaum daß die „Natur der Dinge" die Druckerpresse verlassen, schon in den „Moralischen Briefen" getan. Ihr geistiger Grund ist sicher echter, als der des Lehrgedichtes; aber die praktische Lebensweisheit, mit der sich der 19jährige brüstet, stammt wiederum aus fremden Quellen: den „Epîtres diverses" des französisch dichtenden Westfalen Ludwig von Bar, dazu Xenophon, Theophrast, Plutarch, Epiktet, Cicero, Horaz, vor allem den Reden dex Xenophonteischen Sokrates. An ihm gefällt Wieland, daß er nicht, wie der Platonische, in allen Himmeln schwebt, sondern auf der Erde wandelt.

Neben Sokrates tritt Horaz hervor, dessen „Nil admirari" der frühweise Adept nachspricht:

> „Das erste, Freund, wo nicht das einzige,
> Das glücklich machen und erhalten kann,
> Ist nichts bewundern."

Auch dieses Bekenntnis rasch angelesene Theorie, aber immerhin eine Theorie, in der sich eigenes Wesen aussprach. Ja, in dem kurz nach den „Moralischen Briefen", im Frühling 1752, entstandenen Gedicht „Anti-Ovid" enthüllt sich der Kern seiner Seele schon recht sichtbar. Er will Ovids „Ars amandi" widersprechen, eine geistige Liebeskunst der sinnlichen des Römers entgegenstellen, aber was kann er gegen seine Natur, die ihn nicht nur die Seele, sondern auch den Leib küssen heißt:

> „Der begehrt von uns zuviel,
> Der uns im Leibe noch bloß zu Intelligenzen
> Und steinern vor den Reiz der Schönheit machen will ...
> Nein! auch der Leib, der, seiner Seele wert,
> Mit seinen Reizungen sie ehrt,
> Auch ein Gesicht, wo sich mit Anmutsstrahlen
> Die Tugenden des schönern Herzens malen,
> Auch Lippen, die die Kunst zu küssen wissen,
> Sind der Entzückung wert, mit welcher wir sie küssen."

Ein äußerer Anlaß drehte sein Schifflein wieder ab, wenn zunächst noch nicht in die Richtung des Idealismus, so doch einer gewollten Nüchternheit und Entsagung: der Wunsch, Bodmers Wohlgefallen zu gewinnen und in seine Nähe zu kommen. Sein literarischer Ehrgeiz war viel zu groß, als daß ihn das trockene Rechtsstudium befriedigt hätte. Dazu war Tübingen damals nicht gerade ein Ort der Musen. In dem Streite um das Wesen der Dichtung, der die Zeit erregte, hatten die beiden Zürcher obenauf geschwungen, seitdem Klopstock sich auf ihre Seite gestellt. Bodmer hatte Klopstock nach Zürich eingeladen, und der Messias-Dichter war sein Gast gewesen. Von Zürich war er nach Kopenhagen berufen worden. Sicher hat Wieland in Tübingen all diese Nachrichten mit begieriger Seele aufgefangen. Er wußte außerdem, daß Bodmer vor ein paar Jahren angefangen hatte, seinen Blick in die Frühzeit deutscher Dichtung und Geschichte zu wenden, indem er 1748 Proben des alten Minnesangs veröffentlicht hatte, und daß seit Klopstocks „Messias" der Hexameter das epische Versmaß war, das Bodmer pries, in dem er sich sogar selber dichtend versuchte, und vielleicht war ihm auf irgend einem Wege die Kunde zugeflogen, daß Gottscheds Schützling, der Freiherr von Schönaich, an einem Epos über Arminius arbeitete, das wirklich 1751 erschien. So setzte er sich hin und schrieb, ein gewandter Versedrechsler, der er war, im Sommer 1751 selber einen „Hermann" und schickte ihn — er hatte Eile — Bodmer zu, obgleich das Gedicht noch nicht fertig war. Den Namen des Verfassers hatte er nicht angegeben, aber er hatte dafür gesorgt, daß Bodmer ihn erfahren konnte, wenn er sich für ihn interessierte, und er war schlau genug zu wissen, daß dies der Fall war.

In Bodmer aber brannte noch die Enttäuschung, die ihm Klopstock bereitet hatte. Er übte diesmal Vorsicht. Zwar den Namen des Hexametristen begehrte er zu wissen, und erfuhr auch, daß dieser Wieland außer dem „Hermann" ein philosophisches Gedicht und „Moralische Briefe" und einen „Anti-Ovid" verfaßt hatte: das Bild, das er von dem jungen Dichter empfing, war ein bißchen unklar, und so schickte er einen jungen Freund, den Pfarrer Heinrich Schinz in Altstetten bei Zürich, ins Treffen. Dieser mußte einen Briefwechsel mit Wieland eröffnen und ihn auf Herz und Nieren prüfen. Wieland merkte schnell, was man von ihm wissen wollte, und wie er sein mußte, wenn er Bodmer sich günstig stimmen wollte. Wahrscheinlich hatte die Fama ihm auch zugetragen, was den Zwist zwischen Bodmer und Klopstock verursacht hatte; außerdem machte Bodmer kein Hehl daraus, daß er die Anakreoniker verabscheute. So beeilte er sich, sich Schinz und Bodmer als einen wahren Tugendspiegel und Musterknaben vorzustellen: „Ich bin ein großer Wassertrinker und ein geborner Feind des Bacchus", bekannte er am 4. Februar 1752, und ein paar Wochen später beteuerte er gegenüber Schinz: „Ihre anakreontischen Freunde haben sich von mir nichts zu versprechen; ich bin ein großer Wassertrinker und ein geborner Feind großer und munterer Gesellschaften." Auch den Tabak könne er nicht leiden, schrieb er am 8. Juni; wenn er gezwungen werde, in große Gesellschaften zu gehen, so halte man ihn wegen seiner Stille für einen Pedanten oder Leutescheuen.

„Eine der vornehmsten Bedingungen, auf die ich nach Zürich kommen will, ist, daß ich die jungen Toren absolut nicht zu sprechen verlange, die von meiner Liebe zu Ihnen, mein Teurer, so elend urteilen." Als Trumpf erklärt der Duckmäuser: „Ich kenne Boccaccio und des Lafontaine Contes nur vom Hörensagen und aus den Urteilen der Gelehrten und Poeten (von Lafontaine habe ich nur die Fabeln gelesen). Ich wagte es nicht, meine Seele mit so schlimmen Schriften zu verunreinigen."

Soviel Tugend konnte Bodmer nicht widerstehen, und so sprach er die Einladung aus. Das war schon im Mai gewesen. Am 25. Oktober betrat Wieland das Haus zum Schönenberg. Und diesmal schien es, als ob Bodmer den Rechten gefunden habe. Wieland war wirklich ein anderer Gefolgsmann als Klopstock. Weich und beweglich, wie er war, fügte er sich Bodmer, dichtete an seinem Tische und unter seinen Augen, nahm an seinen literarischen Händeln teil und hielt sich den Verlockungen der leichtsinnigen Zürcher Jugend fern, die ihrerseits, wie Geßner es tat, über den Tugendbold sich lustig machte. Ja, er tat in Weltfeindschaft und Entsagung noch weit mehr, als Bodmer je von ihm verlangt hatte. Bodmer, so bedürfnislos und asketisch er lebte, war doch keineswegs ein Frömmler, vielmehr ein sehr freier und unabhängiger Geist, der seine Schüler auch zu unabhängigen und freien Bürgern zu erziehen wußte. Wieland aber wandelte sich, kaum daß er ein paar Monate in Zürich war, aufs neue in einen Schwärmer und Himmelsflieger, indem er im Winter 1752/53 nach dem Vorbild der Elizabeth Rowe „Briefe von Verstorbenen an hinterlassene Freunde" schrieb und darin inbrünstig, und auch ein bißchen lüstern, die Genüsse im Jenseits beschrieb.

Was hatte ihn, nachdem er so glücklich auf dem Wege gewesen war, sich selber als Wirklichkeitsmensch zu finden, wieder in den „Idealismus" zurückgeworfen? Bodmers Persönlichkeit konnte es nicht sein; denn die war viel zu nüchtern für dergleichen Jenseitsphantastik. Wohl eher die Liebe zu der fernen Sophie Gutermann. Er hatte seine Abreise in die Schweiz ihretwegen, deren Besuch in Biberach in Aussicht stand, verzögert. „Wenn ich", schrieb er am 5. Oktober, „meine Freundin nicht noch vorher sehe, so bedaure ich sie und mich. An meiner Statt wird alsdann ein verdrießlicher, geistloser, stummer, zerstreuter Mensch kommen, der erst nach und nach wieder aufleben wird." Als Sophie endlich erschien, schrieb er: „Eben jetzt kömmt die Unvergleichliche, die ich so lange und sehnlich erwartet." Jetzt, in seiner Sehnsucht nach der Fernen, sublimierte er seine Liebe in den Briefen der Verstorbenen. Er schilderte Freuden, die ihm versagt waren. Denn es ist keineswegs ein frommer Mensch, der diese Briefe geschrieben hat, vielmehr ein zärtlicher und verliebter Jüngling. Einsiedler haben ähnliche sinnliche Phantasien gehabt. Vielleicht hat bei der künstlichen Steigerung seiner Gefühle in die Ekstase geistig sein sollender Freuden auch eine schmerzliche Ahnung mitgewirkt, daß Sophie ihn doch nicht wirklich liebte: sie hat in der Tat Ende 1753 dem kurmainzischen Hofrath La Roche die Hand gereicht und ist damit zur späteren Schriftstellerin Sophie La Roche geworden.

Die „Briefe von Verstorbenen" waren aber die letzte Ausschweifung ins Reich übersinnlicher Schwärmerei. Bald darauf kehrte Wieland zu seinem eigenen Selbst zurück. Ein Zeichen dafür ist, daß er im Sommer 1754 Bodmers Haus verließ und als Privatlehrer in das des Amtmanns Grebel übersiedelte. Im Herbst kam es zu einer heftigen Auseinandersetzung mit Bodmer, der damals die Einsicht gewonnen haben muß, daß Wieland doch nicht der Asket und Einsiedler war, als den er sich ausgab. „Ich bin es endlich gewohnt", schreibt Bodmer am 13. Jänner 1755 an einen Freund, „daß Wieland die Sonntage und Werktage unter mich und Junker Amtmann Grebel teilet. Unter Junker Amtmann sind aber auch immer noch ein paar Frauenzimmer inbegriffen."

In der Tat hatte Wieland, der jetzt, schon rein dem Alter nach, allmählich aus der übersinnlichen Empfindsamkeit des Jünglings hinauswuchs, für die verlorene Sophie reichlichen Ersatz gefunden. Zwar betonte er noch am 11. Januar 1757 gegenüber Zimmermann sein Hagestolzentum: „Junge Mädchen sind mir meistens verächtlich, oder höchstens so hoch geachtet als Papillons. Affektation, Prüderie, Koketterie u. dgl. kann ich nicht leiden ... Die wenigen Damen, mit denen ich hier einigen Umgang habe, sind alle über vierzig Jahre, keine davon ist jemals eine Beauté gewesen". Diese allzu geflissentliche Verächtlichmachung des andern Geschlechts klingt verdächtig, und wirklich entsprach Wielands Behauptung schon zwei Jahre früher nicht mehr der Wahrheit. Er hatte als Erzieher im Grebelschen Hause eine Anzahl Damen kennengelernt, von denen mehrere noch junge Mädchen waren. Mit einer von ihnen, Elisabeth Meyer von Knonau, der Tochter des mit Bodmer befreundeten Fabeldichters Ludwig Meyer von Knonau, der in Weiningen, in der Nähe von Zürich, Gerichtsherr war, unterhielt er sogar ein recht zärtliches Freundschaftsverhältnis. Nur eine von Wielands Freundinnen, Frau Grebel-Lochmann, hatte die vierzig überschritten. Gerade sie aber, in einer langen entsagenden Ehe an einen kranken Mann gebunden, dürfte an der Lockerung von Wielands verkrampftem Seelenzustand den bedeutendsten Anteil gehabt haben. Man kann in seiner ausgebreiteten Schriftstellerei die Wandlung gut verfolgen. 1755 dürfte das entscheidende Jahr gewesen sein. Damals beendigte er die „Sympathien", eine Sammlung von psychologischen Gemälden. So wortreich und von überströmendem Gefühl sie sind, so mag man doch durch die Nebel der Empfindsamkeit in klaren Grundlinien seine mannigfachen Freundschaften mit den Zürcher Damen erkennen. Die Schwärmerei ist vom Himmel auf die Erde niedergestiegen. Er muß ein wahrer Schwerenöter gewesen sein. Jetzt rühmt er sich gegen Zimmermann seines Serails von Damen: „Ich bin in der Tat gewissermaßen der Großtürk unter ihnen, ich gebe ihnen wenig gute Worte und zwinge sie durch die natürliche Superiorität meines Genies über die ihrigen mich bongré malgré zu lieben."

Und nun tauchten auch jene Götter wieder auf, zu denen er schon vor Zürich gebetet: Horaz, Lukian, der Xenophonteische Sokrates. Und ein neuer trat zu ihnen: Shaftesbury. Die erste Spur seiner Beschäftigung mit ihm taucht 1754 auf. Hatte ihn Sokrates gelehrt, daß das Bildungsideal des Menschen nicht nur ein geistiges, sondern auch ein körperliches sei, das Schönundgutsein, die Kalokagathia, so trat dazu ergänzend und erläuternd Shaftesburys Ideal des Virtuoso, des in allen Wissenschaften und Künsten durch Bücher und Reisen, körperlich und geistig durchgebildeten Weltmannes. „Je vise au caractère du virtuoso", schrieb er Zimmermann am 12. März 1758. Wieder, und endgültig, hatte die Erde von ihm Besitz genommen. 1755 entstand das Fragment „Theages". Ideen Shaftesburys mischen sich darin mit Aufklärungen, die ihm Frau Grebel-Lochmann vermittelt hatte, welche in dem Fragment als Aspasia auftritt. Sie spricht das entscheidende Wort: „Verlassen Sie sich darauf, die beiden Amors sind einander nahe verwandt und es ist schon oft geschehen, daß sie ihre Kleidung miteinander verwechselt haben, und daß der leibhafte Kupido erschienen ist, das Wort zu halten, welches der platonische Sylphe gegeben hatte... Der bemeldete Knabe der lächelnden Venus ist ein wahrer Proteus, der sich so gut in einen Plantonikus als in eine Franziskanerkutte maskieren kann; und wenn er die Dame Phantasie auf seiner Seite hat, welches sehr leicht ist, so ist nichts, was diese beiden Schelmen nicht ausrichten können."

In diesen Worten steckt der Schlüssel zu Wielands späterer Schriftstellerei. Die mancherlei Wirrnisse und Irrwege, in die ihn seine weiche, allen Eindrücken zugängliche Natur hineingeführt, hatten doch ein Erlebnis gezeitigt: die Einsicht, daß Gefühl und Phantasie den Geist des Menschen, vor allem des jungen, nur zu gern verführen, schimmernde Traumgewebe um die Welt und die Menschen zu legen, statt sie zu nehmen, wie sie sind. Nun schob er diesen Pseudoidealismus beiseite, der die Dinge verschönert und den Geist verblendet, und bekannte sich zu einem klaren und ehrlichen Realismus. Das aber bedeutete die Enthüllung der Ideale als Illusionen. Alles, was Wieland fortan geschrieben hat, ist durch die Idee der Desillusionierung, der Enttäuschung, bestimmt. Sie war fruchtbar genug, um ihm in einer fast uferlosen Schriftstellerei immer neue Abwandlungen des Grundthemas in den verschiedensten Lebensfragen zu ermöglichen. Es war eine echte Aufklärungsidee, und es war die scharfe und klare Höhenluft der Schweiz, die die Einsicht in ihm gezeitigt hatte. Der Begriff der Wirklichkeit mochte sich in der Folge wandeln. Er mochte bald mehr einen irdisch-sinnlichen, bald mehr einen menschlich-sittlichen Inhalt bekommen, entsprechend der auch in der Folge noch wirksamen Beweglichkeit und Wandelbarkeit von Wielands Geist. Die Idee als solche blieb unverrückt.

Es war noch eine letzte, verzeihliche Täuschung, wenn er, nachdem ihm die Klärung zuteil geworden, den früheren Zustand des Herumirrens im Nebel mit Bodmer, seinem Mentortum und seinen literarischen Händeln, in Zusammenhang brachte und um jeden Preis von Zürich fortstrebte. Er hielt das für nötig, schon um seiner literarischen Zukunft willen. Er wollte kein „Bodmerianus" mehr sein. In Deutschland hatte, was er, aus eigenem Antrieb und auf Bodmers Aufmunterung, geleistet, die nicht durchaus freundliche Aufmerksamkeit der Kritik auf sich gezogen. Neue Geister waren, seit er sein Vaterland verlassen, auf den Plan getreten: Lessing, Nicolai. Beide zogen die Ehrlichkeit von Wielands asketischem Zelotismus in Frage.

1758 gab Wieland, gewissermaßen als Abschluß eines überwundenen Lebensabschnitts, im Orellschen Verlage in Zürich eine Sammlung seiner prosaischen Schriften heraus. Lessing besprach sie ausführlich in den eben gegründeten „Literaturbriefen". Er ließ durchblicken, daß Wieland eine Maske trug. Er ist erst in der Schweiz, offenbar unter Bodmers Einfluß, der fanatische Frömmler geworden. Bodmer hat ihn als Schildknappen in seinen literarischen Fehden mißbraucht. „Die christliche Religion ist bei dem Herrn Wieland immer das dritte Wort. — Man prahlt oft mit dem, was man gar nicht hat, damit man es wenigstens zu haben scheine." Und in der Schweiz hat Wieland sein ehrliches Deutsch verlernt. Statt seine Sprache aus dem alten Schatze der Mundart zu bereichern, läßt er uns alle Augenblicke über ein französisches Wort stolpern. An diesem Fehler zum mindesten war Bodmer unschuldig, der in dem „Mahler der Sitten", vor mehr als zehn Jahren schon, gerade auf den Reichtum der schweizerischen Sprache an alten und kraftvollen Ausdrücken hingewiesen hatte.

Eiligst brach Wieland im Juli 1759 von Zürich auf. Zimmermann hatte ihm eine Hofmeisterstelle in Bern vermittelt. Aber kaum war er in Bern, so merkte er, was er in Zürich zurückgelassen hatte. Schon die Natur der Aarestadt schien ihm gegen die Zürcher Landschaft zurückzustehen. Vor allem aber beklagte er den Mangel an geistiger Atmosphäre in Bern: „Es hat hier viele Freunde der Wissenschaften und der Literatur; aber eine gewisse Indolenz hindert sie nicht nur selbst zu arbeiten, sondern macht sie auch zu ziemlich gleichgültigen Lesern." Seine Unterrichtsstunden belästigten ihn, er kam sich zu gut vor, Knaben die Elemente der Grammatik beizubringen. Der Vater seiner Zöglinge, der Landvogt Sinner, hat ihn gut charakterisiert: „Herr Wieland entsprach keineswegs meiner Hoffnung. Er schwunge sich in höhere Sphären, gemeine Underweisung war weit unter seinem in der Tat erhabenen Genie. Er versaumte seine Pflichten."

Natürlich mußte wieder ein weibliches Wesen ihn für seine Enttäuschung trösten. Es war die hochgebildete und geistig rege Julie von Bondeli. Anfangs freilich bedrängte sie ihn, als sie die Ströme ihrer aus Dichtern und Philosophen genährten Beredsamkeit über ihn sich ergießen ließ. Er dachte an die andächtigen Zuhörerinnen seines Zürcher Serails und rief: „Vivent les femmes idiotes!" Aber — so weich war er auch jetzt noch — sie machte Eindruck auf ihn, und am Ende kam es zu einer regelrechten Verlobung.

Es war eine Erlösung für ihn, als er in Biberach im Frühjahr 1760 zum Senator gewählt wurde. Am 22. Mai verließ er Bern. In Biberach, wo er als Brotkorb noch die Stelle des Stadtschreibers erhielt, zeitigte die Wandlung, die er in der Schweiz durchgemacht, bald ihre Früchte. Ein junges

Mädchen, das er in einem Gesangverein kennengelernt hatte, wurde die Gehilfin in seinem Hauswesen und bald die Genossin seines Lagers. In Zürich hatte er Shakespeare kennengelernt. 1761 brachte er mit Dilettanten den „Sturm" auf die Bühne. Dann begann er seine Übersetzung, die von 1762 bis 1766 im Verlage von Orell, Geßner & Co. in Zürich erschien. Aber er hätte sich in der Vaterstadt auf die Dauer noch mehr gelangweilt als in Bern, wenn sich ihm nicht auf dem nahen Schlosse Warthausen ein kleiner Rokokohof aufgetan hätte. Sophie La Roche war es, die ihn einführte. Nach fast einem Jahrzehnt der Trennung hatten sie sich wiedergefunden.

Warthausen, einer der schönsten Adelssitze Deutschlands, gehörte dem kurmainzischen Minister Grafen Stadion, der sich als 72jähriger Greis mit seiner Tochter, dem kurmainzischen Hofrat La Roche und seiner Gattin Sophie 1762 dorthin zurückgezogen hatte. Er selber war ein fein gebildeter Kavalier. An dem kleinen Hofe, den er, nach dem Vorbild dessen in Mainz, auf Warthausen unterhielt, herrschte die geistreiche Bildung und der freie Ton der höheren französischen Gesellschaft. Das war eine ganz andere Welt, als sie Wieland in den im ganzen doch etwas steifleinenen und eingeschränkten Kreisen des reformierten Schweizer Bürgertums kennengelernt hatte. Es ist verständlich, daß die Atmosphäre in Warthausen ihn entzückte. Sie bedeutete ihm die Erfüllung alles dessen, was die neue Richtung seines Lebens und seine geheimen Wünsche erstrebten.

1. Friedrich Gottlieb Klopstock (1724—1803)
Stich von Johann Martin Bernigroth, 1757

Klopstock wurde im pietistischen Quedlinburg geboren und in Schulpforta erzogen. Als Student eignete er sich in Leipzig die Antike an und entschloß sich unter ihrer Wirkung, seinen „Messias" in Hexametern zu dichten. 1748 erschienen die ersten drei Gesänge in den „Bremer Beiträgen". So sehr der „Messias" zunächst seines neuen Ausdrucks wegen Beachtung fand, so konnte dies Lebenswerk Klopstocks, das erst 1773 abgeschlossen wurde, die erregten Erwartungen doch nicht auf die Dauer erfüllen. Indessen gelangen Klopstock Gedichte, die auch später noch begeisterten. 1771 erschien die erste Gesamtausgabe seiner Oden. Seine religiösen Vorstellungen verbanden sich bald mit Vaterlandsverehrung. Sie ließ vor allem die drei Hermanns-Dramen „Hermanns Schlacht" (1769), „Hermann und die Fürsten" (1784), „Hermanns Tod" (1787) entstehen.

2. Meta Klopstock, geb. Moller (1728—1758)
Kopie von B. H. Bendix nach dem Gemälde von F. Quadel

Nach der unerwidert gebliebenen Liebe zu seiner Base Marie Sophie Schmidt, der die Oden an „Fanny" gewidmet sind, heiratete Klopstock 1754 Meta Moller, an die er die „Cidli-Oden" richtete. Als Meta 1758 gestorben war, heiratete er 1791 ihre Nichte Johanna Elisabeth von Winthem.

3. Klopstocks Geburtshaus in Quedlinburg

1
Friedrich Gottlieb Klopstock
(1724—1803)

2
Meta Klopstock, geb. Moller
(1728—1758)

3
Klopstocks
Geburtshaus in
Quedlinburg

4
Friedrich Gottlieb Klopstock

5
Friedrich Gottlieb Klopstock

Die Werke der Biberacher Jahre zeigen die unbedingte Hingabe an die Welt des Wirklichen. In dem Roman „Don Sylvio von Rosalva" (1764), schon im Titel als eine Nachahmung des früh geliebten „Don Quixote von La Mancha" erkennbar, wird ein Jüngling über die Unwirklichkeit seiner phantastischen Träume belehrt, und er erfährt, daß, was seinen reinsten und höchsten Gefühlen zugrunde liegt, gemeine körperliche Bedürfnisse sind. Don Sylvio, dessen Kopf durch die Lektüre von Feenmärchen verwirrt ist, meint in einem blauen Falter, den er im Walde trifft, eine verzauberte Fee zu sehen, deren Bild er darauf in einem Medaillon, das er im Walde findet, zu erkennen glaubt. Ein Traum bestätigt ihm seinen Wahn. Aber in dem Schlosse Lyrias, in dem er landet, findet er in der irdischen Donna Felicia die vermeintliche Fee, und ein Weltmann, der die Dinge nimmt, wie sie sind, heilt ihn von seinen Illusionen.

Die „Komischen Erzählungen" (1765), das Frivolste, was Wieland geschrieben, sind sozusagen Phantasien über den körperlichen Ursprung erhabenster Gefühle. Aber die „Geschichte des Agathon", in der ersten Fassung 1766/67 erschienen, zeigt doch, wie ernst es Wieland mit dem Problem des Geistig-Sittlichen war, und wie wenig er sich bei der schrankenlosen Hingabe an den sinnlichen Lebensgenuß als Quelle des Glückes zu beruhigen vermochte. Agathon hat als Zögling des Heiligtums des Apollo in Delphi eine schwärmerische Vorstellung von der Liebe und den Menschen in sich ausgebildet. Als Feldherr der Athener büßt er seine erhabene Theorie von der Vortrefflichkeit und Würde der menschlichen Natur zum größten Teil ein. Als Sklave des Sophisten Hippias in Smyrna verwandelt er sich aus einem spekulativen Platoniker in einen praktischen Aristipp und vertauscht eine „Philosophie, welche die reinste Glückseligkeit in die Beschauung unsichtbarer Schönheiten setzt, gegen eine Philosophie, welche sie in angenehmen Empfindungen, und die angenehmen Empfindungen in ihren nächsten Quellen, in der Natur, in unsern Sinnen und in unsern Herzen sucht." Am Hof zu Syrakus wird in dem Umgang mit den Großen dieser Welt seine Meinung von der angeborenen Schönheit und Würde der menschlichen Natur vollends zerstört. Endgültig ver-

4. Friedrich Gottlieb Klopstock
Kupferstich von Amadeus Wenzel Böhm nach dem Gemälde von Jens Juel

5. Friedrich Gottlieb Klopstock
Gemälde von Elisabeth Vogel

Den späteren Klopstock charakterisierte eine zunehmend herrische Haltung. Im Frühjahr 1776 schrieb er seinen bekannten Tadel an den jungen Goethe über dessen und des Herzog Carl August Lebensführung, worauf ihm Goethe die ebenso bekannte schroffe Antwort zuteil werden ließ. Auch mit Friedrich dem Großen und Kant hatte Klopstock unversöhnliche Auseinandersetzungen. Dennoch löste sein Tod am 22. März 1803 eine über Deutschlands Grenzen hinausgehende tiefe Trauer aus.

läßt ihn sein „enthusiastischer Geist" und „der komische Geist" nimmt
seine Stelle ein. Nun wird ihm sein früherer Platonismus nur „schimärisch
und belachenswert", und er befleißigt sich des „leichtsinnigen und scherzhaften Tones", der „von jeher den Höfen vorzüglich eigen war". Er
erkennt: der Mensch ist, wie seine Umgebung ist. Er schwärmt mit den
Schwärmern, er genießt mit den Genüßlingen, er scherzt mit den Großen.
Er besitzt keine ein für allemal geprägte geistige Anlage, die bestimmt,
was Tugend und Göttlichkeit sei: er ist der Spielball der Umstände und
seine höchste Weisheit, mit den Dingen zu spielen, wie sie mit ihm: die
Ironie.

Nirgends hat Wieland die Weisheit der Ironie hübscher und geistreicher
verkündet als in diesem kleinen Epos „Musarion" (1768). Phanias hat sein
Vermögen, seine Freunde und seine Geliebte Musarion verloren. Er zieht
in die Einsamkeit und lebt auf dem Landgut, das ihm einzig geblieben,
mit einem Zyniker und einem Pythagoreer, allen irdischen Genüssen
entsagend. Da besucht ihn Musarion mit einer Dienerin, und nun schmel-
zen die asketischen Vorsätze wie Butter an der Sonne. Der idealistische
Pythagoreer findet in den Armen der Dienerin irdische Liebe begehrens-
werter als himmlische Weisheit, der entsagende Zyniker trinkt sich einen
Rausch an, und Phanias beglückt sich aufs neue an der Liebe seiner
Musarion und lernt:

> „schnell und sonder Müh'
> Die reizende Philosophie,
> Die, was Natur und Schicksal uns gewährt,
> Vergnügt genießt und gern den Rest entbehrt;
> Die Dinge dieser Welt gern von der schönen Seite
> Betrachtet, dem Geschick sich unterwürfig macht,
> Nicht wissen will, was alles das bedeutet,
> Was Zeus aus Huld in rätseltiefe Nacht
> Vor uns verbarg, und auf die guten Leute
> Der Unterwelt, so sehr sie Toren sind,
> Nie böse wird, nur lächerlich sie find't
> Und sich dazu, sie drum nicht minder liebet,
> Den Irrenden bedau'rt und nur den Gleisner flieht;
> Nicht stets von Tugend s p r i c h t , noch, von ihr sprechend, g l ü h t ,
> Doch, ohne Sold und aus Geschmack, sie ü b e t ,
> Und glücklich oder nicht, die Welt
> Für kein Elysium, für keine Hölle hält,
> Nie so verderbt, als sie der Sittenrichter
> Von seinem Thron — im sechsten Stockwerk sieht,
> So lustig nie, als jugendliche Dichter
> Sie malen, wenn ihr Hirn von Wein und Phyllis glüht."

Fortan ist die Ironie die beherrschende Lebensstimmung in Wielands
Werk. Er hatte einst, in der Zürcher Zeit, von sich geschrieben: „Ich bin
einer der zärtlichsten Menschen, die je ein Dichter phantasiert hat. Darunter ist aber eine solche Dosis Kaltsinn, daß ich mir oft selbst ein
Rätsel bin." In dem reifen Dichter sind gleichsam die beiden Schichten

umgestellt. Der Kaltsinn überdeckt die Zärtlichkeit. Die Ironie bewahrt ihn davor, sich den Dingen allzu gefühlvoll hinzugeben, sich selber zu verlieren, sie allzu ernst zu nehmen. Wobei unter den Dingen nicht nur das eigene Herz und seine Täuschungen gemeint sind, sondern auch die Verhaltungsweisen und Gefühle der andern, allgemeine Ansichten auf philosophischem, sittlichem, religiösem und politischem Gebiet.

Schließlich verhalf ihm auch sein Verhältnis zu Warthausen mit zu dieser Weisheit. Er hatte sich 1765 mit einer wohlhabenden Augsburgerin, Dorothea Hillenbrandt, verheiratet. Sie war durchaus das Gegenteil der schwärmenden Sophie und der geistreichen Julie, Gattin und Hausmutter, seine „Hausapotheke", wie er zu sagen pflegte. Er fühlte sich sehr glücklich mit ihr, und sie gebar ihm eine Menge Kinder. Bald nach der Hochzeit trübte ein Prozeß, den Wieland als Vertreter der Stadt wegen einer Schleifmühle und Walkerei gegen den Grafen Stadion zu führen hatte, seine Beziehungen zu Warthausen. 1768 starb Stadion. Der Aufenthalt in dem kleinen und eingeschränkten Biberach hatte damit für Wieland bedeutend an Reiz verloren. Als ihm 1769, auf Grund der philosophischen Kenntnisse, die er in seinem „Agathon" an den Tag gelegt, an der kurmainzischen Universität Erfurt eine Professur für Philosophie angeboten wurde, nahm er sie an. Bis 1772 wirkte er in Erfurt. Der staatsphilosophische Roman „Der goldene Spiegel oder die Könige von Scheschian" (1772) ist die Frucht dieser Zeit, das am wenigsten wielandische aller Werke Wielands. Ein durchaus ernstes Werk, worin er die Frage der besten Staatsform behandelt hat. Er entschied sich für den aufgeklärten Despotismus und zeichnete in Tifan das Idealbild eines vollkommenen Herrschers, unter dem seine Untertanen glücklich, wohlhabend und in ihrem Glauben frei sind.

Er hatte mit dem Buche einen Herrscherspiegel für Kaiser Josef II. beabsichtigt, von dessen aufgeklärten Tugenden man Wunder erzählte. Aber selbst Josef II. kümmerte sich nicht um die staatsphilosophischen Theorien oder Träume eines Dichters, und Wielands Hoffnung erwies sich als eitel. Dafür gab der „Goldene Spiegel" der jung verwitweten Herzogin von Sachsen-Weimar, Anna Amalia, die Gewähr, daß sein Verfasser wohl geeignet sei, ihre Söhne Karl August und Konstantin zu erziehen. Die Aufgabe war lockend genug. Wielands Tätigkeit dauerte drei Jahre, bis zur Mündigerklärung Karl Augusts, und nach ihrer Beendigung genoß Wieland ein Ruhegehalt. So wurde Weimar die letzte Station seines Lebens. Hier hat er als Herausgeber des „Deutschen Merkurs" einen gewaltigen Einfluß auf die gebildeten Deutschen ausgeübt. In den Aufsätzen, die er selber beisteuerte, ließ er kaum ein Gebiet der Geschichte, kaum eine Frage seiner Zeit, über die seine Leser Aufklärung zu bekommen verlangten, außer acht. Er schrieb über Rousseaus Traum von dem Naturparadies der Menschheit und über den Aberglauben der Menschen; über Toleranz und über die französische Revolution; über Marc Aurel und die Luftschiffahrt; über Demokratie und Freimaurertum. Daneben vollendete er seine größeren Werke: den Oberon (1780), die Geschichte der

Abderiten (1781), Peregrinus Proteus (1791), Agathodämon (1799). In Weimar gehörte er zu den Säulen des geistigen Kreises um Goethe und Karl August. Psychologisch aufschlußreich ist die Schilderung, die Schiller über einen Besuch bei Wieland in dem Briefe an Körner vom 24. Juli 1787 entwirft. Wieland sah offenbar dem Verfasser der „Räuber" mit einer aus Scheu und Bewunderung gemischten Neugierde entgegen. Schiller gelangte zu ihm durch ein „Gedränge kleiner und immer kleinerer Kreaturen von lieben Kinderchen ... Unser erstes Zusammentreffen war wie eine vorausgesetzte Bekanntschaft. Ein Augenblick machte alles. Wir wollen langsam anfangen, sagte Wieland, wir wollen uns Zeit nehmen, einander etwas zu werden." Wie er dann im folgenden „den Gang unseres künftigen Verhältnisses" vorzeichnet, betont, daß es sich nicht um eine vorübergehende Bekanntschaft, sondern um ein dauerndes Verhältnis handeln solle, zeigt den guten Menschen, aber auch den weisen Menschenkenner. „Er fand es glücklich, daß wir uns erst jetzt gefunden hätten. Wir wollen dahin kommen, sagte er mir, daß einer zu dem andern wahr und vertraulich rede, wie man mit seinem Genius redet." Von seiner Persönlichkeit gab Schiller folgendes Bild: „Sein Äußeres hat mich überrascht. Was er ist, hätte ich nicht in diesem Gesichte gesucht — doch gewinnt es sehr durch den augenblicklichen Ausdruck seiner Seele, wenn er mit Wärme spricht. Er war sehr bald aufgeweckt, lebhaft, warm. Ich fühlte, daß er sich bei mir gefiel, und wußte, daß ich ihm nicht mißfallen hatte, ehe ich's nachher erfuhr. Sehr gerne hörte er sich sprechen, seine Unterhaltung ist weitläufig und manchmal fast bis zur Pedanterie vollständig, wie seine Schriften, sein Vortrag nicht fließend, aber seine Ausdrücke bestimmt. Er sagte übrigens viel Alltägliches ... Im ganzen aber bin ich sehr angenehm bei ihm beschäftigt worden, und was unser Verhältnis betrifft, kann ich sehr mit ihm zufrieden sein." Bei einem späteren Besuche am 30. Juli beklagte sich Wieland, daß er jetzt mehrmals Briefe von jungen Leuten erhielte, die ihm deutlich zeigten, daß man ihn nur für einen Professor halte, der ein Journal herausgebe. Bei lebendigem Leibe fange er an, vergessen zu werden, und nach seinem Tode werde es ganz vorbei sein. Schiller sagte ihm, daß diese jungen Leute, wenn sie zehn Jahre älter geworden, anders an ihn schreiben würden. „Er konnte sich aber nicht zufrieden geben." Schiller selber hat seine tröstende Prophezeiung nicht wahr gemacht. Denn genau zehn Jahre später urteilte er gegenüber Körner sehr mißfällig über Wieland: „Er ist beredt und witzig, aber unter die Poeten kann man ihn kaum mit mehr Recht zählen als Voltairen und Popen. Er gehört in die löbliche Zeit, wo man die Werke des Witzes und des poetischen Genies für Synonyma hielt." Beirrend findet Schiller an Wieland seine „Deutschheit bei dieser französischen Appretur". „Diese Deutschheit macht ihn zuweilen zum echten Dichter und noch öfters zum alten Weib und Philister. Er ist ein seltsames Mittelding. Übrigens fehlt es seinen Produkten gar nicht an herrlichen und genialischen Momenten, und sein Naturell ist mir immer noch sehr respektabel, wieviel es auch bei seiner Bildung gelitten hat."

Wenn Schillers großartige Gerechtigkeit Licht und Schatten klug verteilte, so war es der Frechheit der aufstrebenden Romantiker vorbehalten, nach vorbereitenden Scharmützeln Wielands literarischem Ansehen den Todesstoß zu versetzen. Im Athenäum 1799 erschien in einer Rubrik „Literarischer Reichsanzeiger" folgende „Citatio edictalis", d. h. eine Konkursanzeige: „Nachdem über die Poesie des Hofrath und Comes palatinus Caesareus Wieland in Weimar, auf Ansuchen der Herren Lucian, Fielding, Sterne, Bayle, Voltaire, Crébillon, Hamilton und vieler andern Autoren Concursus creditorum eröffnet, auch in der Masse mehreres Verdächtige und dem Anscheine nach dem Horatius, Ariosto, Cervantes und Shakespeare zustehendes Eigentum sich vorgefunden; als wird ein jeder, der ähnliche Ansprüche titulo legitimo machen kann, hierdurch vorgeladen, sich binnen sächsischer Frist zu melden, hernachmals aber zu schweigen." August Wilhelm Schlegel, der das Pasquill verfaßt hatte, und Ludwig Tieck, der dahinter stand, waren zu dem Vorwurfe der Ausplünderung anderer Schriftsteller, den es enthielt, am allerwenigsten berechtigt.

Wielands literarisches Ansehen hat sich von diesem Schlage niemehr erholt. Die „Citatio" hatte ihm in der grausamsten Weise kundgetan, daß seine Zeit vorbei war. Am 20. Januar 1813 ist er gestorben.

Und doch hatte er, beweglich und für alles Neue aufnahmefähig, wie er bis zuletzt blieb, sich bemüht, nach seiner Art mit der Zeit zu gehen. Als er 1780 den „Oberon" herausgab, hatte er darin den Elfenkönig Oberon und die Königin Titania, die sich über der Untreue eines jungen Weibes entzweit, den Vertrag schließen lassen, daß sie sich wieder versöhnen würden, wenn „ein junges Paar durch keusche Liebe in Eins zusammenfließe." Hüon und Rezia, sie sind dieses Paar, können ihre Liebe nicht rein, d. h. unsinnlich bewahren; dafür kennt Wieland die menschliche Natur zu gut, aber sie halten einander, nachdem sie sich verbunden, in allen Versuchungen und Gefahren die Treue und beweisen dadurch, daß ihre Liebe nicht nur sinnlich, sondern zugleich seelisch ist, und daß sie so, im Sinne des Dichters, in keuscher Liebe in Eins zusammenfließen.

Von diesem neu gewonnenen Standpunkte, der die natürliche Sinnlichkeit durch Beseelung adelt, mußte Wieland, als er 1794 den „Agathon" zum dritten Mal bearbeitete, auch der sittlichen Problematik, die er in seinem Roman dargestellt, eine neue Lösung geben. Er hatte durch seinen Schwiegersohn, den Professor Reinhold in Jena, die Kantische Moralphilosophie mit ihrer strengen Betonung des Pflichtgedankens kennengelernt. Jetzt bildete er den Schluß des Romans im Kantischen Sinne um, freilich, die Kantischen Gedanken aus dem Transzendentalen ins Psychologische umdeutend. Archytas, der Philosoph von Tarent, lehrt jetzt den Glauben an Gott, verkündet eine Art kategorischen Imperativ und erklärt, daß, wenn die tierische und die geistige Natur des Menschen miteinander im Streite liegen, unter allen Umständen die geistige den Sieg zu beanspruchen habe; „daß ein rastloser Kampf der Vernunft mit der Sinnlichkeit, oder des geistigen Menschen mit dem tierischen, das einzige Mittel sei, wodurch der Verderbnis unserer Natur und den Übeln aller

Arten, die sich aus ihr erzeugen, abgeholfen werden könne; und daß dieser innerliche Krieg in jedem Menschen so lange dauern müsse, bis das zum Dienen geborene Tier die weise und gerechte Herrschaft der Vernunft anerkennt und willig dulden gelernt hat."

Aber Wielands letztes Anliegen war nicht mehr das Verhältnis von Sinnlichkeit und Vernunft, sondern von Vernunft und Glauben. Je mehr jüngere Zeitgenossen aus jener freien Klarheit, die die Aufklärung erkämpft hatte, wieder in die Dämmerung einer Scheinmystik und einer überheblichen Methaphysik zurückzugleiten schienen, um so mehr fühlte er sich verpflichtet, auch hier der billigen Illusion zu wehren. In dem Roman „Peregrinus Proteus" stellte er den religiösen Schwärmer als den haltlosen und blinden Menschen dar, der sich von andern zu ihren eigennützigen Zwecken mißbrauchen läßt, weil er die Kräfte seines eigenen Ichs nicht kennt. Während er meint, in die Mysterien der Venus Urania eingeweiht zu werden, wird er das Opfer einer irdischen Dirne. Ein christlicher Bischof benützt seinen sittlichen Fanatismus, um durch ihn große Finanzoperationen durchzuführen. Schließlich bleibt ihm nichts anderes übrig, als, angeekelt von dem Treiben der Welt, durch den Feuertod aus dem Leben zu scheiden — auch dies ein Irrwahn; denn er täuscht sich, wenn er meint, dadurch die Menschen erlösen zu können.

Mit großer Weisheit, wenn auch der Weisheit der Aufklärung, hat Wieland zuletzt in „Agathodämon" die religiöse Wunderfrage dargestellt. Der Neupythagoreer Apollonius von Tyana ist wirklich ein Agathodämon, ein guter Geist. Zwar betrügt er das Volk, indem er Wunder tut, die in Wahrheit gar keine sind. Aber er weiß, daß das Volk Wunder braucht, und daß die Wunder, die er tut, dem Volke Heil bringen. Auch in der Frage der Unsterblichkeit ist Wieland der weise Aufklärer. Hatte er in den „Briefen von Verstorbenen" mit der Heuchelei einer verliebten Phantasie die Freuden des Jenseits brünstig ausgemalt, so lehnt er jetzt schlicht und ehrlich in den Gespächen „Euthanasia" (1805) die persönliche Unsterblichkeit und den Verkehr der Geister miteinander ab. Leib und Seele sind eins, und mit dem einen geht auch das andere dahin. Höher als die Athanasia, die Unsterblichkeit, steht die Euthanasia, das schöne Sterben mit dem guten Gewissen eines sittlich verbrachten Lebens.

So konnte denn Goethe in der Logenrede, die Summe von Wielands Wirken zusammenfassend, wohl von ihm sagen: „Wenn er sich der Mannigfaltigkeit seiner Empfindungen, der Beweglichkeit seiner Gedanken überließ, keinem einzelnen Eindruck Herrschaft über sich erlauben wollte, so zeigte er eben dadurch die Festigkeit und Sicherheit seines Sinnes. Der geistreiche Mann spielte gern mit seinen Meinungen, aber, ich kann alle Mitlebenden als Zeugen auffordern, niemals mit seinen Gesinnungen."

3. LESSING

Will man Lessings Leben mit einem Wort bezeichnen, so kann man kein anderes als das viel mißbrauchte „Freiheit" finden. Freiheit im Sinne der Autonomie, des Lebens aus eigener Gesetzlichkeit heraus. Diese Grundidee der Aufklärung hat er so tief erfaßt und zu verwirklichen sich bemüht, wie kein anderer seiner deutschen Zeitgenossen. Sie bedeutet für ihn nicht nur Unabhängigkeit, Ablehnung, sich durch äußere Gewalten binden zu lassen; sie bedeutet zugleich Gestaltung des Lebens nach dem Gesetze des eigenen Ichs, aus der Selbsterkenntnis heraus und aus dem Wissen um die Notwendigkeit der Einstellung des Ichs in die große Ordnung des Lebensganzen, darin es doch nur fruchtbar werden kann, wenn es Ich bleibt. Es soll schon hier angedeutet werden, daß diese Lessingsche Art zu sein und zu leben, diese Freiheit, in der Ordnung des Ganzen sein eigenes Ich zu bewahren, sein tiefstes Einverständnis mit der Leibnizischen Monadenlehre bekundet; denn es ist ja das Wesen der Monade, aus ihrer individuellen Natur heraus erkennend und wollend sich zu verhalten, aber, da die universale Vernunft in ihr waltet, sich auch im Geleise jener vorbestimmten Ordnung zu bewegen, die die Welt zusammenhält. Es ist mit dieser Erinnerung an Leibnizens Monade zugleich gesagt, daß Lessings Freiheit nicht ein duldendes Verharren in einer einmal gegebenen, natürlich-geschichtlichen Ruhelage ist, sondern ein höchst tätiges Streben, ein Vorwärtsdrängen von Aufgabe zu Aufgabe, von Erkenntnis zu Erkenntnis.

Die Freiheit kennzeichnet Lessing schon rein äußerlich in seiner Form zu leben. Hagedorn hat einmal von der Dichtkunst gesagt, sie sei die „Gespielin meiner Nebenstunden, bei der ein Teil der Zeit verschwunden, die mir, nicht andern zugehört". In der Tat war dies die Regel bis auf Klopstock, daß man in den Mußestunden zu seiner und der andern Freude dichtete, und daß man in der Hauptsache einen Brotberuf hatte, der den Dichter mit den Seinen ernährte, wobei es eine Frage des Glückes oder der Lebenskunst war, daß die Pflichten des Berufes dem Geist für seine dichtende Nebenbeschäftigung die nötige Zeit und geistige Frische übrigließen. Klopstock hatte das Glück, daß er sein ganzes Leben lang von jeder Berufsarbeit verschont blieb, weil das früh verliehene Ehrengehalt des dänischen Königs ihm die freie Muße zu dichterischem Schaffen gewährte. Wieland mußte sich etwa zwei Jahrzehnte lang, bis in sein 42. Jahr, mit Unterricht, Kanzleiarbeiten und Vorlesungen plagen, ehe ihn das weimarische Ruhegehalt zum freien Mann machte, wenn es freilich auch nicht so beträchtlich war, daß er, bei seiner großen Familie, ohne

Schriftstellerei davon leben konnte. Von den andern waren Gleim mit den reichen Erträgnissen seines Kanonikates und Geßner durch die Geschäftstüchtigkeit seiner Frau besonders günstig gestellt. Hagedorn hat die Verwaltung des Englischen Hofes in Hamburg und Rabener die Besorgung der Steuergeschäfte noch ziemliche Muße zu schriftstellerischen Arbeiten gelassen; weil die Berufsarbeit eine wesentlich praktische war, so blieben Geist und Stimmung um so freier für die Tätigkeit der Nebenstunden. Lessing war der erste, der den Mut hatte, sein Leben einzig und allein auf seine Feder zu stellen. Denn Schriftsteller von Beruf sein, bedeutete in jener Zeit ein ungeheures Wagnis, wo die Werke des Schriftstellers nicht durch Urhebergesetze geschützt waren und die Nachdrucker gerade bei denjenigen, die um ihrer Beliebtheit willen die meisten Einnahmen versprachen, Verfasser und Verleger um den verdienten Gewinn brachten oder ihn wenigstens empfindlich schmälerten. Sogar Lessing, der, wenn irgend einer, die inneren und äußeren Eigenschaften für den Berufsschriftsteller besaß, mußte seine Kühnheit oft genug mit Gehetztheit büßen, und in den beiden letzten Jahrzehnten seines Lebens entschloß auch er sich, eine Stelle zur Versorgung anzunehmen.

In dem Städtchen Camenz in der sächsischen Oberlausitz wurde er am 22. Januar 1729 geboren. Merkwürdig ist, wie gewisse Neigungen Gotthold Ephraims schon in den beiden letzten Vorfahren vorgebildet sind: der Großvater hatte „Über die Duldung der Religionen" disputiert, der Vater in „Rettungen" die lutherische Reformation gegen Anfeindungen in Schutz genommen. Er war ein strenggläubiger Gelehrter und scharfsinniger Mann, der es wohl verdient hätte, wenn er es weiter als nur bis zum Pastor primarius des kleinen oberlausitzischen Städtchens gebracht hätte. Lessing erinnerte sich, bei dem Entzug der Zensurfreiheit, seines Jähzorns, den er von ihm geerbt habe; vielleicht daß dieser, im Verein mit der drückenden Enge und dem Kinderreichtum, mit schuld war an seinem äußern Mißerfolg. Die Mutter erscheint in dem Leben des Sohnes als eine wenig gebildete und engherzige Frau.

Früh schon prägen sich bestimmende Züge in den Charakter des Heranwachsenden aus: der Knabe will für sein und seines Bruders Theophilus Porträt von Büchern umgeben sein. Der Camenzer Schulrektor Heinitz läßt, zum Verdruß von Lessings Vater, durch seine Schüler Schauspiele aufführen, weil er die Schaubühne als eine Schule der Beredsamkeit betrachtet. Mit zwölf Jahren zieht der Knabe an die Fürstenschule zu St. Afra in Meißen. Sein kritischer Scharfsinn entlockt hier dem Konrektor eines Mogens den Ausruf: „Admirabler Lessing!", während der Rektor den Schüler ein Pferd nennt, das doppeltes Futter brauche. Statt erst im Sommer 1747, entließ man ihn schon im Frühjahr 1746: „Die Lectiones, die andern zu schwer werden, sind ihm kinderleicht", hatte der Rektor erklärt. „Wir können ihn fast nicht mehr gebrauchen." Seine lateinische Abschiedsrede von der Schule handelte von der Mathematik der Barbaren. Es war eine „Rettung": den Barbaren sollten vor dem Urteil der Geschichte ihre Verdienste um die Mathematik sichergestellt werden.

56

Nun ging Lessing als stud. theol. nach Leipzig. Das war mehr des Vaters Wunsch als sein eigener. Ihn selber zog es zu der Mathematik und der Philologie. Von den Lehrern wirkte der weltgewandte und elegante Johann Friedrich Christ am stärksten auf ihn, jener klassische Philologe, der seine Schüler lehrte, daß man nicht nur die Sprachen der Alten lernen, sondern an ihrem Beispiele sich auch praktische Lebensweisheit und gute Sitten aneignen solle. Er meinte, die Studenten sollten zu diesem Zwecke neben den Büchersälen auch Theater und Gesellschaften besuchen. Und dazu war Leipzig die Stadt der feinen Manieren, der neuesten Mode und des modernen Theaters. Es scheint einige Zeit gedauert zu haben, bis der junge Theologiestudent den weltlichen Lockungen folgte. Denn er war auf die Bücher versessen wie kaum einer und von einem unglaublichen Eifer, alles Wissen in sich zu raffen. Aber als er einmal gemerkt hatte, was gesellige Bildung war, und wozu sie diente, machte er sich auch sie mit der gleichen Gründlichkeit zu eigen, wie die Bücherweisheit. Zwei Tage vor seinem zwanzigsten Geburtstage hatte er sich bereits gegenüber seiner Mutter wegen seines, wie sie ihm vorwarf, liederlichen Lebenswandels zu verteidigen: „Ich komme jung von Schulen, in der gewissen Überzeugung, daß mein ganzes Glück in den Büchern bestehe. Ich komme nach Leipzig, an einen Ort, wo man die ganze Welt in Kleinen sehen kann. Ich lebte die ersten Monate so eingezogen, als ich in Meißen nicht gelebt hatte. Stets bei den Büchern, nur mit mir selbst beschäftigt, dachte ich ebenso selten an die übrigen Menschen, als vielleicht an Gott... Doch es dauerte nicht lange, so gingen mir die Augen auf: soll ich sagen, zu meinem Glücke oder zu meinem Unglücke? Die künftige Zeit wird es entscheiden. Ich lernte einsehen, die Bücher würden mich wohl gelehrt, aber nimmermehr zu einem Menschen machen. Ich wagte mich von meiner Stube unter meinesgleichen. Guter Gott! Was vor eine Ungleichheit wurde ich zwischen mir und andern gewahr. Eine bäuersche Schüchternheit, ein verwilderter und ungebauter Körper, eine gänzliche Unwissenheit in Sitten und Umgange, verhaßte Mienen, aus welchen jeder seine Verachtung zu lesen glaubte, das waren die guten Eigenschaften, die mir, bei meiner eignen Beurteilung übrigblieben. Ich empfand eine Scham, die ich niemals empfunden hatte. Und die Wirkung derselben war der feste Entschluß, mich hierinne zu bessern, es koste was es wolle. Sie wissen selbst, wie ich es anfing. Ich lernte tanzen, fechten, voltigieren. Ich will in diesem Briefe meine Fehler aufrichtig bekennen, ich kann also auch das Gute von mir sagen. Ich kam in diesen Übungen so weit, daß mich diejenigen selbst, die mir in voraus alle Geschicklichkeit darinnen absprechen wollten, einigermaßen bewunderten. Dieser gute Anfang ermunterte mich heftig. Mein Körper war ein wenig geschickter worden, und ich suchte Gesellschaft, um nun auch leben zu lernen. Ich legte die ernsthaften Bücher eine Zeitlang auf die Seite, um mich in denjenigen umzusehen, die weit angenehmer, und vielleicht ebenso nützlich sind. Die Komödien kamen mir zuerst in die Hand."

Das Theater galt in Lessings Vaterhaus, wie in jedem orthodoxen lutherischen Pfarrhaus, als eine Brutanstalt alles Bösen und Teuflischen. Der alte Lessing hatte durch Ausfälle auf der Kanzel mitgeholfen, den tüchtigen Rektor Heinitz um seiner Theaterliebe willen aus Camenz zu vertreiben. Und nun mußten die Eltern erleben, daß ihr Sohn in Leipzig Theaterstücke las. Und Theaterstücke nicht nur las, sondern selber solche schrieb — den „Jungen Gelehrten", den „Freigeist" u. a. — und ins Theater ging und Verkehr hatte mit dem ganzen losen Völklein der Schauspieler, das doch recht eigentlich eine Pompa Diaboli, ein Gesinde des Teufels war. Lessing schreibt: „Es mag unglaublich vorkommen, wem es will, mir haben die Komödien sehr große Dienste getan. Ich lernte daraus eine artige und gezwungene, eine grobe und natürliche Aufführung unterscheiden. Ich lernte wahre und falsche Tugenden daraus kennen, und die Laster ebenso sehr wegen ihres Lächerlichen als wegen ihrer Schändlichkeit fliehen. Habe ich aber alles dieses nur in eine schwache Ausübung gebracht, so hat es gewiß mehr an anderen Umständen als an meinem Willen gefehlt. Doch bald hätte ich den vornehmsten Nutzen, den die Lustspiele bei mir gehabt haben, vergessen. Ich lernte mich selbst kennen, und seit der Zeit habe ich gewiß über niemanden mehr gelacht und gespottet als über mich selbst."

Soll man wirklich aus dieser Selbstdarstellung zuhanden der bekümmerten Eltern schließen, daß Lessing nur zu seiner sittlichen und gesellschaftlichen Erziehung ein Freund des Theaters war? Er hat in Leipzig, wo die Anakreontik zu Hause war, auch anakreontische Lieder gedichtet; und er hatte, im Gegensatz zu vielen Anakreontikern erlebt, was er dichtete. Um das Jahr 1750, kurz nach jenem Brief an die Mutter, hat Lessing ein Gedicht über die Religion entworfen, in dessen erstem Gesang er die Frage der Tugend erörtert. Die geltende Moralphilosophie, wie sie Gellert vortrug, redete von der Lenkung der Leidenschaften durch den vernünftigen Willen. Lessing aber ruft aus:

> „Umsonst erhebt ihr mir des Willens freie Kraft!
> Ich will, ich will — — Und doch bin ich nicht tugendhaft!
> Umsonst erhebt ihr mir des Urteils streng Entscheiden.
> Die Laster kenn' ich all, doch kann ich alle meiden?
> Hier hilft kein starker Geist, von Wissenschaft genährt,
> Und Schlüsse haben nie das Bös' in uns zerstört."

Der Brief an die Mutter vom Januar 1749 berichtet von Schulden und von der Unzufriedenheit der Eltern über seinen Umgang mit seinem Vetter Christlob Mylius. Dieser hatte sich in Lessings Vaterhause schon dadurch mißliebig gemacht, daß er den Pfarrer Lessing in einem Gedicht auf den Weggang des Rektors Heinitz als einen zelotisch orthodoxen Kanzelredner bloßgestellt hatte. Über sein Leben in Leipzig liefen in Camenz nicht die freundlichsten Gerüchte um: er galt als ein Freigeist und ein sittenloser Bursche.

In solcher Gesellschaft verkehrte der Sohn in Leipzig! Man begreift, daß den Eltern in den engen Verhältnissen in Camenz das Herz schwer wurde, und als sie nun gar vernahmen, daß der Sohn den Kuchen, den man ihm zu Weihnachten 1747 gesandt, in jener lockeren Gesellschaft verzehrt hatte — man denke: der Weihnachtskuchen, den eine Pastorin gebacken, von Schauspielern und Freigeistern verspeist! — da mußte der Vater im Januar den Sohn, den die Mutter schon „auf zeitlich und ewig verloren" gab, augenblicklich nach Hause rufen, unter der Begründung, die Mutter sei auf den Tod erkrankt und verlange ihn vor ihrem Ende noch zu sprechen Als der Sohn, bei der bitteren Kälte auf dem Postwagen halb erfroren, ins Elternhaus tritt, findet er die Mutter bei bester Gesundheit.

Der „Junge Gelehrte" war eben damals, im Januar 1748, von der Neuberin in Leipzig auf die Bühne gebracht worden. Lessing aber mußte bis Ostern in Camenz ausharren, bevor man ihm wieder zur Universität zu gehen erlaubte. Aber noch war der Wirren kein Ende. Kaum war er wieder in Leipzig, so begann das alte Leben. „Meine Schulden waren bezahlt", schreibt er, „und ich hätte nichts weniger vermutet, als wieder darein zu fallen. Doch meine weitläufige Bekanntschaft, und die Lebensart, die meine Bekannten an mir gewöhnt waren, ließen mich an eben dieser Klippe nochmals scheitern." Die Wahrheit, die er den Eltern vorenthalten mußte, war, daß er sich für ein paar Schauspieler der Neuberischen Truppe verbürgt hatte, die nach Wien gingen. Christian Felix Weiße, mit dem er in Leipzig Freundschaft geschlossen, berichtet, die Schauspieler hätten versprochen, von Wien aus Geld zu schicken, hätten aber nicht Wort gehalten, und Lessing habe sich genötigt gesehen, von Leipzig in der Stille wegzugehen. Er habe über Wittenberg nach Berlin gehen wollen, sei aber in Wittenberg krank geworden. Die Wahrheit, die Lessing Weiße vorenthalten hatte, weil er wußte, daß Weiße seinen Umgang mit Schauspielern nicht billigte, war, daß er während dieser Zeit der schönen Schauspielerin Lorenz nach Wien gefolgt war.

Das Theologiestudium hatte er aufgegeben. Er habe Medicinam studieren wollen, erklärte er den Eltern, trotzdem sie damit nicht zufrieden waren. „Bloß Ihnen zu Gefallen zu leben erklärte ich mich noch über dieses, daß ich mich nicht wenig auf Schulsachen legen wollte." Aber als im Herbst 1748 Mylius nach Berlin ging, folgte ihm Lessing. Er hatte jetzt beschlossen, um seiner Schulden willen, das Studium vorderhand aufzugeben und in Berlin sich als freier Schriftsteller durchzubringen. Mit Mylius gab er 1750 die Zeitschrift „Beiträge zur Historie und Aufnahme des Theaters" heraus und betreute in den folgenden Jahren das Feuilleton der „Berlinischen Privilegierten Staats- und Gelehrten-Zeitung", der späteren „Vossischen Zeitung". Sicherlich hatte die Persönlichkeit Friedrichs des Großen ihn nach Berlin gelockt, der „die Gazetten nicht geniert" wissen wollte, selber Schriftsteller war, und sich mit einem Kreis von französischen Schriftstellern umgeben hatte. Zu dem Angesehensten von ihnen, Voltaire, trat Lessing in persönliche Beziehungen. Einer seiner ersten Freunde in Berlin war Richier de Louvain, der 1750 Sekretär bei Voltaire wurde. Durch ihn zog Voltaire Lessing bei zur Übersetzung von Gerichtsakten in dem Prozesse gegen den Juden Hirsch, der Voltaire bei einem Finanzgeschäft übervorteilt haben sollte, und da er an dem schlagfertigen

und belesenen jungen Deutschen Gefallen gefunden hatte, so lud er ihn
sogar zu Tische. Lessing zeigte sich erkenntlich, indem er Voltairesche
Werke in Besprechungen der „Vossischen Zeitung" mit nicht kargem Lobe
bedachte und 1752 Voltaires „Kleine Historische Schriften" in deutscher
Übersetzung herausgab. In der Vorrede, die von 1751 datiert ist, machte
er eine geheimnisvolle Andeutung über Voltaires „Siècle de Louis XIV":
„Ein Plan, der Bewunderung verdiente, wenn er auch unausgeführt bliebe.
Wann wir nun dem Leser sagen, daß er es nicht geblieben ist? Noch ist
zwar dieses wichtige Werk nicht öffentlich erschienen. es ist aber, wie wir
gewiß wissen, fertig, und eine Frucht der ruhmvollen Ruhe, in welcher
der Verfasser nur durch einen Friedrich versetzt werden konnte."

Es war das einzige Mal, daß Lessing einem Großen schmeichelte, und
er mußte es büßen. Er hatte durch Richier erfahren, daß Voltaire sein
„Siècle de Louis XIV", an das er eben die letzte Feile anlegte, zu Weihnachten 1751 in zwanzig erlesenen Exemplaren seinen hochgestellten
Freunden überreichen wollte. Ja, Richier hatte ihm sogar die Aushänge-
bogen für drei Tage zum Lesen nach Hause mitgegeben, unter der Bedingung, sie streng geheim zu halten. Lessing aber kümmerte sich nicht
um die Weisung, sondern lieh sie an einen Freund weiter, der Hofmeister
in einer gräflichen Familie war. Da sah eine Freundin Voltaires die Bogen
und stellte ihn zur Rede, warum er sein Buch früher Hauslehrern zu
lesen gebe, als seinen höchstgestellten Freunden. Erbittert forderte Voltaire
von Richier Aufschluß. Dieser gelangte an Lessing. Lessing aber hatte
seiner Fahrlässigkeit — oder seinem literarischen Eifer — dadurch die
Krone aufgesetzt, daß er Ende des Jahres nach Wittenberg verreist war
und das Buch, das er noch nicht völlig gelesen hatte, mitgenommen, ja
sogar gegenüber jenem Hofmeister den Plan geäußert hatte, es zu übersetzen! Richier mußte, so klug als dringlich, die Bogen schleunigst zurück-
fordern. Der französische Brief, mit dem Lessing das Buch an Richier
zurückschickte und sich zugleich vor seinem erbosten Herrn rechtfertigte,
ist ein Meisterstück der Kunst, sich für einen unbesonnenen Streich zu
entschuldigen, indem man die Schuld für die Unbesonnenheit auf den
andern schiebt und ihm zugleich damit das feinste Kompliment macht: Ob
Richier wirklich geglaubt habe, Lessing sei ein Dieb und wolle das Buch
behalten? Er habe es eben einfach noch nicht fertig gelesen gehabt, als er
Berlin verlassen habe. „Versetzen Sie sich an meine Stelle, bevor Sie gegen
mich Zeugnis ablegen. Warum ist Herr de Voltaire nicht irgend ein beliebiger
Kompilator, deren Werke man überall aufhören kann zu lesen, weil sie
uns überall langweilen?" Aber die geistreiche Schmeichelei erreichte ihren
Zweck nicht. Voltaires Eitelkeit war zu tief getroffen. Man mußte sich
vor diesem deutschen Frechdachs in Acht nehmen. Lessing sollte ihn nicht
straflos herausgefordert haben. Er erzählte Friedrich dem Großen von
dem Diebstahl, wie er die Sache auffaßte, und bei dem König hatte Lessings Name fortan einen übeln Klang. Es konnte aber auch wirklich keine
Gemeinschaft geben zwischen Lessing und dem Führer der französischen
Aufklärung.

Den Winter 1751/52 und den größten Teil von 1752 verbrachte Lessing in Wittenberg. Im April schloß er hier durch die Erwerbung der Magisterwürde seine Studien ab. Außerdem schrieb er die „Rettungen" und das „Vademecum für Samuel Gotthold Lange" während dieser Zeit. Sie sind Zeugnisse umfassenden Wissens und hohen Scharfsinns, aber zugleich einer angriffslustigen Gereiztheit. Er war in mannigfach bedrängter Lage: Er hatte die Eltern enttäuscht und getäuscht; er hatte sich in allerlei bedenkliche Abenteuer eingelassen; er hatte sich Voltaire und Friedrich II. im Lichte eines Betrügers gezeigt. Und doch war er ein ganz anderer, als er zu sein schien. Vor allem das „Vademecum" spiegelt die starke Erregtheit des Verfassers. Lange, Pastor in Laublingen, ein Sohn des pietistischen Professors Joachim Lange, der mit Francke zusammen Wolff aus seinem Lehramte in Halle vertrieben hatte, war ein Parteigänger der Zürcher. Bodmer hatte 1746 seine und seines verstorbenen Freundes Pyra Oden herausgegeben unter dem Titel „Thyrsis und Damons freundschaftliche Lieder". Er hatte, vor Klopstock, die Horazische Odenform wieder erweckt und genoß nicht geringes Ansehen. Eine Übersetzung von Horazens Oden und Ars poetica aus seiner Feder, schon lange ruhmredig angekündigt und von seinen Freunden mit Spannung erwartet, erschien 1752. Sie war dem König von Preußen gewidmet, der „dem Würdigen, Lieben, Getreuen für die devote Attention" dankte und der „wohlgeratenen Arbeit" vollen Erfolg wünschte. Auch andere spendeten Lob, so Hagedorn, der von einer „zuverlässigen und netten" Übersetzung sprach.

Lessing hatte Langes Übersetzung geprüft und „unüberschwengliche Fehler" darin gefunden, die er in den „Kritischen Briefen" des zweiten Teils seiner „Schriften" herausstellte. Hatte Voltaire vor Friedrich dem Großen seinen Charakter verdächtigt, so mochte der König sich nun selber bei der Nase nehmen, daß er über einen Scharlatan wie den Pastor Lange seine Fittiche gebreitet hatte. Lange, durch das königliche Lob verblendet, parierte Lessings Angriff im Hamburger Correspondenten ebenso dumm als hochnäsig und verdächtigte außerdem seinen Charakter: Lessing sei bereit gewesen, die Kritik zu unterdrücken, wenn Lange sie ihm abgekauft hätte. Außerdem stichelte er gegen das kleine Format von Lessings Schriften: er habe sie in Duodez herausgegeben, „um sie zu einem Vademecum zu machen", d. h. damit man sie leicht in die Tasche stecken könne. So nahm Lessing in seinem „Vademecum" die frühere Kritik wieder auf, erweiterte und verschärfte sie und wies die persönlichen Verunglimpfungen zurück, indem er sie klarstellte: Nicht Lessing hatte die Kritik gegen Bezahlung unterdrücken wollen, ein gemeinsamer Freund Lessings und Langes, Prof. Nicolai in Halle, hatte Lessing geraten, sie gegen Bezahlung Lange auszuliefern, um nicht durch Verunglimpfung eines Schützlings des Königs sein Heil in Preußen zu verscherzen.

Als Lessing Ende 1752 nach Berlin zurückkehrte, war seine Stimmung ruhiger, aber auch sein Ansehen gewachsen. An der Stelle des doch keineswegs makellosen Journalisten Mylius, der 1753 Berlin verließ, um an einer Expedition nach Surinam teilzunehmen, aber schon im folgenden

Jahre in London starb, gewann Lessing andere, würdigere Freunde: Johann Georg Sulzer, Professor am Joachimstalschen Gymnasium, Mitglied der Preußischen Akademie, Karl Wilhelm Ramler, den Dichter und Dichter-Schulmeister, Kleist und Gleim, vor allem aber Moses Mendelssohn und Friedrich Nicolai.

Moses Mendelssohn (1729—1786) war in Dessau als Sohn des jüdischen Lehrers Mendel geboren, hatte sich in Berlin mühsam durch das Studium des Talmud hindurchgekämpft in das freiere und weitere Reich des christlichen Wissens: alte und neue Sprachen, Literatur und Geschichte, Musik und Philosophie. 1750 wurde er Hauslehrer und Buchhalter bei einem jüdischen Seidenhändler. Später kam er als selbständiger Kaufmann zu Wohlstand und verfaßte neben seiner geschäftlichen Tätigkeit eine Reihe philosophischer Werke. Seine Erstlingsschrift „Philosophische Gespräche" veröffentlichte Lessing 1755.

Friedrich Nicolai, am 18. März 1733 als Sohn eines Buchhändlers in Berlin geboren, besuchte in seiner Vaterstadt das Joachimstalsche Gymnasium und die Schule des Waisenhauses in Halle. Er hat selber später über seine gelehrte Ausbildung Rechenschaft gegeben. In Berlin lernte er nichts als lateinisch und griechische Grammatik und Prosodie, ein bißchen Geschichte und „eine ganz unverständliche verkehrte Geographie". In Halle wurde er mit künstlichen Rechenexempeln gequält, die den Verstand verwirrten, und lernte beten, ohne daß er den von Francke geforderten Durchbruch des Heiles erlebte. Das Gymnasium war ihm bald so sehr verleidet, daß, als sein Vater ihm vorschlug, ihn Buchhändler werden zu lassen, er mit Freuden einwilligte und nach Berlin zurückkehrte. Hier besuchte er noch ein Jahr lang die eben eingerichtete Realschule und fand sich, nach dem pedantischen und unfruchtbaren Unterricht an den Gymnasien, in einer neuen Welt, so daß er sich „schon im ersten Monat vor Freude nicht zu lassen wußte". Hier wurden Realien gelehrt: Botanik, Anatomie, Ökonomie, Naturlehre, Zeichnen, Feldmessen, Mechanik usw., alles auf Grund von Beobachtung und praktischer Anwendung des Gelernten. Besonders der Lehrer der Mathematik regte ihn zum eigenen Nachdenken an und legte den Grund zu einer klaren logischen Bildung. Als er 1749 die Schule zu seinem „unbeschreiblichen Kummer" verlassen mußte, um in Frankfurt a. d. O. den Buchhandel zu erlernen, setzte er mit dem Eifer des wißbegierigen Autodidakten seine Studien fort. In Frankfurt lehrte damals A. G. Baumgarten, ein Anhänger Wolffs. Nicolai studierte aus Kollegienhefte ihm befreundeter Studenden Wolffs Logik und Baumgartens Metaphysik und Ästhetik. „Ich las", berichtet er, „in Frankfurt noch Wolffs sämtliche deutsche philosophische Schriften mit großer Aufmerksamkeit. Die ungemeine Ordnung, Deutlichkeit und Bestimmtheit, welche in diesen Schriften herrscht, die Methode, daß nichts ohne deutliche Erklärung angegeben wird, damit man bestimmt wisse, wovon die Rede sei, und daß zu jedem Satze der Beweis hinzugefügt wird... machte es mir überaus leicht, den Inhalt dieser Schriften deutlich zu fassen und darüber nachzudenken. Die beständige

Bemühung, das, wovon gehandelt werden sollte, mir genau definiert vorzustellen, die Fertigkeit, auf die zuerst festgesetzten Prinzipien zurückzugehen und keinen Satz ohne Beweis anzunehmen, hat mich nachher immer in meinen Reflexionen über alle Gegenstände begleitet. Ich nahm sozusagen alles, was ich sah und hörte, für Postulate, die nach Wolffischer Art in Lehrsätze verwandelt werden müßten."

1752 kehrte Nicolai, mit allen möglichen gelehrten Kenntnissen ausgerüstet, wieder nach Berlin zurück, und als nach einigen Wochen der Vater starb, übernahm er die Buchhandlung. Auch jetzt noch benutzte er die frühesten Morgen- und die Abendstunden zum Studium und lernte es, sich durch kein Geräusch beim Lesen und Nachdenken stören zu lassen und schnell von einer Beschäftigung zur anderen überzugehen, „wenn sie auch von ganz disparater Natur waren, und so oft zwei- und dreierlei Gegenstände im Sinne zu behalten und von jedem die Fäden wieder zu ergreifen, ohne sie zu verwirren."

Man sieht: er hat Wolffs Philosophia certa et utilis bis auf den Grund in sich aufgenommen. Er ist der Mann der Aufklärung. Er hat ihre Strebekräfte: Verbreitung von Licht durch Selbstdenken, Schaffung irdischen Glücks, so fest ergriffen, wie nur einer, und durch rastlosen Fleiß zu verwirklichen versucht. Er war stolz darauf, alles, was er war, sich selber zu verdanken. Ein Individualist, kämpfte er gegen jeden Zwang und jede Gleichmacherei, ob sie von der Schule oder von geistig-literarischen Cliquen herrührte. „Ich bin nie von einer Partei gewesen ... und werde nie von einer anderen Partei sein, als von der Partei der Wahrheit, so wie ich sie einsehe." Als Aufklärer war er aber auch davon überzeugt, daß es eine Wahrheit gebe, und daß sie sich erwerben lasse. Im Gegensatz zu dem unaufhörlichen Sucher Lessing, dem das Streben nach Wahrheit alles bedeutete, hielt er Wahrheit für einen objektiven Besitzwert. Wohl kannte er auch keine Ruhe, und die Bewegungsidee der Aufklärung war auch in ihm wirksam. Aber sein Wahrheitsstreben ist doch weniger Weg um des Weges willen, als ein Fortschreiten von Stufe zu Stufe: auf jeder Stufe wird als sicheres Gut niedergelegt, was auf dem Zwischenweg gewonnen worden ist. Denn sein gesamtes Schaffen hat einen ausgesprochenen Nützlichkeitswert. Lessings Uneigennützigkeit ist ihm völlig fremd. Eigennutz heißt aber bei ihm nicht nur Erwerb zu eigenem Vorteil, sondern ebenso sehr für die Gesellschaft. Die allgemeinen sozial-aufklärerischen Tendenzen der Zeit leben sehr stark in ihm. Er will nicht nur sich selber bilden, sondern auch möglichst viele andere. Er glaubte unbedingt und ohne Grenze an die Entwicklungsfähigkeit der Menschheit und jedes einzelnen, und er betrachtete es als ein hohes Lob, als Lavater ihm „Perfektibilität" zutraute. „Die Welt ist so groß und die Menschheit ist so perfektibel, ... um so mehr muß es jedes kleine einzelne Ich sein", läßt er in den „Vertrauten Briefen von Adelheit B. an ihre Freundin Julie" (1799) Adelheid als seine Sprecherin sagen. Aber diese Vollkommenheit kann der einzelne nur erreichen als Glied der Gesellschaft: „Im Müßiggange vegetieren und im innern Ich Grillen fangen ohne Tätigkeit..., heißt nicht leben. Leben ist, in und für die menschliche Gesellschaft tätig wirken, wäre es auch nur im kleinsten und unbedeutendsten Wirkungskreise... Ich prüfe einen Menschen, der sich seiner Weisheit rühmt, ob er für seine Mitmenschen etwas empfindet, oder vielmehr, ob er etwas für sie tut; ist dies nicht, so besteht seine Weisheit bloß aus schönen Worten." All das erinnert an Lessing, und man begreift die enge Freundschaft der beiden; aber es ist alles vergröbertes Lessingsches Gedankengut. Man hat das Gefühl, als ob ein wackerer, aber handwerklicher Zeichner das Bild eines Meisters kopiert habe. Chodowiecki hat diesen Mann in dem bekannten Stiche ausgezeichnet charakterisiert: das grob geschnittene, klare Gesicht, den energischen Mund, den bestimmten Blick, die fliehende Stirne, eine Mischung von hellem Verstand und beschränktem Eigensinn, das Gesicht eher eines praktisch tätigen als geistig wirkenden Menschen.

Über seinen Verkehr mit Mendelssohn und Lessing hat Nicolai anschaulich berichtet. In den philosophischen Unterhaltungen, die sie zu dritt pflegten, habe Lessing die Art gehabt, entweder die schwächste Partie zu nehmen, oder, wenn jemand das Dafür vortrug, sogleich mit seltnem Scharfsinn das Dawider aufzusuchen. „Diese Manier Lessings entstand nicht aus Liebe zum Widersprechen, sondern um die Begriffe dadurch noch heller und bestimmter zu entwickeln, daß man sie von mehreren Seiten betrachtete; denn er war so, wie wir alle, überzeugt, daß in spekulativen Dingen sehr oft die gefundene Wahrheit nicht so viel wert ist als die Übung des Geistes, wodurch man sie zu finden sucht."

6. Christoph Martin Wieland (1733—1813)
Gemälde von Johann Ernst Heintius für Gleims Freundschaftsstempel

Der junge Pfarrerssohn aus Oberholzheim bei Bieberach geriet in Gewissenskonflikte zwischen seiner pietistischen Erziehung und der französischen und englischen Philosophie, die er eifrig studierte. Das führte zu einer Dichtung besonderen Stils: Sowohl der schwärmerisch-empfindsame Einfluß Klopstocks wie die graziöse Frivolität französischen Geistes und die sensualistisch-humoristischen Züge der Engländer trugen zu den schillernden Farben von Wielands Dichtung bei.

7. Wieland im Kreise seiner Familie
Gemälde von Georg Melchior Kraus, 1775

1765 hatte Wieland die wohlhabende Augsburgerin Dorothea Hillenbrand geheiratet. Dem im Grunde sensiblen Dichter war diese Gattin, deren Sinn ganz auf Häuslichkeit und Kindersegen stand, eine rechte „Hausapotheke", wie er selbst von ihr sagte.

8. Titelblatt zur Erstausgabe
In Wielands humoristischer Verserzählung „Musarion" führt die Griechin Musarion ihren Geliebten Phanias aus Menschenhaß und Resignation zurück zu einer heiteren, nachsichtigen Lebensanschauung, in der sich Geist und Sinne, Maß und Genuß zu schöner Harmonie vereinen. Das Stück wurde als eine Rückkehr zur Antike gefeiert und bald ins Französische, Italienische und Dänische übersetzt.

6 Christoph Martin Wieland (1733—1813)

7 Wieland im Kreise seiner Familie

8 Titelblatt zur Erstausgabe

Frankfurt und Leipzig, 1766.

Musarion,

oder

die Philosophie der Grazien.

Ein Gedicht,

in drey Büchern.

Leipzig,

bey Weidmanns Erben und Reich, 1768.

9 *Illustration zu „Oberon" (1780)*

10 *Wielands Begegnung mit Napoleon*

11
Der alte Wieland

In Berlin gab Lessing ein theatergeschichtliches Sammelwerk, die „Theatralische Bibliothek" (1754/58), und das bürgerliche Trauerspiel „Miss Sarah Sampson" (1755) heraus. Aber Ende Oktober 1755 war er wieder in Leipzig. Ein junger reicher Leipziger, Gottfried Winkler, hatte ihn eingeladen, als sein Gesellschafter eine Reise nach England zu machen. Die Reise wurde im Frühjahr 1756 angetreten. Man kam aber nur bis Amsterdam. Der Ausbruch des Krieges, der Einfall Friedrichs in Sachsen, veranlaßte Winkler zu schleunigster Rückkehr. — Lessing mußte noch jahrelang mit ihm prozessieren, um wenigstens die Hälfte des ihm zuerkannten Gehaltes zu erringen. Er war zuerst mit Winkler nach Leipzig zurückgekehrt. Mehr und mehr aber merkte er, daß sein Platz in Berlin war. Friedrich der Große zog ihn an. Seine besten Freunde, Gleim, Nicolai, Mendelssohn, Kleist, waren Preußen und lebten in Berlin. Als er einmal Kleist und andere preußische Offiziere in seine Leipziger Tischgesellschaft

9. Illustration zu „Oberon" (1780)
Stich von Carl Mayer nach der Zeichnung von Carl Alexander Simon

Der „Oberon" erschien im ersten Druck in Wielands Zeitschrift „Teutscher Merkur". Wie so oft bei Wieland kristallisierte sich auch hier aus den verschiedensten Stoffen der Weltliteratur ein schließlich in der Form doch eigenes Werk heraus. Das Thema ist die reine Liebe zwischen Huon und Amanda, die über alle Versuchungen und Leidenschaften triumphiert. Der opernhafte Charakter dieser Dichtung in Stanzen erinnert an Mozarts Zauberflöte und reizte 1826 Carl Maria von Weber zur Vertonung.

10. Wielands Begegnung mit Napoleon
Aquatinta von Johann Bapt. Hössel nach einer Tuschzeichnung von Hans Veit Schnorr

Während des Fürstenkongresses in Erfurt im Oktober 1808 hatte Napoleon auf dem Hofball in Weimar eine eineinhalbstündige Unterredung mit Wieland. Man sprach über Poesie, Philosophie, Religion, über Tacitus und Christus. Wie Goethe erhielt auch Wieland den Orden der Ehrenlegion.

11. Der alte Wieland
Gemalt von Ferdinand Carl Jagemann, gestochen von Moritz Steinla

Der alte Wieland konnte auf ein reiches Lebenswerk zurückblicken. Nach einem Studium der Rechte in Tübingen (1750—52) hatte er einen für seine Dichtung fruchtbaren Umgang mit dem züricher Gelehrten Bodmer (1751—58). 1760 berief man ihn als Ratsherrn nach Bieberach. 1769 wurde er Professor der Philosophie in Erfurt. 1772 ernannte ihn Herzogin Anna Amalia zum Hofrat in Weimar, wo er bis 1775 der Erzieher des Prinzen Carl August war. In Weimar genaß er höchstes Ansehen. Allerdings mußte er erleben, daß die jüngere Generation seine Dichtungen und Anschauungen angriff. Doch hatte er sich die in seinem Werk immer wieder geforderte Nachsicht auch in seinem Leben zu eigen gemacht und trat den Jüngeren trotz ihrer Ausfälle stets tolerant gegenüber.

einführte, schrieb ihm Winkler, daß sie geschiedene Leute seien und er noch den nämlichen Tag von ihm ziehen müsse. Lessing hatte sich in dem Kampf um die Vorherrschaft in Deutschland für den Preußenkönig entschieden. Was sollte er noch in Sachsen, trotzdem er von Geburt ein Sachse war?

Anfang Mai 1758 begab er sich nach Berlin. Es war sein dritter Aufenthalt in der preußischen Hauptstadt. Er dauerte bis in den Herbst 1760. Es war die Zeit der beginnenden Großmachtstellung Lessings. In seinem Trauerspiel „Philotas" (1760) verherrlichte er, mitten im Siebenjährigen Kriege, den Heldentod eines griechischen Jünglings. Mit Ramler gab er die Sinngedichte von Friedrich von Logau heraus (1759). Der Fauststoff beschäftigte ihn. Fabeln und Abhandlungen über die Fabel entstanden (1759). Vor allem aber begründete er jetzt im Verein mit Mendelssohn und Nicolai die „Briefe, die neueste Literatur betreffend", an denen er bis 1765 mitarbeitete.

Bis dahin hatten die Moralischen Wochenschriften den literarischen Geschmack der Deutschen bestimmt. Sie waren wie Pilze aus dem Boden geschossen, und es gab kaum eine größere oder kleinere Stadt, die nicht wenigstens für einige Zeit ihre Wochenschrift hervorbrachte. Daneben gab es für den Verkehr der Gelehrten bestimmte Rezensionsorgane. Es ist ein Zeichen für die Steigerung des literarischen Interesses und die Verbreiterung der allgemeinen Bildung, aber auch ein Beweis für die fesselnde Gemeinverständlichkeit vor allem von Lessings kritischer Darstellungsgabe, wenn die drei Freunde es wagen durften, eine Zeitschrift herauszugeben, die keine Anekdoten und moralischen Abhandlungen mehr, sondern ernsthafte Besprechungen neu erschienener Werke der schönen und der wissenschaftlichen Literatur enthielt und doch für das große Publikum bestimmt war. Wie rasch sind Rezensionen vergessen! Mit dem Tage, an dem sie erschienen sind, gehen sie dahin. Der Glanz und die Leidenschaft der Sprache, das Wissen und der Gedankenreichtum des Inhaltes sichern Lessings Besprechungen noch heute Interesse, auch wenn die Werke, die er anzeigte, längst vergessen sind. Seine Charakteristik von Wielands frömmelnden Jugendschriften, seine Ausführungen über Übersetzen und deutsche Geschichtsschreibung sind heute noch lesenswert. Es kommt vor, daß er sich im Übermut verhaut, so wenn er im 17. Briefe Gottsched jegliches Verdienst um die Verbesserung der deutschen Schaubühne abstreitet. Im ganzen aber waren die Literaturbriefe eine epochemachende Tat und auch äußerlich ein Erfolg. Ein siegreicher Feldzug auf dem Gebiete der Kritik, wie ihn Friedrich der Große auf dem Gebiete der Kriegskunst führte. Es hatte einen tieferen Sinn, wenn die Herausgeber die Briefe an einen verdienten Offizier richteten, der, zugleich ein Mann von Geschmack und Gelehrsamkeit, in der Schlacht bei Zorndorf verwundet worden sei. In der Tat flossen das Kriegshandwerk und die Liebe zur Dichtung bei so vielen Zeitgenossen ineinander, wie Ewald von Kleist und Gleim und die Erfahrungen Gellerts und Rabeners beweisen. Wielands Freund, Professor Riedel in Erfurt, hat die geschichtliche Bedeutung der Literaturbriefe mit Recht so umschrieben: „Die Verfasser der Literaturbriefe machten, daß Gottsched mit Bodmer vergessen wurde. Sie allein führten das Szepter, und die übrigen Kunstrichter wurden entweder verlacht, oder sie beteten ganz andächtig die Aussprüche nach, welche ihre Befehlshaber diktierten."

Damit hatten die Literaturbriefe aber auch für Lessing ihren Dienst getan. Ihr Fortgehen interessierte ihn nur mäßig. Im Winter 1760 befand er sich, zur Überraschung seiner Berliner Freunde, von denen er ohne Abschied fortgegangen war, auf einmal in Breslau als Sekretär des Generals Tauentzien, des Gouverneurs der schlesischen Hauptstadt. Am 6. Dezember schreibt er an Ramler: „Sie werden sich vielleicht über meinen Entschluß wundern. Die Wahrheit zu gestehen, ich habe jeden Tag wenigstens eine Viertelstunde, wo ich mich selbst darüber wundere. Aber wollen Sie wissen, liebster Freund, was is alsdann zu mir selbst sage? Narr! sage ich, und schlage mich an die Stirn: Wann wirst du anfangen, mit dir selbst zufrieden zu sein? Freilich ist es wahr, daß dich eigentlich nichts aus Berlin trieb; daß du die Freunde hier nicht findest, die du da verlassen; daß du wenig Zeit haben wirst, zu studieren. Aber war nicht alles dein freier Wille? Warst du nicht Berlins satt? Glaubtest du nicht, daß deine Freunde deiner satt sein müßten? Daß es bald wieder einmal Zeit sei, mehr unter Menschen als unter Büchern zu leben? Daß man nicht bloß den Kopf, sondern, nach dem dreißigsten Jahre, auch den Beutel zu füllen bedacht sein müsse?"

Darnach haben ihn zwei Gründe nach Breslau geführt: Menschen und Geld.

So sehr Lessing in und von den Büchern lebte, die Beweglichkeit seiner Natur bedurfte auch regen Umgang mit Menschen und tätiges Leben. Das bot ihm seine Stelle in unvergleichlichem Maße. Zwar war sein Amt keine Sinekure. Kaum war er ein Vierteljahr in Breslau, so klagte er Mendelssohn: „Ach, bester Freund, Ihr Lessing ist verloren! In Jahr und Tag werden Sie ihn nicht mehr kennen. Er sich selbst nicht mehr. O meine Zeit, meine Zeit, mein Alles, was ich habe! — Sie so, ich weiß nicht, was für Absichten aufzuopfern! Hundertmal habe ich schon den Einfall gehabt, mich mit Gewalt aus dieser Verbindung zu reißen. Doch kann man einen unbesonnenen Streich mit dem andern wieder gutmachen?" Und doch, wie sehr ihm das Leben in Breslau, in der Nähe des Kriegsschauplatzes, der Verkehr mit den Offizieren Friedrichs des Großen, die ganze scharfe Luft des Soldatenlebens, nicht zum wenigsten das leidenschaftliche Spielen mit den Offizieren bis tief in die Nacht hinein — wie sehr ihm all das zugesagt hat, beweist schon seine „Minna von Barnhelm", die jetzt entsteht und Ende August 1764 fast fertig ist (an Ramler 20. August 1764).

Auch Geld brachte ihm seine Stelle nun so reichlich ein, daß er sich eine große Büchersammlung, „wenigstens drei Mal so viel als er in Berlin zurückgelassen", anlegen konnte. „Wenn es Ihr Ernst ist", schrieb er Ramler am 7. September 1761, „daß Sie mein Tresorier werden wollen:

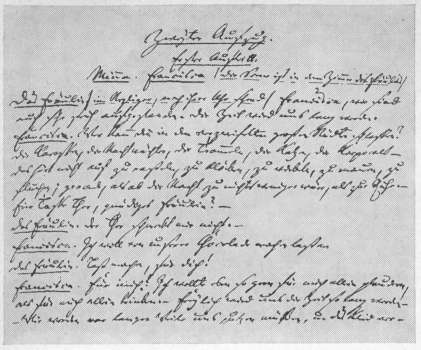

Aus Lessings eigenhändigem Manuskript „Minna von Barnhelm".
Der Anfang des zweiten Aufzugs, erster Auftritt.

gut, lassen Sie nur die Wege wieder recht sicher werden!" Auch den
Eltern und Geschwistern konnte er nun von seinem Reichtum spenden.
Aber als er drei Jahre in Breslau zugebracht, schrieb er dem Vater, er
werde ihm doch nicht zutrauen, daß er sein Studium an den Nagel ge-
hangen und sich bloß elenden Beschäftigungen de pane lucrando" widmen
wolle. Und wie er stets den Gegensatz brauchte, um leben und schaffen
zu können, so vertiefte er sich mitten in dem Getümmel des Krieges in
Spinozas Ethik. Noch hatte er in seiner amtlichen Stellung den Frieden
von Hubertusburg feierlich zu proklamieren — man kann sich ihn schwer
in dieser Rolle vorstellen —, so hatte der Aufenthalt in Breslau auch
schon Sinn und Reiz für ihn verloren, und im Sommer 1765 war er
wieder in Berlin.

Die natürliche Folge seiner Tätigkeit in Breslau wäre nun gewesen, daß
er, nun er einmal im preußischen Dienste gestanden, in Berlin ein ihm
zusagendes Amt gefunden hätte. Er war dazu bereit. Die Stelle eines
Vorstehers der königlichen Bibliothek und des Münzkabinettes war frei.
Er bewarb sich darum und füllte, um sich für die Stelle auszuweisen,
seinen „Laokoon", an dem er damals arbeitete, über Gebühr mit kunst-

geschichtlich-archäologischen Erörterungen, so daß durch sie der ästhetisch-kritische Zweck der Schrift auf weite Strecken verschüttet wurde. Er war fraglos der fähigste Anwärter für die Stelle; der König aber, in dessen Gedächtnis der Name Lessing an übler Stelle stand, überging ihn und gab sie dem französischen Benediktiner J. A. Pernetty, den er mit einem andern des gleichen Namens verwechselt hatte.

In Hamburg hatten indessen unter der Leitung des aus dem Baselgebiet stammenden Theaterschwärmers Abel Seyler, ein paar Kaufleute 1767 ein Deutsches Nationaltheater gegründet. Tüchtige Kräfte, darunter Ekhof, waren angeworben. Lessing, der in Berlin eben sein nationales Lustspiel „Minna von Barnhelm" beendet hatte, sollte als Theaterdichter die deutsche Bühne mit neuen Dramen bereichern. Als ob er das vermocht hätte! Als ob er ein Goldoni gewesen wäre, der das italienische Theater in einem Jahre mit dreizehn neuen Stücken bereicherte! Er fühlte die lebendige Quelle nicht in sich, „die durch eigene Kraft sich emporarbeitet, durch eigene Kraft in so reichen, so frischen, so reinen Strahlen aufschießt: ich muß alles durch Druckwerk und Röhren aus mir herauspressen. Ich würde so arm, so kalt, so kurzsichtig sein, wenn ich nicht einigermaßen gelernt hätte, fremde Schätze bescheiden zu borgen, an fremdem Feuer mich zu wärmen, und durch die Gläser der Kunst mein Auge zu stärken." Wo er als Dichter versagte, wollte er als Kritiker nützen. Er begründete eine Theaterzeitschrift, die „Hamburgische Dramaturgie", in der er „jeden Schritt begleiten wollte, den die Kunst, sowohl des Dichters als des Schauspielers, hier tun würde." Sie wurde weit mehr als eine Theaterzeitschrift: eine theoretische Grundlegung des deutschen Dramas. Denn Lessing begnügte sich nicht damit, die aufgeführten Stücke zu besprechen und an Dichter und Schauspieler Lob und Tadel auszuteilen. Es ging ihm um Grundsätzliches, über den Tag und die Hamburger Bühne Hinausreichendes: um die Überschätzung der Franzosen, die er zu seinem Verdruß eben am eigenen Leibe erfahren, um den Wert der Alten, um Shakespeare und um das Wesen des Tragischen.

Titelblatt zu den zweimal wöchentlich erschienenen Stücken der „Hamburgischen Dramaturgie"

69

Aber was kümmerte sich das Hamburger Publikum um das, was Lessing wollte? Um ein „Deutsches Nationaltheater"? Es wollte Unterhaltung, und als man statt dessen Nachdenken und Kunstbegeisterung von ihm forderte, blieb es weg, und das Theater, ohnehin schwach mit Geld ausgerüstet, brach zusammen, und Lessing verlor seine Stelle, noch mehr, er hatte seinen Teil von den Vorwürfen zu tragen, mit dem die Enttäuschten hier und dort die Gründer der Bühne überschütteten. Als er, am 19. April 1768, im 101. bis 104. Stück der Dramaturgie, sich gegen sie verteidigte, hatte das Nationaltheater seine Pforten längst geschlossen.

Wieder einmal mußte ihm die freie Feder helfen. Er schrieb die „Antiquarischen Briefe" (1768) gegen den Professor Klotz in Halle, der ihn wegen des „Laokoon" hämisch angegriffen, als seine anfänglichen Lobsprüche Lessing nicht in seine Clique einzufangen vermocht hatten, und die Abhandlung „Wie die Alten den Tod gebildet" (1769). Aber er war nun doch zu alt geworden, um wie der Vogel auf dem Zweige zu leben. 1770 fand er als Vorsteher der Biliothek in Wolfenbüttel seine letzte Stelle. Es mochte ihn wohl reizen, die altberühmte, an Handschriften, Wiegendrucken und andern Seltenheiten reiche Guelferbytana zu betreuen, umso mehr, als der Erbprinz von Braunschweig, Karl Wilhelm Ferdinand, der Bruder Anna Amalias von Weimar, sich persönlich um ihn bemüht hatte. Die Besoldung war anfangs kärglich, öde seine Wohnung im großen leeren Schloß und der Verkehr mit den geistigen Notabilitäten in Wolfenbüttel und Braunschweig kein Ersatz für das Leben in Berlin. Er war nicht abgeneigt, Wolfenbüttel mit einem größern Wirkungskreis zu vertauschen. In Wien und in Mannheim schien sich für ihn die Aussicht aufzutun, die Leitung eines zu gründenden Nationaltheaters zu übernehmen. Er reiste Mitte der siebziger Jahre nach beiden Orten. „Warum das Ding nicht versuchen?" erklärte er, als er sich entschloß, nach Wien zu gehen. „In Wolfenbüttel müßte ich schlechterdings im Schlamme ersticken, und keinem Menschen ist eigentlich daran gelegen, ob ich länger dableibe oder nicht" (17. März 1775). Maria Theresia empfing ihn in Schönbrunn und unterhielt sich mit ihm über Theater, Wissenschaft und Literatur der Zeit. Sie wollte von ihm wissen, wie er den Stand der Bildung in Österreich finde. „Ich weiß wohl", soll sie gesagt haben, „daß es mit dem guten Geschmacke nicht recht vorwärts will. Sage Er mir doch, woran die Schuld liegt? Ich habe alles getan, was meine Einsichten und Kräfte erlauben. Aber oft denke ich, ich sei nur ein Frauenzimmer, und eine Frau kann in solchen Dingen nicht viel ausrichten." Aber auch aus Wien, wie aus Mannheim, kehrte Lessing um eine Enttäuschung reicher nach Hause. 1775 machte er als Begleiter eines braunschweigischen Prinzen eine Reise nach Italien. Man ging über Turin nach Rom und Neapel und zurück über Venedig. Die Aufzeichnungen von der Reise enthalten einige Beobachtungen an Menschen und Kunstwerken und viele Titel von Büchern und Namen von Gelehrten; es ist das Tagebuch eines gelehrten Sammlers, nicht eines Ästheten oder gar eines Künstlers. Man spürte, sein Verfasser ist gewohnt unter Büchern zu leben, mit Freuden zu diskutieren, nicht aber beobachtend sich der Natur, den Kunstwerken und den Menschen hinzugeben.

Schließlich blieb, nachdem alle andern Hoffnungen sich zerschlagen, eben doch Wolfenbüttel seine letzte Zuflucht. „Darin haben Sie vollkommen recht", schrieb er am 2. Juni 1775 von Venedig aus an Eva König: „daß auf die Länge Wolfenbüttel mehr mein Ort ist, als jeder andere... Ganz gewiß werde ich auch also alles darauf anlegen, um in Wolfenbüttel zu bleiben."

Eva König, die 1736 in Heidelberg geboren war, hatte er als die Gattin eines Kaufmanns und Fabrikanten in Hamburg kennengelernt. Ihr Mann hatte weit ausgesponnene Geschäfte begründet und besaß eine Seiden- und eine Tapetenfabrik in Wien. Als er auf einer Reise nach Italien 1769 plötzlich in Venedig starb, wurde Lessing der treueste Freund seiner Witwe und der Berater ihrer Kinder. Sie war eine hochgebildete und geistig regsame, auch geschäftlich tüchtige Frau. 1771 verlobte er sich mit ihr. Sie aber hatte die Pflicht, vorerst für sich und ihre Kinder die Geschäfte ihres Mannes zu liquidieren. Es währte fünf Jahre, ehe sie sich heiraten konnten. Wenig mehr als ein Jahr dauerte die glückliche Ehe. Ende 1777 starb das Söhnlein, das Eva geboren, und zu Anfang des nächsten Jahres folgte ihm die Mutter.

Als Lessing dieses doppelte Unglück traf, war sein Leben von den stürmischen Wogen eines heftigen Streites umbrandet. Er hatte 1772 die „Emilia Galotti" herausgegeben. 1773 begründete er die „Beiträge zur Geschichte und Literatur. Aus den Schätzen der herzoglichen Bibliothek", eine lose Folge von Mitteilungen über seine Entdeckungen von Handschriften und seltenen Drucken. In dieser Reihe veröffentlichte er unter dem Titel „Fragmente eines Ungenannten" von 1774 bis 1778 Stücke aus der „Apologie oder Schutzschrift für die vernünftigen Verehrer Gottes", die er von den Kindern des Verfassers, des ehemaligen Professors Samuel Reimarus in Hamburg, erhalten hatte. Es war eine kühne Kritik des Alten und des Neuen Testamentes und der Hauptsätze des protestantischen Lehrbegriffes, wie der Sätze von der Erbsünde, der Erlösung durch den Tod Christi. Er hatte den Namen des Verfassers verschwiegen und war nun selber die Zielscheibe der Angriffe, die sofort von orthodoxer Seite gegen das Werk eröffnet wurden. Allen voran im Streite stand der Hamburger Hauptpastor Melchior Goeze. Lessing verteidigte sich in einer Reihe von „Anti-Goeze" genannten Briefen. Goeze antwortete. Der Streit stieg zu unerhörter Leidenschaft. Heftige Beschuldigungen, ja Beleidigungen folgten sich auf beiden Seiten. Da gelang es der Gegenpartei, Lessing den schwersten Schlag zu versetzen. Der Herzog wurde veranlaßt, Lessing die Zensurfreiheit zu entziehen, die er bisher als Bibliothekar genossen, und unter deren Schutz er auch seine Kampfschriften gegen Goeze veröffentlicht hatte. Das war im Juli 1778, ein halbes Jahr nach dem Tode von Frau und Kind.

Lessing hat in einer wundervollen Aufzeichnung diese „Unterbrechung im theologischen Kampf" selber geschildert: „Es war abends um sieben

Uhr, und ich wollte mich eben hinsetzen, meinen zwölften Antigoezischen Brief auf das Papier zu werfen, wozu ich nichts weniger als aufgelegt war; als mir ein Brief gebracht wird, aus welchem ich sehe, daß ich es damit nur anstehen lassen kann — daß ich es damit vielleicht auf lange werden anstehen lassen müssen. Das ist doch ärgerlich! sage ich mir, wie wird der Mann triumphieren! Doch er mag triumphieren. Ich, ich will mich nicht ärgern; oder mich geschwind, geschwind abärgern, damit ich bald wieder ruhig werde, und mir den Schlaf nicht verderbe, um dessen Erhaltung ich besorgter bin, als um alles in der Welt. — Nun wohlan, meine liebe Irraszibilität! Wo bist du? Wo steckst du? Du hast freies Feld. Brich nur los! Tummle dich brav! — Spitzbübin! So? Du willst mich nur überraschen? Und weil du mich hier nicht überraschen kannst, weil ich dich selbst hetze, selbst sporne, willst du mir zum Trotze faul und stetisch sein. — Nun, mach' bald, was du machen willst, knirsch' mir die Zähne, schlage mich vor die Stirne, beiß' mich in die Unterlippe! Indem tue ich das letztere wirklich, und sogleich steht er vor mir, wie er leibte und lebte — mein Vater seliger. Das war seine Gewohnheit, wenn ihn etwas zu wurmen anfing; und so oft ich ihn mir einmal recht lebhaft vorstellen will, darf ich mich nur auf die nämliche Art in die Unterlippe beißen. So wie, wenn ich mir ihn auf Veranlassung eines andern Dinges recht lebhaft denke, ich gewiß sein kann, daß die Zähne sogleich auf meiner Lippe sitzen. — Gut, alter Knabe, gut. Ich verstehe dich. Du warst so ein guter Mann, und zugleich so ein hitziger Mann. Wie oft hast du mir es selbst geklagt, mit einer männlichen Träne in dem Auge geklagt, daß du so leicht dich erhitztest, so leicht in der Hitze dich übereiltest. Wie oft sagtest du mir: Gotthold! ich bitte dich, nimm ein Exempel an mir: sei auf deiner Hut. Denn ich fürchte, ich fürchte — und ich möchte mich doch wenigstens gern in dir gebessert haben. Jawohl, Alter, jawohl. Ich fühle es noch oft genug. — Und doch will ich es heute nicht fühlen, so gern ich es auch heute fühlen möchte. Ich bin bei der verwünschten Nachricht so ruhig — so kalt, daß ich ohne Mühe bei der Nicäischen Kirchenversammlung wieder gegenwärtig bin und im Gelasius weiter fortfahre" (er las damals des Bischofs Gelasius Bericht über das Konzil von Nicäa).

Aber er wußte sich zu helfen. Er wollte dem Feinde „von einer andern Seite in die Flanke fallen". In den „Beiträgen zur Historie und Aufnahme des Theaters" hatte er schon 1750 erklärt: „Selbst die Streitigkeiten verschiedener Religionen können auf das nachdrücklichste auf der Schaubühne vorgestellet werden." Jetzt beschloß er, wie er am 6. September an Elise Reimarus schrieb, den Versuch zu machen, ob man ihn „auf seiner alten Kanzel, dem Theater, wenigstens noch ungestört wolle predigen lassen". Schon 1776 hatte er ein Stück entworfen, das die Frage der wahren Religion behandelte. Er nahm es wieder vor und beendete es im Frühjahr 1779. Es war „Nathan der Weise". Ein Jahr später ließ er ihm die kleine Schrift „Die Erziehung des Menschengeschlechtes" folgen. Schon bei der Niederschrift dieser Abhandlung fühlte er sich leidend. Eine krankhafte Schlafsucht hatte sich seiner bemächtigt. Mühsam hielt er sich aufrecht. Am 15. Februar 1781 starb er während eines Besuches in Braunschweig.

Vergleicht man dieses Leben mit dem etwa von Klopstock oder Wieland, so kann man, was es kennzeichnet, männliche Beherrschtheit nennen. Man kann sich nicht denken, daß Lessing an einem Hofe oder unter der Gnadensonne eines Fürsten hätte leben können. Sein Freiheitssinn zwang ihn, mit kraftvoller Hand sein Leben selber zu formen. Es ist so, den äußern Umständen der Zeit entsprechend, ein unruhvolles Leben geworden, voll Kampf und Enttäuschung, aber das war sein Schicksal: es ist bezeichnend, daß die letzten zehn Jahre, wo er äußerlich zur Ruhe gekommen war, dafür geistig durch den heftigsten Streit, den er je geführt, bewegt wurden. Er ist auch aus ihm als Sieger hervorgegangen.

Liest man die Selbstbiographien von Lessings Freund, dem Dramatiker Christian Felix Weiße, so gewinnt man den Eindruck, daß ihm, dank seiner Klugheit, seinem praktischen Geschick und seiner Menschenfreundlichkeit, alles was er unternahm, hat gelingen müssen. Es ist das geradlinige Leben eines verstandesbeherrschten Aufklärers. So weit Lessing an Charakter und Begabung von Weiße absteht, etwas ist seinem Leben mit dem Weißes gemein: die unbedingte Herrschaft des Verstandes. Nur daß dieser Verstand unendlich viel schärfer war und ganz andere innere und äußere Mächte zu bändigen hatte, als der des hausbackenen Weiße. Er hatte in dem jugendlichen Bruchstück über die Religion erklärt:

„Und Schlüsse haben nie das Bös' in uns zerstört“,

und damit den Sieg der Vernunft über die Leidenschaft in Frage gestellt. Der Kampf zwischen Genuß und Tugend, Zwang des Körpers und Freiheit des vernünftigen Willens ist das Grundthema des Gedichtes:

„Himmlische Tugenden! Was hilft es, euch zu kennen,
In reiner Glut für euch, als unser Glück, zu brennen,
Wenn auch der kühnste Schwung sich schimpflich wieder senkt,
Und uns das Laster stets an kurzen Banden lenkt?“

Keinem Philosophen war Lessing stärker verpflichtet als Leibniz. Leibniz hatte die Frage des freien Willens mit zwiespältiger Weisheit beantwortet. Jedes Wesen ist individuell frei und handelt aus eigenem Entschlusse; indem es das aber tut, vollzieht es die Absicht der Vorsehung; die vernünftige Natur jeder Monade lenkt ihren Willen in die Bahn der prästabilierten Harmonie. Je höher ein Geist steht, umso mehr ist er befähigt, diese Übereinstimmung des Ich mit der Weltvernunft zu vollziehen, in seinem besondern Handeln ihren Willen auszudrücken. Descartes hatte es psychologisch so umschrieben, daß er forderte, man müsse sich Wesen und Tragweite einer Leidenschaft nur vorstellen, um sie zu überwinden, indem man sie in die Sphäre der Vernunft erhebe. Das war auch Lessings Anliegen. In dem Briefe an die Mutter vom Januar 1749 hat er gerühmt, daß die Komödien ihm sehr große Dienste getan hätten;

er habe wahre und falsche Tugenden daraus kennen und über die Laster lachen gelernt. „Ich lernte mich selbst kennen, und seit der Zeit habe ich gewiß über niemanden mehr gelacht und gespottet als über mich selbst." Das bedeutete nichts anderes als die Einbeziehung des Gefühls und der Sinnlichkeit in die Sphäre vernünftiger Betrachtungen und damit ihre Überwindung. In Lessings Jugendliedern mag etwa das Gedicht „Der Irrtum" zeigen, wie dies gemeint ist:

„Den Hund im Arm, mit bloßen Brüsten,
Sah Lotte frech herab.
Wie mancher ließ sich's nicht gelüsten,
Daß er ihr Blicke gab.

Ich kam gedankenvoll gegangen
Und sahe steif heran.
Ha! denkt sie, der ist auch gefangen,
Und lacht mich schalkhaft an.

Allein, gesagt zur guten Stunde,
Die Jungfer irrt sich hier.
Ich sah nach ihrem bunten Hunde:
Es ist ein artig Tier."

Man tut Lessing sicherlich unrecht, wenn man ihm die tiefe Gefühlskraft abspricht. Aber er ist so sehr von Gedanken und Tat beherrscht, daß ihm das lange Verweilen in den Gründen des Fühlens schwächlich vorkommt. Er hat, als Eschenburg ihm Goethes „Werther" schickte, den ihm peinlichen Konflikt des in sich gespaltenen und grübelnden Gemütes rasch und derb auf die Seite geschoben: „Glauben Sie wohl, daß je ein römischer oder griechischer Jüngling sich s o und d a r u m das Leben genommen? Gewiß nicht. Die wußten sich vor der Schwärmerei der Liebe ganz anders zu schützen: und zu Sokrates' Zeiten würde man eine solche Besessenheit aus Liebe, welche etwas Widernatürliches zu wagen antreibt, nur kaum einem Mädelchen verziehen haben. Solche kleingroße, verächtlich schätzbare Originale hervorzubringen, war nur der christlichen Erziehung vorbehalten, die ein körperliches Bedürfnis so schön in eine geistige Vollkommenheit zu verwandeln weiß. Also, lieber Goethe, noch ein Kapitelchen zum Schlusse; und je zynischer je besser!" Dieses Urteil steht auf dem gleichen Boden wie Nicolais Wertherparodie „Die Freuden des jungen Werthers". Das an antikem Vorbild und zeitgenössischem Heldentum geschulte männliche Geschlecht des Siebenjährigen Krieges mußte den Gefühlsüberschwang der Jünglinge um 1770 verabscheuen.

Von Lessing gibt es, soweit wir wissen, denn auch keine Liebesbriefe, in denen sich ein leidenschaftlich zärtliches Herz ausströmt. Denn die zahlreichen Briefe, die er an die kluge und tüchtige Eva König geschrieben hat, sind eher als Geschäftsbriefe zu bezeichnen. Sie handeln von praktischen Dingen, von Lotterielosen, von Liquidation der Geschäfte, von Reisen und Krankheiten und dergleichen. Und die Anreden steigen von „Meine liebste Madame" bis höchstens „Meine liebste Freundin" oder „Meine Liebe". Ein Ton starken Wohlwollens, unbedingten Vertrauens und tatkräftiger Anteilnahme klingt durch sie, aber nicht Zärtlichkeit.

Sobald er merkt, daß ein Gefühl, ein Schmerz ihn übermannen will, preßt er ihn zusammen, daß der strömende Dampf zu den harten und spritzigen Eiskristallen des Witzes gefriert. Nichts ist bezeichnender als seine kurzen Briefe an Eschenburg über den Tod von Sohn und Gattin. Am 31. Dezember 1777: „Meine Freude war nur kurz: und ich verlor ihn so ungern, diesen Sohn! Denn er hatte soviel Verstand! soviel Verstand! ... War es nicht Verstand, daß man ihn mit eisern Zangen auf die Welt ziehen mußte? Daß er so bald Unrat merkte?" Am 7. Januar, nachdem er einen Trostbrief von Eschenburg erhalten, nimmt er schamvoll auch diesen Ausdruck wieder zurück: „Ich kann mich nicht erinnern, was für ein tragischer Brief das kann gewesen sein, den ich Ihnen soll geschrieben haben. Ich schäme mich herzlich, wenn er das geringste von Verzweiflung verrät." Wie ihm drei Tage darauf das größte Leid widerfährt, das ihn treffen konnte, schreibt er denn auch nicht viel mehr als die Tatsache: „Meine Frau ist tot: und diese Erfahrung habe ich nun auch gemacht. Ich freue mich, daß mir viel dergleichen Erfahrungen nicht mehr übrig sein können zu machen; und bin ganz leicht." Was für ein Übermaß an Fassung in jedem dieser zentnerschweren Worte!

Oder aber das Gefühl wird Willenskraft und härtet sich zur helfenden Tat. Als der Vater stirbt und Lessings Mutter und Schwester in bedrängten Verhältnissen zurückläßt, schreibt er an seinen Bruder Theophilus: „Laß uns, mein lieber Bruder, ebenso rechtschaffen leben, als er gelebt hat, um wünschen zu dürfen, ebenso plötzlich zu sterben, als er gestorben ist. Das wird die einzige, beste Weise sein, sein Andenken zu ehren. Mein nächster Kummer dabei geht auf unsere Mutter. Ich weiß, Du wirst alles anwenden, sie zu trösten. Mache besonders, daß weder sie, noch unsere Schwester sich wegen der Zukunft bekümmern ... Schaffe du nur, mein lieber Bruder, vor das erste Rat, und glaube sicherlich, daß ich dich nicht werde stecken lassen. Es kann nicht anders sein, es müssen sich Schulden finden. Ich nehme sie alle auf mich, und will sie alle ehrlich bezahlen; nur muß man mir Zeit lassen." Um den Sinn dieser Worte ganz zu verstehen, muß man wissen, daß er damals all sein erspartes Geld durch die Beteiligung an einer Buchhandlung, die fallierte, verloren hatte.

Man spricht von dem Optimismus der Aufklärung. Auch Lessing hat ihn besessen, aber es war nicht der leichte Sinn, der in fröhlichem Genuß durch das Leben gleitet, es war das Gefühl der stolzen und zuversichtlichen Meisterschaft über alle Gefahren und Nöte. Sehr schön ermahnt er einmal Eva König zu dieser Meisterschaft. Auf einer Reise nach Wien hatte sich das Mädchen, das sie begleitete, von einem Liebhaber betrunken machen lassen, und als die Freundin Lessing ihren Verdruß klagte, schrieb er (25. Oktober 1770): „Am Ende ist es doch wohl besser gewesen, daß das Kreatürchen seine eigenen Angelegenheiten hatte, daß es liebte und trank, den ersten, den besten Kerl und Wein — als wenn es ein gutes empfindliches Ding gewesen, das seine Frau nicht aus den Augen gelassen und um die Wette mit ihr geweint hätte. Durch jenes wurden Sie Ihren eigenen Gedanken entrissen; durch dieses wären Sie in Ihrem Kummer bestärkt

Emilia Galotti.

Ein Trauerspiel

in

fünf Aufzügen.

Von

Gotthold Ephraim Lessing.

Berlin,
bey Christian. Friedrich Voß, 1772.

*Titelblatt der Erstausgabe
der „Emilia Galotti"*

worden. Sie werden sagen, daß ich eine besondere Gabe habe, etwas Gutes an etwas Schlechtem zu entdecken. Die habe ich allerdings; und ich bin stolzer darauf, als auf alles, was ich weiß und kann. Sie selbst, wie ich oft gemerkt habe, besitzen ein gutes Teil von dieser Gabe, die ich Ihnen recht sehr überall anzubringen empfehle; denn nichts kann uns mit der Welt zufriedner machen, als eben sie."

So hoch stellte Lessing die freie Beherrschung von Sinnen und Gefühlen, daß er in ihr den Inbegriff des tragischen Erlebens sah. Am Schlusse der „Emilia Galotti" ruft Emilia dem Vater zu: „Wer kann der Gewalt nicht trotzen? Was Gewalt heißt, ist nichts: Verführung ist die wahre Gewalt. — Ich habe Blut, mein Vater; so jugendliches, so warmes Blut, als eine. Auch meine Sinne sind Sinne. Ich stehe für nichts. Ich bin für nichts gut ... Nichts Schlimmeres zu vermeiden, sprangen Tausende in die Fluten und sind Heilige! — Geben Sie mir, mein Vater, geben Sie mir diesen Dolch!" Darin besteht, nach Lessing, ihre tragische Größe, daß sie, um in der Versuchung der Sinne ihre Freiheit zu retten, in den Tod geht. Lessing war, als ein Dichter seiner Zeit, sein Leben lang der Auffassung, daß von der Dichtung ein sittlicher Einfluß ausgehen müsse. In der „Hamburgischen Dramaturgie" hat er auf diese Weise die aristoletische Katharsis als die „Verwandlung der Leidenschaften (des Zuschauers) in tugendhafte Fertigkeiten" erklärt. So würde von dem heldenhaften Freitod der Emilia auch eine befreiende Wirkung auf die Zuschauer ausgehen. Man steht hier an dem Punkte, wo die Kühnheit und die Schwäche des Lessingischen Denkens unmittelbar ineinander übergehen.

Ein sittlicher Kampf war auch Lessings Ringen um die Wahrheit.

Schon der 22jährige hatte bei Anlaß von Diderots „Lettre sur les sourds et muets" erklärt: „Ein kurzsichtiger Dogmaticus, welcher sich für nichts mehr hütet, als an den auswendig gelernten Sätzen, welche sein System ausmachen, zu zweifeln, wird eine Menge Irrtümer aus dem angeführten Schreiben des Herrn Diderot herauszuklauben wissen. Unser Verfasser ist einer von den Weltweisen, welche sich mehr Mühe geben,

Wolken zu machen, als sie zu zerstreuen. Überall, wo sie ihre Augen hinfallen lassen, erzittern die Stützen der bekanntesten Wahrheiten, und was man ganz nahe vor sich zu sehen glaubte, verliert sich in eine ungewisse Ferne ... Gesetzt auch ein solcher Weltweiser wagt es, Meinungen zu bestreiten, die wir geheiliget haben. Der Schade ist klein. Seine Träume oder Wahrheiten, wie man sie nennen will, werden der Gesellschaft ebenso wenig Schaden tun, als vielen Schaden ihr diejenigen tun, welche die Denkungsart aller Menschen unter das Joch der ihrigen bringen wollen.“

Man kann sich kaum einen glühenderen Hasser aller Dogmatik, komme sie von rechts, aus der Kirche und Wissenschaft, oder von links, etwa aus dem physiologischen Materialismus eines La Mettrie, vorstellen, als den jungen Lessing. In dem Gedichte über die Religion höhnt er auf die „verdammte Schulweisheit“, die den stolzen Sinn gelehrt hat, daß er mehr weiß als schließt; kein wachsam Zweifeln leiden kann, dem das Forschen sein Gift, Hartnäckigkeit sein Ruhm ist. Er hatte sich früh von Leibniz sagen lassen, daß jedes geisterfüllte Wesen ein individuelles Bild des Universums in sich aufnimmt und es in rastlosem Erkenntnisdrange vervollkommnet, ohne je das absolute Wissen zu erlangen, das nur bei Gott steht. Das hat er für sein ganzes Leben festgehalten. Wohl ist auch Lessing so weit dem Vernunftglauben seiner Zeit ergeben, daß er eine Wahrheit im absoluten Sinne kennt. Aber sie ist für den Menschen nicht ein Besitz, auf den man sich etwas zugutetun und mit dem man wuchern kann; sie ist ein unablässiges Streben, ein Eindringen in immer reinere Klarheit. In der Duplik an Goeze steht jenes herrliche Wort: „Nicht die Wahrheit, in deren Besitz irgend ein Mensch ist, oder zu sein vermeint, sondern die aufrichtige Mühe, die er angewandt hat, hinter die Wahrheit zu kommen, macht den Wert des Menschen. Denn nicht durch den Besitz, sondern durch die Nachforschung der Wahrheit erweitern sich seine Kräfte, worinnen allein seine immer wachsende Vollkommenheit besteht. Der Besitz macht ruhig, träge, stolz. Wenn Gott in seiner Rechten alle Wahrheit, und in seiner Linken den einzigen immer regen Trieb nach Wahrheit, obschon mit dem Zusatze, mich immer und ewig zu irren, verschlossen hielte und spräche zu mir: Wähle! ich fiele ihm mit Demut in seine Linke, und sagte: Vater gib! die reine Wahrheit ist ja doch nur für dich allein!“

Der Weg, die Wahrheit zu suchen, ist das eigene Vernunftdenken von Schluß zu Schluß, oder die Dialektik des Gespräches mit andern. Es ist oben das Zeugnis von Nicolai angeführt worden über Lessings Leidenschaft für das Streitgespräche um seiner selbst willen. In diesen Zusammenhang gehört auch eine Äußerung, die Lessing gegenüber Weiße tat, als dieser in seinem Streite mit Klotz neutrales Stillschweigen bewahrte: „Neutral sein zu wollen, wäre äußerst ungerecht, die gute Sache verlöre dabei.“ So steht denn auch in der Vorrede zu der gegen Klotz gerichteten Schrift „Wie die Alten den Tod gebildet“ der Satz über den Wert von Streitschriften: „Aber die Wahrheit, sagt man, gewinnet dabei so selten. — So selten? Es sei, daß noch durch keinen Streit die Wahrheit ausgemacht worden ist: so hat dennoch die Wahrheit bei jedem Streite gewonnen. Der Streit hat den Geist der Prüfung genähret, hat Vorurteil und Ansehen in einer beständigen Erschütterung erhalten; kurz hat die geschminkte Unwahrheit verhindert, sich an der Stelle der Wahrheit festzusetzen."

Der Gang von Lessings schriftstellerischem Schaffen bestätigt diese Auffassung seines Wahrheitsbegriffes. Es ist ein ringendes Aufwärtssteigen von Stufe zu Stufe. Andere Dichter, sobald sie die Herrschaft über eine Kunstform sich erobert haben, siedeln sich darin an und schaffen Werk um Werk in ihr. Sogar Schiller, nachdem er sich einmal der dramatischen Technik bemächtigt, schreibt nach dem „Wallenstein" Stück um Stück. Lessing aber, hierin Goethe gleichend, nur aus völlig anderer Gemütslage heraus, beruhigt sich niemals mit dem eben Erreichten, mochte es auch noch so bedeutend sein wie die „Minna von Barnhelm", und es ist für seine dialektische Natur bezeichnend, daß er sich stets der Kritik als Schemel bedient, um auf die nächsthöhere Plattform empor zu steigen. So hat er in der „Theatralischen Bibliothek" die Gattung des bürgerlichen Trauerspiels theoretisch erörtert und darauf seine „Miss Sara Sampson" geschrieben. Er hat in Abhandlungen sich über das Wesen der Fabel Rechenschaft gegeben, als er seine eigenen schrieb. Die Beschäftigung mit dem „Theater des Herrn Diderot" lehrte ihn, daß Diderot, nach den Charakterkomödien Molières, den Versuch gemacht hatte, den Beruf und Stand zur stofflichen Grundlage der Komödie zu machen. Er selber, Diderot übertreffend, schrieb aus dieser Einsicht seine „Minna von Barnhelm", worin er eine neue komische Verwendung des Standes des Soldaten zeigte. Die Erörterungen über das Tragische in der Hamburgischen Dramaturgie bereiten das Trauerspiel „Emilia Galotti" vor, wie aus dem Streit um die Fragmente eines Ungenannten „Nathan der Weise" hervorgewachsen ist.

Gerade der Kampf um den Sinn der Religion bestätigt Lessings Wahrheitsauffassung aufs schönste. Zum letzten Mal, in der großartigsten Weise und um die heiligste Erkenntnis, bekundete er darin, daß die Wahrheit nicht in dem Glauben an überlieferte Sätze bestehe, sondern in dem Ringen der Vernunft. Schon der Zwanzigjährige hatte seinem Vater geschrieben: „Die Zeit soll lehren, ob der ein besserer Christ ist, der die Grundsätze der christlichen Lehre im Gedächtnisse und oft, ohne sie zu verstehen, im Munde hat, in die Kirche geht und alle Gebräuche mitmacht, weil sie gewöhnlich sind, oder der, der einmal klüglich gezweifelt hat und durch den Weg der Untersuchung zur Überzeugung gelangt ist, oder sich wenigstens noch darzu zu gelangen bestrebt. Die christliche Religion ist kein Werk, das man von seinen Eltern auf Treu und Glauben annehmen soll." Er stand, als er den Streit mit dem Pastor Goeze führte, genau auf dem gleichen Standpunkt. Gerade weil ihm der Kampf der entgegengesetzten Meinungen eine so wichtige Quelle der Erkenntnis war, gab er die „Fragmente" heraus, mit deren Kritik er keineswegs immer einverstanden war. Er wußte, daß er die Orthodoxie damit auf den Plan rufen würde, und er wollte es, gerade um der Verbreitung der Wahrheit willen. Die Orthodoxie stützte sich auf die Offenbarung und die Überlieferung, also auf den alten und festen Glaubensbesitz, Lessing aber leitete den Glauben aus der unmittelbaren Kraft der Vernunft her: „Was gehen den Christen (des Reimarus) Hypothesen und Erklärungen und Beweise an? Ihm ist es doch einmal da, das Christentum, welches er so wahr, in welchem er sich so selig f ü h l e t ... Der Buchstabe ist nicht der Geist; und die Bibel ist nicht die Religion; folglich sind die Einwürfe gegen den Buchstaben und gegen die Bibel nicht eben auch Einwürfe gegen den Geist und gegen die Religion ... Die Religion ist nicht wahr, weil die Evangelisten und Apostel sie lehrten: sondern sie lehrten sie, weil sie wahr ist. Aus ihrer innern Wahrheit müssen die schriftlichen Überlieferungen erklärt werden, und alle schriftlichen Überlieferungen können ihr keine innere Wahrheit geben, wenn sie keine hat."

Damit war zugleich ausgesprochen, daß das, was das Wesen der geschichtlichen Religionen auszumachen schien, weil es sich auf die Geschichte gründete, und was immer und immer wieder die Streitigkeiten der Kirchen verursachte, keineswegs der eigentliche Kern und Wahrheitsgehalt der Religion war. Ob sie sich auch, wie der Tempelherr in „Nathan" erklärt, bis auf die Kleidung, bis auf Speis' und Trank von einander unterscheiden, sind die Religionen in ihrem Grunde miteinander eins: in der innern Vernünftigkeit. In jenen Jahren, da der Kampf mit Goeze wütete, schrieb Lessing drei Aufsätze, die den Zweck hatten, seine Ansicht über Wesen und Aufgabe der Religion klarzulegen: Das Testament Johannis, 1777. Ernst und Falk. Gespräche über Freimaurer, 1778. Die Erziehung des Menschengeschlechts, 1780. In dem „Testament Johannis" verkündet er, im Anschluß an das Vermächtnis des Apostels an seine Jünger, die Liebe als Inbegriff der christlichen Lehre. In „Ernst und Falk" fügt er zu der Forderung der Liebe noch die der Duldung Andersgläubiger hinzu, wobei er, aus seinem Freiheitsdrange, die geschichtliche Form des Freimaurerordens als das Organ dieses sittlichen Verhaltens preisgibt. In der „Erziehung des Menschengeschlechts" stellt er das Verhältnis seiner Vernunftreligion zu den geschichtlichen Religionen ins Klare: Sinn und Inhalt aller Religion ist die Sittlichkeit als Ausdruck der Vernunft. Gott erzieht im Alten Bunde die Menschen zur Sittlichkeit, indem er ihnen, entsprechend ihrem derzeitigen Verständnis, zeitliche Belohnungen und Strafen in Aussicht stellt. Im Neuen Bunde sind Belohnung und Strafe in ein jenseitiges Leben hinausgeschoben: auch die Vorstellung der Unsterblichkeit erhält so ihren Sinn nur als Ziel der sittlichen Erziehung. Aber das Christentum kann nicht das Letzte und Höchste sein. Was das religiöse Ideal, das es verkündet, noch trübt, ist für Lessing ein Doppeltes: 1. der Glaube beruht auf der geschichtlichen Überlieferung, statt auf der Vernunft, 2. auch die Sittlichkeit ist durch das äußere Maß von Belohnung und Strafe geleitet. Demgegenüber verkündet Lessing ein drittes Reich, worin der Mensch ohne Rücksicht auf zeitliche oder ewige Belohnung und Strafe sittlich handelt, weil die Vernunft es ihm gebietet; wo er das Gute tun wird, weil es das Gute ist, und das Böse läßt, weil es das Böse ist.

Von hier aus gewinnt die alte Fabel von den drei Ringen, die Lessing bei Boccaccio gefunden, erst den vollen Gehalt. Der Richter, der bei dem Italiener hilflos dasteht, wie er die Echtheit des Ringes entscheiden soll, findet bei Lessing den Beweis: Der echte Ring besitzt die Kraft, den Besitzer vor Gott und den Menschen beliebt zu machen; es müssen also zwei der Brüder den dritten besonders lieben, und da dies nicht der Fall ist, so sind alle drei Ringe nicht echt. Doch was als Besitz den Söhnen nicht zukommt, das wird von ihnen als Aufgabe gefordert: Duldung und werktätige Liebe in innigster Ergebenheit in Gott.

Wie echt Lessingisch ist das alles! „Nicht durch den Besitz, sondern durch die Nachforschung der Wahrheit erweitern sich (des Menschen)

12. Gotthold Ephraim Lessing (1729—1781)
Gemälde, Johann Heinrich Tischbein d. Ä. zugeschrieben, um 1760

Lessing entwickelte sich im Laufe seines Lebens zum bedeutendsten literarischen Vertreter der deutschen Aufklärung und leitete selbst noch die deutsche Klassik ein. Sein unbeugsames Ethos, gemäß seiner Einsichten zu schreiben und zu handeln, bereitete ihm ein wechselvolles und schweres Leben.

13. Illustration zu „Emilia Galotti"
Stich von Carl Mayer nach einer Zeichnung von Johann Buchner

Seit 1758 trug sich Lessing mit dem Stoff zu diesem Drama. Damals schrieb er an Friedrich Nicolai, er habe „die Geschichte der römischen Virginia von allem dem abgesondert, was sie für den ganzen Staat interessant machte"; er habe „geglaubt, daß das Schicksal einer Tochter, die von ihrem Vater umgebracht wird, dem ihre Tugend werter ist, als ihr Leben, für sich schon tragisch genug, und fähig genug sei, die ganze Seele zu erschüttern". Als das Drama 1772 erschien, zeigte es Lessing auf der Höhe seiner dramatischen Kunst. Zwölf Jahre hatte er darauf verwendet. „Er macht alle sieben Tage sieben Zeilen; er erweitert unaufhörlich seinen Plan, und streicht unaufhörlich etwas von dem schon Ausgearbeiteten wieder aus", schreibt er von sich selbst an Nicolai. Es war ein mühsames, weil äußerst kritisches Schaffen, dem Lessing all seine praktischen Erfahrungen seit seinem ersten Bühnenstück „Der junge Gelehrte" (1747) und seine theoretischen Einsichten, vor allem aus der „Hamburgischen Dramaturgie" (1767—69), zu Grunde legte. Hatte Lessing schon mit seinem Drama „Miss Sara Sampson" (1755) die Tradition des deutschen „bürgerlichen Trauerspiels" begründet, so übertraf er sich in dieser Gattung noch mit der „Emilia Galotti", die als Meisterdrama schon in „Kabale und Liebe" des jungen Schiller ihre nächste Nachfolge hatte.

14. Das Lessing-Haus in Kamenz
In diesem Hause wurde Lessing als Sohn des Pastors primarius von Kamenz in der Oberlausitz geboren. Mit zwölf Jahren verließ er es, um an die Fürstenschule zu St. Afra zu ziehen. 1746 entließ man den begabten Schüler ein Jahr früher als üblich an die Leipziger Universität, wo er zuerst Theologie, dann Philologie, Medizin und Naturwissenschaften studierte.

13 *Illustration zu „Emilia Galotti"*

14 *Das Lessing-Haus in Kamenz*

15
*Die alte Bibliothek
in Wolfenbüttel*

16
*Lessings Bildnis
für Gleims
Freundschaftstempel*

Kräfte, worinnen allein seine immer wachsende Vollkommenheit besteht. Der Besitz macht ruhig, träge, stolz", heißt es in der „Duplik". Jetzt handelt es sich nicht mehr um die Wahrheit, sondern um die Liebe, und jetzt ist jenes Wort von dem trägemachenden Besitz gesteigert: der Besitz macht die Liebe zunichte. Nur durch die Übung wird sie erworben und bleibt sie lebendig. Dieses sittliche Handeln aber ist wichtiger als der Glaube an altüberlieferte religiös-mythologische Vorstellungen. Recha und Daja haben sich sittlich verfehlt, weil sie den rettenden Tempelherrn für einen Engel betrachteten; indem sie sich nicht mehr um ihn kümmerten, haben sie ihn vielleicht der Krankheit und der Not ausgeliefert.

Wie sehr dieses sittliche Handeln aus der Vernunft fließt, deutet der Zusatz „in innigster Ergebenheit in Gott" an. Der Begriff ist wiederholt in der Erzählung des Klosterbruders von Nathans Rettungstat an dem Christenkind Recha, nachdem die Christen ihm sein Weib und sieben Söhne getötet, als Beweis dafür:

> „was sich der gottergebene Mensch
> Für Taten abgewinnen kann."

Wieder muß hier der Name von Leibniz genannt und an seine Lehre vom freien Willen erinnert werden. Der Mensch handelt frei aus seiner eigenen Vernunft. Aber er tut damit doch, was die prästabilierte Harmonie als Inbegriff der göttlichen Vernunft bestimmt. Die Ergebenheit des sittlich Handelnden in Gott ist also nur ein psychologischer Ausdruck für die metaphysische Übereinstimmung des Menschen mit der Weltvernunft.

15. Die alte Bibliothek in Wolfenbüttel
Tuschzeichnung von Ludwig Tacke

Seit 1770 wirkte Lessing hier als Bibliothekar. Sie war die Festung seiner späten Kämpfe im Geiste der Humanität gegen die Orthodoxie. In Wolfenbüttel entstanden Lessings theologisch-philosophische Streitschriften, die sich aus den „Fragmenten eines Ungenannten (1773—1781) entwickelten: der „Anti-Goeze" (1778), „Ernst und Falk" (1778) und, als die Zensur Lessing enge Grenzen gezogen hatte, „Nathan der Weise" (1779) als ein Versuch, ob man Lessing auf seiner „alten Kanzel, auf dem Theater wenigstens noch ungestört will predigen Lassen", wie er schrieb.

16. Lessings Bildnis für Gleims Freundschaftstempel
Georg Oswald May zugeschrieben

Gegenüber dem frischen, unternehmungslustigen Ausdruck des Porträts von Johann Heinrich Tischbein d. Ä. spiegelt dieses knapp sieben Jahre später entstandene Bild die bitteren Erfahrungen, die Lessing in der Zwischenzeit bereits gesammelt hatte und auch weiterhin noch erwartete. Am schwersten traf ihn das Schicksal, als nach kurzer Ehe seine Frau, Eva König, starb. Mit wenigen herben Worten schreibt er an Johann Joachim Eschenburg: „Meine Frau ist tot: und diese Erfahrung habe ich nun auch gemacht. Ich freue mich, daß mir viel der gleichen Erfahrungen nicht mehr übrig sein können zu machen, und ich bin ganz leicht. — "

So besessen ist Lessing von der gewaltigen Dynamik der sittlichen Pflicht und der Leibnizischen Idee der Emporentwicklung des einzelnen durch seine fortschreitende sittliche Läuterung, daß er in der „Erziehung des Menschengeschlechts" im eigentlichen Sinne aus dem Bannkreis seines Ichs hinausgeschwungen wird und über sich hinauswächst. Bis zur Aufstellung der Idee des Dritten Reiches ist er nach seiner dialektischen Methode rational von Stufe zu Stufe gestiegen; auf einmal wirft er sich ins Leere. Reicht, so fragt er, ein einziges Leben aus für diesen Weg der Höherentwicklung? Braucht es dazu nicht eine ganze Reihe von Leben? „Warum sollte ich nicht so oft wiederkommen, als ich neue Kenntnisse, neue Fertigkeiten zu erlangen geschickt bin? Bringe ich auf einmal soviel weg, daß es der Mühe, wiederzukommen, etwa nicht lohnt? ... Oder, weil so zuviel Zeit für mich verlorengehen würde? — Verloren? — Und was habe ich denn zu versäumen? Ist nicht die ganze Ewigkeit mein?"

Nicht umsonst hat Lessing in dem 87. und den folgenden Paragraphen der Erziehung des Menschengeschlechts, wo er die Aussicht auf das dritte Zeitalter auftut, an gewisse Schwärmer des 13. und 14. Jahrhunderts erinnert. Was er selber am Schlusse gibt, ist Schwärmerei, Mystik, Verzicht auf die klare und deutliche Beweisführung des logischen Verstandes, der hier nicht weiterkommt, Versinken in den Nebeltiefen des Widervernünftigen.

Lessing ist so nicht nur nach Leibniz der zweite Gipfel des deutschen Rationalismus. Es eröffnet sich von ihm aus zugleich der Blick auf das nächste Geschlecht, das es als seine geschichtliche Bestimmung betrachtete, den Rationalismus zu überwinden.

Zweites Buch

GOETHE

1. DER KAMPF GEGEN DEN RATIONALISMUS

Hamann / Herder

„Mein Leben ist ein Gang durch gotische Wölbungen."

Herder

Die große Tat der deutschen Aufklärung war die Begründung des wissenschaftlichen Denkens aus den Kräften der Vernunft. Sie stellte sich damit in Gegensatz zu dem Begriff des überlieferten religiösen Glaubens auf Grund der Offenbarung wie zu der Auffassung des Wissens aus der bloßen Erfahrung.

Von dem Gegensatz zwischen Vernunft und Glauben hat H. S. Reimarus in dem ersten von Lessing veröffentlichten Fragment aus der „Schutzschrift" gesprochen. Wenn die Orthodoxie fordere, „daß wir unsre Vernunft gefangennehmen müssen unter dem Gehorsam des Glaubens" an die von der Kirche gelehrte christliche Überlieferung, so stellt Reimarus dieser Forderung die andere gegenüber, daß die Grundregeln der Vernunft, etwa daß ein Ding nicht zugleich sein und nicht sein könnte, nicht allein in der Weltweisheit und Mathematik, sondern in allen und jeden Wahrheiten, selbst in der Schrift und Theologie gelten müssen. Das Recht der Wissenschaft, auch die Glaubensbücher der Religion der Prüfung der logischen Kritik zu unterwerfen, leitet sich von dieser Auffassung her.

Gegen die Ableitung des Wissens aus der bloßen Erfahrung, wie sie John Locke lehrte, wendet sich Leibniz in den „Nouveaux essais sur l'entendement humain". Die Erfahrung, so führt er aus, kann immer nur Einzelkenntnisse liefern, niemals allgemeine und allgültige Erkenntnisse. Die Vernunft allein ist imstande, sichere Regeln aufzustellen und Gedankenverbindungen zu finden, die die Kraft notwendiger Folgerungen besitzen. Nur wo die Vernunft das durch Erfahrung gefundene Material durchleuchtet und auf jene allgemeingültigen Begriffe bezieht, findet sie eine wahrhaft wissenschaftliche Wahrheit. Nur das Vernunftdenken ist imstande, jene allgemeinen Grundwahrheiten zu finden, auf denen Moral, Logik und Metaphysik beruhen. „Die Erkenntnis der notwendigen und ewigen Wahrheiten", heißt es in der Monadologie, „unterscheidet uns von den bloßen Tieren und setzt uns in den Besitz der Vernunft und der Wissenschaften, indem sie uns zur Erkenntnis unserer selbst und Gottes erhebt. Dies nun ist es, was man in uns vernünftige Seele oder Geist nennt." Nicht weniger hat Wolff den logisch-vernünftigen Charakter aller wissenschaftlichen Wahrheiten betont. Im Vorbericht seiner „Vernünftigen Gedanken von den Kräften des menschlichen Verstandes" bestimmt er: „Durch die Wissenschaft verstehe ich eine Fertigkeit des Verstandes, alles, was man behauptet, aus unwidersprechlichen Gründen unwiderstößlich darzutun".

Der logisch-mathematische Charakter kennzeichnet alle aus dem Anspruch auf Wissenschaft sich erhebenden Aussagen der Zeit über Menschen und Leben, Gott und Welt. Lessing beweist mit dieser Methode die Wahrheit der natürlichen Religon, und sogar Nikolai tut sich etwas darauf zugute, seine Welterkenntnis auf sie gegründet zu haben.

Die durchgehende Unterstellung von Leben und Wissen unter das als endgültig geltende Urteil des Verstandes erwies sich auf die Dauer als eine schwere Beeinträchtigung beider. Im Reich des Lebens mußte die Zurückdrängung der irrationalen Kräfte wie Gefühl, Leidenschaft, Phantasie zu einer Austrocknung und Verödung des Seelisch-Geistigen führen, die um so bedenklicher war, als die Natur des deutschen Menschen von vorneherein dem Verstandesmäßigen und Geradlinigen wenig zugänglich ist. Im Reiche der Gelehrsamkeit mochten die Naturwissenschaften von dem mathematischen Rationalismus hohe Förderung erfahren; hier war das Schlußverfahren am Platze und gab es Sätze von unbedingter und allgemeiner Geltung. Nicht aber in der geschichtlichen Welt; denn hier ist der Stoff die Erfahrung des menschlichen Lebens, dessen Antriebe und Gestalten nur zum kleineren Teile von der Vernunft bedingt sind, zum weitaus größeren von Begierde und Leidenschaften. Hier gilt es, gerade die besonderen Einzelerscheinungen — die Individuen — und ihre Verknüpfungen miteinander zu erfassen und zu Aussagen zu gelangen, die Urteilsfähige vielleicht zu überzeugen vermögen, niemals aber von zwangsläufiger allgemeiner Gültigkeit sein können.

Nun war schon in der ersten Hälfte des Jahrhunderts in den Kreisen der Empfindsamen die Strenge des Rationalismus aufgeweicht worden. Aber auch da war das Gefühl noch von der Vernunft geleitet, wie etwa Klopstocks Oden bei allem Hochschwung der Empfindung zeigen. Auch in jenem von deutschen Gefühlvollen am meisten angeschwärmten Wert der englischen Literatur, Edward Youngs „Nachtgedanken" (1742/46), steht die überströmende Empfindung noch unter der Herrschaft der Vernunft. So heißt es in der ersten Nacht (in der Übersetzung von Klopstocks Freund Ebert): „Stille, und Finsternis! Ihr ernsten Schwestern! Ihr Zwillinge der alten Nacht, die ihr den zarten Gedanken zur Vernunft aufzieht, und auf Vernunft, Entschließung baut (diesen Grundpfeiler der wahren Majestät im Menschen!), o steht mir bei: im Grabe will ich euch danken." Oder später: „Begeistre meinen Wandel nicht weniger, als meinen Gesang; lehre meine beste Vernunft vernünftig sein; lehre meinen besten Willen recht wählen, und befestige meinen festen Entschluß, mich mit der Weisheit zu verbinden."

Gerade diese Verschwisterung von Vernunft und Empfindsamkeit bei Young und den andern zeigt, wie wenig die seelische und weltanschauliche Wandlung, die nach der Mitte des Jahrhunderts einsetzt, mit der Empfindsamkeit an sich zu tun hat. Das Neue, das eindringt und das Denken der Zeit wandelt, ist die Verneinung der Ratio oder der Vernunft als des notwendigen und leitenden Elements in Geist und Leben, die Behauptung, daß die Natur keineswegs, wie die mathematische Naturauffassung lehrte, rational sei, sondern im Gegenteil irrational, un-vernünftig. Es ist die Einsicht, daß, wenn die mathematische Denkmethode der Wissenschaft und der Philosophie die Natur in ein geometrisches Feld verwandelt, dies ein Hineindenken der Gesetze der menschlichen Vernunft in die Natur ist, daß die ursprüngliche Natur aber etwas ganz anderes ist: neben Ordnung Fülle und Mannigfaltigkeit, neben Klarheit Dunkelheit, neben Verständnis Verworrenheit. Man war der klaren, mathematisch geordneten, vernünftigen Natur überdrüssig, weil man sich durch sie ausgetrocknet und seiner besten Kräfte beraubt fühlte. Es war die Auflehnung des geschichtlich denkenden Menschen gegen den mathematischnaturwissenschaftlich denkenden.

Es schien, als ob das Zeitgeschehen selber diese Wandlung unterstütze. Am 1. November 1755 ereignete sich das Erdbeben von Lissabon, das, wie Goethe in „Dichtung und Wahrheit" sagt, „über die in Frieden und Ruhe schon eingewohnte Welt einen ungeheuren Schrecken verbreitete": Gott der Schöpfer und Erhalter Himmels und der Erden, den die Erklärung des ersten Glaubensartikels dem Knaben so weise und gnädig vorstellte, habe sich damals keineswegs väterlich bewiesen, indem er die Gerechten mit den Ungerechten gleichem Verderben preisgegeben. Die Erschütterung, die das Erdbeben in der Seele des Knaben Goethe erregte, war ein Erlebnis der ganzen Zeit. Es war dazu angetan, den Glauben des Christen an den gütigen und gerechten Weltschöpfer ebenso in Frage zu stellen, wie die optimistische Überzeugung der Aufgeklärten von der besten Welt und der zweckmäßig-vernünftigen Einrichtung der Welt. Man weiß, wie Voltaire durch das Erdbeben veranlaßt worden ist, den vernünftigen Optimismus von Leibniz in einem Gedicht und dann im „Candide" zu verneinen. Für Kant war das Erdbeben der Anlaß, die teleologische Meinung zu bekämpfen, als ob der Mensch „das einzige Ziel der Anstalten Gottes" sei, während Hamann dadurch in seinem Glauben an die Unbegreiflichkeit Gottes gestärkt wurde.

Der spätere Betrachter mag in dem Ereignis und den theologischphilosophischen Erörterungen, die es weckte, eine Art Scheidelinie zwischen der ersten Hälfte des Jahrhunderts, die noch völlig von der Idee der Vernünftigkeit und des Optimismus beherrscht war, und der zweiten sehen, in der irrationale Mächte von der Seele der Menschen Besitz ergriffen. Weniger gewaltsam, aber nicht minder eindrücklich, prägte sich die Wandlung vom rationalen zum irrationalen Denken gleichzeitig aus in dem Übergang von dem französischen Gartenstil Lenôtres zu dem englischen Stil William Kents. Der Garten Lenôtres setzte die mathematische Naturbetrachtung in ein sichtbares Gebilde um: Rasenflächen, Wege, Blumenbeete, Wasserspiegel, verschnittene Bäume und Hecken, alle in geometrischen Figuren symmetrisch angelegt, das Ganze von der Sonne hell beschienen, die die gesetzmäßige Anlage so deutlich zeigte, wie die Vernunft den Bau der Welt offenbarte. Das war nicht Natur im ursprünglich wilden Wachstum ihrer Geschöpfe, sondern Natur, der der vernünftige Wille des Menschen sein Gesetz aufgeprägt hatte. Der Gartenstil Kents unternahm es, der Natur wieder zu geben, was ihr war. Freilich auch der englische Garten war ein arrangierter Garten; denn das Geschlecht des 18. Jahrhunderts was so ichbesessen, daß es seinen Willen der Natur aufzwängte, auch wo es behauptete, der Natur als Natur zu ihrem Rechte zu verhelfen. Aber man arrangierte doch wenigstens nach Grundsätzen, die man der Natur abgelauscht zu haben erklärte. Nicht die Vernunft sollte in der Gartenanlage ihre Triumphe feiern, sondern die Phantasie, das Gefühl, alle dunkeln, träumenden Gewalten im Gemüt sollten angeregt werden. Wo im französischen Garten der menschliche Geist durch regelrechte Wege gegängelt, durch Laubengänge und Mauern eingeschränkt war, konnte er sich im englischen frei über eine weite Landschaft ohne Hecken und Mauern ergehen. Die unnatürliche Gerade wich der natürlich gewundenen Linie. Alle Gewächse durften sich ihrem Wesen nach entfalten. Mächtige Baumgruppen, die Schatten spendeten, luden zum Träumen ein, und statt der klaren, sonnedurchschienenen Luft, die über dem französischen Garten lag, hüllte den englischen eine weiche, leicht mit den aus breiten Wasserflächen aufsteigenden Dünsten durchwebte Atmosphäre ein.

All das zeigt: der Mensch ist ein anderer geworden. Oder er hat wenigstens die Sehnsucht und den Willen, ein anderer zu werden. Er ist mißtrauisch geworden gegenüber der allverherrlichten Macht der Vernunft als der Führerin der Menschen zu Tugend und Glück. Aber was soll an die Stelle der Vernunft treten? Die englischen Gartenbauer wollen der Natur den Lauf lassen, wo bisher der Wille des geometrisch geschulten Menschen die Wege und Flächen geformt und die Bäume und Sträucher künstlich beschnitten hatte. Auch in der Beurteilung und Bildung des Menschen soll an die Stelle der Vernunft die Natur treten. Jean-Jacques Rousseau hat diesen Ruf zuerst erhoben, mit einer Leidenschaft, einer Unbedingtheit, einem Fanatismus und einer hinreißenden Kraft der Verkündigung, daß er der größte Revolutionär des Geistes des Jahrhunderts wurde. Er zuerst hat jene ganze glänzende Bildungswelt, die auf der Lobpreisung der menschlichen Vernunft beruhte und sich der großen Taten in Wissenschaften und Künsten rühmte, mit einem Worte ins Wanken gebracht. Seine „Natur" war wie ein Zauberschlüssel, der eine versperrte und verschollene Schatzkammer öffnete. Kaum hatte er das Wort ausgesprochen, so jauchzte alle Welt ihm zu. Es war ein Geheimnis damit enthüllt, das in allen Seelen gebrannt hatte, dessen Lösewort aber niemand hatte finden können. Die hinreißende Gewalt des Zauberwortes bestand darin, daß es mit seinem dunkeln Klang allen Ansprüchen der Vernunft widersprach. Die Wissenschaft hatte die Natur mit ihrer geometrischen Methode in ein Netzt von rationalen Gesetzen und Begriffen eingespannt, so daß sie zu einer Landkarte mit Liniensystem und Maßstäben geworden war. Was Rousseau als Natur verkündete, hatte dieses Netz zerrissen, so daß seine Maschen hilflos und zerfetzt im Sturme seiner Leidenschaft flatterten. Es war, wie wenn der Kulturmensch des 18. Jahrhunderts mit einem Schlag über den gähnenden Abgrund einer jahrtausendelangen Geschichte der Vernunftbildung wieder in den glücklichen Garten der ersten Menschen zurückgeworfen wäre, wo Löwe und Lamm miteinander spielten und friedlich zwischen reißenden Tieren die Menschen lustwandelten, wo die Begriffe von gut und böse, recht und unrecht, schön und häßlich, noch nicht erfunden waren, weil die Menschen in ihrer Unschuld sie nicht brauchten, wo es nur Wachstum gab und alle Geschöpfe sich ihres Daseins freuten.

Lessing hatte sich etwas darauf zugute getan, daß er sein Leben mit der Kraft der Vernunft zu meistern gewußt; daß er die Gabe gehabt hatte, „etwas Gutes an etwas Schlechtem zu entdecken", und daß nichts ihn mit der Welt zufriedener hatte machen können, als eben sie. Rousseaus Leben fehlt diese Rücksicht auf die Vernunft völlig, und als er es in seinen „Confessions" beschrieb, vermied er es grundsätzlich, seine Abenteuer und Irrungen in das Licht vernünftiger Betrachtung zu stellen. Er erzählte nur, was und wie er als das Individuum Jean-Jacques Rousseau war. Ja, in dem peinlichen Bestreben, aller Vernunftleitung auszuweichen, fiel er ins Entgegengesetzte: in die Eitelkeit der Selbstenthüllung, in die Wollust des heiligen Sünders, die Heuchelei der Schlechtigkeit. Er schrieb nicht als ein Moralist, sondern als ein Psychologe.

Rousseau hat gleich mit seiner Erstlingsschrift, der Preisarbeit für die Akademie von Dijon (1749), dem Traum des Jahrhunderts, daß es auf dem Wege der Ratio dem Paradies entgegengehe, aufs schroffste widersprochen. Das Paradies liegt nicht in ferner Zukunft, sondern es liegt in den Anfängen des Menschengeschlechtes. Die Akademie hatte die Frage gestellt, ob die Wiederherstellung der Wissenschaft und Künste zur Reinigung oder zur Verderbnis der Sitten beigetragen habe. Rousseau verneinte den Segen von Wissenschaften und Künsten mit einem Fanatismus, der seine Wellen sofort über die ganze Zeit warf: Ein den Menschen feindlicher Gott hat die Wissenschaften erfunden. Der Luxus ist der Schöpfer der Künste. Wissenschaft und Kunst sind schuld, daß man das Talent höher schätzt als die Tugend. Sind die Nachkommen nicht noch törichter als wir, so werden sie zu Gott beten, daß er die Menschen befreie von der Erleuchtung und den verhängnisvollen Künsten der Väter, sie zurückführe zur Einfalt, Unschuld und Armut, den einzigen Gütern, die unser Glück befördern.

Rousseau war mit diesem Verdammungsurteil über die Kultur durchaus ein Sohn der Aufklärung, die nicht gewohnt war, die Überlieferungen der Geschichte umsichtig zu sammeln und vorurteilsfrei zu prüfen, die die Kategorien der Vernunft an allen geschichtlichen Stoff anlegte und stets auf Grund des Zweckmäßigkeitsgedankens nach dem nützlichen oder schädlichen Verhältnis der geschichtlichen Tatsachen zur Gegenwart fragte. So kümmerte auch Rousseau sich nicht um das wirkliche Sein der Menschheitsgeschichte, sondern stellte, wie die andern, die Gegenwart der Vergangenheit gegenüber, nur daß er diese Begriffe mit umgekehrten Vorzeichen versah, und verdammte, wo die andern lobten, lobte, wo jene verdammten.

Aber hatte er, bei aller Unklarheit seiner Ansichten und allen Übertreibungen, nicht recht mit seiner Verdammung der unter allem Glanz der
Kultur verborgenen Verderbnis der Sitten (wobei man an Paris und den
Hof von Versailles denken muß)? Gaben ihm nicht gerade jene Kreise,
die er angriff, recht, indem sie in allen literarischen Salons seine Thesen
erörterten und trotz dem Spott Voltaires bald für sie schwärmten, ohne
zu merken, daß sie den Boden unterhöhlten, auf dem sie standen? Schon
Rousseaus zweite Schrift, der Diskurs über die Ungleichheit unter den
Menschen, zeigte, wie die Botschaft gemeint war. Die Kultur war eine
dünne flimmernde Decke, die von den obern Ständen gewoben war;
darunter aber lag die wirkliche Natur, verkörpert in der Masse des ungebildeten, aber tugendhaften und gesunden Volkes. Bereits zeigten sich
Risse in der Decke, die von Fäulnis angefressen war, und durch sie drängte
sich die Natur, das Ursprüngliche, Unverbildete, Unvernünftige an die
freie Luft. In Frankreich und in der Schweiz bedeutete das Empordrän-
gen der Natur schließlich den Sturz des politischen Systems, die Revolution. In Deutschland blieb die Bewegung im Seelischen und Geistigen
haften; ihre Wirkung war die Befreiung von dem Rationalismus, das
Selbsterlebnis des deutschen Gemütes.

Schon darin zeigt sich der Unterschied deutschen und französichen
Wesens. Nicht weniger in der Gegenüberstellung Rousseaus und Hamanns. Denn dieser muß genannt werden, wenn man nach einem
ersten Begründer des irrationalen Geistes in Deutschland Ausschau hält,
so sehr der Vergleich zwischen dem wenig bekannten, wenig verstandenen
„Magus des Nordens" in seinem abgelegenen Winkel des deutschen Geistes-
lebens und dem weltberühmten, umschwärmten Verfasser der „Nouvelle
Heloïse" und des „Emile" im geistigen Mittelpunkte Frankreichs, ja des
ganzen Kontinentes auf den ersten Blick befremden mag. Was sie eint, ist
die Abkehr von der Vernunftanbetung. Aber Hamanns Einsicht in den
Gang und das Wesen des menschlichen Geistes ist tiefer als die Rousseaus,
sein Fragenkreis enger, seine Darstellungskunst, bei aller oft unheimlichen
Leuchtkraft aus der Tiefe, dunkel und verworren. Er konnte nur auf
einen kleinen Kreis von Erleuchteten wirken, die ihn sicher oft auch selber
nicht verstanden. Demgegenüber wurde Rousseau, der als Denker dem
scharfen Urteil und dem geschichtlichen Wissen oft so wenig standhält,
als Schriftsteller von dem klaren Glanze und der Überredungsgabe der
französischen Sprache — und dem Ansehen jener Kultur, die er verdammt — über alle Welt hin getragen.

Es ist reizvoll, den Gegensatz der Zeiten in der geschichtlichen Erscheinung Hamanns zunächst an einem einzelnen Punkte kennenzulernen: an
dem Verhältnis zwischen Hamann und Lessing. Äußerlich, zeitlich betrachtet, liegt nur die Spanne von anderthalb Jahren zwischen den Ge-
burtsdaten Lessings und Hamanns. Innerlich, geistig trennt sie eine Welt.
Beide empfanden die größte Hochachtung füreinander, aber ebenso sehr
waren sie sich des grundsätzlichen und weiten Abstandes bewußt. Es kam
denn auch zu keinem persönlichen Verkehr zwischen beiden. Sie brauchten,

wo einer sich mit dem andern in Beziehung setzen wollte, einen Vermittler: Herder.

Lessing hat sich gegenüber Herder nur ein einziges Mal über Hamann geäußert. Herder hatte ihn um die Fortsetzung der „Gespräche über Freimäurer" für Hamann gebeten. Als Lessing sie am 25. Januar 1780 schickte, schrieb er dazu: „Wenn Sie das Ding an Hamann senden: so versichern Sie ihn meiner Hochachtung. Doch ein Urteil darüber möchte ich lieber von Ihnen, als von ihm haben. Denn ich würde ihn doch nicht überall verstehen; wenigstens nicht gewiß sein können, ob ich ihn verstehe. Seine Schriften scheinen als Prüfungen der Herren aufgesetzt zu sein, die sich für Polyhistores ausgeben. Denn es gehört wirklich ein wenig Panhistorie dazu. Ein Wanderer ist leicht gefunden: aber ein Spaziergänger ist schwer zu treffen." Hier ist alles ausgedrückt, was ein Mann wie Lessing über Hamann zu sagen hatte. In der höflichsten und geistvollsten Form wird ihm Dunkelheit infolge von ungeordneter Anhäufung von allen möglichen Kenntnissen vorgeworfen. Er schlendert willkürlich herum, wie ein Spaziergänger; er legt nicht, wie ein Wanderer, einen bestimmten Weg zu einem Ziel zurück. Das Urteil erklärt zugleich, warum es Lessings einzige uns bekannte Äußerung über Hamann ist.

Um so häufiger hat sich Hamann in seiner Polyhistorie mit Lessing beschäftigt. Wenig Wesentliches wird ausgesagt, wenn er im April 1759 den „Philotas" ein wunderschön Ding nennt oder in „Abälardus Virbius" gegenüber den Buhlliedern, von denen Abälard schwärmte, den feinen Geist rühmt, der die Tändeleien eines Lessing und anderer Anakreontiker erhebt und adelt. Tiefer schon führt in Hamanns Natur sein ablehnendes Urteil über Lessings Fabeln und die Abhandlungen über die Fabeln. An den Bruder am 12. April 1760: „Lessings Fabeln habe ich gelesen; das erste Buch derselben ist mir ekel gewesen. Die schöne Natur scheint daselbst in eine galante verwandelt zu sein. Seine Abhandlungen sind mehr zum Überdruß als zum angenehmen Unterricht philosophisch und witzig... Wenn Lessing den Lafontaine tadelt, so greift er, ohne es zu wissen, seiner eigenen Grundsätze Anwendung an." Und am 5. Mai 1761: „Was Lessing von den Fabeln und Diderot vom Drama geschrieben, kann demjenigen sehr zustatten kommen, der die Quellen der Poesie und der Dichtung weiter entdecken will, als diese beiden Schriftsteller ihr haben nachspüren können, weil sie das Licht einer falschen Philosophie zum Wegweiser gehabt." Hier tritt der Symboliker dem Allegoriker, der Mystiker dem Moralisten entgegen, wie er schon im November 1758 Lessings Rationalismus abgelehnt hatte, wenn er, ihn dem schöngeistigen Jesuitenpater Rapin gleichsetzend, seinem Freunde Lindner schrieb: „Folgen Sie meinem Rat — lassen Sie Lessing und Rapin liegen. Geben Sie Ihr Geld (Kräfte und Zeit) nicht für Dinge aus, die kein Brot sind."

Gerade um des grundsätzlichen Gegensatzes willen mußten ihn Lessings Streit mit Goeze und die Schriften, die aus ihm hervorgegangen, aufs tiefste interessieren. Als 1773 Lessing die ersten „Beiträge zur Geschichte und Literatur" herausgab, schrieb Hamann an Herder: „Stehen Sie noch in Verbindung mit Lessing? ... Der ehrliche Mann nimmt sich auch der guten Sache an. Ich bin ihm zum ersten Male recht gut dafür geworden." 1774 folgte das erste „Fragment eines Ungenannten": „Von Duldung der Deisten", 1777/78 die weitern Fragmente, 1778 die Freimaurergespräche, 1779 „Nathan der Weise", 1780 „Die Erziehung des Menschengeschlechts". Als der Streit anhob, meinte Hamann, in Lessing einen Bundesgenossen gefunden zu haben in dem Kampfe gegen die seichte Aufklärungstheologie einerseits und die starre Orthodoxie anderseits. Die Freimaurergespräche nannte er „Wasser für meine Mühle" (an Herder 25. November 1778). „An Lessings ontologischem Gespräche habe ich mich nicht satt lesen können", schrieb er Herder am 21. Februar 1779. Er erbat sich durch ihn das dritte Stück von Lessing und schrieb es sich ab (an Herder 25. März 1780). Auch auf den „Nathan" freute er sich (21. Februar 1779), und als er die zehn ersten Bogen des Stückes erhielt, meldete er Herder am 6. Mai 1779, er habe sich recht daran geweidet. Aber die „Erziehung des Menschengeschlechts", von der er zuerst nicht wußte, das sie von Lessing war, kühlte ihn ab. „Ich habe selbige bloß ansehen können", schrieb er Herder am 24. April 1780 ... „Einst (Gott als) summus philosophus, nun summus paedagogus. Nichts als Ideenwanderung in neue Formeln und Wörter. Kein Schiblemini, kein rechter Reformationsgeist, keine Empfängnis, die ein Magnificat verdiente." Am 11. Juni 1780 urteilte er über das Büchlein: „Im Grunde der alte Sauerteig unserer Mode-Philosophie; Vorurteil gegen Judentum — Unwissenheit des wahren Reformationsgeistes. Mehr Wendung als Kraft." In der Stellung zu der Erziehung des Menschengeschlechts mußten die beiden Welten zusammenprallen. Hatte Lessing in seiner Schrift als den Kern aller Religion die Sittlichkeit aufgedeckt, so vermißte Hamann darin die Offenbarung mystischer Weisheit. Ihm war Religion nicht Sittlichkeit, sondern Ahnung der göttlichen Weltregierung. Er konnte nicht zugeben, daß das Alte Testament, worin er die Offenbarung Gottes am reinsten fand, nur eine erste Stufe der Entwicklung zur vollkommenen Sittlichkeit sei. Lessings wie Kants böser Dämon sei der Scharfsinn, erklärte er abschließend an Herder am 14. April 1785. Scharfsinn bedeutete ihm logische Durchdringung des Wissensstoffes. Wenn er selber den Sinn des Wissensstoffes zu ergründen suchte, so geschah es nicht mit Scharfsinn, sondern mit Ahnung und Schau. Die Welt erschien ihm nicht als Allegorie, die der Verstand mit klaren Worten auszulegen hatte, sondern als Bild, dessen Sinn nur mit dunkler Andeutung geahnt werden konnte. Gott aber, der in ihr sich kund gab, war dem Verstand nicht faßbar als Erzieher der Menschheit, sondern schlechthin rätselhaft und unergründlich. Schon der Versuch, sein Walten in das Begriffsnetz menschlichen Verstandes einzuordnen, war Vermessenheit; man konnte sich ihm bloß hingeben und von ihm leiten lassen.

Johann Georg Hamann (1730—1788) hat in den „Gedanken über meinen Lebenslauf", dem Gegenstück zu Rousseaus „Confessions", 1758 sein Leben selber beschrieben. Es ist der Rechenschaftsbericht des Pietisten über die göttliche Führung seines Lebens. Und zwar eines Pietisten von einer wilden und leidenschaftlichen Gemütsanlage. Er selber berichtet einmal, wie seine Gesundheit, durch den Tumult von Affekten, in dem sein Gemüt wie ein Nachen auf einer stürmischen See beständig hin und hergeworfen ward, sehr gelitten. Wie wird er dieser Leidenschaften Herr? Drei Tatsachen seines Lebensganges sind für den Charakter des Verfassers besonders bedeutsam: Einmal die ungeordnete Anhäufung von allen möglichen Kenntnissen in dem Kopfe des Heranwachsenden. „Ich fand mich mit einer Menge Wörter und Sachen auf einmal überschüttet, deren Verstand, Grund, Zusammenhang, Gebrauch ich nicht kannte. Ich suchte immer mehr und mehr, ohne Wahl, ohne Untersuchung und Überlegung auf einander zu schütten, und diese Seuche hat sich über alle meine Handlungen ausgebreitet, daß ich mich endlich in einem Labyrinth gesehen habe, von dem ich weder Aus- noch Eingang, noch Spur erkennen konnte." Sodann die Art, wie er sich einen Aufenthalt in London möglich machte. Er hatte nach Abschluß seines Studiums in Königsberg eine Hofmeisterstelle in Kurland angenommen. Da bot ihm ein Freund, der Großkaufmann Berens in Riga, eine Stelle als Vertreter in London an. Aber er war noch in seiner Hofmeisterstelle auf längere Zeit verpflichtet und fürchtete, wenn er den Eltern seiner Zöglinge seine Absicht mitteilte, nicht von seiner Stelle entlassen zu werden. So gab er vor, nur eine kurze Reise unternehmen zu wollen und bald wiederzukommen. In seinem Lebenslauf schildert er diese Heuchelei so: „Gott gab außerordentlichen Segen, daß ich von dem Hause aus Kurland, mit Scheingründen und ohne Aufrichtigkeit, losgelassen wurde, unter dem Versprechen wiederzukommen, das eine offenbare Lüge und wider alle meine Absichten und Neigungen war." Endlich seine Bekehrung in London, der „Durchbruch" im pietistischen Sinne. Er war, bei dem Mangel an straffer logischer Zucht, den Geschäften nicht gewachsen, denen er vorstehen sollte, und ergab sich, um sich zu betäuben, einem liederlichen Leben. Schließlich nahm er in seiner Verzweiflung seine Zuflucht zur Bibel. „Ich vergaß alle meine Bücher darüber ... Ich fand die Einheit des göttlichen Willens in der Erlösung Jesu Christi, daß alle Geschichte, alle Wunder, alle Gebote und Werke Gottes auf diesen Mittelpunkt zusammenliefen, die Seele des Menschen aus der Sklaverei, Knechtschaft, Blindheit und dem Tode der Sünden zum größten Glück, zur höchsten Seligkeit und zu einer Ansehung solcher Güter zu bewegen, über deren Größe wir noch mehr als über unsere Unwürdigkeit oder die Möglichkeit, uns derselben würdig zu machen, erschrecken müssen, wenn sich uns selbige offenbaren. Ich erkannte meine eigenen Verbrechen in der Geschichte des jüdischen Volkes, ich las meinen eignen Lebenslauf, und dankte Gott für seine Langmut mit diesem seinem Volk, weil nichts als ein solches Beispiel mich zu einer gleichen Hoffnung berechtigen konnte."

Daß Erlebnisse eines Menschen, der nicht mit vernunftgeklärtem Willen sein Leben leitet, sondern sich dem dunkeln Drange seines Trieb- und Gefühlslebens hingibt und in den Verwirrungen und Entwirrungen, in die es ihn hineinführt. Offenbarungen des Willens Gottes erblickt: „Ich überlasse mich seinem weisen und allein guten Willen. In unserm Glauben ist allein himmlische Erkenntnis, wahres Glück und erhabenste Freiheit der menschlichen Natur vereinigt. Vernunft — Geister — Sittenlehre sind drei Töchter der wahren Naturlehre, die keine bessere Quelle als die Offenbarung hat." Diese Glaubenshaltung hat mit Vernunft, im Sinne Lessings, nichts zu tun, aber auch jene Moralität im menschlich-bürgerlichen Sinne, um die sich die Aufklärung so heiß bemühte, ist für sie nicht mehr begehrenswert. Es gehört zu den Unbegreiflichkeiten in Hamanns Persönlichkeit, daß er, trotz seinem Christentum, keineswegs nur ein „geistiger" Mensch war. Wie er als Mensch in einer freien Ehe mit einem ungebildeten Bauernmädchen lebte, das ihm vier Kinder schenkte, so sah er auch als Denker Gott sich in den sichtbaren Gestalten der sinnlichen Welt offenbaren. Der Mensch war ihm eine Zweieinheit von Körper und Seele, der Leib ein Sinnbild der Seele. So wichtig ist ihm die sinnliche Welt als Offenbarungsquell der göttlichen Weisheit, daß er auf dem Titelblatt eines seiner wichtigsten Werke, der „Kreuzzüge des Philologen", einen Satyrkopf mit Bockshörnern, Bocksohren und einem großen tierischen Maule hat anbringen lassen.

Wenn die Wissenschaftslehre der Aufklärung den Begriff der Erkenntnis von der logischen Ordnung des Stoffes her begründete, so bedeutet Erkenntnis für Hamann Deutung des Sichtbaren und Sinnlichen durch die Kraft des Glaubens an den sich in Natur und Geschichte offenbarenden Gott. Natur und Geschichte sind die „zwei Commentarii des göttlichen Wortes". In den „Sokratischen Denkwürdigkeiten" betrachtet er Sokrates als Prototyp des erkennenden Weisen. Als der Sohn eines Bildhauers, in seiner Jugend selber Bildhauer, stellt er das Leben in sinnlichen Abbildern dar. Als Sohn einer Hebamme holt er die im dunkeln Mutterschoß herangewachsenen Gestalten ans Licht geistiger Erkenntnis. „Sokrates hat ohne Zweifel für seine Lust an einer Harmonie der äußerlichen und innerlichen Schönheit in sich selbst leiden und streiten müssen." Sokrates hat wider die Sophisten gekämpft und ihnen gegenüber sein Nichtwissen betont. Dieser Kampf bedeutet für Hamann seinen eigenen Gegensatz gegen den Rationalismus. Sokrates' Nichtwissen ist der Gipfel der Selbsterkenntnis: Verneinung des Vernunftwissens, das sich auf begriffliche Übermittlung durch Wörter gründet, Bejahung der unmittelbaren Selbstgewißheit aus dem Glauben und der Empfindung heraus. „Zwischen Empfindung aber und einem Lehrsatz ist ein größerer Unterschied, als zwischen einem lebenden Tier und anatomischen Gerippe desselben... Unser eigen Dasein und die Existenz aller Dinge außer uns muß geglaubt und kann auf keine andere Art ausgemacht werden. ...Der Glaube ist kein Werk der Vernunft und kann daher auch keinem Angriff derselben unterliegen, weil Glauben so wenig durch Gründe geschieht, als Schmecken und Sehen."

In England kam um die gleiche Zeit David Hume dazu, gegenüber dem wissenschaftlichen Rationalismus den sinnlichen Ursprung aller Erkenntnis zu betonen. Nur für die Sätze der Mathematik gilt die unbedingte Notwendigkeit; nur sie sind auf der logischen Vernunft gegründet. Daneben gibt es die unmittelbaren Erfahrungen, die sich jeglichem Zwang der Logik entziehen, die man nur glauben kann. Hamann hat sich oft mit Hume auseinandergesetzt. Er interessierte ihn, weil er in ihm einen Bundesgenossen im Kampfe gegen den Rationalismus zu finden gehofft hatte. Aber er mußte ihn dann ebenso leidenschaftlich ablehnen wie die Rationalisten; denn was Hume unter Glauben verstand, war etwas lediglich Psychologisches gegenüber dem in der Offenbarung gegründeten Glauben Hamanns; so war er ihm „Saul unter den Propheten".

Der religiöse Ursprung von Hamanns sinnlich-geistiger Wissenschaftslehre wirkt sich am fruchtbarsten in seiner Auffassung von Sprache und Dichtung aus. Unsere Denkart gründet sich auf sinnliche Eindrücke und die damit verknüpften Empfindungen. Die Sprache ist der Ausdruck der Denkart eines Volkes, verbunden mit den Bedingungen seiner natürlich-sinnlichen Existenz. Je naturnäher und sinnlicher das Leben eines Volkes ist, desto sinnlicher und bildhafter ist seine Sprache, d. h., da die Dichtung nicht eine Sprache der Vernunft, sondern der Anschauung ist, umso poetischer: „Poesie ist die Muttersprache des menschlichen Geschlechts, wie der Gartenbau älter als der Acker; Malerei als Schrift; Gesang als Deklamation; Gleichnisse als Schlüsse; Tausch als Handel ... Sinne und Leidenschaften reden und verstehen nichts als Bilder. In Bildern besteht der ganze Schatz menschlicher Erkenntnis und Glückseligkeit. Der erste Ausbruch der Schöpfung und der erste Eindruck ihres Geschichtsschreibers; die erste Erscheinung und der erste Genuß der Natur vereinigen sich in dem Worte: Es werde Licht! Hiemit fängt sich die Empfindung von der Gegenwart der Dinge an."

Auch der Rationalismus kennt Bilder. Gellert veranschaulicht Weisheitslehren durch Fabeln; Zachariä verbildlicht seelische Regungen durch mythologische Personen. Aber diese Bilder sind vom Verstand gezeugt, dazu bestimmt, dessen abstrakte Sprache wirkungsvoller zu machen. Sie sind Allegorien: Gestalten mit Verstandesinhalt. Auch Hamanns Bildbegriff begnügt sich nicht mit der Betonung der bloßen äußern Anschauung. Auch seine Bilder haben einen geistigen Inhalt. Aber er ist nicht von dem Verstande bestimmt, sondern vom Glauben und vom Gefühl. Er ist nicht in klaren Begriffen faßbar wie in einem Gefäße, er strömt über die Ränder, er ist dunkle Offenbarung, mehr Ahnung als Erkenntnis. Seine Bilder sind Symbole, oder wie er sagt, um das Heilige, Göttliche der Weisheit, die sie verkünden, auszudrücken: Hieroglyphen. Der Dichter ist ihm nicht der Poet, der „dichtend seine Nebenstunden vertändelt", er ist ihm wie Gott, der aus dem heiligen Drange seiner Leidenschaft die Geschöpfe hervorbringt. „Diese Analogie des Menschen zum Schöpfer erteilt allen Kreaturen ihr Gehalt und ihr Gepräge, von dem Treue und Glauben in der ganzen Natur abhängt. Je lebhafter diese Idee, das Ebenbild des unsichtbaren Gottes in unserm Gemüt ist: desto fähiger sind wir, seine Leutseligkeit in den Geschöpfen zu sehen und zu schmecken, zu beschauen und mit Händen zu greifen." Hier ist der eigentliche Grund der neuen Dichtung, die um 1770 enstand, und die nicht mehr ein sauberes und geschicktes Zusammensetzen auf Grund von Verstandesregeln sein wollte, sondern ein Aufbrechen schöpferischer Urkräfte und deren Verbildlichung in anschaulichen Gestalten.

Am eindrücklichsten wird Hamanns hieroglyphische Sprache, wenn man sie der Bildersprache Lessings gegenüberstellt. Im zweiten Anti-Goeze heißt es: „Jeder Mensch hat seinen eignen Stil, so wie seine eigne Nase ... Was kann ich dafür, daß ich nun einmal keinen andern Stil habe? Daß ich ihn nicht erkünstle, bin ich mir bewußt. Auch bin ich mir bewußt, daß er gerade dann die ungewöhnlichsten Kaskaden zu machen geneigt ist, wenn ich in der Sache am reifsten nachgedacht habe." Der Schluß des Briefes lautet: „Itzt ist mein Bogen voll; und mehr als einen Bogen sollen Sie auf einmal von mir nicht erhalten. Es ist erlaubt, Ihnen den Eimer faulen Wassers, in welchem Sie mich ersäufen wollen, tropfenweise auf den entblößten Scheitel fallen zu lassen." Untersucht man in diesen Vergleichen das zeitliche und psychologische Verhältnis von Bild und Sinn, so ist der Sinn das erste und das Bild das zweite.

Lessing geht von einem gewissen geistigen Inhalte aus, und er hat, wenn dieser von einem Gefühl oder einer Leidenschaft erregt wird, das Bedürfnis, was er sagen will, möglichst eindringlich zu sagen; er greift also — sicherlich ohne lange Überlegung — zum bildlichen Ausdruck. Das ist die Art der Allegorie, die den Stil des Rationalismus kennzeichnet. Alle Lessingschen Bilder sind Allegorien, so auch wenn er in „Emilia Galotti" sagt: „Perlen bedeuten Tränen" oder im „Nathan":

> „Der große Mann braucht überall viel Boden,
> Und mehrere zu nah gepflanzt, zerschlagen
> Sich nur die Aeste."

Gerade umgekehrt ist das zeitliche und psychologische Verhältnis von Bild und Sinn bei Hamann. Eines seiner bezeichnendsten Werke, die „Brocken", beginnt mit folgender Erklärung des Titels: „Ein Heer von Volk wird von fünf Gerstenbroten überflüssig gespeist; dieses kleine Maß ist für die Menge in der Wüste so reich, daß mehr Körbe voll übrig bleiben, als sie Brote empfangen hatten. Wir sehen eben dieses Wunder des göttlichen Segens in der Menge der Wissenschaften und Künste. Was für ein Magazin macht die Geschichte der Gelehrsamkeit aus? Und worauf gründet sich alle? Auf fünf Gerstenbrote, auf fünf Sinne, die wir mit den unvernünftigen Tieren gemeinschaftlich besitzen." Anderswo sagt er: „Wer keine Ausnahme macht, kann kein Meisterstück liefern, weil Regeln vestalische Jungfrauen sind, durch die Rom vermittelst Ausnahmen bevölkert werden mußte." Oder: „Die Erde ist meine Mutter, dachte Junius Brutus. Er fiel, so lang er war, nieder, sie zu umarmen, und wurde der Schutzgeist der römischen Freiheit." Das sind nicht geistreiche Erfindungen zur Veranschaulichung von Gedanken, wie die Bilder Lessings, sondern tiefsinnige Deutungen des in Sage und Geschichte überlieferten Bilderschatzes. Im Sinne seiner Auffassung des Sokrates: Herausholung von

Erkenntnis aus gegebenen Gestalten, die durch ihn auf einmal nicht mehr nur Gestalten, sondern beseelte Lebewesen, ja Propheten geworden sind. Hamann erst hat den Dichtern der Zeit geoffenbart, was Mythos und Symbol sind. Es geht von ihm ein gerader Weg zu Herder und Goethe.

In den „Sokratischen Denkwürdigkeiten" hat Hamann bei Anlaß von Sokrates' Ausspruch, er wisse, daß er nichts wisse, die Frage aufgeworfen: „Was ersetzt bei Homer die Unwissenheit der Kunstregeln, die ein Aristoteles nach ihm erdacht, und was bei einem Shakespeare die Unwissenheit oder Übertretung jener kritischen Gesetze? Das Genie, ist die einmütige Antwort." Auch Sokrates' Unwissenheit ist Genie. Er hatte gut unwissend zu sein. „Er hatte einen Genius, auf dessen Wissenschaft er sich verlassen konnte, den er liebte und fürchtete als seinen Gott." Genie also ist für Hamann die göttliche Unmittelbarkeit des gläubigen Künstlers, der der Verstandsregeln entbehren kann, weil die Natur Gottes in ihm wirkt.

Im gleichen Jahr, 1759, da die „Sokratischen Denkwürdigkeiten" erschienen, gab Edward Young, der damals 76jährige Verfasser der „Nachtgedanken", eine kleine Schrift heraus: „Conjectures on original composition." Er griff damit ein in den seit dem Ende des 17. Jahrhunderts anhängigen Streit über die Nachahmung der Alten. Nicht die Werke, sagt er, sondern den Geist der Alten soll man nachahmen. Nicht nach den Regeln soll man schaffen, die auf Grund der Werke der Alten aufgestellt worden sind. Alles Vortreffliche und Außerordentliche liegt außer dem betretenen Wege. Ausschweifungen und Abweichungen sind notwendig, wenn man es erreichen will. „Je weiter euer Pfad von der Heerstraße abgeht, desto rühmlicher ist es für euch." Dieses Schaffen jenseits der Heerstraße ist das Schaffen des Genies: „Das Genie ist das Vermögen, große Dinge ohne diejenigen Mittel auszurichten, die man insgemein für notwendig zu diesem Endzweck hält. Das Genie ist von einem guten Verstande ebenso verschieden wie der Zauberer von einem Baumeister. Jener erhebt sein Gebäude durch unsichtbare Mittel, dieser durch den kunstmäßigen Gebrauch der gewöhnlichen Werkzeuge. Deswegen hat man stets das Genie für etwas Göttliches gehalten. Niemals ist jemand ohne göttliche Begeisterung ein großer Mann geworden." Dem gegenüber sind die Regeln eine Erfindung der Gelehrsamkeit. Das Genie überspringt diese Grenzzeichen. „Regeln sind wie Krücken: eine notwendige Hilfe für die Lahmen, aber ein Hindernis für den Gesunden. Ein Homer wirft sie von sich."

Man sieht, wie nahe sich Hamann und Young berühren. Beide erklären dem Rationalismus der sauberen Regeldichtung den Krieg; beide verherrlichen das Genie als die unmittelbar schaffende Kraft, die neue Wege bahnt. Aber wieviel tiefer ist die Genieerkenntnis des Deutschen als die des Engländers! Wenn Young sich von der Regeldichtung lossagt, so bleibt er doch immer noch in der Vernunftlehre befangen. Er gleicht einem Mathematiker, der vor einen Wert ein Minus setzt, wo alle anderen ein Plus setzen, und dabei sich immer noch der Zeichensprache der Mathe-

17. Johann Georg Hamann (1730—1788)
Ausschnitt aus einer Radierung von Johann Heinrich Lips für Lavaters Physiognomik

Der pietistisch streng erzogene „Magus im Norden" aus Königsberg führte ein unruhiges, wechselvolles Leben. Er studierte Theologie, Jura, Literatur und orientalische Sprachen, wurde Hofmeister, Schreiber, Redakteur, Reisebegleiter, und schließlich Packhofverwalter beim preußischen Zoll in Königsberg. Er war Herders Freund und Lehrer. In seinen Schriften ist er ein unermüdlicher Kämpfer gegen den Rationalismus. Über Herder beeinflußte er auch den jungen Goethe und wirkte mit an der Wende der deutschen Dichtung zu einer neuen, gefühlsbetonten Sprache.

18. Johann Gottfried Herder (1744—1803)
Gemalt von Friedrich Tischbein, gestochen von Carl Pfeiffer

Herder ist der eigentliche Anreger der deutschen Geistesgeschichte. Der menschliche Geist und seine Schöpfungen waren ihm Erscheinungen, deren Sinn in immer neuen Untersuchungen zu studieren er nicht satt wurde. Er war es, der den jungen Goethe 1770/71 in Straßburg auf die Bedeutung des Volksliedes hinwies, der ihn deutsche Kunst begreifen lehrte und der in ihm, indem er ihn auf Shakespeare aufmerksam machte, eigene dramatische Möglichkeiten weckte. Auf Goethes Rat berief Herzog Carl August 1776 Herder als Generalsuperintendent nach Weimar, doch entwickelte sich sein Verhältnis zur Weimarer Gesellschaft nicht in jeder Beziehung glücklich. Er litt unter dem Konflikt seiner Amtspflichten und seiner geistesgeschichtlichen Ideen. Hinzu kam, daß er in Gegensatz zum klassisch-romantischen Idealismus geriet und am Ende wegen Unvereinbarkeit der Überzeugungen und aus persönlichen Gründen auch mit Goethe brach.

19. Caroline Herder, geb. Flachsland (1750—1809)
Gemälde von unbekanntem Künstler

Herder lernte sie 1770 im Kreise der darmstädter Empfindsamen kennen. Nach dreijähriger Brautzeit heiratete er sie 1773. Als die Herders 1776 nach Weimar gekommen waren, glaubte Caroline ihren Gatten, den sie über alles verherrlichte, nicht seiner Bedeutung entsprechend gewürdigt. Ihr Geltungsanspruch artete gegenüber dem Hof und vor allem gegenüber Goethe bald in Undankbarkeit aus, was nicht wenig dazu beitrug, daß sich Herders Verhältnis zur weimarer Gesellschaft zunehmend verschlechterte.

20. Herders Geburtshaus in Mohrungen in Ostpreußen
Stich

Aus dürftigsten Verhältnissen stammend hat sich der Lehrer- und Kantorssohn Johann Gottfried Herder in nächtlicher Lektüre und durch selbstverdientes Studium, das er in viel weiterem Rahmen betrieb, als wie es für das von ihm erstrebte Amt eines Predigers erforderlich gewesen wäre, eine Bildung angeeignet, die ihm die Möglichkeit bot, sich zu einem führenden Geist der Zeit zu entwickeln.

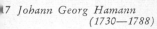
17 *Johann Georg Hamann*
(1730—1788)

19
Caroline Herder, geb. Flachsland
(1750—1809)

18 *Johann Gottfried Herder (1744—1803)*

20 *Herders Geburtshaus*
in Mohrungen in Ostpreußen

21 *Christian Friedrich Daniel Schubart (1739—1791)*

22 *Festung Hohenasperg*

23
*Gottfried August
Bürger
(1747—1794)*

23
*Gottfried August
Bürger
(1747—1794)*

24 *Bürgers
Wohnhaus in
Wöllmershausen*

*Auguste („Mo
Bürger, geb. Leor
(1758—*

matik bedient. Young beschreibt nur, was ein Genie ist, indem er die Wörter Regel und Natur oder göttliche Begeisterung einander gegenüberstellt. Hamann prägt eine neue Sprache um uns zu sagen, was ein Genie ist. Er läßt es uns ahnen, indem er das Genie herauswachsen läßt aus dem dunkeln Grunde seines Gottesglaubens, der hieroglyphisch Weisheit in allen Gestalten schaut und deutet.

21. Christian Friedrich Daniel Schubart (1739—1791)
Kupferstich von Ernst Morace

Schubart lebte das Ideal des Kraftgenies. Maßlos im Trinken und Lieben, ungezügelt im Freiheitsdrang verschwendete er seine Kräfte ohne rechtes Ziel.

22. Festung Hohenasperg
Kupferstich

Seit 1774 gab Schubart in Ulm seine Zeitschrift „Deutsche Chronik" heraus. Sie war das Organ seines Freiheitsdranges. Satirische Auslassungen gegen deutsche Kleinstaaterei, Fürstenwillkür und Soldatenhandel erzürnten den Herzog Carl Eugen von Württemberg so sehr, daß er Schubart auf württembergisches Gebiet locken, verhaften und auf der Festung Hohenasperg zehn Jahre lang einkerkern ließ.

23. Gottfried August Bürger (1747—1794)
Stich nach einem Aquarell von Johann Dominicus Fiorillo

Nach einem Theologiestudium, wie es für den Sohn eines Pfarrers nahelag, wurde Bürger 1772 Amtmann von Altengleichen bei Göttingen. 1784 habilitierte er sich an der Göttinger Universität und erhielt dort 1789 eine Professur für Ästhetik. Mit seiner Leonore" (1774) wurde er durch ihren volkstümlichen Ton zum Erneuerer der Ballade. Seine Lyrik ist bestimmt vom subjektiven augenblicklichen Empfinden. Das brachte 1791 den Zusammenstoß mit dem inzwischen klassisch-objektiv denkenden Schiller, der in seiner scharfen Rezension von Bürgers Gedichten diesem den Glauben an sein Werk und sich selbst zerstörte.

24. Bürgers Wohnhaus in Wöllmershausen
bei Göttingen, wo er von 1775 bis 1780 lebte.

Radierung

25. Auguste („Molly") Bürger, geb. Leonhart (1758—1786)
Miniatur

1774 lernte Bürger die Schwester seiner Braut Dorette kennen. Noch vor der Heirat mit Dorette entflammte er in leidenschaftlicher Liebe zu Auguste, an die seine „Molly-Lieder" gerichtet sind. Es kam zu einer unglücklichen Doppelehe, die erst der Tod Dorettens endigte. Aber auch die nun legale Ehe mit „Molly" währte nur bis 1786, als sie im Kindbett starb. Eine dritte Ehe mit Elise Hahn, die schließlich wieder geschieden wurde, verlief noch unglücklicher.

Dieser Unterschied weist prophetisch auf die Zweiheit der nun kommenden Genies der deutschen Literatur hin. Es gibt solche, die die Bestimmung und Aufforderung Youngs gelesen haben und sie nun verwirklichen wollen: die Originalgenies. Aber sie bleiben, weil sie mit Young — oder besser ihrer eigenen Natur — nicht in die letzte Tiefe steigen konnten, an dem bloßen Sich-Gehaben als Genies stecken: Lenz, Klinger, Bürger, Maler Müller u. a. Und es gibt einen Genius, der Hamann begriffen hat, weil er Hamannsche Gottverbundenheit in sich spürte, dem also Hamann nichts mitzuteilen brauchte, in dem er nur die Keime verwandter Gedanken lösen konnte: Goethe.

Goethe selbst hat in „Dichtung und Wahrheit" bezeugt, wie stark Hamann auf ihn gewirkt: Er habe sich durch diesen zu dem sibyllinischen Stil seiner Sturm- und Drangaufsätze verleiten lassen, und noch zur Zeit der Abfassung seiner Lebensgeschichte gab er die Hoffnung nicht auf, eine Ausgabe von Hamanns Werken entweder selbst zu besorgen oder wenigstens zu befördern. Alle Äußerungen Hamanns, meint er, ließen sich auf ein Prinzip zurückführen: „Alles was der Mensch zu leisten unternimmt, es werde nun durch Tat oder Wort oder sonst hervorgebracht, muß aus sämtlichen vereinigten Kräften entspringen; alles Vereinzelte ist verwerflich." „Eine herrliche Maxime! aber schwer zu befolgen", setzt Goethe hinzu. „Der Mensch, indem er spricht, muß für den Augenblick einseitig werden; es gibt keine Mitteilung, keine Lehre ohne Sonderung. Da nun aber Hamann ein für allemal dieser Trennung widerstrebte und, wie er in einer Einheit empfand, imaginierte, dachte, so auch sprechen wollte und das gleiche von andern verlangte, so trat er mit seinem eigenen Stil und mit allem, was die andern hervorbringen konnten, in Widerstreit. Um das Unmögliche zu leisten, greift er daher nach allen Elementen; die tiefsten, geheimsten Anschauungen, wo sich Natur und Geist im Verborgenen begegnen, erleuchtende Verstandesblitze, die aus einem solchen Zusammentreffen hervorstrahlen, bedeutende Bilder, die in diesen Regionen schweben, andringende Sprüche der Heiligen und Profanskribenten, und was sich sonst noch humoristisch hinzufügen mag, alles dieses bildet die wunderbare Gesamtheit seines Stils, seiner Mitteilungen. Kann man sich nun in der Tiefe nicht zu ihm gesellen, auf den Höhen nicht mit ihm wandeln, der Gestalten, die ihm vorschweben, sich nicht bemächtigen, aus einer unendlich ausgebreiteten Literatur nicht gerade den Sinn einer nur angedeuteten Stelle herausfinden, so wird es um uns nur trüber und dunkler, je mehr wir ihn studieren … Solche Blätter verdienen auch deswegen sibyllinisch genannt zu werden, weil man sie nicht an und für sich betrachten kann, sondern auf Gelegenheit warten muß, wo man etwa zu ihren Orakeln ihre Zuflucht nähme. Jedes Mal, wenn man sie aufschlägt, glaubt man etwas Neues zu finden, weil der einer jeden Stelle innewohnende Sinn uns auf eine vielfache Weise berührt und aufregt."

Diese Charakteristik Hamanns paßt zu einem Teil auch auf seinen größten Schüler Herder. Auch er hatte zu kämpfen um die Gabe der „Sonderung", der Aufteilung der geistigen Gesamtmasse in einzelne sich in Wörtern folgende Begriffe — also jenen Grundsatz, den Lessing im „Laokoon" als das Element der sprachlichen Darstellung erklärt hat. Er hat gerade in seinen genialsten Werken jene Sonderung nicht errungen. Im Tiefsten ist dies die Ursache, die ihm trotz reichem Gedankengehalt die dichterische Gestaltung versagte.

Die gewichtigste Erkenntnis, die Herder Hamann verdankte, ist die Einsicht in das Wesen des geschichtlichen Lebens. Der Rationalismus hatte die Geschichte wohl eigentlich entdeckt, aber er hatte ihr Werden in die Denk- und Ausdruckswelt der Vernunft einbezogen, indem er die logische Zweckmäßigkeit, die er in der Mathematik nachgewiesen, nun auch auf die Mächte und Geschehnisse der Geschichte übertrug. Was Herder von Hamann lernte, war die Erfassung der geschichtlichen Tatsachen an sich und ihre Deutung aus dem göttlichen Weltgrunde und in dem natürlichen Zusammenhang der gottgeschaffenen Welt.

Er hatte dazu die glücklichste Veranlagung mitbekommen. Er war so wenig ein Rationalist wie Hamann; die sinnlich-gefühlsmäßigen Kräfte hatten auch bei ihm das Übergewicht. Aber sie äußerten sich weniger in überbordender Leidenschaft, als in der Empfindlichkeit und Feinheit der Organe zum Aufnehmen und Erfahren. Er war der geborene Beobachter. Es gibt keinen tiefer eindringenden und fruchtbarern vor Herder im gesamten deutschen Geistesraume. Sein Beobachten ist niemals ein Haftenbleiben an der äußern Hülle, sein Denken niemals ein rationales Beziehen der Gegenstände aufeinander. Er dringt fühlend, ahnend, schauend zugleich in das Innere des Baues ein; er ertastet Ströme des Lebens, Wirken des Geistes in ihm, er fühlt den Zusammenhang zwischen Außen und Innen, zwischen Gestalt und Funktion der Gestalt. Nichts gibt tiefern Aufschluß über diese seine seelische Art als das Journal seiner Reise nach Frankreich von 1769, jenes Werk, das an der Scheide seines Lebens entstand, als er, der engen Tätigkeit in Riga überdrüssig, ihr in die Weite der Welt entfloh, sich von seinem übermächtigen Schaffensdrang hemmungslos treiben ließ. Alles, was damals in seinem Innern brodelte, was später in anregendsten Werken sich gestaltete, die ganze Schaffenssehnsucht, die ganze Fülle der Ideen, wirbelt in diesem Tagebuch durcheinander, spricht sich aus, ringt nach Klarheit, und findet das letzte Wort doch nicht. Gerade deswegen ist es der getreueste Spiegel seiner Seele.

Da liest man den Lobpreis der Sinnlichkeit: „Man verliert seine Jugend, wenn man die Sinne nicht gebraucht. Eine von Sensationen verlassene Seele ist in der wüstesten Einöde: und im schmerzlichsten Zustande der Vernichtung. Nach langen Abstraktionen folgen oft Augenblicke dieses Zustandes, die verdrießlichsten im Leben. Der Kopf wüste und dumm: keine Gedanken und keine Lust sie zu sammeln: keine Beschäftigung und keine Lust sich zu beschäftigen: sich zu vergnügen. Das sind Augenblicke der Hölle: eine völlige Vernichtung, ein Zustand der Schwachheit, bis auf den Grad, was zu begehren." Das sind Funken aus Hamanns Feuer. Und doch welch ein Unterschied gegenüber Hamann! Dieser wirbelt seine Gedanken an uns vorbei, scheucht sie auf in dem Schatzhaus seiner Belesenheit, reiht assoziativ seine Einfälle aneinander, nicht logisch wie Lessing, äußerlich ohne Beziehung zueinander, innerlich nur durch den dunkeln Faden der Ahnung lose verknüpft. Auch Herder verbindet nicht logisch Gedanken; er reiht sie auch nicht assoziativ durch bloße Ahnung aneinander; er beschreibt individuelle seelische Zustände in ihrem organischen Zusammenhang.

Die Psychologie der Aufklärung unterschied höhere und niedere Sinne. Jene waren Gesicht und Gehör, diese Geruch, Geschmack, Tastgefühl. Vor allem das Gesicht wurde gepriesen als der Vermittler klarer Anschauungen. Herder lehnt diese Rangordnung ab. Oder vielmehr, er kehrt sie um. Nicht das Gesicht, das helle Anschauungen und kalte Begriffe vermittelt, die andern Sinne sind ihm wichtig, die dem Gefühl die Welt des Dunkeln, Tiefen erschließen, und seine Natur ist so beschaffen, daß er gleichsam immer in einem Zustand höchster Reizbarkeit und Gefühlsbereitschaft ist. Er vermochte Menschen und Dinge nicht in kühler Aufmerksamkeit auf sich wirken zu lassen; er wurde von ihnen im Tiefsten entzündet und erwiderte die Wirkung mit Blitzen des Gefühls. Wieland mit seinem temperierten Gefühlsleben litt darunter: „Der Mann ist wie eine elektrische Wolke", schrieb er an Merck. „Von fern macht das Meteor einen ganz stattlichen Effekt; aber der Henker habe solch einen Nachbar über seinem Haupte schweben." Herders Erfassung der Dinge ist in Wahrheit ein Elektrisieren. Sie erglühen unter der Hitze seines Gefühls. Er strahlt seine innere Bewegtheit in sie hinein. Die ganze Welt wird lebendig in diesem mächtigen Strome, der alles überbraust. Man höre, wie Herder in dem Reisetagebuch sein Erlebnis von Nantes beschreibt: „Der erste Anblick von Nantes war Betäubung: ich sah überall, was ich nachher niemehr sahe: eine Verzerrung ins Groteske ohngefähr." Dann gibt er sich selber Rechenschaft über die Art seines Empfindens: „Wenn ich in gewissen Augenblicken noch jetzt meinem Gefühl eine Neuigkeit und gleichsam Innigkeit gebe: was ist's anders, als eine Art Schauder, der nicht eben Schauder der Wollust ist. Selbst die stärksten Triebe, die in der Menschheit liegen, fangen in mir so an, und gewiß, wenn ich in diesen Augenblicken zum Werk schritte, was könnte für eine frühere Empfindung dem neuen Wesen sich einpflanzen als eben dieselbe? ... Ein erstes Werk, ein erstes Buch, ein erstes System, eine erste Visite, ein erster Gedanke, ein erster Zuschnitt und Plan, ein erstes Gemälde geht immer bei mir in dies gotische Große, und vieles von meinen Planen, Zuschnitten, Werken, Gemälden ist entweder noch nicht von diesem hohen zum schönen Stil gekommen oder gar mit dem ersten verschwunden. Gefühl für Erhabenheit ist also die Wendung meiner Seele: darnach richtet sich meine Liebe, mein Haß, meine Bewunderung, mein Traum des Glückes und Unglücks, mein Vorsatz in der Welt zu leben, mein Ausdruck, mein Stil, mein Anstand, meine Physiognomie, mein Gespräch, meine Beschäftigung, alles. Meine Liebe! Wie sehr grenzt sie an das Erhabene, oft gar an das Weinerliche! ... Wie kann mich ein Unglück, eine Träne im Auge meiner Freundin rühren!... Mein Leben ist ein Gang durch gotische Wölbungen, oder wenigstens durch eine Allee voll grüner Schatten: die Aussicht ist immer ehrwürdig und erhaben: der Eintritt war eine Art Schauder: so aber eine andere Verwirrung wird's sein, wenn plötzlich die Allee sich öffnet und ich mich auf dem Freien fühle."

In diesem elektrisch geladenen Stil ist der ganze Herder, in diesem vorwärtseilenden Gewimmel von Sätzen, die einer Herde Tiere gleichen, die alle zugleich zum Ausgang hinaus wollen; in dieser Häufung von Vorstellungen und Begriffen; in der Erregtheit von Frage- und Ausrufungssätzen; in der Interpunktion nicht am wenigsten, dem beständigen Gebrauch der Doppelpunkte, die gleichsam Öffnungen sind, durch die ein Gedanke in einen folgenden hineinschlüpfen kann. Es ist eine Sprache, die Herder selber als „halbverständlich, halb sombre" bezeichnet hat.

Und wie bezeichnend der wiederholte Gebrauch des Wortes gotisch. Die Aufklärung hatte das Wort im Sinne von mittelalterlich, altfränkisch, barbarisch gebraucht, und den, wie ihr schien, verworrenen und überladenen Stil gotischer Dome in Gegensatz gestellt zu der edeln Einfalt griechischer Tempel. Hatte schon Hamann die Welt des Alten Bundes als die ursprünglichere, offenbarungsreichere gegen das von der Aufklärung verherrlichte klassische Altertum ausgespielt, so erscheint Herder jetzt das Gotische als das „Vaste", im Sinne des Gewaltigen und Dunkeln, nicht mehr verächtlich, sondern als Ausdruck des unangemessenen und verworren drängenden Strebens, das er in sich spürte. Das faustische Lebensgefühl des Sturm und Drangs kündigt sich an. Und wirklich, was ist das für ein im eigentlichen Sinn grenzenloser Mensch, wenn er im Reisetagebuch einmal von seinen kulturphilosophischen Plänen spricht: „Welch ein Werk über das menschliche Geschlecht! den menschlichen Geist! die Kultur der Erde! aller Räume! Zeiten! Völker! Kräfte! Mischungen! Gestalten! asiatische Religion! und Chronologie und Polizei und Philosophie! Ägyptische Kunst und Philosophie und Polizei! Phönizische Arithmetik und Sprache und Luxus! Griechisches Alles! Römisches Alles!" Es geht weiter durch Mittelalter und Neuzeit, Norden und Süden, England, Holland, Deutschland, China, Japan, Amerika. „Universalgeschichte der Bildung der Menschheit!" Es schwindelt einem, wenn man dieses Programm liest. Man sieht ihn auf dem Schiffe stehen, das ihn nach Frankreich trägt, selber schwindelnd auf die unendliche Weite des wellenbewegten Meeres ausschauend. Das Zeitalter liebte solche großen Prospekte. Leibniz hatte von der grenzenlos aufsteigenden Entwicklung der Monaden geträumt und Lessing die Hypothese der Seelenwanderung zu Hilfe gezogen, um für diese Entwicklung die nötige Zeit bereitzustellen. Aber wie nüchtern nehmen sich diese kühnsten Phantasien der Aufklärer aus gegenüber den ins Maßlose ausschweifenden Visionen des jungen Herder! Er ist wie ein toll wirbelnder Wasserfall gegenüber dem ruhigen Gleiten des Stromes.

Aber kann der Strom immer über Felsen stürzen? Braucht er nicht das ebene Bett, um sich darin von seinem wilden Toben auszuruhen? Es liegt eine tiefe Tragik in Herders Grenzenlosigkeit, eine Tragik, die der viel einheitlicher gebaute, naturnähere und robustere Hamann nicht kannte. Man rühmte Herder als Prediger in Riga; er war der beliebteste Kanzelredner; aber man sagte seinen Predigten nach, daß sie gegen das Ende matt würden. Das gilt von vielen, vielleicht den meisten seiner Werke. Er wollte nicht nur ein Magus, ein rätselhafter Verkünder mystischer Weisheit sein, wie Hamann, sondern er wollte in seinen Schriften seine Offenbarungen zugleich als Wissenschaft geben. Wissenschaft aber heißt logische Zucht, Begrenzung, Ordnung des Stoffes, der Erfahrung sowohl wie der eigenen Gedanken und Einfälle. Jeder Schaffende gleicht dem Zeichner, der die dreidimensionale Wirklichkeit auf die zweidimensionale Ebene projizieren und die Linien nach dem Augenpunkt in ein künstliches System bringen muß, so daß die dargestellte Welt sich schließt. Wie aber will man solche Stoffmassen begrenzen, wie sie Herder zusammenrafft, solche sich überstürzenden Gedanken ordnen, wie sie sich ihm aufdrängen? Auch ein Geist von solch riesenhaften Ausmaßen des Aufnehmens, Begreifens, Deutens mußte vor dieser Quadratur des Zirkels versagen, in sich zusammensinken, bevor das Ende erreicht war. So viele, vielleicht die meisten seiner Werke machen den Eindruck von Bruchstücken — „Fragmente" war der Titel seines ersten Werkes —, auch wenn sie äußerlich abgeschlossen erscheinen. Er fühlte das und setzte oft aufs neue an, um einen Plan, ein Problem endgültig zu bearbeiten. Dazu kommt das Aperçuhafte seiner Forschung, über das er nie hinauskam. Er hat die deutsche Literatur- und Kulturgeschichte mit reichsten Erkenntnissen befruchtet und herrlichste Anregungen nach allen Seiten verbreitet. Und doch gibt es keinen seiner Begriffe, der wissenschaftlicher Prüfung standhält und eine klare und bestimmte Tatsache ausdrückt.

Das Ermatten vor der Zeit gilt auch von seinem Leben. Dieser Mensch, der als Jüngling die ganze Welt umarmen will, endet als enttäuschter Verbitterter. Die schönsten Verhältnisse wandelten sich ihm in Kälte, Fremdheit oder gar Feindschaft. Er konnte wohl wünschen, die Menschen ganz mit seinem Wesen zu erfüllen, sich von dem ihrigen erfüllen zu lassen; er fühlte nur immer die Grenze und die Gefahr, sich zu verlieren. Und dann wurde er ein Nörgler und Kritiker und ein Verkleinerer der fremden Leistungen, er, der dazu bestimmt war, in der Durchdringung und dem Genusse der andern sich selber zu durchdringen und zu genießen. Goethe, der Herder wie kein anderer kannte, liebte und schätzte, hat unter dieser Art oder Unart Herders schon als Jüngling gelitten. Er spricht von „ungerechten Invektiven" neben „gerechtem Tadel". „Er hat mir den Spaß an so manchem, was ich früher liebte, verdorben." So gewöhnte er sich daran, Herder am sorgfältigsten das Interesse an gewissen Gegenständen zu verbergen, die sich bei ihm eingewurzelt hatten, und sich nach und nach zu poetischen Gestalten ausbilden wollten — es handelte sich um Götz von Berlichingen und Faust. Welche Tragik, daß

Goethe Herder den Einblick in das innere Wachsen gerade dieser Gestalten vorenthielt!

Johann Gottfried Herder wurde am 25. August 1844 in dem ostpreußischen Städtchen Mohrungen geboren und wuchs, als Sohn eines Lehrers und Kantors, „in dunkler, nicht dürftiger Mittelmäßigkeit" auf. Wie Lessing, verschlang er schon als Knabe alle Bücher, deren er habhaft werden konnte. Nach dem Besuch der Stadtschule wurde er Famulus bei dem Diakon und geistlichen Schriftsteller Trescho, eine Stelle, die ihm wenigstens den Vorteil einer reicheren Bibliothek gewährte. Die entscheidende Wendung seines Lebens kam 1762. Den Winter vorher nahm ein russischer Wundarzt, der mit seiner Truppe zu Mohrungen im Winterquartier stand, Interesse an dem Jüngling, versprach, ihn die Wundarznei in Königsberg zu lehren und die Sorge für ein wissenschaftliches medizinisches Studium zu übernehmen. Da aber Herders Nerven schon bei der ersten Operation dem Anblick der Wunde nicht standhielten, so mußte dieses Studium aufgegeben werden. Aber er war einmal in Königsberg und begann ein weniger aufregendes Studium, die Theologie. Eine Stelle als Aufseher, später Lehrer am Collegium Fridericianum verschaffte die Mittel. Natürlich wurde neben den theologischen Fächern noch alles mögliche andere studiert, vor allem auch Philosophie, die Kant, trotz seinen bald vierzig Jahren immer noch Privatdozent, vortrug — Kant, den Hume von dem Wolffischen Rationalismus bekehrt hatte, der in einer skeptischen Empirie einen vorläufigen Standpunkt gefunden hatte und inzwischen nach einer neuen Begründung der Wissenschaftslehre und Moralphilosophie suchte. Herder ließ es sich, durch Kant, nicht zweimal sagen, daß alle Erkenntnis in der Erfahrung gegeben sei und der Weg zur Philosophie durch das Studium des Menschen gehen müsse. Hamann, der andere große Königsberger, stand damals auf der Höhe seines schriftstellerischen Wirkens. Die „Sokratischen Denkwürdigkeiten", die „Kreuzzüge des Philologen" waren eben erschienen. Noch entschiedener als Kant kämpfte er gegen den Rationalismus und leitete alles höhere Wissen aus Sinnlichkeit und Glauben ab. So kurz die Studienzeit in Königsberg war, sie gab Herder die entscheidende Richtung seines Geistes.

Schon 1764 amtete er als Kollaborator an der Domschule in Riga, später als Prediger. Er war, selbstverständlich, ein anregender Lehrer, ein mitreißender Pfarrer. Aber aus der Enge von Schulstube und Kirche flog sein Geist in die weiten Gefilde des Lebens seiner Zeit. Er gab 1766 bis 1767 „Fragmente über die neuere deutsche Literatur", worin er sich mit Lessings Literaturbriefen, 1769 „Kritische Wälder" heraus, worin er sich u. a. mit Lessings „Laokoon" und mit Winckelmanns „Nachahmung der griechischen Kunstwerke" auseinandersetzte. Er stellte sich damit in die vorderste Reihe der kritisch-ästhetischen Schriftsteller. Er zeigte sich würdig, sich an Lessing und Winckelmann zu messen. Aber er trat von einer entgegengesetzten Seite in den Kampf. Er hatte beide Werke anonym herausgegeben. Es war ja auch, bei aller Freiheit der Zeiten in solchen Dingen, einigermaßen verwunderlich, daß Literatur und Kunstgeschichte die Haupt-

Herders „Kritische Wälder". Titelseite
der Erstausgabe, 1769

anliegen eines Theologen waren. Aber natürlich wurde seine Verfasserschaft bekannt. Er wurde in den Streit zwischen Lessing und Klotz hineingezogen. Und dann, wie stand es mit seinem Glauben? Er redete einerseits von den Büchern der Bibel wie von Werken der profanen Geschichtswissenschaft und untersuchte und bestimmte ihren Inhalt und ihre Stellung philologisch-historisch, und andererseits sprach er doch von göttlicher Offenbarung. Das eine Mal schien er ein aufgeklärter Deist, das andere Mal ein Pietist zu sein. Man kann es den Leuten nicht verargen, wenn sie über diesen vielseitigen jungen Feuergeist die Köpfe schüttelten.

Aber, konnte er selber es länger als ein paar Jahre in dem abgelegenen Riga in bescheidener Stelle aushalten? Er war nun über die ersten zwanzig hinaus. Er war ungehalten, erbost, daß man seinen Namen bekanntgemacht und in den Streit zwischen Lessing und Klotz hineingezerrt. Es war wohl sein Ehrgeiz, berühmt zu sein, aber daneben hatte er auch seine Empfindlichkeit. Er spürte, wie es in ihm gärte. Es war so manches in ihm, das nach Abklärung drängte. Dazu die Enge der Verhältnisse. Alles trieb ihn hinaus. „Ich muß meine Möbel und Bücher verkaufen, um meine Schulden zu bezahlen und ehrlich wegzukommen. Und so:

„Frei von Mantel und Kragen
    Wills Gott! übermorgen nach Kopenhagen!"

Ohne Geld, ohne Unterstützung, unbesorgt, wie Apostel und Philosophen, so gehe ich in die Welt, um sie zu sehen, von mehr Seiten kennenzulernen und nutzbar zu werden." Am 5. Mai 1769 ersuchte er den Rat von Riga um Entlassung von seinen Ämtern. „Am 23. Mai reiste ich aus Riga ab und den 25. ging ich in See, um, ich weiß nicht wohin? zu gehen." So beginnt er sein Reisetagebuch. „Ein großer Teil unserer Lebensbegebenheiten hängt würklich vom Wurf von Zufällen ab. So kam ich nach Riga, so in mein geistliches Amt und so ward ich desselben los; so ging ich auf Reisen."

Er plante, in Kopenhagen oder Helsingör das Schiff zu verlassen,

Klopstock, Cramer, Gerstenberg zu besuchen und dann über Hamburg nach Deutschland zu gehen. Da beredete ihn in Helsingör sein Freund Gustav Berens, der mit ihm reiste, mit ihm nach Frankreich zu gehen, und so fuhr er nach Frankreich. In Paris erhielt er das Angebot, als Begleiter des 16jährigen Sohnes des Herzogs von Eutin und Fürstbischofs von Lübeck eine Reise durch Europa zu machen. Die Bedingungen waren sehr angenehm: freie Station und 300 Taler Gehalt, das Versprechen einer guten Predigerstelle oder einer Professur in Kiel. Er nahm an, nach seiner reizbaren und mißtrauischen Art nicht ohne Bedenken, und reiste über Holland nach Deutschland. In Hamburg traf er Matthias Claudius und Lessing, der eben auf dem Sprunge war, seine Stelle in Wolfenbüttel anzutreten. In Kiel fand er im März 1770 den Prinzen und reiste mit diesem nach Eutin, wo er bis zum Sommer blieb, als Schriftsteller, als Kanzelredner, als Gesellschafter an dem kleinen Hofe gefeiert.

Im Juli wurde die Reise angetreten. In Darmstadt nahm man einen längeren Aufenthalt. Hier gewann Herder, durch die Vermittlung des Kriegsrates Heinrich Merck, in Caroline Flachsland seine Braut. Der Prinz, den er zu betreuen hatte, war ein grüblerischer, zu Schwermut neigender junger Mann. Es scheint, daß Herder ihn zu behandeln verstand. Der Jüngling schloß sich ihm in schwärmerischer Neigung an. Aber dieses enge Verhältnis weckte die Eifersucht des Hofmeisters des Prinzen, eines Herrn von Cappelmann, und da Herder nicht der Mann diplomatischer Klugheit war, so trieb alles zu einem Bruche. Da erhielt Herder, als die Reisenden in Straßburg waren, einen Ruf als Hofprediger und Oberpfarrer nach Bückeburg. Sofort nahm er an und löste das Verhältnis zu Eutin, blieb aber noch einige Monate in Straßburg, um sich durch den berühmten Augenoperateur Lobstein von einer Fistel im Tränenkanal heilen zu lassen. Damals traf Goethe mit ihm unten an der Treppe des Gasthofes „Zum Geist" zusammen, erkannte ihn und redete ihn an. „Er hatte", so schildert ihn Goethe, „etwas Weiches in seinem Betragen... Ein rundes Gesicht, eine bedeutende Stirn, eine etwas stumpfe Nase, einen etwas aufgeworfenen, aber höchst individuell angenehmen, liebenswürdigen Mund. Unter schwarzen Augenbrauen ein Paar kohlschwarze Augen, die ihre Wirkung nicht verfehlten, obgleich das eine rot und entzündet zu sein pflegte." Goethe konnte der Operation beiwohnen. Er besuchte Herder über die ganze Zeit seiner Kur morgens und abends, blieb auch ganze Tage bei ihm, gewöhnte sich an sein Schelten und Tadeln, gewann aber vor allem eine Fülle von Anregungen über das Wesen von Sprache und Dichtung — Herder vollendete damals seine Preisarbeit für die Berliner Akademie über den Ursprung der Sprache; dazu sammelte er Volkslieder und versenkte sich in Homer, Ossian und Shakespeare.

Ohne Heilung gefunden zu haben, reiste Herder im Frühjahr 1771 von Straßburg ab, um sein Amt in Bückeburg anzutreten. Er hat es fünfeinhalb Jahre innegehabt. Es war die Sturm- und Drangzeit des Theologen und Geschichtsphilosophen. Der Graf Wilhelm zur Lippe, zwanzig Jahre älter als Herder, war ein großer Feldherr, der als Oberbefehlshaber der vereinigten englisch-portugiesischen Armée 1762 erfolgreich gegen Spanien gekämpft hatte. Nach der Rückkehr hatte er als Friedensfürst sein Ländchen zu einem Musterstaat zu machen begonnen und Gewerbe und Ackerbau gehoben. Er war ein strenger Herr, aber auch ein hochgebildeter Mann, ein Freund der Musik und Malerei, ein Verehrer Shakespeares, bewandert in geschichtlicher, politischer, kriegswissenschaftlicher Literatur. Die Gräfin Maria, seine Gemahlin, fast zwanzig Jahre jünger als ihr Mann, war ein zartes, weiches, ätherisches Wesen. „Wollen Sie sich", schrieb Herder an seine Braut, „ein Bild der Carità, der Sanftmut, Liebe und Engelsdemut in einer Person denken, so denken Sie sich sie." Sie stand den Herrnhutern nahe, und unter deren Einfluß hatte ihre Frömmigkeit einen kränklichen Zug angenommen. Sie hing an ihrem Gatten mit zärtlicher Liebe und fühlte sich zugleich von ihm erdrückt.

Das waren die beiden Personen, die für die folgenden Jahre die größte Bedeutung in Herders Leben haben sollten. Er selber trat ihnen als eleganter Abbé entgegen, in einem himmelblauen, goldbesetzten Kleide, weißer Weste und weißem Hute, verwunderlich die Anschauung enttäuschend, die man in der lippeschen Residenz von einem Geistlichen hatte. Er gewann die Hochachtung des Grafen, dem es schmeichelte, als Herder für seine Arbeit über den Ursprung der Sprache den Preis der Akademie erhielt. Und er gewann die schwärmerische Zuneigung der Gräfin Maria, vor allem als diese nach der Geburt eines Töchterchens zu kränkeln begann. Er wurde ihr Seelsorger und ihr Führer zur himmlischen Seligkeit. „Ihr Bild hat gleichsam durchaus die Miene, daß sie für diese Welt zu gut ist", schreibt er an Caroline. „Sie ist zart und schwächlich; seit ihrem Wochenbette liegt eine kleine Blässe auf ihrem Gesicht, wie ein himmlischer Schleier, daß sie schon zu einer höheren Welt eingeweiht ist. So kommt sie mir immer vor — sie wird nicht lange leben. Oft mit ihr zu sprechen, geht nicht an, es bleibt mir also nur übrig, von der Kanzel mit ihr zu reden. Einen solchen Engel zu finden, wo man's nicht sah, der vor einem stand, und es durfte nur gleichsam eine Wolke zerfließen!"

Es war die seltsamste, anregendste und zugleich gefährlichste Lage, in der Herder sich zu Bückeburg befand. Von der Weite einer Weltreise war er auf einmal an einen der kleinsten deutschen Höfe versetzt. Den Kopf voll von wirbelnder Genialität, sah er sich nur zwei Personen gegenübergestellt, die er einigermaßen als seinesgleichen betrachten konnte. Aber der Graf mußte ihn durch seine militärische Strenge eher abstoßen; um so mehr zog ihn die Gräfin mit ihrer himmelnden Schwärmerei an. Wenn er, um sich vor dem Grafen zu behaupten, sich in seine eigene Welt flüchtete, so erfüllte die Verehrung für die Gräfin diese mit schwärmerischen Gedankengebilden. Er verlor in dieser Umgebung völlig den Maßstab für seine Leistungen und die Herrschaft über sich selber. Er kam sich vor als der Entdecker einer neuen Welt. Nicht nur hatte noch niemand so tiefe, so reiche, so fruchtbare Ideen gehabt, wie er, es waren auch schlechthin gültige Ideen, und alles Gedankengut, das vordem sich ans Licht getraut hatte, war nichts gegen die Größe des seinen. Wie er in der kleinen Residenz, in der er lebte, sich als der Erste vorkam und die Verehrung der Gräfin ihn täglich in diesem Selbstvertrauen stärkte, so gebärdete er sich auch in dem weiten Reiche des Geistes, als ob alle andern, die sich zum Worte meldeten, Stümper und Toren seien. Die Schriften dieser Zeit, vor allem „Die älteste Urkunde des Menschengeschlechts", eine Deutung des biblischen Schöpfungsberichtes als Symbol der Menschengeschichte, das psychologische Werk „Vom Erkennen und Empfinden der menschlichen Seele"; dann „Auch eine Philosophie der Geschichte" gehören zu den sprachlich hinreißendsten und tiefsten Schriften Herders, zugleich auch zu den leidenschaftlichsten und überheblichsten.

Oder darf man vermuten, daß die Selbstgewißheit, von der jedes Wort dieser Werke strotzte, im Grunde nur die Verdeckung innerer Unsicherheit war? Er, der in Riga und auf der Reise bis auf die Tracht sich durchaus als Weltmann gegeben, der sich, mit dem Reichtum seines Wissens, zu dem weitherzigen Christentum eines aufgeklärten Humanismus bekannt und ja auch mehr für weltliche Wissenschaften als für sein eigentliches Fach Begabung und Liebe gezeigt hatte; er hatte sich in Bückeburg plötzlich zum strengen, ja fanatischen Offenbarungsgläubigen gewandelt: J. C. Lavater stand ihm damals am nächsten, der, eine ähnliche Mischung von Herzenseinfalt und Selbstvergötterung, eben in seinen „Aussichten in die Ewigkeit" in wortreichen Ergüssen und üppigen Farben ein Bild des jenseitigen Lebens entwarf. Die Saat, die Hamann und andere gesät, war aufgegangen. Es schien die Zeit des Zungenredens und der Offenbarungen, der Propheten und Apostel wiedergekommen zu sein, nachdem die aufgeklärte Menschheit so lange „zu Füßen Gamaliels" gesessen und sich von der dürren, kalten, spekulierenden Vernunft hatte über öde Sandwüsten führen lassen.

Und doch: ließ sich durch solche Ausschreitungen des Fanatismus, die oft mehr Geniesucht als wirkliche Genialität waren, das, was das Jahrhundert als köstlichsten Besitz pries, die Freiheit und Unbestechlichkeit des Vernunftdenkens, unterdrücken? Überall sah der Streitlustige Gegner auftauchen. Der Göttinger Historiker Schlözer, von Herder angegriffen, trat seinen geschichtsphilosophischen Ansichten, der Propst Spalding in Berlin und sein Freund Teller seinen theologischen Ideen entgegen; sogar Hamann wurde irre an seinem Schüler. Mochten Schlözer, Spalding und Teller es an Bedeutung mit Herder auch keineswegs aufnehmen, sie hatten gegenüber dem streitlustigen Eiferer das Übergewicht männlicher Besonnenheit und christlicher Weisheit, und die Gemäßigten in allen Lagern standen auf ihrer Seite. Sollte Herder nicht in unfruchtbaren Zänkereien seine Kraft vergeuden, so mußte eine gänzliche Änderung seiner äußeren Lage auch eine innere Wandlung herbeiführen. Es zeigte sich, daß die ätherische Schwärmerei der Gräfin Maria die geistige Auswirkung einer schweren körperlichen Krankheit, der Schwindsucht, war. Im Winter 1775/76 verschlimmerte sich ihr Leiden. Am 16. Juni 1776 starb sie. Am 1. Februar, vier Monate vor ihrem Tode, hatte Herder aus Weimar, auf

Goethes Antreiben, den Ruf als Generalsuperintendent und Oberhofprediger erhalten. Im Herbst siedelte er mit Caroline nach der neuen
Wirkensstätte über.

Nun schien er am Ziel seiner Wünsche. Die ersten Berichte lauten so
überschwänglich wie nur möglich: „Goethe habe ich hier weit besser,
tiefer und edler gefunden, als ich ihn selbst dachte. Wieland ist ein Bon-
homme... Der Herzog ist ein edler, freier, wahrer, guter Junge... Die
Herzogin ist ein herrlicher, edler Engel... Ich bin hier allgemein beliebt
und geehrt bei Hofe, Volk und Großen; der Beifall geht bis ins Über-
spannte, Ungemessene... Sie bücken sich alle zur Erde." Aber bald
wandelt sich die Stimmung. Herders Wahl war vom Herzog gegen den
Willen eines großen Teiles der Weimarer Geistlichkeit durchgesetzt worden. Noch hatte Herder da und dort die Unzufriedenheit zu spüren. Dazu
kam die Masse „austrocknender, verzehrender Geschäfte", Eifersucht auf
Lavater, den Goethe und der Herzog 1779 in Zürich besuchten, und nicht
zuletzt die Wahrnehmung, daß der Herzog unter Goethes Leitung sich
herzlich wenig um die kirchliche Tätigkeit des neuen Hofpredigers kümmerte und, statt in die Kirche zu gehen, lieber im Lande herumtollte.

Und doch lebte er sich allmählich in den freieren und menschlicheren
Geist Weimars ein. Zeugnis dessen sind seine neuen Werke: „Lieder der
Liebe" (1778), worin er das von der früheren Theologie mit einem üppigen Geflecht allegorischer Deutung umsponnene Hohe Lied als eine
Sammlung von Liebesliedern auslegte; die „Theologischen Briefe" (1780)
und „Vom Geist der ebräischen Poesie" (1782/83). 1778/79 erschien die
seit Jahren vorbereitete Sammlung der Volkslieder. Inzwischen hatte sich
auch Goethes Entwicklung einem reineren Verständnis der Herderschen
Art zugeneigt. Das Ideal einer geklärten Menschlichkeit siegte über die
dumpfe Leidenschaftlichkeit einer ungebändigten Jugend. 1783 setzte ein
neues, vertieftes Freundschaftsverhältnis zwischen ihm und Herder ein,
das etwa zehn Jahre, bis zur Annäherung Goethes an Schiller, dauerte. Es
drückt sich geistig in einer neuen Gemeinsamkeit der Ideen über Gott und
Welt aus, die in Herders großem geschichtsphilosophischem Werk, den
„Ideen zur Philosophie der Geschichte der Menschheit" (1784/91) und den
„Gesprächen über Spinoza" ihren Ausdruck fand.

1788 war Herder die Gelegenheit gegeben, wieder einmal aus der Enge
Weimars einen Flug in die Welt zu tun. Der Domherr von Dalberg, der
jüngste Bruder des Statthalters von Erfurt und des Theaterintendanten
von Mannheim, lud ihn zu einer Reise durch Italien ein. Es war Herders
Schicksal, daß auch hier der Wermutstropfen nicht fehlte: die Dritte im
Bunde war Dalbergs Freundin, Frau von Seckendorff. Ein katholischer
Domherr, ein protestantischer Oberhofprediger und die Geliebte des
Domherrn: das war ein Trio, das selbst für die weitherzige Toleranz der
Aufklärung an Ärgernis grenzte. Herder fand, daß die Grenze überschrit-
ten sei, als er zu seinem Verdruß merkte, wie die Vergnügungssucht der
Seckendorff und nicht Geschichte, Kunst und Naturschönheit den Reise-
weg bestimmte. Er wußte in Rom sich von Dalbergs Gesellschaft zu

trennen. Zum Glück reiste gerade gleichzeitig die Herzoginmutter Anna
Amalia von Weimar in Italien. In ihrem Gefolge setzte er die Reise fort.
Man begreift, daß die Eindrücke Italiens Herders Seele nicht mehr zu
jenem Schwung hinrissen, wie die jugendliche Reise nach Frankreich.

Schon zur Zeit, da er noch in Italien weilte, begann sich die Freund-
schaft mit Goethe zu lockern. Aus Carolinens Briefen erfuhr er von
Goethes Verhältnis zu Christiane Vulpius. Dazu kam, nach der Rückkehr,
Herders Begeisterung für die französische Revolution. Endlich schien ihm
Schillers Einfluß Goethe der geistigen Welt zu entfremden, die er mit
Herder geteilt hatte. In der Sammlung der „Briefe zur Beförderung der
Humanität" (1793/97) spürt man die Entfremdung. Seit Schiller in
Weimar aufgetaucht war und Goethe sich ihm in Freundschaft erschlossen
hatte, war in Weimar eine Spaltung. Gegenüber dem Bunde der beiden
„Klassiker" beriefen sich Herder und Wieland auf die Ideale der vor-
klassischen Dichtung. Der Gegensatz verschärfte sich durch Herders Streit
mit Kant, in dessen kritischer Philosophie er die Begründung des neuen
Klassizismus fand. Seine „Metakritik" (1799) führte gegen Kants „Kritik
der reinen Vernunft", seine „Kalligone" (1800) gegen die „Kritik der
Urteilskraft" ohnmächtige Schläge. Der Geist des klassischen und romantischen Idealismus schritt über die psychologisch-historische Literaturbetrachtung Herders hinweg. Seine Werke, „Adrastea" (1801/03) und der
„Cid" (1802) zeigten ihn noch einmal auf dem Weg der Erschließung und
Übersetzung fremder Literaturwerke. Er war schon damals ein Leiden-
der, Schlaganfälle suchten ihn heim. Badekuren versagten die Wirkung.

Johann Gottfried Herder und seine Frau Caroline.
Zeitgenössische Silhouette.

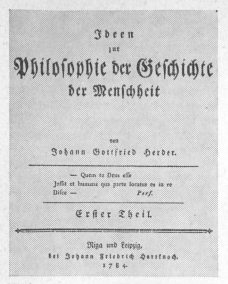

Ideen
zur
Philosophie der Geschichte
der Menschheit

von

Johann Gottfried Herder.

— Quem te Deus esse
Juffit et humana qua parte locatus es in re
Disce —   *Perf.*

Erster Theil.

Riga und Leipzig,
bei Johann Friedrich Hartknoch.
1784.

*Titelseite zur Erstausgabe des ersten Teils
von Herders „Ideen"*

Am 18. Dezember 1803 erlöste ihn ein sanfter Tod von einem Leben, das ihm eine Fülle des Erfolgs und des Glückes, aber auch des Verdrusses und Leidens gebracht hatte.

Gibt man sich Rechenschaft über Herders Stellung in der Wissenschaftslehre seiner Zeit, so ist man zunächst geneigt, ihn, den Schüler von Hamann und Hume, als Empiriker zu betrachten. Aber bald gewahrt man, daß er ein Empiriker besonderer Art ist. Wo gäbe es reinere Gelegenheit zur Aufzeichnung von Beobachtetem und Erfahrenem als in einer Reisebeschreibung? Schlägt man aber das Reisejournal von 1769 auf, so erfährt man daraus verblüffend wenig von Land und Leuten. „Wasser ist eine schwerrere Luft", lesen wir. „Wellen und Ströme sind seine Winde: die Fische seine Bewohner: der Wassergrund ist eine neue Erde! Wer kennet diese? Welcher Kolumb und Galilei kann sie entdecken? Welche urinatorische (unter das Wasser tauchende) neue Schiffahrt; und welche neue Ferngläser in diese Weite sind noch zu erfinden?" Man sieht: Herder ist viel zu ungeduldig, aus der Beobachtung neues Wissen zu ziehen. Seine Phantasie beschwingt ihn zu neuen Visionen, Einfällen, Ahnungen. Er sucht sich ein Bild zu machen von dem Leben und den Wesen am Meeresgrunde, der ihm doch verborgen ist. Er hat von den Horden ziehender Heringe gelesen (nicht sie gesehen!), und sofort will er darin die Geschichte wandernder nordischer Völker finden: „Welche große Aussicht auf die Natur der Menschen und Seegeschöpfen, und Klimaten, um sie, und eins aus dem andern und die Geschichte der Weltszenen zu erklären. Ist Norden oder Süden, Morgen oder Abend die Vagina hominum gewesen? Welches der Ursprung des Menschengeschlechts?" Was für ein Opfer einer ungezügelten Phantasie! Man wird mißtrauisch, wenn dieser Mann von Wissenschaft spricht, einer neuen Wissenschaft, die die frühere vorsichtig auf der Vernunft gegründete Lehre zu entthronen unternimmt.

Freilich, man erfährt doch allerlei aus dem Reisetagebuch. Z. B., daß in Frankreich auch die Piloten und Kinder französisch sprechen, und daß es lebende und tote Sprachen gibt, und daß auch die toten einst lebend gewesen sind, und daß man sie so lernen und lehren sollte, als ob sie noch lebend wären. Aber braucht man dazu eine Reise nach Frankreich zu machen? Und doch! Wir sind mit einer falschen Voraussetzung an dieses

110

Reisetagebuch herangegangen. Beobachtung ist für den Schüler Hamanns etwas anderes als für uns, die wir durch den Positivismus des 19. Jahrhunderts hindurchgegangen sind. Es geht ihr gar nicht darum, Äußeres reinlich und nüchtern aufzunehmen und genau zu beschreiben. Dazu ist er des Geistes zu voll. Es gilt, das Äußere zu beobachten, um den Geist darin zu entdecken, die Natur als Hieroglyphe Gottes zu erleben, Spuren des Geistes in den Beziehungen der Dinge zu einander zu entdecken, Analogien zu finden. Es ist symbolische Schau, was Herder treibt. Das war für den, der an die abstrakte Weisheit des Wolffischen Rationalismus dachte, Erfahrung genug. Herder hat später gelernt, seine Phantasie zu zügeln und Bild und Sinn besser in Einklang miteinander zu bringen, aber erst, als Goethe ihn zu reiner Beobachtung angeleitet hatte.

So werden wir, wenn wir seinen jugendlichen Abriß der Psychologie und Erkenntnistheorie „Vom Erkennen und Empfinden der menschlichen Seele" zur Hand nehmen, darin auch nicht eine saubere Auseinanderlegung und Beschreibung der seelischen Funktionen und ihrer Bedeutung für die Entstehung der Erkenntnis erwarten, wie man dies von Wolff und seinen Schülern gewöhnt war. Es ist in der Tat etwas ganz anderes. Ein Versuch, das geistige Leben aus den körperlichen Bedingungen herzuleiten und zu verstehen. Die erste Fassung ist 1774 in Bückeburg, die dritte 1778 in Weimar entstanden. Auch die dritte Fassung zeigt noch jenen leidenschaftlichen Stil und jene über Abgründe hinwegschwärmende Denkart der Bückeburger Zeit. Schon der Ausgangspunkt weist jede sachliche Erfahrung ab. Alle Erkenntnis ist anthropomorph: „Der empfindende Mensch fühlt sich in alles, fühlt alles aus sich heraus, und druckt darauf sein Bild, sein Gepräge." Ein Schein wissenschaftlicher Sachlichkeit kommt in diese mit Bildern arbeitende Methode, wenn Herder den Hallerschen Begriff Reiz einführt, um damit den Ursprung aller seelischen Tätigkeit im Muskelgewebe auszudrücken. Aber sofort wird der wissenschaftliche Boden wieder verlassen und die phantasiegeleitete Verallgemeinerung an sich richtiger Feststellungen drängt sich vor: „Ein mechanisches oder (!) übermechanisches Spiel von Ausbreiten und Zusammenziehen sagt wenig oder nichts, wenn nicht von innen und außen schon die Ursache desselben vorausgesetzt würde. „Reiz, Leben." Der Schöpfer muß ein geistiges Band geknüpft haben, daß gewisse Teile diesem empfindenden Teil ähnlich, andre widrig sind; ein Band, das von keiner Mechanik abhängt, das sich nicht weiter erklären läßt, indes geglaubt werden muß, weil es da ist, weil es sich in hundert Erscheinungen zeiget." Auch die Liebe wirkt sich als das geistige Band eines solchen Reizes aus. Aber Herder ist weit davon entfernt, sich einer mechanischen Naturerklärung zu verschreiben. Er ersetzt den klaren physiologischen Begriff Reiz durch einen allgemeinen, neutralen: Kraft. „Ist Kraft da in der Natur, die aus zween Körpern blos durch organischen Reiz einen dritten bildet, der die ganze geistige Natur seiner Eltern habe, wie wir's an jeder Blume und Pflanze sehen." Wird schon hier pantheistisch mit dem schillernden Begriff Kraft das Geistige dem Körperlichen gleichgesetzt, so hören wir weiter, daß der innere

111

Mensch mit allen seinen dunklen Kräften, Reizen und Trieben nur Einer ist. „Alle Leidenschaften, ums Herz gelagert und mancherlei Werkzeuge regend, hangen durch unsichtbare Bande zusammen und schlagen Wurzel im feinsten Bau unsrer beseelten Fibern." Wahrlich kein „Schachbrett-psychologie", wie sie Herder den Wolffianern zum Vorwurf macht, viel-mehr eine Beschreibung seelischer Vorgänge durch einen sprachmächtigen Schriftsteller, der aus allen möglichen Vorstellungsreichen seine Begriffe herholt und über das Phänomen ausschüttet, das er nicht in eigentlicher Weise erklären kann. Auch bei der Sinnestätigkeit wirkt das „geistige Band". Die Einbildungskraft wird durch die Sinne gespeist. Die Nerven sind die Kanäle, durch die Empfindungen strömen. „Ein Gedanke und Flammenstrom gießt sich vom Kopf zum Herzen. Ein Reiz, eine Emp-findung und es blitzt Gedanke, es wird Wille, Entwurf, Tat, Handlung." Man sieht, für ihn besteht das Problem der Umsetzung der körperlichen Funktionen in geistige Tätigkeit nicht. Nachträglich wirft er es dann auf und spricht von dem „sogenannten Einfluß der Seele auf den Körper und des Körpers auf die Seele"; aber nur um festzustellen, daß es „damit eben die Bewandtnis habe", und mit zweideutigen Worten auf die alte Theorie von der Zirbeldrüse als Umsetzungsorgan hinzuweisen. Es ist für ihn denn auch ein Leichtes, von den Reizen und Empfindungen zum Erkennen und Wollen aufzusteigen, um schließlich mit einem Bilde die Einheit der Seele zu verkündigen: „Schon Hippokrates nannte die menschliche Natur einen lebendigen Kreis, und das ist sie. Ein Wagen Gottes. Auge um und um, voll Windes und lebendiger Räder. Man muß sich also für nichts so sehr, als für dem einseitigen Zerstücken und Zerlegen hüten. Wasser allein tut's nicht, und die liebe kalte spekulierende Vernunft wird dir deinen Willen eher lähmen, als dir Willen, Triebfedern, Gefühl geben. Wo sollte es in deine Vernunft kommen, wenn nicht durch Empfindung? Würde der Kopf denken, wenn dein Herz nicht schlüge?" Soviel kostbare Wahr-heiten, soviel gefährliche Täuschungen. Man erinnert sich an jenes Wort, das Goethe über Hamann prägte: „Der Mensch, indem er spricht, muß für den Augenblick einseitig werden: es gibt keine Mitteilung, keine Lehre ohne Sonderung."

Die Schrift „Vom Erkennen und Empfinden der menschlichen Seele" deckt so, wie kaum eine andere, den tragischen Zwiespalt auf, der durch Herders Geist und sein ganzes Schaffen geht. Er war ein begeisterter Dich-ter, wo die Aufgabe, die er sich gestellt hatte, nüchterne Wissenschaft ver-langte; und er war ein Forscher, wo er dichten wollte. In beidem, in Wis-senschaft und Dichtung, war ihm die Gestaltung versagt, weil ihm die Gabe der Sonderung in der Darstellung des in ihm Vereinten, Lebendigen fehlte.

So seltsam es klingt: in der Zeit, wo die Schrift vom Erkennen und Empfinden entstand, und da er sich in seinen theologischen Werken als Offenbarungsgläubiger darstellte, war er zugleich im Herzen schon Pan-theist. Er scheint schon 1774 Spinozas Ethik gelesen zu haben. Alles in ihm trieb dieser Weltanschauung zu, die wunderlich genug anmutet bei einem protestantischen Hofprediger; denn die Kirche hatte je und je den

Pantheismus Spinozas als Ketzerei gebrandmarkt. Aber hatte nicht die ganze Zeit seit Spinoza und Leibniz im Grunde einen pantheistischen Zug? Mußte nicht Herder, als einer der wichtigsten Anreger des Zeitdenkens, in erster Linie Pantheist werden? Es bedurfte nur noch des vertrauten Umgangs mit Goethe, daß er mit seinem pantheistischen Bekenntnis vor die Welt trat. Er tat es in den Gesprächen über Spinoza, die er unter dem Titel „Gott" zusammenfaßte.

Der jüdische Philosoph Benedikt Spinoza war einer der von Juden und Christen meistgehaßten Männer des 17. Jahrhunderts gewesen. Jetzt begann sein Licht, das die Philosophen bis dahin in der Verborgenheit ihrer Studierstuben hatten brennen lassen, mit weitem Schein über die Zeit zu leuchten. Merkwürdig genug: der kühlste, strengste Rationalist gewann Einfluß auf ein Geschlecht, das sich gerade auf die Glut seiner Leidenschaft etwas zugute tat und über die Unfruchtbarkeit des Rationalismus nicht genug höhnen konnte. Das Rätsel erklärt sich, wenn man weiß, daß man nur das Ketzerische in ihm verehrte und auch dieses mißverstand.

Die Lehre Spinozas ist eines der Bande, die Lessing mit der Zeit des Sturms und Drangs verknüpft. Fritz Jacobi, der pietistische Gefühlsdenker (1743/1819), hatte in einem Mendelssohn gewidmeten Büchlein „Über die Lehre des Spinoza" (1785) von einem Gespräch berichtet, das er im Juli 1780 mit Lessing in Wolfenbüttel über Spinoza gehabt habe. Lessing habe erklärt, die orthodoxen Begriffe von der Gottheit seien nicht für ihn; er könne sie nicht genießen. „Hen kai pan. Ich weiß nichts anderes." Auf Jacobis Einwand, dann wäre er ja mit Spinoza ziemlich einverstanden, habe Lessing geantwortet: „Wenn ich mich nach jemandem nennen soll, so weiß ich keinen andern", und später: „Es gibt keine andere Philosophie als die Philosophie des Spinoza." Wie Jacobi erwiderte, im Spinoza stehe sein Credo nicht, soll Lessing erklärt haben: Er wolle hoffen, es stehe in keinem Buche.

So wenig zuverlässig Jacobis Bericht im einzelnen erscheint, so klar leuchtet Lessings Standpunkt aus ihm hervor: er schätzt Spinoza als den Verkündiger der Idee der Allheit Gottes in der Welt, zu der ihn ja schon seine an Leibniz gebildete Weltanschauung führen mußte und wahrt im übrigen gegenüber jeglichem orthodoxen Wortbekenntnis die Unabhängigkeit seines Vernunftdenkens.

Das von Jacobi berichtete Gespräch mit Lessing war auch für Herder der Anlaß, in „Gott" seine Stellung zu Spinozas Pantheismus darzulegen. Es war ein in Herdersche Ideen umgedeuteter Spinoza. Für Spinoza hat die Formel Deus sive natura den Sinn, daß Gott als mathematische Gesetzmäßigkeit das ist, was die Natur als sichtbare Welt. Gott ist ihm nicht wirkende Kraft, die die Natur hervorbringt; er bestimmt nur das Wie ihres Seins und ihrer Bewegung. Er ist die konstruktive Form der Weltmaschine; er setzt sie nicht in Bewegung. Ganz anders Herder. Er konnte sich, mit dem drängenden Genius in seiner Brust, schlechthin keinen in ewiger Ruhe still verharrenden Gott vorstellen.

Spinoza muß sich den Vorwurf gefallen lassen, daß er sich selber nicht richtig verstanden habe. Gott ist wirklich Denk- und Wirkungskraft: „Die ewige Urkraft, die Kraft aller Kräfte ist nur eine und in jeder Eigenschaft derselben, wie solche unser schwacher Verstand auch teilen möge, ist sie gleich unendlich." Es war Herder um eine Ehrenrettung Spinozas zu tun. Aber es war ihm auch jetzt unmöglich, ein sauberes Bild des Gegenstandes zu geben. Beständig mischen sich Vorstellungen Spinozas mit solchen Herders, und statt einer klaren Abgrenzung von Spinozas mathematischem Pantheismus von dem dynamischen Herders (und Goethes) wird eine Verherrlichung des dynamischen Pantheismus schlechthin gegeben. Der Oberpfarrer in Weimar hatte sich damit weit genug von dem lutherischen Gottesbegriff entfernt. Man kann sich fragen, ob er überhaupt noch Christ war, und wenn man den Aufsatz „Über die menschliche Unsterblichkeit" liest, den er 1792 in der vierten Sammlung der „Zerstreuten Blätter" veröffentlichte und vernimmt, daß unter Unsterblichkeit das Weiterwirken von Überzeugungen, Sitten, Künsten über das kleine sterbliche Ich hinaus zu verstehen ist, so ist man nicht geneigt, jene Frage zu bejahen. Es war der am Griechentum genährte Geist von Weimar, die Idee einer edeln Humanität, die die Wandlung bewirkt hatte.

Zur gleichen Zeit, wie in Herder die Idee des innerweltlichen Gottes Wurzel faßte, reizte es sein starkes geschichtliches Bedürfnis auch, dem Wirken dieses Gottes im Leben der Geschichte nachzugehen. So entstand 1774 in Bückeburg ein erster geschichtsphilosophischer Aufsatz: „Auch eine Philosophie der Geschichte zur Bildung der Menschheit." Er ist stark Montesquieus geschichtlichem Individualismus verpflichtet. Aber was für eine Verzerrung hatte sich des Franzosens überlegene Milieutheorie in der stürmischen Sprache Herders gefallen lassen müssen! Schon der Titel kündigt ja die Angriffslust des Verfassers an. Wie viel mehr die Sprache, übersprudelnd von Synonymen, Ausrufen, rhetorischen Fragen, Ellipsen: man spürt ihr förmlich die ungeheure Aufregung Herders an.

„Feuer und glühende Kohlen auf die Schädel dieses Jahrhunderts", dieser „kalten philosophischen Welt", will die Schrift sein. Herder ist der Faust, der dem Selbstlob Wagners: „Wie wir's dann zuletzt so herrlich weit gebracht", den zornigen Hohn entgegenschleudert: „Was ihr den Geist der Zeiten heißt, Das ist im Grund der Herren eigner Geist, In dem die Zeiten sich bespiegeln!" Das Jahrhundert mißt die ungeheuer verwickelte Mannigfaltigkeit der geschichtlichen Erscheinungen nach dem einen Normalmaßstabe der eigenen Vernünftigkeit. „Der allgemeine, philosophische, menschenfreundliche Ton unsres Jahrhunderts gönnet jeder entfernten Nation, jedem ältesten Zeitalter der Welt an Tugend und Glückseligkeit so gern unser eigen Ideal!" Die Geschichtsschreibung soll nicht zeigen, wie die Kultur sich bis in die aufgeklärte Gegenwart vervollkommnet, sondern wie sie sich entwickelt hat. So rast Herder im Flug über die Jahrtausende hin, um ein Beispiel dieser entwicklungsgeschichtlichen Art zu geben, und sucht dabei überall den Zusammenhang der Kultur mit Klima und Lebensordnungen aufzudecken. Auch die bei den Aufklärern so verschrieenen „gotischen" Zeiten werden darum nicht verurteilt, sondern aus den geschichtlichen Bedingungen begriffen. Wenn er diese verständnisvolle Gerechtigkeit nur auch gegenüber der Gegenwart an den Tag gelegt hätte! Aber die aufgeklärte Gegenwart trifft sein Hohn; er hat seinen Rousseau gründlich gelesen: „Da stehen nun jene glänzenden Marktplätze zur Bildung der Menschheit, Kanzel und Schauplatz, Säle der Gerechtigkeit, Bibliotheken, Schulen und ja in Sonderheit die Kronen aller: illustre Akademien! In welchem Glanz! Zum ewigen Nachruhm der Fürsten! Zu wie großen Zwecken der Bildung und Aufklärung der Welt, der Glückseligkeit der Menschen! herrlich eingeweiht — was tun sie denn? was können sie tun? — sie spielen!... Wann ist die Erde so allgemein erleuchtet gewesen, als nun? Und fährt immer fort mehr erleuchtet zu werden... Die ganze Erde leuchtet beinahe schon von Voltaires Klarheit!"

Wie aber soll denn nun Geschichte geschrieben werden, wenn die pragmatische Geschichtsschreibung verworfen wird? Herder findet in seinem Pantheismus die Methode. Wie Gott als wirkende Kraft in der Natur lebt, so treibt er auch die geschichtlichen Gebilde aus sich hervor. Aufgabe des Geschichtsschreibers also ist es, den „Gang Gottes über die Nationen", die Offenbarung Gottes in der Geschichte zu zeigen.

Zehn Jahre später hat Herder dieses „gotische Riesenwerk" auszuführen unternommen. Nach dem stürmischen Erguß von Bückeburg ist unter dem milden und heiteren Himmel von Weimar eines seiner edelsten Werke entstanden, die „Ideen zur Philosophie der Geschichte der Menschheit". Der methodologische Standpunkt ist der nämliche wie in der Bückeburger Schrift; aber er ist geläutert, vertieft; man sieht Goethes Gestalt auf Schritt und Tritt im Hintergrund, und seine naturwissenschaftlichen Erkenntnisse haben auch Herder geleitet. Klarer wird jetzt, gegenüber der voreingenommen wertenden Geschichtsschreibung der Aufklärung, die vorurteilslos beschreibende Art herausgestellt und die Aufgabe des Geschichtsschreibers der des Naturforschers verglichen: Der Geschichtsschreiber der Menschheit muß... unparteiisch sein und leidenschaftslos richten. Dem Naturforscher... ist Rose und Distel, das Stink- und Faultier mit dem Elephanten gleich lieb; er untersucht das am meisten, wobei er am meisten lernet." Auch die Menschen sind Naturwesen, alle durch Boden und Klima bestimmt. „In der physischen Natur zählen wir nie auf Wunder: wir bemerken Gesetze, die wir allenthalben gleich wirksam, unwandelbar und regelmäßig finden; wie? und das Reich der Menschheit mit seinen Kräften, Veränderungen und Leidenschaften sollte sich dieser Naturkette entwinden?" Daher muß auch der Geschichtsschreiber sich hüten „den Taterscheinungen der Geschichte verborgene einzelne Absichten eines uns unbekannten Entwurfs der Dinge oder gar die magische Einwirkung unsichtbarer Dämonen anzudichten, deren Namen man bei Naturerscheinungen auch nur zu nennen sich nicht getraute. Das Schicksal offenbart seine Absichten durch das, was geschiehet; also entwickelt der Betrachter der Geschichte diese Absichten bloß aus dem, was da ist und sich in seinem ganzen Umfange zeigt. Warum waren die aufgeklärten Griechen in der Welt? Weil sie da waren und unter solchen Umständen nicht anders als aufgeklärte Griechen sein konnten." Das ist bereits die Ranke-sche Auffassung der Geschichtsschreibung: zu zeigen wie es wirklich gewesen ist.

Wieder unternimmt nun, wie in der Bückeburger Schrift, Herder den Versuch, ein Programm in die Tat umzusetzen und in einem Gang durch die Geschichte die Entwicklung der Menschheit in den verschiedenen Völkern, Zeiten und Erdteilen zu schildern. Er charakterisiert jetzt aus vermehrtem Wissen und mit ruhigerm Urteil richtiger und gerechter, sogar die „spekulierende Vernunft" wird jetzt in ihrer geschichtlichen Aufgabe anerkannt. Wo aber bleibt, so fragt man, bei dieser naturwissenschaftlich beschreibenden Art das Deus sive natura von Herders Pantheismus? Es durchwirkt die Darstellung auch hier so gut wie in der Bückeburger Schrift. Wie er dort von dem „Gang Gottes über die Nationen", von der „Offenbarung Gottes" in der Geschichte sprach, so hier von dem „Gang Gottes in der Natur", den „Gedanken, die der Ewige uns in der Reihe seiner Werke tätlich dargelegt hat", und die das „Heilige Buch" sind, darin er mit Eifer und Treue buchstabiert.

Goethe, von dem Herder für die Erklärung der Gesetzmäßigkeit in der Entwicklung der geschichtlichen Gebilde wichtigste Einsichten übernahm, hat in seinen morphologischen Untersuchungen gezeigt, wie der Typus als gesetzmäßig wirkende Prägekraft die Formen der Natur hervorbringt; aber er hat sich wohl gehütet, seine Erkenntnis mit dem Anspruch auf Wissenschaft auch auf die geschichtliche Welt zu übertragen. Herder hat diese Vorsicht nicht walten lassen. Wohl übernahm er von Goethe die Idee des Typus. Er metaphysizierte sie aber beständig zu theologisch-philosophischen Vorstellungen. Er hatte einmal die Geschichte als die Wissenschaft dessen bestimmt, „was da ist, nicht dessen, was nach geheimen Absichten des Schicksals etwa wohl sein könnte." Aber wenn er Gott als die wirkende Kraft in der Geschichte auffaßte, wie konnte er ihn ohne Zweck und Absicht wirken lassen? Gibt es ein Wirken, das nicht von einem Zweck geleitet ist? Eine Kraft, die nicht nach einer Richtung treibt? So widerspricht denn Herder tatsächlich seiner naturwissenschaftlich-positivistischen Methode auf Schritt und Tritt. Er überschreibt z. B. einen Abschnitt mit den Worten: „Es waltet eine weise Güte im Schicksal der Menschen; daher es keine schönere Würde, kein dauerhafteres und reineres Glück gibt, als im Rat derselben zu wirken." Ja, er gibt an einer andern Stelle geradezu den Zweck an, der Gottes Schaffen leitet: „Zur Humanität und Religion ist der Mensch bestimmt. Ich wünschte, daß ich in das Wort Humanität alles fassen könnte, was ich bisher über des Menschen edle Bildung zur Vernunft und Freiheit, zu feineren Sinnen und Trieben, zur zartesten und stärksten Gesundheit, zur Erfüllung und Beherrschung der Erde gesagt habe: denn der Mensch hat kein edleres Wort für seine Bestimmung, als er selbst ist, indem das Bild des Schöpfers unserer Erde, wie es hier sichtbar werden konnte, abgedruckt lebet." „Es waltet eine weise Güte im Schicksal der Menschen"; „Bestimmung des Menschen"; „Bildung zur Vernunft und Freiheit": sind das alles nicht die im Jahrhundert der Aufklärung üblichen Zweckbegriffe, die letzten Endes auf die Vervollkommungsidee von Leibniz zurückgehen? Wenn Herder dafür Menschlichkeit oder Humanität setzt und meint, mit diesem Worte einfach naturwissenschaftlich das Wesen des Menschen zu bezeichnen, so hebt er selber die naturwissenschaftliche Bedeutung des Begriffes auf, indem er so hohe geistige Ideale wie Vernunft und Freiheit in ihn legt. Man begreift vom menschlichen Standpunkt, daß, als er die „Ideen" schrieb und dazu naturwissenschaftliche Begriffe Goethes verwendete, er dies zugleich als Geistlicher tat. Er konnte so im Gewande einer Geschichtsphilosophie eine Theodizee geben. Aber es war eine Sünde wider den kritischen Geist der Wissenschaft, daß er es tat. Es war kein Geringerer als Herders ehemaliger Lehrer Kant, der in einer Besprechung der beiden ersten Teile der „Ideen" in der Jenaischen Allgemeinen Literaturzeitung 1785 die methodologische Selbsttäuschung Herders aufdeckte, der gemeint hatte, „mit Vermeidung aller metaphysichen Untersuchungen die geistige Natur der menschlichen Seele, ihre Beharrlichkeit und Fortschritte in der Vollkommenheit aus der Analogie mit den Naturbildungen der Materie, vornehmlich in ihrer Organisation" beweisen zu könnnen, und der nachwies, daß Herder keine Philosophie der Geschichte gegeben hatte, weil eine Philosophie nicht möglich sei ohne logische Pünktlichkeit in Bestimmung der Grundsätze.

Zwei Welten scheiden sich hier: die Metaphysik der Aufklärung und die Transzendentalphilosophie der Klassik. Herder hat durch seine „Metakritik zur Kritik der reinen Vernunft" und seine „Kalligone" die Kluft nur erweitert, aber auf Kosten der Festigkeit des Erdreiches, auf dem er stand.

Die gleichen Vorzüge und Schwächen des Herderschen Geistes zeigen die Schriften über Sprache und Dichtung. Am verdienstvollsten ist die Abhandlung „Über den Ursprung der Sprache". Wenn die Orthodoxen der Frage nach der Entstehung der menschlichen Sprache einfach dadurch aus dem Wege gingen, daß sie die Sprache als Geschenk Gottes betrachteten, wenn die Rationalisten sie wie den Staat aus einem Vertrag der Menschen miteinander herleiteten und die Materialisten sie als Weiterentwicklung der Sprache der Tiere aus den Tönen der Körpermaschine erklärten, so ging Herder zwischen diesen Anschauungen der Zeit selbständig den Weg seiner Entwicklungstheorie. Wohl schreibt auch er den Tieren eine Sprache zu; aber es ist eine Sprache der Affekte und Naturtöne. Was den Menschen vom Tier unterscheidet, ist die „Besonnenheit", die Gabe, vernünftig über Eindrücke zu reflektieren. Er schafft mit ihr Begriffe und Namen für sie. Die Entwicklung der Sprache geht vom Sinnlichen zum Geistigen. Naturvölker haben mehr Ausdrücke für sinnlich wahrgenommene Einzeldinge und Einzelhandlungen; je mehr die Bildung fortschreitet, um so weniger hat die Sprache das Bedürfnis, Einzelheiten auszudrücken, um so mehr faßt sie diese zu Gruppenbezeichnungen zusammen, entfernt sich damit von der sinnlichen Wirklichkeit und wird abstrakt.

Dieses Aperçu von der Entsinnlichung oder Vergeistigung des Bildungsgutes durch die fortschreitende Kultur liegt auch Herders Auffassung von
der Dichtung zugrunde. Aus ihm heraus ist er zu dem Begriff Volkslied,
Volksdichtung gekommen. Volkslieder sind ihm — wieder steht er in
Rousseaus Schatten — die ältesten, ursprünglichsten Dichtungen eines
Volkes. In dem „Auszug aus einem Briefwechsel über Ossian und die
Lieder alter Völker" (in den Blättern „Von Deutscher Art und Kunst",
die 1773 erschienen) beschreibt er sie so: „Wissen Sie also, daß je wilder,
das ist, je lebendiger, je freiwürkender ein Volk ist... desto wilder, das
ist desto lebendiger, freier, sinnlicher, lyrisch handelnder müssen auch,
wenn es Lieder hat, seine Lieder sein! Je entfernter von künstlicher,
wissenschaftlicher Denkart, Sprache und Letternart das Volk ist: desto
weniger müssen auch seine Lieder fürs Papier gemacht und tote Lettern-
verse sein." So nämlich drücken sich „die Wilden" aus: „Immer die Sache,
die sie sagen wollen, sinnlich, klar, lebendig anschauend: den Zweck, zu
dem sie reden, unmittelbar und genau fühlend."

So kann Herder in der Gegenüberstellung von Kleists „Lied eines Lapp-
länders" und wirklichen Liedern von Letten das Abgezogene, Empfindsame und Naturferne in dem Liede des gebildeten Dichters und das Echte,
Sinnliche, Ursprüngliche in den Naturliedern nachweisen. Aber wenn er
die Lieder in Shakespeares Dramen oder Stücke aus der Edda als Volkslieder preist, so verwischt sich sofort der Begriff Volk, und es scheint,
scheint und sinnlich-ursprünglich ist, ob nun ein Ungebildeter aus dem
Volke oder ein gebildeter Dichter es verfaßt habe. Ist Volksdichtung Na-
tionaldichtung oder Pöbeldichtung? Herder selber hat den Ausdruck in
schillernder Bedeutung gebraucht, und wenn er zuerst geneigt war, unter
dem Volkslied das Lied des ungebildeten Volkes zu verstehen, so stellte
er später, als er 1778/79 seine Volksliedersammlung herausgab, die Volkslieder und Kunstlieder enthielt, ausdrücklich fest: „Volk heißt nicht der
Pöbel auf den Gassen, der singt und dichtet niemals, sondern schreit und
verstümmelt."

Aber so unklar Herders Begriff des Volksliedes ist, und so sehr er die
spätere Wissenschaft in ein Labyrinth unlösbarer Aufgaben geführt hat,
so tief ist dennoch die Einsicht, die er mit ihm seiner Zeit und der folgenden geschenkt hat, so fruchtbar seine Wirkung in der Geschichte des deutschen Liedes. Es ging ihm wie Rousseaus Naturidee. Rationalisten wie
Voltaire und Nicolai mochten darüber spotten. Empfängliche aber entdeckten, über alle wissenschaftliche Unzulänglichkeit hinweg, das lebendige Saatkorn darin, aus dem neue Dichtung wuchs. Es ist zuviel behauptet, wenn man sagt, daß Goethes schönste Lieder ohne Herders Entdeckung des Volksliedes nicht entstanden wären. Aber Goethe selber
bezeugt, wie er durch Herder mit der Poesie von einer ganz andern Seite
als bisher bekannt geworden sei, und zwar in einem solchen Sinne, der
ihm sehr zugesagt habe. Wenn die Wissenschaft Herder so oft, wo er sich
wissenschaftlich betätigte, Mangel an Methode, Überlegung, Gründlichkeit
vorwerfen mag, so dankt ihm das geschichtliche Leben des deutschen

Geistes Anregungen, wie sie von wissenschaftlich geschulten Männern der Zeit auf dem Gebiete der Geschichte nicht ausgingen, gerade um ihrer Wissenschaftlichkeit willen nicht ausgehen konnten. Die Ansichten und Methoden des Geistes wechseln wie Berge und Täler der Wellenbewegung. Jahrzehntelang hatte die Vernunft das deutsche Denken bestimmt und der wissenschaftlichen Arbeit die Wege gewiesen. Es war notwendig, daß man sich wieder auf die Kräfte besann, die unter der wissenschaftlichen Vernunft als Ausdruck des unmittelbaren und ursprünglichen Lebens wirksam waren.

Herder gehörte mit Hamann zu den ersten, die sie in sich gefühlt und der Zeit offenbart haben.

2. TALENT UND GENIE

Nicolai / Gerstenberg / Leisewitz

> „Bei Gelegenheit von Wielands Oberon brauchst du das Wort
> Talent, als wenn es der Gegensatz von Genie wäre, wo nicht
> gar, doch wenigstens etwas sehr Subordiniertes. Wir sollten
> aber bedenken, daß das eigentliche Talent nichts sein kann
> als die Sprache des Genies."
>
> Goethe an Lavater

„Laßt uns Freunde! uns zusammendrängen, und uns nach Herzenslust idealisieren: das jagt Funken durch Seel' und Herz! Wir elektrisieren uns einander zur Wirksamkeit, und in der Folge auch immer zum Glücke. Das ist die Inspiration, die wunderbare Schöpferkraft in Belebung der Seelen, wie der elektrische Funke es vielleicht in Blut und Sonne ist." Als Herder so von Straßburg aus im September 1770 an Merck in Darmstadt schrieb, spürte er als erster die Ahnung eines neuen Lebensgefühls und die Verpflichtung, es im Verein mit Gleichgesinnten zu verwirklichen. Jene alle Schranken der Vernunft und der Gesellschaft überflutende Begeisterung, die ihn damals erfüllte, drängte ihn zur Freundschaft mit Gleichgesinnten, und er fühlte, wie ihm auch die andern mit demselben Bedürfnis und derselben Innigkeit die Brust aufschlossen. Auch unter den Aufklärern gab es Freundschaften, aber der Gefühlsverkehr der Freude war — wenn man von Klopstock absieht, der auch hier die Formen der Zeit sprengt — irgendwie durch den Verstand abgezirkelt und gehemmt; Sympathie, Wohlwollen, Gleichheit der Geistesrichtung und Interessen vertrat die Stelle unbegrenzter Hingabe. Jetzt brach der Strom innerer Verbundenheit alle Dämme der Gesellschaft, der Lebensstellung, des Charakters und hob die Ferne auf. Staunend erfuhr jeder, daß der andere gleich empfand und den gleichen inneren Zwang fühlte, sich dem andern hinzugeben. Es ist wirklich, wie Herder sagt, ein Hindurchströmen des elektrischen Funkens durch die Geister und Herzen. Das war nicht mehr jenes temperierte Gefühl, das die Empfindsamen der Aufklärung in Gottesanbetung und Naturandacht dahinschmelzen ließ; es war Urkraft, Natur, Erlebnis der Einheit mit dem chaotischen Urgrunde des Seins, aus dem geheimnisvolle Kräfte in Körper und Seele strömten. Es war das pantheistische Gefühl des Einsseins des Ich mit dem All, und darum auch der einzelnen Ichs miteinander, jenes Gefühl des Goetheschen Ganymed:

> „Daß ich dich fassen möcht'
> In diesen Arm!"

Aber es war auch, als Erlebnis der Schranke in der Schrankenlosigkeit, der Grenze zwischen Ich und Du, dem Einen und dem All, das Gefühl der Einsamkeit, wie es Goethe seinen Satyr aussprechen läßt:

> „Dein Leben, Herz, für wen erglüht?   's ist alles dein
> Dein Adlerauge was ersieht?   Und bist allein!
> Dir huldigt ringsum die Natur,   Bist elend nur."

Aber dann trieb die Einsamkeit die Herzen aufs neue und um so stärker zueinander. So innig war das Gefühl, daß das alte Wort „Freund" nicht mehr genügte; das innigere „Brüder" trat an seine Stelle; wo es sich um Beziehungen zum andern Geschlecht oder zu Älteren handelte, die entsprechenden Verwandtschaftsbezeichnungen. Lenz nennt Goethe: „Bruder Goethe!" Goethe redet Herder an: „Lieber Bruder", seine Frau Caroline: „Liebe Schwester", Sophie La Roche: „Liebe Mamma". Und wie Faust ausruft: „Name ist Schall und Rauch umnebelnd Himmelsglut", um die Unendlichkeit seines Gottesgefühls auszudrücken, so übersteigt auch die Innigkeit des Gefühls für den geliebten Menschen die Ausdrucksmöglichkeiten der Sprache: „Meine Teure", redet Goethe im ersten Brief an Auguste zu Stolberg vom Januar 1775 die neugewonnene Freundin an, „ich will Ihnen keinen Namen geben, denn was sind die Namen Freundin, Schwester, Geliebte, Braut, Gattin, oder ein Wort, das einen Komplex von all denen Namen begriffe, gegen das unmittelbare Gefühl!" Zwei Monate später nennt er sie Du und „liebe Schwester". Während in der Aufklärung auch die Gattin zueinander Sie sagten, verdrängt jetzt das innige Gefühl die unpersönliche Höflichkeitsform. Die erste Begegnung mit Goethe am 23. Juni 1774 beschreibt Lavater in seinem Tagebuch so: „Zu Goethe. Allein in seinem Zimmer ... Zur Nacht. ‚Bist's — bin ich's' — unaussprechlich süßer unbeschreiblicher Antritt des Schauens."

Es lag im Wesen dieses allumfassenden Gefühls, daß es auch die Eigentumsgrenze überstieg und bürgerliche Ansprüche und Formen mißachtete. Goethe hat in Wetzlar die Kestner versprochene Lotte Buff geliebt, in Frankfurt der jungvermählten Maximiliane Brentano den Hof gemacht; Lenzens Mitleid mit der von Goethe verlassenen Friederike Brion hat sich in Liebe verwandelt. Bürger hat, mit Dorette Leonhart verbunden, zugleich ihre Schwester Molly geliebt. Schließlich hat Goethe in dem „Schauspiel für Liebende, Stella" geradezu den Versuch gemacht, diese neue, die Grenzen des bürgerlichen Gesetzes verachtende Gefühlsgemeinschaft von drei Liebenden zu verherrlichen. Ja, noch Schillers Verhältnis zu den Schwestern Lengefeld entbehrt nicht dieser Grenzenlosigkeit des Gefühls, das es verschmäht, sich durch die Richtung auf einen Menschen einengen zu lassen.

Überall weckt das Gefühl des Verbundenseins in dem neuen Geiste Freunde, und der uferlose Briefwechsel der Zeit, Ausdruck des gesteigerten Innenlebens, erleichtert die Annäherung von Mensch zu Mensch. Einer will von dem andern wissen. Einer kennt den andern. Wo ein neuer Name, ein neues Buch auftaucht, wird davon den Freunden erzählt. Die Wißbegierde, oft die bloße Neugier, kennt keine Grenzen. Alles will man von der neuen Berühmtheit wissen, wie sie lebt, wie sie aussieht, wie sie sich kleidet, wer ihre Freunde sind. Bezeichnend ist ein Brief des dänischen Konsulatssekretärs G. F. E. Schönborn an Gerstenberg vom 12. Oktober 1773 über seine Bekanntschaft mit Goethe: „Gleich des Abends nach meiner Ankunft (in Frankfurt) habe ich auch Herrn Göde, den Verfasser des Götze gesprochen und das ging so zu. Es saß ein Mann in der

Stube des Geschosses, wo ich logierte in der Ecke der ein Pfeif Tobak rauchte. Der Wirt frug ihn, ob er mit bei Tische zu Abend essen wollte. Er antwortete nein! Ich will es mir auf meiner Stube ausbitten, der Herr Doktor Göde wird bei mir diesen Abend sein. Ich frug ihn ob er den Doktor Göde meine der neulich ein Drama herausgegeben. Er antwortete ja. Ich sagte ihm daß ich einen Brief an ihn habe von Herrn Boie. Darauf strömte er in so große Lobeserhebung seines Freundes und über das Stück von Berlichingen aus daß er sagte der Ugolino (von Gerstenberg) und dieses Drama wären die beiden einzigen Meisterstücke die in Teutschland von der Art erschienen wären. Da er hörte, daß ich den Verfasser des Ugolino, daß ich Klopstock ganz genau von Person kennte so erfreute er über meine Erscheinung und wir wurden gleich gute Freunde. Ich sagte ihm daß Gerstenberg und Klopstock beide ausnehmend mit dem Götze zufrieden wären. Dieser Mann ist ein junger Professor iuris in Gießen welches drei Meilen von hier ist. Sein Name ist Höpfner. Kurz darauf kam Göde selbst und wir wurden gleich bekannt und gleich Freunde. Er ist ein magerer junger Mann ohngefähr von meiner Größe. Er sieht blaß aus, hat eine große, etwas gebogene Nase; ein länglichtes Gesichte und mittelmäßige schwarze Augen und schwarzes Haar. Seine Miene ist ernsthaft und traurig wo doch komische lachende und satirische Laune mit durchschimmert. Er ist sehr beredt er strömt von Einfällen die sehr witzig sind."

Die Menschen, die sich so zusammenfanden, waren, meist um 1750 geboren, ungefähr Zwanzigjährige. Sie schlossen sich etwa von 1770 bis 1775 zusammen. Herder lernte Merck im August 1770, Goethe im September 1770 kennen. Goethe und Merck fanden sich im Dezember 1771, Goethe und Lenz im gleichen Jahre, Goethe und Klinger erneuerten die Kindheitsfreundschaft 1769. Goethe begann mit Lavater und Boie 1773 Briefe zu wechseln, mit Bürger 1774. Die Grafen Stolberg lernten Goethe im Mai 1775 persönlich kennen. Aber es waren durchaus nicht nur Jünglinge, die sich fanden. Zu den Freunden des jungen Goethe gehörten von den Älteren auch Zimmermann und Klopstock.

Wenn diese Jünglinge alles in einem Worte ausdrücken wollten, was sie als neues Lebensgefühl und neue Schaffenskraft in sich spürten, so sagten sie Genie. Genie war das Höchste, was sie kannten, worauf sie stolz waren, und was sie alle in einem neuen und unerhörten Maße in sich zu besitzen glaubten — was nötig war, um ein Sohn der gebenedeiten Zeit zu sein.

Auch die Ästhetiker der Aufklärung hatten schon von Genie gesprochen. Keinem, auch Gottsched nicht, wäre es eingefallen zu behaupten, daß dichterische Werke bloß durch die Befolgung einer Anzahl von Verstandsregeln verfertigt werden könnten. Sie bekannten sich alle zu der, schon im Altertum selbstverständlichen Ansicht, daß eine ursprüngliche Veranlagung den Dichter zum Dichter mache, und diese eben bezeichneten sie als Genie. Aber gemäß ihrer Überzeugung von der Vernünftigkeit alles Seins betonten sie auch in der Bestimmung des Genies seine vernünftige Anlage. Bei Leibniz ist Gott die vollkommene Vernunft, auch der Künstler, der als Schaffender gottähnlich ist, hat an ihr teil. Was die Vernunft des dichterischen Genies über die des gewöhnlichen Menschen emporhebt, das ist die Stärke der Einbildungskraft und die Feinheit von Geschmack und Gefühl; aber auch diese Eigenschaften sind rationaler Art. So erklärt Gottsched: Zu einem vollkommenen Poeten gehöre „eine gleiche Mischung von Vernunft und Einbildungskraft, von Nachdruck und Lieblichkeit, von Einsicht und Zärtlichkeit; eine allgemeine Beredsamkeit und besondere Tiefsinnigkeit." Die Zürcher sind die ersten gewesen, welche Begeisterung für das Genie als wesentlich erachteten und es von dem Regelzwang entbanden. In den „Neuen Critischen Briefen" (1749 — also zehn Jahre vor Young) sagten sie: „Große Geister, die aus Einsicht ihre Freiheit kennen, lassen sich durch keine Regeln in engere Schranken zwingen als ihnen die Vernunft und die Natur setzen ... Der gute Geschmack bindet sich nicht an diese oder jene Regel." Damit ist ein wichtiges Kennzeichen des Genies gewonnen: die Eigengesetzlichkeit. Aber seine Vernünftigkeit ist auch jetzt noch nicht preisgegeben; denn wenn Vernunft und Natur dem Genie die Gesetze seines Schaffens gegeben, so ist ja innerhalb der Leibnizisch-Wolffischen Weltanschauung auch die Natur vernünftig. Auch Sulzer ist im wesentlichen noch dieser Auffassung. Er hat sich von Leibniz sagen lassen, daß in der Seele — der Monade — als Grundtrieb eine „tätige Kraft" sei und sieht darin den Ursprung des Genies. Dieses besitzt in einem erhöhten Grade „alle intellektuellen Fähigkeiten der Seele", die auch andern eignen: Aufmerksamkeit, Reflexion, Einbildungskraft, Witz Gedächtnis und Urteilsvermögen. Das Besondere des Genies liegt, so bestimmt Sulzer in der „Allgemeinen Theorie der schönen Künste" das Genie, in seiner gesteigerten Vorstellungskraft, in dem Instinktmäßigen und Intuitiven seines Schaffens, in der Hervorbringung neuer Formen von idealem Gepräge, in der Begeisterung und Originalität seines Schaffens, das die Regeln bloß als Wegweiser betrachtet.

Sulzers „Allgemeine Theorie der schönen Künste", das Kompendium der Aufklärungsästhetik, ist in der ersten Bearbeitung 1771 erschienen. 1766/ 1767 hatte Wilhelm Heinrich von Gerstenberg seine „Briefe über Merkwürdigkeiten der Literatur" herausgegeben. Hier hatte er im 20. Briefe das Wesen des Genies zu bestimmen gesucht. Es ist, führt er aus, keine bloße Fertigkeit, die sich durch Übung erwerben läßt. Es ist nicht identisch mit Talent; denn es „erschlafft", während das Talent nur „ins Werk setzt". Im Dichter wirkt das Genie als „Betrug einer höhern Eingebung": es ist die „Kraft der Illusion, die uns die Natur wie gegenwärtig in der Seele abzubilden vermag". Dabei ist diese ästhetische Täuschung nicht äußere Nachbildung der sinnlichen Wirklichkeit, sondern Neuschöpfung einer künstlerischen Wirklichkeit von innen heraus, durch die dynamische Spontaneität der seelischen Grundkräfte: Imagination, Beobachtungskraft, Klugheit. Homer ist auch für Gerstenberg das große Beispiel des Genies. Bei ihm bewegt sich durch die Illusionskraft alles, alles lebt und handelt. Er reißt uns mitten in das Geschehen. Die Gegenstände frappieren uns so sehr, daß wir sie nicht zu hören und zu sehen meinen,

123

sondern wirklich hören und sehen. Der Gang der Verse nimmt Anteil an der allgemeinen Aktion. Alle Charaktere haben ihr besonderes Gepräge. Die Sentiments sind Funken aus der glühenden Hitze des Genies. „Der ganze Anstrich wird uns neu, weil er seine Farben von dem widerstrahlenden Feuer des Dichtergeistes herübernimmt ... Wo Genie ist, da ist Erfindung, da ist Neuheit, da ist das Original."

Gerstenberg bildet einen gewissen Übergang zu dem Geniebegriff der neuen Generation. Er betont stärker als die eigentlichen Aufklärungsästhetiker die Neuheit, die innere Bezogenheit und die Wirkungsstärke der durch das Genie geschaffenen geistigen Welt. Er erkennt, ja er fühlt, was Genie ist; aber er tritt doch von außen an das Phänomen heran und bestimmt es analytisch. Es fehlt seiner Bestimmung selber der „Betrug der höheren Eingebung", die Illusionskraft des Genies. Was Hamanns und Herders Genieauffassung von der Gerstenbergs und der früheren scheidet, ist die eigene Genialität, die uns nicht nur aus dem Inhalt ihrer Bestimmungen, sondern ebenso sehr, und eigentlich in noch höherem Maße, aus der Sprache ihrer Äußerungen anleuchtet; denn es ist wirklich so, daß Genie nicht verstandesmäßig bestimmt, sondern nur als Genie erlebt werden kann. Und jetzt erst ist Genie völlig von jeglicher Rationalität befreit, weil die Weltanschauung, deren Element es ist, eine irrationale, dynamische ist. Wenn Hamann das Nichtwissen des Sokrates dem Rationalismus der Sophisten entgegenstellt, so ist dieses Nichtwissen als höhere, übervernünftige Weisheit eben Genie, und wir spüren diese Genialität auf Schritt und Tritt in der Hieroglyphik der Hamannschen Sprache, die uns den Tiefsinn Gottes in der geschichtlichen Welt und der Natur offenbart.

Hamann hat die Unterscheidung zwischen Genie und Talent aufgegeben. Das Genie ist ihm nicht das Höhere, sondern einfach das Andere als das durch Vernunftausbildung genährte Talent. Stärker noch als Hamann betont Herder das Genie als allgemeine Naturkraft. In der Schrift vom Erkennen und Empfinden der menschlichen Seele sagt er: „Jeder Mensch von edeln lebendigen Kräften ist Genie an seiner Stelle, in seinem Werk, zu seiner Bestimmung und wahrlich, die besten Genies sind außer der Bücherstube. Es ist einfältig, wenn der studierte Gray in seiner Elegie auf dem Kirchhofe da den jungen Bauernkerl bedauert, daß er kein Genie wie Er geworden; er würde vermutlich ein größers als Gray worden sein, aber weder sich noch der Welt zum Besten. Auch die ewigen Fragen: Warum die Natur weniger große Dichter als große Gesetzgeber, Generals u. dergl. hervorbringe? sind herzlich einseitig und einfältig ... Solange die Natur an gesunden Keimen und blühenden Bäumen keinen Mangel hat, wird sie's auch nicht an Menschengenies haben, wie die eklen abgöttischen Schmeichler und Nachtreter großer Leute immer befürchten." Ja, Herder — und das ist das Neue — fühlt sich gedrungen, geradezu die Zeitgenossen davor zu warnen, das Genie als das Außerordentliche, Ungewöhnliche zu preisen und zu züchten: „Die Natur hat der edlen Keime genug: nur wir kennen sie nicht und zertreten sie mit Füßen, weil wir das Genie meistens nach Unförmigkeit, nach zu früher Reife oder übertriebnem Wuchs schätzen. Ein wohlgebildeter, gesunder, kräftiger Mensch, lebend auf seiner Stelle, und daselbst sehr innig würkend, zieht unsre Augen nicht auf sich, als jener andre mit Einem übertriebnen, vorgebildeten Zuge, den ihm die Natur (in Gnade oder in Zorn?) verlieh ... So wie, wenn ein Auge fehlt, das andre etwas schärfer sieht, wie sich am Holzhauer und Lastträger seine Arbeitsmuskeln am meisten stärken ... so ist's mit dem, was die Pöbelsprache Genie nennt ... Dank der Natur, daß solch Unkraut nicht an allen Zäunen wächst! ... Glücklich, den frühe die Natur vor solcher Geniesucht bewahrte! ... Lasset uns, da ich's nicht von mir erhalten kann, diese Gattung feindseliger Genien des Menschengeschlechts nach allen Prädikamenten und Attributen von Begeisterung, Schöpferkraft, Originalität, Himmelaufstrebender, sich aus sich selbst entwickelnder Urmacht u. dergl. zu loben, lieber die Flügel falten, und das wahre Genie, das sich nur durch seine Bescheidenheit auszeichnet, auch seiner Bescheidenheit gemäß ... preisen."

Die letzte Fassung der Schrift vom Erkennen und Empfinden stammt von 1778. Aber schon in der ersten von 1774 hatte Herder gegen die Geniesucht der Zeit und die irrige Neigung, das Genie im Außernatürlichen zu sehen, gewettert. Und nicht ohne Grund. Denn gerade der Verzicht auf die außerordentliche Leistung, die Betonung des Genies als einer allgemeinen Naturgabe, jenseits aller gelehrten Vernunftbildung, war ganz dazu angetan, Verwirrung in den Köpfen zu stiften und in jedem Jüngling, der in sich den Drang nach dichterischem Schaffen oder nur den Trieb höherer Begabung spürte, den Wahn zu erwecken, als ob er ein Genie oder — entsprechend dem Zuge zum Großen, Kraftvollen, der dem jungen Geschlecht eigen war — ein „Kraftgenie" sei. Hamann durch seine dunkle, Herder durch seine begeisterte und erregte Sprache halfen mit, solche Genies zu züchten und die Meinung zu verbreiten, als ob das Genie um so größer sei, je naturhafter, d. h. unvernünftiger, je ungewöhnlicher es sich äußere. Man kennt die Gestalt jenes „Genieapostels" Christoph Kaufmann aus Winterthur (1753—1795), den Lavater in seiner Physiognomik in nicht weniger als vier Bildern den Zeitgenossen vorstellte — eines trug Kaufmanns Leibspruch: „Man kann was man will". 1776 machte Kaufmann seine berüchtigte Geniereise durch Deutschland, schon durch sein Äußeres seine Genialität verkündend: die freiflatternde Mähne, den langen Bart, die offene Brust, das rauhe Bauerngewand und den Knotenstock in der Faust. Die Geniesucht ging so hoch hinauf, daß der Markgraf von Baden ihn zu Karlsruhe am Hofe empfing, um sich von ihm in der Regierungskunst unterrichten zu lassen, und auch Goethe ihn dem Weimarer Hofe vorstellte, freilich ihn bald durchschaute. Der Maler Müller hatte ihm den Übernamen „Gottes Spürhund" gegeben, und Goethe dichtete auf ihn den Spottvers:

> „Ich hab als Gottes Spürhund frei
> Mein Schelmenleben stets getrieben;
> Die Gottesspur ist nun vorbei,
> Und nur der Hund ist übrigblieben."

Wie mußte dieses Gebaren den Spott der Älteren wecken! Man hatte der Vernunft entsagt, um sich in glühender Inbrunst der Natur in die Arme zu werfen — aber wie oft führte die Vernunftfeindschaft zur Tollheit! Jeder brüstete sich mit seiner Genialität, und die Alten konnten nicht umhin, in Genie nach dem bisherigen Sprachgebrauch etwas Vorzügliches zu sehen — aber war nun, was diese Kraftgenies schufen, wirklich so außerordentlich? Man hatte bisher mit Sorgfalt, Geschmack und Sauberkeit die deutsche Sprache gepflegt und auf einen klaren und richtigen Stil sich etwas zugute getan. Die neuen Genies aber schrieben ein Deutsch, in dem ein Schwarm verwandter Wörter sich zusammendrängte, weil man darauf verzichtete, oder nicht fähig war, den einen richtigen Ausdruck zu finden; eine Sprache, die bald dem Gestammel eines Wilden glich und bald dem überladenen Prunkstil eines Überbildeten; die mit maßloser Erregtheit unerhörte Eindrücke erstrebte und die Gedanken in Nacht hüllte.

Von den Älteren spottete G. Chr. Lichtenberg in seiner Satire „Parakletor oder Trostgründe für die Unglücklichen, die keine Originalgenies sind" über die neue Bewegung. Deutschland habe so lange nach Originalköpfen geseufzt, und jetzt, da sie allein am Musenalmanach zu Dutzenden säßen, klage man überall über die Originalköpfe. Keine Messe ginge mehr, wie unter Franz I., der eine hinkte, der andere affektierte ein steifes Knie, der dritte schlüge Rad, der vierte Purzelbäume usw. Vor allem aber glaubte sich Nicolai berufen, gegen den Überschwang der Originalgenies zum Aufsehen zu mahnen. Sein Geniebegriff war der der Aufklärung: „Das Genie, die vivida vis animi, ist die einzige Tür zu dem Vortrefflichen in den schönen Wissenschaften", hatte er 1754 in den „Briefen über den itzigen Zustand der schönen Wissenschaften in Deutschland" geschrieben; aber er stellte sich das Genie als eine durch schulmäßige Bildung geförderte und geleitete natürliche Anlage vor. Daß nun jeder von Natur ein Genie sein, und daß dieses Genie um so größer sein sollte, je absurder es sich gebärde, das vertrug sich nicht mit seinem gesunden Menschenverstand. Vor allem die neue Sprache brachte ihn auf, der stets für „Deutlichkeit und Simplizität der Schreibart" gewesen war. Schon in Herders „Fragmenten" hatte er die „sonderbare Schreibart" getadelt: „Blumichte Schreibart, Metaphern, Sprünge, Ausrufungen heißen in unsern Zeiten oft Zeichen von Genie und von Laune, und sind oft nichts als Behelfe, um den Mangel des Zusammenhangs zu bedecken." So äußerte er sich am 2. Juli 1773 gegen Johannes Müller, und am 24. April 1774 schrieb er an Lavater: „Es schleicht sich itzt eine Pest in die deutsche Schreibart ein, durch die Sucht, Originale zu sein, und durch die Sucht, immer nachdrücklich, immer voll starker Empfindungen zu schreiben. Daher fremde Wendungen, Metaphern, neue ohne Not geprägte Worte, denen eine Nüance von Nachdruck ankleben soll, dunkle Anspielungen, die der Schreiber lebhaft zu empfinden glaubt, schwankende Ausdrücke, die geheimen, der gewöhnlichen Sprache unerreichbaren Sinn ausdrücken sollen ... Dieses Gedankenkräuseln heißt süße Empfindung beim Verfasser." Am 12. Juni meinte er, die leidige Originialitätssucht werde endlich noch alle Gelehrsamkeit dem menschlichen Geschlecht unnütz machen.

Als Nicolai diese Äußerungen tat, hielt er das Gebaren der Originalgenies nur noch für Entgleisungen einer kleinen Gruppe junger Schriftsteller und keineswegs für das Anzeichen einer geistigen Weltwende. Denn er hatte gerade zu den Wortführern der Bewegung freundschaftliche Beziehungen gepflegt. Hamann hatte an den Literaturbriefen mitgearbeitet und mit Nicolai Briefe gewechselt. Herder war sogar Mitarbeiter an Nicolais Allgemeiner Deutscher Bibliothek, der führenden Aufklärungszeitschrift gewesen und hatte seit 1766 mit Nicolai im Briefverkehr gestanden. Sogar Lavater, mit dem ihn das Interesse für Physiognomik verband, hatte mit Nicolai lange und freundschaftliche Briefe getauscht. Nicolai war auch in literarischen und geistigen Dingen ein praktischer Geschäftsmann und suchte alles, was einen Namen hatte, an seine Unternehmung zu fesseln. Aber auch die spätern Gegner sahen, trotz einzelner Meinungsverschiedenheiten, jahrelang den grundsätzlichen Gegensatz nicht. Man ging zusammen, weil teils äußere Ursachen, teils das Interesse für den Aufbau des literarischen Lebens zusammenband.

Da ließ Nicolai 1773 den ersten Band seines Romans „Das Leben und die Meinungen des Herrn Magister Sebaldus Nothanker" erscheinen, dessen zweiter und dritter Band 1775 und 1776 herauskamen. Es war ein groß angelegtes Zeitbild, das hauptsächlich die Unduldsamkeit der kirchlichen Orthodoxie und die Beschränktheit der Pietisten, daneben aber auch die „romantische" Empfindsamkeit der Zeit, die Standesvorurteile des Adels, das französierende undeutsche Wesen u. dgl. bloßstellen sollte, das ausgesprochene Werk eines Aufklärers. An der tüchtigen, männlichen, freien und nationalen Gesinnung des Verfassers war nicht zu zweifeln. Ja, sie stellte sich sogar mit aufdringlicher Deutlichkeit zur Schau. Mancher Zug mochte an den Kampf erinnern, den Lessing damals wegen der Wolfenbüttler Fragmente führte. Sein Hauptgegner Goeze erschien sogar im Roman selber, leicht erkennbar als Generalsuperintendent Stauzius, wie Fritz Jacobi in der Gestalt eines empfindsamen Jünglings namens Säugling verspottet wurde. Lessingisches Gedankengut schien aufzuschimmern. Auch der Realismus mochte an Lessing erinnern. Aber alles war doch wieder ganz unlessingisch: grob und derb, wo Lessing fein und behutsam war; mit Stoff überladen, wo Lessing Maß übte; gewöhnlich und hausbacken, wo Lessing persönlich und witzig war. Schon die Grundhandlung — sie setzt die Handlung in Thümmels gezierter und lüsterner „Wilhelmine" fort — war, bei aller betonten Wirklichkeitstreue, von ebenso plumper Tendenz wie Unwahrscheinlichkeit. Der Magister Sebaldus ist ein Mann von aufgeklärter Frömmigkeit, dem das sittliche Handeln und die Duldung der Andersgläubigen wichtiger sind als die Dogmen der orthodoxen Kirche. Daneben ist er ein so verschrobener und unpraktischer Gelehrter, daß er seine Mußezeit mit der Erklärung der Offenbarung Johannis zubringt. Er wird wegen seiner freien Ansichten von Stauzius in der rohesten Weise aus seiner Landpfarrei vertrieben, verliert sein Weib Wilhelmine und eine Tochter durch den Tod und muß sich nun in immer neuen untergeordneten Stellungen durch die Welt schlagen, während seine andere Tochter Marianne als Erzieherin und Gesellschafterin in vornehmen Häusern dient. Dieser Grundplan gibt Gelegenheit, eine große Zahl unglaublichster Abenteuer aneinanderzureihen. Schließlich treffen sich Magister Sebaldus und seine Tochter im Hause des alten Säugling. Der Vater wird durch einen Lotteriegewinn, den ihm sein Studium der Apokalypse eingetragen, wohlhabend, die Tochter heiratet den jungen Säugling.

Kein Buch vermochte wie dieses die wahre Gesinnung von Nicolai und die Kluft aufzudecken, die ihn von dem neuen Geschlecht trennte. Hamann, dem Nicolai 1773 den ersten Band des Nothanker schickte, lehnte ihn ab und bewirkte, daß auch Herder mit Nicolai brach und ihm die Mitarbeiter an der „Allgemeinen Deutschen Bibliothek" aufkündigte. Damit war — im Sommer 1774 — der Bruch zwischen den Originalgenies und den Rationalisten in aller Form vollzogen. Was unter den Jungen Begabung und Sinn für geistige Bewegung hatte, zog sich von Nicolai und seinen Gesinnungsgenossen zurück und behandelte „die wachsgelben Aristarchen, die sich wie Paillasse unter schnellkräftigen Seiltänzern unbehelfsam herumtummeln, wie Strohsäcke".

Man ist geneigt, die große Zahl neuer Dichter, die um 1770 in allen Gegenden Deutschlands aus dem Boden schossen und, nachdem man ihnen immer vorgesagt, daß sie Genies seien, sich für solche hielten und sich demgemäß gebärdeten, auch für Genies zu halten. Und zwar nicht nur Genies in dem Herderschen Sinne der Naturbegabung, ohne das Merkmal des geistig Außerordentlichen, sondern im Sinne des Hervorragenden und Einzigartigen. Denn trotz Herders Warnung vermengte das gewaltige Selbstbewußtsein dieser jungen Dichter die beiden Bedeutungen allzu leicht. Man ließ sich von Herder sagen, daß in jedem naturhaften Menschen ein Genie stecke, und daß man den Drang dieses Genies nur walten lassen müsse, ja nicht durch Anwendung von allerlei Verstandesregeln einengen und zurechtstutzen dürfe. Immer wieder hört man Zeugnisse für dieses aus dem Innern drängende, der Verstandesbewegung, ja dem bewußten Willen entzogene Naturschaffen. Herder selber ruft einmal aus: „Es dichtet in mir." Ähnlich läßt Klinger in der „Neuen Arria" einen Malerlehrling sagen: „Ein Gott arbeitet in mir; meine Seele malt." Man erinnerte sich zugleich gern an die höhere Bedeutung, die die Früheren dem Genie gegeben hatten, und stellte sich darunter etwas Niedagewesenes und Gewaltiges vor, bildete sich ein, erst jetzt das Wesen und die Kraft der Dichtung entdeckt zu haben, und schaute stolz oder übermütig auf die früheren Dichter herunter, die so gewissenhaft am Stabe oder der Krücke der Regeln dahergetrippelt waren und sauber, aber phantasie- und leidenschaftslos ihre Werke zurechtgezimmert hatten. Vor Lessing hatte man Respekt. Klopstock, der ewige Jüngling, galt als einer der Jungen. Aber neben Nicolai und den Anakreontikern war es vor allem Wieland, über den sich der Spott ergoß. Goethe hat Wielands „Alceste" in „Götter,

Helden und Wieland" als zimperlich, dämlich, ungriechisch, d. h. un-
heroisch verhöhnt. Und Lenz, auch hier Goethes Spuren folgend, gab
1775 am Schlusse einer Satire auf Wieland diesem den Rat, er solle in
seinem Alter — Wieland war damals 42 Jahre alt —, zur Strafe für seine
sittenverderbenden Schriften, nun der Dichterruhe auf Lorbeeren pflegen.
Worauf der mit seinem Landsmann Wieland befreundete Schubart in
seiner Deutschen Chronik fragte: „Sind vierzig Jahre schon das Greisen-
alter des Dichters?"

Wir sind heute weit genug von dem Sturm und Drang abgerückt, um
seine Leistungen geschichtlich zu beurteilen. Was sich im Leben als brausende Leidenschaft gibt, ist in der Dichtung nicht immer mitreißende
Größe. Es zeigt sich auch hier: so manches Werk, das die Zeitgenossen
als eine Wunderschöpfung priesen, erscheint uns heute bestaubt oder als
flüchtiger Einfall des Augenblicks. Ein paar Gedichte von Claudius, Bürger, Hölty, ein paar Dramen von Lenz sind noch lebendig; aber was
sagen uns noch die Werke gerade derjenigen, die sich am lautesten und
echtesten als Kraftgenies gebärdeten; Schubart, Klinger, Maler Müller,
Heinse, Wagner? Erst wenn man die ganze Schar an sich vorüberwirbeln
läßt, sieht man, wie hoch sich die wirkliche Genialität Goethes über sie
erhebt.

Anders die Menschen. In ihnen offenbart sich das Einzigartige der
Naturerscheinung meist ausgeprägter und reizvoller als in den Werken.
Vor allem gilt dies von denjenigen, deren Werke heute ganz oder zum
größten Teil vergessen sind: Schubart, Maler Müller, Bürger, Heinse. Sie
gehören der Naturgeschichte des Menschen an. Sie enthüllen dem bald
verwunderten, bald erschreckten Blicke des Betrachters, was es heißt,
aus der Natur, d. h. ihren elementaren Kräften: Sinnlichkeit, Gefühl,
Leidenschaft zu leben. Der Rationalismus, auch Lessing nicht, wußte nichts
von den letzten dunklen Kräften des Menschseins. Jetzt erst, wie man
der Vernunft entsagt, erfährt man, was Tragik ist.

Vorerst jedoch mag der Blick auf zwei Übergangspersönlichkeiten
weilen: Gerstenberg und Leisewitz.

In einer Jugendarbeit spricht Wilhelm Heinrich von Gerstenberg
einmal von einem Ding, das nicht recht weiß, was es ist, und sich dennoch
mit der größten Zuversicht für den Hauptzweck der Schöpfung hält,
einem Ding, das weder seinen Sinnen noch seinem Instinkt trauen darf.
Er hat damit sich selber gekennzeichnet. Er war ein unglücklicher Mensch,
eine feinfühlige, nervöse, weiche Persönlichkeit, die theoretisch die vortrefflichsten Einsichten über Dichtung entwickeln konnte, aber nur selten,
und immer weniger, die innere Kraft besaß, den Weg von der Einsicht
zur schaffenden Tat zu gehen; die so in sich selber versank, in ästhe-
tischem Selbstgenuß sich aufzehrte, in sittlicher Schlaffheit sich und seiner
Umgebung zur Qual wurde. Ein Zwischenwesen zwischen Aufklärung und
Sturm und Drang, weder dort noch hier beheimatet, kein Aufklärer mehr,
denn er streckte seine seelischen und geistigen Fäden bereits weit in die
neue Zeit hinein, aber auch kein Angehöriger des neuen Geschlechtes,

denn es fehlte ihm die Kraft für mutiges Ausschreiten zu neuen Zielen. Der eigentliche Grund seines Versagens und seines Unglücks war, daß er auch geistig nirgends eingewurzelt war. Er besaß nicht mehr den tragenden Glauben an den idealistischen Optimismus des echten Aufklärers. Er vermochte sich auch nicht zu dem Pantheismus Herders oder Goethes zu dem Offenbarungsglauben Hamanns zu bekennen. Sein Los war so das des Menschen, der zwischen zwei weltanschaulich bestimmten Zeitaltern steht: er war Psychologist. Es blieb ihm nur die Beobachtung seiner selbst und der andern, aus der sich für den Weg des eigenen Lebens kein Ziel ergab. Bezeichnend ist ein Ausspruch in der Skizze zum „Hypochondristen": „Die ursprüngliche Regel unsrer Handlung ist das sinnliche Vergnügen. Kein Kind handelt nach einer andern. Und nichts ist weiser: denn wenn der Mensch nur in Absicht auf andre, oder wie Shaftesbury will, aufs Ganze handelte, so würde er in Gefahr sein, sich beständig zu irren, weil er die Bedürfnisse des Ganzen nicht so gut wissen kann, als seine eigenen." Sein ganzes Leben ist eine Bestätigung dieses Grundsatzes und zugleich eine Widerlegung. Eine Bestätigung, indem er wirklich nur sein sinnliches Vergnügen suchte und auf jede Absicht auf andere oder das Ganze verzichtete; eine Widerlegung, indem diese Lebensführung des psychologistischen Egoismus, statt ihm Vergnügen zu bereiten, ihn in beständige und stets wachsende Verdrießlichkeit, Unbehaglichkeit und Verwirrung hineinführte. Man mag sagen, daß sein Leben glücklicher verlaufen wäre, wenn er äußerlich in günstigern Verhältnissen gewesen wäre. Aber auch dann wäre das Glück nur ein äußeres gewesen, indem der Reichtum ihm ein sorgenloses Wohlleben gestattet hätte, das er sicherlich genossen hätte. Innerlich aber wäre er dadurch weder in seiner Lebensgestaltung noch in seinem Schaffen zielbewußter geworden. So begegnete ihm das Schlimmste, was einem geistig Schaffenden geschehen kann; er wurde rasch vergessen. Er gehörte zu den Wegbereitern der neuen Dichtung, aber man hielt ihn für tot, als er noch lebte. In einer Sammlung von Briefen von Verstorbenen aus dem Jahre 1810 stand auch ein Brief von Gerstenberg; der Herausgeber entschuldigte sich nachher, er habe wirklich nicht daran gedacht, „daß der Ehrwürdige noch lebe"; ist es doch nicht einmal ausgemacht, daß Goethe, als er in „Dichtung und Wahrheit" ein schroffes Urteil über Gerstenberg abgab, sich bewußt war, daß er noch am Leben war.

Gerstenberg ist am 3. Januar 1737 als dänischer Untertan in Tondern geboren. Die Familie, von altem Adel, war wenig bemittelt. Er besuchte die Schulen in Tondern, Husum und Altona. Dann studierte er von 1757 bis 1760 in Jena die Rechtswissenschaft. Aber die Literatur interessierte ihn mehr. Schon am Gymnasium in Altona hatte er sich eifrig mit Dichtern und Kritikern beschäftigt, mit Gottsched und den Zürchern, mit der Frage nach dem Verhältnis von Dichtung und Moral, so daß er sich selber das zweifelhafte Lob spenden konnte: „Ich bin ganz voll von kritischer Weisheit." Damals waren Hagedorn, J. E. Schlegel und Haller seine Lieblinge. Aber als er seine Abschiedsrede vom Gymnasium zu halten hatte,

sprach er über das Verhältnis von Wissenschaft und Leidenschaft oder
Neigung. Man möchte in dem Thema einen Wegweiser aus der Aufklärung
in den Sturm und Drang finden, wenn die ganze Aufführung nicht bloß
darauf hinausliefe, jeder solle studieren, was seiner Neigung entspreche. In
Jena widmete er sich demgemäß mehr der Dichtung als der Rechtswissenschaft. Ein Bändchen Gedichte, „Tändeleien" (1759), zeigt schon durch
den Titel, daß er sich noch völlig im Fahrwasser der Anakreontik bewegte.
Gellert und Chr. F. Weiße waren damals seine Vorbilder.

1760 trat er als Kornett ins dänische Heer ein. Er brachte es bis zum
Rittmeister. In Erwartung einer reichlicheren Versorgung heiratete er
1765 und zog nach Kopenhagen. Bis 1775 hat er in der dänischen Hauptstadt gelebt. Es war die entscheidende und fruchtbarste Zeit des Schriftstellers. Kopenhagen war unter dem Minister Bernstorff eine Stätte deutscher Bildung geworden. Klopstock lebte dort, auch Matthias Claudius
hielt sich ein Jahr lang dort auf. Die Anregung, die Gerstenberg dort
fand, beschwingte seine Tatkraft. 1766 verfaßte er das Lied eines Skalden
und gab damit den Auftakt zur Bardendichtung. 1766/67 erschienen die
„Briefe über Merkwürdigkeiten der Literatur". 1768 das Drama „Ugolino". Aber seine Hoffnung auf ein einträgliches Amt erfüllte sich nicht.
Er erhielt bloß in der deutschen Kanzlei eine Stelle, die so gering bezahlt
war, daß er in Schulden geriet. 1775 bekam er das angesehene Amt eines
dänischen Residenten in Lübeck, das er bis 1783 innehatte. Darauf zog er
nach Eutin, 1786 nach Altona. Da gab man ihm schließlich die Stelle eines
Mitglieds der Justizdirektion bei dem Altonaischen Lotto. Er hatte sie
bis 1812 inne. Schließlich verlegte er sich auf das Studium Kants. Es war
eine Art Flucht und Selbsttrost. Er, der Zeit seines Lebens ohne Glauben
gewesen war, las aus Kants kritischer Philosophie eine Bestätigung seines
Skeptizismus. Am 1. November 1823 starb er. Der zermürbenden Not
des Schuldenwesens, unter dem er sein Leben lang geseufzt, hatte sein
Körper doch bis zum sechsundachtzigsten Jahre zu widerstehen vermocht.
Seine Frau, tapferer und gewissenhafter als er, war dem Elend schon
1786 erlegen.

Von ihm selber kann man annehmen, daß gerade seine Indolenz und
seine Ichbezogenheit ihm die Kraft gaben, der Not standzuhalten. Er hatte
sich daran gewöhnt, sich treiben und mit einer gewissen Befriedigung vom
Unglück verfolgen zu lassen. Ja, er suchte für seine Eitelkeit daraus
Kapital zu schlagen. So ersuchte er am Schlusse seines Kopenhagener
Aufenthaltes einen Bekannten um die Summe von 3000 Talern und versprach, ihm dafür die Ausgabe seiner Werke zu widmen, die er von dem
Gelde auf Subskription drucken lassen wollte. Er war gewissenlos genug,
einen Freund, der ihm alle Schulden bezahlt hatte und dadurch selber in
Armut geraten war, in der Not stecken zu lassen, als er selber wieder
zu Geld gekommen war: der andere war großmütig genug gewesen, keine
schriftliche Schuldverschreibung von ihm zu fordern. Gerstenberg hatte
sich daran gewöhnt, die Menschen nur für seine Zwecke zu benützen. Er
war ein Hochstapler der Empfindsamkeit, der seinen Freund Cramer in

schwärmerischer Hingabe verehrte und daneben die Erziehung seiner Kinder und die Sorge um den Haushalt vernachlässigte. Aus dem Jahre 1790 ungefähr stammt eine Schilderung seines Lebens durch einen Bekannten. Gerstenberg lebte mit seinen Kindern fast ärmlich. Aber er machte doch Ansprüche auf den äußern Schein und verlangte, daß man seine Söhne als Junker anrede. Er selber lebte schon in seinem Zimmer, abgesondert wie Jupiter in den Wolken des Olymps, die er durch unablässiges Tabakrauchen selber erzeugte. Seine Kinder sahen ihn nur von zwölf bis ein Uhr am Tische. Mit dem Glockenschlag kam er herunter, trat ernst und stumm in das Eßzimmer, setzte sich, aß und sprach kein Wort. Die Kinder ebensowenig. Die Erwachsenen lasen während des Essens jeder in einem Buche, auch die Kleinen hatten eines neben sich liegen, weil sie meinten, das gehöre sich so. Um ein Uhr stand Gerstenberg stillschweigend auf, und alles zog sich zurück. Trotzdem behauptete er, er sei um die Erziehung seiner Kinder bemüht. Er war ein Schauspieler geworden, der poetische Rollen durchführte. Als Kritiker hatte er die Forderung aufgestellt, daß der Beurteiler die Werke nicht nach einem vorgefaßten Regelsystem zu werten habe, sondern daß er sich mit feinem Sinn in die Besonderheiten des einzelnen Werkes einfühlen und diese charakterisieren müsse. Der ästhetische Standpunkt des Psychologen war auch seine Maxime für das Leben geworden. Aber er übte sie nur, wo es seiner Eitelkeit und seinem Selbstbewußtsein zusagte.

Er betrachtete das Gefühl als die elementare Kraft, aus der heraus der Poet schaffe, und das Große, was seine Zeitgenossen an seinem berühmten Trauerspiel „Ugolino" bewunderten, ist die wahrheitsgetreue und eindringliche Schilderung der Gefühlszustände, Ugolino della Gherardesca, der Podestà von Pisa, ist von seinem Gegner, dem Erzbischof Ruggieri, mit seinen Söhnen in einen Turm eingeschlossen und dem Hungertode preisgegeben worden. Es ist bezeichnend für die innere Schlaffheit Gerstenbergs, daß er dieses Geschehen, das nur ein Leiden und keine Handlung ist, als Stoff zu einem Trauerspiele gewählt hat. Es gelingt ihm, mit gräßlicher Anschaulichkeit zu schildern, wie die Eingeschlossenen allmählich dem Hunger erliegen, wie die Verzweiflung sie überschleicht und verschieden auf ihre Seele wirkt, in dem Vater Selbstvorwürfe, in dem einen der Söhne einen tollen Rettungsversuch zeitigt, im andern Wahnsinn und im dritten rührende Träume erweckt. Hier kommt nicht der Lessingsche Gedanke auf an die Umwandlung der Leidenschaften in tugendhafte Fertigkeiten; man steht nur schaudernd vor einem Übermaß menschlichen Unglücks. Einmal ist es so Gerstenberg gelungen, eigene Art und eigenes Leiden steigernd zum Kunstwerk zu vergeistigen. Er muß sich in seiner beständigen Misere, aus der er keinen Ausweg fand, selber wie in die Mauern eines Turmes eingesperrt gesehen haben. Aber die Wirklichkeit entbehrt der antikischen Größe. Da zeigte er sich nur kleinlich und, soweit es möglich war, genießerisch. Man denke sich, der Mann, der beständig über seine Schulden jammerte, hinterließ ein umfangreiches Verzeichnis von Torten.

Johann Anton Leisewitz, obgleich er ein halbes Menschenalter jünger ist als Gerstenberg, steckt noch tiefer als dieser in der Aufklärung. Auch er ist durch ein einziges Drama berühmt geworden, den „Julius von Tarent", das zu den Lieblingswerken des jungen Schiller gehörte, und von dem Lessing meinte, Goethe habe es verfaßt.

Leisewitz ist am 9. Mai 1752 als der Sohn eines reichen Weinhändlers in Celle geboren, hat das Gymnasium zu Hannover besucht und von 1770 bis 1774 in Göttingen studiert. Er war mit Bürger, Hölty und Boie befreundet und wurde kurz vor seinem Weggang von Göttingen in den Hain aufgenommen. Bestimmend für seine geistige Lebensstellung waren die philosophischen Studien, die er neben Rechtswissenschaft und Geschichte trieb: er las die führenden Aufklärer von Leibniz und Shaftesbury bis Hume und Voltaire. Wie wenig ihm aber die Philosophie zum Erlebnis wurde, zeigt seine Erzählung, daß er einmal des Stoikers Seneca Brief über den Selbstmord las, während er sich frisieren ließ. Eine Geschichte des Dreißigjährigen Krieges, deren Plan er damals faßte, und an der er immer wieder arbeitete, ist niemals fertig geworden.

Nach seinem Anwaltsexamen lebte er zuerst in Hannover. Da beendete er 1775 den „Julius von Tarent". 1778 siedelte er nach Braunschweig über, wo er die Stelle des Sekretärs der Landschaft erhielt. In diese Zeit fällt auch das wichtigste Ereignis seines Lebens, die Verlobung mit der fünfzehnjährigen Sophie Seyler, der Tochter jenes Abel Seyler, der in Hamburg das Nationaltheater gegründet und dabei sein Vermögen verloren hatte. Aber das kleine Einkommen des Bräutigams verzögerte die Hochzeit bis 1781. In die Zwischenzeit — 1780 — fällt eine Reise über Weimar, wo Goethe, Wieland, Herder besucht wurden, nach Meiningen zur Aufführung des „Julius von Tarent". Das war der Höhepunkt seiner dichterischen Laufbahn. Nach seiner Verheiratung lebte er nur noch seiner Frau und seinen Ämtern. In seiner kinderlosen Ehe genoß er das reinste Glück. Er begehrte kein höheres; eine Reise nach Rom, die man ihm anbot, lehnte er ab. Sophie ihrerseits hatte sich so innig an ihn angeschlossen, daß ihre Schrift die Züge der seinen annahm. Nach neunzehn Jahren der Ehe gestand sie ihm: „Wenn ich bedenke, was ich heute vor neunzehn Jahren von Dir erwartete, wie ich in Dir hing, wie das neunzehnjährige Mädchen so recht eigentlich in Dich verliebt war! Ich habe viel von Dir erwartet, aber Du hast mir mehr gegeben, als ich selbst in jenem Rausche hoffte, mehr als ich je dachte, mich selbst! Du bist ein edler Mann, kein Geschöpf kann dem andern mehr schuldig sein, als ich Dir, denn ich danke Dir Zeit und Ewigkeit! Mit einer heiligen und feierlichen Erhebung der Seele gebe ich Dir heute die Versicherung, daß Du am Abend Deines Lebens die Verbindung, die Du mit mir eingegangen bist, segnen wirst! Mein ganzes Leben, so wie es Dein Werk ist, so ist es auch der einzige Dank, der unser beider würdig ist."

Die Ehe war die ersten Jahre voller Sorgen, die Besoldung klein. Einmal, als Leisewitz im Hofanzuge sich anschickte, zur herzoglichen Tafel zu gehen, fehlte noch der Staatsdegen. Man sucht überall. Schließlich mußte

Sophie bekennen, daß sie ihn versetzt hat. Die Verhältnisse besserten sich, als Leisewitz mit dem Geschichtsunterricht des Erbprinzen betraut wurde. Bald darauf wurde er zum Hofrat ernannt, legte das Amt des Landschaftssekretärs nieder, wurde dafür Sekretär der Geheimen Kanzlei, Kanonikus am St. Blasius-Dom und Präsident des Obersanitätskollegiums. Besondere Verdienste erwarb er sich durch die Neuordnung des braunschweigischen Armenwesens. Er hatte Zeit seines Lebens sich über seine schwache Gesundheit Sorgen gemacht. Er war auch darin ein redlicher Mann, daß er nicht zu denen gehörte, die beständig über Krankheiten klagen und es dabei zu einem hohen Alter bringen. Denn er starb an einer hitzigen Brustwassersucht schon am 10. September 1806. Seine Frau überlebte ihn noch siebenundzwanzig Jahre.

Leisewitz hat uns Einblick gegeben in sein inneres Leben in seinen Tagebüchern und den Briefen an seine Braut. Die Briefe an die Braut beginnen am 24. Oktober 1777 und enden am 8. September 1781. Die Tagebücher umfassen den Zeitraum vom 1. Januar 1779 bis zum 18. Dezember 1787. In beiden Werken offenbart er sich nicht als ein starker, leidenschaftlicher, geistes- und willensmächtiger, sondern als ein ernster, gewissenhafter, ehrlicher, manchmal etwas pedantischer und engbrüstiger Mensch. Seine Tagebücher hat er jahrelang pünktlich Tag für Tag geführt. Später schreibt er seine Erlebnisse nur alle paar Tage ein. Bezeichnend ist, was er der Aufzeichnung für würdig hält: Betrachtungen, Gedanken, überhaupt Geistiges findet man höchst selten. Ihr Inhalt ist der belangloseste und alltäglichste, den man sich denken kann: Zu welcher Zeit er morgens aufgestanden, wann er zu Bett gegangen. Welche Besuche er gemacht oder empfangen. Welche Briefe er geschrieben oder erhalten. Von wann bis wann er gearbeitet. Welche Bücher er gelesen. Ausführlicher sind seine Reise nach Meiningen geschildert, seine Besuche in Weimar. Von Goethe, der in einem „sehr simplen Gartenhause in der Gegend des Sternes" wohnte, weiß er nur zu sagen, daß er ihm doch sehr gefallen habe und daß schon seine Physiognomie ihn sehr für ihn eingenommen habe. Daß er aber auch manchmal scharf zu beobachten versteht, zeigt seine Bemerkung über Wieland: Er habe so leicht keinen großen Mann gesehen, der in der Nähe mehr verloren hätte, als Wieland. „Schon seine Physiognomie war mir sehr fatal. Sie gehörte zu denjenigen, in denen man nicht zurechtfinden und nicht zugute kommen kann." Merkwürdig ist, wie wenig er in den Tagebüchern von seiner Braut spricht. Er hat gar kein Bedürfnis, seine Gefühle und Gedanken über sie und seine Verlobung dem Papier anzuvertrauen. Nur wenn er den erwarteten Brief nicht erhält, trägt er etwa seine Unruhe ein, so am 10. Juli 1779, bezeichnend aber für seine scheue Verschlossenheit in englischer Sprache. Er kann sogar, wenn seine Braut krank ist und er in einem Briefe an sie seiner Besorgnis Ausdruck gibt, im Tagebuch dies völlig verschweigen. Er hütet sich ängstlich, allzuviel von seinem Innern im Tagebuch zu verraten. Charakteristisch für seine Schamhaftigkeit ist auch folgender Zug. Eine der Frauen ist unpäßlich. Wie der Arzt kommt, entfernt er sich, trotz dem Protest der andern, „weil ich mit einem Medicus nicht zugleich bei einem kranken Frauenzimmer sein mochte".

Das Hauptthema seiner Aufzeichnungen ist seine Gesundheit. Er ist ein eigentlicher Gesundheitshypochonder, und er weiß es selber. „Ein äußerst hypochondrischer Tag", schreibt er am 30. Januar 1779. „Ein höchst schwarzer, hypochondrischer Tag", am 31. Januar. Ängstlich verzeichnet er den leisesten Wandel in seiner Stimmung, die geringste Veränderung an seinem Körper, schreibt gewissenhaft die Pulver und Tränklein auf, die er einnimmt, die Kuren, die er macht, so am 10. Februar 1779: „Gegen Abend bekam ich wieder Lust Ailhaudisch Pulver zu nehmen, zweifelte aber doch noch etwas. Goß unterdessen das Pulver von gestern aus und machte neues zurechte. Noch im Bette änderte ich meine Entschließungen wegen dieser Kur oft."

So wird man in seinen Briefen an die Braut auch keinen Sturm der Gefühle erwarten. Es sind Liebesbriefe eines Mannes der Aufklärung. Auch beim stärksten Gefühlsausdruck, dessen er fähig ist, schwingt ein Untertun der Vernunft mit. Den höchsten Grad seiner Leidenschaft zeigt etwa der Anfang des Briefes vom 11. September 1779: „Mein ewig geliebtes Mädchen. Nichts konnte mir angenehmer sein, als die Nachrichten, die Du mir in Deinem gestrigen Briefe gibst. O hätte doch Dein Herz dem meinigen nicht vergebens entgegengeschlagen, hätte ich mich doch in Deine ausgestreckten Arme werfen, Deine heißen Tränen mit meinen heißen Küssen wegnehmen können! Du bist sehr großmütig, daß Du es Deinen itzigen Leiden Dank weißt, daß sie Dich in meine Arme führen und mein künftiges Leben zu dem glücklichsten machen werden, aber ich will auch dankbar sein, gute Sophie, mein ganzes Leben soll bloß Dir gehören, ich will alles, was mein Verstand, Kräfte und Vermögen nur aufbringen können, anwenden, um Dich zufrieden zu machen — freilich werde ich Dich damit so wenig als den Himmel mit meinen guten Werken verdienen, aber ich hoffe, Gott und Du werden meinen besten Willen nicht verschmähen."

Statt die Gefühle frei hinströmen zu lassen, analysiert er sie: „Mein Mädchen!" schreibt er am 2. November 1777, „Du wirst in meinen Briefen selten etwas Neues finden; es ist immer der alte Text: ich liebe Dich, Sophie, worüber ich des Jahrs zweiundfunzig Mal predige. Man muß freilich vom Metier sein, d. h. so lieben, wie wir lieben, um einzusehen, daß man unendliche Male davon reden kann, ohne daß es genug sei! um zu begreifen, daß man nie der unnützen Mühe überdrüssig wird, seine Empfindungen mit Worten auszudrücken; aber diese Mühe ist so süß und selbst ihre Unzulänglichkeit ist nicht abschreckend, da sie nicht der Maßstab ist, nach dem wir unsre Neigungen gegeneinander abmessen." Indem er seine Gefühle unter die Verstandesaufsicht stellt, ist auch bei Sophie die Vernünftigkeit das Höchste, was er lobt: „Es muß einmal heraus, Mädchen, ich begreife nicht, wie Du in Deinen Jahren zu dem richtigen Verstande kommst", schreibt er am 25. März 1778, also wie Sophie noch nicht sechzehn Jahre alt war. „Überhaupt", sagt er am 22. November 1777,

„muß Dir mein ganzes Betragen gezeigt haben, daß ich Dich nicht als schöne Puppe, sondern als ein vernünftiges Geschöpf betrachte." Er sucht sie durch Witze und geistreiche Einfälle zu ergötzen. Einmal, nach einer längern Selbstbetrachtung, bricht er mit den Worten ab: „Aber wahrhaftig, ich fange an zu predigen, und wenn Du heute solltest in der Betstunde gewesen sein, so wäre es vor einen Tag beinahe zuviel Seelenspeise." Ein andermal erzählt er ihr, daß er von Braunschweig am liebsten auf dem Wege nach Hannover spazieren gehe, wo Sophie wohnt, ob es gleich eine betrübt höckerigte Heerstraße sei. „Aber mir fällt immer dabei ein, daß Du am Ende derselben wohnest, und ich erinnre mich dabei des rauhen Weges der Tugend, der sich mit der ewigen Seligkeit endiget."

Man begreift, daß dieser bescheidene, gescheite und redliche Mann ein glücklicher Gatte und tüchtiger Beamter wurde.

3. KRAFTGENIES

Schubart / Bürger / Maler Müller / Heinse

„Ich bin und heiße Kraftgenie,
Ein Lieblingssohn der Phantasie."

Stäudlin

In seiner großen Besprechung von Bürgers Gedichten sagt Schiller: „Alles, was der Dichter uns geben kann, ist seine Individualität. Diese muß es also wert sein, vor Welt und Nachwelt ausgestellt zu werden. Diese seine Individualität so sehr als möglich zu veredeln, zur reinsten herrlichsten Menschheit hinauf zu läutern, ist sein erstes und wichtigstes Geschäft, ehe er es unternehmen darf, die Vortrefflichen zu rühren. Der höchste Wert seines Gedichtes kann kein anderer sein, als daß es der reine vollendete Abdruck einer interessanten Gemütslage, eines interessanten vollendeten Geistes ist." Schiller hat mit dieser Forderung den klassischen Begriff des Genies umschrieben. Er enthält nicht nur die Bestimmung der künstlerischen Urbegabung, sondern zugleich die der menschlich-sittlichen Ausbildung. Nur in dem Zusammenwirken von Naturkraft und sittlich-ästhetischer Zucht entsteht der große klassische Mensch und das bedeutende Kunstwerk.

Die Genieauffassung der siebziger Jahre betont nur die erste Hälfte von Schillers Forderung. Gleich einem Schüler, der der strengen Zucht entsprungen ist und sich etwas darauf zugute tut, sich in ungebändigter Freiheit tummeln zu können, hat man die zwiefache Fessel abgeworfen, die in der Aufklärung der Morallehre einerseits, die Kunstlehre andererseits um Leben und Dichten des Genius geschlungen hatte, und wie man als Schaffender einfach die aus dem Innern hervordrängende Kraft walten läßt, ohne sie durch Regeln zu bändigen, so läßt man als Mensch den Urtrieben der sinnlichen Natur den Lauf, ohne die Gesetze der Moral über sich anzuerkennen. „Heida!" ruft Wild zu Beginn von Klingers Schauspiel „Sturm und Drang": „Nun einmal in Tumult und Lärmen, daß die Sinnen herumfahren wie Dachfahnen beim Sturm. Das wilde Geräusch (des Meeres) hat mir schon soviel Wohlsein entgegengebrüllt, daß mir's würklich ein wenig anfängt besser zu werden. Soviel Meilen gereiset, um dich in vergessenden Lärmen zu bringen — tolles Herz! du sollst mir's danken! Ha! tobe und spanne dich dann aus, labe dich im Wirrwarr!"

In dem Gegensatz zwischen Sinnenausbruch und Geistesmäßigung stehen sich zugleich auch Augenblick und Dauer gegenüber. Der sittliche Mensch der Aufklärung wie das von ihm geschaffene Werk stellt das Ergebnis einer jahrhundertealten geistig-sittlichen Überlieferung dar. In der Moralphilosophie der Aufklärung lebt die Erfahrung der reifsten Geister des Altertums und der Neuzeit, das Dichtwerk der Aufklärung ist der Kunstweisheit verpflichtet, die die Alten wie die Neueren in ihren Regel-

büchern niedergelegt haben. Der neue Mensch dagegen nimmt den Maßstab seines Handelns wie seines Kunstschaffens aus seiner Natur, aus
Sinnlichkeit, Gefühl, Leidenschaft und dem durch diese bestimmten Urteil.
D. h. er hat überhaupt keinen Maßstab, insofern dieser etwas Allgemein-
gültiges und Bleibendes ist, sondern er lebt, fühlt, denkt, handelt aus
der einmaligen Laune des Augenblicks. Er ist als Erlebender wie als Schaffender ein Improvisator. Sein Genuß wie sein Werk sind der Funke, den
die Gelegenheit aus dem Steine der Natur geschlagen hat, sie empfangen
von ihr Feuer und Kraft. Sie sind der Wert, der, aus dem Schoße ursprünglicher Natur geboren, in die Ewigkeit des Geistes eingehen, dem
Dichter den Titel des Großen im Reiche des Ruhmes eintragen sollen.
Ohne eine sittliche und künstlerische Verantwortung anzuerkennen, maßt
er sich in Genuß und Tat das Recht an, sich so auszuleben, wie seine
Natur ihn treibt. Er ist der Titane, der sich zum Kampfe gegen die alten
Götter anschickt.

Denn darin liegt nun andererseits die — nicht moralische, aber menschliche — Größe des Kraftgenies, daß sein Hochbewußtsein auch in das
Leiden hineinreicht, in das sein verantwortungsbares Leben ihn führt, und
er sein oft erbärmliches und grausames Los auf sich nimmt, wei es das Los
der Natur ist, sein Schicksal im Sinne des Geschickten, nicht eine Prüfung
im christlichen Sinne oder eine Sühne für sittliche Verschuldung.

Am furchtbarsten hat sich diese Hingabe an den Augenblick in Genuß
und Leiden an dem Schwaben Christian Daniel S c h u b a r t erfüllt. Keiner
hat das stolze Bewußtsein, ein Kraftgenie zu sein, so ausgekostet, keiner
aber auch unter dem Naturzwang, nicht anders sein zu können, so schwer
gelitten wie er. Am 26. März 1739 in dem Limburgischen Obersontheim
als Sohn des Kantors, Präzeptors und Pfarrvikars, spätern Diakons in
Aalen, geboren, besuchte er die Schulen in Nördlingen und Nürnberg.
Friedrich der Große, der Sieger des Siebenjährigen Krieges, war der Held,
für den er sich begeisterte. Sein Sinn für deutsche Kunst entzündete sich
an Nürnbergs Schätzen. 1758 zog er zum Theologiestudium nach Jena.
Aber in Erlangen blieb er in einer lustigen Gesellschaft hangen und genoß
unbekümmert das Leben, das sich ihm hier bot, maßlos im Trinken, aus-
schweifend im Lieben, bis Geld und Gesundheit schwanden, statt Kenntnisse sich Schulden anhäuften und die Gläubiger ihn ins Gefängnis brachten, das er sich, leichtblütig wie er war, durch Klavierspiel und Dichten
verschönerte. Nun riefen die Eltern, außerstande, für den Sohn zu zahlen,
ihn nach Hause. Drei Jahre, 1760 bis 1763, lebte er, mit einer kurzen
Unterbrechung durch eine Hofmeisterstelle in Königsbronn, in Aalen als
Pfarrhelfer. Dann wurde er Präzeptor in Geislingen bei Ulm, und hier
vermählte er sich sofort mit der Tochter des Oberzollers Bühler: „Wieder
ein Auftritt in dem Schauspiel meines Lebens", so kündigt er am 29. Dezember 1763 seinem Schwager Böckh seine Heirat an. „Noch sehe ich
öfters mit Belustigung meine Amtsmiene im Spiegel, und jetzt soll ich die
Rolle eines Hochzeiters spielen." Er hatte das Zeug zum Lehrer, aber wie
konnte sich sein Genie in die enge Schulstube einsperren lassen! Er hatte

Wielands Shakespeareübersetzung gelesen: „Nun weiß ich, was ein Originalgenie ist. Shakespeare hat es mich gelehrt", schrieb er an den Schwager. Er wollte leben und genießen, und sah sich als Ehemann einer wenig gebildeten Frau, ohne ausreichende Besoldung. Er fühlte sich als Dichter, hatte ein starkes Bedürfnis nach literarischem Verkehr, und mußte abseits vom geistigen Leben der Zeit unter der spießerischen und engherzigen Bevölkerung der Kleinstadt hausen. Es riß ihn mit allen Fasern aus der Enge in die Weite. Er trieb sich in Wald und Feld herum, wenn er Schule halten sollte. Er knüpfte literarische Verbindungen an, so mit Wieland, der damals noch in Biberach Stadtschreiber war, genoß den Augenblick, wo er sich ihm freundlich zeigte, und fühlte sich im ganzen todunglücklich: „Ein Mensch", so schildert er seine Lage am Weihnachtsabend 1764, „der eine Frau hat, die zugleich seine Magd ist; der unter liederlichen Arbeiten keucht; der vor dem Sarge einer alten Spitalfrau mit acht geflickten Mänteln wie unsinnig ein Totenlied schreien muß; der unter hundertundzwanzig Tartarn, mit der Knute in der Hand, zwölf Stunden des Tags umherwandeln muß; der endlich an des Herrn Ruhetag mit neun Furien, die anstatt brennender Fackeln Fidelbögen tragen, gemartert wird; der die heiligen Christfeiertage mit zweiundvierzig Eseln und einem Maultier, das auf Lateinisch Cantor heißt, von Haus zu Haus betteln gehen muß; der mit allen diesen tötenden Verrichtungen nicht sich selbst, sondern einem alten ausgedienten deutschen Schulmeister den Branntwein ins Haus schaffen muß; der endlich, um den Kelch des Elends und der Niedrigkeit bis auf die Hefen auszusaufen, keinen Freund um sich hat, dem er seinen Jammer klagen kann: der Mensch, ich bitte Sie um der beleidigten Vernunft willen, der sollte noch beneidet werden können? Der Adler beneidet kein Insekt, das sich im Kote nährt."

Ein tragikomisches Gegenstück zu der Misere des Präzeptordaseins bildet die Dichterkrönung Schubarts in Wien: „So verguldet man mir wie dem Ochsen in der Fabel die Hörner, daß ich den Abgang des Futters nicht merken soll." In einem Brief an seinen Schwager hat er einmal das Ideal des Dichters gemalt, wie es ihm in seinen besten Stunden vorschwebte: „Von Seiten der Natur muß er Genie besitzen, Verstand mit einer glühenden Imagination vereinbart; von Seiten der Kunst soll er Sprachkenntnis, Weisheit, die feinste Kenntnis der Natur und des Menschen haben und in keinem Fache der menschlichen Erkenntnis ein Fremdling sein. Dann setze er sich auf den heiligen Dreifuß, Rauch und Dampf erfülle das Haus, der pythische Gott spreche, und seine Worte sollen mir Orakel sein, im Enthusiasmus der Götter gesprochen ... Ich weiß niemand, der diese scharfe Poetenprobe aushält als Homer, Milton, Shakespeare und Klopstock." Kein Zweifel, daß er sich, soweit es in seinen Kräften lag — und seine Kräfte waren groß — anstrengte, diesem Ideal nahezukommen. Schon die ausgebreitete Lektüre, die er pflog, der Eifer, sich die neuesten und besten Werke zu verschaffen, beweist es. Aber wie konnte er in der dürftigen, ungebildeten Umgebung, in die er sich durch seine verfrühte Heirat gesetzt hatte, sein hohes Ziel erreichen? Am 22. November 1767 schrieb er Böckh: „Meine Umstände verschlimmern sich zwar nicht, aber ich sehe auch keine Verbesserung. Ich habe keinen Freund, keinen Rat, keinen Umgang, keine Freude, und bin dagegen mit Auflauern, List, Haß und Verfolgung umgeben. Der Geist der Vertraulichkeit ist aus meinem Hause gewichen und ich muß, wider meine Neigung, falsch sein. Jenes offene Wesen, das mich in Eßlingen begeisterte, ist hier jedermann unbekannt, dagegen ist ein gewisses plumpes, heimtückisches Wesen die Furie unserer Gesellschaften. Mein Weib ... haust mit ihren Eltern, die, solang ich in der Schule bin, in mein Haus stürmen, wider mich konspirieren, meine Briefe erbrechen, Bücher, von welchen sie vermuten, daß sie noch nicht bezahlt sind, wieder fortschicken, meine Buchhändler und Buchbinder warnen, mir keinen Kreuzer zu kreditieren, meine sauer verdienten Gelder selbsten einnehmen und damit schalten und walten, wie sie mögen. Ich darf mich nicht rühren, weil ich keine Hülfe habe, — dann im Himmel und auf Erden scheint alles vor mir verschlossen zu sein ... Ich bin hülflos und soll auch hülflos sterben."

Immer wieder lehnte sich sein gewaltiges Temperament gegen das Elend auf und schlug, wenn sich die Gelegenheit bot, in wilden Exzessen aus. Im April 1767 reiste er nach Ulm: „Meine Ulmische Reise", berichtet er dem Schwager, „habe ich mit einem gewissen dithyrambischen Auftritte beschlossen, der mich bis in das Mark meiner Beine hinein kränkt. Kurz, ich habe im Zorn hineingesoffen, herausgeschwätzt, was ein Narr im Rausch schwätzen kann, bin belauscht und gleich darauf allenthalben von Spionen verraten und als ein Karikaturstück eines weltlichen und räsonnierenden Trotzkopfes öffentlich aufgestellt worden. — Niemand will verzeihen, und alles will mein Verschulden zu einem Berg aufhäufen, unter dem ich ersticken soll." Aber das war nur ein Vorspiel. Schubart war, trotz allen Vorsätzen, nicht der Mann sich zu ducken. Wie er in seinem leiblichen Dasein sich über das karge Glück hinwegsetzte, das seine Ehe ihm bot, und die Liebe sich pflückte, wo er sie fand, so löste er auch geistig wider den Stachel und sprengte den Zaum, den ihm Schicksal und eigenes Verschulden angelegt. Er war ein wilder Kumpan, wenn er mit ähnlichen Genossen, die doch an Bildung und Geist nicht seinesgleichen waren, beim Becher zusammensaß und gegen geistliche und weltliche Machthaber unflätige Reden führte. Einmal, als er seinen Schülern zum Spaß an ihre auswärtigen Kameraden einen offenbar weder erzieherisch noch kirchlich wohlabgewogenen Neujahrswunsch diktiert hatte, wurde das Schriftstück wider seinen Willen in Ulm verbreitet, von den höheren Schülern paraphrasiert und in dieser Form der Behörde vorgelegt. Er wurde vor den geistlichen Rat in Geislingen zitiert. Man berichtete nach Ulm, „und nun ängstigt man mich von allen Seiten mit Folgen, die mich, mein Weib und Kinder verderben könnten".

Das war nach Neujahr 1769. Der Vorfall schlug aber doch zu Schubarts Glück aus: er erlöste ihn von der verhaßten Schulmeisterei in Geislingen. Auf die Fürsprache des Ludwigsburger Professors Balthasar Haug erhielt er kurz darauf die Ernennung zum Musikdirektor und Organisten an der Hauptkirche zu Ludwigsburg. Es war, im Vergleich mit dem Schulmeisterposten in Geislingen, eine glänzende Stelle. Er war ein begabter Musiker und liebte die Musik. Er war nun als Künstler geachtet in einer Stadt, die die Laune des Herzogs Karl Eugen zur prächtigsten Residenz ausschmückte. Er hatte alle Aussicht, selber an den Hof gezogen zu werden, wo man für den Wirbel von Lustbarkeiten die Musiker brauchte. Zwar schrieb er zu Anfang 1771, wie in einer Vorahnung künftigen Unheils, an Böckh: „Mein Schicksal bei Hof ist noch nicht entschieden. Ich wünschte meinem Fürsten nicht unter den Augen, sondern weit von ihm dienen zu können. Mir fallen immer die Donnerkeile ein in der Hand Jupiters." So sprach sein guter Geist. Aber sein böser liebäugelte mit den Herrlichkeiten des Hoflebens. Er ließ sich zu musikalischen Aufführungen ins Schloß einladen. Graf Montmartin, der allmächtige Günstling des Herzogs, protegiert ihn. Frauen der höchsten Gesellschaft nehmen bei ihm Klavierunterricht und lohnen ihm mit Geld und Gunst. Gegen seinen Schwager schneidet er auf: „Ich bin nunmehro ein Hofmann! Stolz, windicht, unwissend, vornehm, ohne Geld und trage samtne Hosen, die, so Gott will, noch vor meinem seligen Ende bezahlt werden sollen ... Du wirst mich in einem neuen Logis antreffen, gegipst, weit, modisch, hell, wie es sich vor einen Hofmann gehört. Meine Studierstube hat sich in ein Putzzimmer verwandelt, mein Pult in eine Toilette; meine Bücher hab' einem kontrakten Schulmeister geschenkt, und statt des Tobaks kaue ich Lavendel." Wir glauben ihm diese Aufschneiderei eher, als seine Versicherung, daß des unsterblichen Gellerts Moral nun sein Leibbuch sei.

Aber schon lauert, durch seinen Übermut gereizt, die Rachegöttin im Hinterhalt. Sein Schwiegervater, der die Übersiedlung nach Ludwigsburg nicht gern sah, hatte bei Bekannten ungünstige Gerüchte über Schubart verbreitet und machte vor der Tochter kein Hehl daraus, wie unzufrieden er mit ihrem Manne sei. Die Frau selber, aus kleinen Verhältnissen stammend, konnte sich nicht in das große Leben schicken, darin sich ihr Mann gefiel, und machte ihm beständig verdrießliche Szenen, bis er, in seiner Hitze, ihr einige Ohrfeigen gab. Nun erschien der Schwiegervater und holte sie, es war im September 1769, mit den Kindern nach Hause. Und nun stürzte Schubart von dem Gipfel des höfischen Hochgefühls im Augenblick wieder in den Pfuhl der Verzweiflung: „Mein Weib schwebt mir immer mit ihren Tränen und Seufzern so vor Augen, daß ich nicht schlafen, nicht essen, nicht studieren und nicht denken kann. Ich weiß, daß ich sie oft schwer beleidigt habe; Gott aber und sie werden es mir verzeihen. Ich bin schon oft vor ihr leergelassenes Bette niedergefallen und habe den Himmel vor mich, vor sie und meine Kinder um Erbarmung angefleht. Ach, mein Herze ... besaß mein liebes Weib immer ungeteilt und soll es auch ewig so besitzen. Gott züchtiget mich jetzo mit der unaussprechlichsten Liebe zu meiner Frau, die mich hätte glücklich machen können. Ihr Beistand, ihre Bestrafung, ihre Liebe hat mich oft von Fehlern zurückgehalten; verflucht aber sei die letzte unglückselige

Nacht, wo ich mich nicht zurückhalten ließ. Und nun bin ich ohne ihren Beistand, ohne ihre häusliche Sorgfalt, ohne ihren Trost und — sogar! — welches ein Wort voll Tod vor mich ist, ohne ihre Liebe."

Das Maß des Unheils war damit noch nicht erschöpft. Zwar kehrte im März 1772 seine Frau mit den Kindern wieder zu ihm zurück. Aber nun kam der Schlag von einer andern Seite: von der Geistlichkeit. Seinem Vorgesetzten, dem Dekan Zillig, war der Organist Schubart von Anfang an ein Dorn im Auge. Er war ein altfrommer, eifernder, steifer und standesstolzer Herr, von dem Justinus Kerner in seinem „Bilderbuch aus meiner Knabenzeit" manchen bezeichnenden Zug erzählt. So soll er einmal zu Anfang einer Predigt ihren Inhalt mit folgenden Worten angegeben haben: „Geliebte in Ihme! Adam und Eva unsere ersten Eltern im Paradiese. Die Arglist der Schlange. Die Bosheit der Schlange. Die Verführungskunst der Schlange. Der Baum mit der verbotenen Frucht im Paradies. Der Genuß der Frucht vom verbotenen Baum. Der erste Sündenfall. Der Engel mit dem Racheschwert im Paradies. Marsch 'raus zum Paradies, marsch! marsch! marsch!" Sein Organist, dessen Anstellung er seinerzeit zu verhindern versucht hatte, war ihm schon deswegen verhaßt, weil er merkte, daß viele Leute nicht wegen seiner Strafpredigten, sondern wegen des Orgelspiels in die Kirche kamen, ja manche erst zum Schlusse des Gottesdienstes erschienen, wo Schubarts Spiel von den geistlichen allmählich in weltliche Melodien überzuleiten pflegte. Schweres Ärgernis bereitete ihm Schubarts lockerer Lebenswandel, und als er nun gar erfuhr, daß jener sich nach Hofsitte eine Mätresse hielt, verklagte er ihn bei dem Herzog und erreichte seine Absetzung und Ausweisung aus dem Herzogtum Württemberg. Das Consilium abeundi ist am 21. Mai 1773 ausgestellt.

Schleunigst ergreift der Unglückliche nun den Wanderstab und geht mit einem Taler in der Tasche über die Grenze. Sein Ziel ist Berlin. Aber ein Bekannter bestimmt ihn, sich nach der Pfalz zu wenden. Hier hält er sich, ohne feste Anstellung, bald in Mannheim, bald in Heidelberg, bald in Schwetzingen auf. Er führt das Leben eines Landstreichers. Aber immer wieder öffnet ihm sein Klavierspiel und sein Geist die Häuser der Großen. Einmal, wie er auf dem Wege von Mannheim nach Heidelberg seine letzten fünf Kreuzer einem preußischen Stelzfuß geschenkt hat, sucht er, vom Regen überfallen, in einem Landhause Zuflucht. Er wird ins Zimmer geführt, wo eine junge Baronesse am Flügel sitzt. Wie sie aufsteht, setzt er sich selber hin und fängt an zu phantasieren. Alles lauscht und flüstert Beifall. Wie er schließt, steht der Herr des Hauses hinter ihm und ruft Bravo. Nun wird er bewirtet, reich beschenkt und in vierspänniger Karosse nach Heidelberg geführt. In Schwetzingen, wo der musikfreundliche Kurfürst Karl Theodor von der Pfalz residiert, wird er vom Fürsten wiederholt sehr gnädig empfangen. Sein Klavierspiel begeistert alle Welt. Wieder schwelgt er, wie in Ludwigsburg, in den zweifelhaften Genüssen des Rokokohofes, lebt den einen Tag mit Virtuosen, Tänzern, Tänzerinnen unter Trinkgelagen und andern Orgien herrlich und in Freuden und stürzt den andern in den Abgrund der Selbstvorwürfe und Verzweiflung. „Ich ging oft", berichtet er in seiner Selbstbiographie, „im Hesperidengarten, sah die wasserspringenden Nymphen und Seetiere, sah meine lieben Statuen und empfand nichts; wandelte unter hohen schattigen Gängen und blieb kalt; sah die säkularische Aloe blühen, schwamm in den Gerüchen des ganzen Blumenreiches — und schauerte vor Ekel. Im dicksten Gebüsche verloren, wallten schwarze Gedanken empor, und am Fuße des Felsens, der aus dem Rheine hierher gebracht wurde und Wasser herabgoß, weinte ich oft die bittersten Tränen. Meine Seele suchte und fand nicht. Ich stürzte mich in Opern und Konzerte, und alle himmlische Töne prallten ohne Kraft und Eindruck von mir ab ... Noch denke ich daran, wie ich mich einstmals aus Schwetzingen riß, den hohen Rheinstrom suchte, an seinen Ufern, unweit Speier, staunend stand und nach langer Pause gen Himmel schrie: „Du droben in Deiner Höhe! Weltschöpfer! erbarme Dich meiner, ich darbe im Überfluß! Ich trinke diesen Strom aus und dürste! O nichts, nichts ist für mich geschaffen! Die Schönheiten Deiner Natur nicht, die Freuden Deiner lieben Menschen nicht, denn mich hat wütende Leidenschaft zum Sklaven gemacht! — Erbarme Dich meiner! — Doch der wird sich deiner erbarmen, dessen du spottest! Mit diesen niederschmetternden Gedanken rannte ich wieder nach Hause und suchte Lärm und Kelchglas, um mein wimmerndes Gewissen zu betäuben und zu ersäufen."

Es hatte sich ihm die Aussicht eröffnet, dauernd in den Dienst des Kurfürsten zu treten. Aber eine unbesonnene Äußerung über die Mannheimer Akademie, das Herzblatt des Fürsten, stürzte ihn in Ungnade. Ein Schlaganfall, die Folge seines unmäßigen Genusses feuriger Weine, lähmte ihm die rechte Seite. Er erholte sich wieder. Aber seines Bleibens in Schwetzingen war nicht mehr. In dieser Not näherte sich ihm der bayerische Gesandte mit dem Vorschlage, katholisch zu werden, und versprach ihm dafür eine Anstellung in München. Wirklich machte Schubart Miene, den Schritt zu tun. Es geschah nicht aus Überzeugung, sondern aus praktischen Überlegungen. Im Gefolge des Gesandten reiste er nach München. Hier drang man in ihn, seinen Entschluß auszuführen. In letzter Stunde besann er sich und verzichtete. Und da man in München erfuhr, was für ein zweifelhafter Gewinn Schubart für die Kirche gewesen wäre, ließ man ihn laufen.

Jetzt (1774) ging er nach Augsburg und ergriff den Beruf, zu dem er nach der ganzen Anlage seiner Person recht eigentlich bestimmt war. Er wurde Journalist und gab die Deutsche Chronik heraus. Er wollte damit im Sinne der Aufklärung bildend und erziehend auf das Volk wirken, Mannesmut und Vaterlandsliebe wecken, gegen Verweichlichung und Ausländerei eifern, ein aufgeklärtes, ebenso von Muckerei wie Frivolität freies, auf Sittlichkeit gegründetes Christentum verkündigen. Er hätte mit einem solchen Programm und dem regen Geiste, mit dem er es ausführte, im 19. Jahrhundert sich sicherlich in die vorderste Reihe großer Publizisten gestellt und einen gewaltigen Einfluß ausgeübt. Er vergaß nur, daß er noch im Zeitalter der Unfreiheit und der Fürstenwillkür lebte. In dem von den Jesuiten beherrschten Augsburg wurde, gleich nach den ersten Nummern, der Druck der Zeitung untersagt. Nun verlegte er sie anfangs 1775 nach dem freieren Ulm. Das war die glücklichste Zeit seines Lebens. Er fühlte sich behaglich in seiner Tätigkeit, in einem verständnisvollen Freundeskreise, im Schoße seiner Familie. „Ich befinde mich hier so wohl, als in einem Orte der Welt", schrieb er am 13. Juli 1775 seinem Bruder. „Frische Luft, die majestätische Donau vor meinem Fenster, schöne Buchläden, gute Freunde . . . machen mir das Leben sehr angenehm." Er hatte in dem Hain-Dichter Johann Martin Müller einen Freund gefunden. Seine Chronik machte ihn weit herum bekannt. Sie wurde sogar in London und Paris, Amsterdam und Petersburg gelesen. Berühmte Fremde besuchten ihn: die Grafen Stolberg, Goethe, Klinger; Lavater wechselte Briefe mit ihm. Es schien, als ob er nach langen Stürmen nun den schützenden Hafen gefunden habe.

Aber wie hätte die dauernde Ruhe eines bürgerlich gesicherten Lebens zu seinem Charakter passen können! Schon die Möglichkeit freier Aussprache, die die Zeitung bot, war eine Gefahr, die sein ungezügeltes Temperament nicht zu meiden wußte. Er hatte einst, als er in den Dienst Karl Eugens treten sollte, von den Donnerkeilen in der Hand Jupiters gesprochen. Wirklich kam der vernichtende Schlag nun von dieser Seite.

Herzog Karl Eugen muß immer noch mit grollendem Herzen des einstigen Musikdirektors Schubart gedacht haben. Es war ihm ein Dorn im Auge, daß er jetzt, in nächster Nähe seines Ländchens und doch seiner Macht entzogen, die Deutsche Chronik herausgab. Möglich, daß auch diesmal der Dekan Zillig im Hintergrunde schürte. „Priesterhaß, der nicht eher verlischt, als bis er den Gegenstand seiner Wut zerstört hat, ist die alleinige Ursache meiner Gefangenschaft," erklärt Schubart in seiner Selbstbiographie. Vielleicht die erste, aber nicht die alleinige. Unvorsichtigkeiten in der Herausgabe der Deutschen Chronik und persönliche Ungeschicklichkeiten kamen dazu: der kaiserliche Gesandte General von Ried grollte ihm, weil er sich einst geweigert, auf einem schlechten Flügel vor ihm zu spielen, und weil er in der Chronik berichtet hatte, daß die Kaiserin plötzlich erkrankt sei. Der Herzog war erbittert, weil er sich getraut hatte, den Verkauf von 3000 württembergischen Soldaten an England zu melden, und weil er unter den kinderlosen Fürstenhäusern in Europa auch das württembergische genannt hatte. Nicht weniger muß ihn, der sich auf seine Karlsschule soviel zugute tat, ein boshaftes Epigramm Schubarts in die Nase gestochen haben:

> „Als Dionys von Syrakus
> Aufhören muß
> Tyrann zu sein,
> Da ward er ein Schulmeisterlein.

Er beschloß, diesen frechen Zeitungsschreiber zu strafen, und scheute, um seiner habhaft zu werden, den gemeinen Trick eines schamlosen

Schergen nicht. Am 22. Januar 1777 erschien der Klosteramtmann Scholl von Blaubeuren bei Schubart und lud ihn, unter dem Vorwand, sein Schwager wolle ihn kennenlernen, zum Essen ein. Arglos sagte Schubart zu, trotzdem er Scholls Schwager schon kannte. Aber sein Weib hatte bange Ahnungen. Am nächsten Morgen bestieg er den Schlitten und fuhr mit Scholl durch beschneite Gefilde „mit dem Dolch der Ahnung in der Seele". In dem herzoglich-württembergischen Blaubeuren wurde er in Scholls Wohnung allein gelassen. Plötzlich öffnete sich die Tür. Ein Major trat ein in Begleitung des Grafen Sponeck, des Blaubeurischen Oberamtmanns und des Klosteramtmanns und kündigte ihm auf Befehl des Herzogs Arrest an. „Ich hoffe, der Herzog werde mich nicht ungehört verdammen, noch weniger mich im Kerker verfaulen lassen," sagte Schubart. Man erlaubte ihm, an sein Weib zu schreiben. Dann mußte er den Reisewagen besteigen, der ihn nach dem Asperg führte. Der Herzog selbst war zugegen und bezeichnete den Kerker, in dem er verwahrt werden sollte. Mit Franziska von Hohenheim sah er von einem Fenster zu, wie Schubart in den Turm geführt wurde. Die Tür rasselte hinter ihm zu, und er war allein in einem grauen, düstern Felsenloche.

Mehr als ein Jahr lang lag er, ohne Papier und Schreibzeug, in der gewölbten Zelle des Turms, die einen Ziegelboden, eine rauchgeschwärzte Wand mit einem Kettenring und ein kleines, vergittertes Fensterloch hatte. Sein Lager war eine Schütte Stroh. Die Luft war so dumpf, daß ihm der Schlafrock am Leibe verfaulte. „Damals hatte", so schilderte er später seinem Sohn seinen Zustand, „mein Gedächtnis so nachgelassen, meine Phantasie war so spröde und düster, mein Herz so gepreßt und erschöpft, mein Verstand so furchtsam, mein Gesichtskreis so schwül und enge, daß ich mich selbst nicht mehr kannte und bittere, fürchterliche Tränen über den Nachlaß meiner Seelenkräfte weinte. Der Dampf meines Kerkers — denn keine Luft konnte durchstreichen — fraß meine Brust an, senkte tödliche Mattigkeit in meine Glieder, und spannte alle Triebfedern meines Körpers ab. Mit ihm schrumpfte auch meine Seele immer trauriger zusammen."

Nach Beginn des zweiten Jahres wurde er in ein trocknes und luftiges Zimmer gebracht, aber immer noch enthielt man ihm Schreibmaterialien und Klavier vor, und abends um acht Uhr mußte er das Licht löschen. Oberst Rieger, der Kommandant des Asperg, der selber die Schrecken der Festungshaft erlitten hatte, führte die Befehle des Herzogs mit grausamer Härte aus. Zu Lichtmeß 1779, nach zwei Jahren Gefangenschaft, gestattete man ihm, den öffentlichen Gottesdienst zu besuchen. Zu Ostern durfte er die Orgel spielen und mit dem Kommandanten auf dem Festungswall spazieren. Von da an konnte er zuweilen Besuch empfangen und durfte manchmal in der Wohnung des Kommandanten Klavier spielen. Aber das Schreiben war ihm auch jetzt noch untersagt. Die Briefe der Seinen übergab man ihm — aber erst Ende 1780 durfte er sie beantworten, doch unterlagen seine Schreiben der Zensur Riegers. Damals erhielt er auch die Erlaubnis, allein auf den Festungswällen zu spazieren. Daß man ihn als maître de plaisir verwandte, ihn Huldigungsgedichte und Opern verfassen und aufführen ließ, geschah nicht aus Teilnahme mit dem Gefangenen, sondern zum Vergnügen des Kommandanten und seiner Soldaten, ja auch des Herzogs.

Es ist erstaunlich, wie er auch bei dieser Mißhandlung die Schwungkraft seines Geistes rege hielt. Gab man ihm kein Schreibzeug und Papier, so schrieb er mit einer Lichtschere, einer Gabel oder der Knieschnalle seine Gedichte an die Wand. In dieser Zeit sind einige seiner besten Gedichte entstanden, so „Die Fürstengruft", „Der Gefangene", „An meine Gattin". Er war nie ein kühler Stoiker gewesen, und die Kraft, aus der er lebte und wirkte, war nicht der verstandesgehärtete Wille, sondern das Gefühl. Immer hatte es ihn zwischen wilden Freuden und dunkler Verzweiflung auf- und abgewirbelt. Hatte ihn nach maßlosen Ausschweifungen die Reue erfaßt, so hatte der Verzagte seine Augen zu Gott erhoben und seine Verzeihung erfleht. Wenn er jetzt in dem Düster und der Qual seines Kerkerlebens klagender Betbruder wurde, so geschah es ebenso aus eigenem Bedürfnis wie aus der Absicht des Herzogs und seiner Kreaturen, die ihn bessern wollten. Es mag in seinem frömmelnden Gebaren ein schauspielerischer Zug mitenthalten sein; Deklamieren, großsprecherisch sich ins Licht setzen lag in seiner Natur, und oft genug auch in der Zeit der Freiheit geht das schlichte Wort der Wahrheit bei ihm in die Phrase über. So wenn er 1785, nach einem Besuche der Seinen, an seine Frau schreibt: „Meine Nerven dröhnen noch vom Fußtritte eurer Liebe." Wer aber derartige Übertreibungen ihm zum Vorwurfe macht, soll die viel größere Schauspielerei und satanische Selbstgerechtigkeit bedenken, mit der der Herzog und seine Schergen ihn behandelten.

Während so Schubart, in dem Sturme seines leidenschaftlichen Gemütes, oft genug seiner Würde vergaß, wuchs seine unglückliche Frau, die ihm mit ihrer bescheidenen Bildung früher nie hatte genug sein können, zu wahrer Größe des weiblichen Mutes und tatkräftigen Opfersinnes empor. Erst jetzt erfuhr er, wie sehr sie ihn liebte. Der Herzog hatte ihr eine Pension von 200 Gulden ausgesetzt, so war sie der schlimmsten Not enthoben. Aber stets aufs neue unternahm sie Schritte, um ihren Gatten frei zu bekommen oder wenigstens sein Los zu erleichtern. Sie machte Eingaben an den Herzog, bat um Audienzen, bewarb sich um die Fürsprache mächtiger Persönlichkeiten. Nicolai, der Herzog von Gotha, der preußische Gesandte Campe, Lavater verwandten sich für ihn. Zu dieser Zeit stand ihr Johann Martin Miller als treuester Freund zur Seite. Der Herzog aber blieb allen Bitten unzugänglich. Die Art, wie er Schubart und seine Frau seine Macht fühlen ließ, zeugt von teuflischer Gemütsrohheit. Als sie zu Neujahr 1782 den Herzog bat, ihren Mann besuchen zu dürfen, antwortete er: „Das hat sie nicht mehr nötig, denn sein Arrest ist aus und sie wird ihn nächstens sehen." Es war eine Lüge.

Am 11. Oktober 1783 geschah folgendes: „Ich saß," erzählte er seiner Frau, „eben am Tische und flehte im Herzen zu Gott, er möchte doch einmal meinen unausstehlichen Jammer enden, als ein Soldat in mein Zimmer trat und sagte: „Wissen Sie, daß Ihre Frau und Sohn vor dem Tore sind?" Wie vom Blitz gerührt, fuhr ich auf, mit dem zweischneidigen Schwert der bittersüßesten Empfindung im Herzen ... „Da gehen sie über den Platz", schrie ein andrer, und ich sank aufs Bett, ohne dich zu sehen. Was sprichst du nun mit deinen Lieben? dacht' ich und seufzte: Ach Gott, stärke mich zu dieser Stunde. Und siehe da, anstatt dich zu umarmen, legte man zwei Schlösser vor meine Tür und gab mich so der Verzweiflung preis." Einmal kamen dreißig Schüler der Akademie zu Besuch auf die Festung; seinem Sohn aber, der an der Akademie studierte, hatte man nicht erlaubt, den Vater zu besuchen. Sogar Mörder erhielten den Besuch ihrer Frauen, Schubart nicht. Der Gipfel der Ruchlosigkeit war, daß man ihn veranlaßte, eine Sammlung seiner Gedichte herauszugeben; denn sie wurde in der Druckerei der Akademie gedruckt, und reicher Erlös floß in die Kasse des Herzogs.

Von Jugend auf hatte Schubart für Friedrich den Großen geschwärmt. Die Gedichtsammlung, die 1786 erschien, brachte im zweiten Bande einen Hymnus auf den Preußenkönig. Als gleichzeitig Friedrich starb, weihte er seinem Andenken ein zweites Gedicht, „Obelisk". Beide fanden eine außerordentliche Verbreitung und lenkten aufs neue die Augen der Deutschen auf den gefangenen Dichter. Nun wandte sich im Namen seines Königs der preußische Minister Graf Herzberg an den Herzog und legte ihm nahe, Schubart die Freiheit zu geben. Prinz Heinrich und die Prinzessin Friederike von Preußen verwendeten sich für ihn. So mächtigen Persönlichkeiten fügte sich der Herzog schließlich. Am 11. Mai 1787 konnte Schubart ausrufen: „Ich bin frei!" Er hatte mehr als zehn Jahre in der Gefangenschaft gesessen.

In Stuttgart erhielt Schubart die angesehene Stelle des Musik- und Operndirektors und des Hofdichters, mit dem Auftrage, für die durchlauchtigen Namens- und Geburtstage und sonstige Festlichkeiten des Hofes ehrfurchtsvolle Glückwunschgedichte anzufertigen. Zugleich aber nahm er die Herausgabe seiner Zeitung wieder auf, die jetzt den Titel „Vaterländische Chronik", von 1790 an einfach „Chronik" trug. Er benützte sie, um seiner Begeisterung für die Französische Revolution Ausdruck zu geben. Sie war ihm ein Beweis dafür, daß die Menschheit nicht schwach und alt geworden sei, „da ein Volk, das wir in Kleinigkeitsgeist verkommen glaubten, solche Proben von Mut und Größe zeigt." Er tadelt seine Landsleute, daß sie sich von ihren westlichen Nachbarn an Freiheits- und Vaterlandsliebe auf einmal so weit überflügeln ließen, und verhöhnt sie als die besten Untertanen. Äußerlich ging es ihm jetzt gut. Sein Sohn berichtet: „Seine Chronik, sein Amt, Gelegenheitsgedichte und anderes warfen ihm bald nach seiner Loslassung soviel ab, daß er ein jährliches Einkommen von mehr als 4000 Gulden genoß. Natürlich machte er sich diesen Segen vollauf zu Nutze; er gab Traktamente und nahm sie an; ließ Keller und Küche stattlich bestellen und suchte der zahlreichen Innung der Bonvivants gleichsam zu zeigen, daß es ein Poet doch auch auf einen grünen Zweig bringen könne."

Als Schubarts Frau zu Anfang seiner Gefangenschaft den Herzog um Gnade für ihn angefleht hatte, sagte er ihr, sie solle einen gebesserten Mann wiederbekommen. Diese Besserung hatte schon vor der Gefangenschaft eingesetzt; die Macht, die sie bewirkte, war das Familienleben, an dem er mehr und mehr Gefallen fand. Die Gefangenschaft hatte ihn nicht sittlich gebessert, sondern nur sein Gemüt zermürbt und seine Gesundheit untergraben. Schon auf dem Asperg war er von Schlaganfällen heimgesucht worden. Der jähe Übergang von der Gefangenschaft zur Freiheit, von der kargen Kost zu üppigen Schmausereien bekam seiner Gesundheit nicht gut. Die Schlaganfälle wiederholten sich, und am 10. Oktober 1791 starb er. Er war zweiundfünfzigeinhalb Jahre alt geworden.

Schubarts Charakter entbehrt, bei aller Haltlosigkeit, doch der großen Züge nicht, und der Einbruch despotischer Herrschermacht in sein Leben gestaltet es zur Tragödie. Gottfried August B ü r g e r s Leben fehlt der tragische Zug. Die Sinnlichkeit und Leidenschaft bestimmen es, schaffen ihm kurze Zeit höchstes Glück, bereiten ihm aber auch frühen Untergang. Wenn die ungerechte Einkerkerung die Welt Schubarts Verfehlungen vergessen ließ und ihm die Teilnahme aller Gerechtdenkenden schenkte, so ward das Mitleid mit dem unglücklichen Bürger schließlich durch die Lächerlichkeit überdeckt, der ihn die Blindheit seiner Eitelkeit preisgab.

Als er um seine dritte Frau, die junge Elise Hahn, warb, entwarf er ihr im Februar 1790 in einem mutigen und offenen Beichtbriefe ein wahrheitsgetreues Bild seiner Person und seines Lebens. Der damals Dreiundvierzigjährige nennt sich einen wurmstichigen, mehr als halb verrotteten Stamm. Er beschuldigt sich der Trägheit, Weichheit und Sinnenlust. „Dies verursacht, daß ich auch in Ansehen dessen, worin ich vielleicht wirklich besser bin als andere Menschen, dennoch nicht gar viel von mir selbst halten kann. Denn da ich zu wenig Herr meiner Neigungen bin, um mich von ihnen loszureißen, wenn es darauf ankommt, dem gerade gegenüberliegenden, von mir selbst erkannten, bewunderten und geliebten Guten nachzustreben: so muß ich wohl mein wirkliches Gute nur für das Produkt eines unterstützenden Temperaments halten. So glaube ich z.B. nicht, daß ich grob, beleidigend, hämisch, boshaft, zänkisch, unversöhnlich, rachgierig usw. bin: aber warum bin ich's nicht? etwa weil ich das alles für Unrecht, das Gegenteil aber für die Pflicht halte? Ach, das tue ich freilich: aber darum meide ich wohl nicht jene Laster und übe die entgegengesetzten Tugenden aus, sondern vielleicht nur darum, weil mein träges und weiches Temperament Ruhe und Frieden liebt. Wie manche meiner Tugenden mag aus Eigenliebe, Eitelkeit und Ruhmsucht entspringen!"

Man mag die verhängnisvolle Veranlagung Bürgers auf die Eltern zurückführen. Die Trägheit kann ein Erbteil des Vaters sein, die Sinnlichkeit kann er von der Mutter haben. Aber diese war auch so boshaft und neidisch, daß sie, als die Familie das Pfarrgütchen in Molmerswende verließ, alle Bäume beschädigte, um dem Nachfolger ihres Mannes einen Tort anzutun. Von diesen Eigenschaften hat sich Bürger mit Recht freigesprochen. In Molmerswende im Bistum Halberstadt ist er am 31. Dezember 1747 geboren. Der Vater war dort kärglich besoldeter Prediger. Als er nach einiger Zeit als Adjunkt nach Westorf versetzt wurde, mußte er fünfzehn Jahre warten, bis er Pfarrer wurde. Er überlebte die Beförderung nur ein halbes Jahr.

In dem nachlässig erteilten Unterricht des Vaters wuchs der Sohn auf, besuchte dann die Stadtschule in Aschersleben und trat nach einem Jahre, 1760, in das Pädagogium in Halle ein. Hier erwarb er sich in den drei Jahren, während deren er die Anstalt besuchte, eine tüchtige Kenntnis, vor allem des Lateinischen und Griechischen. Im Mai 1764 ließ sich der Siebzehnjährige als Theologe in Halle einschreiben. Aber bald verdrängte die klassische Philologie die Theologie. Es war ein Verhängnis, daß er hier unter den Einfluß des berüchtigten Professors Klotz geriet, des von Lessing in den Antiquarischen Briefen gezüchtigten akademischen Scharlatans und Cliquenreiters. Bürger gab sich ihm so zu eigen, daß er ihm noch im Winter 1767 schrieb: „Tu mihi Socrates, tu mihi Plato! — Du bist mir Sokrates und Plato!" Damals hielt er sich in Aschersleben auf bei seinem Großvater mütterlicherseits, dem bemittelten Spitalprovisor Bauer, der die Kosten seines Studiums bestritt. Die klassische Philologie war ihm jetzt verleidet, und er hatte den Großvater beredet, ihn die Rechte studieren zu lassen. Auf Ostern 1768 ging er als Jurist nach Göttingen. Klotz hatte ihn veranlaßt, bei seiner Schwiegermutter Madame Sachse Wohnung zu nehmen. Das Haus, darin zwei Töchter die Anziehungskraft darstellten, war nicht viel besser als ein Bordell. Die Mieter der Madame Sachse waren meist reiche Russen, die die Taler springen ließen. Bürger machte tüchtig mit, wenn es galt, Amor und Bacchus zu opfern, geriet in Schulden, und der Großvater, nachdem er eine Zeitlang für ihn bezahlte, zog seine Hand zurück. Jetzt war es der allzeit hilfsbereite Vater Gleim, der mit einem Darlehen einsprang. Denn Bürger war in sich gegangen, war ein fleißiger Student geworden, hatte mit den Mitgliedern des Göttinger Hains, vor allem mit Boie, Freundschaft geschlossen und hatte selber, unter dem Einfluß von Percys altenglischen Balladen, volkstümlich derbe Lieder verfaßt, zugleich aber auch die Übersetzung der Ilias in Jamben und eines großen römischen Liebesgedichtes, des Pervigilium Veneris, begonnen.

1772 hielt er sein Studium für abgeschlossen und nun übernahm er die Stelle eines Amtmanns oder Gerichtsvorstehers in Alten Gleichen. Er wohnte zuerst in Gelliehausen, von 1774 an in Niedeck. „Glaube nur nicht," schrieb er einem Freund, „daß mein Amt ein Katzendreck sei! ... Ich habe sechs ansehnliche Dörfer unter meiner Gerichtsbarkeit, welche die Obere und Untere ... in sich begreift, und bin unumschränkter, als ein königlicher Beamter." „Ich bin mit meinem Schicksal recht zufrieden", hatte er am Anfang Boie bekannt; aber als er sah, wieviel „alte aufgesummte Arbeit" sein Vorgänger hinterlassen hatte, die er erledigen mußte, begannen seine Klagen, um so mehr als er selber nicht der Mann war, rasch und ordentlich zu arbeiten. Dazu kamen die kargen Einnahmen, mit denen er nicht hauszuhalten wußte. „Ich bin so arm wie eine Kirchenmaus," seufzte er. Was ihn oben hielt, war die Dichtung und der Verkehr mit den Göttinger Freunden. Er bemühte sich nun ganz, zum Volksdichter zu werden. Er hatte Percys „Relics of ancient English Poetry" und Herders Ossianaufsatz mit der größten Begeisterung gelesen, sein Ziel war jetzt, die deutsche Literatur mit ähnlichen Liedern und Balladen zu bereichern. In der Sammlung „Aus Daniel Wunderlichs Buche" veröffentlichte er 1776 einen „Herzensausguß über Volkspoesie". Es ist, als ob er spürte, daß der Naturalismus des Sturms und Drangs auf dem Wege sei, sich in Weimar zu einem neuen Klassizismus zu läutern. Schon 1775 schrieb er Boie, sein Enthusiasmus für die Volkspoesie steige immer höher. Vor den klassischen Dichtarten fange ihn bald an zu ekeln. Gegen die klassische Dichtung stemmt er sich mit dem ganzen Gewicht seiner Bauernnatur. Denn nicht nur Zeugnis des literarischen Wollens ist der Herzensausguß, sondern auch Ausdruck eines ungeordneten und sinnlichen Charakters. Der edle Enthusiasmus von Herders Sprache im Ossianaufsatz ist ins Rohe, Marktschreierische verzerrt. Er schimpft auf die „Quisquiliengelahrheit" der Deutschen, daß die deutsche Muse „keine deutsche Menschensprache, sondern vel quasi eine Göttersprache stammeln soll". Er will das bildungs- und gesellschaftsmäßig abgestufte deutsche Volk wieder in ein einheitliches Ganze umformen und diesem eine Poesie schaffen. „Man lerne das Volk im Ganzen kennen, man erkundige seine Phantasie und Fühlbarkeit, um jene mit gehörigen Bildern zu füllen und für diese das rechte Kaliber zu treffen. Wer's dahin bringt, dem verspreche ich, daß sein Gesang den verfeinerten Weisen ebenso sehr als den rohen Bewohner des Waldes, die Dame am Putztisch wie die Tochter der Natur hinter dem Spinnrocken und auf der Bleiche entzücken werde. Dies sei das echte Non plus ultra aller Poesie!" An Boie schrieb er 1777: „Es ist je gewißlich wahr und ein teures wertes Wort, daß Popularität in jeder Gattung der Poesie keine Schimäre ist... Es ist kein Gegenstand der Poesie, der nicht populär behandelt werden könnte." Seine eigenen Gedichte, vor allem die „Lenore", sollten Proben dieser Volksdichtung sein. Begreiflich, daß solche Aussprüche, in denen Wahres und Falsches vermischt in der Maske eines neuen Evangeliums sich vorstellte, den Spott des alten Aufklärers Nicolai weckten. Wenn derartige Ansichten ins Volk drangen, so war ja das Bildungswerk, an dem er so eifrig arbeitete, aufs höchste gefährdet. So gab Nicolai gegen Bürger in zwei Bändchen seine Volksliedersammlung „Eyn feyner kleyner Almanach vol schönerr echterr liblicherr Volckslieder" heraus (1777/78) und schickte jedem Teile eine Einleitung voraus, die Bürgers „Daniel Wunderlich" durch die Gestalt eines Schusters Daniel Seuberlich parodierte.

Damals hatte die Sinnlichkeit, die ihm Natur hieß, auch den Menschen Bürger in schwere Kämpfe verstrickt. Er hatte Anfang 1774 seinen Amtssitz nach Niedeck verlegt und hatte da die Familie des Amtmanns Leonhart kennengelernt. Mit der damals achtzehnjährigen Dorette verlobte er sich noch im gleichen Jahre. Bevor es aber zur Heirat kam, verliebte er sich leidenschaftlich in ihre zwei Jahre jüngere Schwester Auguste

(„Molly"). „Schon als ich mit der ersten Schwester vor den Altar trat, trug ich den Zunder zu der glühendsten Leidenschaft für die zweite in meinem Herzen", gestand er später Elise Hahn. Er konnte aber seine Verlobung nicht mehr aufheben, da er Dorette sich völlig zu eigen gemacht hatte. So fand die Heirat statt. Bürger war nicht der Mann, seine Leidenschaft zu zähmen. Eine Trennung von Molly steigerte sie. Ihren Widerstand gelang ihm um so leichter zu brechen, als auch sie ihn liebte. Sollte Dorette den Vater ihrer Kinder der Schwester überlassen? Sie sah ein, daß es außer ihrer Macht war, ihn zum Verzicht zu bewegen. Sie wollte aber auch selber ihn nicht preisgeben. So willigte sie ein, daß die Schwester ins Haus genommen wurde und fortan neben ihr, der rechtmäßigen Gattin, als Bürgers Geliebte an seiner Seite lebte. „Was der Eigensinn weltlicher Gesetze nicht gestattet haben würde, das glaubten drei Personen sich zu ihrer allerseitigen Rettung vom Verderben selbst gestatten zu dürfen." Was Bürger nach Jahren in der Beichte für Elise Hahn als „Rettung vom Verderben" bezeichnete, war in gleicher Weise der Grund zum Verderben. Es zu beschleunigen, kamen äußere Schwierigkeiten zu den Ehewirren hinzu. Bürger war kein guter Beamter. Von Natur ungeordnet, vernachlässigte er über Vergnügen mancher Art, über literarische Arbeiten, über seinen häuslichen Sorgen die Amtsgeschäfte und mußte immer wieder Strafgelder zahlen. Die Stelle als Amtmann trug wenig ein. In seinem Überdruß und Leichtsinn tat er das Törichteste, was er tun konnte. Verkündete er als Dichter das Ideal der Volkstümlichkeit, so wollte er nun auch als Mensch zum Volke herabsteigen, pachtete 1780 das Landgut Appenrode und beabsichtigte, Landmann zu werden. „Es ist wahrhaftig nicht unangenehm," schrieb er an seinen Freund Goeckingk, „seine Rosse um sich herum wiehern, seine Stiere und Kühe brüllen, Schafe blöken, Schweine grunzen, Gänse und Enten schnattern, Hühner gackern und Tauben murken zu hören. Meine jetzige Hauptliebhaberei ist Gartenbau und Blumenzucht. Ich wühle in der Erde wie ein Maulwurf. Der Schreibtisch stinkt mich an." Man kann sich denken, wie lange dieser Zustand dauerte. Ein Landgut ist ein fressendes Übel für den, der nichts von der Landwirtschaft versteht und kein Geld hat, um den Ausfall immer wieder wett zu machen. Bürger war in diesem Doppelfalle. Es lag nicht in seiner Natur, und er hatte nie gelernt, sich beharrlich einer Sache hinzugeben. Noch war das erste Jahr nicht abgelaufen, so war ihm die Landwirtschaft verleidet. Immer tiefer sank er in den Schlamm einer Schuldenwirtschaft, und 1782 gab er das Landgut, zwei Jahre später die Amtmannsstelle auf. Im gleichen Jahre starb Dorette an der Lungenschwindsucht. Nun heiratete er Molly und verbrachte mit ihr ein paar Monate höchsten Glückes. Aber schon im Januar 1786 wurde auch sie ihm, nach der Geburt eines Kindes, durch den Tod entrissen.

Damals lebte er in Göttingen. Er hatte sich nach der Aufgabe seines Amtes zur akademischen Tätigkeit entschlossen und hatte 1784, vor allem auf Befürwortung durch den ihm wohlgesinnten klassischen Philologen Heyne, die Venia legendi erhalten. Als Lehrgebiet hatte er, bezeichnend genug, selber bestimmt: „Deutsche Geschichte, Altertümer, Literatur, Sprache und Dichtkunst, kurz alles, was deutsch heißt und überhaupt Philosophie des Guten und Schönen." Man erfährt, daß er unter der letzteren etwas unbestimmten Bezeichnung vorläufig auch „brauchbaren Unterricht in der lateinischen und englischen, in der Folge wohl auch, weil ich Sprachen mit besonderer Leichtigkeit lerne, in der italienischen, spanischen und griechischen Sprache", und in Philosophie verstand — fürwahr, auch für das 18. Jahrhundert ein weites Programm, vor allem wenn man bedenkt, daß der Sprachunterricht genaue Kenntnisse verlangte, die er keineswegs besaß. Es gelang ihm denn auch nicht, die Achtung der Studenten und das Zutrauen der Professoren zu gewinnen. Nur Heyne und die beiden Mathematiker Kästner und Lichtenberg verkehrten freundschaftlich mit ihm. Man warf ihm. neben den mangelhaften Kenntnissen, ungenügende Vorbereitung für seine Vorlesungen vor. Empfängliche Studenten wußte er durch die Kunst und das Temperament im Vortrag von Dichtungen hinzureißen. Wer ihm näher trat, konnte, wie August Wilhelm Schlegel, auch in ästhetischer und namentlich metrischer Beziehung manches von ihm lernen. Er war auch einer der ersten, die über die Philosophie Kants lasen. Seine Kritik der reinen Vernunft nannte er sein tagtägliches Erbauungsbuch. „Ich danke Gott für diesen Mann, wie für einen Heiland, der die arme gefangene Vernunft endlich aus den unerträglichen Ketten dogmatischer Finsternis glücklich erlöset hat" (14. Mai 1787). Man sieht, er hat nur das Umstürzende und Auflösende in Kants kritischer Philosophie, nicht das Aufbauende und Neuordnende erfaßt.

Auf das Wintersemester 1789 erreichte er, daß man ihm den Titel eines außerordentlichen Professors verlieh. Er war damals als Dichter sehr fleißig. 1786 hatte er, nach der englischen Vorlage des Casseler Bibliothekars Raspe, die „Wunderbaren Reisen des Freiherrn von Münchhausen" herausgegeben. 1789 erschien die zweite Ausgabe seiner Gedichte. Sie verbreitete und festigte seinen Ruhm als Dichter. Aber sie wurde auch der Anlaß zur größten Schmach, die Bürger über sich heraufbeschwor. Im September brachte der Stuttgarter „Beobachter" ein langes Gedicht, in dem ein „Schwabenmädel" Bürger seine Verehrung bekundete, seine Hand antrug:

> „Denn kämen tausend Freier her
> Und trügen Säcke Goldes schwer
> Und Bürger zeigte sich —
> So gäb' ich sittsam ihm die Hand
> Und tauschte mit dem Vaterland,
> Geliebter, Dich!"

Die Verfasserin war die durch Schönheit ausgezeichnete, damals zwanzigjährige Elise Hahn. Obgleich das Gedicht „An den Dichter Bürger" den Untertitel trug: „Nach einem scherzhaften Gespräche bei Lesung seiner Gedichte" und Elise stets erklärte, es sei als Ausfluß einer tollen Laune zur Auslösung eines Pfandes an einem lustigen Abend entstanden, so war Bürger eitel genug, es als ernst aufzufassen, trat mit Elise in Verbindung und zeichnete für sie, entschlossen sie zu heiraten, seine Lebensbeichte auf. Zu Ostern 1790 reiste er nach Stuttgart. Elise fühlte, als sie den Zweiundvierzigjährigen vor sich sah, bereits ein Erkalten ihrer Liebe, während er im Rausche seiner Leidenschaft ein neues, schönstes Glück aufblühen sah. So kam es zur Verlobung und Heirat. Der witzige Kästner, als ihm jemand Bürgers Vermählung mit den Worten mitteilte: „Welch eine Eroberung!", soll erwidert haben: „Welch eine Niederlage!"

Sie hätte nicht peinvoller sein können. Dem ersten Rausch der Flitterwochen folgte ein schmerzliches Erwachen. Bald hatte Bürger über Elises Vergnügungs-, Putz- und Verschwendungssucht zu klagen. Sie aber warf ihm vor, er habe sie aus einem glücklich angelegten Geschöpf zu einem verzweifelnden, nach Betäubung suchenden Wesen gemacht. Sie waren kaum zwei Monate verheiratet, als sie ihm mit dem Sohne des Orientalisten Michaelis, dem Bruder der späteren Caroline Schlegel, die Treue brach. Und dann folgte ein Liebhaber dem andern. Bürger war lange arglos, während man ihn in der ganzen Stadt als Hahnrei verlachte. Als er schon klare Beweise ihrer Schuld in Händen hatte, war er doch immer wieder bereit, ihr zu verzeihen. Erst als er selber sie im Ehebruch mit einem holländischen Baron, der in Göttingen studierte, überraschte und erst den Liebhaber mit Faustschlägen, Elise mit einem Dutzend Ohrfeigen traktiert hatte, trennte er sich endgültig von dem „verschwenderischen, üppigen, heuchlerischen, verbuhlten und ehebrecherischen Weib", wie er sie in einem Schreiben an ihre Mutter bezeichnete. Die Ehe wurde geschieden. Elise wurde später Schauspielerin.

Zu dieser Vernichtung von Bürgers menschlichem Ansehen kam ein tödlicher Schlag gegen sein Dichtertum: Schillers Rezension seiner Gedichte in der Jenaischen Allgemeinen Literaturzeitung von 1791. Nicht nur zwei Persönlichkeiten, auch zwei Zeitalter traten sich gegenüber. Schiller hatte in schwerem Ringen aus der trüben Zwiespältigkeit seiner Jugend sich zur klaren und sittlich reifen Persönlichkeit emporentwickelt, die nun nach eigenem Maßstab die derbe Volkstümlichkeit des Dichters Bürger beurteilte und ihr künstlerisches Ungenügen auf den sittlichen Mangel des Menschen zurückführte. Zugleich war Schillers Aufsatz der Epilog der Sturm- und Drangdichtung, der Prolog der Klassik. Bürger versuchte, in einer Antikritik Schillers Vorwürfe zu entkräften. Die Zeit aber ging über ihn hinweg, und er fühlte es. Von beiden Schlägen hat er sich nicht mehr erholt. Auch er träumte, wie Schubart, als die französische Revolution ausbrach, von dem Morgenrot einer freieren Zeit, in der die Rechte des Volkes gegen die Übergriffe der Fürsten gewahrt werden sollten. Es war die vergebliche Hoffnung eines Enttäuschten. Am 8. Juni 1794 erlag er einem Leberleiden.

Das Wesen von Bürgers Persönlichkeit erhellt am besten, wenn man ihn in seiner Beziehung zu Goethe betrachtet. Der „Götz von Berlichingen" begeisterte ihn zu höchstem Lobe. Er schrieb darüber am 8. Juli 1773 an Boie: „Boie! Boie! Der Ritter mit der eisernen Hand, welch ein Stück!

Ich weiß mich vor Enthusiasmus kaum zu lassen... Welch ein durchaus deutscher Stoff! Welch kühne Bearbeitung!" Goethe war ihm der deutsche Shakespeare. Bald darauf schlug Goethe, durch Bürgers Freund Tesdorpf veranlaßt, „die papierne Scheidewand" zwischen ihnen ein und schickte am 12. Februar 1774 die zweite Auflage des Götz an Bürger. „Unsre Stimmen sind sich oft begegnet und unsre Herzen auch," schrieb er. „Werthers Leiden" ergriffen Bürger, in dessen Leben ein ähnlicher Konflikt wühlte, noch stärker als der Götz. „Du bist mir", schrieb er am 6. Februar 1775 an Goethe, „diese Nacht im Traum erschienen und ich habe — mein Weib hat's gehört — in Deinen Armen überlaut geschluchzt". Worauf Goethe ihm, das Du aufnehmend, schon am 17. Februar antwortete: „Gott segne Dich, lieber Bruder, mit Deinem Weibe, und wenn Du in ihrem Herzen wohnst, denke mein und fühl', daß ich Dich liebe... Habe lieb, was von mir kommt. Du bist immer bei mir, auch schweigend wie zeither." Man erkennt schon aus diesen wenigen Äußerungen den Unterschied. Goethes Worte strömen aus der Tiefe eines umfassenden und fruchtbaren Lebensgefühls, die Bürgers aus der Aufgepeitschtheit einer labilen Sinnlichkeit. Aber noch vermochte die leidenschaftliche Ergriffenheit des jungen Geschlechtes von dem heißen Atem der Zeit den Gegensatz zu verschleiern. Im Sommer 1775 schrieb Bürger an Goethe: „O daß ich täglich bei Dir wäre, mit Dir von einem Teller äße, aus einem Becher tränke und auf einer Streu schliefe...!" Goethes Antwort vom 18. Oktober 1775, in der unruhvollen Zeit vor der Reise nach Weimar geschrieben, schildert in für Bürger rätselhaften Wendungen den Sturm eigener Gefühle und geht erst im Nachwort auf Bürgers Lage ein: „Wie wirtschaftest Du mit Deinem Weibe? Hast Du Kinder?" Die Kluft beginnt sich abzuzeichnen. Bürger aber merkt es noch nicht. „Ich bin tot, mein lieber Junge", schreibt er Goethe im Januar 1776 nach Weimar, „und in kalten Wasserfluten versoffen. Versaufe täglich immer mehr und sterbe täglich immer mehr. Meine Lebenssäfte sind ausgetrocknet oder erstarrt bis auf die Galle." Und dann: „Schreib mir doch mal bei Gelegenheit, ob Du Dich kennst? Und wie Du's anfängst, Dich kennenzulernen, denn ich lern' es nimmermehr und kenne keinen weniger als mich selbst." Das war ein Hilfeschrei, gegen den Goethe sich nicht verschließen konnte, so gänzlich anders auch damals sein Leben am Weimarer Hofe sich gestaltete. „Dein Brief, lieber Bruder, tat mir weh, da er mich in einer glücklichen Stimmung traf," schreibt er sofort nach Empfang von Bürgers Brief am 2. Februar 1776. Hatte er inzwischen von Bürgers Ehewirren gehört? Es ist kaum möglich, daß es nicht der Fall war. Soll man, wenn er Bürger mit dem gleichen Briefe seine „Stella" schickt, die eben erschienen war, die Gabe als Zeichen des Einverständnisses oder als Warnung auffassen? Er jedenfalls hatte sich damit begnügt, die Doppelehe als ein Zusammenleben zu Dreien nur literarisch darzustellen; Bürger lebte sie wirklich. Jedenfalls war Goethe damals schon eine ziemliche Strecke von Bürger abgerückt. Jetzt fühlte er sich nicht mehr mit dem Menschen verbunden, sondern nur noch mit dem Schriftsteller. Bürger

154

hatte angefangen, die Ilias zu übersetzen, und am 26. Februar 1776 ließ Goethe ihm, da er selber „keine Zeit finden könne", Bürger selbst zu schreiben, durch seinen Diener Seidel mit der Aufforderung, die Übersetzung zu vollenden, die Liste der weimarischen Subskribenten zuschicken. Als er ihm im Frühjahr dann wieder selber schrieb, war ein kurzes Billett: „Laß Dir's in Deinem Wesen leidlich sein, daß Dir's auch einmal wohl werde. Freu' Dich der Natur, Homers und Deiner Teutschheit!" Zwei Jahre vergingen, bedeutungsvoll für Goethe, der sich in ihnen eine männlich-sittliche Haltung erarbeitete, trüb und verworren für Bürger, der keinen Ausweg aus seiner Ehetragödie fand. Als Goethe im Frühjahr 1778 wieder an Bürger schrieb, war der Anlaß die Homer-Übersetzung, die immer noch auf sich warten ließ, während das Geld der weimarischen Subskribenten bereitlag. Und jetzt redete Goethe den einstigen Bruder Bürger mit Sie an. Die Kluft zwischen dem weimarischen Minister und dem Justizamtmann Bürger war damit auch offiziell bekundet.

Die folgenden Beziehungen zwischen den beiden beruhen auf diesem neuen Verhältnis. Bürger wandte sich im Frühjahr 1781 an Goethe und bat um eine Anstellung in weimarischen Diensten. Goethe behandelte das Gesuch am 30. Mai rein amtlich vorsichtig: Er habe Anlaß und Ursache, vorsichtig zu sein, wenn es sich darum handle, das Schicksal eines Menschen mehr zu übernehmen. Bei Bürger halte er es doppelt für seine Schuldigkeit, aufrichtig und behutsam zu Werke zu gehen. „Machen Sie mich also mit ihren Umständen näher bekannt." Als Bürger ihm darauf am 18. August in einem langen Briefe seine Lage auseinandersetzte, riet ihm Goethe am 20. Februar des folgenden Jahres, er solle sich der akademischen Tätigkeit zuwenden! Wir wissen, daß Bürger Goethes Rat befolgt hat, ohne als Dozent mehr Glück und Erfolg zu finden. Die Beziehungen fanden ihren Abschluß durch Bürgers Besuch bei Goethe im Frühjahr 1789. Er hatte ihm mit einem höflichen Schreiben die zweite Ausgabe der Gedichte gesandt. Als er, nach langem Bedenken, sich zu Goethe begab, sagte ihm der Kammerdiener, seine Exzellenz sei wohl zu Hause, aber eben im Begriffe, mit dem Herrn Kapellmeister Reichhardt eine von dessen neuesten Kompositionen zu probieren. Bürger ließ sich melden und wurde in ein Audienzzimmer geführt. Nach einiger Zeit erschien Goethe, erwiderte Bürgers Anrede „mit einer herablassenden Verbeugung", nötigte ihn auf das Kanapee und fragte ihn nach der Frequenz der Göttinger Universität. So erzählt Nicolai nach Bürgers Bericht — beide nicht durchaus einwandfreie Zeugen. Wenn Goethe sich wirklich so kühl zeremoniell gegen den ehemaligen Duzfreund benommen hat, so war daran sicherlich nicht nur der Unterschied der gesellschaftlichen Stellung schuld, sondern eher der der Lebensauffassung. Bürger, mit der Ungeordnetheit seines Lebens, seiner Unbeherrschtheit und Unzuverlässigkeit, war ihm als Mensch völlig fremd geworden.

Aber auch der Dichter hatte ihn enttäuscht. Goethe hatte sich in Italien zur klassischen Kunstanschauung emporgeläutert, und Bürger war in dem trüben Naturalismus einer „volkstümlichen" Dichtung steckengeblieben. Er vermochte nicht, seine Gedichte aus dem seelisch-geistigen Grunde seiner Persönlichkeit organisch hervorwachsen zu lassen. Er schuf sie nichts weniger als genialisch: Er fühle die lebendige Quelle nicht in sich, schreibt er 1772 mit Anspielung an Lessings bekannten Ausspruch. Er zeichnete seine Gedichte auf Grund eines Einfalles oder nach einer fremden Anregung mühsam auf, feilte lange daran und beriet sich mit seinen Freunden, vor allem Boie, über den besten sprachlichen Ausdruck. So gab er seinen Gedichten den Schein künstlerischer Wirkung. „Lenore", einst viel bewundert, ist in wochenlanger Arbeit und unter Teilnahme des Göttinger Hains — „der ganze Hain hat accouchiern helfen", bekannte Bürger selber — ein eigentliches Bravourstück, jedenfalls alles andere als ein Volkslied geworden. Echt volkstümlich sind „Das Lied vom braven Mann" und „Der Kaiser und der Abt". Im Grunde war ihm die äußere Kunstfertigkeit alles, mit der er die Zuhörer hinreißen konnte. Als er die „Lenore" gedichtet, schrieb er an Boie: „Gottlob, nun bin ich mit meiner unsterblichen Lenora fertig! ruf auch ich in dem Taumel meiner noch wallenden Begeisterung Ihnen zu. Das ist Dir ein Stück, Brüderle! ... Ist's möglich, daß Menschensinne so was Köstliches erdenken können? Ich staune mich selber an und glaube kaum, daß ich's gemacht habe."

Gegenüber dem Leben von Schubart und dem von Bürger entbehrt das von Friedrich Müller, genannt Maler Müller, des tieferen menschlichen Interesses, wie ihm auch die markanten Züge fehlen. Am 13. Januar 1749 in Kreuznach als Sohn eines Bäckers, Bierbrauers und Schankwirtes geboren, besuchte er dort von 1759 bis 1763 das reformierte Gymnasium und füllte daneben seine Phantasie mit den romantischen Vorstellungen von Robinsonaden, Reisebeschreibungen und Barockromanen, wie Ziglers „Banise". In Zweibrücken bildete er sich bei dem Hofmaler Manlich zum Maler aus. Er war damals, nach Heinses Urteil, ein schöner Mann, verführerisch von Gestalt und Wesen, machte sich am Hofe beliebt und wirkte in Schäferspielen mit, die er etwa auch selber improvisierte. Er malte eifrig, u. a. Tierstücke, hatte aber auch dichterische Neigungen, verehrte Klopstock und freundete sich mit den Göttingern an, in deren Musenalmanach für 1774 — demselben, in dem auch die „Lenore" und von Goethe „Der Wanderer", „Mahomets Gesang" und andere Gedichte erschienen — er ein erstes Gedicht veröffentlichte: „Lied eines bluttrunknen Wodanadlers". Die edle Nordlandspoesie Klopstocks ist darin ins Blutrünstige und Rohe verzerrt:

„Was wirfst Du, Sturm, die Klippen nieder?
Was leckest Du mein Mahl?
Was schlägt in meinen Trank dein brausendes Gefieder?
Entfleuch aus diesem Tal!

Ihr tanzt, ihr Fichten und ihr Tannen,
Frohlockend um mein Mahl!
Ja, taumelt nur, voll Blutes der Tyrannen,
Durch dieses Wonnetal!

Er ist, er ist herabgesunken,
Der Silbermond ins Wonnetal!
Er sieht, er sieht mich, Brüder, trunken,
Und eilt zu meinem Mahl!"

Es muß damals eine höchst trübe Mischung von spielerischer Rokoko-lüsternheit, teutonischem Heldentum, leerer Phantastik und kraftmeie-rischem Naturburschentum in ihm gewesen sein, die die Zeitgenossen als Kraftgenialität auffaßten. Er war nicht maßvoll im Genuß von Frauen-gunst. Eine seiner Geliebten, Charlotte Kärner, zwang er, als sie einem andern Mann die Hand reichen sollte, die Liebe zu ihm mit ihrer Hin-gabe zu besiegeln und verließ sie dann doch. Sie starb in der Folge aus Gram. Der Herzog von Zweibrücken hatte ihm seine Gunst geschenkt. Als er aber mehr und mehr die Malerei zugunsten der Dichtung ver-nachlässigte, entließ er ihn, und Müller ging nach Mannheim. Das war im Herbst 1774.

In Mannheim stritten damals französische und deutsche Bildung mit-einander. Der Hof ahmte das allmächtige Vorbild von Versailles nach. Jesuiten gingen aus und ein. Italienische Opern und französische Schau-spiele beherrschten die Bühne. Aber 1775 wurde eine Deutsche Gesell-schaft gegründet, deren Seele der Buchhändler Schwan war. Sie wurde der Mittelpunkt des Kampfes gegen den Einfluß der Franzosen und der Jesuiten. Man plante die Errichtung eines Nationaltheaters, für das man 1777 Lessing berief. Wieland erschien zur Aufführung seines deutschen Singspiels „Alceste". Es herrschte reges geistiges Leben, das durch den Gegensatz gegen Frankreich befeuert wurde. Es lockte die jungen Dichter und Schöngeister an: Schubart, Goethe und die Stolberge, Wagner, Lenz, Klinger, Kauffmann, Merck.

Müller, den man nun den „Maler Müller" nannte, tummelte sich wacker in dem Genietreiben. Er nahm an der allgemeinen Freundschaft teil, die die jungen Genies miteinander verband. Er fühlte sich ihresgleichen und wurde durch sie emporgelobt. Denn man gab ja in diesen Kreisen wenig auf Bildung und Urteil, um so mehr auf Natur und Gefühl. Und dessen, was man Natur nannte, hatte Müller die Fülle. Es ist bezeichnend, daß er damals die innigste Freundschaft mit Schubart unterhielt. Jetzt entstan-den die Werke, die ihn bekannt gemacht haben. Es waren merkwürdiger-weise zuerst Nachahmungen von Gessner, dessen Idyllen ihn anzogen, weil sie auch ein Maler geschrieben hatte. Wie Gessner einen „Tod Abels" gedichtet hatte, so verfaßte er „Adams erstes Erwachen und erste selige Nächte" und den „Erschlagenen Abel". Er hielt das phrasenselige Schwel-gen in vermeintlichen Gefühlen und Vorstellungen der ersten Menschen für Offenbarung der Urnatur. „Der Satyr Mopsus" und andere Idyllen mythologischer Art schritten in den Spuren des Theokrit. Dann aber gab er die antikisierende Idealisierung des Landlebens auf, wandte sich der realistischeren Schilderung deutscher Dorfsitten zu und schrieb „Die Schafschur" und „Das Nußkernen". Er kannte das pfälzische Volksleben schon von der Wirtschaft seines Vaters her. Aber statt es schlicht und echt darzustellen, wie er es in der Erinnerung hatte, ließ er sich durch die empfindsamen Schlagworte der Zeit: Volkslied, Volksbrauch, Rous-seauischen Kulturhaß, verführen, modisch geschminkte Bilder zu geben, in denen Bauern zur nüchternen Arbeit des Schafscherens und Nuß-

157

kernens Pseudovolkslieder singen und forciert natürliche Reden führen. Und die Zeitgenossen, selber umnebelt von dem Dunst der Volksverherrlichung, priesen die Wahrheit dieser Gemälde. Damals war Müller in gleicher Weise als Maler wie als Dichter am Hofe angesehen. Der Kurfürst machte ihn zum Kabinettsmaler und forderte ihn auf, seine Gedanken über Errichtung eines deutschen Nationaltheaters und einer Theaterschule aufzuzeichnen.

Er aber strebte nach Italien, nach Rom. So groß war sein Ansehen, daß nicht nur der pfälzische Kurfürst ihm eine Pension zusicherte, sondern überall unter den Kunstfreunden für die Reise gesammelt wurde. Der Statthalter von Erfurt, Karl Theodor von Dalberg, erließ im Mai 1778 die öffentliche Aufforderung dazu, und in Weimar zeichneten der Herzog, Goethe, Wieland, Knebel Beiträge. Im August reiste er nach Rom.

Dieser Schritt, der den Maler auf den Gipfel der Kunst führen sollte, erwies sich in der Folge als der Anfang seines Niedergangs. Er hatte seinen Ruhm dem volkstümlich-deutschen Inhalt seiner Idyllen verdankt. Jetzt, wo er der Heimat entrückt war, versiegte auch der nährende Zufluß heimischen Lebens, und es zeigte sich, daß er nur von der allgemeinen Zeitbegeisterung für das Volksmäßige und Natürliche und von seiner Sinnlichkeit gelebt hatte, daß kein eigener geistiger Grund in ihm, daß er keine wesenhafte Persönlichkeit war. Die geschichtliche Größe und der Kunstreichtum Roms vermochten ihm nichts zu sagen. Er konnte nur schwärmen von dem Genusse, den die „ewige Roma allein gewähren kann", aber die Begeisterung wirkte sich nicht in schöpferischen Taten aus. Während Goethe in Rom die läuternde Reife seiner Persönlichkeit erlebte, vermochte Müller nur seine altdeutschen Märchenpläne weiterzuspinnen. Er hatte noch in Mannheim Fausts Leben zu dramatisieren unternommen; jetzt beendete er in Rom sein Drama „Golo und Genoveva". Dann versiegte der Quell der Dichtung. Aber auch für den Maler war Rom eine Enttäuschung, wie er selber für die Freunde, die seine Reise bestritten. Seinen Geldsorgen half Goethe durch weimarische Unterstützungen noch mehrmals ab. Aber als die Gemälde und Zeichnungen, die Müller nach Weimar sandte, mißfielen, hörte die Pension 1781 auf. Kurz vorher hatte Müller sich bestimmen lassen, zum Katholizismus überzutreten. Er tat es, weil die farbige Ausstattung der katholischen Kirchen seinem zu Phantastik und Empfindsamkeit neigenden Gemüte wohltat. Noch mehr aber, weil er sich bei dem Kurfürsten Karl Theodor von der Pfalz und Bayern beliebt machen und sich seine Pension sichern wollte. Im Herbst 1781 besuchte ihn Wilhelm Heinse. Beide waren sinnliche und leidenschaftliche Naturen. Sie hätten sich, berichtet Heinse an Fritz Jacobi, manchmal bis aufs Herumraufen gezänkt. „Er ist ein wenig heftig vor der Stirn, und mein Blut hat Italien leider noch nicht abgekühlt." Heinse stand Müller in jener Zeit am nächsten. Dagegen hielt Müller sich, als Goethe in Rom war, im Hintergrunde. Der Antiquar Hirt und andere hätten Goethes Leibwache ausgemacht, schrieb Müller an Heinse, und „es schien mir immer, wenn ich den starken Goethe unter den schalen

Schmachtlappen so herummarschieren sah, als erblickte ich den Achilles unter den Weibern von Skyros." Erst vor Goethes Abreise trafen sie sich in der Villa Medici für einige Augenblicke.

Als Müller selber sein künstlerisches Unvermögen einsah, verlegte er sich auf die Theorie der Kunst, auf das Studium des Altertums und die Kenntnis der römischen Altertümer. Jetzt suchte er sein Brot als Fremdenführer zu verdienen. Aber es ging ihm schlecht. Als Kronprinz Ludwig von Bayern nach Rom kam, fand er in ihm einen Gönner. Dem König gefielen das künstlerische Wesen und die Kenntnisse des „Teufelsmüllers", wie er ihn nannte, und seine Liederlichkeit betrachtete er als Genialität. Als er den Thron bestieg, ernannte er ihn zum Hofmaler und bediente sich seiner Hilfe zum Ankauf von antiken Kunstwerken. Am 23. April 1825 ist Müller gestorben. Schubart hat ihn einmal so gekennzeichnet: „Ich glaube, daß Du zuviel skizzierst und zu wenig vollendest. Du bist ein reicher Mann, der die Goldstücke nur so, ohne sichern Zweck, aus der Tasche nimmt und unters Volk hinsät. Ein Mann von Deiner großen Dichtergabe muß nicht sorglos sein und die Ausgüsse seines Herzens hinströmen lassen wie glühende Lava — wunderbar anzusehen, aber sengend und zerstörend . . . Gott hat doch alles nach Maß, Zahl und Gewicht so weislich geordnet, Genies sind sichtbar gotterfüllt: sollten sie also nicht auch dem Gotte nachahmen, der der Gott der Ordnung ist?"

Zu Schubart, Bürger und Maler Müller bildet Wilhelm H e i n s e einen gewissen Gegensatz. Wohl sind auch in ihm noch deutliche Elemente der Aufklärung; wohl ist auch in ihm jenes Titanische, Leidenschaftlich-Gesteigerte, das die Kraftgenies charakterisiert; wohl kennt auch er in seinem sinnlichen Verhalten keine Hemmungen. Aber während die andern tief im Grunde der Natur wurzeln und Erdgeruch ihr Leben und Schaffen umströmt, ist Heinse durch eine sehr mächtige Bildungsschicht von der Erde geschieden, und er hat sich von früher Jugend bis zu seinem Tod bemüht, diese Schicht immer reicher und dichter auszubauen. Es ist so etwas Zweideutiges in seinem Kraftgenietum, wie auch das Urteil über seine geschichtliche Stellung schwankt. Soll man ihn als einen Spätling der Aufklärung, ihres Sensualismus und ihres Vielwissens, soll man ihn als eines der Kraftgenies, des Irrationalismus auffassen? Eine Übergangserscheinung ist er sicherlich, aber was besagt das?

Der äußere Gang seines Lebens ist einfacher als der von Schubart und Bürger und hat eine gewisse Ähnlichkeit mit dem des Malers Müller. Am 16. Februar 1746 ist er in Langewiesen im Fürstentum Schwarzburg-Sondershausen geboren. Der Ort war so klein, daß Heinses (er heißt eigentlich Heintze) Vater zugleich Bürgermeister, Stadtschreiber, Organist und Landschaftsabgeordneter sein konnte. Er war ein Mann, der Bildung und Musik schätzte: als 1772 Langewiesen abbrannte, war er nur darauf bedacht, seine Bücher und sein Klavier zu retten. Auch der Sohn zeigte schon früh Begabung für die Musik. Er besuchte zuerst die Schule in Langewiesen, dann die Anstalt eines gewissen Schreyer in Amt-Gehren. Aus dieser lief er in seinem vierzehnten Jahr davon, „nachdem ich", berichtet er, „vorher oft in den dichtesten Wäldern Betrachtungen über das Innere der Menschen... angestellt hatte." Man brachte ihn darauf in eine ähnliche Schule in Arnstadt. „Zu dieser Zeit fiel mir der Hofmanswaldau in die Hand, und weil ich nach der Art meiner Vorfahren beständig in Wäldern lag, so verleitete er und die Gegend mich dazu, daß ich es wagte, Jagdlieder zu machen."

Von 1763 bis 1766 besuchte er das Gymnasium zu Schleusingen. „Das siebenzehnte und achtzehnte Jahr meines Lebens auf diesem Planeten Erde waren die schönsten meiner Jugend." Zwei Mädchen sollen ihn damals in der Weisheit der Musarion oder Bacchidion, d. h. der Liebe unterrichtet haben. Dann begab er sich als Jurist nach Jena. Aber seine Neigung galt den schönen Wissenschaften, und als Klotzens Freund, Professor Riedel, dessen Schützling er damals war, nach Erfurt ging, folgte ihm Heinse, um hier nun ausschließlich seinen schöngeistigen Studien zu leben. Durch Riedel hatte er Wieland kennengelernt, der damals Professor in Erfurt war, und dieser bestimmte nun für die nächste Zeit die geistige und dichterische Bildung Heinses, wie er auch für sein leibliches Fortkommen sorgte. Wieland wiederum empfahl ihn dem gutherzigen Gönner aller bedürftigen Poeten, und als Heinse sich bei Gleim in Halberstadt mit einem Büschel Sinngedichte und einem erotischen Roman „Laidion" vorstellte, nahm ihn der alte Anakreontiker mit offenen Armen auf und schenkte ihm seine väterliche Liebe. Aber auch der wohlhabende Gleim vermochte nicht völlig für Heinses Unterhalt aufzukommen. Der Plan einer Hofmeisterstelle in dem Hause Jacobi in Düsseldorf taucht auf und zerschlägt sich. Statt dessen läßt sich Heinse von einem Abenteurer fangen. Ein preußischer Hauptmann, der sich Günther von Liebenstein nannte — er war ursprünglich Barbier in Halle und hatte sich in Friedrichs des Großen Kriegen aufgeschwungen — und mit einem Grafen Schmettau eine Bücherfabrik unterhielt, hatte ihn für sein Geschäft angeworben: „Ich soll Bücher schreiben und übersetzen, und er will sie verkaufen, daß er und ich davon leben können", schrieb er an Gleim. Natürlich gingen die schlüpfrigen Bücher am besten, und so mußte Heinse ein besonders saftiges Stück aus des Petronius Gastmahl des Trimalchio übersetzen. Ein nicht weniger lüsternes Werk, das Gedicht „Die Kirschen", übersetzte er auf Gleims Wunsch aus dem Französischen. Mit Hilfe seines Gönners gelang es ihm endlich, sich im Sommer 1772 von dem Ausbeuter frei zu machen. Er kehrte nach Langewiesen zurück und sah, daß der Ort abgebrannt war. „Die paar Wohnungen, welche noch übriggeblieben, sind so voll von bekümmerten Leuten, daß ich auf dem obersten Boden schlafen muß, weil ich einsam, ohne Seufzer zu hören, schlafen will... Alle meine Landsleute essen mit den Hirschen und Rehen, ihren Vettern, Basen und Anverwandten, das Kraut auf dem Felde."

Inzwischen hatte Gleim eine neue Versorgung Heinses vermittelt. Das heißt, der junge Mann namens Heinse verschwindet auf einmal vom Schauplatz, und an seiner Stelle taucht ein Reisender namens Rost am 12. September 1772 im Gasthof zum Adler in Halberstadt auf. Er sollte nämlich in Quedlinburg bei dem Söhnchen einer Frau von Massow Hofmeister werden, und Gleim hatte mit guten Gründen befürchtet, daß Heinse, der durch seine Schriften berüchtigt war, kaum von der Familie als zum Jugenderzieher geeignet betrachtet werden könnte. Er hatte also bei der Anmeldung Heinses Namen überhaupt verschwiegen. „Die Verschweigung Ihres Namens", schrieb er an Heinse, „hat seinen guten Grund; würden wir nicht eins, so soll er (der Großvater des Zöglings, der mit Gleim verhandelte) nicht wissen, was für ein würdiger junger Mann seinen Beifall nicht gehabt hat. Wollten Sie auch unter fremdem Namen lieber gerade hierher kommen, so hätte ich auch nichts dawider." Seltsam, was für Schliche der würdige Domherr Gleim sich gestattete; sie waren um so bedenklicher, als Heinses wirklicher Name ja in der Folge doch zum Vorschein kommen mußte. Aber der Kniff übte seine Wirkung, Heinse wurde angestellt, und sein schlimmer Ruf schadete der Trefflichkeit seines Unterrichtes nicht. Er fand in dem Hause des Freiherrn von Massow einen gebildeten Kreis und fühlte sich besonders zu der Mutter seines Zöglings — der Vater lebte in Halberstadt — verehrungsvoll hingezogen.

Ostern 1773 wohnte er wieder in Gleims Haus zu Halberstadt. Mit Wieland, der Heinses erster Gönner gewesen war, kam es in dieser Zeit zum Bruche. Heinse wirft ihm vor, er habe in häßlicher Weise ein Darlehen, das er ihm gegeben, wieder eingetrieben. Der Hauptgrund aber für Wielands Absage war der schlimme Ruf, in den Heinse durch seine Schriften gekommen war. Im September 1772 war Wieland als Prinzenerzieher nach Weimar gegangen. Seine letzten Werke, vor allem „Agathon" und „Der goldene Spiegel", hatten gezeigt, daß er die Periode seiner sinnlichen Schriftstellerei überwunden hatte. Als nun auf einmal Heinse auftauchte und Wielands Laszivität noch erheblich überbot und man ihn gar als Schüler Wielands bezeichnete, was er ja auch war, konnte diesem die aufdringliche Erinnerung an eine frühere Phase seiner Entwicklung nur höchst verdrießlich sein und sich für ihn selber schädlich auswirken. Der für Wielands versöhnliche Natur ganz ungewöhnlich erregte Ton seines Briefes vom 9. Januar 1774 an Gleim, worin er sich von Heinse lossagte, erklärt sich durch diesen Ärger: „Um Heinsen habe ich von dem Augenblicke an, da ich ihn durch Riedeln kennenlernte, bis zum letzten, da er Abschied von mir nahm, Gutes verdient. Ich verlangte und erwartete nie, daß er mich dafür lieben sollte. Nur mich in Ruhe zu lassen, mich nicht zu beleidigen, war alles, was ich von ihm verlangen zu können glaubte. Warum dringt er sich mir auf? Er, dem so viele unbeantwortete Briefe bewiesen, daß er kein Mann nach meinem Herzen war! ... Bedenken Sie um des Himmels willen einen Augenblick meine Situation mit diesem jungen Menschen und sagen sie, ob es mir gleichgültig sein konnte, was für einen Eintritt er in die Welt machte. Denken Sie an seine „Laidion" zurück — dann an seinen „Enklop" (die Petroniusübersetzung)!"

Durch Gleim hatte Heinse den Dichter Johann Georg Jacobi kennengelernt, und dieser führte ihn im Frühjahr 1774 als Mitherausgeber seiner Zeitschrift „Iris" nach Düsseldorf. Hier wurde ihm die ansehnliche Gemäldegalerie zum Erlebnis. Mit begeisterter Hingabe vertiefte er sich stets aufs neue in die italienischen, holländischen und flämischen Bilder und charakterisierte sie in einer Reihe von Beschreibungen. Aber so reich die Anregungen waren, die Düsseldorf ihm bot — auch Goethe hatte er im Juli 1774 kennengelernt —, seit Jahren war in seiner Seele nur eine Sehnsucht: Italien. „Ein innerer Beruf treibt und quält mich", schrieb er am 15. Februar 1776 an Gleim, „und reißt mich ohne Unterlaß dahin zu den Ländern der Schönheit, um mein Wesen mit allem dem zu vereinigen, was das Geschlecht der Menschen je Großes, Edles und Liebevolles hervorgebracht." Und im Juli 1778: „Ich bin zu allem andern, außer Natur und Kunst, verdorben. Meine Tage fliehen dahin in verzehrendem Feuer: die goldenen Stunden des Lebens, wo ich zu schaffen und zu genießen und zu schaffen vermöchte. Das kann ich nicht nach Herzenslust, ohne dem Schönsten, ohne der besten Natur und Kunst am Busen zu liegen und gelegen zu haben, Mark und Bein voll Seligkeit und ewiger Wonne."

Endlich, im Juni 1780, machte die Großmut Fritz Jacobis, des Bruders des Iris-Herausgebers, ihm die Reise möglich. Ein unwiderstehlicher Zug, hatte er an Gleim geschrieben, reiße ihn fort in die Täler und Höhen der Schweiz, unter die Schatten der Griechen zu Florenz und Rom, und weiter hin nach dem schönen Sizilien. Das war in der Tat sein Reiseplan. Ende Juni fuhr er rheinaufwärts, über Frankfurt, wo Goethes Mutter besucht wurde, nach Heidelberg, Mannheim und Straßburg. Überall wurden Konzerte gehört, Galerien und Gärten besichtigt. Kunst und Natur war die Devise. Die Schweiz schenkte die Natur. Von Luzern aus schrieb er am 29. August 1780 an Gleim: „Ihnen wieder zu sagen, was für entzückende Gefühle all mein Wesen durchschauern, ist mir jetzt nicht möglich; ich bin erst in die wahre große lebendige Natur hineingekommen, und das meiste, was ich vorher gesehen habe, war klein, verfälscht und verzerrt. In den Demokratien, die ich durchwandert bin, hat sich mein Herz zuerst recht an der Menschheit gelabt. Ich war wie in Athen zu den Zeiten des Themistokles." In Zürich hatte er die literarischen Notabilitäten: Bodmer, Geßner, Lavater, Hirzel und andere besucht. Ausgezeichnet charakterisiert er sie: „Bodmer ist ein altes Greislein mit kahlem Vorhaupt und grauen Augenbrauen, die bis in die Augen hineinhängen, und eingefallenen Backen, zusammengeschrumpften Lippen, die kaum noch die Zähne bedecken." „Lavater hat einen himmlischen Brand von Ruhmbegierde im Leibe, und möchte gern von Troß und Mann bewundert sein." In Zürich „wimmelt es von Gelehrten. Sie sind alle hintereinander her, und keiner ist dem andern recht gut und traut ihm. Es sind ihrer wirklich zu viel da... Man zählt an die achthundert am Leben, die etwas haben drucken lassen. Die meisten haben keinen rechten Zweck, daher ihre allerlei gelehrten Gesellschaften und Zusammenkünfte, die alle auf nichts hinauslaufen, und folglich wieder in sich selbst vergehen." Wie scharf hat dieser Fremdling den vielgeschäftigen Niedergang des geistigen Lebens in Zürich nach der Blüte in der Mitte des Jahrhunderts gezeichnet! Auch über die Helvetische Gesellschaft fällt ein böses Wort: „Sie lesen auf ihren jährlichen Olympiaden sich nur einander noch langweilige Abhandlungen vor, die sie auch zu Hause lesen, oder sich einander zuschicken könnten." All das wußte Heinse sicherlich von dem gescheiten „Arkadier" Salomon Geßner, mit dem er „einen gar guten Tag zu Baden verlebt" hatte.

Nach dieser Berührung mit den literarisch-politischen Fraubasereien der Schweizer genoß er die große Natur mit doppelter Inbrunst. Als er am 25. August von Zug über den See gegen den Rigi fuhr, schrieb er an Gleim: „Vor himmlischer Freude bin ich fast vergangen; so etwas Schönes von Natur habe ich noch nie gesehen. Der spiegelreine und leicht und zart gekräuselte grünlichte See; die Rebengelände an den Ufern hinein mit Pfählen im Wasser aufgestützt, die vielen hohen Nuß- und Fruchtbäume auf den grünrasigen reinen Anhöhen, die lieblichen Formen den Berg hinan mit Buchen und Fichten und Tannen besetzt; schroff und schräg hinein hier und da, und hier und da wandweise, hier buschig wie Bergsammet, dort hochwaldig mit mannigfaltigen Schattierungen süßen Lichts, und in der Tiefe unten der hohe Rigiberg graulicht und dunkel vor der Sonne liegend ... Gottes Schönheit dringt in all mein Wesen, ruhig und warm und rein; ich bin von allen Banden gelöst." Am folgenden Tag bestieg er den Rigi und entdeckte, indem ihm der Schweiß über den ganzen Leib hinablief, daß „die Schweizer vom Schwitzen ihren Namen herhätten".

Über Bern und Genf ging er nach Marseille und von da zu Schiff nach Genua. In Venedig machte er den ersten längeren Aufenthalt. Dann fuhr er nach Florenz und über Pisa nach Rom, wo er gegen Ende August 1781 eintraf. Im ganzen hat er etwa zwei Jahre in Rom gelebt, abgesehen von einem Ausflug im Sommer 1782 nach Neapel. Wie ein Lustrum später Goethe, lebte er sich mit ungeheurer Inbrunst in die Kunstwelt Roms ein. Seine Notizenhefte sind voll von Auszügen aus antiken Schriftwerken, Beschreibungen von antiken Kunstwerken. Das ist der wesentliche Unterschied zwischen Heinses und Goethes Aufzeichnungen aus Italien. Goethe, ob er auch liebevoll beim einzelnen verweilt, geht doch überall aufs Ganze, wie er von der Schau des lebendigen Ganzen herkommt. Er betrachtet, untersucht, zeichnet nicht nur Landschaften und menschliche Körper, er beobachtet auch das Wachstum der Pflanzen, die Gebilde des Himmels und das Treiben des Volkes. Dieses Eindringen in das Wesen des Ganzen gibt seinen Schilderungen die ungemeine Lebendigkeit. Heinse bleibt dagegen bei den Einzelheiten stehen, und zwar sind es lauter Einzelwerke der Kunst und der Literatur. Es kommt so etwas Mosaikartiges in seine Aufzeichnungen. Es sind Bemerkungen, Auszüge eines kunstbegeisterten Gelehrten, nicht eines Künstlers. Er geht auch, im Gegensatz zu der Beschreibung der Schweizerreise, weder auf Natur noch auf Volksleben ein.

Am 30. Januar 1784 war er wieder in Düsseldorf. Seinen Aufenthalt in der Schweiz und in Italien hatte im wesentlichen Fritz Jacobi bestritten, dem er dafür Abschriften italienischer Musik sandte. Einiges hatte er u. a.

durch Übersetzung von Tassos „Befreitem Jerusalem" und Ariostos „Rasendem Roland" verdient. Jetzt aber war er achtunddreißig Jahre alt und immer noch ohne Versorgung. Er fand sie 1786 in Mainz zunächst als Vorleser, dann Verwalter der Privatbibliothek des Kurfürsten und Erzbischofs. Es war eine Stelle wie für ihn geschaffen: wenig beschwerlich an Arbeit, reich an Anregung. Außer Heinse lebten am Hofe des Kurfürsten noch Johannes von Müller, der Geschichtsschreiber, der Anatom Thomas Sömmering und der Weltumsegler Georg Forster mit seiner Gattin Therese, der Tochter des Göttinger Philologen Heyne, alle zusammengehalten durch die Gunst des kunst- und wissenschaftfreundlichen Kirchenfürsten. In Mainz gab Heinse seine drei Romane heraus: Ardinghello und die glückseligen Inseln, 1787, Hildegard von Hohental, 1795/96, Anastasia und das Schachspiel, 1803. Zu Aschaffenburg starb er am 22. Juni 1803.

Es ist das Eigentümliche von Heinses Romanen, daß sie auseinanderfallen in Darstellung glühend-sinnlichen Lebens und in Erörterung und Beschreibung von Werken der Kunst und des Geistes. „Ardinghello" gibt die Schicksale eines Florentiners des Cinquecentos und zugleich eine Schilderung italienischer Kunst und ihrer Probleme. „Hildegard von Hohental" stellt in gleicher Weise Romangeschehen und Musik nebeneinander. In „Anastasia" deutet schon der Titel die Zweiheit an. So reich, abenteuerlich und vielverflochten in ihnen das Leben erscheint, es ist dem Dichter nur wertvoll, wenn alles Erleben begleitet ist von einer sich üppig ausbreitenden Fülle von geistigen Belangen. Dabei sind beide Welten, das sinnliche Leben und der theoretisch-anschauende Geist, nicht miteinander verschlungen, wächst nicht, wie etwa im „Wilhelm Meister", eine aus der andern heraus, bildet eine die Deutung der andern, sondern sie stehen ohne innere Beziehung nebeneinander; es ist nur ein intellektuelles Zusammensein in ihnen, keine organische Einheit. So erwecken die Romane den Eindruck des Gebrochenen, Zufälligen.

Heinses „Ardinghello".
Titelseite der Erstausgabe, 1787

Man hat die Einheit in Heinses Genußkraft sehen wollen, und sicherlich sind die Teile der Handlung wie die theoretischen Erörterungen von der gleichen Begeisterung für die Schönheit des Lebens erfüllt, die sich unmittelbar in der Sinnlichkeit, mittelbar im Kunstwerk erschließt. Aber das ist nur eine seelische Einheit in der Person des Dichters, nicht eine ideelle und künstlerische Einheit in der Gestalt des Werkes. Man muß, wenn man die Zwiespältigkeit der Werke verstehen will, sich das Wesen des Genießens bei Heinse klarmachen.

Es fällt auf, daß Goethe in „Dichtung und Wahrheit" den Namen Heinses nicht genannt hat. Und doch hat er ihn im Sommer 1774 auf der Rheinreise mit Lavater und Basedow durch die Jacobi kennengelernt; sie fuhren miteinander von Düsseldorf nach dem Schlosse Bensberg, und Heinse muß ihm mit feuriger Begeisterung entgegengekommen sein: er kenne, schreibt er am 13. Oktober 1774 an Gleim, keinen Menschen in der ganzen gelehrten Geschichte, der in solcher Jugend so rund und voll von eigenem Genie gewesen wäre, wie Goethe. „Da ist kein Widerstand; er reißt alles mit sich fort." Und ein ander Mal: Er sei vom Wirbel bis zur Zehe Genie und Kraft und Stärke; ein Herz voll Gefühl, ein Geist voll Feuer mit Adlerflügeln. Goethe aber, wie er von der Begegnung mit den Brüdern Jacobi spricht, erwähnt nur „andere vorzügliche und aufmerksame Männer", die in der Gesellschaft der Jacobi gewesen seien. Das klingt sehr kühl, vor allem, wenn man bedenkt, daß Goethe von Heinse „Laidion" gelesen und sich darüber, wenn man Heinses Wiedergabe seiner Äußerung trauen darf, sehr begeistert ausgesprochen hatte. Es muß irgend etwas Heinse von Goethe ferngehalten haben. Gelegentliche Aussprüche deuten an, was es war: „Laidion" sei „mit der blühendsten Schwärmerei der geilen Grazien geschrieben" (an Schönborn 4. Juli 1774). „Ardinghello" sei ihm verhaßt, „weil er Sinnlichkeit und abstruse Denkweisen durch bildende Kunst zu veredeln und aufzustutzen unternahm". Zu Sulpice Boisserée sprach er, bei Gelegenheit des „Ardinghello", von der „Zügellosigkeit des Genies", und in den Xenien wird „Hildegard von Hohental" mit folgenden Versen bedacht:

> „Gerne hört man dir zu, wenn du mit Worten Musik machst,
> Mischtest du nur nicht gleich hundische Liebe darein."

Es war Heinses Lüsternheit, was Goethe abstieß. Er sah keine Brücke von ihr zu der Kunstgelehrtheit.

Und ein zweites Merkwürdiges. Man würde bei Heinses Genußkraft erwarten, daß wir auch in seinem Leben von Liebesverhältnissen erführen. Die Berichte aber schweigen fast völlig. Er spricht am 3. Juli 1774 von einer jungen Phryne, in deren Armen er gelegen, als er aus den Gebirgen und Tälern des Thüringer Waldes gekommen sei. Sein Verhältnis zu der „schönen Grazie von Massow" in Quedlinburg ist bloß ein geistiges gewesen. Von Liebeserlebnissen in Italien und aus der späteren Zeit erfahren wir nichts. Das ist ein auffallendes Schweigen bei einem Schriftsteller, der von sich bekannt hat: „Warum sollte ich den Becher der sinnlichen Wonne nicht austrinken, wenn ich Durst habe, und ihn mit Nektar gefüllt und Rosen bekränzt vor mir stehen sehe? Meinem Herzen nicht jede Art von angenehmen Empfindungen zu genießen geben?" Der ein ander Mal erklärte: „Alles Vollkommene zu genießen und von allem Vollkommenen genossen zu werden, ohne an demselben Flecken kleben zu bleiben, ist das ewige Gesetz der Natur, wodurch sie sich lebendig und unsterblich erhält."

Und doch sind gerade solche Äußerungen aufschlußreich. Goethe hat in „Urworte" orphisch dem Dämon und Eros, den aus dem Ich stammenden Kräften, Tyche und Ananke, Umwelt und Gesetzesordnung, entgegengestellt und im Faust die Erlösung nicht nur aus dem „immer strebend sich bemühen" begründet, sondern auch aus der Liebe, die von Oben an ihm teilgenommen. Er kannte in dem Grunderlebnis der Liebe zwei Verhaltensweisen: Genuß und Hingabe, Einatmen und Ausatmen. Heinse aber war nur des besitzenwollenden Genusses fähig. So zerrann ihm das rastlos in allen seinen sinnlichen und geistigen Erscheinungen genossene Leben in den Händen, so vermochte er auch in der Welt des geistigen Schaffens den Stoff nicht zum lebendigen Bau eines wirklichen Kunstwerkes zusammenwachsen zu lassen, mußte sich mit der Zusammenstellung von glühenden und geistvollen Teilen begnügen. Das ist wohl der letzte Grund der Distanz, die Goethe empfand.

Es ist eine bloßstellerische Unfruchtbarkeit in allem Genießen Heinses, die letzten Endes zur unnatürlichen Zwecklosigkeit wird. Wie er als Mensch, soviel wir wissen, nie ein Weib an sich zu fesseln vermochte, so vermochte er in der Ohnmacht seiner selbstgenießerischen Natur auch kein großes Werk zu schaffen. Gerade aus dieser Ohnmacht aber erklärt sich nun psychologisch auch die rastlose Gier nach Genuß. Er leidet gleichsam an einer Hungerkrankheit, die ihn zwingt, alles in sich hineinzuschlingen, dessen er habhaft werden kann: nicht nur Menschen und Kunstwerke, sondern auch Dichtungen, wissenschaftliche, philosophische Werke. Es gibt kaum einen Dichter, der so viel gelesen hat, wie er, und der so gewissenhaft Auszüge und Charakteristiken der gelesenen Werke angefertigt hat. Hat er doch sogar, neben den unzähligen Gemäldebeschreibungen, ausführliche Inhaltsangaben der Ilias, des Befreiten Jerusalem, Euripideischer Dramen angefertigt. Auch dies eine Art des Genießens: er wollte sie sich dadurch völlig zu eigen machen.

Aber so wenig eine Gemäldebeschreibung Ersatz ist für ein Gemälde, eine Inhaltsangabe für eine Dichtung, so wenig war dieser Art des Genusses völlige Verschmelzung mit dem Gegenstand beschieden. Er konnte nur entkleiden und betasten. Das verbindet ihn mit Wieland und den Anakreontikern. Immer wieder taucht in seinen Schriften die Vorstellung des enthüllten Busens auf. In den „Kirschen", zu denen ihn Gleim angeregt, wird das laszive Motiv dargestellt, wie einige lüsterne Herren ein Landmädchen entkleiden und sich an seiner Schönheit weiden. Den Höhepunkt des „Ardinghello" bildet die üppige Schilderung des Nackttanzes von Ardinghello und seinen Freunden und Freundinnen. „O wie will ich

166

mich freuen, wenn ich einmal unter Menschen komme, die nackend gehen, und wo ich nackend gehen kann", ruft Heinse in der Düsseldorfer Zeit im Vorgenuß Italiens aus. In seinen Aphorismen kennt er keine sprachlichen Hemmungen, um den Geschlechtsgenuß zu bezeichnen. Aus den Briefen der Elisabeth Charlotte von Orléans klaubt er mit Vorliebe Obszönitäten heraus. Alles bleibt narzissischer Selbstgenuß. Sinnlichkeit und Geist kamen nie zur lebenzeugenden Vereinigung.

Er hat versucht, aus dieser seelischen Haltung eine Weltanschauung zu begründen, die man als ästhetischen Immoralismus bezeichnet hat. Als ob es wahre Kunst ohne Sittlichkeit gäbe! In Wirklichkeit ist, was er an metaphysischen Gedanken in seinen Aphorismen zusammengestellt hat, ein Gemisch von Ideen Platos, Shaftesburys, Rousseaus und anderer, die, weil sie nur intellektuell ergriffen, nicht im Grunde der Seele erlebt sind, ohne innern Zusammenhang nebeneinander stehen. So bleibt auch seine Freiheit bloße Schrankenlosigkeit des Genießens, und wenn er, Rousseau nachsprechend, die Republik als die beste Staatsform erklärt, so nicht deswegen, weil sie den einzelnen in eine freiwillig anerkannte Ordnung stellt, sondern weil sie ihm jene Freiheit gewähren soll. Er ist der Ansicht, daß die Gesetze und alle die bürgerlichen Verhältnisse nur für den Pöbel seien: Nur ein mittelmäßiger Mensch läßt sich davon fesseln oder einer, der durch das grausamste Schicksal nie völlig in Freiheit hat geraten können. Schließlich wird ihm Gott zum höchsten Genießer: „Gott ist die Freiheit der Welt und alles dessen, was darinnen ist. Er allein ist ewig im Genuß seines reinen Wesens."

Man hat diesen Menschen oft mit Goethe verglichen, und doch steht keiner ihm so fern wie Heinse. Man könnte ihn den Nietzsche des 18. Jahrhunderts nennen. Die ganze Kultur des Abendlandes hat er in unersättlicher Gier in sich hineingeschlungen; aber wenn er sie wiedergibt, ist das, was einst organische Entwicklung geistigen Lebens war, ein Haufen zusammenhanglosen Stückwerks geworden.

4. GEMÜTVOLLES LANDLEBEN

Claudius / Hölty / Voss / F. Stolberg

> „Wunderseliger Mann, welcher der Stadt entfloh.“
>
> Hölty

Schilderung und Preis der Natur geht durch das gesamte Schrifttum des 18. Jahrhunderts. Seitdem Leibniz und Shaftesbury die Natur als das von Gottes Vernunft durchwirkte All erfaßt und ihre Gesetzmäßigkeit als Harmonie bezeichnet hatten, war der Blick der Dichter für ihre Schönheit und Zweckmäßigkeit aufgeschlossen. Brockes und Haller hatten sie besungen, Kleist sich in sie geflüchtet und Geßner in lieblichen Bildern das harmlose Leben idealisierter Naturmenschen dargestellt. Klopstock erfüllte sie mit seinen erhabenen Gedanken. Bürger dichtete „Mein Dörfchen“:

„Ich rühme mir	Als rings umher
Mein Dörfchen hier!	Die Blicke schauen,
Denn schönre Auen,	Blühn nirgends mehr.“

und beschrieb darin Landschaft und ländliches Treiben, und der Maler Müller verfaßte die „Schafschur“ und das „Nußkernen“. Sie alle haben die Natur vom Gesichtspunkte des Denkers, die Landschaft mit den Augen des Malers, das Landleben aus der Perspektive des ästhetisch oder bildungsgeschichtlich interessierten Städters betrachtet — bald geistig, bald äußerlich.

Den Dichtern des Göttinger Hains und dem ihnen nahestehenden Claudius erst war es gegeben, die Seele der Landschaft zu erfühlen und darzustellen, indem sie sie aus innigem Mitleben mit der Tiefe und dem Gefühlszauber eigenen Gemütes belebten und dabei so mit ihr verbunden waren, daß sie die Empfindungen und Bilder, die sie in sie hineinlegten, wirklich in ihr fanden. Dieses innig-gemüthafte Verhältnis zur Natur bedingt deren Verengerung zur Landschaft. Die philosophische Idee einer allumfassenden, allbelebten und zweckmäßig eingerichteten Natur, wie sie Leibniz entwickelt und Shaftesbury verherrlicht hat, sucht man bei ihnen vergebens. Sie wäre ihnen zu frostig, zu philosophisch und gelehrt gewesen; sie hätte sie zu weit weg geführt von dem, was sie liebten, in kahle und leere Denkräume. Das Stück Natur, das sie lieben, ist ein kleiner Fleck Erde von besonderer Bildung, mit besondern Wachstums- und Lebensbedingungen für Pflanzen, Tiere und Menschen; es ist die Heimat, und als solche vertraut und geliebt.

Auch nach Lebensstand und Geistesinhalt ist es ein bescheidenes Leben, was sich uns hier enthüllt. Diese Menschen produzieren sich nicht in den Konzertsälen der Großen wie Schubart; sie messen sich nicht mit Fürsten dieser Erde wie Klopstock; sie leben nicht an Höfen wie Wieland und Herder; sie ersteigen nicht hohe Berge und schwelgen in den Kunstschätzen des Südens wie Heinse. Sie leben in einfachen ländlichen Hütten, bescheiden, wenn auch nicht ärmlich, und wenn sie Feste feiern und Gäste bewirten — und sie tun es oft und gern —, so bietet das Land, darin sie leben, ihnen die Gaben zur eigenen Freude und zur Bewirtung der Gäste. Voss erzählt seiner Frau Ernestine von einem solchen Feste, das der garnicht bemittelte Claudius in Wandsbeck veranstaltete, um ihren, Ernestines, Geburtstag zu feiern: „Sie hatten sich alle, wie zu einem Fest geschmückt, und die Stube aufgeräumt. Claudius war sogar gepudert, und seine Frau ging weiß, weil das meine Lieblingsfarbe ist. Zu Mittag tranken wir in Bischof erst deiner, dann deiner Eltern, darauf deiner Geschwister, und endlich unserer gemeinschaftlichen Freunde Gesundheit, und sprachen von nichts als von dir und unserer Liebe... Nach Tisch schickten wir einen Boten nach der Stadt, um was für den Abend einzukaufen, und gingen in dem schönen Sonnenscheine spazieren. Um fünf Uhr kam der Bote zurück und brachte einen schönen, fetten Kapaun und zwei Flaschen Rheinwein. Der Kapaun war schon gepflückt, und Madame machte gleich Anstalt, ihn zu braten. Beim Abendessen ging das Gesundheitstrinken wieder los.“

Diese Dichter haben alle studiert, schätzen die Bildung und sind vor allem in den Werken der Alten bewandert. Von hier aus fällt ein klarer Schein des Geistes in die ländlichen Hütten. Aber man prunkt nicht mit dem Geiste; man rafft seine Werke nicht heißhungrig in sich hinein; man überschätzt seinen Wert nicht. Man bedient sich der Bildung nur als Würze der Unterhaltung, als Bereicherung des Gesprächs und, natürlich, zur Erfüllung des Berufes. Aber das eigentliche Herz des Lebens ist der Boden, auf dem man aufgewachsen ist, auf dem man wohnt, der stille Reiz der Landschaft, die man liebt, das ganze ländliche Behagen, das eine Quelle unendlichen Glückes ist, wie es der Prunk der städtischen Kultur niemals gewährt. Sicherlich schwebt ein Hauch rousseauischen Geistes über dieser Freude an dem ländlichen Leben, und vielleicht kann man sagen, daß Rousseau sie geweckt hat, indem er die Schönheit der Natur den Scheinfreuden der Kultur gegenüberstellte. Aber wie unendlich verschieden ist von der Beschreibung der Naturschönheit des obern Genfer Sees in der „Nouvelle Heloïse“ oder des ländlichen Lebens in der „Ermitage“ in den „Confessions“ die Darstellung des Naturlebens bei Claudius, Voss oder Hölty. Bei Rousseau steht doch immer noch Paris im Hintergrunde mit seinen eleganten Salons und üppigen Schlafzimmern und der Meute der Schöngeister und Lebemänner, die die adeligen Damen umkreisen, jenes Paris, dem auch Rousseau innerlich verfallen ist, trotzdem er sich aufs Land flüchtet. Bei den Deutschen dagegen ist das Gefühl des Landes so stark und echt, daß die Stadt als Bildungsort daneben gar nicht aufkommt. Sie ist gerade recht, um etwa einen Kapaun oder ein paar Flaschen Rheinwein zu liefern; aber diese dienen nur dazu, das ländliche Behagen zu steigern. Und vor allem: es fehlt die ganze parfümierte Atmosphäre des galanten Liebesspieles und der gesellschaftlich aufgeputzten Fadheit. So klein und bescheiden das Leben ist, das man hier lebt, es ist durchweht von der frischen Luft reinen Gefühles.

Matthias Claudius, der älteste des Kreises, wuchs in dem Flecken Reinfeld in Südholstein, wo er am 15. August 1740 geboren wurde, in dem Pfarrhause auf und bildete den Sinn für die Schönheit der Natur auf kleineren und größeren Streifzügen in die ländliche Umgebung aus. Der Vater, milde, warmherzig, duldsam, dem Pietismus zugeneigt, unterrichtete den Sohn bis zur Konfirmation. Nachher besuchte dieser das Gymnasium in Plön und studierte von 1759 bis 1762 in Jena zuerst Theologie, nachher die Rechtswissenschaft. Hatte ihn schon am Gymnasium der trockene Rationalismus des Unterrichts abgestoßen, so hatte er an der Universität noch mehr Anlaß, über den teleologischen Formalismus des Philosophen I. G. Daries zu spotten. In seiner ersten Gedichtsammlung „Tändeleien und Erzählungen" (1763) steht eine Fabel: „Der nützliche Gelehrte". Zwei Männer wollen einen Stein auf einen Berg schleppen. Umsonst. Schließlich wenden sie sich an einen Philosophen, und dieser beweist ihnen:

> „Man kann's aus sichern Gründen schließen,
> Daß wir mehr Kraft anwenden müssen,
> Als die Last widersteht, was zu beweisen war."

Claudius hatte sich damals, wohl nach dem Vorbild des Vaters, bereits seine eigene Weltanschauung gebildet. Ihr Kern war eine schlichte Sittlichkeit auf der Grundlage des christlichen Glaubens:

> „Und wenn ich Fürst und König wäre,
> Was hülfe mir dies alles nun?
> Ein redlich Herz ist vielmehr Ehre,
> Ein Herz, das Lust hat, wohl zu tun."

Nach Beendigung des Studiums kehrte er nach Reinfeld zurück. In Jena hatte er sich in die Deutsche Gesellschaft aufnehmen lassen; jetzt knüpfte er Beziehungen zu Gerstenberg an. Eine Sekretärstelle in Kopenhagen hatte er nur kurze Zeit inne. Er taugte nicht dazu. Auf eine Organistenstelle in Lübeck, um die er sich bewarb und die er Aussicht hatte zu erhalten, verzichtete er selber. Als er einen Mitbewerber spielen hörte, fand er, dieser spiele besser als er selber, teilte dies dem Magistrat mit und trat zugunsten des andern zurück. Immer noch hoffte er, als Organist sein Fortkommen zu finden. Zu diesem Zwecke ging er 1768 nach Hamburg. Aber statt dessen wurde er Zeitungsschreiber und übernahm die Herausgabe der Adreß-Comptoir-Nachrichten. Wichtiger als diese ihm verhaßte Fronarbeit war ihm in Hamburg die Bekanntschaft mit Lessing, die Freundschaft mit Herder. So stark war der Eindruck, den die schlichte Innigkeit und Originalität von Claudius auf Herder machte, daß dieser ihn das größte Genie nannte, das er gefunden, „einen Freund von sonderbarem Geiste und von einem Herzen, das wie Steinkohle glüht — still, stark und dampfigt".

Zwei Jahre leitete Claudius die Comptoir-Nachrichten. Dann übernahm er die Herausgabe der Zeitung, die durch ihn in die Geschichte eingegangen ist: des „Wandsbecker Boten". Es war eine kleine, schlecht auf grauem Löschpapier gedruckte Zeitung für politische Nachrichten, Unterhaltung und Volksaufklärung. Aber welcher Mitarbeiter konnte sie sich rühmen: Lessing, Herder, Gerstenberg, der Göttinger Bürger, Hölty, Voss; sogar Goethe steuerte kleine Lieder bei! Die Richtung gab ihr der Herausgeber. Man könnte sagen, er habe die volkserzieherische Tätigkeit Nicolais auf neuer Grundlage und mit anderm Geiste wieder aufgenommen. Er steht im ganzen durchaus auf dem Boden der Aufklärung. Wie Nicolai will er ein aufgeklärtes Christentum, in dem sittliches Handeln aus menschlicher Gesinnung heraus höher steht als das Bekenntnis zum Wortglauben, und Toleranz wichtiger ist als Starrheit des Bekenntnisses. So konnte er 1773 den „Sebaldus Nothanker" mit aufrichtiger Freude als Bundesgenossen begrüßen, und es könnte ein Satz Nicolais sein, wenn er einmal sagt: „Wie menschlich, wie klein denkt sich doch der Mensch Gott, wenn er nicht aus dem engen Kreise seiner Endlichkeit hinaustritt, wenn er die große Absicht des Schöpfers verkennet oder nicht fassen kann: die Glückseligkeit aller!" Aber mit welcher Kraft des Gemütes, mit welch echter Frömmigkeit ist bei Claudius das spröde Gefäß Nicolaischer Aufklärung gefüllt! Er besitzt die Seele des Kindes, den Mut des Mannes, die Phantasie des Dichters und die witzige Beweglichkeit des Journalisten. Seine Losung ist: „Naiv und launigt". Er weiß, daß er auf seine Leser, die Leute mittlerer Bildung, auf die Dauer langweilig wirken würde, wenn er bloß als Schulmeister aufträte. So kräuselt er seine Sprache, oft in einer Weise, die wir als übersteigerte Volkstümlichkeit empfinden, flicht Anekdoten und Gespräche ein und sucht die Belehrung stets in der Form der Unterhaltung zu geben. Aber es ist eine feste und klare Gesinnung, die diesem feuilletonistischen Spiel zugrunde liegt. „Meine Philosophie", sagt er einmal, „ist einfältigen, ärmlichen Ansehens, aber ich habe noch keine andere gefunden, die unter allen Umständen stichhält, und weil es mir nun mehr aufs Stichhalten, als aufs Schönaussehen ankommt, so habe ich sie mir erwählt, und lasse gern einem jeden die seinige, wie sich das von selbst versteht." Es ist nicht nur ein im tiefsten Sinne frommer Mensch, der sich hier ausspricht, sondern auch ein deutscher Mensch. Er ist ein Bei-

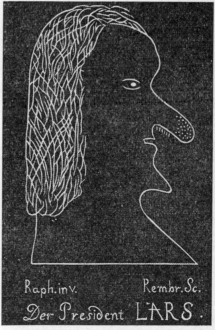

Zeichnung von Matthias Claudius
in seinem „Wandsbecker Boten"

spiel dafür, wie jenes deutsche Selbstbewußtsein, das Friedrich der Große geweckt und gestärkt hatte, in die mittleren Schichten eindringt und hier aus einem politisch-kriegerischen Stolz in den siebziger Jahren zu einem allgemeinen geistigen Bildungsbesitz wird — nicht umsonst verherrlichte Herder damals das deutsche Volkslied, schrieb Schubart seine Deutsche Chronik und verfaßte Goethe seinen „Götz von Berlichingen". Wie Lessing kämpft Claudius gegen Voltaire und den frivolen Geist der Franzosen. Shakespeare, Ossian, Homer sind seine Götter. Wieland als Nachahmer der Franzosen und als „Tugendverderber", „Jugendverführer" wird abgelehnt. Goethes „Götz" und „Werther" werden mit feinstem Sinn für ihren Eigenwert und ihre Neuheit gepriesen. Von dem „Werther" schreibt er: „Weiß nicht, obs 'n Geschicht oder 'n Gedicht ist; aber ganz natürlich geht's her, und weiß einem die Tränen recht aus'm Kopf herauszuholen. Ja, die Liebe ist 'n eigen Ding; läßt sich's nicht mit ihr spielen wie mit einem Vogel. Ich kenne sie, wie sie durch Leib und Leben geht, und in jeder Art zückt und stört, und mit 'm Kopf und der Vernunft kurzweilt. Der arme Werther! Er hat sonst so gute Einfälle und Gedanken. Wenn er doch eine Reise nach Paris oder Peking getan hätte! So aber wollt' er nicht weg vom Feuer und Bratspieß, und wendet sich solange dran herum, bis er caput ist."

In dem Flecken Wandsbek, wo er seine Zeitung herausgab, hat er seine Familie gegründet. Seine Frau war, wie natürlich, ein Bauernmädchen, die Tochter eines Zimmermanns, Rebekka Behn. Sie konnte rechnen, schreiben und lesen, wußte aber nichts von fremden Sprachen und von Musik. Doch sie besaß ein tiefes Gemüt, klaren Verstand, lebendiges Interesse an allem, was ihr Mann tat, und bildete sich so auf natürlichem Wege zu ihm empor. Sie war das, was er als Ideal eines Weibes betrachtete. Die Einnahmen von dem Blatte waren mehr als bescheiden und genügten nicht, die bei wachsender Kinderzahl sich mehrenden Kosten des Haushaltes zu bestreiten. Besucher stellten sich ein: Klopstock; die Göttinger: Voss, die Grafen Stolberg, Johann Martin Miller. Gastfreundschaft wurde geübt. Und zu alledem verlor Claudius nun auch die Stelle am Wandsbecker Boten. Da begann er seine Schriften zu sammeln und herauszugeben. Sie erschienen nach und nach in acht Bändchen, von 1775 an unter dem Titel: „Asmus (gleich Erasmus) omnia sua secum portans oder Sämtliche Werke des Wandsbecker Boten". Ihr Ertrag reichte aus, die Familie kümmerlich über Wasser zu halten.

Inzwischen hatte Herder in Bückeburg durch seinen Schwager, den Geheimrat Hesse, in Darmstadt sich für Claudius bemüht. Man suchte damals auch in Hessen-Darmstadt, wie überall in Deutschland und der Schweiz, die Landwirtschaft und den Bauernstand zu heben. Eine Oberlandeskommission war gegründet worden, und Claudius sollte in ihr eine Stelle erhalten. Er selber war zweifelhaft, ob er dazu tauge: „Wenn ich von meiner Neigung sprechen dürfte, so ist die für ein einsames Leben, für ein nützliches Würken im Stillen, für Feld und Wald und Bauernvolk von jeher gestimmt gewesen; das darf ich auch noch sagen, daß ich es an gutem Willen, herzlicher Tätigkeit und Treue nicht werde fehlen lassen; ob ich aber Geschick genug habe, ein Rad in der Maschine zu sein, dadurch ein Fürst seine Vatermilde über sein gutes Landvolk ausbreiten will, das weiß ich nicht, weil ich noch keine Erfahrung davon gemacht habe." Sein Gefühl hatte ihn gewarnt; aber er nahm die Stelle an, reiste im Frühjahr 1776 mit den Seinen nach Darmstadt und fühlte sich in der städtischen Geselligkeit Darmstadts unglücklich, noch unglücklicher in dem Formelkram, zu dem ihn sein Amt zwang. Merck hat in dieser Zeit in einem Briefe an Wieland ein Bild von ihm entworfen: „Wir haben nun Claudius, ein trefflicher, sehr selbständiger Mensch ... so ohngefähr wie Klopstock im Äußern; nur mehr poetische Laune und Leichtigkeit. Er ist derb, kalt und schlägt alle Leute in die Augen ... Ein schönes Weibchen hat er, existiert ganz in seinen Kindern; wenn die Visiten kommen, setzt er die Kinder aufs Höfchen; weiß übrigens nichts, was Gold und Gut ist, und ist überhaupt sehr brav. Nichts von der weisen garstigen Almanachie und dem Totengewimmer, sondern ist sehr lustig ... geht ohne Stock und Degen und Puder mit dem bloßen Kopf zum Präsidenten ... und spielt ein herrlich Klavier."

Man hatte ihm, da er zur Bureauarbeit nicht taugte, die Leitung der „Landzeitung" übertragen, durch die das Bauernvolk gebildet werden sollte. Aber da er hier nicht seiner Laune folgen durfte, sondern durch ein amtliches Programm gebunden war, so behagte ihm die Arbeit nicht, und er war nicht der Mann, sich zu zwingen und zwingen zu lassen. Einen Brief des Ministers Friedrich Karl von Moser, der ihm in milder Form über seine Unlust zur Arbeit Vorwürfe machte, beantwortete er mit dem Entlassungsgesuch, kehrte, nachdem das Experiment in Darmstadt gerade ein Jahr gedauert hatte, im April 1777 wieder nach seinem geliebten Wandsbek zurück. Er war glücklich, sein idyllisches Leben in ländlicher Stille fortsetzen zu können. Die Redaktion des Göttinger Musenalmanachs, die er für Voss besorgte, die Herausgabe weiterer Bände seiner Werke und Übersetzungen aus dem Französischen lieferten die kärglichen Mittel. Als 1788 der dänische Minister Graf Schimmelmann das verworrene Münzwesen Dänemarks durch Einführung des Speziestalers als Münzfuß neu ordnete und zu diesem Zwecke eine Speziesbank gründete, erhielt Claudius daran die Stelle eines ersten Revisors.

Hatte er in früheren Jahren, wenn auch maßvoll und voll tiefem Verständnis für die Bedürfnisse des Volkes, auf der Seite der Aufklärer gestanden, so zog er sich jetzt mehr und mehr in ein altgläubiges Christentum und eine patriarchalisch-altväterliche Staatsauffassung zurück. Immer stärker kam jetzt das Ländlich-Bodenständige und Althergebrachte bei ihm zum Durchbruch. Die Französische Revolution, der sein Freund Klopstock zujubelte, war ihm das Zeichen dafür, daß alles Große und Wertvolle, was die Vergangenheit aufgebaut, nun zu Grunde gehen sollte. In der Subskriptions-Anzeige zum fünften Teil seiner Schriften schrieb er im Dezember 1789 gegenüber den Anpreisungen der „Lichthelle", die von Frankreich sich über die Welt verbreiten sollte: „Ich glaube zwar, daß hell und gut zweierlei sind, daß die Wurzel vor der Furcht sein müsse, und daß es besser sei, im Dunkeln Gutes zu tun, als bei Tage Böses." Als man in Dänemark die neuen Ideen verbreitete und das Vertrauen des Volkes in die Monarchie zu untergraben suchte, bekannte er sich in einer Einsendung an die Neue Zeitung zu dem Standpunkt des aufgeklärten Absolutismus: „Ich meine, der König und ein jedweder Regent sei allerdings nicht um seinetwillen da; er müsse den Untertan lieben, ihm Recht und Gleich tun unverrückt und ihm kein Haar krümmen; aber Untertan sei Untertan; Obrigkeit sei von Gott verordnet, und wer ihr widerstrebt, der widerstrebe Gottes Ordnung." Jetzt trat er in einer Schrift „Auch ein Beitrag über die neue Politik" gegen die neue Freiheit und Gleichheit für die alte ständische Ordnung ein. Die neue Ordnung sei so tumultuarisch hereingebrochen, daß man an ihrer Brauchbarkeit zweifeln müsse. Ochlokratie, Pöbelherrschaft, nicht wahre Demokratie werde daraus erfolgen. Jetzt überwarf er sich in seinem politisch-religiösen Eifer mit seinen alten Freunden Herder und Voss. Dafür fand er in dem pietistisch-mystischen Kreise, der sich auf Schloß Emkendorf um den Grafen Reventlow und seine Gattin, eine geborene Schimmelmann, gebildet hatte, neue Freunde und Gesinnungsgenossen: Fritz Jacobi, die Stolberge, Baggesen; auch Lavater fand sich auf seiner Reise nach dem Norden hier ein. Als Fritz Stolberg aus seiner Mystik heraus den Schritt zurück in den Katholizismus tat und man ihn darob in den Kreisen der Freigesinnten mit heftigen Worten verurteilte, trat Claudius für Stolberg ein: „Warum erlauben Sie Stolberg nicht, seiner Überzeugung gemäß zu leben?" fragte er. „Er glaubt in der katholischen Religion Ruhe und Bestimmtheit zu finden, er findet in ihr das reine ursprüngliche Christentum, warum ihn mit Wut und Schimpfen verfolgen?"

Das „reine ursprüngliche Christentum" lebte auch in ihm. Vom Freimaurerbunde, dem er einst angehört, hatte er sich schon in den achtziger Jahren zurückgezogen. Hatte er schon Kants Kritik der praktischen Vernunft mit ihrer Begründung des Gottesglaubens aus dem kategorischen Imperativ der Pflichterfüllung abgelehnt, so bedeutete ihm Kants Schrift „Die Religion innerhalb der Grenzen der reinen Vernunft" (1793) geradezu einen Abfall von dem Sinn des christlichen Glaubens. „Wenn das Christentum weiter nichts wäre, als ein klares, allen einleuchtendes Gemächte der Vernunft, so wäre es ja keine Religion und kein Glaube", meinte er. Aus diesem seinem unerschütterlichen Altersglauben an den unergründlichen Sinn der göttlichen Allgegenwart und Ewigkeit gegenüber der Nichtigkeit alles Irdischen sind jene tiefen Verse entstanden:

> „Der Mensch lebt und bestehet
> Nur eine kleine Zeit;
> Und alle Welt vergehet
> Mit ihrer Herrlichkeit.
> Es ist nur Einer ewig und an allen Enden,
> Und wir in seinen Händen."

Am 21. Januar 1815 ist Matthias Claudius gestorben.

Die Dichter des Göttinger Hains waren alle etwa zehn Jahre jünger als Claudius. Er selber gehörte ihrem Bunde nicht an. Aber er stand ihnen durch seine Gesinnung, Lebensauffassung und Tätigkeit sehr nahe. Was er zuerst in einsamem Ringen selbst in sich aufgebaut hatte, bekannten und verkündeten sie als geistig-dichterische Gemeinschaft: protestantische Frömmigkeit, Tüchtigkeit des deutschen Bürgertums, Liebe zur Heimat, ihrer Landschaft und ihrer Vergangenheit, Sittenreinheit und die Verwirklichung all dieser Ideale in dem bescheidenen und zufriedenen Glück eines ländlichen Daseins. Sie stammten, mit Ausnahme der beiden Grafen Stolberg, alle aus kleinen Orten und bescheidenen Verhältnissen, und ob auch, außer Claudius, nur Hölty ein Pfarrerssohn war, so schwebte doch gleichsam die milde und trauliche Luft des ländlichen Pfarrhauses um sie, wie es Voss in seiner „Luise" geschildert hat. Machen sie die Menschen eines spätern, durch die Entartung der Zivilisation gehärteten und gemütlos gewordenen Geschlechts oft genug lächeln mit ihrer kindlichen Harmlosigkeit, ihrer schwärmenden Verliebtheit, ihrer etwas selbstgerechten Tugendliebe, ihrer ziellosen Freiheitsbegeisterung, ihren aufgebauschten Kümmernissen des kleinen Alltags, so darf nicht vergessen werden, daß hier die seelischen Wurzeln alles dessen sind, wodurch Deutschland in der klassischen und nachklassischen Zeit bis weit ins 19. Jahrhundert hinein groß geworden ist: Sittenreinheit, Ehrenhaftigkeit, Bescheidenheit, Tüchtigkeit, Tatkraft.

In Göttingen hatte Albrecht von Haller gewirkt. Die Universität gehörte zu den angesehensten in Deutschland und genoß den Ruhm einer wirklichen Forschungs- und Lehranstalt. Aber es war doch ein Zufall, daß sich hier um das Jahr 1770 eine Anzahl von Jünglingen zusammenfanden, die gleiche Gesinnung und gleiche Liebe zur Dichtung freundschaftlich verbanden. 1769 gab der Dithmarse Heinrich Christian Boie, der eben erst sich in Göttingen eingeschrieben hatte, mit dem Schriftsteller Friedrich Wilhelm Gotter nach dem Muster des Pariser „Almanac des Muses" einen Musenalmanach für das Jahr 1770 heraus. Die beiden Herausgeber waren mittelmäßigen Geistes: Boie klug, geschäftstüchtig, Gotter ein seichter Nachahmer der Franzosen, aber da die Gründung gleichsam in der Luft lag, so scharten sich die bedeutendsten oder wenigstens bekanntesten lyrischen Dichter um sie: Klopstock, Ramler, Gleim, Gerstenberg, der Barde Denis. Der Almanach war ein Erfolg und lockte weitere Dichter für die folgenden Jahrgänge an: Johann Heinrich Voss, Bürger, Herder, Claudius, Hölty, die beiden Vettern Johann Martin und Gottlob Dietrich Miller, Goethe. Im Bestreben, möglichst alles zu sammeln, was auf dem deutschen Parnaß Namen oder Begabung hatte, waren die Herausgeber zunächst keineswegs wählerisch. Vertreter älterer Beschaulichkeit fanden sich zu trautem Verein zusammen mit jungen Feuergeistern. Fehlte doch zuerst Wieland nicht unter den Mitarbeitern. Erst als das Jahrbuch das Organ des Dichterbundes wurde, bekam es die persönlichen Züge neuen dichterischen Wollens. Am 20. September 1772 schildert Voss einem Freunde die Gründung des Bundes am 12. September: „Die beiden Millers,

Hahn (ein Pfälzer), Hölty, Wehrs (aus Göttingen) und ich gingen noch des Abends nach einem nah gelegenen Dorfe. Der Abend war außerordentlich heiter, und der Mond voll. Wir überließen uns ganz den Empfindungen der schönen Natur. Wir aßen in einer Bauernhütte eine Milch und begaben uns darauf ins freie Feld. Hier fanden wir einen kleinen Eichengrund, und sogleich fiel uns allen ein, den Bund der Freundschaft unter diesen heiligen Bäumen zu schwören. Wir umkränzten die Hüte mit Eichenlaub, legten sie unter den Baum, faßten uns alle bei den Händen, tanzten so um den eingeschlossenen Stamm herum, riefen den Mond und die Sterne zu Zeugen unseres Bundes an, und versprachen uns eine ewige Freundschaft. Dann verbündeten wir uns, die größte Aufrichtigkeit in unsern Urteilen gegeneinander zu beobachten, und zu diesem Endzwecke die schon gewöhnliche Versammlung noch genauer und feierlicher zu halten. Ich ward durchs Los zum Ältesten erwählt. Jeder soll Gedichte auf diesen Abend machen und ihn jährlich begehen."

Was für eine Szene! Verbrüderung zu hohen Menschheitszielen liebte das Jahrhundert, das der leergewordenen Formen der alten Kirchen überdrüssig geworden war und den Freimaurerbund gegründet hatte. Bei der Stiftung der Helvetischen Gesellschaft in Schinznach hatten sich sogar die gesetzten Schweizer zu ähnlich schwärmerischer Begeisterung aufgeschwungen. Aber dieser Weihebund übertraf an jugendlicher Treuherzigkeit und Weltfremdheit alle andern Gründungen der Art. Klopstock, der Deutsche, war der Führer und Abgott dieser deutschen Jünglinge. In einem Eichenhaine hatten sie sich versammelt, weil Klopstock dem griechischen Parnaß den deutschen Eichenhain als Sitz der Dichtung entgegengestellt hatte. Denn auch die griechische Vorstellung der Musen hatte man fallenlassen und sie durch Braga, die germanisch-nordische Göttin der Dichtkunst, ersetzt: „Braga überschattet euch!" ruft Hölty den Freunden zu, wie er sie zur dichterischen Arbeit aufmuntert. Johann Martin Miller vor allem war es, der aus den alten Fabelbüchern des Nordens und aus der Dichtung des deutschen Mittelalters Stärkung seines Deutschtums und Anregung zu eigenem Dichten schöpfte. Mit ihm dichtete Hölty um die Wette „Minnelieder" — das durch Mißbrauch im späteren Mittelalter verlorne Wort Minne wurde durch sie wieder edles Sprachgut. Auch Hölty lebt und webt in den Vorstellungen altnordischer Mythologie. Am 13. Oktober 1774 schreibt er an Voss von der Reise: „Wir aßen zu Mittag in Merseburg und tranken gewaltig viel Merseburger. Klopstock nennt es den König unter den Bieren... Ich glaube steif und fest, daß Wodan mit seinen Leuten in Walhalla Merseburger trinkt."

Barden galten Klopstock und seinen Gesinnungsgenossen als Dichter der alten Germanen, und so betrachteten sich auch die Göttinger als Barden und gaben sich Bardennamen, wobei sie in ihrer geschichtlichen Unerfahrenheit auch mittelalterliche Minnedichter in den Kreis der Barden aufnahmen: Voss hieß erst Gottschalck, dann Sangrich, J. M. Miller Minnehold, Hölty Haining, Boi Werdomar. Regelmäßig kam man am Sonnabend zusammen und las sich die neu entstandenen Gedichte vor. Sie wurden, wenn man sie für gut befand, in ein Bundesbuch eingetragen, während die Versammlungen in dem Bundesjournal verzeichnet wurden. Als erster las am 16. September Hölty-Haining sein Gedicht „Der Bund" vor:

> „Seid Zeugen, Geister! — — Haining beschwört den Bund! —
> Mein Spiel verstumme flugs, mein Gedächtnis sei
> Ein Brandmal und mein Name Schande:
> Falls ich die Freunde nicht ewig liebe!
> Kein blaues Auge weine die Blumen naß,
> Die meinen Totenhügel beduften; falls
> Ich Lieder töne, welche Deutschland
> Schänden und Laster und Wollust hauchen!
> Der Enkel stampfe zornig auf meine Gruft,
> Wenn meine Lieder Gift in das weiche Herz
> Des Mädchens träufeln, und verfluche
> Meine zerstäubende kalte Asche!"

Alle dichteten sie in Klopstockischer Gesinnung, Odenform und Sprache. „Wessen Arbeiten Klopstock gefallen, der ist schon in den Vorhof der Unsterblichkeit übergegangen und wird gewiß ins Allerheiligste kommen", schrieb Hölty an Voss. In überschwenglichen Briefen legten sie Klopstock ihre Verehrung zu Füßen, und seinen Geburtstag begingen sie wie den eines Gottes. Ohne Grenzen war die Begeisterung, als er sich in den Bund aufnehmen ließ und auf der Reise nach Karlsruhe gar im September 1773 persönlich in Göttingen erschien und feierliche Huldigung entgegennahm. Um so gründlicherer Haß traf Wieland. Seine Schriften erschienen diesen deutschen Jünglingen als das Gegenteil alles dessen, was sie verehrten: deutsches Vaterland und deutsche Tugend, voll von Ausländerei und französischer Wollust, und so wurde einst in einem Ketzergericht wenigstens sein Bild verbrannt.

Inzwischen erfuhr der Bund Erweiterung. U. a. traten ihm Boie und Leisewitz bei. Bedeutsam war die Aufnahme der beiden Grafen Friedrich Leopold und Christian Stolberg im Oktober 1772. Sie hoben in einer Zeit, wo das Ansehen des Adels noch fast unbeschränkt das deutsche Denken beherrschte, durch ihren Stand die Geltung des jungen Bundes in den Universitätskreisen. In dem Musenalmanach für 1774 stellten sich die Bundesbrüder, um Klopstock geschart, dem Publikum zum erstenmal geschlossen vor: Miller, Voss, Hölty, Boie, Fritz Stolberg. Aber auch tönende Namen anderer Vertreter der jungen Generation trifft man: Bürger mit seiner „Lenore" und Goethe mit vier Gedichten, darunter dem „Wanderer". Jener kaltwarme Eklektizismus, dem der Almanach in seinen Anfängen gehuldigt, war damit endgültig abgetan und er zu dem lyrischen Bekenntnisbuch der Jugend geworden.

So hoch die bürgerlichen Mitglieder des Bundes zu den Grafen S t o l - b e r g aufblickten und sich durch ihre Freundschaft geehrt fühlten, sie bilden doch etwas Fremdartiges in dem Haine. Vor allem Friedrich Leopold (1750—1819), der dichterisch bedeutendere. Wohl trug er den starken Atem einer rauschenden Leidenschaft und die weite Bildung seines

Standes in die oft stockende Luft und den engen Gesichtskreis der Begründer des Hains. Aber er ist ein Dichter aus zweiter Hand, wie J. M. Miller, und man darf sich nicht über das Angelesene und Nachgeahmte seiner Gedichte täuschen: seine Freiheitsbegeisterung ist mehr künstlich erhitztes Wortgestammel, haltloses Herumirren in einem leeren Luftraum, als die wahre Eigenkraft klarer und gefestigter Menschlichkeit. Bürger und er hatten sich angewöhnt, einander als Adler anzureden und ihre Briefe mit Krrähh, krräh! zu beginnen. Noch 1777, als die Jugendschwärmerei in Göttingen längst verflogen war, beginnt Stolberg einen Brief an Bürger mit den Worten: „Dem edlen, gewaltigen, hochnistenden, thalevollsch-ssenden, stark geklauten, himmelanschwebenden Steinadler auf den Gleichen, entbeut der Buhle der Erdumgürteten seinen herzlichen Gruß, und was er Gutes und Gewaltiges vermag zuvor! — Dein Adlerschrei hat mein Ohr erreicht. — Dein Aasmack duftet jenseits des Meers und dieseits des Meers." In der Ode „Die Freiheit" hatte er 1770 gesungen:

> „Nur Freiheitsschwert ist Schwert für das Vaterland!
> Wer Freiheitsschwert hebt, flammt durch das Schlachtgewühl,
> Wie ein Blitz des Nachtsturms! Stürzt, Paläste!
> Stürze, Tyrann, dem Verderber Gottes!
>
> O Namen! Namen! festlich wie Siegesgesang!
> Tell! Hermann! Klopstock! Brutus! Timoleon!
> O ihr, wem freie Seele Gott gab,
> Flammend ins eherne Herz gegraben!"

Es war eine große Wendung, als er am 1. Juni 1800 in Münster zur katholischen Kirche übertrat.

Kein größerer Gegensatz als zwischen Stolberg und Ludwig Christoph Heinrich Hölty. Er war ein Pastorensohn. Am 21. Dezember 1748 in Mariensee an der Leine, nordwestlich von Hannover, geboren, als Sohn der zweiten Gattin seines Vaters, wuchs er in anmutiger Landschaft auf. „Die Gegend ist hier sehr schön", schreibt er einmal an Boie, „Ebenen und Wäldchen wechseln ab, und die Leine fließt in der Nähe." Er war bis in sein neuntes Jahr, wo er von den Blattern befallen wurde, ein bildschönes, munteres Kind. Die Krankheit entstellte ihn, schwächte seinen Körper und breitete einen Hauch der Schwermut um ihn. Er trotzte seiner zarten Gesundheit — seine Mutter war an der Schwindsucht gestorben — und suchte die Zeit, die er durch die Krankheit verloren, wieder nachzuholen, indem er oft bei einer mit heimlich erbeutetem Öl gefüllten ausgehöhlten Rübe als Studierlampe arbeitete. Von 1765 bis 1768 besuchte er das Gymnasium in Celle. Den letzten Winter vor dem Abgange zur Universität verbrachte er wieder in Mariensee, und in jene Zeit fällt seine tiefe Liebe zu Anna Juliane Hagemann, der 1744 geborenen Tochter eines Konsistorialrates in Hannover — er hat sie als Laura, Juliana und Daphne besungen. „Sie ist die schönste Person, die ich gesehen habe", berichtet er am 13. Dezember 1773 an Voss; „ich habe mir kein Ideal liebenswürdiger bilden können, sie hat eine majestätische Länge und den vortrefflichsten

Wuchs, ein ovalrundes Gesicht, blonde Haare, große blaue Augen, ein blühendes Kolorit, eine Grazie und Anmut in allen ihren Mienen und Stellungen. Nie habe ich ein Frauenzimmer mit mehr Anstand tanzen gesehen." Aber er verbarg seine Liebe, und Juliana heiratete einen andern.

Auf das Sommersemester 1769 ließ er sich als Theologe in Göttingen einschreiben. Er war der fleißigste Student. Neben Theologie studierte er, erzählt sein Freund J. M. Miller, „unaufhörlich die ältere und neuere Philosophie nebst ihrer Geschichte, die Historie und die schönen Wissenschaften in ihrem ganzen Umfang. Jeden Schriftsteller las er in seiner eigenen Sprache. Er verstand, und zwar sehr gründlich: Hebräisch, Griechisch, Lateinisch, Englisch, spanisch, Italienisch, Französisch... Er opferte dem Fleiß und seiner Wißbegierde fast zu viel Zeit und Kräfte. Hätt' er weniger studiert, so glaub' ich fast gewiß, er lebte unter uns noch lange Zeit. Ganze Tage und gewöhnlich mehr als halbe Nächte saß er, über dicke Folianten und Quartanten hingebückt, mit solch anhaltender Geduld, daß er sie in wenig Wochen ganz durchlas. Wenn er sich einmal zum Lesen hingesetzt hatte, so vergaß er alles, Welt, Gesellschaft, Essen und Schlaf ... So sehr er den Umgang mit Personen, die er einmal lieb gewonnen hatte, und das freie Feld, den Tempel der Natur, liebte, so verließ er doch selten auf eignen Antrieb sein Zimmer und die Bücher."

Diese Eingeschlossenheit in die Welt der Bücher lockerte sich, als der Hain gegründet wurde. Er hatte von Jugend auf gedichtet und fremde Muster nachgeahmt. Da lernte er 1771 Bürger kennen und wurde durch ihn Boie und J. M. Miller zugeführt. Im September 1772 wohnte er der Gründung des Bundes bei. Er konnte mit seiner Engbrüstigkeit und schwachen Stimme nicht daran denken, je die Kanzel zu besteigen; so blieb er in Göttingen und fristete, kärglich genug, sein Leben durch Privatstunden und Übersetzungen. Wenn er einmal schreibt, Voss stecke in Schulden bis über die Ohren, so konnte er das gleiche auch von sich bekennen: „Ich habe selber einmal einen Rock versetzen und einen verkaufen müssen, wenn ich nicht den Dichtertod sterben wollte" (an Miller 12. Dezember 1774).

Hungern und übermäßiges Sitzen über den Büchern brachten die Krankheit zum Ausbruch, deren Keim ihm die Mutter vererbt hatte. Im Februar 1775 klagt er über einen sehr heftigen Anfall von einer Brustbeschwerde: „Es liegt mir an der rechten Seite, wie ein harter Klumpen auf der Brust." Blutspeien und Auswurf von blutigem Schleim kündigen die Schwindsucht an. In dem nahen Hannover lebte der berühmte Leibarzt Zimmermann. Wenn einer, so kann der helfen. Zimmermann schreibt ihm eine strenge Diät vor und öftere Aderlässe. Durch derartige Entkräftungskuren suchte man damals die Tuberkulose zu heilen! Das war im Mai. Noch mehr als ein halbes Jahr später glaubte Zimmermann wirklich, ihn auf diese Weise gesund machen zu können. „Er kömmt einem so roh vor als ein Dorfjunge und so einfältig als das einfältigste Kind. Im Tone seiner Stimme ist bäurische Langsamkeit und in Absicht auf alles, was auf den Menschen von außen her wirkt, das allernächlässigste Phlegma. In Göttingen sah er aus wie ein Schwein; in Hannover trägt er zum Erstaunen der Freunde weiße Wäsche und Puder in den Haaren. Am Anfang des letzten Jahres schien er ein Opfer der Schwindsucht werden zu wollen; ich half ihm durch malgré lui, denn er spie Blut die Menge, hatte die heftigsten Brustschmerzen und beständiges Fieber, ohne sich dadurch einen Augenblick in seiner göttlichen Seelenruhe stören zu lassen." So urteilte J. G. Zimmermann, der seelenkundige Verfasser des Buches über die Einsamkeit, in einem Briefe an Lavater vom Januar 1776.

Wirklich schien die Roßkur zu helfen: „Ich werde von Tage zu Tage gesunder und stärker, und es sind nur kleine Reste der Krankheit übrig, die sich allmählich verlieren", schrieb Hölty am 28. Mai 1775 an Miller. Er war Anfang Mai nach der Heimat gefahren und genoß im glücklichen Wahn des Genesenden den Mai, den er so gern besungen hat, in vollen Zügen. „Rings atm' ich frische Luft und Blüten, laufe den ganzen Tag im Wald herum, reite und fahre, und werfe die Bücher unter die Bank." Man darf wohl annehmen, daß der geliebte Mai seine Lebensgeister wirksamer angeregt hat, als die Kurpfuscherei von Zimmermann. Denn als der Juni kam, begann das Bluthusten von neuem. Tief ergreifend ist es, wie der vom Tod Umschattete zwischen Wirklichkeit und Ideal schwebt. Er genoß freudig, was die Erde ihm bot. Noch in seinem Todesjahr sang er:

> „Wer wollte sich mit Grillen plagen,
> So lang uns Lenz und Jugend blühn?
> Wer wollt' in seinen Blütentagen
> Die Stirn in düstre Falten ziehn?
>
> O wunderschön ist Gottes Erde
> Und wert, darauf vergnügt zu sein;
> Drum will ich, bis ich Asche werde,
> Mich dieser schönen Erde freun."

Man wird kaum annehmen dürfen, daß er sich die Wahrheit über seinen Zustand verhehlte. Aber mit welch heldenhafter Gelassenheit erträgt er sein Leiden! Fast sachlich zeichnet er seine grausigen Symptome auf. Er klagt wohl etwa, daß er Voss keine Gedichte für den Almanach senden könne, weil sein Kopfweh und seine Mattigkeit fortdauern. Aber als im Februar 1775 sein Vater starb und ihm ein paar hundert Taler hinterließ, verzichtete er zugunsten seiner Geschwister darauf und suchte, als Todkranker, sein Leben durch eigene Arbeit zu fristen. Wie es gelang, meldet sein letzter Brief an Miller: „Ich leide gewaltigen Geldmangel. Das beständige Medizinieren kostete mir so viel. Stürb' ich jetzt, ich müßte, wie Aristides, publico sumptu begraben werden." Als er noch gesunder war, malte er sich sein Leben aus. Einige Jahre möchte er in einer großen Stadt zubringen, um die Menschen zu studieren. Dann aber würde er aufs Land gehen. „Wenn ich an das denke, so klopft mir das Herz. Eine Hütte, ein Wald daran, eine Wiese mit einer Silberquelle, und ein Weib in meiner Hütte, ist alles, was ich auf dem Erdboden wünsche."

Das Schicksal versagte ihm die Erfüllung. Am 1. September 1776 raffte den Siebenundzwanzigjährigen der Tod dahin. Aber ein anderer Wunsch ward ihm zum Teil erfüllt: „Ich will kein Dichter sein, wenn ich kein großer Dichter werden kann. Wenn ich nichts hervorbringen kann, was die Unsterblichkeit an der Stirne trägt." Er ist keiner der großen Dichter geworden, aber ein paar seiner Gedichte gehören dem Schatze unsterblicher deutscher Lieder an. Er hat es vorausgesagt in einem seiner letzten Gedichte, dem „Vermächtnis":

> „Ihr Freunde, hänget, wann ich gestorben bin,
> Die kleine Harfe hinter dem Altar auf,
> Wo an der Wand die Totenkränze
> Manches verstorbenen Mädchens schimmern.
>
> Der Küster zeigt dann freundlich dem Reisenden
> Die kleine Harfe, rauscht mit dem roten Band,
> Das, an der Harfe festgeschlungen,
> Unter den goldenen Saiten flattert."

Was Hölty versagt war, ist Johann Heinrich V o s s zuteil geworden: eine Hütte am Wald, eine Wiese mit einer Silberquelle und ein liebendes Weib. Er ist der Erfolgreichste, weil am meisten Zielbewußte und Härteste der sonst so weichen Göttinger geworden. Er war am 20. Februar 1751 in dem Dorfe Sommersdorf in Mecklenburg-Schwerin geboren. Sein Vater, der Sohn eines leibeigenen dann freigelassenen Handwerkers, war erster Kammerdiener gewesen und war darauf in Penzlin Zolleinnehmer und Wirt geworden. Aber im Siebenjährigen Kriege büßte er den größten Teil seiner Habe ein und mußte nun als Klippschullehrer sein Leben fristen. Seine Tatkraft und Beweglichkeit vererbten sich auf den Sohn. Das vielfältige Leben in der Wirtschaft, der Umgang mit Handwerkern und Bauern und das Belauschen ihrer Gespräche begründeten frühe Weltkenntnis, Mutterwitz und Schlagfertigkeit. Eine unersättliche Wißbegirde war in ihm. Von der „Asiatischen Banise" und der Bibel bis zum Robinson, der „Insel Felsenburg" und den Volksbüchern las er alles, was ihm in die Hand kam. Aus dem Munde der Alten hörte er Kunde von vergangener Zeit: wie man nach dem Dreißigjährigen Kriege die Spuren eines abgebrannten Dorfes im Walde gesucht habe, und wie ein großer Komet als Zornrute Gottes am Himmel erschienen sei. Mit Lust und Eifer lernte er Latein. Er bewunderte den prächtigen Klang der Sprache, die Bestimmtheit der Umendungen und Fügungen, die Kürze und Zierlichkeit des Ausdrucks, die Freiheit der Wortstellung und trachtete, in der deutschen Sprache ähnliche Kraft der Kürze und Stellung zu erreichen. Die Kameraden liebten ihn, weil er ihnen alle möglichen Spielgeräte anfertigte. Der Siebenjährige Krieg und die Taten Friedrichs des Großen entzündeten ihre Phantasie. Sie bildeten ein Heer, an dessen Spitze Voss als König von Mecklenburg trat. Als der Rektor einst in dem Hute seines Kriegsobersten ein Papier fand, war eine Bestallung darauf geschrieben „Ich Johann Heinrich, von Gottes Gnaden König der Wenden in Mecklenburg". Er redete darauf in der Schule eine Zeitlang den Knaben an: „Eure königliche Majestät, geruhen Sie aufzusagen!"

Früh bildete sich beim Hören von geistlichen und Volksliedern das Ohr für den Klang und die Eigenart deutscher Verse. „In allem, was klang oder klappte, war ein wohlgeordnetes Zeitmaß meinem Gehör angenehm: wogegen ein wirres Fortschreiten und Stocken des Tons, ein unstetes Geräusch, zumal ein zweckloses, mich beunruhigte." Ein unbeständiges Fensterrasseln, ein mutwilliger Belferer konnten ihn schlaflose Stunden hindurch peinigen, während er dem regelmäßigen Schlag der Dreschflegel oder der Trommler mit Lust zuhörte.

Im Frühjahr 1766 ging er aufs Gymnasium in Neubrandenburg. Der Vater, dessen Gewerbe stockte, konnte den Unterhalt des Sohnes nicht bestreiten. Aber ein Oheim hatte hundert Taler in Aussicht gestellt. Einiges hatte der Knabe selber erspart, und im übrigen standen Freitische in Aussicht. „Aber der Blumenweg meiner Jugend verlor sich jetzt in eine rauhere Dornenbahn." Die neue Schule bereitete dem Ankömmling nicht den freundlichen Empfang. Schon die Anrede „Ihr" schien ihm eine Beleidigung zu sein. Die spätere Unterscheidung zwischen Sie für die adeligen Schüler, Er für die bürgerlichen, kränkte seinen Stolz. Wie eine gestellte Mühle wurden die achtunddreißig Lehrstunden der Woche in einförmigem Gang abgeklappt. Im Lateinischen wurden die Hexameter Vergils wie Prosa gelesen und nicht ohne gröbliche Mißdeutungen übersetzt.

Der Unterricht dauerte bis 1769. Dann mußte Voss eine Stelle als Hofmeister bei dem Klosteramtmann von Oertzen in Ankershagen annehmen. Es war eine Zeit voll Kränkungen und Demütigungen. „Damals hatte", berichtete er später aus der Erinnerung, „bei dem Landadel gewöhnlich der Koch weniger Arbeit und mehr Einnahme als der Erzieher." Gedichte, die er für den Musenalmanach an Boie sandte, erwirkten ihm dessen Aufmerksamkeit und Hilfe. Vom April 1772 an konnte er in Göttingen studieren. Enge Freundschaft verband ihn mit Boie, und als er 1774 einige Zeit in dessen Vaterhaus in Flensburg weilte, verlobte er sich mit Boies Schwester Ernestine. Es dauerte drei Jahre, bis ihre Mutter das Jawort zur Ehe gab. 1777 zog er mit seiner jungen Frau nach Wandsbek. Die Herausgabe des Musenalmanachs und die Homerübersetzung mußten die Mittel für den Haushalt liefern. In einem kleinen Hause mit zwei oder drei Zimmern wohnten sie. So bescheiden waren die Mittel, daß nicht einmal ein Mörser, der zwei Taler gekostet hätte, angeschafft werden konnte. Voss half tüchtig im Haushalt, zündete Feuer an und spaltete Holz. Da sie sich abends nur ein Licht gestatten konnten, wurde der Eßtisch an Vossens Arbeitspult gerückt, und er übersetzte die Verse der Odyssee, indes Ernestine neben ihm nähte.

1778 wurde Voss Rektor in Otterndorf. Die Verhältnisse waren auch hier bescheiden. Der Eßtisch war zugleich Vossens Arbeitstisch. Die eine Hälfte war mit seinen Büchern und Schriften belegt, die andere zum Essen gedeckt. Ernestine erzählt aus mildernder Erinnerung von dem freundlichen Verkehr mit Amtsgenossen und Verwandten. Ein weniger heiteres Bild gibt, was Voss am 30. September 1779 an Pfeffel schreibt: „Nun ist der traurige Herbst wieder da mit seinen stinkenden Marschnebeln. Gott sei Dank, daß ich noch so frisch darin lebe und webe ... Alle meine Bücher beschimmeln, mein Klavier quillt aus, das Zeug verdirbt und dabei Arbeit vom Morgen bis zum Abend, kein Freund, der etwas anderes als Stadtgeschichten hören mag, und kaum das liebe Brot. Wenn ich nicht überzeugt wäre, daß Gott unser Schicksal lenkt, ich wäre schon wieder nach Wandsbeck gegangen."

Nach vier Jahren erhielt er das Rektorat in Eutin. Stolberg hatte die Stelle vermittelt. Der neue Ort ließ sich zunächst nicht viel anmutiger an, als der alte. „Unsere Wohnung", schreibt Ernestine, „war so schlecht, daß mir jetzt noch grauet, wenn ich an den ersten Eintritt denke: kleine niedrige Zimmer, nicht die mindeste häusliche Bequemlichkeit selbst das Allerunentbehrlichste fehlte. Zu seiner Arbeitsstube gelangte Voss auf einer höchst erbärmlichen Treppe, bei deren zweitem Absatz er immer den Kopf biegen mußte, um keinen Stoß zu bekommen." Die Möbel hatten nur zur Hälfte Platz. Ein Teil mußte im Kuhstalle untergebracht werden. „Dieser Stall, von Voss wohl unser Staatszimmer genannt, nahm in der Folge alles auf, was im Hause kein Unterkommen fand, und dort brachte ich mit den Kindern immer die Stunden zu, in denen mich die Sonne im Hause nicht aushalten ließ." Später wurde die Familie im Rathause untergebracht, und als Fritz Stolberg Eutin verließ, erhielt Voss dessen Wohnung.

Eutin war Residenzstadt. Hof und Adel bestimmten das gesellschaftliche Leben. Strenges Zeremoniell herrschte. „Die Grenzlinien zwischen Adel und Räten ward in Eutin scharf gezogen, noch schärfer fast zwischen diesen und den Unbetitelten, zu denen der Rektor gehörte. Die zweite Klasse nahte sich dem Adel stets mit Ehrfurchtszeichen; die letzte Klasse zog schon in der Ferne den Hut ab, wenn sich etwas zum Hofe Gehöriges blicken ließ." So gestaltete sich zunächst bei Vossens unabhängiger Art auch der Verkehr mit Stolberg etwas schwierig. Die Zugehörigkeit zum Göttinger Hain und das gemeinsame Interesse an literarischer Arbeit, die sonst nach Ernestines Bericht in den höheren Kreisen Eutins gering gewertet wurde, überbrückte die Kluft des Standes. Eine Entfremdung zwischen den beiden Freunden entstand erst, als die Fürstin Gallitzin in Eutin auftauchte.

Vossens klarem und aufrichtigem Charakter entsprach das unbeirrbare Bekenntnis zum protestantischen Glauben. Es war nicht ein orthodoxer Wortglaube, er beruhte auf der Überzeugung der sittlichen Kraft des Evangeliums. Als er den Religionsunterricht in Otterndorf übernahm, war, wie Ernestine berichtet, sein Ziel, an Glaubenslehren den Hauptzweck unsers Daseins zu knüpfen: „gut zu leben, und treu in Erfüllung seiner Pflichten zu sein. Ein Glaube, sagte er oft, den ich bloß ausspreche, weil ihn mir andere vorsprechen, kann mir nicht die Ruhe geben, in der ich freudig fortwandle und dem Tod ins Auge sehe. Das, woran ich mich halten soll, muß jede Untersuchung ertragen; ich muß das Gefühl in mir bewahren, daß mein Glaube nur dann Gott wohlgefällig sein kann, wenn er sich auf Überzeugung gründet. Diese Gegenstände sind stets die Gespräche seiner heitersten Stunden mit mir bis an sein Ende geblieben. Nie hat er Zweifel und Unruhe in mir geweckt, wo er nicht gleich bereit war, beides überwinden zu helfen. Die einfache Lehre Jesu aus den Evangelisten war ihm so klar und deutlich und frei von Menschensatzungen, wie ich sie noch nie hatte entwickeln hören. Bei ihm lernte ich zuerst, wie manches erst allmählich entstanden, was jetzt als Glaubenslehre gilt."

Diese geschichtlich begründete christliche Überzeugung, die, dem Sinn der Aufklärung gemäß, in der Pflicht zur sittlichen Tat gipfelte, verband sich bei Voss höchst natürlich mit der Liebe zum klassischen Altertum und seinen geistigen, künstlerischen und sittlichen Werten. Beim Antritt des Rektorates in Eutin hielt er eine Rede, worin er seinen Schülern seine Überzeugung von der bildenden Kraft der antiken Sprachen, neben der deutschen, kundtat: „Lernt die Sprache des Römers, denn sie erhellte zuerst die Finsternis, die über Europa schwebte; und noch jetzo ist sie die gemeinsame Sprache der Weisen Europas... Faßt Mut und entschließt euch, euch, so weit es geschehen kann, dem reinen und schönen Ausdrucke des goldenen Zeitalters zu nähern! Lernt die griechische Sprache. Zwar sollt ihr sie weder schreiben noch reden: aber sie ist die Mutter der lateinischen, und man muß ihr nicht wenig schmeicheln, wenn man die Gunst der Tochter erwerben will; auch sagt man ihr nach, sie sei weit schöner als ihre Tochter, wenigstens habe sie noch viele Schätze der Weisheit verborgen, die sie jener nicht zur Aussteuer mitgab. Seht, o Freunde, die holden Sprachgöttinnen; nicht vom Schulstaube entstellt, sondern glänzend von himmlischer Schönheit, wirken sie euch lächelnd ins Heiligtum der Wissenschaften."

In diesem Bunde von geklärtem protestantischem Glauben und klassischer Bildung fand Voss den geistig-sittlichen Grund seines Wesens, und dabei beruhigte er sich. Er war weder ein Philosoph noch ein Grübler, und seine einfache Natur fand ihr Genügen an der übersetzenden Vermittlung der Werke der Alten und der Abfassung eigener Dichtungen im Sinne und in den Formen der Griechen und Römer. Nun sah er in Eutin in den Stolbergschen Kreis die Fürstin Amalie Gallitzin treten. Als Tochter des preußischen Grafen von Schmettau ursprünglich protestantischen Glaubens, hatte sie durch das Lesen französischer Aufklärungsschriften den innern Glaubenshalt verloren und war dann in Münster, wohin sie sich, 1779, zur Erziehung ihrer Kinder begeben, unter dem Einfluß des hochgebildeten Kölner Generalvikars Franz Fürstenberg zum katholischen Bekenntnis übergetreten. Ihren grotesken Einzug und ihre geistliche Wirksamkeit hat Ernestine Voss mit einer Ironie geschildert, in der noch die einstige Erregung nachzittert: Sie kam in einem großen, mit Segeltuch überspannten Karren, dessen Hauptsitz zu einem Lager für die Fürstin eingerichtet war; die andern Sitze füllten ihre sechzehnjährige Tochter, eine jüngere Nichte, ihr Freund, der geistliche Herr Overberg, ein Lehrer der Nichte und ein Fechtmeister aus. Die Fürstin, damals in den Vierzigern stehend, war von sehr angenehmer Gestalt, heiter, freundlich und einfach. Sie brachte einen Zug der Einfachheit in das Stolbergsche Haus. Die Zahl der Diener und der Schüsseln bei den Mahlzeiten wurde vermindert. Die Kinder mußten sich selber bedienen. Abends wurde kalt gegessen und dabei die Handarbeiten nicht weggelegt und Gespräch und Vorlesen nicht unterbrochen. Zu Voss bildete sich anfangs ein freundliches Verhältnis. Er unterhielt sich gern mit der Fürstin und las ihr wohl auch etwas vor. Allmählich aber blickte, berichtet Ernestine, durch ihre Offenheit etwas Hinterhältiges hervor. Eine angekündigte vertrauliche Unterredung mit Ernestine Voss schob sie immer wieder hinaus. Vossens ihrerseits verdroß das Schautragen der Zeremonien: alle Freitage nach Lübeck in die Messe; kein Fleisch am Freitag; nach der Mahlzeit ein hochfeierliches Bekreuzen von Stirn und Brust, welches die Tochter, eine muntere Seiltänzerin, mit einer artigen Gebärde, als wollte sie etwas am Putz ordnen, in der Hast abtat. Einmal vernahm Ernestine, wie Fritz Stolberg im Gespräch mit der Fürstin voll Zorn sich von Voss zu trennen gelobt.

Mit der Ankunft der Fürstin und dem Einfluß, den sie mehr und mehr auf den innerlich unsichern Stolberg gewann, bereitete sich die Trennung zwischen den beiden alten Freunden vor. Aus den Aufzeichnungen von Ernestine Voss ersieht man, wie Stolberg damals in einer leidenschaftlichen Erregung war. Allerlei wirkte zusammen. Er hatte 1788 seine erste Gattin, Agnes von Witzleben, verloren. Dazu erschütterten ihn die Vorgänge in Paris. Eines Tages stürmte er aufgeregt in Vossens Haus und gab Ernestine das eben gedruckte Gedicht „Die Westhunnen". Es ist eine wilde Kampfansage an die französische Revolution:

> „Bei meiner Mutter Asche, das duld' ich nicht!
> Ihr sollt nicht Franken nennen der Völker und
> Der Zeiten Abschaum! Nennt Westhunnen,
> Dann noch beschönigend, ihre Horden."

So war Stolberg den immer erneuerten Bekehrungsversuchen der Fürstin und ihrer Begleiter in seiner damaligen Gemütslage um so wehrloser ausgesetzt. Aber auch Voss war zu jener Zeit durch Krankheit und Überarbeitung mißgestimmt und gereizt. Das Leiden steigerte sich bis zu einem Schlaganfall, der den rechten Arm lähmte. Eine Reise nach Halberstadt und Berlin brachte Beruhigung und Genesung. Nach der Rückkehr, 1798, kam es zu einem ernsten Zwist zwischen Voss und Stolberg, als dieser erklärte, er könne seine Söhne nicht länger den Unterricht von Voss besuchen lassen, weil er mit Vossens Grundsätzen nicht mehr einverstanden sei. Ernestine hat den Auftritt aus der Erinnerung aufgezeichnet. Außer sich sei Stolberg in den Garten gekommen und habe von getäuschtem Zutrauen gesprochen. Voss habe ihn ruhig daran erinnert, daß er ihm nie seine Grundsätze verhehlt habe. „Stolberg war zuweilen im Begriffe zuzugeben, aber gleich sprang er wieder ab. So gingen sie fast eine Stunde im Garten. Voß war tief gerührt; das rührte auch Stolberg auf Augenblicke; dann sprach er wieder die bittersten Dinge. Mich überwältigte das Gefühl, ein solcher Stoß könnte für Voss tödlich sein:

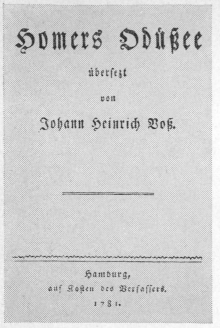

Die Titelseite der Odyssee-Übersetzung
von Voss in der Erstausgabe

er war ganz blaß. Rasch trat ich hinzu, faßte beide an der Hand, und sagte: Ihr sollt und müßt euch trennen; Freude habt ihr einander lange nicht mehr gegeben; hört auf, euch das Leben zu verbittern."

Zwei Jahre später, am 1. Juni 1800, trat Stolberg mit seiner zweiten Gattin in Münster zum Katholizismus über. Es war ein für die Zeitwende symptomatisches Ereignis. Es schien, als ob damit der Geist des Mittelalters, den die Aufklärung und die Pflege klassischer Bildung beseitigt, wieder zurückkehren wolle. Auch die Romantik hatte sich damals von der Aufklärung abgewendet und die Welt des Mittelalters heraufbeschworen.

Unter den Bestürzten war in erster Linie Stolbergs alter Freund Voss, der aufrechte, knorrige Protestant und der Freund des klassischen Altertums. Er hatte seine Liebe zum Altertum in zahlreichen Übersetzungen, vor allem der Homerischen Gedichte, bekundet. Er hatte Homerischen Geist in seiner Idylle „Luise" (1795) wieder zu erwecken unternommen und zugleich darin den aufgeklärten Geist des protestantischen Pfarrhauses verherrlicht. Stolbergs Schritt, das wußte er, war nicht mehr ungeschehen zu machen. So richtete er an ihn die Warnung, wenigstens seine Kinder nicht zum Glaubenswechsel zu zwingen:

„Freies Sinns Aufhellung gespäht und Wahrheit,
Sonder Scheu, ob Papst und Tyrann durch Machtspruch
Geistesflug einzwäng'; und geübt mit reiner
Seele, was recht ist!

Das allein schafft heiteren Blick zur Gottheit:
Das allein Gleichmut, wenn im Strom des Lebens
Sanft der Kahn fortwallt, wenn gebäumt vom Sturmwind
Toset die Brandung."

Bald darauf verließ Stolberg Eutin. Eine Begegnung und, ob auch äußerliche Aussöhnung, verhinderte Fritz Stolbergs Bruder Christian. „Als wir", erzählt Ernestine, „eines Nachmittags durch die Stadt gingen, begegnete uns Stolberg, mit dem ältesten Sohn ins Feld reitend. Unsern stummen Gruß erwiderte er, rot im Gesicht, mit gesenktem Blick. Wir sahen ihm gerührt nach, er uns. So schieden wir."

Voss konnte den Abfall des Jugendfreundes nicht verwinden. Noch 1819, im Todesjahr Stolbergs, kam er darauf zurück in dem Aufsatz: „Wie ward Fritz Stolberg ein Unfreier?" 1802 gab er auch seine Stelle auf. Reizbarkeit und Krankheit bestimmten ihn zu dem Entschluß. In Jena, wohin er im Herbst mit den Seinen übersiedelte, hoffte er Ruhe und Genesung zu finden. Umsonst. Die alten Übel verfolgten ihn auch hier. Alle Bemühungen Goethes, ihn festzuhalten, auch das Anerbieten, ihn zum Direktor des Weimarischen Gymnasiums zu machen, konnte ihn nicht zum Bleiben in Sachsen-Weimar bewegen. Es zog ihn nach einer südlicheren Stadt, und als er 1805 einen Ruf als Professor in Heidelberg erhielt, nahm er ihn an. Hier hat er noch volle zwei Jahrzehnte gewirkt. Äußerlich fühlte er sich wohl. Aber es war kein ruhiger Lebensabend. Hatte schon Stolbergs Übertritt das streitbare Blut des alten Kämpen in Wallung gebracht, so rief ihn die neue Umgebung nun erst recht zum Kampfe auf. Es war eine seltsame Fügung des Schicksals, daß es sein Lebensschifflein nach Heidelberg gelenkt hatte. Denn gerade zu der Zeit, da Voss in der Neckarstadt ankam, wurde Heidelberg die Hochburg einer Romantik, die von klassischem Altertum, Protestantismus und Aufklärung nichts mehr wissen wollte und vor neuen Altären kniete: Mittelalter, Katholizismus, Mystik, ja, die diese neuen Offenbarungen sogar in die Welt des klassischen Altertums hineinzutragen suchte: Brentano und Arnim gaben „Des Knaben Wunderhorn", Görres die „Deutschen Volksbücher", alle drei zusammen die Zeitung für Einsiedler heraus, und der klassische Philologe Friedrich Creuzer legte in seiner „Symbolik und Mythologie der alten Völker" in die Mythen der Alten Ideen neuplatonisch-romantischer Mystik und Schellingscher Naturphilosophie hinein. So sah sich Voss von einem ganzen Nebelmeer katholisierend-mittelalterlicher Mystik umgeben, dessen anbrandende Wogen er auf einsamer Insel abwehren mußte. Er fühlte sich als Nachfolger Lessings in einem Kampfe gegen Goeze, und er focht mit Lessingscher Schärfe und Leidenschaft, aber ohne Lessings eleganten Witz und geistreiche Sprachkraft. Er war überzeugt, für eine gute Sache, die Freiheit des Geistes und die Wahrheit der Wissenschaft, zu kämpfen, und so war es ihm wohl, und der Streit erhielt seinen Geist jung und seinen Körper gesund. Ernestine Voss meinte zwei Jahre vor seinem Tode: „Das Gefühl, noch manchem entgegenwirken zu können, was uns in die alte Dunkelheit zurückziehn und den Geist in Fesseln zwingen will, hebt ihn oft zur Begeisterung." Erst als eine Verfügung des Großherzogs von Baden das Ärgernis beseitigte, das der Kampf um die Symbolik erregt hatte, und ihn zwang, die streitlustige Feder niederzulegen, versiegte seine Lebenskraft. Kurz darauf, am 29. März 1826, ist er gestorben.

5. GOETHES JUGEND

> „Geprägte Form, die lebend sich entwickelt."
> Goethe

Zu zwei ragenden Gipfeln steigt um 1800 das dichterische Schrifttum der Deutschen auf: Goethe und Schiller. Sie stellen zugleich in letzter Vollkommenheit die zwei Möglichkeiten schöpferischer Persönlichkeit dar: Goethe ist der aus dem Naturgrunde des unmittelbaren Lebens organisch Bildende, Schiller der mit geklärtem Willen aus dem geschichtlichen Geistesbesitz Gestaltende.

Durch eine geradezu beispiellose Gunst des Schicksals war es Goethe gegeben, aus den unbegrenzt zuströmenden Quellen einer räumlich und zeitlich reichsten Umwelt seine Persönlichkeit zu nähren, die in ihr wirkenden Kräfte bis ins letzte auszunützen und alle in ihr verborgenen Bildungskeime zum Sprossen und Reifen zu bringen. Man würde sich aber täuschen, wollte man sein Werk nun betrachten als etwas naturhaft drängend Hervorgebrachtes. Gerade das macht die Größe seines Werkes aus, daß die dumpfe Naturkraft, die es zeugte, nährte und formte, zugleich überleuchtet war von dem Strahl eines unablässig hellen Bewußtseins. Es ist in seinem Schaffen jenes wahrhaft Göttliche, das die Bewegung der kindhaft spielenden Hände mit hohem Vaterauge überschaut und in die Gebilde des Spiels den tiefen Sinn hineindenkt. Er hat selber den unberechenbaren Grund all seines Schaffens immer wieder mit starker Entschiedenheit betont. Er sprach von dem Inkommensurabeln seiner Dichtung, wie er die Natur als inkommensurabel betrachtete, und lehnte es ab, daß man in seinem Faust nach einer abstrakten Idee suchen könne: Er habe in seinem Innern Eindrücke sinnlicher, lebensvoller, lieblicher, bunter, hundertfältiger Art bekommen, wie eine rege Einbildungskraft sie ihm dargeboten, und er habe als Poet weiter nichts zu tun gehabt, als solche Anschauungen und Eindrücke in sich künstlerisch zu runden und auszubilden (Eckermann 6. Mai 1827). Aber er hatte zugleich Zeit seines Lebens das Bedürfnis, das Geheimnis des künstlerischen Schaffens ins Licht des Bewußtseins zu rücken. Er war überzeugt, daß es, wie das Bilden der Natur, nach gewissen Gesetzen vor sich gehe, daß die Gebilde, die es hervorbringe, den Stempel dieser Gesetze an sich trügen; und diesen gesetzmäßig prägenden Kräften nachzugehen, war ihm als Dichter, als Naturforscher und als Betrachter der Werke der bildenden Kunst in vielen Jahren seines Lebens bedeutendstes Anliegen. Und so ist es ihm gelungen, durch seine morphologischen Forschungen auch die Natur und den Geist des Dichters bei ihrem Gestalten zu belauschen. Denn Natur und Geist waren ihm letztlich dasselbe; hat er doch auch, in dem unterdrückten Vorwort zum dritten Teil von „Dichtung und Wahrheit", die Entwicklung des Menschen dem Wachstum der Pflanze gleichgesetzt, indem sie nach jenen Gesetzen vor sich gehe, „wovon uns die Metamorphose der Pflanzen belehrt".

Dabei ist, was er als Ergebnis seines Suchens herausgestellt hat, wie bei allen bedeutenden Menschen, deren Denken in dem Bau einer Weltschau gipfelt, auch bei Goethe durch die seelische Anlage seiner eigenen Persönlichkeit bestimmt. Es ist der Rhythmus seines Herzschlages, der den letzten, höchsten Gedanken seines Geistes, den kühnsten Gebilden seiner Phantasie Grund und Maß verleiht. Dies ist der Sinn jenes Spruches im West-östlichen Divan:

> „Im Atemholen sind zweierlei Gnaden:
> Die Luft einzuziehn, sich ihrer entladen;
> Jenes bedrängt, dieses erfrischt;
> So wunderbar ist das Leben gemischt.
> Du danke Gott, wenn er dich preßt,
> Und dank' ihm, wenn er dich wieder entläßt!"

Von der einfachsten, alltäglichsten Wahrnehmung des Atemholens steigt er auf der Jakobsleiter ahnungsvoller Phantasie auf zu der hohen Schau über Leben, Welt und Gott. Das Leben ist das Atemholen des lebendigen Gottes, der in ruhigem Gleichtakt die Geschöpfe in sich hineinschlingt und sie wieder aus sich herausläßt. Damit ist zugleich das Gesetz, das diesen Rhythmus bestimmt, ausgesagt: die Polarität, das ewigwebende Hin und Her der bildenden Kräfte der Allnatur. In diesem Sinne sprach er zu Eckermann, er denke sich die Erde mit ihrem Dunstkreise gleichnisweise als ein großes lebendiges Wesens, das im ewigen Ein- und Ausatmen begriffen sei.

Goethes eigenes körperlich-seelisches Verhalten begründet diese Polarität von Ein- und Ausatmen. Es ist im Wechsel anziehend und abstoßend, attraktiv und repulsiv. Seine Sinne sind so empfindlich, daß sie die Gegenstände überfein wahrnehmen und sie so in eine geradezu bedrängende Nähe an sich heranziehen. So beängstigen den Knaben die engen und häßlichen Fleischbänke am Marktplatz zu Frankfurt, so fühlt der Greis sich abgestoßen von dem durch einen Sturz vom Pferde zerschundenen und entstellten Gesicht seiner doch so geliebten Schwiegertochter Ottilie. Dem Kanzler von Müller erklärte er: „Ich werde solch häßliche Eindrücke nicht wieder los, sie verderben mir für immer die Erinnerung. Ich bin hinsichtlich meines sinnlichen Auffassungsvermögens so seltsam geartet, daß ich alle Umrisse und Formen aufs schärfste und bestimmteste in der Erinnerung behalte, dabei aber durch Mißgestaltungen und Mängel mich aufs lebhafteste affiziert finde... Wie könnte ich mich aber über diese oft freilich peinliche Eigentümlichkeit ärgern, da sie mit andern erfreulichen Eigenschaften meiner Natur innigst zusammenhängt? Denn ohne jenes scharfe Auffassungs- und Eindrucksvermögen könnte ich ja auch nicht meine Gestalten so lebendig und scharf individualisiert hervorbringen."

Diese Schärfe ist aber nur durch die sofort einsetzende Abstoßung der Gegenstände möglich. Der Knabe flieht mit Entsetzen von den häßlichen Fleischbänken, und der Greis hält sich der entstellten Schwiegertochter fern. Goethe handelt so instinktiv und bewußt. In Straßburg geht er absichtlich beim abendlichen Zapfenstreich dicht neben den Trommlern, um sich gegen den starken Schall abzustumpfen, oder er stellt sich, um sich das Schwindelgefühl abzugewöhnen, auf eine schmale Platte oben auf dem Münsterturm.

Dem sinnlichen Verhalten entspricht das gefühlsmäßige. Auch dieses ist einatmend und ausatmend, anziehend und abstoßend. Immer wieder bezeugt Goethe die Notwendigkeit der liebenden Hingabe des Künstlers an Dinge und Menschen. „Was der Künstler nicht geliebt hat, nicht liebt, soll er nicht schildern, kann er nicht schildern", heißt ein Wort in dem Aufsatz „Nach Falconet und über Falconet". Die Briefe an die Frau von Stein sind voll von Äußerungen gleichen Sinnes. Einmal schreibt er, er habe viel gezeichnet, sehe aber zu wohl, daß er nie Künstler werde. „Die Liebe gibt mir alles, und wo die nicht ist, dresch' ich Stroh." Aber auch hier weiß er sich vor der Gefahr, völlig in den geliebten Gegenstand eingeschlungen zu werden, durch bewußte Entfernung zu schützen. Als er in Leipzig durch die eifersüchtige Leidenschaft zu Annette Schönkopf in eine betörende Sinnverwirrung gerät, ruft er sich zu:

„Sei gefühllos!   Lehne dich nie an des Mädchens
  Ein leicht bewegtes Herz   Sorgenverwiegende Brust,
  Ist ein elend Gut   Nie auf des Freundes
  Auf der wankenden Erde. — —   Elendtragenden Arm!"

So wird auch, mitten in der Liebe zu Friederike Brion, seine Kritik wach, wie er die ländliche Schöne in dem städtischen Prunkzimmer ihrer Verwandten in Straßburg erblickt und merkt, wie wenig sie in diese Umgebung paßt. Seine Liebe ist nicht blind. Vor allem in Weimar hat er es gelernt, sein Gefühl, das ihn an die Menschen andrängte, zu beherrschen. 1778 schreibt er an die Frau von Stein: „Sonst war meine Seele wie eine Stadt mit geringen Mauern, die hinter sich eine Zitadelle auf dem Berge hat. Das Schloß bewacht' ich und die Stadt ließ ich in Frieden und Krieg wehrlos, nun fang ich auch an, die zu befestigen."

Erst diese Polarität von Hingabe und Entfremdung bezeichnet Goethes Verhältnis zu den Dingen. Es ist nicht das objektive, sachliche Gegenüberstehen, wie es dem wissenschaftlichen Geiste eigen ist, ebensowenig das der kritiklosen Gefühlsanteilnahme des naiven Menschen oder des künstlerischen Dilettanten. Es ist ein Drin- und Draußenstehen und damit eine irrationale Beziehung, die Goethe selbst im „Epirrhema" als ein „heiligöffentlich Geheimnis" bezeichnet hat:

„Nichts ist drinnen, nichts ist draußen;
Denn was innen, das ist außen."

Gerade dieses dem Verständigen widersprüchliche Verhalten schafft die ungemeine Lebendigkeit und Wahrheit von Goethes Erleben und Darstellen der Welt; Gefühl und Verstand haben an ihm in gleicher Weise Anteil: jenes wärmt und belebt, dieser klärt und berichtigt. Das ist der Sinn der Worte Fausts in der Szene in Wald und Höhle. Die Liebe zu

Gretchen erschließt ihm das Innere der Natur, das sich den Hebeln und Schrauben des wissenschaftlichen Forschers und der Beschwörung des Erdgeistes versagte, und die Entfernung von der Geliebten öffnet ihm das Verständnis für die neue Offenbarung:

> „Gabst mir die herrliche Natur zum Königreich,
> Kraft sie zu fühlen, zu genießen. Nicht
> Kalt staunenden Besuch erlaubst du nur,
> Vergönnest mir, in ihre tiefe Brust,
> Wie in den Busen eines Freunds zu schauen.
> Du führst die Reihe der Lebendigen
> Vor mir vorbei, und lehrst mich meine Brüder
> Im stillen Busch, in Luft und Wasser kennen."

Dieses Erlebnis des Naturinnern, durch Liebe und Verstand ermöglicht, ist die eigentliche Naturoffenbarung des Pantheisten, der den Gott, das Geistig-Vernünftige, denkend und schauend im Sinnlich-Unvernünftigen erfährt.

Der Pantheismus, nicht in seiner logischen, sondern seiner irrational-dynamischen Richtung, ist für Goethe der Ausdruck eines unmittelbar lebendigen Verhältnisses zum Ganzen des Naturkosmos. Er ist ihm als Mensch eingewoben, und die Gesetzmäßigkeit seiner Kräfte fließt durch ihn. Das ist der Sinn der Mitteilung zu Beginn von „Dichtung und Wahrheit" über den Stand der Gestirne bei seiner Geburt und der Feststellung der „guten Aspekte", welche ihm „die Astrologen in der Folgezeit sehr hoch anzurechnen wußten." Wenn in dem Hinweis auf die Astrologie Ironie mitklingt, so bezieht sich diese nur auf die sich als wissenschaftlich ausgehende Anwendung der Astrologie, nicht auf den Sinn des astrologischen Glaubens. Goethe durchschaut die groben Rechenkünste der Astrologen; von der Beeinflussung des Charakters eines Menschen durch die kosmische Gesetzmäßigkeit ist er — seine ganze Tätigkeit als Naturforscher beweist es — tief überzeugt. Und zwar wirkt sich diese Beeinflussung nicht nur in der Stunde seiner Geburt aus, sondern auch später immer aufs neue. Fortwährend strömen ihm Kräfte aus der Tiefe der Welt zu, in besonderen Lebenslagen oder in einzelnen Personen sich zusammenballend. Es ist das, was er, mit einer in seiner Zeit noch leicht verständlichen mythologisierenden Hypostase von seelischen Anlagen, als Dämonen oder das Dämonische bezeichnet hat. Dämonen sind Geister mit magischen Kräften, und so hat Goethe sie, mit Swedenborg, auch aufgefaßt. „Wenn Ihr Dämon Sie wieder nach Weimar führt", hat er Eckermann im Oktober 1830 nach Nordheim geschrieben, oder er nennt Gedanken, die dem Gefaßten am Ende des Lebens aufgehen, „selige Dämonen, die sich auf den Gipfeln der Vergangenheit glänzend niederlassen." In diesem Sinne bezeichnet er auch den Homunculus als Dämon (Eckermann 16. Dezember 1829). Der Dämon, indem er als magisch dunkle Urkraft aus der Tiefe der unergründlichen Natur wirkt, steht jenseits der menschlichen Vernunft, und läßt sich durch

Verstandesbegriffe nicht umschreiben. Goethe, an jener Stelle von „Dichtung und Wahrheit", wo er in der Darstellung seines rätselhaften Verhaltens gegen Lili Schönemann die stärkste Einwirkung des Dämonischen zu schildern hat, erzählt: „Er glaubte in der Natur, der belebten und unbelebten, der beseelten und unbeseelten, etwas zu entdecken, das sich nur in Widersprüchen manifestierte und deshalb unter keinen Begriff, noch viel weniger unter ein Wort gefaßt werden könnte. Es war nicht göttlich, denn es schien unvernünftig; nicht menschlich, denn es hatte keinen Verstand; nicht teuflich, denn es war wohltätig; nicht englisch, denn es ließ oft Schadenfreude merken. Es glich dem Zufall, denn es bewies keine Folge; es ähnelte der Vorsehung, denn es deutete auf Zusammenhang. Alles, was uns begrenzt, schien für dasselbe durchdringbar; es schien mit den notwendigen Elementen unseres Daseins willkürlich zu schalten; es

26. Matthias Claudius (1740—1815)
Gemälde von Friederike Leisching

Claudius war Sohn eines den Pietisten nahestehenden Predigers aus Reinfeld bei Lübeck. Nach einem Theologie- und Jurastudium arbeitete er als Redakteur in Hamburg und gab schließlich 1771/75 den „Wandsbeker Boten" heraus, der unter seiner Leitung mit Beiträgen von Lessing, Herder, Goethe und anderen zeitgenössischen Dichtern zu einem Denkmal der deutschen Literaturgeschichte wurde. Aus der schlichten Frömmigkeit, mit der Claudius Natur und Menschenschicksal erlebte, entstanden so unvergängliche Gedichte wie „Der Mond ist aufgegangen".

27. Ein Weihnachtsabend bei Claudius in Wandsbek
nach Theobald von Oer's Originalkomposition, auf Holz übertragen von Hugo Bürkner

Als im Herbst 1794 das französische Revolutionsheer vor Düsseldorf stand, flüchtete Friedrich Heinrich Jacobi zu Claudius nach Wandsbek. Dort verbrachte man im geselligen Dichterkreis das Weihnachtsfest und feierte die Verlobung von Claudius' ältester Tochter Caroline mit dem Buchhändler Perthes. Das Bild zeigt von links nach rechts: Perthes, Jacobi, Caroline Claudius, das Ehepaar Rebekka und Matthias Claudius, Graf Christian Stolberg, Klopstock, Graf Friedrich Leopold Stolberg.

28. Die „Kleine Hütte" in Wandsbek,
in der Claudius mit seiner Familie von 1781 bis 1814 lebte. Lithographie.

29. Johann Jacob Wilhelm Heinse (1749—1803)
gemalt von Johann Friedrich Eich, gestochen von Christian Gottlieb Geyser

Abwechselnd von Gleim, Wieland und den Brüdern Jacobi gefördert, gestaltete sich Heinses Leben etwas abenteuerlich. Zu einem für ihn einzigartigen Erlebnis wurde Italien (1780—83), das ihm die Anregungen zum Roman „Ardinghello und die glückseligen Inseln" (1787) lieferte. Erst nach der Rückkehr aus Italien verlief Heinses Leben ruhiger: Als Achtunddreißigjähriger fand er eine ihm entsprechende feste Anstellung an der Bibliothek des Kurfürsten von Mainz.

atthias Claudius
740—1815)

27
Ein Weihnachtsabend
bei Claudius
in Wandsbek

28
Die „Kleine Hütte"
in Wandsbek

29
ın Jacob Wilhelm Heinse (1749—1803)

30
Die Familie Goet...

31/32
Goethes Eltern

33
*Die Kinder
Johann Wolfgang
Cornelia
und Hermann Jacob Goethe*

zog die Zeit zusammen und dehnte den Raum aus. Nur im Unmöglichen schien es sich zu gefallen und das Mögliche mit Verachtung von sich zu stoßen."

Das Wirken des Dämons erweist sich, eben indem es von jenseits der menschlich begreiflichen Welt kommt, bald gut und bald böse. Er kann eine Art Schutzengel sein. „Es täte uns not", sagt Goethe am 11. März 1828 zu Eckermann, „daß der Dämon uns täglich am Gängelband führte und uns sagte und triebe, was immer zu tun sei. Aber der gute Geist verläßt uns und wir sind schlaff und tappen im Dunkeln." Umgekehrt nennt Goethe es ein dämonisches Mißgeschick, daß bei seiner Schwester die Unreinheit der Haut sich gerade an Festtagen, Konzerten, Bällen usw. einzufinden pflegte. In diesen Zusammenhang gehört Goethes Bemerkung zu Eckermann (2. April 1829): Das sei eben das Schwere, daß unsere bessere Natur sich kräftig durchhalte und den Dämonen nicht mehr Gewalt einräume als billig.

Als magische Naturkraft ist das Dämonische verwandt mit dem Produktiven (Eckermann 11. März 1828). Es wirkt in der Dichtung, vor allem aber in der Musik. Besonders in höhern Menschen tritt es auf.

30. Die Familie Goethe

1763 ließ Goethes Vater seine Familie nach zeitgenössischem Geschmack im Schäferkostüm von dem Darmstädter Hofmaler Johann Conrad Seekatz porträtieren. Die Wiedergabe zeigt den zweiten Entwurf, der die Physiognomien der Personen besser trifft als das spätere Gemälde.

31./32. Goethes Eltern

Aquarelle von Georg Friedrich Schmoll

Johann Kaspar Goethe (1710—1782), Dr. jur. und Kaiserlicher Rat ohne Amt führte als Privatmann in Frankfurt ein ganz seinen Liebhabereien gewidmetes Leben. 1748 hatte er die Tochter des Stadtschultheißen, Catharina Elisabeth Textor (1731—1808) geheiratet. Goethe schreibt über seine Eltern in „Dichtung und Wahrheit": „... ein zwar liebevoller und wohlgesinnter Vater, der, weil er innerlich ein sehr zartes Gemüt hegte, äußerlich mit unglaublicher Konsequenz eine eherne Strenge vorbildete, damit er zu dem Zwecke gelangen möge, seinen Kindern die beste Erziehung zu geben, sein wohlgegründetes Haus zu erbauen, zu ordnen und zu erhalten; dagegen eine Mutter fast noch ein Kind, welche erst mit und in ihren beiden Ältesten zum Bewußtsein heranwuchs."

33. Die Kinder Johann Wolfgang, Cornelia und Hermann Jakob Goethe

Im Goethe-Haus malte Johann Conrad Seekatz 1759 für den Bruder des Königsleutnants Thoranc einen Zyklus von zwölf Monatsdarstellungen. Die Kindergruppe auf dem Maibild gilt als Porträt der Goethe-Kinder: Johann Wolfgang (1749—1832), das älteste, reicht Cornelia (1750—1777) kniend eine Blume. Von vier jüngeren Geschwistern vollendete nur der als dritte, schattenhafte Figur dargestellte Hermann Jakob (1752—1759) das sechste Lebensjahr.

Nichts Heroisches geschehe ohne Mitwirkung höherer Dämonen, hören wir. In der Dichtung sind Oedipus und die Gräfin Terzky, in der Geschichte Raffael, Peter der Große, Friedrich II., Mirabeau, Karl August, Napoleon, Byron dämonische Naturen. „Bei dem verstorbenen Großherzog", sagte Goethe am 8. März 1831, „war das Dämonische in dem Grade, daß niemand ihm widerstehen konnte. Er übte auf die Menschen eine Anziehung durch seine ruhige Gegenwart, ohne daß er sich eben gütig und freundlich zu erweisen brauchte. Alles, was ich auf seinen Rat unternahm, glückte mir, so daß ich in Fällen, wo mein Verstand und meine Vernunft nicht hinreichte, ihn nur zu fragen brauchte, was zu tun sei, wo er es denn instinktmäßig aussprach, und ich immer im voraus eines guten Erfolgs gewiß sein konnte." Neben diesen echt dämonischen Naturen gibt es auch Menschen, die sich, den Aberglauben der Leute mißbrauchend, dämonische Kräfte anmaßen. Goethe rechnet Cagliostro dazu.

All dies zeigt, daß es Abstufungen in der Einwirkung des Dämonischen auf den Menschen gibt. Zu gewissen Zeiten, wie der Sturm- und Drangbewegung, oder der Zeit der Befreiungskriege, wirkt es allgemein und stark. Gewisse Orte zieht es vor, andere, wie das klare und prosaische Berlin, meidet es. Neben den dämonischen Naturen, über die die Geister durchgehend und in allen ihren Handlungen Gewalt haben, gibt es andere, in denen das Dämonische, durch die sittlichen Kräfte der menschlichen Natur zurückgehalten, nur zu bestimmten Zeiten hervorbricht. Von sich selber bekannte Goethe ausdrücklich: „In meiner Natur liegt es nicht, aber ich bin ihm unterworfen" (Eckermann 28. Februar 1831). Wir wissen, daß das Dämonische vor allem am Ende seiner Frankfurter Zeit in seinem Leben wirkte, als er Lili, obwohl er sie innig liebte, verließ und nach Weimar ging. Auch als der Genfer Soret in Weimar unter Goethes Augen die Übersetzung der Metamorphose der Pflanzen anfertigte und zum Druck brachte, hatte Goethe die Empfindung dämonischer Kräfte: „Man kommt dahin, in solchen Fällen an eine höhere Einwirkung, an etwas Dämonisches zu glauben, das man anbetet, ohne sich anzumaßen, es weiter erklären zu wollen" (Eckermann 18. Februar 1831).

Alle die seelischen Kräfte, die Goethe anziehend und abstoßend, ins Weite strebend und sich zusammenfassend, in sich wirken fühlte, den Kampf der aus dem Kosmischen fließenden Gewalten mit den Zufällen und Ordnungen des Menschlichen, stellt in feierlicher Offenbarung das Gedicht „Urworte. Orphisch" dar. Mit dem Wirken des Dämon hebt es an:

> „Wie an dem Tag, der dich der Welt verliehen,
> Die Sonne stand zum Gruße der Planeten,
> Bist alsobald und fort und fort gediehen
> Nach dem Gesetz, wonach du angetreten.
> So mußt du sein, dir kannst du nicht entfliehen,
> So sagten schon Sybillen, so Propheten,
> Und keine Zeit und keine Macht zerstückelt
> Geprägte Form, die lebend sich entwickelt."

194

Diesen unbekümmert ausgreifenden Lebens- und Wirkenswillen des Ich stellt sich Tyche, die zufällige Umwelt entgegen, ihn einschränkend und bestimmend:

> „Die strenge Grenze doch umgeht gefällig
> Ein Wandelndes, das mit und um uns wandelt.
> Nicht einsam bleibst du, bildest dich gesellig,
> Und handelst wohl so wie ein andrer handelt.
> Im Leben ist's bald hin- bald widerfällig,
> Es ist ein Tand und wird so durchgetandelt.
> Schon hat sich still der Jahre Kreis gegründet,
> Die Lampe harrt der Flamme, die entzündet."

Aus der Verbindung von Daimon und Tyche entsteht Eros als die im Kosmos schöpferische Kraft des Ich, die das ihm entgegenstehende Du an sich rafft:

> „Die bleibt nicht aus. Er stürzt vom Himmel nieder,
> Wohin er sich aus alter Oede schwang,
> Er schwebt heran auf luftigem Gefieder
> Um Stirn und Brust, den Frühlingstag entlang,
> Scheint jetzt zu fliehn, vom Fliehen kehrt er wieder,
> Da wird ein Wohl im Weh so süß und bang;
> Gar manches Herz verschwebt im Allgemeinen,
> Doch widmet sich das edelste dem einen."

Mächtig wird jetzt die Verbindung von Ich und Du von Ananke, dem Zwang, umschlossen. Die Liebe wandelt sich zur sozialen Form der Ehe, und die Familie, die aus ihr hervorgeht, hat sich in die staatliche Gemeinschaft einzugliedern:

> „Da ist's denn wieder, wie die Sterne wollten,
> Bedingung und Gesetz, und aller Wille
> Ist nur Ein Wollen, weil wir eben sollten,
> Und vor dem Willen schweigt die Willkür stille;
> Das Liebste wird vom Herzen weg gescholten,
> Dem harten Muß bequemt sich Will' und Grille.
> So sind wir scheinfrei denn, nach manchen Jahren
> Nur enger dran, als wir am Anfang waren."

Durch den harten Zwang der gesetzlich geordneten Gemeinschaft scheint so der schöpferische Drang des Eros und des in ihm veredelten Daimon völlig unterdrückt. Nur zur Hoffnung abgeschwächt, zum unbestimmten in die Zukunft weisenden Licht, lebt er noch weiter:

> „Doch solcher Grenze, solcher ehrnen Mauer
> Höchst widerwärtige Pforte wird entriegelt.
> Sie stehe nur mit alter Felsendauer!
> Ein Wesen regt sich leicht und ungezügelt:
> Aus Wolkendecke, Nebel, Regenschauer
> Erhebt sie uns mit ihr, durch sie beflügelt,
> Ihr kennt sie wohl, sie schwärmt durch alle Zonen;
> Ein Flügelschlag — und hinter uns Aeonen."

In Goethes Leben wirkt sich die Polarität von Anziehung und Abstoßung — Diastole und Systole, wie er mit den Ausdrücken für die Herztätigkeit gerne sagte — immer wieder aus. Man habe ihn, bemerkte er 1824 zu Eckermann, immer als einen vom Glück besonders Begünstigten gepriesen, und doch habe er in seinen fünfundsiebzig Jahren keine vier Wochen eigentliches Behagen gehabt. Und doch: faßt man Glück im Sinne von Ausbildung erworbener Anlagen, Möglichkeit der geistigen Entfaltung in der schöpferischen Tat auf, so muß man Goethe als einen von seltenem Glück Begünstigten bezeichnen. Seine Geburt am 28. August 1749 fällt in eine Zeit, da im staatlichen Leben durch Friedrich den Großen das deutsche Selbstbewußtsein wieder gestärkt worden war, während die lange Friedensperiode, die dem Siebenjährigen Krieg folgte, eine reiche Entwicklung der geistigen Bildung gestattete. In der Dichtung war die „nulle wässerige Periode" überwunden. Bereits hatte der Aufschwung zur großen Dichtung eingesetzt. 1748 waren die ersten drei Gesänge des „Messias" erschienen, 1755 die „Miss Sara Sampson"; 1759 hatten die Literaturbriefe begonnen; die sechziger Jahre zeigten den Aufstieg Wielands. Aber all das war erst Verheißung, noch nicht Erfüllung. „Als ich achtzehn war", sagte Goethe zu Eckermann, „war Deutschland auch erst achtzehn, da ließ sich noch etwas machen ... Die deutsche Literatur war noch eine reine Tafel, auf die man mit Lust viel Gutes zu malen hoffte." So gleicht er geistig — was er ja auch wirklich war — dem Sohne einer wohlhabenden Familie, der durch Wohlleben nicht erschlafft ist und in sich den Trieb hat, den Wohlstand zum Reichtum zu steigern. Nicht weniger wichtig war, daß diesen Aufstieg zu gegebener Zeit andere bedeutende Geister begleiteten: Herder, Merck, Karl August, Schiller, Schelling ...

Ebenso fördernd erwies sich der Ort seiner Geburt. Geschichtlich verkörperte Frankfurt, wie alle damaligen deutschen Reichsstädte, eine dem Ende sich zuneigende mittelalterliche Welt mit pedantisch steifen und verschnörkelten Verwaltungsformen und dem nicht durchaus saubern Alltag der Rokokozeit. Aber welche Fülle von Leben bot die Stadt dem Heranwachsenden! Vergangenheit und Gegenwart vereinigten sich in ihr zu bunter Mannigfaltigkeit. In der baulichen Anlage von Straßen und Plätzen hatte sich ein bedeutsames Stück deutscher Geschichte erhalten. Der Saalhof erinnerte an die einstige Burg Karls des Großen. Im Römer fanden die Kaiserwahlen statt. Burgartige Häuser alter Geschlechter, ummauerte Klosterbezirke waren kleine Städte in der Stadt. Das Pfeifergericht, die Erinnerung an die Zollbegünstigung der Reichsstädte durch den Kaiser, hielt einen wichtigen Vorgang der deutschen Handelsgeschichte fest. Aber durch die alten Straßen flutete das rege Leben der Gegenwart. Frankfurt trieb ausgedehnten Handel, und an den berühmten Messen strömten Kaufleute aus allen möglichen Gegenden zusammen. Immer noch war Frankfurt Mittelpunkt des Buchhandels, wenn auch bereits Leipzig ihm den Rang abzulaufen begann.

Das gleiche Wechselverhältnis zwischen Vergangenheit und Gegenwart setzte sich in die Goethesche Familie fort. Die Familie der Mutter, Katha-

rina Elisabeth Textor, gehörte zu dem Beamtenpatriziat, ihr Vater war
der Stadtschultheiß. Der Vater, Johann Kaspar Goethe, dagegen war der
Sohn eines Schneiders, der durch seine Heirat mit der Besitzerin des Gasthofes zum Weidenhof zu Wohlstand gekommen war. Der Sohn studierte
die Rechte in Leipzig, war Praktikant am Reichskammergericht in Wetzlar, promovierte in Gießen und machte eine Bildungsreise durch Italien,
Frankreich und Holland. Er wollte in den Dienst der Stadt treten, aber
ohne sich dem Zufall der Ballotage zu unterziehen. Als man seinen
Wunsch nicht erfüllte, verzichtete er auf jegliches Amt, kaufte sich den
Titel eines kaiserlichen Rates, der ihn den höchsten städtischen Beamten
an Rang gleichstellte, und lebte fortan als Privatmann, mit der Ordnung
seiner Sammlungen, der Führung von Rechtsgeschäften für Bekannte und
der Erziehung seiner Kinder beschäftigt. Er hatte als Achtunddreißigjähriger 1748 die siebzehnjährige Tochter des Schultheißen geheiratet. Sie
ergänzte ihn durch ihre gegensätzliche Natur. War er ernst, gemessen,
ordnungsliebend bis zur Pedanterie, zusammenhaltend, so besaß sie Humor, Heiterkeit, Phantasie: zu des „Lebens ernstem Führen" gesellte sich
die „Frohnatur und Lust zu fabulieren".

Johann Wolfgang war das älteste Kind. Von den andern wuchs nur
die 1750 geborene Schwester Cornelia mit ihm auf, die später den Oberamtmann Schlosser in Emmendingen heiratete, aber schon 1777 starb. Das
Haus am großen Hirschgraben war bis 1754, als die Mutter des Vaters
starb, alt und winkelig. Der Umbau, den der Vater darauf durchführte,
machte es zu einem der schönsten Patrizierhäuser der Stadt. Die ersten
Kinderjahre Goethes waren auch im äußern Sinne glücklich. Der Vater
leitete den Unterricht; nur während des Hausumbaues wurden die Kinder
in eine Schule geschickt. Unmittelbarer als „Dichtung und Wahrheit"
schildert der Anfang von „Wilhelm Meisters theatralischer Sendung" die
Atmosphäre in Goethes Vaterhaus, den Gegensatz zwischen dem ernst
nüchternen Vater und der leichtlebigen Mutter, die Wirkung des Puppen-
spieles, das die Großmutter den Kindern zu Weihnachten schenkte, auf
die erregbare Phantasie des Knaben. Das Erdbeben von Lissabon und
ein im nächsten Sommer über Frankfurt niedergehendes Hagelwetter verursachten die erste große Gemütserschütterung und setzten ernsten Zweifel an der weisen und gnädigen Weltregierung Gottes in die Seele des
Knaben. Dagegen erwies sich die Besetzung Frankfurts durch die Franzosen im Siebenjährigen Kriege (zu Beginn des Jahres 1759) als ein wohl-
tätiges Ereignis. Wohl schuf der Krieg Zwist und Parteiung in der Familie,
indem der Textorsche Teil österreichisch, Goethes Vater preußisch gesinnt
war und aus seiner Feindschaft gegen die Franzosen kein Hehl machte.
Aber der Aufenthalt des Königsleutnants Graf Thoranc in dem schönen
Goetheschen Hause brachte allerlei Vorteile. Schon früh war des Knaben
Sinn für bildende Kunst durch den Verkehr des Vaters mit den Malern
Frankfurts und Darmstadts geweckt worden. Jetzt benützte Thoranc seine
Zeit in Frankfurt, um sich eine Gemäldesammlung anzulegen, und Goethe
hatte Gelegenheit, die Besprechung der Bilder mit den Malern anzuhören

und so sein Urteil zu bilden. Zur gleichen Zeit bildete der Besuch des Theaters, das die Franzosen mitgebracht, den Sinn für das lebendige Spiel der Menschen auf der Bühne aus.

Zu Beginn des Jahres 1764 fand in Frankfurt die Wahl und Krönung Josef II. zum römischen König statt. Das Ereignis war für Goethe mit der schwersten Erschütterung seiner Jugend verbunden. Er war seit einem halben Jahre mit einigen jungen Leuten tieferen Standes befreundet, die, nachdem sie sein Verstalent entdeckt hatten, es für ihre Zwecke ausnützten. Sie veranlaßten ihn, zu Familienanlässen Gedichte anzufertigen, die sie dann verkauften. Liebesgedichte zu schreiben, und brachten ihn so mit einem Mädchen von ungewöhnlicher Schönheit zusammen, das Goethe Gretchen nennt. In ihrer Gesellschaft, die ihn mit mütterlicher Zärtlichkeit betreute, erlebte er die Festlichkeiten der Krönung. Mit ihrem Abschluß stürzte auch das jugendliche Glück zusammen. Es stellte sich heraus, daß einige Glieder jener Gesellschaft sich schlimme Verbrechen hatten zuschulden kommen lassen, Handschriften auf Dokumenten gefälscht, Schuldscheine untergeschoben hatten. Goethe hatte für einen Bekannten von ihnen, der sich um eine Beamtenstelle bewarb, bei seinem Großvater Fürsprache eingelegt. So kam sein Verkehr mit den anrüchigen Gesellen zum Vorschein. Er schien in ihre Verbrechen verflochten, sein Verhältnis zu Gretchen war übler Deutung ausgesetzt. Dem Enkel des Stadtschultheißen drohte eine gerichtliche Untersuchung. Nachher zeigte es sich, daß die Anschuldigungen übertrieben und Goethe ohne Ahnung jener Verbrechen gewesen war, die seine Freunde neben ihm begangen hatten. Aber das Erlebnis wirkte so gewaltig nach, daß die Aufregung eine schwere Erkrankung nach sich zog. Er hatte schon seit frühester Jugend Verse geschrieben: Glückwunschgedichte an die Großeltern, religiös-moralische Gedichte, wie die „Poetischen Gedanken über die Höllenfahrt Jesu Christi", die 1765 in der Frankfurter Zeitschrift „Die Sichtbaren" abgedruckt wurden, anakreontische Lieder und eine Dichtung über den biblischen Josef. Alle diese Versuche waren Nachahmungen fremder Muster, der Anakreontiker und der Bremer Beiträger. Jetzt, als das erste schwere Ereignis seine Seele aufwühlte, versagte die Sprache der Nachahmung fremder Muster in flüssigen Versen, und die Wirklichkeit seiner Augenbegabung zwang ihn zu ehrlichem Ausdruck seiner Gefühle: als die Genesung einsetzte, begann er „auf die ungeschickteste Weise" nach der Natur zu zeichnen.

Einen unmittelbaren Einblick in die Gemütslage des Fünfzehnjährigen als die späte Erzählung in „Dichtung und Wahrheit" gewährt ein Brief vom 23. Mai 1764, in dem er sich mit untertänigsten Schnörkeln zur Aufnahme in die Arkadische Gesellschaft zu Phylandria bei dem Vorsitzenden Ysenburg von Buri anmeldete: „Wohlgeborener, Insonders Hochzuehrender Herr, Ew. Wohlgeboren werden sich wundern, wenn ein Unbekannter sich untersteht, bei Ihnen eine Bitte vorzubringen. Doch billig sollten Sie mit allen denjenigen, die Ihre Verdienste kennen, nicht erstaunen. Da Sie wohl wissen können, daß Ihre Eigenschaften selbst auch noch in ferneren Ländern als wo ich wohne die Gemüter Ihnen eigenzumachen vermögend sind. — Sie sehen aus meiner Vorrede, daß ich zur Zeit um nichts als Ihre Bekanntschaft anhalte, bis Sie erfahren, ob ich wert bin, Ihr Freund zu sein und in ihre Gesellschaft einzugehen. Werden Sie über meine Kühnheit nicht unwillig, und verzeihen Sie ihr." Die Arkadische Gesellschaft war ein literarisches Kränzchen, dessen Zusammenkünfte mit leeren Zeremonien angefüllt waren. Goethe aber nahm die angestrebte Mitgliedschaft so ernst, daß er ein ehrliches Bild seines Charakters entwirft: „Einer meiner Hauptmängel ist, daß ich etwas heftig bin ... Hingegen bin ich sehr an das Befehlen gewohnt ... Ich habe auch denjenigen Fehler ... daß ich sehr ungeduldig bin." Wundervoll der Gegensatz zwischen dem Zeremoniell der steifen Rokokogesellschaft und dem freien, beweglichen Naturell des Knaben. Ein Mitglied der Gesellschaft urteilte, Goethe habe mehr ein gutes Plappermaul als Gründlichkeit.

Auf das Wintersemester 1765 ging es zum Rechtsstudium nach Leipzig. Der Vater hatte es so bestimmt, dessen Wunsch es war, daß der Sohn den gleichen Bildungsweg durchlaufen sollte, wie er, um nachher, was er sich selber unmöglich gemacht hatte, in die städtischen Ämter einzutreten. Goethes eigener Plan war gewesen, in Göttingen die alten Sprachen zu studieren und sich der klassischen Bildung zu bemächtigen. Es war sicher zu seinem Heile, daß ihm das verfrühte Studium des Altertums versagt war.

In Leipzig gab sich Goethe um so eifriger dem eleganten Leben von „Klein-Paris" hin, je mehr ihn die Nachwehen des Gretchen-Erlebnisses in Frankfurt niedergedrückt hatten. Sein Wechsel war reichlich genug. Seine Lust zu genießen unbegrenzt. Ein Brief an seinen Jugendfreund Jakob Riese spiegelt das übermütige Selbstbewußtsein, mit dem ihn die neue Umgebung schon nach wenigen Wochen erfüllte: er tönt anders als das demütige Schreiben an Buri:

Leipzig, den 20. Oktober 1765

Riese, guten Tag! morgens um 6 Uhr

den 21. abends um 5 Uhr

Riese, guten Abend!

Gestern hatte ich mich kaum hingesetzt, um euch eine Stunde zu widmen, als schnell ein Brief von Horn kam und mich von meinem angefangenen Blatte hinwegriß. Heute werde ich auch nicht länger bei euch bleiben. Ich geh' in die Komödie. Wir haben sie recht schön hier. Aber dennoch! Ich bin unschlüssig! Soll ich bei euch bleiben? Soll ich in die Komödie gehen? Ich weiß nicht! Geschwind! Ich will würfeln! Ja ich habe keine Würfel! — Ich gehe. Lebewohl!

Doch halte! Nein! Ich will dableiben. Morgen kann ich wieder nicht. Da muß ich ins Kolleg und besuchen und abends zu Gaste. Da will ich also jetzt schreiben ... Ich lebe hier, wie — wie — ich weiß selbst nicht recht wie. Doch so ohngefähr

> So wie ein Vogel, der auf einem Ast
> Im schönsten Wald sich, Freiheit atmend, wiegt,
> Der ungestört die sanfte Lust genießt,
> Mit seinen Fittichen von Baum zu Baum,
> Von Busch zu Busch sich singend hinzuschwingen.

... Ich mache hier große Figur! Aber noch zur Zeit bin ich kein Stutzer. Ich werde es auch nicht. — Ich brauche Kunst, um fleißig zu sein. In Gesellschaften, Konzert, Komödie, bei Gastereien, Abendessen, Spazierfahrten, soviel es um diese Zeit angeht. Ha! das geht köstlich. Aber auch kostspielig. Zum Henker, das fühlt mein Beutel. Halt! Rettet! Haltet auf! Siehst Du sie nicht mehr fliegen? Da marschierten zwei Louisdor. Helft! Da ging eine. Himmel! Schon wieder ein paar. Groschen, die sind hier wie Kreuzer bei euch draußen im Reiche... Ich habe kostbaren Tisch. Merkt einmal unser Küchenzettel. Hühner, Gänse, Truthahnen, Enten, Rebhühner, Schnepfen, Feldhühner, Forellen, Hasen, Wildbret, Hechte, Fasanen, Austern pp. Das erscheinet täglich. Nichts von anderm groben Fleisch, ut sunt Rinder, Kälber, Hammel pp., das weiß ich nicht mehr wie es schmeckt."

Was für ein Aufschneider! Mit dem ganzen Ungestüm seines cholerischen Temperamentes, von dem er in dem Brief an Buri spricht, wollte er sich völlig zum galanten Leipziger umbilden. Er ist bemüht, sich das modische und verständige Meißnisch Gottscheds anzueignen. Und sofort läßt er die schulmeisterliche Ader sprudeln, die er vom Vater geerbt hat, und weist die Schwester zurecht: „Abzwecken ist kein Briefwort... Zu Ohren bringen: wenn der Ausdruck auch gebräuchlich wäre, so wäre der Gedanke doch nicht richtig. Indem ist nicht gut. Verlauten will ist Curial." In dem Brief an Riese hatte er erklärt, er mache große Figur, sei aber zur Zeit noch kein Stutzer. Der Vater hatte ihm von einem Hausschneider Anzüge aus währschaftem Stoff nach einem verjährten und gediegenen Schnitte anfertigen lassen. In Leipzig kümmerte er sich zunächst nicht um die Neckereien, die er darob erfahren mußte. Erst als er auf dem Theater den Herrn von Masuren, den ländlichen Krautjunker, in solchen Kleidern auftreten sah, entschloß er sich, seine sämtliche Garderobe zu verkaufen und die modische Tracht Leipzigs anzuziehen. Er war noch kein Jahr in Leipzig, so war er nach dem Urteil seiner alten Frankfurter Freunde ein Stutzer geworden. Am 12. August 1766 schreibt J. A. Horn an Moors: „Von unserem Goethe zu reden! — das ist immer noch der stolze Phantast, der er war, als ich herkam. Wenn Du ihn nur sähst, Du würdest entweder vor Zorn rasend werden, oder vor Lachen bersten müssen. Ich kann gar nicht einsehen, wie sich ein Mensch so geschwind verändern kann. All seine Sitten und sein ganzes jetziges Betragen sind himmelweit von seiner vorigen Aufführung verschieden. Er ist bei seinem Stolze auch ein Stutzer, und alle seine Kleider, so schön sie auch sind, sind von einem so närrischen Gout, der ihn auf der ganzen Akademie auszeichnet. Doch dieses ist ihm alles einerlei, man mag ihm seine Torheit vorhalten, soviel man will.

> „Mag man Amphion sein und Feld und Wald bezwingen,
> Nur keinen Goethe nicht kann man zur Klugheit bringen."

... Er macht sich in allen Gesellschaften mehr lächerlich als angenehm. Er hat sich... solche porte-mains und Gebärden angewöhnt, bei welchen man unmöglich das Lachen enthalten kann. Einen Gang hat er angenommen, der ganz unerträglich ist. Wenn du es nur sähest!

> „il marche à pas comptés
> Comme un recteur suivi des quatre facultés."

Horns Urteil ist nicht etwa dem Ärger über die Wandlung des Freundes entsprungen. Auch der junge Jerusalem hat später an seinen väterlichen Freund Eschenburg geschrieben, Goethe sei in Leipzig ein Geck gewesen. Er selber nannte sich damals ein Chamäleon.

Aber der Einfluß von Leipzig ging tiefer als bis auf Kleidung und Körperhaltung. Der Rationalismus der Gottschedstadt durchsetzte sein Gemüt. Zwar die juristischen Vorlesungen gewährten ihm wenig Freude. Er höre, schreibt er, „Institutiones imperiales. Historiam juris. Pandectas und ein privatissimum über die sieben ersten und sieben letzten Titel des Codicis. Denn mehr braucht man nicht, das übrige vergißt sich doch." Noch zu Beginn des Leipziger Aufenthaltes war er entschlossen gewesen, die Rechtswissenschaft aufzugeben und alte Sprachen und schöne Wissenschaften zu treiben. Der Rechtshistoriker, Professor Böhme, an den er empfohlen war, hatte alle Mühe, ihn von diesem Plane abzubringen. Aber er war ja erst sechzehnjährig, als er zur Universität kam, und mußte an ihr einen Teil der allgemeinen Bildung aufnehmen, die er an keinem Gymnasium gelernt hatte. Er hörte Geschichte und altklassische Vorlesungen. Und natürlich philosophische Fächer. Es war die Logik von Christian Wolff, die auch in Leipzig die Weltweisheit bestimmte. Wie sie ihm behagte, sagt das Wort des Mephistopheles zu dem Schüler:

> „Wer will was Lebendiges erkennen und beschreiben,
> Sucht erst den Geist herauszutreiben,
> Dann hat er die Teile in seiner Hand,
> Fehlt leider! nur das geistige Band."

Auch der Stammbucheintrag des Mephistopheles erfüllte sich an ihm, das „Eritis sicut Deus scientes bonum et malum". Goethe erzählt in „Dichtung und Wahrheit", wie in Leipzig der Zeitpunkt gekommen sei, wo ihm alle Autorität verschwinden und er selbst an den größten und besten Individuen, die er gekannt oder sich gedacht habe, zweifeln, ja verzweifeln sollte. Sogar Friedrich den Großen habe er als großen Mann zu verehren in Leipzig verlernt. Gegen diesen Geist überheblicher Kritik hätten die Vorlesungen von Gellert einen Schutz zu bieten vermocht, wenn Goethe eine einfachere und rationalere Natur gewesen wäre. „Die schöne Seele, der reine Wille, die Teilnahme des edlen Mannes an unserem Wohl, seine Ermahnungen, Warnungen und Bitten, in einem etwas hohlen und traurigen Tone vorgebracht, machten wohl einen augenblicklichen Eindruck; allein er hielt nicht lange nach, um so weniger, als sich doch manche Spötter fanden, welche diese weiche, und wie sie glaubten, entnervende Manier uns verdächtig zu machen wußten."

Die Verkörperung dieser kritischen Frivolität des Leipziger Rokoko war für Goethe sein Freund Ernst Wolfgang Behrisch. Er war elf Jahre älter als Goethe und damals Hofmeister des Sohnes eines Grafen Lindenau. Er war nach Goethes Schilderung hager und wohlgebaut, hatte eine sehr große Nase und überhaupt markierte Züge — in einem Briefe nennt ihn Goethe einen dürren Teufel. Er ähnelte einem alten Franzosen, kleidete sich sehr nett und ging niemals ohne den Degen an der Seite und den Hut unter dem Arm. Alles, was er tat, mußte mit Langsamkeit und einem gewissen Anstand geschehen. Er trug sich beständig grau. In der Dichtkunst hatte er Geschmack, aber sein Urteil war mehr tadelnd und zerstörend. Er besaß schöne Kenntnisse und hatte einen Widerwillen gegen alles Rohe. Er war unerschöpflich, einzelne Menschen komisch darzustellen und konnte stundenlang sich damit beschäftigen, vom Fenster aus die Vorübergehenden zu rezensieren und zu tadeln.

Dieser Mann mit dem überlegenen Urteil, der weltmännischen Bildung und der ironischen Menschenkenntnis wurde Goethes Beichtvater und Leiter in dem aufregendsten Erlebnis, das ihm in Leipzig zuteil wurde, seiner Liebe zu Kätchen oder Annette Schönkopf. Sie war die Tochter eines Wirtes und Weinhändlers, und Goethe lernte sie kennen, als zu Beginn seines zweiten Semesters sein späterer Schwager Schlosser auf der Durchreise durch Leipzig im Schönkopfschen Hause abstieg und Goethe veranlaßte, dort mit ihm den Tisch zu nehmen. Nach wenigen Tagen schenkte er Annette die Neigung, die er zu Gretchen empfunden hatte. Sie war „hübsch, munter, liebevoll und so angenehm, daß sie wohl verdiente, in den Schrein des Herzens eine Zeit lang als eine kleine Heilige aufgestellt zu werden." Der tägliche Umgang mit ihr entzündete seine Leidenschaft aufs höchste. Zugleich aber erregte die Freundlichkeit, die die Wirtstochter auch andern Gästen bewies, seine glühende Eifersucht. Hatte er sich äußerlich, in Tracht und Lebenshaltung, dem in Leipzig herrschenden Brauch anbequemt, so war er doch nicht geneigt, als Liebender sich jener spielerischen Läßlichkeit zu unterwerfen, die in dem Verkehr zwischen den beiden Geschlechtern im Rokoko Sitte war. Von Natur aufs höchste erregbar und leidenschaftlich, ungestüm sich dem Augenblick hingebend, dazu durch die Neuheit des Leipziger Lebens aufgewühlt, in seinem Selbstbewußtsein verletzt, weil der modische Leipziger Geschmack seine altväterlichen Gedichte nicht anerkennen wollte, legte er den ganzen Groll des wühlenden Gegensatzes in sein Verhältnis zu Annette, machte sie zum Opfer der eifersüchtigen „Laune des Verliebten" und „verdarb dadurch ihr und sich die schönsten Tage".

Die Briefe an Behrisch geben unmittelbaren Einblick in den aufgeregten Wogengang seiner Gefühle als die gelassene Schilderung in „Dichtung und Wahrheit". Im Oktober 1767 ziehen zwei junge Leute in das Schönkopfsche Haus und nehmen mittags und abends an den Mahlzeiten teil. Schon das ist ihm verdrießlich. Sie muß ihn unter den heftigsten Liebkosungen bitten, sie nicht mit Eifersucht zu plagen. „Sie hat mir geschworen, immer mein zu sein. Und was glaubt man nicht, wenn man liebt! Aber was kann sie schwören? Kann sie schwören, nie anders zu sehn als jetzt, kann sie schwören, daß ihr Herz nicht mehr schlagen soll?... Heute stand ich bei ihr und redete, sie spielte mit den Bändern an ihrer Haube. Gleich kam der Jüngste herein und forderte eine Tarockkarte von der Mutter. Die Mutter ging nach dem Pulte und die Tochter fuhr mit der Hand nach dem Auge und wischte sich's, als wenn ihr etwas hineingekommen wäre. Das ist's, was mich rasend macht... Diese Bewegung kenne ich schon an meinem Mädchen. Wie oft hat sie, ihre Röte, ihre Verwirrung vor ihrer Mutter zu verbergen, eben das getan, um die Hand schicklich ins Gesicht bringen zu können. Sollte sie nicht eben das tun, ihren Liebhaber zu betrügen, was sie getan hat, ihre Mutter zu hintergehn?"

Behrisch rät zur Mäßigung. „Ich lebe nach deiner Vorschrift so diät, als ein ängstlicher junger Mensch auf Befehl seines Doktors... Fast ohne Mädchen, fast ohne Freund, halb elend, noch einen Schritt und ich bin's ganz." Eine Woche später steht er wieder in hellen Flammen. Er ist vor Aufregung in ein Fieber verfallen und muß den ganzen Tag zu Hause bleiben. Abends erfährt er, daß Annette mit der Mutter in die Komödie gegangen ist. „Zu der Zeit, da sie weiß, daß ihr Geliebter krank ist!... Wie? Sollte sie mit denen in der Komödie sein? Mit denen!" Er kleidet sich an. Rennt wie ein Toller in die Komödie. Nimmt ein Billet auf die Galerie. Mit einem Glas, das ihm ein Nachbar borgt, sieht er hinunter auf ihre Loge. Sie sitzt in der Ecke. Hinter ihrem Stuhl der Nebenbuhler in einer sehr zärtlichen Stellung. „Ha! denke mich! denke mich! auf der Galerie! Mit einem Fernglas — das sehend! Verflucht! O Behrisch, ich dachte, mein Kopf spränge mir für Wut."

Behrisch gab mephistophelischen Rat. Er hatte „einen gewissen Hang zu einigen Mädchen, welche besser waren als ihr Ruf". Er machte auch Goethe mit den gefälligen Schönen bekannt und suchte ihn so von Annette abzulenken. Sie kamen dadurch in einen schlimmen Ruf. Behrisch verlor seine Stelle und verließ Leipzig. Der nächste Brief, den Goethe ihm im März 1768 schrieb, täuscht Selbstbeherrschung vor: „Was macht Annette? Ei, ei. Gibt's eine Annette in der Welt?... Gut, wenn du es wissen willst, wie es mit uns steht, so wisse: Wir lieben einander mehr als jemals, ob wir einander gleich seltner sehen. Ich habe den Sieg über mich erhalten, sie nicht zu sehen, und nun dacht' ich gewonnen zu haben, aber ich bin elender als vorher... Ich kann leben, ohne sie zu sehen, nie, ohne sie zu lieben. Allen Verdruß, den wir zusammen haben, mache ich. Sie ist ein Engel, und ich bin ein Narr." Im Mai 1769 heiratete Annette einen Dr. Kanne, den Goethe selber in das Schönkopfsche Haus eingeführt hatte. Im August darauf schrieb er ihr: „Es ist sonderbar, heute vor einem Jahre sah ich Sie zum letztenmal, es ist ein närrisches Ding um ein Jahr, was alles sein Gesicht in einem Jahre verändert; ich wette, wenn ich Sie wiedersehen sollte, ich kennte Sie nicht mehr... Es war eine Zeit, da ich nicht fertig werden konnte, mit Ihnen zu reden, und jetzt will all mein Witz nicht hinreichen, eine Seite an Sie zu schreiben." Den Schluß des Briefes bildet ein Verzeichnis von orthographischen Fehlern in Annettes Brief, das er auf ihren Wunsch beifügt!

Er hatte in Leipzig mindestens eines gelernt: die Ironie. Die bald lächelnde, bald bittere Überlegenheit über die Torheiten und Laster der Menschen und — über sich selbst. In sie eingeschlossen war eine frühreife Kenntnis der beiden Geschlechter. Von Frankfurt aus schrieb er am 8. April 1769 an Friederike Oeser, die Tochter des Direktors der Leipziger Malerakademie, bei dem er Unterricht im Malen und Zeichnen genommen: „Was ich erfahren habe, das weiß ich; und halte die Erfahrung für die einzige echte Wissenschaft. Ich versichere Sie, die paar Jahre als ich lebe, habe ich von unserm Geschlecht eine sehr mittelmäßige Idee gekriegt; und wahrhaftig keine bessere von Ihrem."

Die Gedichte des Büchleins „Annette" spiegeln diese Überlegenheit. Er gibt sich in ihnen gern als Schwerenöter, der eine Schar Mädchen um sich versammelt, um ihnen, mit schulmeisterlicher Miene, aber durchsichtiger Heuchelei, gepfefferte Geschichten zu erzählen — wie ein Galan, der das Busentuch der Verehrten auf die Seite zieht, um es dann rasch wieder zurechtzurücken. Nirgends ist er der Lüsternheit Wielands so nahe wie hier. Hätte man nur diese Gedichte, Goethe wäre als der Erste aller liebenden Anakreontiker in die Literaturgeschichte eingegangen. In dem Schäferspiel „Die Laune des Verliebten" schildert er, wie der eifersüchtige Eridon durch den schalkhaften Übermut eines Rokokodämchens von seiner Eifersucht geheilt wird. Das Verhältnis zu Annette Schönkopf liegt zugrunde. Das ist für den Dichter die Frucht der Leipziger Erlebnisse: zu sagen, was er leidet. Hatte er in Frankfurt mit der versgewandten Nachahmung fremder Muster geprunkt und Jahr für Jahr ganze Sammlungen von Gedichten angefertigt, die der Vaterstolz und Sammeleifer des Kaiserlichen Rates in Quartbände von 500 Seiten binden ließ, so war der Ertrag der ersten Leipziger Jahre ein schmales Büchlein witzig-zierlicher Gedichte, die unter der gestrengen Aufsicht des kritischen Behrisch entstanden waren. Dafür aber enthielten diese Gedichte eigene Gedanken und Gefühle. In Leipzig begann Goethes Erlebnisdichtung.

Die innere Erschütterung durch das Erlebnis im Kreise Gretchens hatte sich in einer körperlichen Erkrankung ausgewirkt. Schon diese Zweieinheit körperlich-seelischen Lebens zeigt, wie diesem Geist die Welt als Zweieinheit von Gott und Natur erscheinen mußte, und beweist den seelischen Ursprung seines Pantheismus. Auch die Erlebnisse in Leipzig trieben einer körperlichen Erkrankung zu. Sie war um so schwerer, je tiefer die neuen Erfahrungen in Goethes Seele eingeschnitten hatten. Was ist im tieferen Grunde ihr Sinn? Ein junger Mensch, der nicht nur durch seine Jugend, sondern, wie seine spätere Entwicklung zeigt, durch die ganze Anlage seiner Natur auf fromme Hingabe an Welt und Menschen gerichtet war, spielt sich in der galant-frivolen Welt Leipzigs als frühreifer Ironiker und überlegener Schwerenöter auf. So sehr Goethe sich damals seiner Ironie, Frivolität und Leichtfertigkeit rühmte, es war eine Rolle, die er seinem anschmiegsamen Gemüt in der glänzenden und eindrucksvollen Rokokostadt aufgenötigt hatte. Im Grunde seiner Seele war er er selber geblieben. Dieser Widerspruch zwischen innen und außen, Wesen und Gebärde,

Daimon und Tyche, mußte eine seelische Spannung in ihm erzeugen, die sich schließlich in einer körperlichen Erkrankung kundgab. Worin sie bestand, ist nicht eindeutig festgestellt. Goethe selber spricht bald von Lungensucht und sagt bald, das Leiden sitze im Magen; dann wieder spricht er von einer Geschwulst am Halse. Körperliche Ursachen mögen die Entstehung der Krankheit ausgelöst haben: Verletzung durch einen Sturz des Wagens auf der Reise nach Leipzig, unsinnige Abhärtung im Sinne Rousseaus, scharfe Säuredämpfe beim Radieren — er nahm Stunden bei dem Kupferstecher Stock —; die lockere Lebensführung. Der eigentliche Grund aber ist der seelische Widerspruch zwischen seiner Natur und dem Geiste des Rokoko. Sobald der Widerspruch behoben wurde, kehrte auch die Gesundheit zurück. Daß Goethe selber in Leipzig, trotz der Maske ironischer Lebenssicherheit, die Not seiner Seele spürte, beweist sein Umgang mit dem Theologen Ernst Theodor Langer, dem Nachfolger Behrischs als Hofmeister im Hause Lindenau. Er war von dem Grafen ausdrücklich im Gegensatz gegen den allzu leichtlebigen Behrisch angestellt worden. In „Dichtung und Wahrheit" sagt Goethe von ihm, sein lehrreicher Umgang habe ihn über die traurige Lage, in der er sich befunden, dergestalt verblendet, daß er sie wirklich vergessen habe. Langer habe ihn in dem Zustand eines fieberhaften Heißhungers nach Kenntnissen durch deutliche Übersichten zu beruhigen gewußt. Das ist offenbar aus verdunkelter Erinnerung geschrieben. Goethes Briefe an Langer stellen den Einfluß des Freundes in ein anderes Licht. Am 9. November 1768 schreibt er ihm in einem französischen Briefe, er sei der erste Mensch in der Welt gewesen, der ihm das wahre Evangelium gepredigt habe, und wenn Gott ihm die Gnade erweise, ihn zum Christen zu machen, so verdanke er Langer das Samenkorn dazu. „Que Dieu vous bénisse pour cela." Am 24. November schreibt er: „Ich bin Ihnen viel schuldig, Langer, und Mellin (einer seiner pietistischen Bekannten) hat fortgesetzt, was Sie angefangen haben." In weiteren Briefen aus Frankfurt und Straßburg berichtet Goethe Langer von seinem Verkehr mit den pietistischen Kreisen und seinem religiösen Erleben. Das zeigt: in dem Umgang mit Langer liegt, wenn nicht die Wurzel, so doch der erste Anstoß zu der späteren Gemütswandlung und Genesung Goethes.

Zunächst aber kam er, nach Ablauf des akademischen Trienniums, Ende August 1768, statt mit bestandenem Abschluß der Studien und einem akademischen Titel geschmückt, krank und innerlich verfahren, nach Hause. Man begreift den Groll des Vaters, dessen Stolz auf den Sohn so schmählich enttäuscht war. Goethe selber war in der kläglichsten Stimmung. Keine Rede mehr von der übermütigen Überlegenheit des Leipziger Studenten. Wo sich die Ironie noch regt, ist sie bitter, wehleidig oder zynisch. Die Lösung von Annette ging nicht so glatt, wie er sich den Anschein gab. „Mein Elend", schreibt er am 12. Dezember 1769 an sie, „hat mich auch gegen das Gute stumpf gemacht, was mir noch übrig bleibt. Mein Körper ist wiederhergestellt, aber meine Seele ist noch nicht geheilt, ich bin in einer stillen, untätigen Ruhe, aber das heißt nicht

glücklich sein". In dem Briefgedicht an Friederike Oeser vom 6. November
schildert er seinen Zustand so:

> „So launisch, wie ein Kind, das zahnt;
> Bald schüchtern, wie ein Kaufmann, den man mahnt,
> Bald still, wie ein Hypochondrist,
> Und sittig, wie ein Mennonist,
> Und folgsam, wie ein gutes Lamm;
> Bald lustig, wie ein Bräutigam,
> Leb' ich, und bin halb krank und halb gesund,
> Am ganzen Leibe wohl, nur in dem Halse wund;
> Sehr mißvergnügt, daß meine Lunge
> Nicht so viel Atem reicht, als meine Zunge
> Zu manchen Zeiten braucht, wenn sie mit Stolz erzählt,
> Was ich bei euch gehabt, und was mir jetzt hier fehlt."

Die Gedichte, die Goethe in den „Neuen Liedern" gesammelt und herausgegeben hat, zeigen die gleiche Mollstimmung, in die gelegentlich noch
ironische Töne hineinspielen. Aber etwas Neues erklingt in ihnen: die
Weichheit eines echten Gefühls. Man erkennt aus ihnen, daß der Verzicht
auf Annette Goethe doch nicht so leicht geworden ist:

> „Nirgends kann ich sie vergessen,
> Und doch kann ich ruhig essen,
> Heiter ist mein Geist und frei,
> Und unmerkliche Betörung
> Macht die Liebe zur Verehrung,
> Die Begier zur Schwärmerei.
> Aufgezogen durch die Sonne,
> Schwimmt im Hauch äther'scher Wonne
> So das leichtste Wölkchen nie,
> Wie mein Herz in Ruh' und Freude.
> Frei von Furcht, zu groß zum Neide
> Lieb' ich, ewig lieb' ich sie."

Auch die Komödie „Die Mitschuldigen", die 1769 entstand, spiegelt
die zwiespältige Stimmung Goethes in seiner Rückerinnerung an Annette.
Das Grundmotiv ganz Leichtfertigkeit des Rokoko: der einstige Liebhaber, der die verheiratete Geliebte nicht vergessen hat, kehrt im Gasthofe
ihres Vaters ein und macht mit ihr ein Stelldichein in seinem Zimmer aus.
Auch sie hat ihn nicht vergessen, und da sie mit ihrem Mann, dem „Lum-
penhund", nicht allzu glücklich ist, so wird es ein Leichtes sein, ein neues
Glück in ihren Armen zu genießen. Aber ein Etwas verwehrt es ihm, das
„gewohnte Spiel vom Faun und von der Nymphe" zu treiben: die Rücksicht auf ihre Tugend:

> „Sie liebt mich, und verläßt doch ihre Tugend nie;
> Die Tugend glaub' ich nicht, und doch verehr' ich sie."

Solche Regungen tieferen Gefühls in den Gedichten, die moralische
Überlegung in den „Mitschuldigen" weisen darauf hin, daß in Goethes

Gemüt die rokokohafte Leichtfertigkeit nur eine obere Schicht war, die abgestoßen werden konnte. Graf Lindenau hatte in Leipzig dem Nachfolger Behrischs den Umgang mit Goethe verboten; es zeigte sich jetzt, daß er nicht der war, für den man ihn hielt. Er hatte genug von Rousseau gelesen, um die Gesellschaftsbildung der Zeit mit all ihren Auswüchsen zu verachten. Aber der Weg zur geistigen Genesung konnte nicht durch den schillernden Begriff Natur führen wie bei Rousseau, sondern mußte eine klarere und tiefere Macht sein: die Heilsbotschaft des Christentums.

Schon der Knabe hatte, über den gewöhnlichen Unterricht in den Grundsätzen der Religion hinaus, ein tieferes Verständnis des Christentums und seiner jüdischen Quellen erstrebt. Er lernte Hebräisch, um der Welt des Alten Testamentes näherzukommen. Er schrieb die „Poetischen Gedanken über die Höllenfahrt Jesu Christi" und den Josefroman. In dem aufgeklärten Leipzig war diese Schicht seines Geistes durch die Kritik überdeckt gewesen. Nur durch Langer war sie am Schlusse wieder erschlossen worden. Jetzt kam von hier die seelische Heilung. Am 8. September schreibt Goethe an Langer, seine Mutter sei öffentlich deklariert für die Gesellschaft — gemeint ist eine Herrnhutergemeinschaft —, seine Schwester sei mit in den Erbauungsstunden gewesen, und er werde wohl auch hinkommen. Am 24. November: „Ich gehe in die Versammlungen und finde wirklich Geschmack daran. Das ist einstweilen genug. Gott gebe das Übrige."

Die Seele der Gemeinschaft war das Fräulein Susanne Katharina von Klettenberg, die Schöne Seele des „Wilhelm Meister". Sie stand damals im fünfundvierzigsten Jahre. Aus einem angesehenen Frankfurter Hause stammend, war sie durch eine Erkrankung in jugendlichem Alter, die sie monatelang ans Bett fesselte, zu übereifrigem Lesen veranlaßt worden. Damals hatte ihr Geist eine entschiedene Richtung auf das Religiöse genommen. Nach ihrer Genesung hatte sie die weltliche Erziehung ihres Standes erhalten. Später hatte sie sich verlobt. Aber als Gott ihr Gebet, ihrem Verlobten eine Stelle zu verschaffen, nicht erfüllte, sah sie darin den Beweis, daß sie sich während ihres Weltlebens Gott entfremdet hatte, verzichtete fortan auf die Freuden der Welt, die ihr keinen Genuß mehr gewährten, und trennte sich von dem Verlobten. Ein neuer Anfall ihrer Krankheit ließ sie sich noch tiefer in das geistliche Reich versenken. Sie trat in Beziehung zu den Herrnhutern, und die Überzeugung, durch den Glauben an die Gnade Gottes von aller Sünde erlöst zu werden, gab ihr tiefstes Glück. Sie kam sich vor, als ob sie Flügel habe, als ob sie „wie ein Vogel singend über den schnellsten Strom ohne Mühe fliege, vor welchem das Hündchen ängstlich bellend stehen bleibt". „Es war, als ob ihre Seele ohne Gesellschaft des Körpers dächte, sie sah den Körper selbst als ein ihr fremdes Wesen an, wie man etwa ein Kleid ansieht." Die Kirche mied sie. Sie war ihr eine Schale, während sie den Kern besaß. Aber auch der Gemeinschaft der Herrnhuter förmlich beizutreten, konnte sie sich nicht entschließen. Das Bekenntnis zur Tiefe des Geistes ließ sie vor jeder äußern Form zurückschrecken.

Dies war es, was der Verkehr mit Fräulein von Klettenberg Goethe schenkte. Er hatte in Leipzig in einer Welt fester und oberflächlicher Formen gelebt, war in Kleidung und Lebensgewohnheiten völlig der aufgeklärte und modische Rokokomensch geworden und hatte auch die leichten Genüsse der Lebewelt nicht verschmäht. Jetzt erschloß sich ihm der Weg in die Tiefe eines dem Geist geweihten Lebens, über dem versöhnend, läuternd und erhebend die Gnadensonne des Heilands stand. Er erfuhr, daß die Furcht des Herrn der Weisheit Anfang war. An die Stelle der überheblichen Vernunft, die kritisch auch das Große zerdachte, war jetzt die fromme Ergebung in die göttliche Führung getreten. Als ihn ein Freund in seinen Heiratsnöten um Rat fragte, schrieb er ihm: „Überhaupt ist dies eine von den Gelegenheiten, wo unsere Klugheit, Weisheit, Grübelei oder Unglauben, wie Sie es nennen wollen, am wenigsten ausrichtet. Wer nicht, wie Elieser, mit völliger Resignation in seines Gottes überall einfließende Weisheit, das Schicksal einer ganzen zukünftigen Welt, dem Tränken der Kamele überlassen kann, der ist freilich übel dran, dem ist nicht zu helfen. Denn wie wollte dem zu raten sein, der sich von Gott nicht will raten lassen?"

Was Goethe aus den Segnungen der Religion zuteil geworden, war ein Durchbruch im pietistischen Sinne. Es wäre aber seiner Natur zuwiderlaufend gewesen, wenn die Genesung eine einseitig geistige gewesen, nur durch das religiöse Erlebnis zustande gekommen wäre. Schon die Schöne

34. Goethe auf seinem Arbeitszimmer
Selbstdarstellung
Im Elternhaus zu Frankfurt am Großen Hirschgraben besaß der junge Goethe ein Giebelzimmer, in dem er sich seinen Liebhabereien hingab. Eine Zeit lang schwankend, ob sein Talent mehr in der Dichtung oder in der Malerei liege, zeichnete er sich um 1769 in seinem Zimmer am Tische schreibend mit einer Staffelei.

35. Goethes Zimmer im Elternhaus
in seinem heutigen Zustand mit den für die damalige Zeit charakteristischen Silhouetten über der Schreibkommode.

36. Der junge Goethe
Miniatur von Daniel Bager (1773)
In den ersten zehn Jahren seines Dichtens zeigt Goethe einen Stilwandel, wie es ihn nicht wieder gegeben hat. Von den erotischen Tändelleien seiner früheren Leipziger Gedichte im Rokokostil bis zu den vom Naturerleben durchglühten Versen der Straßburger Zeit, wie „Willkommen und Abschied", oder den titanischen Hymnen zwischen 1772 und 1774, wie „Wanderers Sturmlied" oder „Prometheus" — von der „Laune des Verliebten" (1767), einem Schäferspiel nach dem Geschmack der Zeit, bis zum „Götz von Berlichingen" (1773), einem Drama, das rigoros mit der überkommenen klassischen Form bricht, entwickelte sich ein Genie, dem es zunächst darum ging, sich am Zeitstil zu erproben, recht bald aber zu eigenem Ausdruck drängte und kraft seiner Eigentümlichkeit mit einem Roman „Die Leiden des jungen Werther" (1774) im Alter von knapp fünfundzwanzig Jahren Weltberühmtheit erlangte.

34 Goethe auf seinem Arbeitszimmer

35 Goethes Zimmer im Elternhaus

36 Der junge Goethe

37 *Jacob Michael Reinhold Lenz (1751—1792)*   38 *Friedrich Maximilian Klinger (1752—1831*

39 *Johann Heinrich Voss (1751—1826)*

Seele hatte erkannt, daß das Heil des Körpers zu nahe mit dem Heile der Seele verwandt war, und so hatte auch sie sich in ihrem Leiden durch ihren Arzt, Dr. Johann Friedrich Metz, in das Reich seiner chemisch-mystischen Heilwissenschaft einführen lassen. Der Arzt, „ein unerklärlicher, schlaublickender, freundlich sprechender, übrigens abstruser Mann", hatte sich in dem frommen Kreise ein besonderes Zutrauen erworben. Er verwendete zur Heilung einige geheimnisvolle, selbstbereitete Arzneien, vor allem ein wichtiges Salz, das nur in den größten Gefahren angewendet werden durfte und geradezu ein Universalmittel war. Um den Glauben an die Wirksamkeit eines solchen Mittels zu erhöhen, empfahl er den Patienten, gewisse mystische chemisch-alchemistische Bücher zu lesen, aus deren Studium sie wohl dahin gelangen könnten, sich jenes

37. Jacob Michael Reinhold Lenz (1751—1792)
Bleistiftzeichnung von Johann Heinrich Pfenninger

Der livländische Pfarrerssohn gehörte zu Goethes Straßburger Freundeskreis. Seine große dichterische Begabung wußte er nicht zu pflegen. Er hatte das Unglück, Goethes Einfluß, den dieser während seiner Sturm- und Drangperiode auf ihn ausübte, nie ganz bewältigen zu können. Zeitlebens blieb er in den Wirren des Sturm und Drang verstrickt und mußte erleben, wie sich der straßburger Freund ihm in Weimar versagte. Sein tragisches Schicksal vollendete sich, als er während seines ruhlosen Wanderlebens dem Wahnsinn verfiel und schließlich in Moskau auf einer Straße starb.

38. Friedrich Maximilian Klinger (1752—1831)
Zeichnung von Johann Heinrich Lips

Klingers Mutter, die Witwe eines Konstablers, bewohnte das Nebengebäude des Goethe-Hauses in Frankfurt. Als Goethe aus Straßburg zurückkam, entdeckte er in Klinger einen Geniegenossen, den er auf alle Weise zu fördern suchte. Anders als Lenz wußte Klinger sein Leben einzurichten: Nach einigen Genie-Dichtungen, von denen das Drama „Sturm und Drang" der ganzen Periode den Namen gab, kehrte sich Klinger vom Geniewesen ab. 1778 vertauschte er den Beruf eines Theaterdichters mit der Offizierslaufbahn, ging 1780 in russische Dienste und brachte es dort zum Generalmajor. 1803 wurde er Kurator der Universität Dorpat. Entsprechend seinem beruflichen Wandel zeigen auch Klingers spätere Dichtungen eine Wendung zur Mäßigung und Besonnenheit. Sein Romanfragment „Fausts Leben, Taten und Höllenfahrt" (1791) läßt mit der Idee von einer dem Menschen angeborenen moralischen Kraft schließlich den Anschluß an die deutsche Klassik erkennen.

39. Johann Heinrich Voss (1751—1826)
Voss, der zunächst führendes Mitglied des Göttinger Hainbundes war, gewann Berühmtheit durch seine meisterhafte Übersetzung von Homers „Odyssee" (1781) und („Ilias" (1793). Die Zeitgenossen schenkten seiner im homerischen Stil gehaltenen Idylle „Luise" (1795) große Beachtung. Da Voss der exakten Metrik überschweres Gewicht beimaß und besonders auf den Hexameter bestand, kam es zunächst zu Auseinandersetzungen mit Goethe und später auch mit den Romantikern, deren Wiedereinführung des Sonetts er bekämpfte.

Allheilmittel selbst zu bereiten, für dessen Herstellung man die Geheimnisse der Natur im Zusammenhang kennen müsse. Er hatte Susanne von Klettenberg so veranlaßt, das Opus mago-cabbalisticum des Georg Welling (1735) zu studieren, nach dessen Anweisungen sich ein Laboratorium einzurichten und chemische Versuche zu machen, in der Überzeugung, daß diese Versuche im engsten Zusammenhang mit ihrem religiösen Erleben stünden. „Wie gerne sah ich", läßt Goethe die Schöne Seele sprechen, „nunmehr Gott in der Natur, da ich ihn mit solcher Gewißheit im Herzen trug."

Der pantheistische Glaube an den in der Natur wirkenden Gott ist eines der frühesten Kennzeichen von Goethes geistiger Welt. Wenn der Knabe von den religiösen Absonderungen von der Kirche hörte, so wurde er, nach dem Bericht in „Dichtung und Wahrheit", zu ähnlichen Gesinnungen aufgefordert und kam auf den Gedanken, „sich dem großen Gott der Natur, dem Schöpfer und Erhalter Himmels und der Erden... unmittelbar zu nähern". Indem er ihn wirklich in der Natur und seinen Werken suchte, unternahm er es, ihn in der Natur zu verehren. „Naturprodukte sollten die Welt im Gleichnis vorstellen, über diesen sollte eine Flamme brennen und das zu seinem Schöpfer sich aufsehende Gemüt des Menschen bedeuten." Auf einem in Form einer vierseitigen Pyramide gebildeten Musikpulte häufte er Gegenstände einer Naturaliensammlung auf und stellte zuoberst ein Räucherkerzchen, das er bei Sonnenaufgang mit einem Brennglase anzündete.

Dieser pantheistische Grundglaube, der in der sichtbaren Natur Gott verehrte und ihre Geschöpfe als Sinnbilder seines Geistes faßte, blieb in Goethe selbst in Leipzig lebendig, aber er nahm hier eine rationalistische Gestalt an, und was tiefsinniges Symbol sein sollte, wandelte sich zur verstandesklaren Allegorie. Er habe, erzählt er, sich auf einsamen Spaziergängen angewöhnt, in den zierlichen Begebenheiten der Natur eine Bedeutung zu sehen. Einst habe er in die glatte Rinde eines Lindenbaumes seinen Namen geschnitten und im Herbst darauf, als seine Neigung zu Annette in ihrer besten Blüte war, den ihrigen oben darüber. Nachdem er den Winter über sie mit mancherlei Launen gequält, habe im Frühjahr zufällig die Stelle wieder besucht. Der Saft, der mächtig in die Bäume getreten, sei durch die Einschnitte, die Annettes Namen bezeichneten und die noch nicht verharscht waren, hervorgequollen und habe mit unschuldigen Pflanzenträbnen die schon hartgewordenen Züge seines Namens benetzt, so daß es ausgesehen, also ob sie über ihn weinte.

In Frankfurt erfuhr die pantheistische Neigung Goethes eine gewaltige Vertiefung und Stärkung durch die Bekanntschaft mit Dr. Metz, der nun auch sein Arzt wurde. Auf dessen Rat versenkte er sich in die alchemistisch-theosophische Literatur des 16., 17. und frühen 18. Jahrhunderts, deren Wurzeln in die pantheistische Mystik des Neuplatonismus zurückreichten: Welling, Theophrastus Paracelsus, Basilius Valentinus, Johann Baptist von Helmont, die Aurea catena Homeri u. a. Daneben studierte er aber auch das verbreitetste wissenschaftliche Lehrbuch der Chemie des

18. Jahrhunderts, Hermann Boerhaves Elementa chemiae. Er erfuhr, daß es sich, wie sich Welling ausdrückte, in diesen alchemistischen Werken nicht etwa darum handle, Goldmachen zu lehren, sondern zu zeigen, wie die Natur aus Gott und wie Gott in derselben möge gesehen und erkannt werden. Leitete doch auch Paracelsus alle Heilung aus dem Glauben an die in der Natur wirkenden göttlichen Kräfte ab. Ihm habe, erzählt Goethe, besonders die Aurea catena Homeri gefallen, wodurch die Natur, wenn auch vielleicht auf phantastische Weise, in einer schönen Verknüpfung dargestellt. sei. Unter Anleitung des Arztes unternahm er selber chemische Versuche und „behandelte sonderbare Ingredienzien des Makrokosmus und Mikrokosmus auf eine geheimnisvolle wunderliche Weise.". Das wissen, schaftliche Interesse, ins Innere der Natur einzudringen, zu erkennen, was die Welt im Innersten zusammenhält, alle Wirkenskraft und Samen zu schauen, mochte zeitweise das gesundheitliche Anliegen verdrängen. Als aber eine schwere Verdauungsstörung sich durch keine Mittel heben ließ und er unter großen Beängstigungen das Leben zu verlieren glaubte, mußte der Arzt schließlich mit seinem Universalmittel herausrücken, das, kaum eingenommen, eine Erleichterung des Zustandes brachte und der Krankheit eine Wendung gab, die stufenweise zur Besserung führte. Er selber war überzeugt, daß die leiblich-geistige Doppelerfahrung die Genesung herbeigeführt habe. Am 17. Januar 1769 schrieb er Langer: „Es ist viel mit mir vorgegangen; ich habe gelitten, und bin wieder frei, meiner Seele war die Calcination sehr nütze." Calcination ist in der phlogistischen Chemie der Ausdruck für die Umwandlung der Metalle in ihre erdigen Oxyde durch Erhitzen an der Luft. Es ist bezeichnend, daß er die Vorstellung eines physischen Vorgangs als Ausdruck für seelisches Geschehen nimmt.

Wie tief Goethe damals in die mystisch-theosophische Begriffswelt untergetaucht war, zeigt der Entwurf einer Kosmogonie, mit dem er in „Dichtung und Wahrheit" die Darstellung dieses Erlebens abschließt. Die Bewegung der Gottwelt vollzieht sich in einem fortwährenden Wechsel von Konzentration und Expansion. Von Ewigkeit her ist die sich selbst produzierende Gottheit. Da die Produktion nicht ohne Mannigfaltigkeit zu denken ist, so bringt die Gottheit zugleich den Sohn aus sich hervor. Beide setzen den Akt des Hervorbringens fort und erscheinen sich selbst wieder in dem Dritten, welches ebenso lebendig und ewig ist wie das Ganze. Indem der Produktionstrieb weiter tätig ist, erschaffen sie Lucifer und übertragen ihm die Schöpfungskraft. Er erschafft die Engel, vergißt in seinem Machtbereich seinen höhern Ursprung und konzentriert sich immer mehr in sich selber. Damit entsteht das Unheil, das mit der Materie verbunden ist, und die Welt läuft Gefahr, an dieser einseitigen Konzentration zu Grunde zu gehen. Da kommt ihr die Gottheit zu Hilfe und gibt dem unendlichen Sein die Fähigkeit sich auszudehnen. Damit ist der Puls des Lebens wieder hergestellt. Es tritt das Licht hervor, die eigentliche Schöpfung beginnt. Um ihre Verbindung mit der Gottheit zu bewerkstelligen, wird schließlich der Mensch geschaffen, der in allem der

Gottheit gleich sein soll, damit aber sich zugleich im Falle Lucifers befindet, zugleich unbedingt und beschränkt zu sein. „Und da dieser Widerspruch durch alle Kategorien des Daseins sich an ihm manifestieren und ein vollkommenes Bewußtsein sowie ein entschiedener Wille seine Zustände begleiten sollte, so war vorauszusehen, daß er zugleich das vollkommenste und unvollkommenste, das glücklichste und unglücklichste Geschöpf werden müsse."

Man begreift, daß nun die Gedichte, die Goethe in Leipzig gemacht, ihm als kalt, trocken und oberflächlich vorkamen, und daß er, was nicht gedruckt war, in einem Autodafé verbrannte. Er bekundete damit auch äußerlich, daß die Periode des Rationalismus in ihm abgeschlossen war.

Auf das Sommersemester 1770 ging er nach Straßburg. Als ein völlig veränderter Mensch steht er hier vor uns: seelisch verjüngt, innerlich geläutert, gewachsen an schöpferischen Kräften. „Der Himmelsarzt hat das Feuer des Lebens in meinem Körper wieder gestärkt, und Mut und Freude sind wieder da." So bekannte er am 28. Juli. Nach dem vorlauten Ausschauen in die Lebensgeheimnisse vor Leipzig, nach der scheinsichern Überheblichkeit in Leipzig und nach der gedämpften Zurückgezogenheit in das Innere während der Frankfurter Genesungszeit tritt er jetzt in eine Jugend ein, wie sie in dieser Innigkeit, Lauterkeit und Sehnsucht noch nie von einem Deutschen des Jahrhunderts erlebt worden war.

Er wußte, was er der Berührung mit dem Herrnhutertum an Weckung neuer Kräfte zu danken hatte. Er suchte auch in Straßburg das Einströmen jenes Geistes lebendig zu erhalten. Aber bald wandte er sich von den Trägern der Lehre ab. „Mein Umgang mit denen frommen Leuten hier ist nicht gar stark", schrieb er am 26. August 1770 an die Freundin; „ich hatte mich im Anfange sehr stark an sie gewendet; aber es ist, wie wenn es nicht sein sollte. Sie sind so von Herzen langweilig, wenn sie anfangen, daß es meine Lebhaftigkeit nicht aushalten konnte. Lauter Leute von mäßigem Verstande, die mit der ersten Religionsempfindung auch den ersten vernünftigen Gedanken dachten, und nun meinen, das wäre alles, weil sie sonst von nichts wissen; dabei so hällisch und meinem Grafen so feind, und so kirchlich und pünktlich, daß — ich Ihnen eben nichts weiter zu sagen brauche." Der Pietismus hatte seine geschichtliche Aufgabe an ihm erfüllt, aber seine Wirkung dauerte an und bestimmte noch die Wahl seiner Freunde. Statt des leichtfertigen Behrisch war nun sein Mentor der Aktuar bei der Vormundschaftsbehörde Johann Daniel Salzmann, der dem Mittagstisch bei den Jungfern Lauth vorstand, ein fünfzigjähriger Junggeselle voll Güte und Menschenkenntnis. Ihm gesellten sich bei der redliche und klare Theologe Franz Lerse und der fromme Heinrich Jung, genannt Stilling, der sich vom Schneider und Lehrer zum berühmten Augenarzt emporgebildet hatte.

Nichts aber bezeugt die neue Art der Erfahrung stärker als das Erlebnis des gotischen Münsters. Diesem mächtigen Bauwerk, das himmelaufragend die elsässische Landschaft beherrscht, galt sein erster Gang. Was es ihm offenbarte, bekundet eindringlich, wie unbefangen sein Blick, wie rein und tief seine Seele nun geworden war. Die Aufklärer, geblendet von der edlen Einfalt und stillen Größe antiker Kunstwerke, hatten die Bauten des gotischen Mittelalters barbarisch genannt. Auch Herder, wenn er in seinem Reisejournal sein Leben einen Gang durch gotische Wölbungen nannte, stand in der Beurteilung des Kunstwertes der Gotik noch auf der Seite der Aufklärer; nur daß er das Vorzeichen gewechselt hatte: er schwärmte nun für das Gotische, weil es ihm als das Vaste und Chaotische ein Sinnbild der Maßlosigkeit seiner eigenen Seele war. Was Goethe in dem gotischen Münster entdeckte, war etwas völlig Neues: auch hier war Kunst, nur eine andere Kunst als die antike. Also eine Schöpfung des Geistes, wo Herder das Gotische als Ausdruck einer Stimmung gebraucht hatte. Statt Verworrenheit, Willkür und Überfülle entdeckte Goethe Ordnung, Einheit und Schönheit. Er mag manchen Gang nach dem Münster getan haben, ehe ihm jene Offenbarung aufging, die er später in dem Aufsatz „Von deutscher Baukunst", der 1773 in Herders Sammlung „Von deutscher Art und Kunst" erschien, in den flammenden Worten des ergriffenen Sehers den Meister aussprechen ließ: „Alle diese Massen waren notwendig ... Nur ihre willkürlichen Größen habe ich zum stimmenden Verhältnis erhoben. Wie über dem Haupteingange, der zwei kleinere zur Seite beherrscht, sich der weite Kreis des Fensters öffnet, der dem Schiffe der Kirche antwortet, und sonst nur Tagloch war, wie hoch darüber der Glockenplatz die kleineren Fenster forderte! Das alles war notwendig und ich bildete es schön."

Man kann mit Ohren hören, mit Händen greifen das stürmische Fluten der rhythmisch bewegten Seele in dem Klang und Fluß der Wort- und Satzgebilde. Das ist eine andere Sprache, als jene sauber gedrechselte, klar abgesetzte in den Leipziger Gedichten — mächtiges Gefühl wogt in ihr. Das Gefühl dessen, der, über sein Einzeldasein hinaus, seine Seele einfließen läßt in das grenzenlose Sein des Alls. Es ist Lebensgefühl des Pantheismus, was ihm die Offenbarung der gotischen Kirche und den Sinn alles Kunstwerks schenkte. Der Baumeister ist der irdische Statthalter des göttlichen Geistes, der den Kosmos zielvoll und schön erschaffen hat: „Wie frisch leuchtet' er im Morgenduftglanz mir entgegen, wie froh konnt' ich ihm meine Arme entgegenstrecken, schauen die großen harmonischen Massen, zu unzählig kleinen Teilen belebt: wie in Werken der ewigen Natur bis aufs geringste Zäserchen, alles Gestalt und alles zweckend zum Ganzen; wie das fest gegründete ungeheure Gebäude sich leicht in die Luft hebt; wie durchbrochen alles und doch für die Ewigkeit. Deinem Unterricht dank' ich's, Genius, daß mir's nicht mehr schwindelt an deinen Tiefen, daß in meine Seele ein Tropfen sich senkt der Wonneruh des Geistes, der auf solch eine Schöpfung herabschauen und gottgleich sprechen kann: Es ist gut!" Erst wenn man daran denkt, wie Goethe in Straßburg das körperliche Mißbehagen des Schwindelns hoch auf der schmalen Platte stehend überwand, so bekommt der Ausdruck: „daß mir's nicht mehr schwindelt an deinen Tiefen" seine ganze Bedeutung. Es ist erste Offenbarung des Geheimnisses der großen klassischen Kunst.

Durch eigenes Erleben war Goethe so innerlich vorbereitet für das Verständnis Herders. Zufällig stieß er mit ihm, der im Gefolge des Prinzen von Holstein-Eutin nach Straßburg gekommen war, unten an der Treppe des Gasthofs „Zum Geist" zusammen. „Sein gepudertes Haar — so schildert ihn Goethe in „Dichtung und Wahrheit" — war in eine runde Locke aufgesteckt, das schwarze Kleid bezeichnete ihn gleichfalls, mehr noch aber ein langer, schwarzer, seidener Mantel, dessen Ende er zusammengenommen und in die Tasche gesteckt hatte. Dieses einigermaßen auffallende, aber doch im ganzen galante und gefällige Wesen, wovon ich schon hatte sprechen hören, ließ mich keineswegs zweifeln, daß er der berühmte Ankömmling sei." Wenn Goethe die große Freundlichkeit rühmt, mit der Herder seinen Gruß erwiderte, so hatte er in der Folge die Erfahrung zu machen, daß auch ein abstoßender Puls in Herders Wesen war, der ihn in nicht geringes Mißbehagen versetzte, ein „Widersprechungsgeist", von dem er gar manches auszustehen hatte. So peinlich das war, man mag sagen, daß seiner auf Gegensätze gerichteten Natur gerade in dieser Zeit eines grenzenlosen Ausschwärmens des Gefühls die Gegenstöße des kritischen Geistes wohltätig waren. Er nahm sie, ohnehin damals bestrebt, seine Empfindlichkeit abzustumpfen, auf sich und wohnte nicht nur der Augenoperation bei, der Herder sich in Straßburg unterzog, sondern leistete ihm in den darauf folgenden Tagen der Einsamkeit morgens und abends Gesellschaft und ertrug das Anziehen und Abstoßen von Herders Person um der bedeutenden Förderung willen, die er von ihm empfing.

Es war eine völlig neue Welt, in die Herder ihn einführte. Alle anderen Menschen, deren Einwirkung Goethe bisher erfahren, gehörten entweder einer zeitlosen Bildung an oder trugen bewußt den Geist der Aufklärung in sich. Auch die Alchemie und der Pietismus bedeuteten nicht etwas eigentlich Neues. In Herder aber lernte Goethe den Vertreter, ja den Führer einer neuen Generation kennen. „Was in einem solchen Geiste für eine Bewegung, was in einer solchen Natur für eine Gärung müsse gewesen sein, läßt sich weder fassen noch darstellen." Herder war ein durchaus und grundsätzlich gegen Rationalismus und logische Weltdeutung gerichteter Geist, ein Gelehrter und Künstler, der nicht darauf ausging, mit dem Vermögen des menschlichen Verstandes die Welt zu begreifen und verständig zu konstruieren, sondern der staunend vor der Fülle und Mannigfaltigkeit der geschichtlich-natürlichen Wirklichkeit stand und die naturgeschaffene Besonderheit jeder Erscheinung einfühlend und ahnend zu erfassen suchte. Aus Herders Abhandlung über den Ursprung der Sprache, die er Goethe mitteilte, lernte dieser die menschliche Sprache als eine mit der menschlichen Natur untrennbar verbundene, natürliche Schöpfung kennen. Zugleich ward er mit der Poesie von einer ganz andern Seite, in einem anderen Sinne bekannt als bisher. War er bisher der gebildete Dichter der Aufklärung gewesen und hatte er die Dichtkunst als ein Privaterbteil einiger feiner, gebildeter Männer betrachtet, so erfuhr er jetzt, daß sie eine allgemeine Welt- und Völkergabe sei, deren Wirken am ursprünglichsten in dem zu spüren sei, was Herder als Volkslied bezeichnete, und begann auf den Rat des Lehrers, im Elsaß nach Volksliedern zu forschen. „Ich verschlang das alles, und je heftiger ich im Empfangen, desto freigebiger war er im Geben, und wir brachten die interessantesten Stunden zusammen zu."

Es ist die Eigenart Goethes, daß alle Einsicht erst durch äußeres Geschehen, dem sie seinen Sinn gibt, Offenbarung wird — pantheistisch gesprochen: daß der Gott sich in der Natur auswirkt. Für Goethe bedeutete jetzt Liebe zu Friederike Brion dieses Erlebnis. Er hatte in seinen alchemistischen Studien die Natur als die vom göttlichen Geiste erfüllte Urmutter alles Seienden erkannt. Er hatte in dem wunderbaren Gebilde des Straßburger Münsters das Walten des gottergriffenen Genius ahnend bestaunt und durch Herder es in den Sprachen und Dichtungen der Völker erfahren. Er fühlte die zeugende Gotteskraft in sich selber. Seine Seele sehnte sich nach der verwirklichenden Gestalt, nach dem Du, an dem und in dem die Sehnsucht des Ich sich erfüllen konnte. Die Tochter des Landpfarrers von Sessenheim wurde ihm das lebendige menschliche Sinnbild der Gott-Natur; denn so sehr er damals für die Natur schwärmte, er hätte sich nicht in eine reine Bauerndirne verlieben können. In zwei bezeichnenden Situationen hat er sie in „Dichtung und Wahrheit" vor uns hingestellt: Sie sei, sagt er, eine Frauensperson gewesen, die sich besser im Freien ausnahm als im Zimmer. „Ihr Wesen, ihre Gestalt trat niemals reizender hervor, als wenn sie sich auf einem erhöhten Fußpfade hin bewegte. Die Anmut ihres Betragens schien mit der geblümten Erde und die unverwüstliche Heiterkeit ihres Antlitzes mit dem blauen Himmel zu wetteifern. Diesen erquicklichen Äther, der sie umgab, brachte sie auch mit nach Hause ... Auf Spaziergängen schwebte sie, ein belebender Geist, hin und wider und wußte die Lücken auszufüllen, welche hier und da entstehen mochten ... Am allerzierlichsten war sie, wenn sie lief. So wie das Reh seine Bestimmung ganz zu erfüllen scheint, wenn es leicht über die keimenden Saaten wegfliegt, so schien auch sie ihre Art und Weise am deutlichsten auszudrücken, wenn sie, etwas Vergessenes zu holen, etwas Verlorenes zu suchen, ein entferntes Paar herbeizurufen, etwas Notwendiges zu bestellen, über Rain und Matten leichten Laufes hineilte."

Man sieht, wie Goethe bestrebt ist, Friederike als eines mit der bewegten Natur, als ihr in der Bewegung anmutvolles Geschöpf hinzustellen. Diese ihre Bedeutung verstärkt die zweite Situation, indem sie ihre Verneinung uns als unangemessen, unnatürlich und unangenehm empfinden läßt. Einmal macht sie mit ihrer Schwester und ihrer Mutter einen Besuch bei Verwandten in der Stadt, und Goethe sieht sie, die ihm bisher nur „auf dem Hintergrunde von schwankenden Baumzweigen beweglichen Bächen, nickenden Blumenwiesen und einem meilenweit freien Horizonte" erschienen war, nun in städtischen Zimmern mit Tapeten, Spiegeln, Standuhren und Porzellanpuppen. Sie war in dieser Lage höchst merkwürdig. Eigentlich paßte sie nicht hinein. Aber es zeugte für ihren Charakter, daß sie, anstatt sich in diesen Zustand zu finden, unbewußt den Zustand nach sich modelte. Sie setzte, wie auf dem Lande, die Gesellschaft auch hier in Bewegung, aber der Widerspruch, schon in dem Gegensatz ihrer ländlichen Tracht zu der städtischen Mode, drohte mit einer leidenschaftlichen Szene zu enden, und als Goethe sie abfahren sah, fiel es ihm „wie ein Stein vom Herzen".

Auf einem Ausfluge mit einem Tischgenossen, dem Theologen Weyland, hatte er im Oktober 1770 die Pfarrfamilie in dem sechs Stunden von Straßburg entfernten Sessenheim kennengelernt. Die damals achtzehn-jährige Friederike war von fünf Kindern, vier Töchtern und einem Sohne, die dritte Tochter. Goethe, in einer „verzeihlichen Grille bedeutender Menschen, gelegentlich einmal äußere Vorzüge ins Verborgene zu stellen, um den eigenen innern menschlichen Gehalt desto reiner wirken zu lassen", hatte sich für die Wanderung durch geborgte Kleidungsstücke und die entsprechende Frisur in einen armen Theologiekandidaten verwandelt und diese Rolle mit Mäßigung gespielt. Die erwachende Neigung zu Friederike offenbarte ihm, als er am nächsten Morgen sich in die fremde Kleidung zwängte, das Lächerliche seiner Verwandlung, und er beeilte sich, von einem wohlhabenden Wirtssohn die Sonntagskleidung zu borgen und Friederike so in stattlicherem Aufzuge entgegenzutreten. Der erste Besuch zog sich hin. Mit Spaziergängen, geselligen Spielen, Plaudern und Märchenerzählen flog die Zeit vorbei. Nach der Rückkehr schrieb Goethe den einzigen erhaltenen Brief an die „liebe liebe Freundin": „Es ist ein gar zu herziges Ding um die Hoffnung, wiederzusehen. Und wir andern mit denen verwöhnten Herzchen, wenn uns ein bißchen was leid tut, gleich sind wir mit der Arznei da, und sagen: Liebes Herzchen, sei ruhig, du wirst nicht lange von ihnen entfernt bleiben, von denen Leuten, die du liebst; sei ruhig, liebes Herzchen! Und dann geben wir ihm inzwischen ein Schattenbild, daß es doch was hat, und dann ist es geschickt und still wie ein kleines Kind, dem die Mama eine Puppe statt des Apfels gibt, wovon es nicht essen sollte... Gewiß Mamsell, Straßburg ist mir noch nie so leer vorgekommen als jetzo. Zwarr hoff' ich, es soll besser werden, wenn die Zeit das Andenken unsrer niedlichen und mutwilligen Lustbar-keiten ein wenig ausgelöscht haben wird, wenn ich nicht mehr so lebhaft fühlen werde, wie gut, wie angenehm meine Freundin ist. Doch sollte ich das vergessen können oder wollen? Nein, ich will lieber das wenig Herzwehe behalten, und oft an Sie schreiben."

Er war nicht mit dem Schattenbilde zufrieden. Mehrmals trug ihn das Pferd im Winter und Frühling nach Sessenheim. Den Höhepunkt der Liebe bildete der lange Besuch in den Pfingstferien 1771. Der Aktuar Salzmann war sein einsichtsvoller Beichtvater. In den Briefen an ihn ist das getreueste Spiegelbild von Goethes wechselnden Stimmungen in diesen Wochen. Am 17. Mai: „Gestern nachts geschwärmt, heute früh von Projekten aus dem Bette gepeitscht... In meiner Seele ist's nicht ganz heiter; ich bin zu sehr wachend, als daß ich nicht fühlen sollte, daß ich nach Schatten greife. Und doch —". Am 29. Mai: „Um mich herum ist's nicht sehr hell, die Kleine fährt fort, traurig krank zu sein, und das gibt dem Ganzen ein schiefes Ansehen. Nicht gerechnet conscia mens, und leider nicht recti, die mit mir herumgeht ... Getanzt hab' ich und die Älteste, Pfingstmontags von 2 Uhr nach Tisch bis 12 Uhr in der Nacht, an einem fort, außer einigen Intermezzos von Essen und Trinken." Am 5. Juni: „Die Welt ist so schön! so schön! Wer's genießen könnte! Ich bin manchmal ärgerlich darüber, und manchmal halte ich mir erbauliche Erbauungsstunden über das Heute, über diese Lehre, die unsrer Glückseligkeit so unentbehrlich ist, und die mancher Professor der Ethik nicht faßt und keiner gut verträgt." Am 12. Juni: „Es regnet draußen und drinne, und die garstigen Winde von Abend rascheln in den Rebblättern vorm Fenster, und meine animula vagula ist wie's Wetterhähnchen drüben auf dem Kirchturm; dreh' dich, dreh' dich, das geht den ganzen Tag." Am 19. Juni: „Der Zustand meines Herzens ist sonderbar, und meine Gesundheit schwankt wie gewöhnlich durch die Welt, sie so schön ist, als ich sie lang nicht gesehen habe. Die angenehmste Gegend, Leute, die mich lieben, ein Zirkel von Freunden! Sind nicht die Träume deiner Kindheit alle erfüllt? frag' ich mich manchmal, wenn sich mein Aug in diesem Horizont von Glückseligkeiten herumweidet; sind das nicht die Feengärten, nach denen du dich sehntest? — Sie sind's, sie sind's! Ich fühl' es, lieber Freund, und fühle, daß man um kein Haar glücklicher ist, wenn man erlangt, was man wünschte. Die Zugabe! Die Zugabe! die uns das Schicksal zu jeder Glückseligkeit drein wiegt! Lieber Freund, es gehört viel Mut dazu, in der Welt nicht mißmutig zu werden."

In den Thesen, die Goethe bei seiner Lizentiatendisputation verteidigte, lautet die 41.: Studium iuris longe praestantissimum est — das Studium des Rechtes ist weitaus das vorzüglichste. Man mag sich denken, mit welchem Eifer er während des wochenlangen Verweilens in Sessenheim in seinem Abschlußsemester diesem Satz nachlebte! Aber es habe sich, berichtet er, damals in Straßburg, nicht um ein gelehrtes Studium der Rechtswissenschaft gehandelt, sondern alles sei auf das Praktische gerichtet gewesen. Es habe sich nur um gewisse allgemeine Grundsätze gehandelt, und man habe nur das Notwendigste wissen müssen. So verschaffte er sich auf den Rat des Aktuars Salzmann einen Repetenten, der ihm vor allem alles wissenschaftliche Bedürfnis austrieb — er nannte das schwadronieren — und sich darauf beschränkte, ihm das nötige Examenwissen in Form von Fragen und Antworten einzupauken. Er hatte eine Dissertation ausgearbeitet über das Verhältnis von Staat und Kirche, worin er die Meinung vertrat, daß der Gesetzgeber nicht allein berechtigt, sondern verpflichtet sei, einen gewissen Kultus festzusetzen, von welchem weder die Geistlichkeit noch die Laien sich lossagen dürften. Der Vater, „als ein völlig protestantisch Gesinnter", war mit der kecken Arbeit wohl zufrieden. Aber der Dekan, nach vielen Lobsprüchen, hob das Bedenkliche an ihr hervor und riet Goethe, sich ohne Dissertation bloß durch Verfechtung von juristischen Thesen den Titel eines Lizentiaten zu erwerben, der praktisch dem Doktortitel gleich kam. Goethe ging darauf ein. Die Disputation fand am 6. August statt.

In den Drang und die Verwirrung der letzten Zeit in Straßburg fiel der Abschied von Friederike. „Es waren peinliche Tage, deren Erinnerung mir nicht geblieben ist", berichtet Goethe. Als ich ihr die Hand noch vom Pferde reichte, standen ihr die Tränen in den Augen, und mir war sehr übel zumute." Er habe sie, erzählte er der Frau von Stein später, in einem Augenblicke verlassen, wo es ihr fast das Leben kostete. Was ihn beruhigte, war eine Vision, die sein Erlebnis mit Friederike in die Mystik eines höheren Zusammenhanges rückte: er sah beim Weiterreiten mit den Augen des Geistes sich denselben Weg zu Pferde sich selber wieder entgegenkommen, in einem Kleide, wie er es bis dahin nie getragen: hechtgrau mit etwas Gold. Als er acht Jahre später, auf dem Wege in die Schweiz, wieder nach Sessenheim ritt, trug er, nicht aus Wahl, sondern aus Zufall, eben ein solches Kleid. Friederike, als er sie wiedersah, „ging leise drüber weg, mir zu sagen, was ihr von einer Krankheit jener Zeit noch überbliebe, betrug sich allerliebst mit so viel herzlicher Freundschaft vom ersten Augenblick, da ich ihr unerwartet auf der Schwelle ins Gesicht trat und wir mit den Nasen aneinanderstießen, daß mir's ganz wohl wurde ... Ich blieb die Nacht und schied den andern Morgen bei Sonnenaufgang, von freundlichen Gesichtern verabschiedet, daß ich nun auch wieder mit Zufriedenheit an das Eckchen der Welt hindenken und in Friede mit den Geistern dieser Ausgesöhnten in mir leben kann."

So hatte sich auch der Student in Straßfurg, wie der in Leipzig, von einer Geliebten frei gemacht, als er die Universität verließ. Aber wenn der Bruch mit Annette zu der Komödie „Die Mitschuldigen" führte, so konnte die Liebe des innerlich Gereiften zu Friederike nur tragisch enden: in der Gestalt Gretchens im Faust lebt die Pfarrerstochter zu Sessenheim weiter. Die Frage, warum Goethe Friederike verließ, hat er selber in dem Märchen „Die neue Melusine" beantwortet, das er in Sessenheim erzählte, und das, wie er Weyland in „Dichtung und Wahrheit" sagen läßt, auf seine Hörerinnen einen ganz besonderen Eindruck machte. Er hat es später in die „Wanderjahre" aufgenommen. Der Barbier Rotmantel ist der Gatte der Zwergenprinzessin und durch sie in das Reich ihres Vaters eingeführt worden. Ein Ring, den sie ihm an den Finger gesteckt, hat ihn selber zum Zwerge gemacht. Je länger er aber unter den Zwergen weilt, um so unerträglicher wird ihm seine Kleinheit. Schließlich feilt er den Ring durch, wächst wieder zu seiner natürlichen Größe auf und verläßt das Zwergenreich.

Wenn Goethe in „Dichtung und Wahrheit" sagt, er sei grenzenlos glücklich gewesen an Friederikens Seite, so mag das Wort „grenzenlos" von Anfang an den Zustand des Menschen bezeichnen. Dem Dichter war es erst nach und nach gegeben, diese Grenzenlosigkeit auszudrücken. In dem Gedichtbuch „Annette" ist eine durchgehende Gleichartigkeit des gemessen-spielenden, verstandesmäßig-ironischen Gefühls. In den Liedern aus der Liebe zu Friederike nimmt man in Gefühl und Ausdruck eine Wandlung von Gebundenheit zu Freiheit wahr. Die ersten erinnern an die Leipziger Gedichte schon dadurch, daß das Motiv von Goethes Verhältnis zu einem Mädchenkreis wieder aufgenommen ist. Aber es ist alles einfacher, natürlicher, reiner. Ja, Goethe übertreibt die Natürlichkeit und Gefühlsinnigkeit ins Kindliche, wenn er in dem Briefgedicht:

„Ich komme bald, ihr goldnen Kinder"

sagt:

„Wir wollen kleine Kränzchen winden,
Wir wollen kleine Sträußchen binden,
Und wie die kleinen Kinder sein."

Statt daß man frivole Geschichten erzählt, macht man jetzt volkstümliche Gesellschaftsspiele: Blinde Kuh und Stirbt der Fuchs, so gilt der Balg. „Kleine Blumen, kleine Bätter" ist ein zierliches Rokokogedicht, aber ohne die Lüsternheit der Anakreontik. In einem Gedicht „An den Mond", das in Frankfurt unmittelbar nach Leipzig entstanden ist, wünscht der Liebende, an der Seite des Mondes „durch das gläserne Gegitter seines Mädchens Nächten" zuzusehen. Auch eines der Sessenheimer Gedichte bringt die Vorstellung von der schlafenden Geliebten. Aber es ist früher Morgen, Friederike schlummert am Busen ihrer Schwester, der Tag soll sie wecken. Alles ist von dem reinen Licht der Morgendämmerung umwoben. „Willkommen und Abschied" („Es schlug mein Herz; geschwind zu Pferde!") schildert in ebenmäßig gerundeten Strophen Ritt, Wiedersehen und Abschied von der Geliebten. Die Natursymbolik der ersten und zweiten Strophe: — die Eiche, die wie ein getürmter Riese dasteht; die Finsternis, die aus dem Gesträuche mit hundert schwarzen Augen sieht; der Mond, der von dem Wolkenhügel schläfrig aus dem Duft hervorsieht — erinnert an ähnliche Bilder der Leipziger Gedichte. Aber wie anders gelöst als der Schluß in dem Leipziger Gedicht „Glück der Liebe":

„Frei von Furcht, zu groß zum Neide,
Lieb' ich, ewig lieb' ich sie" —

tönt es jetzt:

„Und doch, welch Glück, geliebt zu werden,
Und lieben, Götter, welch ein Glück!"

Das „Fabelliedchen" (Heidenröslein") sucht die Freiheit in der Anlehnung an das Volkslied, aber erst im „Manifest" („Mailied") ist es Goethe gelungen, urcigenes, weltumfassendes Gefühl in einer neuen Sprache zu formen. In den wie im Takte des deutschen Walzers dahinwogenden Strophen jubelt das Jauchzen über die Herrlichkeit des Frühlings und das Glück der Liebe in den offenen Himmel empor, Inbrunst des Menschen und Blütendampf der Natur zu einer einzigen Welle des Gottweltgefühls vereinigend.

6. GOETHE UND SEINE FREUNDE IM STURM UND DRANG

Lenz / Klinger

> „Ein Genie, groß und schrecklich,
> wie's Riesengebirge."
>
> Chr. D. Schubart über Goethe

Kein größerer Gegensatz als zwischen Goethes Rückkehr aus Leipzig und der aus Straßburg. Die Rückkehr aus Leipzig war die eines Schiffbrüchigen. Leidend, niedergeschlagen, zerfallen mit sich und der Welt, sucht er Zuflucht im Vaterhaus und schließt sich ins Krankenzimmer ein. Die Rückkehr aus Straßburg gleicht einem Triumph. Zwar fehlt auch jetzt ein Beschattendes nicht: die Vorstellung der verlassenen Friederike. Aber der Abschluß des Studiums ist erreicht, und vor allem: Goethe fühlt eine überbordende Fülle schöpferischer Kräfte in sich drängen: „Meine Lust am Hervorbringen war grenzenlos." Dies ist, wie schon in Straßburg, das Wort, das seinen seelischen Zustand bezeichnet. Gegenüber den abgezirkelten Formen, die er sich in Leipzig in Lebensführung und Dichtung angewöhnt, hat sich ihm nun alles in Freiheit und Natur aufgelöst. Schon äußerlich. Man pflegte ihn wegen seines Umherschweifens in der Gegend den Wanderer zu nennen. Er findet nur unter freiem Himmel, in Tälern, auf Höhen, in Gefilden und Wäldern Beruhigung für sein Gemüt. „Ich gewöhnte mich, auf der Straße zu leben und wie ein Bote zwischen dem Gebirg und dem flachen Lande hin und her zu wandern. Oft ging ich allein oder in Gesellschaft durch meine Vaterstadt, als wenn sie mich nichts anginge, speiste in einem der großen Gasthöfe in der Fahrgasse und zog nach Tische meines Weges weiter fort. Mehr als jemals war ich gegen offene Welt und freie Natur gerichtet. Unterwegs sang ich mir seltsame Hymnen und Dithyramben."

Herder hatte ihn auf die Volksdichtung hingewiesen. Auch Homer, Pindar, Ossian galten als Offenbarer des Naturgeistes jugendlicher Völker. Man faßte, was an ihnen Kunst, ja Kunsthandwerk war, als echte Volksdichtung, weil ihr Werk voll Empfindung und Sinnlichkeit war und anders als alles, was die Kritik der Aufklärung gerühmt hatte — vor allem, weil man die eigene Begeisterung für große Kunst und Natur in sie hineinfühlte. Den Homer hatte Young als Naturgenie gepriesen, der Engländer Robert Wood ihn aus seiner Kenntnis der griechisch-vorderasiatischen Kultur als Originalgenie nachgewiesen und Herder ihn im ersten Kritischen Wäldchen den „Sohn eines himmlichen Genius" genannt. Die Kunst des „Sonnenadlers" Pindar hatte Herder in einer früheren Rezension verherrlicht. Den beiden Griechen schien sich Osisan in Macphersons empfindsamer Neudichtung als der Vertreter düster pathetischer Volksdichtung des Nordens anzureihen.

Genius, das war das Zauberwort, das die Glut innerer Schöpferkraft bezeichnete. Genius heißt der Schaffende und der göttliche Geist. Also der

Schöpfer, der von den Göttern gesegnet ist. Nur das Bewußtsein des Allseins Gottes in der Mannigfaltigkeit der Geschöpfe vermochte dem Wort seinen eigentlichen Sinn zu geben. Goethe hat ihn — und sich — in „Wanderers Sturmlied" verherrlicht, jenem „Halbunsinn", den er im Herbst 1771 leidenschaftlich vor sich hinsang, als ihn ein schreckliches Wetter unterwegs traf, dem er entgegengehen mußte:

> „Wen du nicht verlässest, Genius.
> Nicht der Regen, nicht der Sturm
> Haucht ihm Schauer übers Herz."

Man soll sich aber nicht durch Goethe verleiten lassen, das niedergeschriebene Gedicht als Halbunsinn aufzufassen. Es ist vielmehr, in der Form durch Pindar beeinflußt, wie Goethe und Herder ihn deuteten, ein kunstvoll dreigestufter Hymnus auf das Gottesgnadentum des Künstlers: 1. der Künstler von den Kräften der Natur im Sturmwetter umrauscht, 2. der Künstler im frierenden Gefühl der Einsamkeit, 3. der Künstler, mit dem All verbunden, die große Dichtung schaffend, dem Pindarischen Wagenlenker verglichen, der dem Ziele zufliegt.

Aber der Jüngling, dessen Geist adlergleich der Sonne zustrebt, ist nicht nur der Wanderer. Auch diesmal wirkte dem Streben ins Grenzenlose Beschränkendes entgegen.

Es war der Plan gewesen, daß der Aufenthalt in Straßburg die Vorstufe zu einer Reise nach Paris sein sollte. Aber Goethes innere Entwicklung machte ihn zunichte. Die Erfahrungen, die ihm in Frankfurt und Straßburg zuteil geworden, hatten ihn gelehrt, daß die Bildung des Menschen und alles dessen, was er schaffend hervorbrachte, nicht durch vernünftige Überlegung und Leitung von außen, sondern durch Wachsenlassen seelischer Kräfte von innen geschehen sollte. Wie hätte er, von der Stufe des Erlebens aus, die er jetzt erreicht, nach Frankreich gehen können!

Das Studium Shakespeares hatte ihn in Straßburg zur gleichen Zeit, da er Friederike liebte und sich auf den Abschluß der Rechtsstudien vorbereitete, aufs leidenschaftlichste gefesselt. Shakespeare aber war, wie wenige Jahre zuvor schon Lessing in der „Hamburgischen Dramaturgie" dargetan, in dem Urteil der Zeit dazu berufen, den Nimbus der klassischen Dramatiker der Franzosen zu zerstören. Herder verherrlichte in seinem Shakespeareaufsatz, der später in den Blättern von deutscher Art und Kunst erschien, im Sommer 1771 die geschichtliche Sendung des Engländers. Goethe selber hat, kurz nach der Rückkehr nach Frankfurt, zum Shakespearetag, d. h. dem Wilhelmstag am 14. Oktober, im Vaterhaus eine begeisterte Rede gehalten, wie er auch die Sraßburger Freunde anregte, eine Shakespearefeier an jenem Tage zu begehen. In dem stürmischen Pathos, das nur der Ausdruck seiner ästhetischen Bekenntnisse wird, preist er Shakespeare als den großen Führer zu einer Naturkunst: „Die erste Seite, die ich in ihm las, machte mich auf zeitlebens ihm eigen, und wie ich mit dem ersten Stücke fertig war, stund ich wie ein Blindgeborener, dem eine Wunderhand das Gesicht in einem Augenblicke schenkte. Ich erkannte, ich fühlte aufs lebhafteste meine Existenz um eine Unendlichkeit erweitert. Alles war mir neu, unbekannt, und das ungewohnte Licht machte mir Augenschmerzen." Nun wirft er die Regeln der Franzosen über Bord. „Ich sprang in die freie Luft und fühlte erst, daß ich Hände und Füße hatte." Die Franzosen haben ihre Trauerspiele für Nachahmungen der griechischen ausgegeben. Aber alle französischen Trauerspiele sind Parodien von sich selbst. „Französchen, was willst du mit der griechischen Rüstung, sie ist dir zu groß und zu schwer... Shakespeares Theater ist ein schöner Raritätenkasten, in dem die Geschichte der Welt vor unsern Augen an dem unsichtbaren Faden der Zeit vorbeiwallt... Seine Stücke drehen sich alle um den geheimen Punkt (den noch kein Philosoph gesehen und bestimmt hat), in dem das Eigentümliche unseres Ichs, die prätendierte Freiheit unsres Wollens, mit dem notwendigen Gang des Ganzen zusammenstößt." Alle Franzosen und angesteckte Deutsche, sogar Wieland, der Übersetzer Shakespeares, haben den Engländer mißverstanden. Voltaire, „der von jeher Profession machte, alle Majestäten zu lästern", hat sich an ihm als ein echter Thersites erwiesen. „Die meisten von diesen Herren stoßen auch besonders an seinen Charakteren an. Und ich rufe Natur! Natur! nichts so Natur als Shakespeares Menschen... Er wetteiferte mit dem Prometheus, bildete ihm Zug vor Zug seine Menschen nach, nur in kolossalischer Größe."

Wie hätte der Jüngling, der so von Shakespeare und den Spitzen der französischen Bildung dachte, nach Frankreich gehen können!

Und ein Zweites. Allen Verherrlichungen des neuentdeckten Shakespeare liegt das Bekenntnis zugrunde, daß der Engländer nur deswegen so groß und den Deutschen angemessener sei als die Franzosen, weil er germanischen Geistes war. Auch in Goethe, nachdem er in Leipzig dem deutschen Franzosentum nachgeeifert und in Frankfurt die große Lockerung und Vertiefung seines Geistes erfahren, war in dem bis dahin nur äußerlich Frankreich angegliederten deutschen Grenzlande das Gefühl für deutsches Wesen mächtig erstarkt. Das gotische Münster war ihm ein Denkmal „deutscher Baukunst". Das Volk sprach deutsch und trug auf dem Lande deutsche Tracht. Selbst Friederike, die zwar einen französisch klingenden Familiennamen, aber einen deutschen Vornamen hatte, trug sich deutsch. Herder lehrte ihn die nationale Bedeutung der Dichtung verstehen. Die Volkslieder, die er im Elsaß sammelte, waren Zeugnisse deutschen Geistes. Wie weit entfernt von dieser deutschen Bildung, die alles umfaßte, was tief, echt, naturhaft, gefühlvoll und ursprünglich war, stand das kennzeichnendste Werk des zeitgenössischen französischen Geistes: Holbachs „Système de la Nature!" „Wir begreifen nicht", heißt es in „Dichtung und Wahrheit", „wie ein solches Buch gefährlich sein könnte. Es kam uns so grau, so kimmerisch, so totenhaft vor, daß wir Mühe hatten, seine Gegenwart auszuhalten, daß wir davor wie vor einem Gespenste schauderten... System der Natur ward angekündigt, und wir hofften also wirklich, etwas von der Natur, unserer Abgöttin, zu erfahren... Allein wie hohl und leer ward uns in dieser tristen atheistischen

222

Halbnacht zumute, in welcher die Erde mit allen ihren Gebilden, der Himmel mit allen seinen Gestirnen verschwand." So mußte er alles, was französisch war, aufs leidenschaftlichste ablehnen. „Wir waren an der Grenze von Frankreich alles französischen Wesens auf einmal bar und ledig. Ihre Lebensweise fanden wir zu bestimmt und zu vornehm, ihre Dichtung kalt, ihre Kritik vernichtend, ihre Philosophie abstrus und doch unzulänglich."

Der Vater war es zufrieden, daß der Sohn, statt seine Bildungsreise in Frankreich anzutreten, nach Hause zurückkehrte. Man kann kaum annehmen, daß er den so völlig gewandelten Begriff der Bildung, den sein Sohn sich zu eigen gemacht hatte, in seiner Tiefe begriff, und der mag wie ein alter Baum im Frühlingsgewitter dagestanden haben, als die gewaltigen Begeisterungswogen der Rede zum Shakespearetag über ihn hinwegbrausten. Aber er war gescheit und Vater genug, um an das Genie seines Sohnes zu glauben und ihn gewähren zu lassen, und man soll nicht darüber lächeln, wenn man als den Beitrag des gewissenhaften Haushalters zum Shakespearetag seinen Eintrag im Haushaltungsbuche liest: „Dies Onomasticus Schackspear fl. 6.24 . . . Musicis in die onom. Shaksp. 3 fl." — 6 Gulden 24 Kreuzer offenbar für die Bewirtung und 3 Gulden den Musikanten.

Am 28. August 1771 bewarb sich Goethe beim Rat um die Erlaubnis, in Frankfurt ein Anwaltsbureau aufzutun. Er hat im ganzen 28 Prozesse bürgerlich-rechtlicher Art geführt, wobei der Vater ihn durch das Studium der Akten unterstützte. Seine Klienten waren zu einem großen Teil Angehörige der Frankfurter Judenschaft, die Streitsachen waren Erbschaftsansprüche, Schuldforderungen, Baufragen u. dgl. Er vertrat seine Schutzbefohlenen, vor allem im Anfang, mit Hingabe, ja manchmal mit Leidenschaft. Der Streit vor Gericht sagte durch Rede und Gegenrede dem dramatischen Temperament des Stürmers und Drängers zu, und er führte ihn, soweit die uns erhaltenen Eingaben zeigen, oft eben so sehr mit der blühenden und lebhaften Sprache des Dichters als mit dem nüchternen Scharfsinn des Juristen. So plädierte er in einem Prozesse zwischen Vater und Sohn. Der Vater hatte den Sohn zum Teilhaber seiner Porzellanfabrik eingesetzt, dann aber wieder auf Vernichtung des Vertrages angetragen, weil der Sohn die Fabrik vernachlässigte und sich ungebührlich gegen ihn betrug. Goethe verteidigte den Sohn, sein Freund Moors den Vater. In seiner, dem Klienten in den Mund gelegten Eingabe sagt er u. a.: „Der Mantel der Unwahrheit ist überall durchlöchert; je mehr man auf einer Seite ihn zur Bedeckung ausspannt, desto mehr läßt er auf der andern unverhofft alle Blöße sehen." „Nachdem sich die verhüllte tiefe Rechtsgelehrsamkeit lange Zeit in Geburtsschmerzen gekrümmt, springen ein paar lächerliche Mäuse von Kompendien-Definitionen hervor und zeugen von ihrer Mutter." „Um nun zuletzt auch nicht von ferne gegenseitiges Scriptum nachzuahmen, das in übertriebenen Deklamationen locos communes anhäuft, mit leeren Exklamationen den Mond anbellt . . ." Goethe gewann den Prozeß, aber da auch Moors in seiner Eingabe mit ähnlicher Heftigkeit plädiert hatte, so erteilte das Gericht den beiderseitigen Anwälten einen Verweis wegen der „unanständigen, nur zur Verbitterung der ohnehin aufgebrachten Gemüter ausschlagenden Schreibart."

Aber auch der „Götz von Berlichingen", der 1771 als „Geschichte Gottfriedens von Berlichingen mit der eisernen Hand" entstand, ist, wie künstlerisch Shekespeare, so gedanklich dem Juristen Goethe, nicht dem Zivilrechtler, wohl aber dem Staatsrechtler verpflichtet. Von den Straßburger Professoren habe, berichtet er, keine stärker auf ihn gewirkt als der Staatsrechtslehrer Schöpflin. „Er gehörte zu den glücklichen Menschen, welche Vergangenheit und Gegenwart zu vereinigen geneigt sind, die dem Lebensinteresse das historische Wissen anzuknüpfen verstehen." Er selber habe in Straßburg einmal daran gedacht, Staatsrechtslehrer zu werden, das Zivilrecht habe ihn nicht interessiert. Goethes Dissertation über das Recht des Staates, den kirchlichen Kultus zu bestimmen, handelte über ein Grenzthema des Staats- und Kirchenrechtes. „Es zeigten sich", berichtet er, „große Bewegungen in der Jurisprudenz: es sollte mehr nach Billigkeit geurteilt werden; alle Gewohnheitsrechte sah man täglich gefährdet." In der Schülerszene des „Faust" spricht Mephistopheles die bekannten Worte:

> „Es erben sich Gesetz und Rechte
> Wie eine ewge Krankheit fort,
> Sie schleppen von Geschlecht sich zu Geschlechte
> Und rücken sacht von Ort zu Ort.
> Vernunft wird Unsinn, Wohltat Plage;
> Weh dir, daß du ein Enkel bist!
> Vom Rechte, das mit uns geboren ist,
> Von dem ist leider! nie die Frage."

Es ist, wovon Mephistophles spricht, der durch die Aufklärung wieder heraufbeschworene Gegensatz zwischen Naturrecht und bestehendem Recht, zwischen dem durch Gefühl oder Vernunft geforderten Rechtsanspruch des Individuums und dem gesetzlich festgelegten Rechte. Wie sehr Goethe sich schon in Straßburg für die Streitfrage interessierte, beweisen die Thesen zu seiner Disputation. Gleich die erste stellt fest: „Jus naturae est, quod natura omnia animalia docuit (Naturrecht ist, was die Natur alle lebenden Wesen gelehrt hat)." Die zweite lautet: „Consuetudo abrogat et emendat legem scriptam (Die Gewohnheit hebt auf und verbessert das geschriebene Recht)." In der 56. These wird die Sklaverei als zum Naturrecht gehörig bestimmt.

Die Erörterung über natürliches und bestehendes Recht floß in den „Götz von Berlichingen" hinein, dessen erste Fassung Goethe, nachdem er die Selbstbiographie des Ritters schon in Straßburg gelesen, bald nach der Rückkehr in die Vaterstadt niederschrieb. Der Gegensatz bestimmt ideell das Verhältnis Götzens zu Kaiser und Reich und damit den tragischen Grund des Stückes, und es ist ein Beweis für Goethes geniale Einsicht in das Wesen des menschlichen Rechtsbegriffes, daß ihm der Gegensatz zu jenem geschichtlich unlöslichen Widerspruch wird, der mit allem Bestreben des Menschen verbunden ist, den Anspruch der sittlichen Gerechtigkeit in eine Rechtsform zu bringen. Jeder der beiden Gegenspieler, der Kaiser wie Götz, handelt aus sittlichem Gefühl recht: der Kaiser, indem er den ewigen Landfrieden einführt, um dem Raub- und Fehdewesen im Reich ein Ende zu machen; Götz, indem er aus eigener ritterlicher Machtbefugnis den Notleidenden beisteht, die ihr Recht vor den Gerichten nicht finden. Und beide, indem sie ihre redlichen Zwecke verfolgen, handeln unrecht: der Kaiser, indem er die Bestechlichkeit von Richtern und Advokaten und die ganze Hinfälligkeit des Gerichtes nicht zu hindern vermag; Götz, indem er sich gegen das Gesetz des Landfriedens vergeht.

Ein halbes Jahr, nachdem Goethe in seinem Drama die Unzulänglichkeit des Reichsgerichtes geschildert, hatte er selber Gelegenheit, sie mit eigenen Augen zu sehen. Wie einst der Vater, so ging auch er für den Sommer 1772 nach Wetzlar, um die Praxis des Reichskammergerichts kennenzulernen. 1766 hatte Kaiser Joseph II. eine Revision des Gerichtes angeordnet. Es sollten die ins Ungeheure angeschwollenen Akten aufgearbeitet, die anhängigen Prozesse erledigt, Mißbräuche beseitigt, und vor allem auch Verbrechen und Bestechungen von Gerichtsbeisitzern geahndet werden. Die Reichsstände hatten zur Revision ihre Legationen nach Wetzlar geschickt. Kommissionen und Subkommissionen waren gebildet. Ein Heer von Beamten war tätig. Aber so hoch war der Turm der Geschäfte, so umständlich der Geschäftsbetrieb, daß die Arbeit noch in vollem Gange war, als Goethe sich am 25. Mai 1772 in das Verzeichnis der Praktikanten eintrug. Sein Interesse am Gericht war mäßig. Er dürfte einigen Sitzungen als Zuhörer beigewohnt haben. Sein Hauswirt, Hofrat Ludolf, unterrichtete ihn im Kameralprozeß. Im übrigen war seine Absicht, wie Kestner es ausdrückte, „Homer und Pindar usw. zu studieren und was sein Genie, seine Denkungsart und sein Herz ihm weiter für Beschäftigungen eingeben würde." An einer großen Wirtstafel traf er mit einigen der jüngern Beamten und Sekretäre der einzelnen Gesandtschaften zusammen. Die Erneuerung mittelalterlicher Lebensformen war zeitgemäß geworden, seitdem Bodmer die Sammlung der Minnesänger herausgegeben hatte, Herder das Volkslied pries, Klopstock altdeutsche Vorstellungen in seine Oden flocht und man in Göttingen Minnelieder dichtete. So hatte man sich zu einer Rittertafel zusammengeschlossen, der ein Heermeister vorstand. In die Unterhaltung wurden Ausdrücke aus der Ritterzeit eingeflochten. Die Mitglieder wurden mit Namen bekannter Ritter bezeichnet. Goethe hieß Götz von Berlichingen der Redliche. Das kanonische Buch waren die Vier Haimonskinder. Die Aufnahme geschah durch Ritterschlag.

Man kann sich nicht denken, daß Goethe dieses „fabelhafte Fratzenspiel" anders denn als einen verspäteten studentischen Ulk behandelte. Er ließ sich nicht in die steife Deutschtümelei Klopstocks einsperren. Immer noch war er der Wanderer mit der grenzenlosen Sehnsucht und der nie rastenden Unruhe. In Frankfurt hatte er, unter der Erinnerung an Friederike leidend, „gewissenhaft alles nähere Verhältnis zu Frauenzimmern vermieden." In der lieblichen Frühlings- und Sommernatur Wetzlars riß ihn seine Sehnsucht in die Leidenschaft zu Charlotte Buff.

Sie war die Tochter des Deutschamtmanns, d. h. des Verwalters der Güter des Deutschordens in der Gegend von Wetzlar. Die Familie war groß und angesehen. Von sechzehn Kindern war die damals neunzehn-jährige Lotte die zweitälteste Tochter; sie vertrat die Stelle der Mutter, die 1771 gestorben war. Seit 1768 war sie, wenn auch nicht förmlich, mit dem Sekretär der Legation des Herzogtums Bremen, Johann Christian Kestner, verlobt, einem tüchtigen Juristen, pflichtgetreuen Beamten und lautern, bedächtigen Menschen. Goethe lernte sie auf einem ländlichen Ball in dem Dorfe Volpertshausen am 9. Juni kennen und war von da an täglicher Gast im Buffschen Hause. Er geht Lotten bei häuslichen Arbeiten an die Hand, etwa beim Zurüsten des Gemüses. Einmal, während Lotte im blaugestreiften Negligé vor ihrem Arbeitskästchen sitzt, Kestner auf einem Stuhl neben ihr, liegt Goethe am Boden und spielt mit der Garni-tur ihres Kleides. Kestner verliert allmählich seine Sicherheit. Ein Kuß, den Lotte Goethe gibt, schafft eine Mißstimmung zwischen den Verlobten. Sie versöhnen sich wieder, und Lotte verspricht, Goethe fortan gleich-gültiger zu behandeln. Aber bald ist neuer Anlaß zur Eifersucht da. Kestner, der gewissenhafte, geht mit sich zu Rate. In einem schriftlichen Entwurf sucht er sich das Wesen der Eifersucht klar zu machen: „Die Eifersucht ist teils eine verhaßte, teils lächerliche Gemütsbewegung." Da-mit ist aber nicht eine ganz andere und edlere Bewegung des Gemütes zu verwechseln, die in der Furcht besteht, „das Herz zu verlieren, welches man nur allein zu erringen gesucht".

Goethe aber erlebt nun die ganze Tragik des Gefühls. „Ich möchte beten, wie Moses im Koran: Herr, mache mir Raum in meiner engen Brust," schrieb er damals an Herder. In grenzenloser Sehnsucht drängt es ihn zu Lotte, wie es ihn zu Friederike gedrängt hat. Hier hinderte die Erfüllung schließlich Goethes eigener Verzicht. In der Liebe zu Lotte aber stößt der Wille des Ich an die Schranke der bürgerlichen Ordnung: die Geliebte ist die Braut eines andern. Was höchste Beseligung, frucht-barste Entfaltung des Ich und Lösung seiner schöpferischen Kräfte ge-wesen ist, erweist sich zugleich als Störung und Zerstörung der Lebens-rechte des Du. Er steht vor letzten Fragen des Menschseins, auf die es keine Antwort gibt. Näher als die sonnenhelle Welt Homers waren ihm in solchen Stimmungen das düstere Schattenreich Ossians, dessen Gesänge von Selma er übersetzte, die Nachtgedanken Edward Youngs und die andern Werke der englischen Kirchhofs- und Grabesdichtung. Er selber führt in „Dichtung und Wahrheit" die furchtbaren Verse aus einer ano-nymen Satire gegen die Menschheit an:

> „Then old Age and Experience, hand in hand,
> Lead him to death, and make him understand,
> After a search so painful and so long,
> That all his life he has been in the wrong."

(Dann geleiten Alter und Erfahrung Hand in Hand ihn zum Tode und lehren ihn, nach so schmerzvollem und so langem Forschen, daß er sein ganzes Leben auf falschem Wege war.) Der Gedanke des Selbstmordes, den Montesquieu seinen Helden und großen Männern gestattet, tritt ihm nahe. Er überlegt sich die verschiedenen Arten, sich den Tod zu geben, und findet unter allen, die sich selbst entleibt, keinen, der diese Tat mit solcher Großheit und Freiheit des Geistes verrichtet hat, als Kaiser Otho. Dieser entschließt sich, zum Besten des Reiches sich den Tod zu geben, begeht mit seinen Freunden ein heiteres Nachtmahl und stößt sich darauf einen scharfen Dolch ins Herz. Goethe besaß einen kostbaren, wohlgeschliffenen Dolch. Diesen legte er jederzeit neben das Bett und versuchte, ehe er das Licht auslöschte, ihn ein paar Zoll tief in die Brust zu senken. „Da dieses aber niemals gelingen wollte, so lachte ich mich zuletzt selbst aus, warf alle hypochondrischen Fratzen hinweg, und beschloß zu leben." Man denkt an Mephistopheles' Wort zu dem lebensüberdrüssigen Faust:

> „Hör' auf, mit deinem Gram zu spielen,
> Der wie ein Geier dir am Leben frißt!"

Pindars Schilderung des Wagenkämpfers bot ihm Kraft und Sicherheit. Herder hatte ein „spechtisches Wesen" an ihm getadelt. Ihm schrieb er am 10. Juli: „Der gute Geist hat mir endlich den Grund meines spechtischen Wesens entdeckt. Über den Worten Pindars ἐπικρατεῖν δύνασθαι (Herr sein können) ist mir's aufgegangen. Wenn du kühn im Wagen stehst, und vier neue Pferde wild unordentlich sich an deinen Zügeln bäumen, du ihre Kraft lenkst, den austretenden herbei, den aufbäumenden hinabpeitschest, und jagst und lenkst und wendest, peitschest, hältst und wieder ausjagst, bis alle sechzehn Füße in einem Takt ans Ziel tragen. Das ist Meisterschaft, ἐπικρατεῖν Virtuosität. Wenn ich nun aber überall herumspaziert bin, überall nur dreingeguckt habe. Nirgends zugegriffen. Dreingreifen, packen ist das Wesen jeder Meisterschaft."

Jetzt galt es, in seinem Verhältnis zu Lotte Buff diese Meisterschaft zu zeigen. Die Herrschaft über den Augenblick zu üben, deren der Wagenlenker bedarf. Es hieß in diesem Falle Flucht. Am 10. September kam er abends nach dem Deutschen Hause. Lotte brachte das Gespräch auf den Zustand nach diesem Leben, auf Weggehen und Wiederkommen. „Wir machten", berichtet Kestner, „miteinander aus, wer zuerst von uns stürbe, sollte, wenn er könnte, den Lebenden Nachricht von dem Zustand jenes Lebens geben. Goethe wurde ganz niedergeschlagen, denn er wußte, daß er am andern Morgen weggehen wollte." In der Nacht schrieb er an Kestner: „Er ist fort, Kestner, wenn Sie diesen Zettel kriegen, er ist fort. Geben Sie Lottchen inliegenden Zettel. Ich war sehr gefaßt, aber Euer Gespräch hat mich auseinandergerissen. Ich kann Ihnen in dem Augenblick nichts sagen, als leben Sie wohl. Wäre ich einen Augenblick länger bei Euch geblieben, ich hätte nicht gehalten. Nun bin ich allein, und morgen geh' ich. O mein armer Kopf." Und an Lotte: „Wohl hoff' ich wiederzukommen, aber Gott weiß wann. Lotte, wie war mir's bei deinen Reden ums Herz, da ich wußte, es ist das letzte Mal, daß ich Sie sehe. Nicht das letzte Mal, und doch geh' ich morgen fort. Fort ist er." Das in beiden Briefen wiederholte „Fort ist er" tönt, als ob er selber zum Aufbruch peitschen wolle. Denn mit Zaubergewalt hielt ihn ihr Bild zurück. Früh am Reisetage noch denkt er ihrer: „Gepackt ist's, Lotte, und der Tag bricht an, noch eine Viertelstunde, so bin ich weg." So überstürzt war die Flucht, daß die Geheimrätin Lange in Wetzlar, eine Verwandte Goethes, bei der er sich nicht verabschiedet hatte, sich nachträglich über die Ungezogenheit des Neffen bei Lotte Buff beklagte, worauf diese schnippisch versetzte: Warum sie ihn nicht besser erzogen habe!

Die körperliche Nähe war aufgehoben, aber das Band nicht zerrissen. Kurz nach der Abreise schreibt Goethe an Kestner: „Sagt Lotten, daß ich manchmal mir einbilde, ich könne sie vergessen, daß mir dann aber ein Rezitiv über den Hals kommt und es schlimmer mit mir wird als jemals." Am 22. September traf Kestner mit Goethe in Frankfurt zusammen. „Er fiel mir", berichtet Kestner, „um den Hals und erdrückte mich fast." Am 25. September schrieb ihm Goethe an Lottens Schattenbild: „Bei Gott, ich bin ein Narr, wenn ich am gescheutesten bin, und mein Genius ein böser Genius, der mich nach Volpertshausen kutschierte. Meine Tage in Wetzlar wollte ich nicht besser zugebracht haben, und doch geben mir die Götter keine solchen Tage mehr, sie verstehen sich aufs Strafen und den Tantalus." Am 8. Oktober an Lotte: „Nein Lotte, Sie bleiben mir, dafür geb' Ihnen der Reiche im Himmel seine schönsten Früchte, und wem er sie auf Erden versagt, dem laß' er droben im Paradiese, wo kühle Bäche fließen zwischen Palmbäumen und Früchte drüber hängen wie Gold — indessen wollt' ich wäre auf eine Stunde bei Ihnen."

In der Nacht vom 29. auf den 30. Oktober tötete sich in Wetzlar der junge Jerusalem, der Sohn des mit Lessing befreundeten Abtes Jerusalem in Braunschweig. Er war als Sekretär der Braunschweigischen Subdelegation nach Wetzlar gekommen und da gelegentlich mit Goethe zusammengetroffen, den er schon von Leipzig her kannte. Selbstbewußt und anspruchsvoll, aber innerlich unsicher, grüblerisch und ohne Freunde, hatte er sich aus unglücklicher Liebe zu der Frau des kurpfälzischen Sekretärs Herdt mit einer von Kestner entlehnten Pistole das Leben genommen.

Die Nachricht wühlte alles wieder auf, was Goethe selber in Wetzlar erlebt hatte. „Der unglückliche Jerusalem," schrieb er an Kestner. „Die Nachricht war mir schröcklich und unerwartet. Es war gräßlich, zum angenehmsten Geschenk der Liebe diese Nachricht zur Beilage. Der Unglückliche." Am 6. November hatte Goethes Freund Schlosser in Geschäften nach Wetzlar zu reisen. Goethe begleitete ihn und blieb bis zum 10. in Wetzlar. „Wir sind fast immer beisammen gewesen," schrieb Kestner in sein Tagebuch, „welches mich etwas in meinen Geschäften zurückgesetzt hat." Goethe aber fand, es sei Zeit gewesen, daß er gegangen. „Gestern abend hatt' ich recht hängerliche und hängenswerte Gedanken auf dem Kanapee." Zu jener Zeit gab Kestner Goethe auf seinen Wunsch einen ausführlichen Bericht über Jerusalems Persönlichkeit und Tod. Damals muß der Plan des Wertherromans in Goethe entstanden sein. Er mußte sich von den Geistern, die ihn bedrängten, befreien, indem er sie aus sich hinausstellte. Die Hochzeit Kestners und Lottes, die am Palmsonntag 1773 stattfand — Kestner war in Hannover Archivsekretär geworden — bedeutete nur den äußern Abschluß eines Verhältnisses, über das Goethe in seinem Innern bereits Herr geworden war.

Nach wie vor aber ließ er sich von dem Überschwang des Gefühls treiben. Den Rückweg von Wetzlar hatte er im September über Ehrenbreitstein genommen, wo er im Hause der Frau Sophie La Roche einkehrte. Damals schloß er Freundschaft mit ihrer dunkellockigen Tochter Maximiliane, und als diese im Januar 1774 von der Mutter, die empfindsame Romane wie die von Wieland herausgegebene „Geschichte des Fräuleins von Sternheim" schrieb, aber in der Wirklichkeit sehr kühl zu überlegen wußte, zu einer Vernunftheirat mit dem viel ältern Kaufmann Brentano in Frankfurt gezwungen wurde, sah Goethe sie wieder. Sie hatten beide einander etwas zu geben. Sie half Goethe das Bild Lottes aus seinem Herzen verdrängen, und er tröstete sie, wie es Merck boshaft ausdrückte, über den Oel- und Käsegeruch und die Manieren ihres Mannes, indem er ihr Klavierspiel auf dem Cello begleitete. Aber der nüchterne Ehemann hatte wenig Verständnis für das empfindsame Spiel und bedeutete Goethe, weniger zartfühlend als Kestner, seine Besuche einzustellen. Goethe hatte damit auch Werthers Verhältnis zur verheirateten Lotte erlebt. Im Mai 1774 wurde der Roman beendet, der zur Michaelismesse erschien.

Immer weiter breitete sich Goethes Leben aus. Der „Götz", der im Mai 1773 erschienen war, lenkte die Augen aller für Dichtung Schwärmenden auf ihn — und welchem Gebildeten war die Dichtung damals nicht das Hauptanliegen! Die „Leiden des jungen Werthers" machten ihn zum berühmtesten Dichter der Zeit. Von allen Seiten strömten Reisende, Bewunderer, Freunde in das Goethesche Haus. Die Eltern erlebten ihre größte Zeit, die Mutter die Gäste reich bewirtend und mit humorvoller Laune an der Unterhaltung der Jungen teilnehmend, der Vater würdevoll und haushälterisch die Kosten in sein Wirtschaftsbuch eintragend. Nach allen Seiten schwärmte Goethe selber aus. Überall hatte er Freunde. In allen Briefen der Zeit erscheint der Doktor Goethe als der Wunderdichter, das große Genie der Zeit. Mit dem Darmstädter Kreis war er durch Herder verbunden. Hier lebte, im Hause ihres Schwagers, des Geheimrats Hesse, bis zu ihrer Verheiratung Herders Braut Caroline Flachsland. Sie unterhielt mit zwei Hofdamen, Fräulein von Roussillon und Fräulein Ziegler, einen Bund empfindsamer Freundschaft, in dem sie Psyche, Fräulein von Roussillon Urania und Fräulein Ziegler Lila hieß. Man schwärmte in Freundschaftslauben — von „Hütten der Freundschaft" hatte Klopstock gesungen, — errichtete Denksteine und bekränzte Schäfchen. Auch Johann Heinrich Merck (1741—91) wohnte in Darmstadt. Er war Kriegszahlmeister. Aber das nüchterne Amt befriedigte ihn nicht. Er liebäugelte mit den Musen der Poesie und der Zeichenkunst; doch seine Begabung reichte nur zu Übersetzungen und kritischen Arbeiten. Er besaß einen sicheren Geschmack und gerade sein schöpferisches Unvermögen schliff sein Urteil. In Pempelfort bei Düsseldorf lebte Fritz Jacobi (1743 bis 1819), der Bruder des Dichters Georg Jacobi, der Heinse nach Düsseldorf gezogen hatte, selber dichterisch und philosophisch tätig, ein feiner, empfindsamer Geist, aber ohne die klare Entschiedenheit Goethes.

Keiner stand ihm damals für kurze Zeit vielleicht so nahe wie Johann Caspar Lavater, Pfarrer am Waisenhause in Zürich (1741—1801), der geniale Theologe der Sturm- und Drangzeit. Er hatte, nach heftigen Kämpfen seiner Jugend zwischen dem Gefühl des Heiligen und der Versuchung des Weltlichen in sich, auf einer Reise nach Deutschland bei Johann Joachim Spalding in Pommern den aufgeklärten Theologen gefunden, der Wärme des Herzens mit Klarheit der Vernunft in Einklang zu bringen wußte. Aber er selber wurde kein aufgeklärter Theologe. Nach der Rückkehr ließ er von 1768 bis 1773 die „Aussichten in die Ewigkeit" erscheinen, worin er eine Frömmigkeit lehrte, die unmittelbar aus dem Gotteserlebnis des Genies erwuchs. Sie stattete den Gläubigen mit den Kräften des Göttlichen aus, einer Magie, die ebenso im Geistigen wie im Körperlichen wirkte. Denn er war der Überzeugung, daß das Geistig-Göttliche sich im Körperlichen auspräge. Von hier aus hat er seine Physiognomik begründet. Er glaubte, wie Lenz es einmal ausdrückte, daß Physiognomik „Gott von Angesicht zu Angesicht schauen lehre."

Das war es, was Goethe ihm verband: die Offenbarung des Göttlichen in der natürlichen Gestalt. Nur daß Goethe pantheistisch dachte, wo Lavater christlich; natürlich, wo Lavater mystisch. Das tiefe Erleben der Jahre 1768 bis 1770 wirkte immer noch nach. Ob er sich auch in Straßburg von den Pietisten zurückgezogen hatte, weil sie ihm zu engen Geistes waren, der Zusammenhang mit den göttlichen Mächten blieb ihm lebendig. Ja, je größer die Wirrnis war, in die die Gefühlsinbrunst seiner mächtig sich entfaltenden Persönlichkeit ihn verstrickte, um so heftiger bedurfte er ihrer, um so rätselhafter aber wurden sie ihm auch. In jenem Herbst oder Winter nach dem Wetzlarer Erlebnis muß Goethe den gedanklich tiefen und künstlerisch meisterhaften „Brief des Pastors zu *** an den neuen Pastor zu ***" verfaßt haben, der zu Anfang 1773 im Druck erschien. Ein alter Geistlicher teilt seinem Nachfolger zum Amtsantritt sein Religionsbekenntnis mit. Sein Inhalt ist Liebe und Toleranz. „Ich muß Euch gestehen," sagt der Verfasser, „daß die Lehre von Verdammung der Heiden eine von denen ist, über die ich wie über glühendes Eisen eile. Ich bin alt geworden und habe die Wege des Herrn betrachtet, soviel ein Sterblicher in ehrfurchtsvoller Stille darf; wenn Ihr ebenso alt sein werdet als ich, sollt' Ihr auch bekennen, daß Gott und Liebe Synonymen sind, wenigstens wünsche ich's Euch ... Gott verlangt zur Seligkeit keine Taten, keine Tugenden, sondern den einfältigsten Glauben, und durch den Glauben allein wird uns das Verdienst Christi mitgeteilt, so daß wir die Herrschaft der Sünde einigermaßen los werden hier im Leben;

und nach unserm Tode, Gott weiß wie, auch das eingeborne Verderben im Grabe bleibt... Und einmal vor allemal: eine Hierarchie ist ganz und gar wider den Begriff einer echten Kirche. Denn, mein lieber Bruder, betrachtet nur selbst die Zeiten der Apostel gleich nach Christi Tod, und Ihr werdet bekennen müssen, es war nie eine sichtbare Kirche auf Erden. Es sind wunderliche Leute, die Theologen, da prätendieren sie, was nicht möglich ist. Die christliche Religion in ein Glaubensbekenntnis bringen, o ihr guten Leute! Petrus meinte schon, in Bruder Pauli Briefen wäre viel schwer zu verstehen, und Petrus war doch ein anderer Mann als unsre Superintendenten; aber er hatte recht, Paulus hat Dinge geschrieben, die die ganze christliche Kirche in corpore bis auf den heutigen Tag nicht versteht."

Um 1771/72 hatte Goethe mit Herder, Merck, Schlosser und dem Gießener Juristen Friedrich Höpfner die damals in einen neuen Verlag übergegangenen „Frankfurter Gelehrten Anzeigen" zum Sprachrohr der neuen Ideen gemacht. Sie wurden das bedeutendste Rezensionsorgan der jungen Generation. Hier hat Goethe am 3. November 1772 die beiden letzten Teile von Lavaters „Aussichten in die Ewigkeit" besprochen — mit Zurückhaltung und dem versteckten Vorwurf, daß Lavater über Dinge spreche, von denen er nichts wisse, und Glaubensinbrunst in theologisch-moralischem Räsonnement zerfasere. „Wir haben in diesen Briefen nichts gesucht, als was uns der Verfasser versprach, ausgegossene Ahnungen, innige Empfindungen von Freund zu Freund und Samenblätter von Gedanken; und statt allem diesem finden wir Räsonnement und Perioden, zwar wohl gedacht und wohl gesprochen; aber was soll uns das!"

Man mag sich wundern, daß Lavater nach diesen beiden unmißverständlichen Zeugnissen einer über allem kirchlichen Bekenntnisglauben stehenden, toleranten Menschenliebe es noch für ratsam hielt, um die Freundschaft des Verfassers zu werben. Es mag daran sein ungeheures Bedürfnis schuld gewesen sein, sich auszubreiten und überall Anhänger und Freunde zu werben. Aber sicherlich — und das war der Hauptgrund — spürte er in Goethe die tiefe Frömmigkeit und das geniale Suchen nach den letzten Gründen des Seins. Goethe hatte dem „Brief des Pastors" noch einen weitern Aufsatz über „Zwo wichtige bisher unerörterte Biblische Fragen" folgen lassen. Darüber schrieb ihm Lavater am 1. Februar 1773: „Ich kann nicht aussprechen, wie meine Seele dürstet, von einem Doctor juris — Theologie zu lernen — — Ich kann nur — zittern, glühen, schweigen — aber nicht aussprechen — wie sehr ich wünsche — mehr große Winke, ausgedachte Ahnungen meiner Seele — von Ihnen zu sehen — zu empfangen — und wie sehr ich in Sonderheit nach einem Christusideal von Ihrer Erfindung und Ihrer Hand — — schmachte."

In „Dichtung und Wahrheit" sagt Goethe, daß Lavater der Begriff der Menschheit, der sich in ihm an seiner Menschheit herangebildet hatte, so genau mit der Vorstellung verwandt gewesen sei, die er von Christo lebendig in sich trug, „daß es ihm unbegreiflich war, wie ein Mensch leben und atmen könne, ohne zugleich ein Christ zu sein". Daraus erklärt sich, daß Lavater den eigentlichen Sinn von Goethes „Brief des Pastors" überhaupt nicht zu erfassen vermochte, oder wenn er ihn erfaßte, nicht zu ruhen vermochte, bis er Goethe in die Kirche zurückgewonnen hatte. So setzte denn ein eifriges Werben um Goethes Christentum ein. „Bruder, sage mir's, wie du's sagen kannst," schrieb er Goethe am 30. November 1773, „was hast du wider den Christus, dessen Namen ich zu verherrlichen dürste, noch nicht verherrliche?" Christus ist ihm „Gottes Ebenbild und Urbild der Menschheit". Und im Frühjahr 1774: „Du sagst: Wir haben einen Messias; oder es ist ein Messias. Ich sage, Jesus von Nazareth ist's. Laß mich fragen und antworte mir. Wie kannst Eine Gottheit glauben, wenn du nicht an Christum glaubst? Den selben Augenblick bin ich ein Atheist, wenn ich kein Christ mehr bin." Die Antwort, die Goethe ihm am 26. April gab, zieht scharf den Trennungsstrich: „Daß du mich immer mit Zeugnissen packen willst! Wozu die? Brauch' ich Zeugnisse, daß ich bin? Zeugnisse, daß ich fühle? — Nur so schätz', lieb', bet' ich die Zeugnisse an, die mir darlegen, wie Tausende oder einer vor mir eben das gefühlt haben, was mich kräftiget und stärket. — Und so ist das Wort der Menschen mir Wort Gottes, es mögen's Pfaffen oder Huren gesammelt und zum Kanon gerollt oder als Fragmente hingestreut haben. Und mit inniger Seele fall' ich dem Bruder um den Hals, — Moses! Prophet! Evangelist! Apostel, Spinoza oder Macchiavell. Darf aber auch zu jedem sagen, lieber Freund, geht dir's doch wie mir! Im einzelnen sentierst du kräftig und herrlich, das Ganze ging in euern Kopf so wenig wie in meinen."

Wenn Goethe so Lavaters Bekehrungssucht aufs heftigste ablehnte, so hatten Lavaters physiognomische Studien sein höchstes Interesse erweckt, und es dauerte weit in die Weimarer Zeit hinein. Hier traf sich der Pantheist mit dem Christen, wenn es galt, aus der körperlich-natürlichen Bildung den geistigen Sinn oder den Charakter zu deuten. Mit großem Eifer hat Goethe sich an Lavaters Forschungen beteiligt. Er hat ihm Bilder von Zeitgenossen und Männern der Geschichte vermittelt, hat in Beiträgen zu den „Physiognomischen Fragmenten" das Wesen und den Wert der Physiognomik dargetan, hat sie gegen Verächter und Spötter verteidigt und einzelne Charakteranalysen beigesteuert.

Von Angesicht zu Angesicht sahen sie sich zum ersten Mal, als Lavater auf seiner Deutschlandreise am 23. Juni 1774 in Goethes Zimmer trat. Lavaters Tagebuch berichtet: „Zu Goethe. Allein in seinem Zimmer, mit Schneider von Darmstadt. Zu Nacht. „Bist's?" „Bin ich's!" Unaussprechlich süßer, unbeschreiblicher Antritt des Schauens — sehr ähnlich und unähnlich der Erwartung. Von tausend Dingen, Einige Mal schreckliche Physiognomie." Am nächsten Tag wurde Fräulein von Klettenberg besucht. Nach dem Nachtessen las Goethe aus dem „Werther" vor. „O Szenen, voll, voll wahrer, wahrster Menschennatur, ein unbeschreiblich naives, wahres Ding!"

Am 28. Juni reiste Lavater weiter nach Bad Ems. Inzwischen hatte Goethe den Besuch von Basedow, dem Vorkämpfer für eine auf Rousseau sich stützende natürliche Erziehungslehre, und Mitte Juli trafen sich alle drei in Ems und genossen das Badeleben in vollen Zügen. Dann ging es

> „Prophete rechts, Prophete links,
> Das Weltkind in der Mitten"

lahnabwärts nach Koblenz und an den Rhein. Angesichts der Ruine Lahneck entstand Goethes Gedicht „Hoch auf dem alten Turme steht". Die Schilderung „Diner in Koblenz" gibt ein geniales Bild des Zusammenseins: Lavater erklärt einem Pfarrer die Offenbarung. Basedow ärgert einen Tanzmeister durch seine ketzerische Ansicht über die Taufe, und Goethe speist inzwischen einen Salmen und einen Hahnen auf.

Von Köln aus reist Goethe allein nach Düsseldorf zu Fritz Jacobi. Was sie jetzt vereinigte, war das gemeinsame Interesse für Spinoza. Für Jacobi diente das Studium des jüdischen Denkers nur zur Vertiefung seines eigenen, auf Gefühl und Ahnung beruhenden christlichen Offenbarungsglaubens. Goethe schöpfte aus ihm die Aufforderung zur Beruhigung seiner Leidenschaften: „Es schien sich mir eine große und freie Aussicht über die sinnliche und sittliche Welt aufzutun. Was mich aber besonders an ihn fesselte, war die grenzenlose Uneigennützigkeit, die aus jedem Satze hervorleuchtete. Jenes wunderliche Wort: ‚Wer Gott recht liebt, muß nicht verlangen, daß Gott ihn wieder liebe' ... erfüllte mein ganzes Nachdenken ... Die alles ausgleichende Ruhe Spinozas kontrastierte mit meinem alles aufregenden Streben, seine mathematische Methode war das Widerspiel meiner poetischen Sinnes- und Darstellungsweise, und eben jene geregelte Behandlungsart, die man sittlichen Gegenständen nicht angemessen finden wollte, machte mich zu seinem leidenschaftlichen Schüler, zu seinem entschiedensten Verehrer."

In Ems hatte Goethe am 15. Juli, wie Lavater berichtet, „ein herrliches Briefchen" von L e n z erhalten. Es war ein Gebet in Versen um ein Stückchen Himmel und ein wenig Sonnenschein:

> „Aber laß mir Bruder Goethen,   Platz wird er sich selber machen.
> Den du mir gegeben hast,   Nur beschirm' mit deinem Schilde
> Dessen Herz so laut zu dir schlägt.   Ihn vor Feinden, mehr vor Freunden,
> O für ihn bitt' ich mit Tränen,   Die an seinen Arm sich henken
> Halt ihm nur den Rücken frei,   Und den Arm ihm sinken machen.

Der Name von Lenz fehlt unter denen, die in jenen Jahren Gäste des Goethehauses in Frankfurt waren. Aber es gab von Goethes Freunden keinen, der sein Bild und Wesen so ganz in sich aufgenommen hätte, wie Lenz. So sehr aufgenommen, daß er darüber sich selber verlor.

Wieland hat über Lenz an Merck am 9. September 1776 geschrieben: „So eine seltsame Komposition von Genie und Kindheit! So ein zartes Maulwurfsgefühl, und so ein neblichter Blick! Und der ganze Mensch so harmlos, so befangen, so liebevoll!" Ähnlich schreibt Goethe Lenzens Arbeiten eine „liebliche Zärtlichkeit" zu, die sich zwischen den albernsten und barockesten Einfällen durchschleiche. Aber er spricht auch von einem

233

entschiedenen Hang zur Intrige an sich, ohne selbstischen Zweck. „Er pflegte sich immer etwas Fratzenhaftes vorzusetzen... Er war zeitlebens ein Schelm der Einbildung, seine Liebe wie sein Haß waren imaginär, mit seinen Vorstellungen und Gefühlen verfuhr er willkürlich, damit er immerfort etwas zu tun haben möchte."

Vielleicht wenn das Geschick Lenz in seiner livländischen Heimat, abseits von dem stürmischen Getriebe des Literaturwesens am Rheine, festgehalten hätte, er wäre ein Spätling der Aufklärung geworden, einer der Idylliker und Anakreontiker oder einer der sinnigen Natursänger wie die Göttinger. Sein Verhängnis war, daß er durch den äußern Gang seines Lebens in die Nähe Goethes geführt wurde und nun gezwungen war, um dieses starke und glühende Licht wie die Motte herumzuschwirren, von seiner Flamme in sich hereinzuatmen und sich von ihr versengen zu lassen. Er selber hat sein Verhältnis zu Goethe im Sommer 1775, als die Freundschaft am lebhaftesten blühte, in seinem „Pandaemonium Germanicum", einer Literatursatire nach Goethischer Art, in einer unentwirrbaren Mischung von Ernst und Selbstverspottung dargestellt. Die Szenerie ist „Der steile Berg". Goethe und Lenz im Reisekleid. Goethe steigt hinauf, geht um den Berg herum und verschwindet. Lenz, ihm nachgehend, kriecht auf allen Vieren: „Das ist böse Arbeit. Seh' ich doch niemand hier, mit dem ich reden könnte. Goethe, Goethe! Wenn wir zusammengeblieben wären. Ich fühl's, mit dir wär' ich gesprungen, wo ich itzt klettern muß." Goethe springt auf eine andere Seite des Berges auf einen kahlen Felsen hinauf. Lenz keucht ihm wieder auf einer andern Seite nach, sucht zu stehen: „Mir ist vom Klettern das Blut in den Kopf geschossen. O so allein!" Er entdeckt Goethe. Mit einem Sprung ist er bei ihm. Und nun entspinnt sich folgendes Gespräch:

„Goethe. Lenz, was Teutscher machst du denn hier?
Lenz. (ihm entgegen). Bruder Goethe (drückt ihn ans Herz).
Goethe. Wo zum Henker bist du mir nachgekommen?
Lenz. Ich weiß nicht, wo du gegangen bist, aber ich hab' einen beschwerlichen Weg gemacht.
Goethe. Ruh hier aus — und dann weiter.
Lenz. An deiner Brust, Goethe, es ist mir, als ob ich meine ganze Reise gemacht, um dich
Goethe. Wo kommst du denn her?   [zu finden.
Lenz. Aus dem hintersten Norden. Ist mir's doch, als ob ich mit dir geboren und erzogen w?
Wer bist du denn?
Goethe. Ich bin hier geboren. Weiß ich, wo ich her bin? Was wissen wir alle, wo wir herstamm
Lenz. Du edler Junge! Ich fühl' kein Harr mehr von all meinen Mühseligkeiten.
Goethe. Tatst du die Reise für deinen Kopf?
Lenz. Wohl für meinen. Alle kluge und erfahrne Leute widerrieten's mir.
Sie sagten, ich suche zu sehr, was zum Gutsein gehöre, und versäume darüber das Sein
Ich dachte, seid! Und ich will gut sein.
Goethe. Bist mir willkommen, Bübchen! Es ist mir, als ob ich mich in dir bespiegelte.
Lenz. O mach' mich nicht rot.
Goethe. Weiter!
Lenz. Weiß es der Henker, wie mir mein Schwindel vergangen ist, seitdem ich dich unter den Armen habe."

Lenz selber hat in einem, dem Werther nachgebildeten Briefroman durch Rothe (=Goethe) so geschildert: „Er lebt und webt in lauter Phantasien, und kann nichts, auch manchmal nicht die unerheblichste Kleinigkeit aus der wirklichen Welt an ihren rechten Ort legen. Daher ist das Leben dieses Menschen ein Zusammenhang von den empfindlichsten Leiden und Plagen, die dadurch nur noch empfindlicher werden, daß er sie keinen Menschen begreiflich machen kann. Er hat sich nun einmal eine gewisse Fertigkeit gegeben, die seine andere Natur ist, alle Menschen und Handlungen in einem idealischen Lichte anzusehen. Alle Charaktere und Meinungen, die von den seinigen abgehen, scheinen ihm so groß, er sucht soviel dahinter, daß er mit lauter außerordentlichen Menschen, gigantischen Tugendhelden oder Bösewichtern umgeben zu sein glaubt, und ihm garnicht begreiflich gemacht werden kann, daß der größte Teil der Menschen mittelmäßig ist und weder große Tugenden, noch große Laster anders als dem Hörensagen nach kennt."

So sah er Goethe, machte sich ein Idealbild von ihm und lebte ihm nach. Sah die Welt mit Goethes Augen, dachte Goethes Gedanken nach, sprach in seinen Worten und dichtete in seiner Art. Da er aber ein zarter, nach innen gerichteter Mensch war, ohne die Zweipoligkeit von Goethes nach innen und außen gerichteter Natur, so formte er sein Wesen und Leben nach einem ihm fremden Gesetz; der Ausgang konnte nur eine Verdrehung seines angeborenen Charakters sein. Sie wurde auch ein Schiefwachstum seines sittlichen Wesens. Denn als er sie merkte, trachtete er seine eigene Art zurückzugewinnen. Er konnte es, in der Schwäche seiner Natur, nicht durch eine eigene Neuleistung, sondern durch Verneinung des Wertes des andern; er rächte sich an ihm durch Intrige. Und schließlich ging er an dem Zwiespalt zwischen Ich und Nichtich zu Grunde.

Jacob Michael Reinhold Lenz ist am 23. Januar 1751 in Seßwegen in Livland als Sohn des Ortspfarrers, spätern Superintendenten in Riga, geboren. Es ging karg zu im Lenzschen Hause. Der Vater, streng und genau, hatte Mühe, das Geld für die Studien seiner Söhne zusammenzubringen. 1768 begab sich Lenz mit seinem Bruder Johann Christian zur Universität nach Königsberg. Da trat er auch Kant nahe, für den er 1770 ein Festgedicht verfaßte, als er „für die Professor-Würde disputierte". 1771 verließ er, ohne sein Studium beendigt zu haben, als Hofmeister zweier Herren von Kleist Königsberg und ging mit ihnen nach Straßburg, wo die beiden Kleist ins französische Heer eintraten. Er blieb in dieser Stelle bis 1774, teils in Straßburg, teils in Fort Louis und Landau, dann wieder in Straßburg. 1774 gab er die Stelle auf und lebte nun von Stundengeben und literarischen Arbeiten. In Straßburg hatte er Goethe kennengelernt und sich an ihn angeschlossen. Er war ihm fortan Vorbild und Führer, menschlich und dichterisch, der Geliebte, dem er seine zärtlichsten Gefühle weihte (er hat 1773 einen Aufsatz unter dem Titel „Unsere Ehe" über sein Verhältnis zu Goethe geschrieben), der Gott, zu dem er betete. Goethe ließ sich die Huldigungen von „Lenzchen" gefallen, wie man ein Schoßhündchen um sich duldet, und führte ihn mit

seinen Freunden zusammen. So lebte Lenz bald völlig Goethes Art und
Leben nach. Er wurde der Freund und Schützling des Aktuars Salzmann.
Er kam nach Sessenheim, schloß mit den Brionschen Mädchen Freundschaft, tröstete Friederike wegen Goethes Untreue und verliebte sich selber
in sie. Und wie Goethe berichtete er dem Aktuar, seinem „Sokrates", von
seinem Leben in Sessenheim und von seinen seelischen Wirren: „Ich habe
die guten Mädchen von Ihnen gegrüßt... Es war ein Mädchen, das sich
vorzüglich freute, daß ich so glücklich wäre, Ihre Freundschaft zu haben...
Was werden Sie von mir denken, mein teuerster Freund? Was für Mutmaßungen. Aber bedenken Sie, daß dieses die Jahre der Leidenschaften
und Torheiten sind... Sie werden mir bis auf den Grund meines Herzens
sehen — und ich werde wie ein armer Sünder vor Ihnen stehen und
seufzen, anstatt mich zu rechtfertigen. Was ist der Mensch? Ich erinnere
mich noch wohl, daß ich zu gewissen Zeiten stolz einen gewissen Goethe
tadelte und mich mit meiner sittsamen Weisheit innerlich brüstete, wie ein
welscher Hahn, als Sie mir etwas von seinen Torheiten erzählten. Der
Himmel und mein Gewissen strafen mich jetzt dafür... Ich bin boshaft
auf mich selber, ich bin melancholisch über mein Schicksal — ich wünschte
von ganzem Herzen zu sterben." In Sessenheim lebt er wie „auf einer
bezauberten Insel... Ich war dort ein anderer Mensch, als ich hier bin,
alles was ich geredt und getan, hab' ich im Traum getan" (3. Juni 1772).
Eine Woche später bekennt er: „Ich fürchte, es ist zu spät, an Heilung zu
denken. Es ist mir wie Pygmalion gegangen. Ich hatte mir zu einer gewissen Absicht in meiner Phantasie ein Mädchen geschaffen — ich sah mich
um und die gütige Natur hatte mir mein Ideal lebendig an die Seite
gestellt."

Es kam ganz wie von selber, daß er bei Friederike die Rolle Goethes
spielte. Er saß abends allein mit ihr in der Laube, wie Goethe; er be-
dichtete seine Liebe in Liedern, die man früher für Goethesche gehalten
hat. „Ich komme eben", schreibt er Anfang August 1772, „aus der Gesellschaft dreier lieben Mädchen und einer schönen, schönen Frau (die vier
Töchter des Pfarrers Brion sind gemeint) und in allen solchen Gesellschaften wird das Fleisch willig und der Geist schwach... Es geht mir
wie einem Kinde, das über ein neues Spielzeug ein altes vergißt, das es
doch so fest mit seiner kleinen Patsche umklammert hatte, als ob es ihm
erst der Tod herausreißen sollte. Der Zustand meines Gemütes ist wie er
ist; den Haß kann man wohl auswurzeln, aber die Liebe nie, oder es
müßte ein Unkraut sein, das nur die äußere Gestalt der Liebe hätte."
Auch Ende August ist er wieder in Sessenheim. „Ich habe in Sessenheim
gepredigt, sollten Sie das glauben? Den Sonnabend nachmittags karessiert."

Auch seine Briefe erinnern an die Goethes. Es sind Redensarten, Bilder,
Vorstellungen in ihnen, die Goethe geprägt hat oder geprägt haben
könnte. Aber es fehlt ihnen der große, mitreißende Zug der Wahrheit.
Sie sind nervös, die Sprache kribblig, zerhackt, spielerisch. Wenn Goethe
immer wieder aus der Darstellung seiner selbst in die schöne und große
Welt der Natur hinausstürmt, mit eindringendem Blick fremdes Schick-

sal umfaßt, so spinnt sich Lenz stets aufs neue in sich selber ein. Er verkriecht sich in die Höhle seines Herzens, er pflegt es wie ein krankes Vögelchen, er zerlegt es wie ein totes. Im September 1772, wie er Salzmann ohne Abschied verläßt, schreibt er: „Die gegenwärtige Lage meiner Seele wird mich entschuldigen. Sie kriecht zusammen wie ein Insekt, das von einem plötzlichen kalten Winde berührt worden ... Der waltende Himmel mag wissen, in was für eine Form er mich zuletzt noch gießt und was für Münze er auf mich prägt. Der Mensch ist mit freien Händen und Füßen dennoch nur ein tändelndes Kind, wenn er von dem großen Werkmeister, der die Weltuhr in seiner Hand hat, nicht auf ein Plätzchen eingestellt wird, wo er ein paar Räder neben sich in Bewegung setzen kann."

Man denkt beim letzten Bild an Leibnizens Vorstellung von den beiden gleichgerichteten Uhren zur Veranschaulichung der prästabilierten Harmonie, und wirklich liest Lenz in dieser Zeit die Theodizee, um zur Klarheit zu kommen über den Sinn des Bösen in der Welt. „Das eine bitt' ich mir aus, nicht so verächtlich von dieser Welt zu sprechen. Sie ist gut, mein Gönner, mit allen ihren eingeschlossenen Übeln" (an Salzmann Oktober 1772). Aber er lebt nicht mehr am Anfang des Jahrhunderts, wo man metaphysische Systeme an die Stelle des christlichen Glaubens setzte. Die ironische Kritik, mit der ihn Salzmann reichlich bedacht haben muß, bläst seine „kleinen Systeme" alle um: „Ich muß Ihnen aber auch sagen, daß ich meine Kartenhäuser gern niederreißen lasse, weil in einer Stunde wieder ein neues da ist. An mir ist von Kindesbeinen an ein Philosoph verdorben, ich hasche immer nach der ersten besten Wahrscheinlichkeit, die mir in die Augen flimmert, und die liebe, bescheiden nackte Wahrheit kommt dann ganz leise von hinten und hält mir die Augen zu." Und in einem andern Brief vom Oktober: „Jetzt möge meine philosophische Muse ruhen, sich still zu Ihren Füßen setzen und von Ihnen lernen. Spekulation ist Spekulation, bläset auf und bleibt leer, schmeichelt und macht doch nicht glücklich ... An den Brüsten der Natur hange ich jetzt mit verdoppelter Inbrunst." Er wiederholt das Hamannsche Bild von dem Junius Brutus, der sich auf den Erdboden niederwarf, um aus ihm Kraft zu schöpfen. Dann wieder flüchtet er sich zurück in den Glauben. „Der theologische Glaube ist", schreibt er im Oktober 1772, „das complementum unserer Vernunft, das dasjenige ersetzt, was dieser zur gottgefälligen Richtung unseres Willens fehlt ... Dieser Glaube ist eine notwendige Gabe Gottes, weil bei den meisten Menschen die Vernunft noch erst im Anfange ihrer Entwicklung ist, bei vielen aber niemals entwickelt wird." Was er darauf Salzmann als sein Christentum dargelegt, entspricht etwa einer aufgeklärten Orthodoxie. Christus ist, wie die Offenbarung lehrt, ein ganz reiner vollkommener Mensch, vielleicht das Ideal der menschlichen Natur gewesen. Er hat uns, außer seiner Lehre und seinem Beispiel, auch sein Verdienst gelassen, dessen er uns durch die Sakramente teilhaftig macht. Vor allem das „zwar unbegreifliche, aber der Vernunft doch nicht widersprechende" Sakrament des Abendmahls verbindet ihn geistig mit uns. Man versteht, daß Lenz damals Lavater besonders nahestand.

All das zeigt, daß er Goethe, dem er sich doch innerlichst so tief verbunden wähnte, dem er nachlebte, oft ohne es zu wollen, im Grunde seiner Seele und in der Richtung seines Denkens unendlich fern stand. Und den gleichen Widerspruch bezeugen auch seine literarischen Arbeiten aus der Straßburger Zeit. Es sind theoretische und dichterische. Die theoretischen zerfallen in religiös-moralische und ästhetische. Zu den religiös-moralischen gehört der „Versuch über das erste Prinzipium der Moral", der wahrscheinlich 1772 entstanden und in Salzmanns Deutscher Gesellschaft vorgetragen worden ist. Hier wird ausgeführt, wie der Trieb nach Vollkommenheit und der Trieb nach Glückseligkeit die beiden Grundtriebe unseres Herzens seien. Der Trieb nach Vollkommenheit ist „das ursprüngliche Verlangen unseres Wesens, sich eines immer größeren Umfanges unserer Kräfte und Fähigkeiten bewußt zu werden". Glück ist der Zustand, in welchem wir „die Fähigkeiten unsers Verstandes, unsers Willens, unserer Empfindung, unserer untern Seelenkräfte, hernach auch unserer Gliedmassen und unsers Körpers immer mehr entwickeln, verfeinern und erhöhen können, und zwar in einer gewissen Übereinstimmung der Teile zum Ganzen". Glückseligkeit ist also der Bewegungsgrund, „warum wir Vollkommenheit suchen, weil wir sonst keine wahre Glückseligkeit finden", und umgekehrt ist „die Vollkommenheit der Bewegungsgrund, warum wir Glückseligkeit suchen, weil, wenn wir keine Fähigkeiten hätten, wir auch keinen Zustand suchen würden, der diese Fähigkeiten immer weiter entwickeln kann". Das ist im Grunde das alte Gleichgewichtsverhältnis von Glück und Tugend, wie es die Moralisten der Aufklärung, Baumgarten, Gellert usw. entwickelt hatten. Auch in dem Willensproblem bekennt sich Lenz noch zur Aufklärung. Mit Leibniz führt er aus, daß alles, was wir aus freiem Willen tun, doch nach dem Ratschluß Gottes geschieht. In der Psychologie endlich teilt er mit Wolff und den andern Denkern der Aufklärung die Seele in einzelne Vermögen. Auch dieser Aufsatz zeigt, daß er zu einer Zeit, wo Herder und Goethe im Drange des Pantheismus zu ganz neuen Erkenntnissen gekommen waren, noch im aufgeklärten Theismus verharrte. Die weltanschauliche Kluft, die so zwischen ihm und Goethe bestand, mußte die durch den Unterschied der Charaktere bedingte Tragik seiner Goethenachahmung noch vertiefen.

Es ist für seinen Mangel an grundsätzlicher Entschiedenheit nun aber bezeichnend, daß er in seinen ästhetischen Aufsätzen wiederum Goethe sehr nahesteht, vor allem dem bedeutendsten, den „Anmerkungen übers Theater" (1771 oder 1772 entstanden, erschienen 1774). Nirgends gebärdet sich Lenz so sturm- und drangmäßig wie hier. „Jeder muß Rauch machen, der sich unterstehen will, ein Feuer anzuzünden", sagt er selber am Schlusse der „Anmerkungen". Es qualmt in der Tat viel Rauch auf. Kein größerer Gegensatz als etwa zwischen Goethes Münsteraufsatz und diesen Anmerkungen. Dort wird im Schwunge der Morgenstimmung der Aufgang des Tagesgestirnes verkündet, hier ist ein künstlich verbreitetes Dunkel, das Leidenschaft vortäuschen soll, forcierte Erregtheit, Verworrenheit der Sprache, unfertige Sätze, Anakoluthe usw. Der Inhalt: Das dichterische Schaffen entsteht aus Nachahmung der Natur und innerer Begeisterung, d. h. Nachahmung der Natur ist ein Schaffen von innen heraus, ein Bilden aus den begeisterten Kräften der Seele. Der so Schaffende ist ein Genie. „Wir nennen die Köpfe Genies, die alles, was ihnen vorkommt, gleich so durchdringen, durch und durch sehen, daß ihre Erkenntnis denselben Wert, Umfang, Klarheit hat, als ob sie durch Anschauen oder alle sieben Sinne zusammen wäre erworben worden. Legt einem solchen eine Sprache, mathematische Demonstration, verdrehten Charakter, was ihr wollt, vor, eh' ihr ausgeredet habt, sitzt das Bild in seiner Seele, mit allen seinen Verhältnissen, Licht, Schatten, Kolorit dazu." Man erkennt die Nachwirkung von Ideen Hamanns, Gerstenbergs, Herders. Der Unterschied zwischen den Alten und Shakespeare wird gescheit, wenn auch nicht durchschlagend, als der Gegensatz zwischen Fabeldrama und Charakterdrama erläutert: daraus erkläre sich die mangelhafte Psychologie in den antiken Tragödien, während Shakespeares Stücke, in denen der Mensch mit seinem Fühlen, Wollen und Denken im Mittelpunkt stehe, reich seien an interessanten Seelenzuständen. Die Modernen sollen im ernsten Drama Shakespeare nacheifern. Der Volksgeschmack stürmt beim Trauerspiel „immer drauflos: das ist ein Kerl! Das sind Kerls. Bei der Komödie aber ist's ein anders ... Die Hauptempfindung in der Komödie ist immer die Begebenheit, die Hauptempfindung in der Tragödie ist die Person, der Schöpfer ihrer Begebenheiten."

Von seinen beiden bekanntesten und bedeutendsten Dramen hat Lenz das eine, „Der Hofmeister" (1774), als Komödie, das andere, „Die Soldaten" (1775), als Schauspiel bezeichnet. Ihre Gestalt hat sowohl Shakespeare wie Plautus bestimmt, von dem Lenz sechs Lustspiele übersetzt und in deutsche Verhältnisse übertragen hat. Den Stoff boten seine Erfahrungen als Hofmeister der beiden Herren von Kleist und die Beobachtungen, die er im Verkehr mit den französischen Offizieren machte. Grell und mit starkem Sinn für Satire und Persiflage ist im einen Stück die zweideutige Stellung des Hofmeisters, im andern der sittenlose Lebenswandel der zur Ehelosigkeit verpflichteten jungen Offiziere bloßgestellt. Der moralische Zweck der Komödie ist deutlich. Aber mit dem „Götz von Berlichingen" darf man weder das eine noch das andere Stück vergleichen.

„Kerl" und „Bruder" sind die Lieblingsnamen der Stürmer und Dränger für die beiden Menschenarten gewesen, die sie vor allem liebten und priesen, und die sie selber verkörpern wollten. „Kerl" oder „braver Kerl" ist der kraftvolle, mutige, ehrliche, durchs Leben stürmende Held, „Bruder" der empfindsame und zarte Schwärmer. Man kann Lenz zur zweiten Art rechnen. Klinger jedenfalls war ein „Kerl". Schon äußerlich stand er im Gegensatz zu Lenz. Während dieser ein schmächtiges und zierliches Bürschchen war, besaß Klinger, nach Goethes Schilderung, eine große, schlanke, wohlgebaute Gestalt und eine regelmäßige Gesichtsbildung. Er war die Gesundheit und Stärke selber und hatte seinen Körper in ritterlichen Übungen ausgebildet; er wußte ein Pferd zu tummeln und mit der Pistole zu schießen. So eng in jenen Jahren seine Freundschaft mit Goethe war, und so viel er diesem zu danken hatte, er fabelte niemals von einer „Ehe" mit Goethe. Er blieb charaktervoll und stolz er selber: er hätte auch gar nicht die empfindsamen Organe gehabt, sich so in Goethe einzubohren, wie Lenz es tat. Er war alles andere als ein Grübler, vielmehr auf äußeres Handeln und Erleben gerichtet. Wie in dem „Leidenden Weib" der Hofmeister des Grafen Louis seinem Zögling Vorstellungen über seinen Lebenswandel macht, sagt Graf Louis: „Was nutzt mir Ihre Metaphysik, Ihre Geisterlehre und alles? Meinen Sie denn, ich wollte mir den Kopf vollpfropfen mit dem Zeugs? Was hier liegt, seh' ich: was gehen mich Ihre Philosophen und Monaden alle an? Kurzum, ein Mädel ist mir lieber als das all." So etwa hätte sich auch Klinger ausdrücken können. Als er 1780 Deutschland verließ, um nach Rußland zu gehen, wo er sein Glück machte, schrieb er dem Hamburger Theaterdirektor Schrö-

40. Das Pfarrhaus zu Sessenheim
Rötelzeichnung von Goethe

Anfang Oktober 1770 führte der Medizinstudent Weyland gelegentlich eines Ausritts in die straßburger Umgebung Goethe im Pfarrhaus von Sessenheim ein. Damals lernte Goethe Friderike, Tochter des Pfarrers Brion, kennen. Während des Aufenthaltes vom 18. Mai bis 23. Juni 1771 zeichnete Goethe wenige Wochen vor seinem endgültigen Abschied von Sessenheim die Stätte seiner straßburger Liebe.

41. Die Leiden des jungen Werthers
Gezeichnet und gestochen von Daniel Nikolaus Chodowiecki

Der Stich zeigt eine der letzten Szenen aus dem Briefroman von der unerfüllt gebliebenen Liebe Werthers zu Lotte, die einem anderen verlobt ist. An der Wand hängt Lottes Silhouette, auf dem Schreibtisch liegt Lessings „Emilia Galotti" und der Abschiedsbrief, auf dem Boden die Pistole. „Werthern hatte man auf das Bett gelegt, die Stirn verbunden, sein Gesicht schon wie eines Toten, er rührte kein Glied."

42. Lilli (Anna Elisabeth) Schönemann, verh. Türckheim (1758—1817)
Anonymes Pastellgemälde

Im Januar 1775 lernte Goethe Lilli Schönemann, Tochter einer angesehenen frankfurter Familie, kennen. Nach dem Abschied von Friderike Brion, dem schmerzlichen Verzicht auf Charlotte Buff und dem kaum angesponnenen empfindsamen Gedankenaustausch mit Maximiliane La Roche, spätere Brentano, entdeckt nun Goethe zu Lilli wiederum heftige Zuneigung. Sein erstes an Lilli gerichtetes Gedicht „Neue Liebe neues Leben" gibt diesem Empfinden Ausdruck. Es kam zur Verlobung. Doch Goethe entzog sich einer Bindung halb absichtlich durch seine erste Reise in die Schweiz, der im November des gleichen Jahres seine Übersiedlung nach Weimar folgte.

40 *Das Pfarrhaus zu Sessenheim*

41 *Die Leiden des jungen Werthers*

42
*Lilli (Anna Elisabeth) Schönemann,
verh. Türckheim (1758—1817)*

43 *Goethes Gartenhaus
am Stern im Weimarer Park*

44
Goethe (1779)

45
Charlotte Freifrau von Stein (1742—1827)

der ins Stammbuch: „Marte Venereque" — dem Kriegsgott und der
Liebesgöttin warf er sich in die Arme. Man wunderte sich auf den ersten
Blick, daß ein Mensch mit diesen Anlagen und Ansichten ein Dichter
wurde; den Dichtern des Sturms und Drangs hat ihn auch in der Tat nicht
die Tiefe seines Geistes, sondern die Stärke seines Temperamentes zugesellt. Aber mit jenen Eigenschaften hat er sich, als ein eigentlicher Self-
mademan, den Weg zum Erfolg im Leben geebnet. Daß es vor allem ein
äußerer Erfolg war, entsprach durchaus dem, was er vom Leben erwartete.

Friedrich Maximilian Klinger war am 17. Februar 1752 in Frankfurt
am Main geboren. Die Familie wohnte zuerst in dem Nebengebäude des
Goethehauses, das 1755 dem Neubau Platz machen mußte. Als Goethe
Klinger 1826 eine Abbildung des alten Hofraumes sandte, schrieb er dazu:
„An diesem Brunnen hast auch du gespielt." Der Vater war Konstabler.
„Soviel ich von meinem Vater weiß", berichtet Klinger in einem Lebensabriß, den Lenz Mitte 1776 an Frau von Stein schickte, „war er ein
wunderbarer, feuriger Mann, der nicht an seinem Platz war. Dabei von
edlem Sinn. Gott weiß, wie seine Seele die Richtung bekam. Ich verlor
ihn in meinem achten Jahr, da er an einem Fall starb ... Nach seinem
Tode wird meine Mutter krank auf achtzehn Wochen für Kummer." Aber

43. Goethes Gartenhaus am Stern im Weimarer Park
Nach einer Sepiazeichnung von Otto Wagner, gestochen von Ludwig Schütze

*Am 7. November 1775 traf Goethe in Weimar ein. Als er sich mit Beginn des
Jahres 1776 entschlossen hatte, für immer dort zu bleiben, schenkte ihm Carl
August am 21. April 1776 das Gartenhaus. Außer in Stadtwohnungen, die Goethe
vor allem im Winter bezog, lebte er dort vom Mai 1776 bis Juni 1782.*

44. Goethe (1779)
*Bereits auf seiner ersten Reise in die Schweiz machte Goethe während seines
Aufenthaltes bei Lavater in Zürich die Bekanntschaft des Zeichners und Radierers
Johann Heinrich Lips. Als Goethe 1779 zum zweiten Mal in die Schweiz und nach
Zürich kam, fertigte Lips die abgebildete Tuschzeichnung für Lavaters physio-
gnomische Sammlung. Wir besitzen in dieser Zeichnung ein wertvolles Zeugnis
von Goethes Aussehen in seiner ersten weimarer Zeit.*

45. Charlotte Freifrau von Stein (1742—1827)
Stich von Auguste Hüssener nach dem angeblichen Selbstbildnis

*Wenige Tage nach seiner Ankunft in Weimar lernte Goethe Frau von Stein ken-
nen. Bereits vom Januar 1776 datiert sein erster erhaltener Brief an sie, dem in
den nächsten zehn Jahren eine große Zahl kürzerer Botschaften und ausführliche-
rer Schreiben sowohl von Haus wie aus ferneren Orten folgten. Sie alle
spiegeln Goethes tiefe Liebe zu der „einzigen Frau", sein hoffnungsvolles Werben
um sie und sein schmerzliches Gedulden. Aber nach seinem fast zweijährigen Aufenthalt in Italien kam er als „ein neuer Mensch" zurück. Diese Wandlung wirkte
sich auch auf die Beziehungen zur Frau von Stein aus, so daß ein nur ähnlich
vertrauter Ton wie vor der italienischen Reise trotz Goethes Bemühungen nicht
wieder aufkommen konnte.*

die Witwe war eine tapfere und entschlossene Frau. Sie eröffnet ein Wäschereigeschäft und einen Kramladen, „ernährt drei unmündige Kinder, ohne zu vermeiden, nicht in Schulden zu kommen". Als der Sohn heranwuchs, „bat und flehte" er, ihn in die lateinische Schule zu schicken. „Das geschah, sie konnte mir nichts abschlagen. Noch erinnere ich mich, daß sie mein erstes Schulgeld nicht bezahlen konnte und es borgen mußte. Das ging so fort. Sie erhielt mich bis ins neunzehnte Jahr in allem, denn was ich mit Informieren und vom Chor bekam, war sehr gering." Nach 1769, in der Zwischenzeit zwischen Leipzig und Straßburg, nahm Goethe den Verkehr mit dem Jugendfreunde wieder auf. Nach Straßburg war er einer der nächsten Geniegenossen Goethes. In der bescheidenen Wohnung von Klingers Mutter, wo Klingers Schwester Agnes, „ein herrliches Geschöpf", ein Anziehungspunkt war, kam man oft zusammen. Dorthin führte Goethe auch andere Freunde: Leopold Wagner, den Musiker Kayser, Merck. Hier schrieb Goethe „bei einer Flasche guten Burgunders" die Farce „Götter, Helden und Wieland" in einer Sitzung nieder. Und Goethe war es, der Klinger den Besuch der Universität ermöglichte. Er unterstützte ihn mit Geldbeiträgen und verschaffte ihm bei seinem Freunde Professor Höpfner in Gießen freie Wohnung. So konnte sich Klinger 1774 als Jurist immatrikulieren lassen.

Doch seine Neigung ging nicht auf gelehrte Studien, vor allem nicht auf die Rechtswissenschaft. Die gewaltige Kraft, die in ihm war, mußte sich in leidenschaftlichen Taten auswirken. Er hatte schon in Frankfurt ein Ritterdrama, „Otto", angefangen, das er jetzt beendete. Shakespeares „König Lear" und Goethes „Götz" haben ihm Pate gestanden. „Die Poesie ist wahrlich eine Wohltat für mich und große Entschädigung, daß ich all das hinschmeißen kann", schrieb er damals an Kayser. Man sieht, Dichten ist ihm nicht, wie für Goethe, ein Klären dumpfer Bedrängnis, ein Herausstellen persönlichen Erlebens in gegenständliche Gestalten und damit eine Tat der geistigen Befreiung. Dichten ist ihm bloß ein dynamischer Vorgang. Die Dichtung ein Ventil für den übermächtigen Drang des Innern. Das Niederschreiben sozusagen eine physische Entladung. „Wüte und fluche gegen mich", schrieb er im Sommer 1776 seinem Freund Ernst Schleiermacher, „werf' mir all deine gute und wilde Gefühle hin, vielleicht wird dir manchmal leicht, auch müßte der Mensch was haben, wohin er gösse und schütte." Wenn Goethe jedes Werk aus einem Erlebnis naturgemäß hervorwachsen läßt, so ist in Klingers Schaffen etwas Handwerkliches. Er war auch als Dichter der gewandte, rasch zugreifende Mann, der er im Leben war und als welcher er sein Glück begründete. Motive schwirrten zu Dutzenden durch die Luft. Interessante Menschen traf man auf allen Wegen. Leidenschaft war die Losung des jungen Geschlechtes. Klinger griff auf, was sich ihm bot. Er brachte die Gedanken der andern, die auch seine eigenen Gedanken waren — denn es war viel Massenarbeit in dem Schaffen dieser Jungen —, in eine bequeme, wirksame Form. Er fügte mit einem konstruktiven Verstande Motive aus Shakespeare und anderen zu einer neuen Handlung zusammen, bildete wenig problematische, dafür aber um so kräftigere und einleuchtendere Charaktere; blies in das Ganze die heiße Luft seines feurigen Temperamentes — und das Drama war fertig und hatte Erfolg, mehr Erfolg als manches psychologisch feinere und künstlerisch sorgfältigere Werk von andern: er hat so mit seinen „Zwillingen" Leisewitzens „Julius von Tarent" in dem von Schröder ausgeschriebenen Dramenwettbewerb ausgestochen. Aus all dem erklärt sich bei Klinger die erstaunliche Leichtigkeit des Hervorbringens, die Vielheit seiner Werke. Dem „Otto" folgten 1775 „Das leidende Weib", die „Zwillinge", „Pyrrhus", „Die neue Arria", 1776 „Simsone Grisaldo". Später hat er mit der gleichen Leichtigkeit Roman um Roman geschrieben. Es ist viel Ironie der Geschichte in der Tatsache, daß sein 1776 in Weimar geschriebenes Drama „Wirrwarr", das Klinger auf Kaufmanns Rat in „Sturm und Drang" umtaufte, der ganzen Bewegung den Namen gegeben hat.

Vollends als Parasit Goethes ist Heinrich Leopold W a g n e r in die Literaturgeschichte eingegangen. Goethe nennt ihn in „Dichtung und Wahrheit" einen „guten Gesellen, der, obgleich von keinen außerordentlichen Gaben, doch auch mit-

zählte". Er war am 19. Februar 1747 in Straßburg geboren, verkehrte im Salzmannschen Kreise und studierte die Rechte. 1773 wurde er Hofmeister im Hause des Präsidenten von Günderode in Saarbrücken. 1774 kam er nach Gießen, dann nach Frankfurt. Er machte hier das Anwaltsexamen, eröffnete eine Praxis und heiratete eine achtzehn Jahre ältere Witwe, starb aber schon am 4. März 1779. Goethe hatte er in Straßburg kennengelernt. In Frankfurt trat er in seinen Kreis. Goethe suchte ihn zu fördern. So veranlaßte er ihn, Sebastian Merciers „Nouvel essai sur l'art dramatique" (1773) ins Deutsche zu übersetzen, und versprach ihm, dazu einige kleine ästhetische Aufsätze beizugeben. Aber Wagner lohnte Goethes Güte übel. Goethe berichtet, er habe ihm die Gretchenhandlung im „Faust", von der er ihm erzählt, für sein Trauerspiel „Die Kindermörderin" weggeschnappt. Belastender war, daß Wagner ano-

Erste Textseite der ersten Ausgabe von Klingers „Sturm und Drang", 1776

nym eine Literatursatire: »Prometheus, Deukalion und seine Rezensenten" herausgab und damit in plumper und geistloser Weise in den Streit um „Werthers Leiden" eingriff: Prometheus ist Goethe, Werther Deukalion, unter den Rezensenten wird Nicolai als Orang-Utang, Hofrat Deinet als Gans verhöhnt. Eine Anspielung auf Goethes Verhältnis zu den Weimarer Prinzen war besonders taktlos. Da das Ganze den Ton Goethescher Literatursatiren nachahmte, hielt man es für ein Werk Goethes. Während dieser den Diebstahl des Gretchenmotivs Wagner nachsah, mußte er sich jetzt von ihm trennen. In den Frankfurter Gelehrten Anzeigen veröffentlichte er am 9. April 1775 eine Erklärung, daß Wagner ohne sein Zutun und Wissen das Pamphlet gemacht und veröffentlicht habe. „Ich glaube diese Erklärung denen schuldig zu sein, die mich lieben... Übrigens war mir's ganz recht, bei dieser Gelegenheit verschiedene Personen aus ihrem Betragen gegen mich in der Stille näher kennenzulernen."

So mannigfach und zahlreich Goethes Beziehungen zu Freunden waren, alle waren sich darin einig, daß er an Genialität keinen neben sich hatte. Heinse nennt ihn einmal ein Genie vom Scheitel bis zur Fußsohle, und Fritz Jacobi sagte, er sei ein Besessener, dem fast in keinem Falle gestattet sei, willkürlich zu handeln. Er selber berichtet, wie er dazu gelangt sei, das ihm innewohnende dichterische Talent ganz als Natur zu betrachten. Am freudigsten und reichlichsten sei es unwillkürlich, ja wider Willen hervorgetreten auf Streifzügen durch Feld und Wald, auch beim nächtlichen Erwachen habe ihn die Dichtergabe überfallen. „Ich war so gewohnt, mir ein Liedchen vorzusagen, ohne es wieder zusammenfinden zu können, daß ich einige Male an den Pult rannte und mir nicht die Zeit nahm, einen querliegenden Bogen zurechtzurücken, sondern das Gedicht von Anfang bis zu Ende, ohne mich zu rühren, in der Diagonale herunterschrieb." Er brauchte das Genie nicht in langen Aufsätzen zu bestimmen wie die andern. Er war seiner sicher und ließ es in sich walten. Er fühlte sich eins mit dem Ganzen der Gottnatur und ließ ihre Kräfte bildend aus sich herausbrechen.

Aber es gab doch Zeiten, wo es ihm Bedürfnis war, sich über Art und Gesetz dieses Schaffens Rechenschaft zu geben, nicht in langen, methodisch aufgebauten Abhandlungen, sondern, der Stimmung der Geniezeit entsprechend, in kurzen Ergüssen, in impressionistisch hingeworfenen Aufsätzchen. Die äußere Gelegenheit boten vielfach die Frankfurter Gelehrten Anzeigen. Hier hat er sich im besondern mit der Ästhetik des Spätrationalismus auseinandergesetzt, deren wichtigster Vertreter J. G. Sulzer war. Er hat einen grundlegenden Artikel aus Sulzers Allgemeiner Theorie der schönen Künste und Wissenschaften, „Die schönen Künste in ihrem Ursprung, ihrer wahren Natur und besten Anwendung" 1772 besprochen. „Sehr bequem ins Französische zu übersetzen, könnte auch wohl aus dem Französischen übersetzt sein," meinte er. An drei Punkten deckte er die Kluft auf, die zwischen Sulzer und seiner Auffassung klafft:

Erstens in der Naturauffassung. Sulzer hat die alte Ansicht der Aufklärung von der Kunst als Nachahmung der Natur in dem Sinne eingeschränkt, als er die Kunst die schöne Natur nachahmen läßt, wobei die Natur von allen Seiten unsere Sinne durch angenehme Eindrücke rührt. Goethe tritt diesem Optimismus entgegen: „Gehört denn, was unangenehme Eindrücke auf uns macht, nicht so gut in den Plan der Natur als ihr Lieblichstes? Sind die wütenden Stürme, Wasserfluten, Feuerregen, unterirdische Glut und Tod in allen Elementen nicht ebenso wahre Zeugen ihres ewigen Lebens als die herrlich aufgehende Sonne über volle Weinberge und duftende Orangenhaine? Was würde Herr Sulzer zu der liebreichen Mutter Natur sagen, wenn sie ihm eine Metropolis... in ihren Bauch hinunterschlänge?" Man sieht, das Kindheitserlebnis von dem Erdbeben von Lissabon hat Goethes Optimismus für alle Zeiten zerstört. Und so stellt er denn Sulzers Naturauffassung seine eigene entgegen: „Was wir von Natur sehen, ist Kraft, die Kraft verschlingt; nichts gegenwärtig, alles vorübergehend, tausend Keime zertreten, jeden Augenblick tausend geboren, groß und bedeutend, mannigfaltig ins Unendliche; schön und häßlich, gut und böse, alles mit gleichem Rechte nebeneinander existierend." Die ganze spätere naturwissenschaftliche Erkenntnis liegt keimartig in diesem Bekenntnis zu dem dynamischen Pantheismus enthalten.

Das Zweite ist die Ablehnung des Nützlichkeitszweckes der Kunst. „Herr Sulzer", sagt er, „redet viel von dem Wesen der Künste, Zweck, und preist ihre hohe Nutzbarkeit als Mittel zur Beförderung der menschlichen Glückseligkeit." Und er setzt hinzu: „Wer den Menschen nur einigermaßen kennt und Künste und Glückseligkeit, wird hier wenig hoffen." Der Künstler hat überhaupt keinen Zweck. Er „schafft wie die Natur", wie es in einer andern Rezension heißt. Er fühlt keine andere Seligkeit des Lebens als in seiner Kunst, „daß, in sein Instrument versunken, er mit allen seinen Empfindungen und Kräften da lebt. Am gaffenden Publikum, ob das, wenn's ausgegafft hat, sich Rechenschaft geben kann, warum es gaffte oder nicht, was liegt an dem?"

Doch die Gleichsetzung des Schaffens des Künstlers mit dem der Natur verleitet Goethe nicht, die Kunst der Natur gleichzusetzen. Er spürt (und das ist der dritte Punkt) schon jetzt die Kluft, die er in seiner klassischen Zeit so stark betont hat. Die Kunst ist das Widerspiel der Natur: „Sie entspringt aus den Bemühungen des Individuums, sich gegen die zerstörende Kraft des Ganzen zu erhalten." Schon das Tier scheidet, verwahrt sich durch seine Kunsttriebe gegen die Natur. Der Mensch vollends schützt sich gegen sie, bis es ihm gelingt, alle seine Bedürfnisse in einen Palast einzuschließen, wo er den Freuden des Körpers Freuden der Seele substituiert und seine Kräfte, von keiner Widerwärtigkeit zum Naturgebrauche aufgespannt, in Tugend, Wohltätigkeit, Empfindsamkeit zerfließen.

Schon hier ist die Einsicht, daß es Kunstgesetze gebe. Goethe hat sich auch in seiner Sturm- und Drangzeit niemals zu jenem verworrenen Naturalismus der andern bekannt, daß das Genie nur seinen Naturtrieb walten lassen müsse, um Kunstwerke hervorzubringen. Die mechanischen

Kunstgesetze der rationalistischen Ästhetik lehnt er ab, er weiß, daß es andere, innerlichere, gibt. In einem jener Aufsätzchen, die als Anhang zu Wagners Mercierübersetzung bestimmt waren, spricht er von dieser „innern Form". Sie entspringt nicht verstandesmäßiger Überlegung, sondern dem lebendigen Gefühl. Sie kann nicht mit Händen gegriffen werden, sie will gefühlt sein. „Unser Kopf muß übersehen, was ein anderer Kopf fassen kann; unser Herz muß empfinden, was ein anderes füllen mag. Das Zusammenwerfen der Regeln gibt keine Ungebundenheit." Und dann folgt noch die letzte Feststellung, um den Trennungsstrich zwischen Natur und Kunst klar und scharf zu ziehen und dem Gerede von der Kunst als Naturnachahmung ein für allemal ein Ende zu machen: „Jede Form, auch die gefühlteste, hat etwas Unwahres (d. h. der Wirklichkeit, der Natur Fremdes), allein sie ist ein für allemal das Glas, wodurch wir die heiligen Strahlen der verbreiteten Natur an das Herz der Menschen zum Feuerblick sammeln."

Goethe hat an einem Beispiel aufgedeckt, was er unter der „gefühlten" innern Form versteht. Sulzers Freund Ramler hatte in seiner Einleitung in die schönen Wissenschaften eine Anweisung gegeben, wie ein Dichter den Tod eines Freundes oder seiner Gattin besingen solle: er „stellt eine Reise an, um sich zu zerstreuen, bis die Zeit seine Wunden völlig geheilt hat; alsdann erst stimmt er ein Trauerlied an, alsdann ahmt er die Leidenschaft einer äußerst gerührten Seele nach: und sein künstlicher Schmerz hat alle Kennzeichen jenes wahren Schmerzes, den er anfangs erfahren hatte... Die Dichter können Leidenschaften annehmen und glücklich ausdrücken, die sie unter allen am wenigsten besitzen; sie können als Berauschte von ihrem Weine singen und beständig mäßig und nüchtern gelebt haben." Das ist die Auffassung der Anakreontiker. Nun hatte Goethe in den Frankfurter Gelehrten Anzeigen die Gedichte eines polnischen Juden zu besprechen. Er erwartete in ihnen die Darstellung eines besondern Erlebens, und fand, daß sich „hier wieder ein hübscher junger Mensch, gepudert und mit glattem Kinn und grünem goldbesetztem Rock" produzierte. „Seine Mädchen sind die allgemeinsten Gestalten, wie man sie in Sozietät und auf der Promenade kennenlernt, sein Lebenslauf unter ihnen der Gang von Tausenden."

Goethe muß die Rezension in Wetzlar oder bald nach Wetzlar geschrieben haben; denn die Liebe zu Lotte lodert aus ihr: „Laß, o Genius unsers Vaterlands, bald einen Jüngling aufblühen, der voller Jugendkraft und Munterkeit zuerst für seinen Kreis der beste Gesellschafter wäre..., dem die beste Tänzerin freudig die Hand reichte... Wenn ihn heiligere Gefühle aus dem Geschwirre der Gesellschaft in die Einsamkeit leiten, laß ihn auf seiner Wallfahrt ein Mädchen entdecken, deren Seele ganz Güte, zugleich mit einer Gestalt ganz Anmut, sich in stillem Familienkreis häuslicher, tätiger Liebe glücklich entfaltet hat... Laß die beiden sich finden; beim ersten Nahen werden sie dunkel und mächtig ahnen, was jedes für einen Inbegriff von Glückseligkeit in dem andern ergreift, werden nimmer von einander lassen. Und dann lall' er ahnend und hoffend und genießend: „Was doch keiner mit Worten ausspricht, keiner mit Tränen und keiner mit dem verweilenden vollen Blick und der Seele drin." Wahrheit wird in seinen Liedern sein und lebendige Schönheit."

Was diese Aufsätze in knappen Worten sagen, lebt gestaltet in den Dichtungen dieser Zeit. Machtvoll flammt hier naturgewaltige Schöpferkraft gen Himmel. Immer wieder setzt er an, das Erlebnis des Genies darzustellen: Cäsar, Mahomet, Prometheus. Das politische, das religiöse, das kulturschaffende Genie. Schließlich schlingt „Faust" alle diese Gedanken in sich ein. Nicht weniger stark lebt sich die pantheistische Schöpferkraft im Gedicht aus. In dem „Wandrer" ist in der aus Tempeltrümmern gebauten, von Grün übersponnenen Hütte, worin das Weib mit dem Kind an der Brust wohnt, Goethes Auffassung von der naturgleichen menschlichen Schöpferkraft versinnbildlicht, deren Kunstwerk doch den Menschen von der Natur scheidet:

„Natur, du ewig keimende,
 Schaffst jeden zum Genuß des Lebens.
 Deine Kinder all
 Hast mütterlich mit einem
 Erbteil ausgestattet,
 Einer Hütte!
 Hoch baut die Schwalb' am Architrav
 Unfühlend, welchen Zierat

Sie verklebt.
 Die Raup' umspinnt den goldnen Zweig
 Zum Winterhaus für ihre Brut.
 Und du flickst zwischen der Vergangenheit
 Erhabnen Trümmern
 Für dein Bedürfnis
 Eine Hütt', o Mensch!
 Genießest über Gräbern!"

Was Hamann geahnt und Herder gefordert, erfüllt Goethe in seinen Hymnen. Er hat aus religiösem Allgefühl den Sinn der alten Mythen wieder begriffen und ihn, über die Jahrtausende weg, aufs neue und in seiner Sprache gedeutet. Prometheus wird ihm so zum Schöpfer des Sturms und Drangs, der aus eigener Inbrunst bildet und sich auflehnt gegen die alten Götter, die die Opfergaben der Menschen brauchten, um leben zu können — ästhetisch gesprochen: Geniekunst und Regelkunst. Im „Ganymed" breitet die Sehnsucht des ergriffenen Ich die Arme aus in das göttliche All.

Goethes Seele ist in dieser Zeit wie ein Stück Wiese im Frühling. Eine Blume wächst darauf und ihr Samen verbreitet sich und läßt einen ganzen Kranz von gleichartigen Gewächsen um sich herum heranwachsen. So genügte Goethe vielfach ein Werk nicht, um das auszudrücken und von sich abzuwälzen, was in Glück oder Qual in ihm wühlte und gärte. Er hatte in „Werthers Leiden" die tragische Zwiespältigkeit des Gefühls in seinem natürlichen Ablauf dargestellt: die Seligkeit des Einseins von Natur und Mensch, von Ich und Du, aber auch die Verzweiflung über die kerkerhafte Eingeschlossenheit des Ich, die Schranken, die Natur und Gesellschaft dem übergreifenden Drang des Ich entgegenstellten. Das Trauerspiel „Clavigo" nimmt das Problem aufs neue auf. Es entstand im Frühjahr 1774. Mit einigen Freunden und Freundinnen wurde damals das Mariagespiel gespielt: das Los bestimmte, daß zwei junge Leute für acht Tage als Mann und Frau gelten sollten. Drei Mal teilte es Goethe Anna

Sibylla Münch als Gatten zu. Einmal, wie des Caron de Beaumarchais Mémoire über seine Reise nach Spanien vorgelesen wurde, sagte sie: „Wenn ich deine Gebieterin wäre und nicht deine Frau, so würde ich dich ersuchen, das Mémoire in ein Schauspiel zu verwandeln." In acht Tagen war das Stück geschrieben.

Aber doch nur, weil das Problem, das Beaumarchais' Erzählung bot, in Goethe selber wühlte. Der Schriftsteller Clavigo hat Marie Beaumarchais seine Liebe erklärt und sich geweigert, ihr die Treue zu halten. Immer wieder zieht es ihn zu ihr hin, immer wieder bricht er sein Wort, wenn es zur Trauung kommen soll. Er macht sich Vorwürfe. Er handelt ehrlos, und kann doch nicht anders. Er fühlt sich glücklich in seiner Liebe zu ihr, und unglücklich, wenn sie ihn halten will. Sein Freund Carlos gibt die Lösung des Widerspruchs. Er rühmt den blühenden Stil des in Marie verliebten Dichters. Der Künstler braucht die immer neue Blüte des Gefühls, um schaffen zu können. Die Kraft zu schaffen nimmt ab, wenn das Gefühl in der Gewöhnlichkeit des Alltags erkaltet. „Du wärst versauert, wenn du sie geheiratet hättest... Daß du ihr die Ehe versprachst, war eine Narrheit. Wenn du dein Wort gehalten hättest, wäre es Raserei gewesen." Wie in Clavigo sich das Gewissen regt und er Miene macht, Marie zu heiraten, spricht Carlos das mephistophelische Wort: „Sei du ruhig, sie ist nicht das erste verlassene Mädchen." Kunst und Moral stehen sich in schroffstem Gegensatze gegenüber, und das Gefühl spielt durch beide. Der Künstler braucht es, um in innigster Beseligung Höchstes zu schaffen. Fühlend und schaffend eilt er von Gipfel zu Gipfel und kümmert sich in dem Anspruch ans Du, in der Hingabe ans Werk, nicht um die bürgerliche Verpflichtung des Menschen. Damit wird er sittlich schuldig: Marie Beaumarchais stirbt an Clavigos Untreue. Goethe hat damit das Grundproblem des Jahrhunderts aufgedeckt, dessen geschichtliches Schicksal es war, ein neues Sittengesetz, losgelöst von der christlichen Offenbarungsethik, zu schaffen und zugleich den Deutschen eine klassische Dichtung zu schenken. So tief hat Goethe das Problem ergriffen, so stark hat es ihn erregt, daß er es in dem „Wilhelm Meister" und in „Torquato Tasso" aufs neue aufgreifen wird.

Von einer andern Seite stellen die Fastnachtsstücke das Wesen des Gefühls dar. In dem im Herbst 1773 entstandenen „Satyros oder der vergötterte Waldteufel" ist der Satyros der Dichter und Sänger, der mit seiner Kunst die Herzen der Frauen betört und auch die Männer für seine Naturreligion gewinnt. Aber er ist nicht ein Gott, sondern ein Tier: hinter seiner Kunst und Religion steht derbe Sinnlichkeit. Ebenso in dem kurz darauf niedergeschriebenen Fastnachtsspiel vom „Pater Brey, dem falschen Propheten". Goethe mag an den Commis voyageur der Empfindsamkeit, den Schriftsteller Franz Leuchsenring, gedacht haben, der mit seiner Schatulle voll Liebesbriefen herumreiste, den Mädchen die Köpfe verdrehte und auch in dem Kreis der Empfindsamen in Darmstadt auftauchte. So macht sich der Pater Brey an die Braut des Hauptmanns

Balandrino. Aber der Würzkrämer führt ihn zu den Schweinen, und der Hauptmann nimmt seine Braut ins Gebet:

> „Ihr Jungfrauen, laßt euch immer küssen
> Von Pfaffen, die sonst nichts wollen noch wissen;
> Denn wer möcht' einen zu Tische laden
> Auf den bloßen Geruch von einem Braten?
> Es gehört zu jeglichem Sakrament
> Geistlicher Anfang, leiblich Mittel, fleischlich End'."

Goethe wußte, was der Grund des allesumfassenden Gefühls war. Aber er wurde doch zornig, als es ihm Nicolai sagte in seinen „Freuden des jungen Werther". „Wo ich in eine Stube trete, find' ich das Berliner pp. Hundezeug", schalt er im März 1775 in einem Briefe an Gustel Stolberg. Denn so klar er das Wesen des Gefühls durchschaute, es waltete nach wie vor dämonisch in ihm. Eine neue Leidenschaft hatte ihn zu Anfang 1775 ergriffen.

Um Neujahr hatte er im Hause ihrer Mutter, der Inhaberin eines großen Bankgeschäftes, Lili Schönemann kennengelernt. Sie war siebzehnjährig, blond, anmutig, graziös. Sie saß am Flügel und spielte mit bedeutender Fertigkeit. Sofort neigte sich sein Herz ihr zu. Er besuchte sie im Winter in Frankfurt und im Frühling in Offenbach, wo Lili bei Verwandten weilte. „Lili ist gar lieb", schreibt er im März an Johanna Fahlmer. Und ein ander Mal: „Ja, Tante. Sie war schön wie ein Engel ... Und wieviel ist sie noch besser als schön!" Diesmal war es nicht so leicht, sich über die Ansprüche der Gesellschaft hinwegzusetzen, wie bei Friederike. Dem drängenden Gefühl stand auf der andern Seite ein angesehenes und reiches Haus gegenüber, das tief in den Formen des vornehm-bürgerlichen Lebens verwurzelt war, und wo man nicht willens war, das Recht des Genies auf die Grenzenlosigkeit des Gefühls anzuerkennen. Tiefer als je wühlte die Tragik in Goethes Seele. „Ich bin ganz unerträglich," schreibt er an Johanna Fahlmer. „Mit mir nimmt's kein gut Ende." Es ist eine höhere Macht über ihm. Er kommt sich im eigentlichen Sinn verzaubert vor. Das Gedicht: „Herz, mein Herz, was soll das geben?" schildert dieses „fremde neue Leben", das ihn ergriffen hat:

> „Weg ist alles, was du liebtest,
> Weg, worum du dich betrübtest,
> Weg dein Fleiß und deine Ruh';
> Ach! wie kamst du nur dazu?"

Und es ist im eigentlichen Sinne zu verstehen, wenn er die Geliebte eine Zauberin nennt, die mit ihrem Fädchen ihn wider Willen festhält:

> „Muß in ihrem Zauberkreise
> Leben nun auf ihre Weise."

Auch „An Belinden" schildert die Verwandlung, die mit ihm vorgegangen ist. Er, der in der öden Nacht so selig war, in seinem Zimmerchen verschlossen im Mondschein lag, wird nun von ihr in die Pracht der Gesellschaftsräume gezogen, bei dem Schein vieler Lichter am Spieltisch festgehalten, unerträglichen Gesichtern gegenübergestellt. Ja, Rousseaus Wertung von Natur und Kultur wird auf den Kopf gestellt:

> „Reizender ist mir des Frühlings Blüte
> Nun nicht auf der Flur;
> Wo du, Engel, bist, ist Lieb und Güte,
> Wo du bist, Natur.“

Schon die Versform, mit dem steten Wechsel von fünf und drei Trochäen, weiblichem und männlichem Reim malt den innern Widerspruch zwischen Fliehenwollen und Festgehaltenwerden.

Es kam zu dem, was im bürgerlichen Leben das bloße Gefühlsverhältnis beschließt und die Ehe vorbereitet: zur Verlobung. Eine Freundin der beiden Familien, Demoiselle Delph aus Heidelberg, sprach das entscheidende Wort. Nachdem sie die Zustimmung der beiderseitigen Eltern erhalten, trat sie eines Abends ins Zimmer, wo die beiden Liebenden beieinanderstanden, und rief: „Gebt euch die Hände!“ Sie tun es langsam. Nach tiefem Atemholen fallen sie sich lebhaft bewegt in die Arme. „Es war ein seltsamer Beschluß des hohen über uns Waltenden, daß ich in dem Verlauf meines wundersamen Lebensganges doch auch erfahren sollte, wie es einem Bräutigam zumute sei.“

In dieser Zeit, Ende Winter 1775, ist das „Schauspiel für Liebende, Stella“ entstanden. In keinem Werk Goethes, auch im „Werther“ nicht, ist die Dämonie des Gefühls so ohne Einspruch verherrlicht, wie in der ersten Fassung von „Stella“. Fernando, der erst Cäcilia liebt und mit ihr eine Tochter zeugt, dann sie verläßt und Stella seine Neigung schenkt, steht am Schlusse mit dem Einverständnis beider als liebender Gatte beider Frauen da. Dabei ist er nicht einmal ein Künstler, der, wie Clavigo, durch die Rücksicht auf sein Schaffen die Grenzenlosigkeit seines Liebens rechtfertigen könnte. Er liebt nur, um sich selber zu genießen. So konsequent hat sich Goethe hier über die Naturformen der Gesellschaft hinweggesetzt, daß uns Heutigen die Grenzenlosigkeit des Gefühls geradezu als Zynismus erscheint. Nicht so jenem Geschlechte, das, dem nüchternen und umzirkelnden Rationalismus entwachsen, in dem Gefühl die alles durchdringende und beherrschende Dämonie des Menschseins oder wenigstens des Jungseins erlebte. Goethe hatte es an Fritz Jacobi erfahren, der sich in seiner weichen Gefühlsseligkeit haltlos gehenließ. An dessen Tante Johanna Fahlmer, die selber Fritz Jacobi im stillen liebte, schrieb Goethe im März 1775: „Ich wußte, was „Stella“ ihrem Herzen sein würde. Ich bin müde über das Schicksal unsres Geschlechts von Menschen zu klagen, aber ich will sie darstellen, sie sollen sich erkennen, womöglich wie ich sie erkannt habe, und sollen, wo nicht beruhigter, doch stärker in der Unruhe sein.“ Und an Fritz Jacobi im April: „Gib mir „Stella“ zurück! — Wenn du wüßtest, wie ich sie liebe und um deinetwegen liebe.“

Aber „Stella" weist auch über Goethes Liebe zu Lili hinaus. Fernando ruft einmal aus: „Ich wäre ein Tor, mich fesseln zu lassen ... Ich muß fort in die freie Welt." Es war wieder wie in Wetzlar, als Goethe die Liebe zu Charlotte Buff über den Kopf zu steigen drohte. Es gab nichts anderes als Flucht.

Im Mai fanden sich die beiden Grafen Stolberg und mit ihnen Baron Haugwitz, der spätere preußische Minister, zum Besuch in Frankfurt ein. Zu viert zog man aus zur Reise in die Schweiz. Die Schweiz war nicht nur das Land, wo Bodmer und Breitinger eine neue deutsche Dichtung zu schaffen mitgeholfen, wo Geßner und Lavater lebten, sie war durch Haller und Rousseau auch längst als Land idyllischer Unschuld, republikanischer Freiheit und erhabener Naturschönheit berühmt. Wenn Goethe irgendwo die innere Freiheit finden konnte, so hier. Vielleicht — der Vater plante es — führte ihn sein Weg noch weiter von Frankfurt weg: nach Italien.

Am 15. Mai verließ man Frankfurt. „Wir vier", schrieb Christian Stolberg an seine Schwester Katharina, „sind bei Gott eine Gesellschaft, wie man sie von Peru bis Indostan umsonst suchen könnte. Und so herrlich schicken wir uns zusammen. In Frankfurt haben wir uns alle Werthers Uniform machen lassen, einen blauen Rock mit gelber Weste und Hosen; runde graue Hüte haben wir dazu." Über Darmstadt, wo Merck besucht wurde, ging es nach Karlsruhe. Hier weilten gerade die beiden weimarischen Prinzen zum Besuch der Braut des Erbprinzen am Hofe. Von da reisten sie nach Straßburg. Es waren hohe Tage für Lenz, der mit Goethe darauf nach Emmendingen zu Cornelia und Schlosser reiste, während die andern nach Basel weitergingen. Goethe war beständig in zwiespältiger Stimmung. „Ob er noch weiter mit uns geht", schrieb Fritz Stolberg am 31. Mai, „weiß ich nicht: einesteils hat er große Lust nach Italien zu gehen, zum andern zieht ihn sein Herz nach Frankfurt zurück." Cornelia, in der Zwiespältigkeit des eigenen Schicksals klar die Lage des Bruders durchschauend, riet ihm, die Verlobung zu lösen.

Am 9. Juni ritten die Reisenden in Zürich ein. Am nächsten Tag hörten sie Lavater in der überfüllten Kirche predigen. Noch war die Freundschaft in voller Blüte. Lavater führte Goethe zu seiner Freundin Barbara Schultheß und zu dem philosophischen Bauern Jakob Gujer (dem Chlijogg) auf den Katzenrütihof. Auch Bodmer wurde besucht, der, hochbetagt, immer noch in seiner „föhrenen Hütte" hauste und mit kritischem Blick das Literaturtreiben der Zeit musterte. Dann gehen die Reisenden, denen sich ein weiterer Frankfurter, der Theologe Passavant, angeschlossen, seeaufwärts, um die Urkantone zu besuchen. Immer hat Goethe mit seiner Liebe zu kämpfen. „Auf dem See" zeigt den Zwiespalt:

> „Ich saug' an meiner Nabelschnur
> Nun Nahrung aus der Welt.
> Und herrlich rings ist die Natur,
> Die mich am Busen hält."

Die Erinnerung zieht den in die Freiheit Fahrenden zurück:

> „Aug', mein Aug', was sinkst du nieder,
> Goldne Träume, kommt ihr wieder?"

Er scheucht sie weg:

> „Weg du Traum, so Gold du bist,
> Hier auch Lieb' und Leben ist."

Von Einsiedeln kehrten die beiden Stolberg und Haugwitz wieder nach Zürich zurück. Goethe mit Passavant gingen weiter nach Schwyz, auf den Rigi, zum Vierwaldstättersee. Die Fahrt auf dem See begleitete die stete Erinnerung an die Tellsage und die Gründungsgeschichte der Eidgenossenschaft. Dann ging es aufwärts zum Gotthard. Abends im Hospiz erzählte der Pater von dem Verkehr über den Paß und von Italien. Am nächsten Morgen in der Frühe sitzt Goethe an dem Fußpfad, der nach Italien führt, und zeichnet die nächsten Gebirgskuppen. Da tritt Passavant zu ihm, erinnert ihn an die Erzählungen des Paters, fragt ihn, ob er nicht Lust habe, in jene entzückenden Gegenden hinunterzuwandern, und dringt mit bewegten Worten in ihn: Geld hätten sie genug. Weiteres werde sich in Mailand finden. Schon scheint Goethe gewonnen. „Geh!", sagt er, „mach' alles zum Abschied fertig; entschließen wollen wir uns alsdann."

Er steht an dem entscheidendsten Wendepunkt seines Lebens. Da tritt der Gedanke an Lili wieder vor ihn. Er faßt ein goldenes Herzchen, das er in schönsten Stunden von ihr erhalten und um den Hals trägt, küßt es, und sein Entschluß ist gefaßt:

> „Ach! Lilis Herz konnte so bald nicht
> Von meinem Herzen fallen."

„Schnell stand ich auf, damit ich von der schroffen Stelle wegkäme und der mit dem refftragenden Boten heranstürmende Freund mich in den Abgrund nicht mit fortrisse." Nach kurzem Abschied von dem Pater wendete er sich, ohne ein Wort zu verlieren, dem Pfade zu, woher sie gekommen waren, und Passavant folgte ihm etwas zaudernd.

Über Basel und Straßburg, wo im Juli die dritte Wallfahrt nach Erwins Grab das Erlebnis des Münsters vertiefte, ging es zurück nach Frankfurt. Er fand Lili „schöner, reifer, tiefer" wieder. Und doch! Am 8. August schrieb er Merck: „Ich bin wieder scheißig gestrandet, und möchte mir tausend Ohrfeigen geben, daß ich nicht zum Teufel ging, da ich flott war. Ich passe wieder auf neue Gelegenheit abzudrücken." Einmal schickt er einer Verwandten Lilis Käse. „Da ist Käs, liebe Frau", schreibt er dazu, „und gleich in Keller mit ihm. Der Kerl ist wie ich. Solang er die Sonne nicht spürt und ich Lili nicht sehe, so sind wir feste, tapfere Kerls. Drum in den Keller mit ihm, wie ich auch gegenwärtig in Frankfurt sitze, vollkommen wie in einer Eisgrube." Im September trifft er Lili in der Komödie. „Hab' kein Wort mit ihr zu reden gehabt — auch nichts geredt! — Wär' ich das los ... Und doch zittr' ich vor dem Augenblick, da sie mir gleichgültig, ich hoffnungslos werden könnte."

Auf der andern Seite hatte Lilis Familie Goethes Reise in die Schweiz als das aufgefaßt, was sie war: Flucht von ihr. Man stellte ihr vor, sie müsse sich von ihm trennen. Sie aber liebte Goethe. Sie war bereit, um seinetwillen alle ihre Verhältnisse aufzugeben und mit ihm nach Amerika zu gehen. „Es war ein verwünschter Zustand, der sich in einem gewissen Sinne dem Hades, dem Zusammensein jener glücklich-unglücklichen Abgeschiedenheit verglich."

Immer steht der Gedanke an Flucht vor seiner Seele. „Von meiner Reise in die Schweiz hat", schreibt er am 28. August an die Dichterin Anna Luise Karsch, „die ganze Zirkulation meiner kleinen Individualität viel gewonnen. Vielleicht peitscht mich bald die unsichtbare Geißel der Eumeniden wieder aus meinem Vaterland." Als er dies schrieb, stand das neue Ziel bereits vor seiner Seele. Am 7. Oktober teilte er Merck mit: „Ich erwarte den Herzog und Luisen, und gehe mit ihnen nach Weimar."

„Ich bin nur durch die Welt gerannt;
Ein jed Gelüst ergriff ich bei den Haaren,
Was nicht genügte, ließ ich fahren,
Was mir entwischte, ließ ich ziehn.
Ich habe nur begehrt und nur vollbracht
Und abermals gewünscht und so mit Macht
Mein Leben durchgestürmt."

Auf keinen andern Abschnitt von Goethes Leben treffen diese Faust-
verse so zu, wie auf die Jahre der Sturm- und Drangzeit. Friederike Brion,
Lotte Buff, Maxe Brentano, Lili Schönemann bezeichnen nur Gipfelpunkte
dieses hemmungslosen Dahinstürmens durch anderer Menschen Bereiche.
Wie die Zeugnisse der Freunde an dem Goethe dieser Zeit immer wieder
eine ganz außerordentliche Lebhaftigkeit feststellen — was Herder als
das „Spechtische" bezeichnet —, so schien es auch für sein ausgreifendes
Begehren keine Grenzen zu geben, kein Ziel seinem Wollen zu genügen.
„Natur ist Kraft, die Kraft verschlingt", hatte er selber bestimmt. Ein
Teil dieser in ihm drängenden Kraft erfüllte sich in den Werken. Aber
kaum war sie in der dichterischen Gestalt zur Ruhe und Klarheit gekommen, so regte sich die Unruhe aufs neue und begann das Gewässer sich
wieder zu trüben. Wo war die Macht, die diesem über alle Schranken
hinwegstürmenden Geist seinen Platz in der Ordnung des menschlichen
Lebens wies?
    Die Jugend um 1770 betete: „Gefühl ist alles!" Fühlen als Urkraft war
wichtiger als vernunftbeherrschtes Denken. „Noch zur Zeit habe ich wenig
über Shakespeare gedacht", sagt Goethe in der Rede zum Shakespearetag.
„Geahndet, empfunden, wenn's hoch kam, ist das Höchste, worin ich's
habe bringen können ... Ich erkannte, ich fühlte aufs lebhafteste meine
Existenz um eine Unendlichkeit erweitert." Und so spricht Kayser in einem Briefe an Lenz ihm nach: „Wahrlich, wahrlich, ich muß schweigen!
Ich kann nichts sagen — fühle mich!"
    Indes, Gefühl ist keine sittliche Norm. Es gleitet im Gegenteil als un-
mittelbarer Ausdruck des Ich nur zu oft ins Feld des Begehrens über
und übersteigt jede sittliche Schranke. Während unter der Herrschaft der
Vernunft auch Leute, die das Leben zu genießen verstanden, wie Wieland,
durchaus in dem Rahmen der sittlichen Vernunftordnung lebten, stellten
sich die vom Gefühl beherrschten Stürmer und Dränger oft genug außerhalb jeglicher Ordnung — man denke an Bürger, Schubart, Maler Müller,
Lenz! Und vor allem Goethe selber. Aber er wiederum, wo die andern
die Welt durch die brauenden Nebel des Gefühls erlebten, durchbrach sie
mit unbestechlicher Klarheit. „Satyros" und „Pater Brey" decken die un-
gehemmte Sinnlichkeit als letzten Grund des Gefühls auf, und seine Werke
vom „Götz" (mit der Gestalt Weislingens) bis zu „Werther" und „Clavigo" und der Gretchentragödie zeugen stets aufs neue von seinem Schuld-

gefühl und seinem tiefen Bedürfnis, das Wesen des verschuldeten Gefühls zu ergründen und mit sich selber darüber ins Reine zu kommen.

Und nun hatte ihn diese rätselhafte Macht in seiner Leidenschaft zu Lili aufs neue umstrickt. Wider Willen war er in die Verlobung geraten. Er wollte, indem er sich gegen den Zustand des Verlobtseins sträubte, das Gefühl in sich rein und stark erhalten, und fühlte zugleich, wie es ihn immer tiefer verschuldete. Er mußte sich in der Wirrnis, in die er geriet, nicht anders zu helfen, als indem er dem vernünftigen Willen überhaupt entsagte und sich als Werkzeug einer höheren Macht betrachtete: des Dämonischen. „Egmont", woran er am Schlusse seines Frankfurter Aufenthalts bis zur Flucht nach Weimar arbeitete, ist aus diesem Glauben an die Macht des Dämonischen hervorgegangen. Egmont erleidet sein Schicksal wider Vernunft und Willen, indem er, vom Dämonischen getrieben, in Gefängnis und Tod geht. Auch Goethe läßt sich von seinem Dämon fortreißen, indem er der Liebe zu Lili nach Weimar entflieht. Bedeutungsvoll schließt „Dichtung und Wahrheit" mit den Worten Egmonts, die er den vor dem gepackten Wagen Stehenden sprechen läßt: „Wie von unsichtbaren Geistern gepeitscht, gehen die Sonnenpferde der Zeit mit unsers Schicksals leichtem Wagen durch; und uns bleibt nichts, als mutig gefaßt die Zügel festzuhalten und bald rechts, bald links, vom Steine hier, vom Sturze da, die Räder wegzulenken. Wohin es geht, wer weiß es? Erinnert er sich doch kaum, woher er kam."

Aber es muß in ihm damals doch die versteckte Hoffnung gewesen sein, in Weimar nicht nur neue Abenteuer zu finden, sondern etwas Höheres, Umfassenderes: eine neue Form wahrhaft sittlichen Lebens. Er fand sie in der tätigen Verantwortung gegenüber der Allgemeinheit und der in ihr sich offenbarenden Gottheit. Dies, und nichts Geringeres, ist die Bedeutung von Weimar in Goethes Leben. Alles, was er dort erlebt und geschaffen, dient dieser Idee und wird von ihr umfaßt.

Ende 1774 hatte Goethe die beiden Weimarischen Prinzen, Karl August und Konstantin, in Frankfurt kennengelernt. Sie waren, auf der Reise nach Paris, von dem Hauptmann von Knebel, einem ihrer Begleiter, Goethe zugeführt worden. In Mainz, wohin sie weitergereist, hatte Goethe sie wiedergesehen. Bald darauf verlobte sich Karl August mit Luise von Hessen-Darmstadt, und auf der Schweizerreise lernte Goethe in Karlsruhe — die Markgräfin von Baden war eine Schwester der Braut — auch Luise kennen. Auf der Fahrt zur Hochzeit nach Karlsruhe, auf der Rückreise von Karlsruhe wurde beidemal Frankfurt berührt und dabei Goethe nach Weimar eingeladen. Der Kammerjunker von Kalb sollte mit einem neuen Wagen in Frankfurt eintreffen und Goethe mitnehmen. So rüstete Goethe zur Reise, nahm Abschied von Verwandten und Freunden, hielt sich wartend in seiner Wohnung und arbeitete am „Egmont". Tag um Tag, Woche um Woche verstrich, ohne daß der Kammerjunker kam. Goethes Vater, dem der Verkehr des Sohnes mit den Weimarer Herrschaften mißfiel, machte seine Glossen: Er habe immer gesagt, mit großen Herren sei nicht gut Kirschen essen. Die Einladung sei nichts als ein lustiger Hofstreich. Da aber der Koffer nun einmal gepackt sei, so möge der Sohn nach Italien gehen. Schließlich ließ Goethe sich überreden. Am 30. Oktober fuhr er nach Heidelberg. Er hat über die Reise ein Tagebuch angefangen. Die ganze Unruhe seines Herzens flackert darin. Seine Gedanken weilen bei Lili, wie er zur Vaterstadt hinausfährt: „Lili, adieu Lili, zum zweiten Mal! Das erstemal schied ich noch hoffnungsvoll unsere Schicksale zu verbinden! Es hat sich entschieden, wir müssen einzeln unsere Rollen ausspielen. Mir ist in dem Augenblick weder bange für dich noch für mich, so verworren es aussieht! — Adieu! — und du! Wie soll ich dich nennen, dich, die ich wie eine Frühlingsblume am Herzen trage! Holde Blume sollst du heißen! — Wie nehm' ich Abschied von dir? — Getrost! Denn noch ist es Zeit! — Noch die höchste Zeit. — Einige Tage später! — Und schon. — O, lebe wohl! — Bin ich denn nur in der Welt, mich in ewiger unschuldiger Schuld zu winden — —?"

In Heidelberg hält er sich einige Tage bei Fräulein Delph auf. Immer noch schaut er nach Weimar aus; er hofft, den Kammerjunker hier zu erreichen, und gibt Anweisung dazu auf der Post. Aber mit Fräulein Delph, die die Verlobung herbeigeführt hat, kann er über Lili reden. Vergangenheit und Zukunft streiten sich um seine Seele. Da erscheint der Kammerjunker. Der Wagen war noch nicht fertig. Er hat einige Tage warten müssen. Die Zukunft hat gesiegt. Am 7. November fährt Goethe vor Tagesgrauen in Weimar ein.

Auf den ersten Blick war es ein schlechter Tausch. Dort die reiche, alte, angesehene Reichsstadt Frankfurt, hier ein wenig ansehnliches Städtchen von etwa sechstausend Einwohnern, der Haupt- und Residenzort eines der kleinern deutschen Herzogtümer, das damals etwa hunderttausend Seelen zählte, weder an Bodenschätzen reich, noch durch die Betriebsamkeit der Einwohner in Handel und Gewerbe gesegnet war. Das Herzoghaus selber war nicht begütert. 1774 war ein Teil des Schlosses, die Wilhelmsburg, abgebrannt, und man hatte, als Goethe einzog, immer noch nicht die Mittel zum Wiederaufbau gehabt.

46. Goethes Haus am Frauenplan in Weimar

Gezeichnet von Otto Wagner, gestochen von Ludwig Schütze

Goethe mietete das nach seinem Bauherrn Helmershausen benannte Haus am Frauenplan von 1782 bis zur italienischen Reise. 1792 ließ Herzog Carl August das Haus von der Weimarer Kammer kaufen und gab es „dem Geheimrath von Goethe frey zu bewohnen". 1794 machte er es ihm zum Geschenk. Goethe lebte darin bis zu seinem Tode. „...ich habe mich Ihrer Gabe würdig bewiesen, daß ich es nicht zum Wohlleben, sondern zu möglicher Verbreitung von Kunst und Wissenschaft einrichtete und benutzte", schrieb er dem Herzog nach den Kriegswirren von 1806.

47. Goethes Arbeitszimmer in seinem Haus am Frauenplan

In einem verhältnismäßig bescheidenem Raum zur Gartenseite des herrschaftlichen Hauses hatte Goethe sein Arbeitszimmer eingerichtet. Die große Schreibtischanlage auf der rechten Seite war sein persönlicher Arbeitsplatz. Es schließen sich, nur durch eine Wand getrennt, rechts die Bibliothek, links sein Schlafzimmer an.

Warum stehen sie davor?   Kämen sie getrost herein
Ist nicht Thüre da und Thor? Würden wohl empfangen seyn.
                                             Goethe 1828

Goethes Haus am Frauenplan in Weimar

Goethes Arbeitszimmer in seinem Haus am Frauenplan

48
Goethe in der Campagna

50
Goethe in Rom

49
Ponte Molle in Rom

51
Christiane von Goethe, geb. Vulpius
(1765—1816)

Aber an der Spitze des Sachsen-Weimarischen Staates hatte bis dahin eine Nichte Friedrichs des Großen gestanden, die 1739 in Wolfenbüttel geborene Anna Amalia. Sie war mit neunzehn Jahren Witwe geworden, und der Kaiser hatte ihr die Regentschaft übertragen. Sie erinnerte nicht nur durch den Blick ihrer großen, durchdringenden Augen an den Oheim. Er war auch ihr Vorbild in der aufgeklärten Regierung ihres Ländchens. Sie nahm sich der Landwirtschaft und des Gewerbes an, führte die Versicherung gegen Feuerschaden ein, sorgte aber auch durch den Bau einer Bibliothek und die Errichtung eines Hoftheaters für die Hebung der geistigen Bildung in der Hauptstadt. Ekhof, der große Schauspieler, hatte hier gespielt, und 1773 war Wielands „Alceste" als erstes deutsches Singspiel aufgeführt worden.

Ihren beiden Söhnen, Karl August und Konstantin, hatte sie die sorgfältigste Ausbildung gegeben. 1772 war Wieland nach Weimar berufen worden, um sie in den Grundsätzen des aufgeklärten Despotismus zu

48. Goethe in der Campagna
Ölgemälde von Johann Heinrich Wilhelm Tischbein, 1787

Während seines ersten, fast zweijährigen Aufenthaltes in Italien vom September 1786 bis Mai 1788 gewann Goethe sein Verhältnis zur Antike, die er wie Winckelmann als „edle Einfalt und stille Größe" verstand. Es bildete sich der Goethe der Klassik: „Egmont", Iphigenie", „Tasso" wurden von der vorklassischen Form in die klassische umgearbeitet oder vollendet.

49. Ponte Molle in Rom
Tuschzeichnung von Goethe aus der italienischen Zeit

Wie das Auge neu sehen lernte, so erwachte auch wieder die Lust, das Gesehene im Bilde festzuhalten. An fünfzehnhundert Zeichnungen Goethes allein aus der italienischen Zeit sind auf uns gekommen.

50. Goethe in Rom
Porträt von Angelika Kauffmann

Goethe lernte die Malerin in der ersten Zeit seines Aufenthalts in Rom kennen. Als Goethe im Juni 1787 aus Süditalien nach Rom zurückgekehrt war, entwickelten sich zwischen beiden recht freundschaftliche Beziehungen. In dieser Zeit entstand das Goethe-Bildnis, das als Porträt eine schwache Leistung ist. Es bleibt aber insofern interessant, als es Goethe der südlichen Umwelt angleicht und ihn als jungen römischen Herrn mit Glutaugen zeigt.

51. Christiane von Goethe, geb. Vulpius (1765—1816)
Zeichnung von Friedrich Bury

Seit Goethes Rückkehr aus Italien im Sommer 1788 lebte Christiane in seinem Hause. Das südliche Leben mit seinen antiken Denkmälern hatte eine befreiende Wirkung auf Goethe ausgeübt. Italienische Erinnerungen und Christiane-Erlebnis erhielten in den „Römischen Elegien" (1788—1790) ihren dichterischen Ausdruck. Christiane entwickelte sich zu einer sorgenden Hausfrau, die sich nicht scheute, tatkräftig einzuspringen, als im Oktober 1806 der Krieg Goethes Leben und Hausstand bedrohte.

unterrichten, wie er sie in seinem „Goldenen Spiegel" dargestellt hatte. Der ältere, Karl August, war im September 1775 als Achtzehnjähriger vom Kaiser mündig erklärt worden und hatte die Regierung übernommen. Er war mit glänzenden Gaben ausgestattet. Friedrich der Große hatte über den Vierzehnjährigen geurteilt, er habe nie einen Menschen von diesem Alter gesehen, der zu so hohen Hoffnungen berechtigte. Er war gewillt, die Friderizianische Politik seiner Mutter fortzusetzen, dem Volke ein guter, sorgender Vater zu sein und den Wohlstand des Landes zu heben. Merck, der ihn im Herbst 1777 kennenlernte, urteilte von ihm, er sei einer der merkwürdigsten jungen Leute, die er je gesehen. „Das tiefste Gefühl für Schönheit der Natur in Bäumen und Menschen, das er wie einen Schatz im Busen trägt, voller Taciturnität, und einer unglaublichen Toleranz gegen alles Schiefe, was ihn an Menschen und Sachen umgibt . . . Ist er unter vier Augen, so läßt er sich zwar in seinen Anmerkungen heraus, und diese sind so scharf und treffend, daß man nicht begreifen kann, wie ein junger Mensch von zwanzig Jahren und ein Mann von Gewalt von diesem scharfen kritischen Sinn keinen Mißbrauch machen mag. Er riecht Schmeicheleien, sogar solche, die Goethen gemacht werden, auf hundert Meilen weit." Die Tragik dieser Persönlichkeit war die so manches begabten deutschen Fürsten der Zeit: das Mißverhältnis zwischen der Größe der Begabung und der Kleinheit des Landes. Er suchte das Ungenügen durch ausgreifende Arbeit wettzumachen. Als Friedrich der Große 1784 den Fürstenbund gründete, fand er hier ein weiteres Feld der Betätigung und trat als General in preußische Dienste.

Goethe war, vor seiner Reise nach Weimar, oft genug mit dem jungen Fürsten zusammen gewesen, um ihn genau zu kennen. War seine Reise auch zunächst nur als Besuch gemeint, so hatte sie für ihn ganz sicher schon damals ragende Hintergründe. Er war nicht gewillt, in Frankfurt Anwalt zu bleiben oder gar in dem veralteten und berüchtigten Gemeinwesen einmal ein Amt zu bekleiden. Das Verhältnis zu Lili trieb ihn fort. Warum soll nicht von Anfang an der Gedanke in ihm wach gewesen sein, in Weimar einen Ort der Betätigung zu finden? Gewiß, das Land war klein und arm, die Residenz bescheiden — aber konnte all das einen Geist wie den seinen nicht geradezu reizen? Zumal an der Spitze dieses Ländchens ein Fürst stand, der um seiner Persönlichkeit willen die Möglichkeit bot, große Pläne zu verwirklichen. Und mußte, wenn er in den neuen Verhältnissen blieb, nicht auch der Dichter daraus Gewinn ziehen? Die Werke der Frankfurter Jahre kreisten schließlich immer um den gleichen Punkt, die Gefühlsansprüche des Ich. Es war keine Frage, daß das Erlebnisfeld für einmal erschöpft war. Es tat eine neue Diastole not. Merck sah das ein, wenn er am 9. Januar 1778 an Lavater schrieb: „Goethe hat nicht das geringste, wie die Esel pätendieren, von seiner ehemaligen poetischen Individualität abgelegt, dagegen aber an Hunger und Durst nach Menschenkenntnis und Welthändeln und der daraus folgenden Weisheit und Klugheit wie ein Mann zugenommen."

Zunächst zog er aus wie Saul, um die Eselinnen zu suchen, ohne zu wissen, daß er ein Königreich finden würde. „Wie eine Schlittenfahrt geht mein Leben, rasch weg und klingelnd und promenierend auf und ab. Gott weiß, wozu ich noch bestimmt bin, daß ich solche Schulen durchgeführt werde. Diese gibt meinem Leben neuen Schwung, und es wird alles gut werden." Dies Wort an Johanna Fahlmer vom 22. November zeigt, daß er immer noch unter dem Dämonischen steht, aber überzeugt ist, daß es ihn gut führt. „Ich muß sein in dem, was meines Vaters ist", schreibt er am 5. Januar 1776. Das „Eislebens-Lied", das zu jener Zeit entstanden sein mag, hält diese Stimmung des gottvertrauenden Ausfahrens in eine unbekannte Ferne fest:

> „Sorglos über die Fläche weg,
> Wo vom kühnsten Wager die Bahn
> Dir nicht vorgegraben du siehst,
> Mache dir selber Bahn!
> Stille, Liebchen, mein Herz!
> Kracht's gleich, bricht's doch nicht!
> Bricht's gleich, bricht's nicht mit dir!"

Ende Januar hören wir zum erstenmal, daß sein Ziel klar vor ihm steht: „Ich bin nun ganz in alle Hof- und politische Händel verwickelt und werde fast nicht wieder wegkönnen. Meine Lage ist vorteilhaft genug, und die Herzogtümer Weimar und Eisenach immer ein Schauplatz, um zu versuchen, wie einem die Weltrolle zu Gesichte stünde" (22. Januar an Merck). Gerade damals ging es um die Entscheidung. Noch eine Woche später schrieb er an Frau von Stein: „Es geht mir verflucht durch Kopf und Herz, ob ich bleibe oder gehe." Aber am 26. Januar schon hatte Wieland an Merck geschrieben: „Goethe kommt nicht wieder von hier los. Der Herzog kann nicht mehr ohne ihn schwimmen noch waten."

Es war manches, was Goethe eine Tätigkeit in Weimar verleiden konnte. Neben der Kleinheit der Verhältnisse und dem Zeremoniell des kleinen Hofes vor allem der Widerstand der alten, eingewohnten Beamten: des Geheimrates von Fritsch, des Präsidenten des Geheimen Conscils, dessen erfahrenes Urteil sich mißtrauisch sträubte, den Verfasser des „Werther" als allmächtigen Ratgeber des jungen Fürsten anzuerkennen, des Grafen Görtz, des einstigen politischen Erziehers Karl Augusts, der gegen Goethe in Mannheim und Mainz intrigiert haben soll. Aber all dem standen Goethes wagende Tatkraft und seine Kenntnis der Person des Herzogs entgegen. „Unser Herzog ist ein goldner Junge", schrieb er im Januar 1776 an Herder, als er ihn nach Weimar ziehen wollte. So geschah es, daß er sich im Juni vom Herzog zum Legationsrat ernennen ließ und Sitz und Stimme im Geheimen Conseil erhielt.

Aber er blieb, der er war: voll Jugend und Sturm und Drang, und voll Verständnis für Jugend und Sturm und Drang. Wollte er den Herzog ganz an sich binden, um ihn leiten zu können, so mußte er sein Herz gewinnen. Und sein Herz gewinnen konnte er nicht, auch wenn er es über sich gebracht hätte, indem er den Schulmeister spielte, sondern indem er des Freundes unbändige Jugend teilte. So eroberte das Genietreiben des Sturms und Drangs den herzoglichen Hof zu Weimar, und der junge Herzog war leidenschaftlich genug, um daran Gefallen zu finden, trotzdem seine vortreffliche Gattin, höfisch erzogen und voll strenger Würde, für seine Ausgelassenheit keinen Sinn hatte. Natur war Trumpf. Es gab wilde Ritte durchs Land, Einkehr in Bauernschenken, Zechgelage, Tanz mit Bauerndirnen. Und von noch schlimmern Dingen wußten die Briefschreiber und -schreiberinnen, bei dem regen Interesse für die Person Goethes und seines Herzogs, einander zu erzählen.

Aber Goethe kannte sein Ziel genau, und ob auch äußerlich Stürme tobten, innerlich war er ruhig und sicher. Im September 1776 ist das Gedicht „Seefahrt" entstanden. Ein Kaufmann schifft sich ein mit seinen Waren. Er harrt günstiger Winde. Die Freunde geben ihm das Geleite und ihre Segenswünsche. Er fährt aus. Ein Sturm erhebt sich. Das Schiff droht zu scheitern. Am Ufer stehen jammernd die Freunde. Schon sehen sie ihn untergehen:

> „Doch er stehet männlich an dem Steuer;
> Mit dem Schiffe spielen Wind und Wellen,
> Wind und Wellen nicht mit seinem Herzen.
> Herrschend blickt er auf die grüne Tiefe
> Und vertrauet, scheiternd oder landend,
> Seinen Göttern."

Mit der Aufgabe, die Goethe sich in Weimar gestellt hatte, reiht er sich ein in die politische Bewegung des 18. Jahrhunderts, in jene Bestrebungen, die die Beglückung und Bildung des Volkes zum Ziele hatten. Der Ausgangspunkt war auch für Goethe der Fürst. Von der Reife des deutschen Volkes zur Selbstregierung hatte er auch im Alter eine geringe Meinung. Es mußte dazu erst erzogen werden, aber das Gelingen stand noch in weiter Ferne. Es war die Pflicht des Fürsten, ihm das, was es zum leiblichen und geistigen Wohl bedurfte, mit klug wägenden Händen zu spenden. Dazu waren die Verhältnisse in einem kleinen Staate wie Sachsen-Weimar die denkbar günstigsten. Die Stellung des Fürsten war eine patriarchalische. Die Landeskinder ehrten und liebten ihn wie einen Vater und nahmen, bescheiden und einfach gewöhnt, dankbar entgegen, was er ihnen gab. Aber die Entwicklungsfähigkeit dieses Verhältnisses war die denkbar größte.

Auch die Möglichkeiten, die es Goethe bot. Er mußte, was er zu schaffen gedachte, im wesentlichen aus sich selber schöpfen. Die politische und staatsphilosophische Literatur, die in Deutschland nach der Mitte des Jahrhunderts hervorgetreten war, reichte an neuen Ideen bei weitem nicht an die französische oder gar englische heran. Man war von der staatsmännischen Einsicht, wie sie in England, auf Grund der Demokratie, etwa bei John Locke zutage trat, noch weit entfernt. Es fehlte auch an einer allgemeinen, öffentlichen Diskussion der politischen Fragen, wie sie in Frankreich durch Montesquieu, Voltaire und Rousseau in Fluß gekommen war. Um 1760 herum hatte in mehreren Schriften Karl von Moser die Würde des deutschen Volkes und der Beamten gegenüber der Regierungsgewalt des Fürsten betont. In der ersten, „Der Herr und der Diener" (1759), stellte er, nach Friedrichs des Großen Wort von dem Fürsten als dem ersten Diener des Staates, dem Fürsten und seinen Ministern das Ideal ihrer Pflichten vor die Augen. Der Herr ist nicht nur Gott für seine Handlungen Rechenschaft schuldig; er soll auch danach trachten, die Liebe seiner Untertanen zu gewinnen. Der Minister soll der „Pflegevater und Vormund aller Schutz- und Ratbedürftigen im Lande, der Vorsprecher des wahren Verdienstes in Kunst und Wissenschaft" sein. In zwei weiteren Werken: „Von dem deutschen Nationalgeist" (1765) und „Patriotische Briefe" (1767) richtete Moser den Blick aufs Ganze des deutschen Volkes. 1762 hatte Rousseau in seinem „Contrat social" das Souveränitätsrecht des Volkes verkündet. Man spürt bei Moser den Einfluß Rousseaus, wenn er aus dem Nationalgeist Gesetz und Reichsverfassung hervorgehen läßt; wenn er fordert, daß die Politik nicht Hof-, sondern Nationalpolitik sein soll. „Noch lebt in uns der Geist der Freiheit, Liebe des Vaterlands... Verloren ist jeder Staat nur alsdann, der an seiner eigenen Kraft verzagt." Von hier aus gibt er Vorschläge zur Verbesserung der Zustände im Reich und in den Einzelstaaten und regt, als Ausgangspunkt dieser Bestrebungen, die Gründung einer Gesellschaft patriotischer Männer an, wie sie in der Schweiz in der Helvetischen Gesellschaft bereits bestand.

Praktischer, nüchterner als diese weit in die Zukunft fliegenden Pläne waren die wirtschaftspolitischen Aufsätze des Osnabrückers Justus Möser, die 1774 seine Tochter unter dem Titel „Patriotische Phantasien" herausgab. Er kannte die Geschichte Westfalens und leitete aus ihr mit klarem Blick neue Möglichkeiten ab. Von Hebung des Handels in den Landstädten, von Steuerpolitik, öffentlicher Wohlfahrt, Verfassungsgeschichte ist die Rede.

Goethe kannte diese Schriften. Über Möser hatte er mit Karl August bei der ersten Zusammenkunft gesprochen. Er kannte auch Hallers verfassungsrechtliche Romane und Wielands „Goldenen Spiegel". Er konnte aus ihnen entnehmen, wohin im allgemeinen die Richtung des politischen Denkens ging, und im einzelnen sich durch ihre Gedanken anregen lassen. Aber er stand dem Gedanken der Volksfreiheit und -selbständigkeit mißtrauisch gegenüber. In den 1775 niedergeschriebenen „Briefen aus der Schweiz" kämpft er mit leidenschaftlichen Worten gegen die Ansicht von der Freiheit der Schweizer, die man den Deutschen so gern als Vorbild vor die Augen stellte. Und man muß sich seine Schilderung des Volkes in dem „Egmont" gegenwärtig halten, wenn man wissen will, wie er von der Selbständigkeit und Freiheit der Masse denkt.

So unternahm er sein Wirken im Sinne des aufgeklärten Despotismus. Aber der Herzog mußte zuerst für seinen Beruf menschlich und politisch erzogen werden. Goethes Tagebuchnotizen zeigen, wohin sein Bestreben ging. Zum Beispiel im Dezember 1778: „Gespräch mit dem Herzog über Ordnung, Polizei und Gesetze. Verschiedene Vorstellung. Meine darf sich nicht mit Worten ausdrücken. Sie wäre leicht mißverstanden und dann gefährlich." 1779, 10. Januar: „Abends nach dem Konzert eine radikale

Erklärung mit dem Herzog über Crone" (die Schauspielerin Corona
Schröter). 1. Februar: „Conseil. Der Herzog zuviel gesprochen. Mit dem
Herzog gegessen. Nach Tisch einige Erklärung über zuviel reden fallenlassen, sich vergeben, Sachen in der Hitze zur Sprache bringen, die nicht
geredt werden sollten. Über die militärischen Makaronis (Zuckerzeug,
Liebhabereien)". 2. August: „Kam um zehn der Herzog. Sprachen wir un-
aussprechliche Dinge durch... Von dem Hof, der Frau, den andern
Leuten, von Menschen kennen. Erklär' ihm warum ihm dies und das so
schwer würde, warum er nicht so sehr im Kleinen umgreifen solle." 1782,
19. Januar: „Mit dem Herzog gegessen. Sehr ernstlich und stark über
Ökonomie geredet und wider eine Anzahl falscher Ideen, die ihm nicht
aus dem Kopfe wollen."

Die Schweizerreise des Jahres 1779 hatte mit den Zweck, das leidenschaftliche Wesen des Herzogs und seine Tatenlust durch ernste Strapazen und wirkliche Gefahren auf die Probe zu stellen. In Basel wurde
Anfang Oktober die Reise angetreten. Durch das Münstertal ging es nach
Biel und von da durch den Jura nach Genf, über Chamonix ins Wallis,
von hier am 12. November über den bereits tief verschneiten Saumpfad
der Furka nach dem Gotthard. „Es war ein seltsamer Anblick, wenn man
einen Moment seine Aufmerksamkeit von dem Wege ab und auf sich
selbst und die Gesellschaft wendete: in der ödesten Gegend der Welt und
in einer ungeheuren, einförmigen, schneebedeckten Gebirgswüste, wo man
rückwärts und vorwärts auf drei Stunden keine lebendige Seele weiß, eine
Reihe Menschen zu sehen, deren einer in des andern tiefe Fußstapfen tritt,
und wo in der ganzen glatt überzogenen Weite nichts in die Augen fällt,
als die Furche, die man gezogen hat. Die Tiefen, aus denen man herkommt, liegen grau und endlos im Nebel hinter einem. Die Wogen
wechseln über die blasse Sonne, breitflockiger Schnee stiebt in die Tiefe
und zieht über alles einen ewig beweglichen Flor. Ich bin überzeugt, daß
einer, über den auf diesem Weg seine Einbildungskraft nur einigermaßen
Herr würde, hier ohne anscheinende Gefahr vor Angst und Furcht vergehen müßte."

Am 18. November langten die Reisenden in Zürich an. Das Zusammensein mit Lavater wurde „Siegel und oberste Spitze der ganzen Reise, und
eine Weide an Himmelsbrot, wovon man lange gute Folgen spüren
wird... Er ist der beste, größte, weiseste, innigste aller sterblichen und
unsterblichen Menschen, die ich kenne" (an Frau von Stein). „Wir sind
in und mit Lavater glücklich, es ist uns allen eine Kur, um einen Menschen zu sein, der in der Häuslichkeit der Liebe lebt und strebt, der an
dem, was er würkt, Genuß und Würken hat, und seine Freunde mit unglaublicher Aufmerksamkeit trägt, nährt, leitet und erfreut" (an dieselbe,
30. November). Man sieht: der Herzog, der, an der Seite seiner sitten-
strengen Gattin wenig glücklich, sich in andern Verhältnissen verzehrte,
sollte den Segen einer bürgerlichen Häuslichkeit kennenlernen. Die ganze
Reise tat ihre Wirkung. „Jedermann ist mit dem Herzog zufrieden", war
Goethes Urteil nach der Rückkehr.

Als Goethe nach Weimar gekommen war und der Herzog ihn in das Geheime Conseil zog, bat ihn der Minister von Fritsch, ihn seiner Stelle zu entheben: er könne in einem Collegio, dessen Mitglied gedachter Doktor Goethe werden solle, nicht länger sitzen. Des Herzogs Antwort suchte den bewährten Beamten zu bergen, sein Rücktrittsgesuch zurückzuziehen: „Wäre der D. Goethe ein Mann eines zweideutigen Charakters, würde ein jeder Ihren Entschluß billigen. Goethe aber ist rechtschaffen, von einem außerordentlich guten und fühlbaren Herzen... Sein Kopf und Genie ist bekannt... Einen Mann von Genie nicht an dem Ort gebrauchen, wo er seine außerordentlichen Talente gebrauchen kann, heißt denselben mißbrauchen."

Es bedurfte noch eines Schreibens Anna Amalias, um den Minister zu bestimmen, auf seinem Posten zu bleiben. Goethes Aufgabe aber war es, das Mißtrauen von Fritschs zu zerstreuen und dem Herzog recht zu geben. Er war nicht nur der Maître de Plaisir, der Festspiele verfaßte und aufführte und das Liebhabertheater leitete, das sich nach der Aufhebung des Hoftheaters infolge des Schloßbrandes gebildet hatte. Er war ein wichtiges Glied und bald der Hauptträger des gesamten Verwaltungsapparates des Herzogtums. 1779 wurde ihm die Direktion der Kriegs- und Wegebaukommission übertragen, worauf er zum wirklichen Geheimen Rat ernannt wurde. 1782 erhielt er das Präsidium der Kammer und damit die Leitung der Finanzen samt der Verwaltung der Domänen und Forsten. Eine Unsumme von Pflichten wurde ihm im Laufe der Jahre aufgeladen. Wenn er dem Herzog geraten hatte, er solle nicht so sehr im kleinen umgreifen, so ließ er diesen Grundsatz nicht ebenso für sich selber gelten. Er gehörte nicht zu denen, die andere für sich arbeiten lassen. Er griff selber zu, wo er es für nötig fand. Er studierte Accise- und Leihhausordnungen und Tuchmanufakturreglemente, erließ eine Feuerlöschordnung, leitete Straßen- und Wasserbauten, verfügte eine Verbesserung der Wiesenbewässerung, kümmerte sich um das Armenwesen, erwog Finanzpläne, richtete das Bergwerk in Ilmenau wieder ein und hob Rekruten aus: „Es kommt mir", schrieb er dem Herzog am 8. März 1779 auf dem Rathause zu Buttstädt, „närrisch vor, da sich sonst in der Welt alles einzeln zu nehmen und zu besehen pflege, ich nun nach der Physiognomik des rheinischen Strichmaßes alle junge Pursche des Lands klassifiziere. Doch muß ich sagen, daß nichts vorteilhafter ist, als in solchem Zeuge zu kramen, von oben herein sieht man alles falsch." Derselbe Minister, der bei der Besetzung der Professuren an der Thüringischen Landesuniversität Jena das maßgebende Wort sprach, konnte sich auch herbeilassen, einen Briefwechsel wegen der Lederhosen eines Husaren zu führen oder eine Verfügung wegen der Pfähle auf der Promenade in Weimar zu treffen. Es war ihm ernst mit seinen Vorstellungen bei dem Herzog wegen der Ökonomie, auch wenn die Sparmaßnahmen ihn selber trafen: als er den Herzog 1785 bestimmte, die Kavaliere von der täglichen Hoftafel auszuschließen, erschien auch der Mann der Frau von Stein beim Essen wieder zu Hause.

Das Bedenken, das die alten Beamten gegen Goethes Anstellung gehabt hatten, wurde nicht gemindert durch die Besorgnis, daß mit ihm auch der Schwarm seiner Freunde in Weimar einziehen werde. Und wirklich fand sich einer nach dem andern ein. Schon am 3. April 1776 erschien Lenz. Dieser hatte inzwischen weitere Liebeswirren durchgemacht. Der ältere Baron Kleist hatte sich mit einem bürgerlichen Mädchen, Cleophea Fibich in Straßburg, verlobt und war nach Hause gereist, um von seinen Eltern die Erlaubnis zur Heirat zu erwirken. In dieser Zeit gab Lenz, wie er merkte, daß nun der jüngere Kleist um das Mädchen warb, sich den Anschein, als ob er selber Cleophea liebe, und verliebte sich darauf wirklich in sie. Auch dies war eine unglückliche Liebe. Aber Lenz brauchte solche Aufregungen. Er schrieb im Mai 1775 an Lavater: „Meine größten Leiden verursacht mir jetzt mein eigen Herz, und der unerträglichste Zustand ist mir mit alledem doch, wenn ich gar nichts leide." Bald darauf hatte er, wie Goethe nach Friederike, Lotte Buff geliebt, sich einer neuen Leidenschaft hingegeben. Durch eine Bekannte in Straßburg, Luise König, hatte er Briefe von deren Freundin Henriette von Waldner zu lesen bekommen und sofort zu der Schreiberin eine glühende Neigung gefaßt. Als er darauf ihr Bild sah, steigerte sich seine Liebe. Aber Ende März 1776 ließ ihm Fräulein König durch Herders Schwester mitteilen, daß ihre Freundin mit einem Herrn von Oberkirch verlobt sei. Er erfuhr es, als er, auf dem Wege nach Weimar, in Darmstadt weilte. Nun hatte er sein Lotten-Erlebnis. Er schäumte vor Enttäuschung und Wut. „Und Sie, Freundin von Fräulein Waldner und Vertraute ihrer Geheimnisse", schrieb er an Luise König, „und können zugeben, daß sie einen Mann heirate, der ihrer nicht wert ist, den ihr Herz nicht wählen kann ... Sie können den Ausdruck brauchen, auf Ostern wird ihr Glück entschieden, mir das offen zuschicken. Ich habe keinen Namen, meine Verachtung und meine Wut auszudrücken." Ein paar Tage darauf klagte er, „einige Stunden hinter Frankfurt nach Weimar", Lavater: „Mitten auf meinem Wege bekomme ich den Todesstreich, die Nachricht, daß Fräulein von Waldner Braut ist, mit einem Menschen, der sie nicht verdient ... Mein Schicksal ist nun bestimmt, ich bin dem Tode geweiht, will aber rühmlich sterben, daß weder meine Freunde, noch der Himmel darüber erröten sollen." Er fühlte sich ganz als Werther. Und wie Goethe sein Erlebnis in „Werthers Leiden" gegossen und dem Roman die Schauspiele „Clavigo" und „Stella" hatte folgen lassen, so schrieb Lenz nun auch eine Reihe von dramatischen und erzählenden Werken nieder, die alle durch seine törichte Liebe zu Fräulein von Waldner bestimmt sind: die Dramen „Der Engländer", „Henriette von Waldeck", den Briefroman „Der Waldbruder".

Am 3. April rückte er in Weimar ein, nachdem er einen Stein auf die Seite geräumt hatte, der ihm den Weg nach Weimar hätte versperren können. Er hatte nämlich, in seiner Goethe-Nachäffung, ein häßliches Pamphlet gegen Wieland geschrieben, „Die Wolken", und bereits in Druck gegeben. Auf den dringenden Rat der Freunde, auch Goethes, hatte er es noch in letzter Stunde wieder zurückgezogen und sich mit einem kindischen Mahnbrief an Wieland begnügt. In Weimar nahm man ihn freundlich auf. Der Herzog sorgte für seinen Unterhalt. Die Frau von Stein lud ihn auf ihr Schloß Kochberg ein. Wieland, weise und gutmütig, schenkte ihm seine Freundschaft. „Lenz ist unter uns wie ein krankes Kind", schrieb Goethe an Merck am 16. September, „wir wiegen und tänzeln ihn, und geben und lassen ihm von Spielzeug, was er will." Aber er fühlte sich nicht glücklich. In einem kleinen Versdrama hat er sich in dieser Zeit als Tantalus dargestellt: Tantalus ist in Juno verliebt. Die Götter lassen, um ihn zu necken, ihm ihr Bild in Wolken erscheinen. Wie er es zeichnen will, entschwindet es immer wieder. Schließlich verkündet ihm Amor den Ratschluß des Jupiter: er dürfe täglich in seiner und Junos Gesellschaft speisen, aber nichts berühren; nachts mit Junos Schatten spazieren, aber nicht nach ihm sehen. Das kleine Stück gibt einen Einblick in seine Stimmung in Weimar. Aber es zeigte sich, daß das „kranke Kind" doch nicht so harmlos war. Am 29. November sah sich der Herzog veranlaßt, ihn aus Weimar auszuweisen. Er hatte, in plötzlicher Auflehnung des Sklaven gegen seinen Herrn, ein Pasquill gegen Goethe verfaßt, und hier verstand der Herzog keinen Spaß. Er mußte gehen, „ausgestoßen aus dem Himmel als ein Landläufer, Rebell, Pasquillant".

In Emmendingen fand er bei Goethes Schwester und Schwager eine Zufluchtsstätte. Dann ging er in die Schweiz. In Basel wurde der Kaufmann Jakob Sarasin sein Gönner. In Schinznach besuchte er eine Versammlung der Helvetischen Gesellschaft. In Zürich nahm ihn Lavater freundlich auf. Natürlich mußte auch er die inneren Kantone besuchen und den Rigi und Gotthard ersteigen. In Winterthur weilte er bei Kaufmann. Damals traten zuerst deutlichere Zeichen geistiger Verwirrung bei ihm auf, und auf Kaufmanns Rat begab er sich zu dem Pfarrer Oberlin, ins elsässische Steintal. Hier brach die Krankheit vollends aus. Wahnideen suchten ihn heim. Er hielt sich für Christus und wollte ein totes Mädchen wieder aufwecken. Als es nicht gelang, erklärte er sich für ihren Mörder und stürzte sich vom ersten Stock zum Fenster hinaus. Man brachte ihn wieder nach Emmendingen. Hier holte ihn ein Bruder 1779 nach Riga.

1781 begab er sich, genesen, nach Rußland, um dort sein Glück zu machen. Aber es ging ihm schlecht. Sein Vater, schon lange mit ihm unzufrieden, hatte die Hand von ihm gezogen. Mit Stundengeben fristete er sein Leben. Daneben verfolgte er allerlei handelspolitische und soziale Reformpläne. Er war nun selber überzeugt, daß sein Leben „verhunzt" war. In der Nacht vom 23. auf den 24. Mai 1792 fand man ihn in Moskau tot auf der Straße.

Noch war Lenz in Weimar, als, im Juni 1776, auch Klinger erschien. Er war nicht „ein krankes Kind", vielmehr ein kühner, unternehmender, auch zu Abenteuern bereiter junger Mann. „Klinger", fand Goethe, „ist uns ein Splitter im Fleisch, seine harte Heterogeneität schwürt mit uns, und er wird sich herausschwüren". Einen solchen Menschen konnte Goethe für seine großen Pläne nicht brauchen. So sorgte er dafür, daß Klinger seinen Stab weitersetzte. Die Herzogin Anna Amalia hatte ihm geraten, in das Heer Friedrichs II. einzutreten. Daraus wurde nichts. Er ging nach Gotha, wo er mit Kaufmann zusammentraf. Damals hatte er sein Drama „Wirrwarr" beendigt. Und nun folgte eine abenteuerliche Episode. Er ließ sich von Abel Seyler, der Direktor einer Wandertruppe geworden war, als Theaterdirektor anstellen und zog mit der Truppe durch Deutschland. Zugleich schrieb er einen großen Feenroman: „Der neue Orpheus." Als ihm das Herumziehen verleidet war, ging er nach Emmendingen, später zu dem blinden Fabeldichter Pfeffel in Colmar. Im Bayrischen Erbfolgekrieg verschaffte er sich einen Vorgeschmack des Soldatenhandwerks. 1779 begab er sich nach Zürich, wo sich sein Jugendfreund Kayser als Musiker niedergelassen hatte. Sein Lustspiel „Der Derwisch" ist hier entstanden. Nun tauchte der Plan auf, in Rußland Dienste zu nehmen. Bis die Sache entschieden war, gewährte ihm Jakob Sarasin in Pratteln bei Basel Unterkunft. Im August 1780 erhielt er die Stelle eines Leutnants im russischen Marinebataillon und wurde später Ordonnanzoffizier des Großfürsten Paul.

Es gelang ihm, in dem Dorado der Abenteurer sich seinen Platz zu erobern. Der Großfürst Paul schenkte ihm Vertrauen. Er war im Gefolge des Großfürsten auf seiner Bildungsreise durch Österreich, Italien, Frankreich und Deutschland. Aber seine Hoffnung, als Soldat im Felde sein Glück zu machen, erfüllte sich nicht. So nahm er 1785 eine Stelle als Offizier im russischen Kadettenkorps an und stieg hier bis zum Generalmajor und Direktor des Korps auf. Nach der Ermordung Kaiser Pauls im Jahre 1801 ließ ihn Alexander I. in seiner Stellung. Er wurde noch dazu Oberdirektor des Pagenkorps, Mitglied der Oberschuldirektion, Kurator der Universität Dorpat. 1816 nahm er seinen Rücktritt. Eine eifrige und ausgedehnte Schriftstellerei ging seiner amtlichen Tätigkeit parallel. Er verfaßte Dramen und Romane, auch einen Faustroman, in denen er die Volksbeglückungspläne der Aufklärung verbreitete. Sie bilden, wenn man an die Entwicklung der Literatur in Deutschland denkt, einen merkwürdigen Anachronismus. Mit Beginn des 19. Jahrhunderts bahnte sich der Verkehr mit Goethe wieder an. Aber Goethe meinte 1808, Klinger würde sich in Deutschland jetzt nicht mehr gefallen, weil er hinter seiner Zeit in manchem zurückgeblieben sei. Erst als die russische Großfürstin Maria Paulowna den weimarischen Erbprinzen heiratete und sich auch Goethes Blicke öfter nach Rußland wendeten, wurde sein Ton wärmer. Jetzt wurde, durch die Arbeit an „Dichtung und Wahrheit" heraufbeschworen, auch die Erinnerung an die gemeinsame Jugend wieder lebendiger. Eine persönliche Begegnung aber mied Goethe. 1824 sagte er mit Bezug auf Klinger zu dem weimarischen Kanzler von Müller: Alte Freunde müsse man nicht wiedersehen, man verstehe sich nicht mehr mit ihnen, jeder habe eine andere Sprache bekommen. Als Klinger am 2. Januar 1831 starb, gedachte Goethe seiner und nannte ihn einen „treuen, festen, derben Kerl wie keiner". Es sei aber gut, daß er nicht wieder nach Deutschland gekommen sei. „Er würde sich in unserem sansculottischen Weimar und respektive Deutschland nicht wiedererkannt haben."

Goethe mußte mit gemischten Gefühlen das Erscheinen seiner Sturm- und Drangfreunde in Weimar betrachten. Sie brachten alles das mit sich, was er zu überwinden bestrebt war. Für das, was er zu leisten willens war, konnten sie kein Verständnis haben. Sie sahen nur, daß er es in kurzer Zeit zu hohen Ehren gebracht hatte, und erhofften auch für sich einen Platz in Weimar. Und so standen sie auch dem zartesten Verhältnis gegenüber, das sich ihm in Weimar gebildet hatte, seiner Liebe zu Charlotte von Stein. Sie fühlten das Neue und Unbedingte in ihr nicht, sie konnten sie nur stören. Vor allem Lenz mit seiner törichten Nachäfferei, aber auch Klinger mit seiner derb zugreifenden Art.

Charlotte von Stein, 1742 als zweite Tochter des Hofmarschalls von Schardt geboren, hatte mit zweiundzwanzig Jahren den Oberstallmeister von Stein geheiratet und ihm im Laufe einer wenig glücklichen Ehe sieben Kinder geboren. Stein war ein Landwirt und Lebemann, der Mastochsen züchtete, Branntwein brannte und daneben gern die Freuden der herzoglichen Tafel genoß.

Das wahre Wesen seiner Frau ist uns verhüllt, da ihre Briefe an Goethe vernichtet sind. Wir sehen sie nur durch den Schleier von Goethes Liebe. Aber schon daß Goethe ihr seine Liebe schenkte, daß diese Liebe ihm, ganz anders als seine früheren Neigungen, mehr als ein Jahrzehnt lang den köstlichsten Inhalt seines Lebens bildete, drückt die hohe geistige Bedeutung dieser Frau aus. Sie war ihm in dieser Zeit unbedingter Maßstab alles Menschlichen, und wenn vielleicht das Große, das sie ihm schenkte, seiner eigenen Sehnsucht entstammte, so vermochte er es nur deswegen als Größe zu erleben, weil es aus ihrer Seele, durch sie verkörpert, in ihn zurückströmte. Sie besaß den Adel und die reine Tiefe der weiblichen Seele, das für ihn zu sein, was er aus ihr machte. Damit ist zugleich gesagt, daß, als Goethes Liebe sich von ihr abwandte, sie in eine Leere zurücksank, die nur durch die höfische Maske des Freundlich-Menschlichen, durch schmerzliche Enttäuschung und nie vergessenden Groll ausgefüllt wurde, auch sie ein Beweis dafür, daß ein Mensch für uns nie „ist", sondern nur wird oder wirkt, daß wir in den letzten Grund einer Persönlichkeit nicht einzudringen vermögen, sondern jede nur in der Spiegelung der andern, nur in dem Verhältnis und Ziel des Zusammenwirkens mit andern sich bildend, zu erkennen vermögen.

Es ist eine Eigentümlichkeit Goetheschen Wesens, daß er alle abstrakte Erkenntnis, die dazu bestimmt war, am Bau seiner geistigen Welt mitzuwirken, nur als menschliche Beziehung erlebend in sich aufnehmen konnte. So hat ihm das Verhältnis zu Behrisch das Wesen des Sensualismus der Aufklärung, die Liebe zu Annette das Spielerische des Rokoko, Susanne von Klettenberg die Tiefe einer pantheistischen Naturmystik, Friederike die Grenzenlosigkeit des Gefühlspantheismus erschlossen. Jene Verantwortlichkeitsidee, die der verschuldeten Leidenschaft des Stürmers und Drängers ein Ziel setzte, hätte Goethe mit aller Hingabe an den großen Pflichtenkreis seiner amtlichen Tätigkeit in Weimar nicht zu einem wirklich lebendigen Besitz in sich ausbilden können, wenn er sie damals nicht sogleich als menschliche Gestalt verkörpert in Charlotte von Stein geliebt hätte. Die Liebe zu ihr erschloß ihm, wie die Gretchenliebe dem Faust, die Reiche der Natur, die Welt des Menschlichen als eine seelisch-sittliche Ordnung, gegründet auf dem Wechselspiel der Sehnsucht und der Verweigerung, des Ja und des Nein, der Maßlosigkeit und der Beschränkung, der Selbsthingabe und der Selbstrücknahme. Und zwar bei beiden. Wohl ist es nicht zufällig, daß die Geliebte Glied eines Hofes war; es gab Zeiten, wo sie auch gegenüber dem Liebenden die Hofdame hervorkehrte, die wußte, „was sich ziemt". Aber dieses Geziemende war bei ihr durch Menschlichkeit geadelt, durch Gefühle gelöst. Sie war, als sie Goethe kennenlernte, erst dreiunddreißig Jahre alt, noch jung genug, um dem Maß höfischer Bildung in sich selber das natürliche Gefühl des liebenden Weibes entgegenzusetzen. Und das wiederum war es, was sie Goethe anziehend machte, und was ihr so großen Einfluß auf ihn sicherte.

Beide hatten sie, wie die Menschen der höheren, gebildeten Schicht alle voneinander wußten, nacheinander ausgeschaut. J. G. Zimmermann hatte Goethe von ihr erzählt. Dieser hatte im Mai 1775 ihre Silhouette bekommen und darunter geschrieben: „Es wäre ein herrliches Schauspiel zu sehen, wie die Welt sich in dieser Seele spiegelt. Sie sieht die Welt, wie sie ist, und doch durchs Medium der Liebe." Im August charakterisierte er ihr Bild für Lavater und fand darin „Festigkeit, gefälliges, unverändertes Wohnen des Gegenstandes. Behagen in sich selbst. Liebevolle Gefälligkeit. Naivität und Güte, selbstfließende Rede. Nachgiebige Festigkeit, Wohlwollen. Treubleiben. Siegt mit Netzen." Aber auch Charlotte war neugierig nach Goethe. Vor allem „Werther" und „Clavigo" hatten es ihr angetan.

In Weimar trat er ihr gegenüber wie allen Frauen, deren Liebe oder Freundschaft er bisher gewonnen hatte: lebhaft, natürlich, leidenschaftlich andrängend. Er nennt sie, höchst unhöfisch, liebe Frau, liebste Frau, bald Engel und lieber Engel. Das Du wechselt mit dem Sie, je nach dem Inhalt der Briefe, dem Grad der Leidenschaft und auch nach irgendwelchen Rücksichten äußerer Art. Im Februar 1776 scheint sich die Freundschaft zur Liebe vertieft zu haben. Da sendet er ihr das am Hang des Ettersberges entstandene Nachtlied: „Der du von dem Himmel bist". Elf Tage darauf schreibt er: „Wie ruhig und leicht ich geschlafen habe, wie glücklich ich aufgestanden bin und die schöne Sonne gegrüßt habe, das erstemal seit vierzehn Tagen mit freiem Herzen, und wie voll Danks gegen dich Engel des Himmels, dem ich das schuldig bin. Ich muß dir's sagen, du einzige unter den Weibern, die mir eine Liebe ins Herz gab, die mich glücklich macht." In der gleichen Nacht: „Du einzige, die ich so lieben kann, ohne daß mich's plagt — und doch leb' ich immer halb in Furcht — Nun mag's. All mein Vertrauen hast du, und sollst, so Gott will, auch nach und nach all meine Vertraulichkeit haben. O hätte meine Schwester einen Bruder irgend, wie ich an dir eine Schwester habe." Schon dieser Ausdruck zeigt: es ist eine Liebe mit Schranke. Einmal spricht er von „Ungezogenheiten", die sie ihm nicht abgewöhnen wird.

Aus dem April 1776 stammt das Gedicht: „Warum gabst du uns die tiefen Blicke." Wieder klingt in ihm das Motiv der Schwester auf. Aber die Schwester ist auch zur Frau gesteigert, und sofort wieder verklärt: sie war es in einem früheren Leben. In jener Zeit schrieb er an Wieland: „Ich kann mir die Bedeutsamkeit — die Macht, die diese Frau über mich hat, nicht anders erklären, als durch die Seelenwanderung. — Ja, wir waren einst Mann und Frau! — Nun wissen wir von uns — verhüllt, in Geisterduft. — Ich habe keine Namen für uns — die Vergangenheit — die Zukunft — das All." Es war das seltsam Geistige des Verhältnisses, was er nur durch die Vorstellung der Seelenwanderung auszudrücken vermochte. In dieser durch den Hauch der Vergänglichkeit zur Unvergänglichkeit des Geistigen erhöhten Liebe gab es nun keine leichtsinnige Hingabe an die Lust des Augenblicks mehr, keine liebliche Selbsttäuschung, nur herbe Wahrhaftigkeit des einen gegen das andere, weil jedes Gefühl mit der Schwere der Verantwortung belastet war:

> „Warum gabst du uns die tiefen Blicke,
> Unsre Zukunft ahndungsvoll zu schaun,
> Unsrer Liebe, unserm Erdenglücke
> Wähnend selig nimmer hinzutraun?
> Warum gabst uns, Schicksal, die Gefühle,
> Uns einander in das Herz zu sehn,
> Um durch all die seltenen Gewühle
> Unser wahr Verhältnis auszuspähn? — —
>
> Glücklich, den ein leerer Traum beschäftigt,
> Glücklich, dem die Ahndung eitel wär'!
> Jede Gegenwart und jeder Blick bekräftigt
> Traum und Ahndung leider uns noch mehr.
> Sag', was will das Schicksal uns bereiten?
> Sag', wie band es uns so rein genau?
> Ach, du warst in abgelebten Zeiten
> Meine Schwester oder meine Frau.
>
> Kanntest jeden Zug in meinem Wesen,
> Spähtest, wie die reinste Nerve klingt,
> Konntest mich mit Einem Blicke lesen,
> Den so schwer ein sterblich Aug' durchdringt.
> Tropftest Mäßigung dem heißen Blute,
> Richtetest den wilden irren Lauf,
> Und in deinen Engelsarmen ruhte
> Die zerstörte Brust sich wieder auf. — —
>
> Und von allem dem schwebt ein Erinnern
> Nur noch um das ungewisse Herz,
> Fühlt die alte Wahrheit ewig gleich im Innern,
> Und der neue Zustand wird ihm Schmerz.
> Und wir scheinen uns nur halb beseelet,
> Dämmernd ist um uns der hellste Tag.
> Glücklich, daß das Schicksal, das uns quälet,
> Uns doch nicht verändern mag."

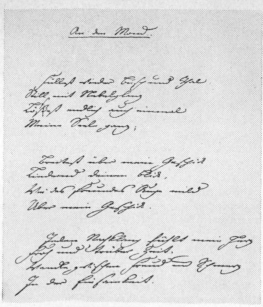

*Goethes Gedicht „An den Mond". Eigenhändige
Niederschrift der zweiten Fassung, 1789*

Jetzt wird das Mondlicht, das in der Seele des Leipziger Studenten die lüsterne Vorstellung der schlafenden Geliebten geweckt hatte, ihm zum Sinnbild seiner vergeistigten Liebe:

> „Breitest über mein Gefild'
> Lindernd deinen Blick,
> Wie der Liebsten Auge mild
> Über mein Geschick."

Oder er schließt einen kurzen Brief, der den Satz enthält: „Wir können einander nichts sein und sind einander zuviel", mit der Versicherung: „Ich sehe dich eben künftig wie man Sterne sieht!" Bald aber genügen die Bilder aus dem Reiche der Natur nicht mehr. Nun entnimmt er sie dem religiösen Vorstellungskreise. Am 12. März 1781 schreibt er: „Meine Seele ist fest an die deine angewachsen, ich mag keine Worte machen, du weißt, daß ich von dir unzertrennlich bin, und daß weder Hohes noch Tiefes mich zu scheiden vermag. Ich wollte, daß es irgend ein Gelübde oder Sakrament gäbe, das mich dir auch sichtlich und gesetzlich zu eigen machte, wie wert sollte es mir sein ... Die Juden haben Schnüre, mit denen sie die Arme beim Gebet umwickeln, so wickle ich dein holdes Band um den Arm, wenn ich an dich mein Gebet richte, und deiner Güte, Weisheit, Mäßigkeit und Geduld teilhaftig zu werden wünsche. Ich bitte dich fußfällig, vollende dein Werk, mache mich recht gut! Du kannst's, nicht nur, wenn du mich liebst, sondern deine Gewalt wird unendlich vermehrt, wenn du glaubst, daß ich dich liebe."

Aus einer solchen Stimmung der Selbstbeschränkung und Hingabe ist um 1780 das Gedicht „Grenzen der Menschheit" entstanden, das augenfällige Gegenstück zu dem „Prometheus". Hatte hier das Bewußtsein genialer Schaffenskraft die Abhängigkeit von den alten Göttern gesprengt, so bekennt das neue Gedicht sich zu tiefer Ehrfurcht vor den Göttern; denn mit ihnen „soll sich nicht messen irgendein Mensch." Schon der straff logische Bau des Gedichtes — man ist versucht zu sagen: die Disposition — bezeugt den Glauben an eine feste, unverrückbare Ordnung der Welt, in die der Mensch eingefügt ist, und die er zu achten hat.

Damit ist die Erinnerung an Spinoza heraufbeschworen. Und in der Tat steht seinem mathematischen Pantheismus das Gedicht nach Idee und Bau am nächsten. Wir wissen, wie die Gestalt Spinozas Goethe schon in der Sturm- und Drangzeit nahegetreten ist. Man wird aber das Wort, er habe Dasein und Denkweise Spinozas damals „nur unvollständig und wie auf den Raub" in sich aufgenommen, im eigentlichen Sinne auffassen dürfen; bekennt er doch auch am 9. Juni 1785 gegenüber Jacobi, er könne nicht sagen, daß er jemals die Schriften dieses trefflichen Mannes in einer Folge gelesen habe, daß ihm jemals das ganze Gebäude seiner Gedanken völlig überschaulich vor seiner Seele gestanden habe. „Meine Vorstellungs- und Lebensart erlauben's nicht. Aber wenn ich hineinsehe, glaub' ich ihn zu verstehen, d. h.: er ist mir nie mit sich selbst in Widerspruch, und ich kann für meine Sinnes- und Handelnsweise sehr heilsame Einflüsse daher nehmen." 1785 veröffentlichte Jacobi sein Büchlein „Über die Lehre Spinoza", worin er den jüdischen Denker des Atheismus beschuldigte. Zu dem Streite Jacobis mit Mendelssohn über Lessings Pantheismus nahm Goethe eine Stellung ein, die fast wörtlich der Lessings entspricht. Wenn Jacobi in seinem Büchlein Lessing hatte sagen lassen: „Wenn er sich nach jemanden nennen solle, so wisse er keinen andern, mit dem er einverstanden sei, als Spinoza", so betonte Goethe am 21. Oktober 1785 gegenüber Jacobi den Unterschied zwischen Pantheismus und Atheismus und versicherte ihm: „Daß ich den Spinoza, wenn ich ihn lese, mir nur aus sich selbst erklären kann, und daß ich, ohne seine Vorstellungsart von Natur selbst zu haben, doch, wenn die Rede wäre, ein Buch anzugeben, das unter allen, die ich kenne, am meisten mit der meinigen übereinkommt, die Ethik nennen müßte."

Damals, d. h. in Winter 1784/85, las er Spinozas Ethik mit seiner „Seelenführerin". Jacobis Bekämpfung Spinozas einerseits, die Entwicklung seines Verhältnisses zu der Freundin andererseits mochte diesen Entschluß gezeitigt haben. Er berichtet Knebel am 11. November 1784 über die Lektüre. Er fühle sich Spinoza sehr nahe, obgleich sein Geist viel tiefer und reiner sei als der seinige. Auf Spinozas Ethik dürften sich in dem Brief an Frau von Stein vom 9. November 1784 die „Geheimnisse" beziehen, „die mit deinem Gemüt so viel Verwandtschaft haben". Er nennt ihn am 27. Dezember seinen „Heiligen" und schreibt am 12. Januar 1785 an Jacobi: „Ich übe mich in Spinoza, ich lese und lese ihn wieder, und erwarte mit Verlangen, bis der Streit über seinen Leichnam losbrechen wird. Ich enthalte mich aller Urteile, doch bekenne ich, daß ich mit Herdern in diesen Materien sehr einverstanden bin."

Man kann nicht annehmen, daß Goethe mit Frau von Stein die Ethik ganz und systematisch gelesen hat. Aber er las, was er las, gründlich und in der lateinischen Urform. Er dürfte, nachdem er der Freundin die spinozistischen Grundbegriffe erklärt haben mag, vor allem mit ihr den fünften Teil, „Von der Freiheit", gelesen haben. Da ist die Rede von der Überwindung der Leidenschaften. „Die Seele kann bewirken", heißt es im vierzehnten Lehrsatz, „daß alle Körperaffektionen oder Vorstellungsbilder der Dinge auf die Idee Gottes bezogen werden." Der fünfzehnte sagt: „Wer sich und seine Leidenschaften klar und deutlich sieht, liebt Gott, und um so mehr, je mehr er sich und seineLeidenschaften einsieht." Gott selber ist ohne Leidenschaften. Er ist die reine mathematische Gesetzmäßigkeit. „Wer Gott liebt, kann also", bestimmt der neunzehnte Lehrsatz, „nicht verlangen, daß Gott ihn wiederum liebe." Daraus folgt aber auch für den Menschen, daß er Gott nur lieben kann, indem er sich von allen Leidenschaften reinigt und sich bemüht, Gott an Weisheit ähnlich zu werden, in ein geistiges Verhältnis zu Gott zu treten. Spinoza hat mit lezter Konsequenz den Anthropomorphismus des jüdisch-christlichen Glaubens mit seiner Vorstellung des zürnenden, strafenden, väterlich sorgenden Gottes zerstören wollen. Wie ein Gott kalte Gesetzmäßigkeit ist, so soll auch der Mensch seine Seele zu diesem kühlen Verzicht reiner Erkenntnis läutern: Unser Heil oder unsere Glückseligkeit oder Freiheit besteht in beständiger und ewiger geistiger Liebe zu Gott oder in der Liebe Gottes zu den Menschen. „Die geistige Liebe der Seele zu Gott — amor Dei intellectualis — ist Gottesliebe selbst, womit Gott sich selbst liebt."

Für Goethe haben die eisigen Gedanken Spinozas durch die Liebe zu Charlotte von Stein die Lebenswärme des menschlichen Erlebnisses bekommen. Sie sagten in metaphysischer Abstraktion aus, was die Persönlichkeit der Geliebten ihm als menschliches Gefühl gab. Am 17. Juni 1784 bekannte er ihr: „Durch dich habe ich einen Maßstab für alle Frauen, ja für alle Menschen, durch deine Liebe einen Maßstab für alles Schicksal. Nicht, daß sie mir die übrige Welt verdunkelt, sie macht mir vielleicht die übrige Welt recht klar, ich sehe recht deutlich, wie die Menschen sind, was sie sinnen, wünschen, treiben und genießen, ich gönne jedem das Seinige und freue mich heimlich in der Vergleichung, einen so unzerstörbaren Schatz zu besitzen." Auch dies ist eine Lehre Spinozas, der die Tugend, das Glück und die höchste Freiheit darin sieht, daß jeder aus der Einsicht des Verzichtes auf andere Dinge nur sein eigenes Selbst erhalten soll: suum esse conservare — wie Goethe in einer der Maximen sagt: „Unser ganzes Kunststück besteht darin, daß wir unsere Existenz aufgeben, um zu existieren."

So ist die Wirkung Spinozas für Goethe eine ausschließlich sittliche gewesen; seine Ansicht von der Gottheit als wirkender Kraft in der Natur wurde durch Spinoza nicht beirrt. In dieser praktischen Bedeutung traf sie mit dem Einfluß der Frau von Stein und — muß man hinzusetzen — der amtlichen Tätigkeit zusammen. Die Verzichtleistung zeigte sich auch in Äußerlichkeiten. So in der Behandlung der Menschen. Nach einem Besuch des Hofes zu Kassel im Oktober 1783 berichtet er: Den gleichgültigen Menschen begegne ich nach der Weltsitte, den guten begegne ich offen und freundlich und sie behandeln mich dagegen, als wenn mich der Verstand mit der Redlichkeit gezeugt hätte und diese Abkunft etwas Weltbekanntes wäre" (2. Oktober 1783). Den höchsten Punkt der Selbstbeschränkung dürften die Briefe an Frau von Stein in französischer Sprache, der konventionellen Hofsprache, im August und September 1784 sein. Die Freundin hatte selber angefangen. Als er den ersten französischen Brief von ihr erhielt, schrieb er: „Voyant ces caractères barbares étrangers à mon coeur; ce fut un tout nouveau sentiment pour moi, ce „vous" me faisait trembler et je tournai vite la feuille pour voire s'il n'y avait pas un mot de la langue chérie... O ma chérie, il m'est presque impossible de poursuivre ce jeu."

Von den zu dieser Zeit entstandenen Werken steht die im Frühjahr 1779 niedergeschriebene „Iphigenie auf Tauris" dem Erlebnis mit Frau von Stein am nächsten. Ein negatives und ein positives Element haben die Neuformung des alten Erlösungsmythos bestimmt. Das negative ist Goethes „dezidiertes Nichtchristentum". In der alten Sage, wie sie Euripides gestaltet hat, wird Orestes von dem Fluche der Schuld durch unmittelbares göttliches Eingreifen befreit. Aus dem Glauben an seine Heilwirkung haben Orestes und Pylades mit Hilfe der Priesterin Iphigenie, die den König betrügt, das Artemisbild geraubt, und als Thoas den Räubern nachsetzt, gebietet ihm als dea ex machina Athena, sie mit dem Bilde ziehen zu lassen. Diese metaphysische Erlösungsart hat Goethe preisgegeben, noch mehr, er hat sie verneint. Sie ist ihm auf Aberglauben gegründet, gewaltsam — durch den Betrug — unsittlich. Sicherlich steht im Hintergrunde die in den Briefen an Lavater genugsam bekundete Ablehnung des christlichen Wunderglaubens von der Erlösung des Menschen von Sündenschuld durch den Tod Christi. An die Stelle dieser magischen

Goethes Silhouette, entstanden 1786 in Karlsbad, kurz vor dem Aufbruch nach Italien

Erlösung — und das ist das positive Element — tritt die menschlich-sittliche. Iphigenie, in der reinen Klarheit ihres Wesens, durchbricht die Wolken des Fluches, die sich auf sie niedersenken wollen, wie sie den König betrügen soll. Sie überwindet die Versuchung zur unsittlichen Tat, bekennt dem König den beabsichtigten Betrug und läutert ihn durch ihre Reinheit von barbarischer Leidenschaft. Nun läßt er freiwillig die Griechen mit dem Artemisbild ziehen. Aber die Erlösung des Orestes von dem Fluche — und des Thoas von barbarischer Gewalttätigkeit — geschieht nicht durch das Bild der Artemis, der Schwester des Gottes Apollo, sondern durch Iphigenie, die Schwester des Menschen Orestes. Nicht magisch aus religiösem Glauben, sondern natürlich durch die Wirkung seelischen Adels. Auch in Iphigenie lebt der amor Dei intellectualis.

Mit klaren Worten hat Goethe damals immer wieder das selbstlose Tun zum Nutzen und Glück der andern verherrlicht. So in dem Gedicht „Das Göttliche", das von Spinozas Ideen getragen ist:

„Edel sei der Mensch,
Hilfreich und gut!
Denn das allein
Unterscheidet ihn
Von allen Wesen,
Die wir kennen.

Heil den unbekannten
Höhern Wesen,
Die wir ahnen!
Sein Beispiel lehr' uns
Jene glauben."

In der „unfühlenden" Natur herrschen unbedingte Gesetze. Hier gibt es weder Recht noch Unrecht, weder Gut noch Böse, weder Glück noch Unglück. Und auch der Mensch ist, als physisches Wesen, dieser Notwendigkeit unterworfen. Aber der amor Dei intellectualis befähigt ihn, die Geistigkeit Gottes auch in sich zu begründen und jenseits der kahlen Naturnotwendigkeit ein Reich des Wahren, Schönen und Guten aufzurichten; aus dem Bewußtsein dieses höheren Reiches fließt sein Glaube an die Unsterblichen:

„Und wir verehren
Die Unsterblichen,
Als wären sie Menschen,
Täten im Großen,
Was der Beste im Kleinen
Tut oder möchte."

Zu jener Zeit muß die Gestalt des alten Harfners im „Wilhelm Meister" entstanden sein, dessen Anfänge ins Ende der siebziger Jahre zurückreichen. Leidenschaft erschien Goethe, ganz spinozistisch, damals als eine schwere Verschuldung, als Trübung des reinen geistigen Verhältnisses zu Gott. Der alte Harfner ist ein Bruder des Orestes. Beide verfehlen sich in trüber Leidenschaft gegen die heiligsten menschlichen Verhältnisse: Orestes tötet die Mutter, der Harfner liebt die Schwester. So schwer trug Goethe damals selber an der Schicksalslast des in ihm wirkenden Dämonischen.

1784 und 1785 arbeitete er an einem religiös-moralischen Lehrgedicht: „Die Geheimnisse", in dem alles zusammengefaßt werden sollte, was er

274

in jenen Jahren an Erkenntnis gewonnen. Es sollte die Gründung und das Wirken eines geistlichen Ritterordens dargestellt werden, in dem Angehörige verschiedener Religionen sich einem vorurteilsfreien Bunde unter christlicher Führung vereinigt hatten. Jene Uneigennützigkeit, die Goethe von Anfang an an Spinoza bewunderte, sollte der Glaubensgrund des Ordens werden:

> „Wenn einen Menschen die Natur erhoben,
> Ist es kein Wunder, wenn ihm viel gelingt;
> Man muß in ihm die Macht des Schöpfers loben,
> Der schwachen Ton zu solcher Ehre bringt;
> Doch wenn ein Mann von allen Lebensproben
> Die sauerste besteht, sich selbst bezwingt,
> Dann kannst du ihn mit Freuden andern zeigen
> Und sagen: Das ist er, das ist sein eigen!
>
> Denn alle Kraft dringt vorwärts in die Weite,
> Zu leben und zu wirken hier und dort;
> Dagegen engt und hemmt von jeder Seite
> Der Strom der Welt und reißt uns mit sich fort.
> In diesem innern Sturm und äußern Streite
> Vernimmt der Geist ein schwer verstanden Wort:
> Von der Gewalt, die alle Wesen bindet,
> Befreit der Mensch sich, der sich überwindet."

Daß Goethe diese Erkenntnis in seinem Leben verwirklichte, bezeugt Schiller. Als er im Sommer 1787 nach Weimar kam, erfuhr er, wie Goethe „von sehr vielen Menschen mit einer Art von Anbetung genannt und mehr noch als Mensch, denn als Schriftsteller geliebt und bewundert" wurde.

8. GOETHE IN ITALIEN UND WEIMAR
BIS ZU SCHILLERS TODE

„Natur und Kunst, sie scheinen sich zu fliehen,
Und haben sich, eh' man es denkt, gefunden:
Der Widerwille ist auch mir verschwunden,
Und beide scheinen gleich mich anzuziehen."

Goethe

Am 25. Januar 1788 schrieb Goethe von Rom aus an den Herzog:
„Die Hauptabsicht meiner Reise war, mich von den physisch-moralischen
Übeln zu heilen, die mich in Deutschland quälten und mich zuletzt un-
brauchbar machten; sodann den heißen Durst nach wahrer Kunst zu
stillen." Es ist bezeichnend, wie Goethe auch hier die Zweieinheit körper-
lich-geistigen Lebens betont (moralisch heißt in der Sprache des 18. Jahrhunderts psychologisch). Die Übel entstammten verschiedenen Wurzeln.
Einmal war er in seiner amtlichen Stellung überlastet. Der Herzog hatte
ihm Verpflichtung um Verpflichtung auferlegt, und was er zu leisten
hatte, entsprach dem Aufgabenkreis einer ganzen Anzahl von Beamten.
Die sittliche Erkenntnis aber, zu der er gerade in jenen Jahren gelangt
war, legte ihm auf, mit der größten Hingabe das Große wie das Kleine
zu erledigen. Seine Gesundheit jedoch hielt der Überlastung auf die
Dauer nicht stand. 1785 mußte er zum ersten Mal ein Bad aufsuchen.

Dazu kam das Verhältnis zu der Frau von Stein. Es barg Glück und
Gewinn in sich, aber auch Qual und Verlust, und je mehr die Jahre
fortschritten, um so mehr verschoben sich die Lasten in den Waagschalen.
Die Freundschaft, von Anfang an auf geistige Werte gegründet, mußte
gerade bei einem Menschen, der sich weltanschaulich zu der Zweieinheit
von Natur und Geist, Körper und Seele bekannte, schließlich als Vergewaltigung des sinnlichen Anspruchs erscheinen — man denke an die
Unterdrückung der natürlichen Sprache des Gefühls in den französischen
Briefen. Der Unterschied der Jahre und der Gemütsart, der anfänglich
einschränkend und mäßigend auf Goethe gewirkt hatte, mußte mehr und
mehr zum Gegensatz der Naturen werden: Frau von Stein ging nun gegen
die Mitte der vierziger Jahre, Goethe, der eben die Mitte der Dreißiger
überschritten, stand in der Blüte seines Mannesalters.

Beides aber, die amtliche Überlastung und die Naturentfremdung in
seinem Verhältnis zu Frau von Stein, mußte zu einer tragischen Beeinträchtigung dessen führen, was den eigentlichen Sinn und Kern seiner
Persönlichkeit ausmachte: seines Dichtertums. Er war nach Weimar gegangen, um seine Menschen- und Weltkenntnisse zu erweitern. Diese Erwartung erfüllte sich. Neue Stoffe und Probleme strömten ihm in Fülle
zu. Während der Jahre vor Weimar hatte er, wenn ihn ein Erlebnis zu
dichterischer Gestaltung drängte, sich aus der Unruhe des äußeren Daseins
in die Stille zurückziehen können, um das Werk werden zu lassen. Jetzt

gebrach ihm vielfach Zeit und Stimmung. Größer waren die Mächte, die ihn jetzt bestürmten; tiefer die Fragen, die in seiner Seele wühlten. Es ging um letzte Entscheidungen: sinnliches und geistiges Leben, Ansprüche des einzelnen, Pflichten gegen die Gemeinschaft. So stark der schöpferische Wille des Genius in ihm drängte, er stand nun als tätiges Glied in einer staatlichen Ordnung, ja ein großer Teil dieser Ordnung verkörperte sich in ihm. Es ging nicht mehr an, auf das Recht des Genies zu pochen und sich über die Gesellschaft hinwegzusetzen, oder, wenn dies nicht möglich war, sich in den Tod zu flüchten, wie Werther es getan. Das Leben, das gelebt werden mußte, forderte eine Ausgleichung zwischen Anspruch und Pflicht, Gefühl und Vernunft — mit einem Wort: Verantwortung.

All das war wichtig genug für den Menschen wie für den Dichter, der nur aus dem menschlich Erlebten zu schaffen vermochte. So war „Iphigenie" entstanden; so begannen „Wilhelm Meister", „Torquato Tasso", „Die Geheimnisse" zu entstehen und wurde an „Egmont" gearbeitet. Aber es wurde in diesen elf Jahren, die Goethes erstes Wirken in Weimar umfaßte, nichts Größeres zur Vollendung gebracht. Die innere Unruhe war zu groß, der Fragen zu viele und zu schwere. Die Umschichtung und Umwandlung, die sich in seiner Seele vollzog, verlangte die Muße langer und steter Monate, ja Jahre. Sie wurde ihm nicht zuteil. Das Bedürfnis der innern Sammlung und Überlegung wurde immer wieder von dem Drang der Geschäfte überschüttet. Man muß sagen: dies war notwendig, wenn die neuen Keime innern Lebens zur Reife gedeihen sollten. Denn um eine bloß gedankliche Bewältigung der Fragen und Gegensätze konnte es sich bei ihm nicht handeln. Die Gestalten, die sich bilden sollten, konnten nicht bloß erdacht, sie mußten erlebt sein, und dazu brauchte es Zeit und — eben Leben.

Vielleicht bedenklicher noch war eine zweite Erfahrung des Dichters. Sie bestand nicht in einer äußern Beeinträchtigung des Willens zum Schaffen; sie reichte in den letzten Grund der Kunst hinunter: in ihre Gestaltungsform und die Frage des Stiles.

In einer Rede zum Shakespearetag hatte Goethe ausgerufen: „Natur! Natur! Nichts so Natur wie Shakespeares Menschen!" Im „Götz von Berlichingen" hatte er bis auf Wortschatz, Flexion und Syntax der Sprache hinunter die Menschen als Einzelwesen gestaltet. In den „Hymnen" hatte der innere Zwang, die einzelne Vorstellung mit ihrem Stimmungsgehalt möglichst stark auszudrücken, zur Auflösung der regelmäßigen Gedicht- und Strophenform in freie Rhythmen geführt. So leidenschaftlich gab er sich damals dem einzelnen Menschen, der Stimmung und Erscheinung des Augenblicks hin, daß er auch als Künstler kein anderes Ziel kannte, als das Besondere einer jeden Lebenserscheinung: Sache, Mensch, Tat, Geschehen, Stimmung möglichst lebenskräftig und sinnlich auszudrücken. Noch in Weimar betonte er gegenüber der Verflüchtigung der sinnlichen Einzeldinge der Natur in dem abstrakten Naturbegriffe Spinozas sein Bedürfnis, sich an die anschaulichen Einzeldinge zu halten: Er wolle die Gottheit „in und aus den rebus singularibus" erkennen und das Göttliche

„in herbis et lapidibus" suchen, schrieb er am 29. Juli 1782 an Lavater, und am 12. Januar 1785 an den „Metaphysicus" Jacobi: „Eh' ich eine Silbe μετὰ τὰ φυσιχά schreibe, muß ich notwendig die φυσιχά besser absolviert haben. In diesen bin ich fleißig."

Jetzt aber wirkt sich das sittliche Erlebnis der Zurückdrängung der sinnlichen Leidenschaft, des begehrenden Ich, auch in einer Entsinnlichung und Vergeistigung des dichterischen Ausdrucks aus. Die Einzelanschauung wird entkräftet zugunsten des Gedanklichen; die bunte Farbigkeit weicht einem allgemeinen bläulichen Lichte. Man könnte sagen: der Blick flieht von dem scharf beleuchteten sinnlich-körperlichen Leben der Erde hinauf in die weiche und dämmernde Unendlichkeit des ätherischen Lichtes. In der vergeistigten Sprache der „Iphigenie" schwebt die formende Kraft des Dichters über der Rauheit des Erdbodens hinweg, und der Gedanke ist nun wichtiger als die Anschauung, der allgemeine Sinn als die besondere Empfindung. Schiller hat am 25. Juni 1798 über Goethes zu Beginn der achtziger Jahre entstandenes Bruchstück „Elpenor", das Goethe ihm ohne Nennung des Verfassers zur Prüfung zugestellt hatte, geurteilt, wenn es nicht von weiblicher Hand sei, so erinnere es doch an eine gewisse Weiblichkeit der Empfindung. Gegenüber Lavater hat Goethe sich damals als „dezidierten Nichtchristen" bezeichnet; aber das Wort gilt nur gegenüber dem fanatischen Eifer Lavaters, der ihn auf das Bekenntnis zum christlichen Worte verpflichten wollte. Dem Gehalt des christlichen Geistes stand er zu keiner Zeit so nahe wie damals. Die „Geheimnisse" atmen diesen Geist ebenso wie Des Wanderers Nachtlied: „Der du von dem Himmel bist". Es wurde denn auch von Lavater 1780 in seinem „Christlichen Magazin" veröffentlicht. In dem Bremer Gesangbuch von 1812 erschien es vollends als Gesangbuchlied. Der Schluß:

> „Ach, ich bin des Treibens müde;
> Was soll all der Schmerz und Lust?
> Süßer Friede,
> Komm, ach komm in meine Brust!"

war leicht verändert in:

> „Ach, ich bin des Wogens müde
> Banger Schmerzen, wilder Lust.
> Gottesfriede, Gottesfriede,
> Komm und wohn' in meiner Brust!"

Wieder einmal war Goethes Leben an einen Punkt der Gefährdung gelangt, wo nur die Flucht Rettung bringen konnte. Die Möglichkeit dazu bot sich im Sommer 1786.

Der Gegensatz zwischen Österreich und Preußen hatte sich, wie für die andern deutschen Kleinstaaten, so auch für Sachsen-Weimar zu einer Gefahr ausgewachsen. Im Mai 1778 war bei Anlaß des Bayrischen Erbfolgekrieges der Herzog mit Goethe nach Berlin gereist, um sich über die einzunehmende politische Haltung mit Friedrich dem Großen zu be-

sprechen. Kurz nachher erwog Goethe die Idee eines Bundes der kleineren
deutschen Staaten gegen die Begehrlichkeit der beiden Großen. Als sich
die Verhandlungen hinzogen und zugleich Österreich Ansprüche auf
Bayern erhob, griff Friedrich der Große ein und gründete gegen Österreich den Fürstenbund. Goethe war mißtrauisch. Karl August aber schloß
sich sofort dem Fürstenbund an, stellte Friedrich sein Heer zur Verfügung
und trat als General in preußische Dienste. Er hatte den Schritt in voller
Selbständigkeit souveränen Handelns getan. Es entstand darauf wieder
Ruhe. Österreich verzichtete auf Bayern. In Sachsen-Weimar selber hatte
Goethe Ordnung in die Verwaltung gebracht. So konnte er an sich selber
denken. Schon seit anderthalb Jahrzehnten schwebte der Plan einer Reise
nach Italien in der Luft. Nun führte der Mann aus, wofür dem Jüngling
die Reife der innern Vorbereitung noch gemangelt hatte.

Im Sommer 1786 waren der Herzog, Frau von Stein und Herder in
Karlsbad. Auch Goethe gesellte sich zu ihnen. Am 28. August wurde sein
Geburtstag in fröhlichem Zusammensein gefeiert. Am 2. September teilte
Goethe dem Herzog, mit dem er alles Amtliche besprochen, Herder und
der Frau von Stein in verhüllter Weise die Absicht der Reise mit. Das
Ziel kannten nur der Herzog und Philipp Seidel, Goethes Diener. In der
Morgenfrühe des 3. September verschwand er aus Karlsbad.

In eiliger Fahrt ging es über den Brenner nach Südtirol und an den
Gardasee. In Torbole traf er die ersten Ölbäume voller Oliven. Die
Menschen lebten ein südliches Schlaraffenleben, und die Türen hatten
keine Schlösser. In Verona, wo er am 14. September ankam, sah er in dem
Amphitheater das „erste bedeutende Monument der alten Zeit". „Der
Wind, der von den Gräbern der Alten her weht, kommt mit Wohlge-
rüchen wie über einen Rosenhügel." Volksleben, alte und neue Kunst
fesseln ihn in gleicher Weise. Er bemüht sich, auch äußerlich sich zum
Italiener zu machen, zieht italienische Kleidung an, freut sich, daß kein
Mensch mehr Deutsch versteht, sieht den Italienern ihre Gebärdensprache
ab und bestrebt sich, den Nordländer zu verleugnen. Über Vicenza und
Padua kommt er am 28. September nach Venedig. Wieder ist das Volk
die „Hauptidee", die sich ihm aufdrängt. Er beobachtet es auf dem Mar-
kusplatze, auf Gassen und Kanälen, im Schauspiel. „O könnt' ich dir",
schreibt er der Freundin, „nur einen Hauch dieser leichten Existenz hin-
übersenden." Schon wird ihm das Ultramontane wie den Italienern ein
dunkler Begriff. „Die Baukunst steigt vor mir wie ein alter Geist aus
dem Grabe, sie heißt mich ihre Lehren wie die Regeln einer ausgestor-
benen Sprache studieren, nicht um sie zu üben oder mich in ihr lebendig
zu freuen, sondern nur um die ehrwürdige und ewige abgeschiedene Existenz der vergangnen Zeitalter in einem stillen Gemüt zu verehren." Mit
Andacht liest er den Vitruv. Palladios Carità nimmt ihn ganz gefangen.
„Mich dünkt, ich habe nichts Höhers gesehen." Und jetzt darf er seine
„Krankheit und Torheit" gestehen: Schon einige Jahre hab' ich keinen
lateinischen Schriftsteller ansehen, nichts, was nur ein Bild von Italien
erneuerte, berühren dürfen, ohne die entsetzlichsten Schmerzen zu leiden."

Spinoza war das einzige lateinische Buch, das er gelesen, so sehr mußte er sich vor jedem Alten hüten. „Hätte ich nicht den Entschluß gefaßt, den ich jetzt ausführe, so wäre ich rein zugrunde gegangen und zu allem unfähig geworden, solch' einen Grad der Reife hatte die Begierde, diese Gegenstände mit Augen zu sehen, in meinem Gemüte erlangt. Denn ich konnte mit der historischen Erkenntnis nicht näher, die Gegenstände standen gleichsam nur eine Handbreit von mir ab, waren durch eine undurchdringliche Mauer von mir abgesondert."

Am 23. Oktober ist er in Florenz. Aber seltsam rasch geht er über die Stadt und ihre Denkmäler aus Mittelalter und Renaissance hinweg. Dafür weilt er ausführlich in Foligno. Er ist da „in einer homerischen Haushaltung, wo alles um ein Feuer in einer großen Halle versammelt ist und schreit, lärmt, an langen Tischen speist, wie die Hochzeit von Cana gemalt ist". Der See von Perugia weckt den bedauernden Gedanken an den Herzog, den „andere Leidenschaften" von einer solchen Reise abhalten. Je weiter er nach Süden kommt, um so eiliger wird die Reise. Rom ist der große Magnet, der ihn anzieht. Von Città Castellana schreibt er am 28. Oktober: „Morgen Abend in Rom. Nachher hab' ich nichts mehr zu wünschen als dich und die wenigen Meinigen gesund wiederzusehen." Am 29. abends aus Rom: „Mein zweites Wort soll an dich gerichtet sein, nachdem ich dem Himmel herzlich gedankt habe, daß er mich hierher gebracht hat. Ich kann nun nichts sagen, als ich bin hier ... Ich fange nun erst an zu leben, und verehre meinen Genius." Rom erfüllt ihm, was er von ihm erwartet. Er zählt „einen zweiten Geburtstag, eine wahre Wiedergeburt" von dem Tage, wo er Rom betrat. „Ich bin von einer ungeheuren Leidenschaft und Krankheit geheilt, wieder zum Lebensgenuß, zum Genuß der Geschichte, der Dichtkunst, der Altertümer genesen" (6. Januar 1787). Er lebt „eine neue Jugend".

Genuß und Arbeit verschmelzen in eins. In immer neuen Gängen sucht er sich Rom, seine Natur, sein Volksleben, seine Kunst völlig zu eigen zu machen. Die mächtigen Bauten und Trümmer des alten Rom, die damals bekannten Bildwerke wie der Apollo von Belvedere, der Jupiter von Otricoli und die Juno Ludovisi nehmen ihn ebenso gefangen wie die Gemälde und Bildwerke der Renaissance. Alles Mittelalterliche und Christliche aber wird auf die Seite geschoben. Es ist seelenloses Gepränge und der „Papst der beste Schauspieler".

Dann, nachdem er in vier Monaten einen Überblick gewonnen über das, was Rom ihm bedeutet, wird die Reise nach Neapel fortgesetzt. Hier ist es die Natur, die ihn zu immer neuem Entzücken hinreißt. „Man sage, erzähle, male, was man will — hier ist mehr als alles. Die Ufer, Buchten und Busen des Meeres, der Vesuv, die Stadt, die Vorstädte, die Kastelle, die Lusträume!" Ein Besuch der Grotte des Posilipp beim Sonnenuntergang läßt ihn allen verzeihen, die in Neapel von Sinnen kommen, und er erinnert sich mit Rührung seines Vaters, „der einen unauslöschlichen Eindruck besonders von denen Gegenständen, die ich heute zum ersten Mal sah, erhalten hatte. Und wie man sagt, daß einer, dem ein Gespenst erschienen, nicht wieder froh wird, so konnte man umgekehrt von ihm sagen, daß er nie ganz unglücklich werden konnte, weil er sich immer wieder nach Neapel dachte. Ich bin nun nach meiner Art ganz still und mache nur, wenn's gar zu toll wird, große Augen."

Dreimal wird der Vesuv bestiegen. Portici, Pompeji und Pästum werden besucht. Ende März schifft er sich ein nach Sizilien. Am 1. April ist heftiger Sturm. Auf dem Verdeck ist große Bewegung. Die Segel müssen eingenommen werden. Das Schiff schwebt auf hohen Fluten. Er aber setzt seine „dramatischen Pläne" fort. In reichlich vierzehn Tagen wird Palermo aufgenommen. Gründlich werden die großen Tempel von Segesta und Argrigent besichtigt. Quer durch die Insel geht es nach Catania, von hier nach Taormina und Messina. Goethes Aufmerksamkeit erstreckt sich schlechthin auf alles, von den Altertümern, Volksleben und Ackerbau bis auf Pflanzen und Insekten, bis er „den großen, schönen, unvergleichbaren Gedanken von Sizilien klar, ganz und lauter in der Seele" hat. Über Pästum kehrt er nach Neapel und von da Anfang Juni nach Rom zurück. Ursprünglich wollte er im Juli wieder nach Norden reisen. Aber wie kann er das Land verlassen, das ihm „allein auf der ganzen Erde zum Paradies werden kann", wo er die Erfüllung aller seiner Wünsche und Träume findet? „Mit jedem Tag scheint", schreibt er an Kayser, „die Gesundheit des Leibes und der Seele zu wachsen, und ich habe bald nichts als die Dauer meines Zustandes zu wünschen".

Hat er bisher wie im Fluge ein allgemeines Bild des Südens in sich aufgenommen, so festigt und vervollständigt er nun die skizzenhaften Linien durch gründliche Einzelstudien. Maler wie Philipp Hackert, Heinrich Wilhelm Tischbein, der Schweizer Heinrich Meyer stehen ihm helfend zur Seite. Inmitten der Welt der Kunst regen sich stärker die eignen schöpferischen Kräfte. Vor dem Antritt der Reise hat er mit dem Verleger Göschen einen Vertrag über eine Gesamtausgabe seiner Werke abgeschlossen. Das Vorhaben nötigt ihn, seine Jugendwerke zu überarbeiten und unvollendete fertig zu machen. „Egmont", „Iphigenie", „Torquato Tasso", „Faust" begleiten ihn und erhalten zum Teil ihren Abschluß. Dazu aber schult er nun Auge und Hand durch eigenes Zeichnen unter der Leitung Meyers. „Als ich", schreibt er dem Herzog am 25. Januar 1788, „zuerst nach Rom kam, bemerkt' ich bald, daß ich von Kunst eigentlich garnichts verstand; und daß ich bis dahin nur den allgemeinen Abglanz der Natur in den Kunstwerken bewundert und genossen hatte. Hier tat sich eine andere Natur, ein weiteres Feld der Kunst vor mir auf, ja ein Abgrund der Kunst, in den ich mit desto mehr Freude hineinschaute, als ich meinen Blick an die Abgründe der Natur gewöhnt hatte." In den heißen Sommermonaten treibt er Perspektive und „spielt" ein wenig mit Farben. Im September zeichnet er in Frascati und Castello nach der Natur. Im Oktober kehrt er wieder in die Stadt zurück, und „da ging eine neue Epoche an. Die Menschengestalt zog nunmehr meine Blicke auf sich ... Ich begab mich in die Schule, lernte den Kopf mit seinen Teilen zeichnen, und nun fing ich erst an, die Antiken zu verstehen ...

281

Mit dem 1. Januar stieg ich vom Angesicht aufs Schlüsselbein, verbreitete mich auf die Brust usw., alles von innen heraus, den Knochenbau, die Muskeln wohl studiert und überlegt, dann die antiken Formen betrachtet, mit der Natur verglichen und das Charakteristische sich wohl eingeprägt. Meine sorgfältige ehemalige Studien der Osteologie, und der Körper überhaupt, sind mir sehr zu statten gekommen, und ich habe gestern die Hand, als den letzten Teil, der mir übrig blieb, absolviert. Die nächste Woche werden nun die vorzüglichsten Statuen und Gemälde Roms mit frisch gewaschnen Augen besehen."

Neben dem Studium der Kunstwerke geht das der Natur. Vor allem der Pflanzen. „Am meisten freut mich jetzo das Pflanzenwesen, das mich verfolgt ... Es zwingt sich mir alles auf, ich sinne nicht mehr darüber, es kommt mir alles entgegen, und das ungeheure Reich simplifiziert sich mir in der Seele, daß ich bald die schwerste Aufgabe gleich weglesen kann" (an Frau von Stein 10. Juli 1786). Mit dieser innern Bereitschaft nimmt er „die Fülle einer fremden Vegetation" in Italien in sich auf. In dem botanischen Garten von Padua zieht eine Fächerpalme seine ganze Aufmerksamkeit auf sich. In ihrer Beobachtung geht ihm keimhaft die erste Idee der Metamorphose der Pflanzen auf. Er hegt sie weiter und bildet sie aus in Neapel und Sizilien.

Und wie er die Pflanzen sich wandeln und ihre Grundform in den mannigfaltigsten Gebilden erscheinen sieht, so nimmt er auch an sich eine bedeutsame Veränderung wahr. In der Naturnähe des südlichen Lebens fällt auch jene unnatürliche Verengung seiner Persönlichkeit ins Geistig-Entsagende mehr und mehr von ihm ab, die sinnliche Seite seines Wesens beansprucht ihr Recht, und das Bild der Freundin in dem fernen Norden verblaßt. Wohl richtet er nach wie vor treulich seine Briefe an sie. Sie ist auf den einzelnen Stationen seiner Reise sein erster Gedanke. Immer wieder versichert er sie mit den zärtlichsten Worten seiner Liebe. Tagebuchartig schreibt er seine Reiseeindrücke für sie auf, täglich, oft mehrmals am Tage. Am 13. Dezember 1786 schreibt er ihr aus Rom: „Könnt' ich doch, meine Geliebteste, jedes gute, wahre, süße Wort der Liebe und Freundschaft auf dieses Blatt fassen, dir sagen und versichern, daß ich dir nah, ganz nah bin, und daß ich mich nur um deinetwillen des Daseins freue." Wieder ist sein Gemüt gespalten. Aber es ist nicht jene Zerrissenheit wie damals, als die Erinnerung an Lili ihn vom Gotthard wieder nach Hause zog. So sehr seine Liebe noch der fernen Freundin gehört, er denkt keinen Augenblick daran, zu ihr zurückzukehren. Es steht in den Sternen geschrieben, daß jetzt Italien sein großes Erlebnis sein muß. Sicherlich sind die Beteuerungen seiner Liebe ehrlich empfunden. Aber der Zwiepalt zwischen ihrem Inhalt und der Tatsache, daß jeder Tag ihn äußerlich und innerlich weiter von ihr entfernt, bringt etwas seltsam Schillerndes in sie, und man gewinnt aus seinen Worten manchmal den Eindruck, als schreibe die Feder Ausdrücke nieder, die mehr der Gewohnheit als dem wirklichen Gefühl des Augenblicks entstammen.

Wie stand sie dem Enteilenden gegenüber?

Auch wenn sie nicht die „tiefen Blicke" gehabt hätte, hätte sie sofort einsehen müssen, daß Goethes plötzliche Reise, deren Ziel er ihr verhehlte, vor allem auch seine Flucht vor ihr war. Daß er gewaltsam ein Band zerrissen hatte, das ihn beengte. Gegenüber dieser schmerzlichen Erkenntnis waren die zärtlichsten Versicherungen seiner Liebe nur Worte. Und jetzt war es, als ob die Wirklichkeit selber den Zwiespalt zwischen seinen Worten und seiner tatsächlichen Gesinnung hätte aufreißen und den Beteiligten zum Bewußtsein bringen wollen. Ein an sich harmloser Zufall diente ihr dazu, der erst dadurch verhängnisvoll wurde, daß die innere Entfremdung bereits eingetreten war. Gerade jene tagebuchartigen Aufzeichnungen Goethes, aus wirklichem, innigem Gedenken an die Geliebte niedergeschrieben, wurden wider seinen Willen zum Verräter im Gemüte der schmerzlich erregten Freundin. Im Vertrauen auf ihre Liebe sandte er sie alle zusammen erst von Venedig aus an sie ab, und sie erhielt den ersten Teil erst zu Weihnachten, die Fortsetzung um Neujahr. Schon Mitte November aber hatte sie aus den Briefen an andere, vor allem Herder, erfahren müssen, wo er war und was er erlebte. Sie sah in dieser unbegreiflichen Saumseligkeit, wie sie meinte, die Bestätigung ihres Verdachtes. Sie war vergessen, verraten. Sie wurde krank vor Schmerz. In einem Zettelchen, das er am 13. Dezember erhielt, drückte sie aus, was sie empfand, und forderte die Zeugnisse ihrer Liebe zurück. „Noch ist kein Brief von dir angekommen", schreibt er ihr am 20. Dezember, „und es ist mir immer wahrscheinlicher, daß du vorsätzlich schweigst, ich will auch das tragen und will denken: hab' ich doch das Beispiel gegeben, hab' ich sie doch schweigen gelehrt, es ist das erste nicht, was ich zu meinem Schaden lehre." Endlich am 23. Dezember kommt ihr Brief und enthüllt ihm die ganze Größe ihres Schmerzes. „Laß' mich", schreibt er, „für einen Augenblick vergessen, was er Schmerzliches enthält. Meine Liebe! Meine Liebe! Ich bitte dich nur fußfällig, flehentlich, erleichtere mir meine Rückkehr zu dir, daß ich nicht in der weiten Welt verbannt bleibe. Verzeih' mir großmütig, was ich gegen dich gefehlt, und richte mich auf." Am 6. Januar erhält er einen neuen „bittersüßen Brief". „Ich kann zu den Schmerzen, die ich dir verursacht, nichts sagen als: vergib! Ich verstocke mein Herz nicht und bin bereit, alles dahinzugeben, um gesund zu werden für mich und die Meinigen. Vor allen Dingen soll ein ganz reines Vertrauen, eine immer gleiche Offenheit mich aufs neue mit dir verbinden." Sie hat auch durch diese Versicherung ihr Vertrauen nicht wiedergewonnen. Sie sah klar, daß sie ihn verloren hatte. Seine nächsten Worte mußten es ihr bestätigen: „Ich bin von einer ungeheuren Leidenschaft und Krankheit geheilt, wieder zum Lebensgenuß, zum Genuß der Geschichte, der Dichtkunst, der Altertümer genesen und habe Vorrat auf Jahre lang auszubilden und zu komplettieren." Er mochte beteuern, wie er wollte. Der menschliche Anspruch, den sie auf ihn zu haben glaubte, sträubte sich, die höhere Verpflichtung gegen die Kunst und Wissenschaft anzuerkennen. Das Verhältnis war zerstört. Wieder einmal hatte sich das Wort an Goethe erfüllt, man müsse seine Existenz aufgeben, um zu existieren.

Damit war die letzte Fessel gefallen, die Goethe noch an die alte Zeit band. Auch menschlich konnte er sich jetzt unbeschwert dem südlichen und antiken Leben hingeben. Als er im Herbst 1787 sich in Castel Gandolfo aufhielt, nahm eine schöne Mailänderin, Maddalena Riggi, sein Herz gefangen. Und in Rom wurde nach der Rückkehr eine jung verwitwete Römerin, Faustina Antonini, seine Geliebte. Das neue Erlebnis drücken die Strophen aus:

> „Cupido, loser, eigensinniger Knabe!
> Du batst mich um Quartier auf einige Stunden.
> Wieviele Tage und Nächte bist du geblieben
> Und bist nun Herrschaft und Meister im Hause geworden.
>
> Von meinem breiten Lager bin ich vertrieben;
> Nun sitz' ich an der Erde, Nächte gequälet;
> Dein Mutwill' schüret Flamm' auf Flamme des Herdes,
> Verbrennet den Vorrat des Winters und senget mich Armen.
>
> Du hast mir meine Geräte verstellt und verschoben;
> Ich such' und bin wie blind und irre geworden.
> Du lärmst so ungeschickt, ich fürchte, das Seelchen
> Enflieht, um dir zu entfliehn, und räumet die Hütte."

So, in Studium, Arbeit und Genuß des Lebens, näherte sich die Stunde des Abschieds. Mehr als anderthalb Jahre hatte er in Italien zugebracht, davon den größten Teil in Rom. Am 23. April 1788 fuhr er wieder gen Norden. Er kam sich vor wie Ovid, als er, vom Bannspruch des Augustus getroffen, aus der heiteren Hauptstadt der Welt nach dem einsamen Tomi am Schwarzen Meer weichen mußte. Ovids Abschiedsgedicht stand ihm vor der Seele, als er Rom verließ:

> „Wandelt von jener Nacht mir das traurige Bild vor der Seele,
> Welche die letzte für mich ward in der römischen Stadt;
> Wiederhol' ich die Nacht, wo des Teuren so viel mir zurückblieb,
> Gleitet vom Auge mir noch jetzt eine Träne herab.
>
> Und schon ruhten bereits die Stimmen der Menschen und Hunde,
> Luna, sie lenkt' in der Höh' nächtliches Rossegespann.
> Zu ihr schaut' ich hinauf, sah dann kapitolische Tempel,
> Welchen umsonst so nah unsere Laren gegrenzt."

Der Rückweg führte über Florenz, dem jetzt ein längeres Verweilen geschenkt wurde, Parma und Mailand, über den Splügen durch die Ostschweiz. Zürich mied er um Lavaters willen. Lavater war der schwärmerisch geliebte Freund der Sturm- und Drangzeit gewesen. In jenen Jahren aber, da in Goethe die Idee der verantwortungsvollen Humanität erstarkte und er die Natur wissenschaftlich zu erforschen begann, hatte er sich von ihm abgewendet. Jetzt wurde ihm sein christlicher Bekehrungseifer unerträglich, gerade weil er den Grund des Christentums so rein und tief in sich trug. Als Lavaters Schrift „Pontius Pilatus" 1782 zu erscheinen begann, brauchte Goethe darüber das Wort „albern": „Alle Kräfte, Fähigkeiten, Empfindung, Abstraktion, alle Wissenschaft, Scharfsinn, alles Anschauen, alles tiefe Gefühl der Menschheit und ihrer Verhältnisse und mehr Vorzüge, die Lavater in einem so hohen Grade besitzt, läßt er zurück, wirft er weg, um dem Unerreichbaren atemlos nachzusetzen. Ich möchte ihn einem Manne vergleichen, der Güter, Geld, Besitztümer, Weib, Kinder, Freunde, alles nicht achtete und vernachlässigte, um einen unwiderstehlichen Trieb nach mechanischen Künsten zu befriedigen und eine Maschine zum Fliegen zu erfinden." Und einen Monat später, am 9. August 1782, schrieb er an Lavater: „Du hälst das Evangelium wie es steht für die göttlichste Wahrheit, mich würde eine vernehmliche Stimme vom Himmel nicht überzeugen, daß das Wasser brennt und das Feuer löscht, daß ein Weib ohne Mann gebiert, und daß ein Toter aufersteht, vielmehr halte ich dieses für Lästerungen gegen den großen Gott und seine Offenbarung in der Natur." Aber auch die Physiognomik, die ihn früher so stark gefesselt, erschien ihm jetzt als verdächtige Scharlanterie: sie bestätigte nur, was man von bekannten Personen wußte, und versagte gegenüber unbekannten. So kam es zum Bruche. Jenes harte Wort, das er später zu Eckermann sprach: „Er belog sich und andere" mag die Stimmung ausdrücken, in der er um 1788 gegen Lavater war. In Konstanz sah er Barbara Schultheß, die mit ihrer Tochter zu seiner Begrüßung erschienen war. Lavater selber mochte er nicht sehen. Er stand allem, was er aus Italien mitbrachte, allzu sehr zuwider.

Er sollte aber auch in Weimar manches antreffen, was sich nicht in seinen am Altertum und im Süden gestärkten Humanismus fügen wollte. Schon der Himmel und das Wetter machten ihn mißmutig. „Ich fürchte mich", schrieb er am 31. August 1788 an die Frau von Stein, „dergestalt für Himmel und Erde, daß ich schwerlich zu dir kommen kann. Die Witterung macht mich ganz unglücklich, und ich befinde mich nirgends wohl, als in meinem Stübchen, da wird ein Kaminfeuer angemacht, und es mag regnen, wie es will." Dazu kam das Verhältnis zu Frau von Stein, die es nicht verwinden konnte, daß er in Italien ein anderer geworden war, und ihn mit ihrem Mißmut quälte. „Leider warst du," schrieb er ihr am 1. Juni 1789, „als ich ankam, in einer sonderbaren Stimmung, und ich gestehe aufrichtig: daß die Art, wie du mich empfingst, wie mich andere nahmen, für mich äußerst empfindlich war... Die Art, wie du mich bisher behandelt hast, kann ich nicht erdulden. Wenn ich gesprächig war, hast du mir die Lippen verschlossen, wenn ich mitteilend war, hast du mich der Gleichgültigkeit, wenn ich für Freunde tätig war, der Kälte und Nachlässigkeit beschuldigt. Jede meiner Mienen hast du kontrolliert, meine Bewegungen, meine Art zu sein, getadelt und mich immer mal à mon aise gesetzt. Wo sollte da Vertrauen und Offenheit gedeihen, wenn du mich mit vorsätzlicher Laune von dir stießest!" Er ist in Italien auch ihr so gänzlich entfremdet, daß er sich vieles, was er früher ertragen hat, nicht mehr gefallen läßt. So wird der Verkehrston kühl und höflich, und das förmliche Sie tritt nun für immer an die Stelle des traulichen Du.

Frau von Steins Glückwunsch
zu Goethes 77. Geburtstag

Aber auch zu den andern Freunden wollte sich das alte Verhältnis nicht mehr bilden. Er merkte: sie waren sich selber gleichgeblieben, er war in Italien ein anderer geworden. Und statt daß sie ihn als andern duldeten, rügten sie seine Veränderung. Caroline Herder berichtete ihrem Manne nach Italien, wie man über ihn dachte: Goethe sei es jetzt gar wohl, daß er ein Haus habe, Essen und Trinken und dergleichen. Alles was Herder in seinen „Ideen zur Philosophie der Geschichte der Menschheit" geschrieben habe, laufe darauf hinaus, daß der Mensch ein Hauswesen habe. „Im Ganzen will es mir nicht wohl mit ihm werden. Er lebt jetzt, ohne seinem Herzen Nahrung zu geben. Die Stein meint, er sei sinnlich geworden, und sie hat nicht ganz unrecht. Das Hofgehen und Hofessen hat etwas für ihn bekommen." Jetzt meidet er die ästhetischen und philosophischen Tees, wo die älteren Damen das Wort führen, und geht lieber auf die Bälle der Jungen. Wie einmal Caroline Herder, die Frau von Stein und andere Damen bei ihm zu Tee sind, finden ihn alle höchst langweilig. Nachher erfahren sie, daß er den Abend vorher auf einem tanzenden Picknick gewesen, beinahe mit keiner gescheiten Frau ein Wort geredet, dafür den jungen Mädchen nach der Reihe die Hände geküßt, ihnen schöne Sachen gesagt und viel getanzt habe.

Wenn Caroline Herder Goethes Behagen am eigenen Hause so stark betont, so hatte sie recht. Er hatte, da der Norden ihn so kalt empfing, sich in seinem Hause ein Stück Italien aufgebaut, und es war ein junges Mädchen, das darin Liebe, Wärme und sinnliches Behagen verbreitete: Christiane Vulpius. Sie war damals dreiundzwanzig Jahre alt. Ihr Vater, der Amtsarchivar gewesen, war gestorben und hatte die Familie in beschränkten Verhältnissen zurückgelassen. Christiane war genötigt, in der Bertuchschen Fabrik durch Verfertigen künstlicher Blumen ihr Brot zu verdienen. Ihr Bruder August schrieb Abenteuerromane — sein bekanntestes Werk ist der Räuberroman „Rinaldo Rinaldini" (1798) — und war gelegentlich von Goethe unterstützt worden. Er ließ durch seine Schwester Goethe kurz nach dessen Heimkehr im Juli im Park ein neues Bittgesuch überreichen. So fiel Goethes Blick auf sie. Sie war, nach der Schilderung Riemers, „eine kleine, reizende Blondine, von naivem, freundlichem Wesen, mit vollem rundem Gesicht, langen Locken, kleinem Näschen, schwellenden Lippen, zierlichem Körperbau und niedlichen, tanzlustigen Füßchen". Sie machte ihm das kleine Gartenhaus an der Ilm, das er seit 1776 besaß, und bald das Haus in der Stadt zum traulichen Heim, indem sie ihm zugleich die Freiheit ließ, deren er bedurfte. Die „Römischen Elegien", die, auf Rom zurückgehend, meist erst jetzt in Weimar entstanden sind, schildern das liebliche Glück dieses Verhältnisses. Einst, vor Jahren, hatte er den Carlos zu Clavigo sagen lassen, wie ihm die Liebe einen blühenden Stil geschenkt habe, und in dem Aufsatz „Nach Falconet" hatte er bekannt: „Was der Künstler nicht geliebt hat, nicht liebt, soll er nicht schildern, kann er nicht schildern." Jetzt nimmt er in der dreizehnten Elegie den Gedanken wieder auf und läßt in der Erinnerung an die Jahre unterdrückter Liebe vor Italien Amor den Dichter zu neuer Liebe auffordern:

> „Nun du mir lässiger dienst, wo sind die schönen Gestalten,
> Wo die Farben, der Glanz deiner Erfindungen hin?
> Denkst du nun wieder zu bilden, o Freund? Die Schule der Griechen
> Blieb noch offen, das Tor schlossen die Jahre nicht zu.
> Ich, der Lehrer, bin ewig jung und liebe die Jungen — —
> Stoff zum Liede, wo nimmst du ihn her? Ich muß dir ihn geben
> Und den höheren Stil lehret die Liebe dich nur."

Und so liebt er denn als Künstler und bildet als Liebender:

> „Dich, Aurora, wie kannt' ich dich sonst als Freundin der Musen!
> Hat, Aurora, dich auch Amor, der lose, verführt?
> Du erscheinst mir nun als seine Freundin und weckest
> Mich an seinem Altar wieder zum festlichen Tag.
> Find' ich die Fülle der Locken an meinem Busen, das Köpfchen
> Ruhet und drucket den Arm, der sich dem Halse bequemt:
> Welch ein freudig Erwachen erhieltet ihr, ruhige Stunden,
> Mir das Denkmal der Lust, die in den Schlaf uns gewiegt! —
> Sie bewegt sich im Schlummer und sinkt auf die Breite des Lagers
> Weggewendet, und doch läßt sie mir Hand noch in Hand.
>
> Herzliche Liebe verbindet uns stets und treues Verlangen,
> Und den Wechsel behielt nur die Begierde sich vor.
> Einen Druck der Hand, ich sehe die himmlischen Augen
> Wieder offen. — O nein! laßt auf der Bildung mich ruhn!
> Bleibt geschlossen! Ihr macht mich verwirrt und trunken, ihr raubet
> Mir den stillen Genuß reiner Betrachtung zu früh.
> Diese Formen, wie groß! Wie edel gewendet die Glieder!
> Schlief Ariadne so schön: Theseus, du konntest entfliehn?
> Diesen Lippen ein einziger Kuß! O Theseus, nun scheide!
> Blick' ihr ins Auge! Sie wacht! — Ewig nun hält sie dich fest."

Man darf keine muckerischen Bedenklichkeiten an dieses Verhältnis knüpfen, sondern muß es so rein und naiv nehmen, wie es Goethe in den

„Römischen Elegien" geschildert hat: als die äußerlich freie, innerlich sittliche Liebe eines Künstlers zu einem natürlichen Geschöpf voll Anmut und Sinnlichkeit. Christiane hat darum Goethe auch ewig festgehalten, weil sie ihm die Liebe verkörperte, die von jetzt an einzig seinem Wesen entsprach. Er wollte sich, ein antiker Mensch, in dem natürlichsten aller menschlichen Verhältnisse jenseits aller kirchlichen und gesellschaftlichen Bindungen entfalten. Er hat das Verhältnis daher auch erst am 19. Oktober 1806 zum gesellschaftlich-gesetzlichen gemacht, als die Stärke der jugendlichen Leidenschaften verglüht und es durch die Macht der Gewohnheit bereits gesellschaftlich geworden war. Man darf auch in den Briefen an Christiane nicht seelische oder geistige Offenbarungen suchen, wie in denen an die Frau von Stein. Es ist, begreiflich, etwas Beschützerisches in ihnen, und ihren Inhalt bilden weibliche und hausfraulich-mütterliche Angelegenheiten. Von seinen Werken spricht er nur äußerlich. Aber durch alle Briefe geht ein Zug herzlicher Zuneigung, so, wenn er am 25. August 1792 einen Brief aus Trier mit den Worten anfängt: „Wo das Trier in der Welt liegt, kannst du weder wissen noch dir vorstellen, das schlimmste ist, daß es weit von Weimar liegt und daß ich weit von dir entfernt bin." Doch auch in seinen Werken lebt ihr Bild weiter. Wie die „Römischen Elegien" das Glück der Liebe schildern, so sind die „Venezianischen Epigramme" voll Sehnsucht nach Mutter und Kind. Das Gedicht „Der Gott und die Bajadere" ist ohne Christiane nicht denkbar. An sie dachte er, wenn er die Idee des Wachstums der Pflanze durch Metamorphose auf das menschliche Leben, auf das Wachstum eines liebenden Paares übertrug, und so hat er versucht, ihr in einem Gedicht das Geheimnis der Metamorphose der Pflanzen zu erklären:

> „Die heilige Liebe
> Strebt zu der höchsten Frucht gleicher Gesinnungen auf,
> Gleicher Ansicht der Dinge, damit in harmonischem Anschaun
> Sich verbinde das Paar, finde die höhere Welt."

Als Christiane am 6. Juni 1816 starb, war er tief betrübt:

> „Du versuchst, o Sonne vergebens
> Durch die düsteren Wolken zu scheinen
> Der ganze Gewinn meines Lebens
> Ist, ihren Verlust zu beweinen."

Die Ehe mit Christiane bedeutet eine Wandlung Goethes. War er in der Zeit vor Weimar immer wieder vor der Ehe zurückgeschreckt, hatte er in Weimar in der geistigen Freundschaft mit einer hochstehenden Frau jahrelang sein Vergnügen gefunden, so gliederte er sich jetzt als Gatte der Christiane in die bürgerliche Gesellschaft ein. Die „Venezianischen Epigramme" mit ihrer Sehnsucht nach Häuslichkeit bekunden, daß die Zeit des ästhetischen Egoismus und des Kosmopolitismus des 18. Jahrhunderts nun abgeschlossen ist, abgeschlossen mit der großen Bildungsreise des weimarischen Ministerpräsidenten nach Italien, und daß das 19. Jahrhundert mit seiner Pflege von Bürgertum, Familie und Nation beginnt. In diesem Sinne ist die Verbindung mit Christiane die unmittelbare Fortsetzung des Erlebnisses der Verantwortlichkeit in den ersten Weimarer Jahren. Goethe hat eingesehen, daß verantwortlich wirken nur der kann, der mit der Form seines Lebens sich in die Gesetze der Gesellschaft eingefügt hat, weil sie die ewigen Gesetze der Natur sind. Ehe, Kunsterfahrung und Naturstudium vereinigen sich in der einen großen Erkenntnis. Wenn Goethe nach dem Rückzug der Alliierten nach der Schlacht bei Valmy am 20. September 1792 das prophetische Wort sprach: „Von hier und heute geht eine neue Epoche der Weltgeschichte an, und ihr könnt sagen, ihr seid dabei gewesen", — so dachte er zuerst an den politischen Umschwung durch die Revolution, aber sicherlich auch an die Wandlung des bürgerlich-sittlichen Lebens.

Es ist tief bedeutsam für das polare Lebensgesetz von Goethes Persönlichkeit, daß die Wandlung zu bürgerlicher Seßhaftigkeit eingeleitet wird durch eine um so größere Unruhe des äußeren Daseins. Das Frühjahr 1790 brachte die Reise nach Venedig, wo Goethe auf den Wunsch Karl Augusts dessen Mutter abholte, die in Italien gereist war. Es war nicht mehr, wie die Reise von 1786 bis 1788, eine Fahrt zur Bildung und Erquickung, sondern aus der Pflicht und wider die Neigung — die „Venezianischen Epigramme" zeigen, wie die Liebe zu der Weimarer Häuslichkeit seinem Blicke das italienische Leben jetzt verdunkelt. Im gleichen Jahre hatte er den Herzog nach Schlesien und Polen zu begleiten. 1792 machte er den ersten Koalitionskrieg mit. 1797 ging er zum drittenmal in die Schweiz: die Reise hätte weiter nach Italien führen sollen; aber die kriegerischen Ereignisse in Oberitalien hinderten die Fortsetzung.

Wiederum ein Zeichen der Wandlung ist es, wenn Goethe jetzt, nach der Vielfalt seiner amtlichen Tätigkeit vor Italien, ein Amt übernimmt, das seiner besonderen Neigung und Begabung entspricht: er erhielt als Mitglied des Geheimen Conseils die Oberaufsicht über alle Anstalten für Kunst und Wissenschaft, die Bibliothek, die Zeichenakademie, die Universität Jena. 1791 kam noch die Leitung des Hoftheaters dazu. Er gewann so die Muße zu eigener Arbeit. Sie galt, entsprechend der Zweiteilung von Goethes Interessen, einerseits der Naturwissenschaft, anderseits der Kunst, ihrer Theorie und eigener dichterischer Arbeit, wobei jede Tätigkeit der andern als Hilfe und Bestätigung diente.

Goethes Beschäftigung mit der Natur war nicht die Liebhaberei eines Dilettanten, sondern entsprang innerstem Bedürfnis des Schaffenden. Seine Persönlichkeit war so sehr auf Anschauen angewiesen, daß der Weg, der die Schaffenden der Aufklärung zur Weltschau geführt hatte, das Raisonnement der Philosophie, für ihn nicht mehr gangbar war. Er konnte nicht aus dem abstrakten, abgeleiteten Gedanken sein Bild von Gott, Welt, Menschen und Leben gewinnen; er mußte es aus der unmittelbaren Beobachtung der Mannigfaltigkeit der Natur sich schaffen und versuchen, aus ihr die Gesetze abzuleiten, die ihre Ordnung und ihre Bewegung bestimmten — Gesetze, die, da die Natur alles umfaßte, zugleich maßgebend waren für das sittliche Leben der Menschen und das künstlerische Schaffen. Das erklärt, warum die Jahre in Italien nicht nur die höchste Steigerung von Goethes künstlerischem Erleben in Schauen und Schaffen brachten, sondern zugleich angefüllt waren von dem mächtigen Forschungsdrang im Reiche der Natur: Pflanzen, Bodengestaltung, Atmosphäre.

Dieses wesenhafte Bedürfnis für die Natur war in Goethe von frühester Jugend bis zum späten Alter. Es regte sich spielerisch in der Beschäftigung des Knaben mit einem Magneten und einer Elektrisiermaschine; es trieb den Studenten in Leipzig an, über Physik zu hören und über Haller, Linné, Buffon zu debattieren; es erhielt durch Doktor Metz in Frankfurt die Richtung auf den mystischen Pantheismus und bestimmte Goethe in Straßburg, Anatomie und Chemie zu treiben und Kliniken zu besuchen. Lavaters Physiognomik führte zur Beschäftigung mit Osteologie. In Weimar wurden diese Studien wissenschaftlicher weitergeführt. Professor Loder in Jena war sein Lehrer, und 1781 erklärte Goethe selber auf der Akademie den Studenten das Skelett, um sie zur Kenntnis des menschlichen Körpers anzuleiten (an Karl August 4. November 1781). Aus diesen Untersuchungen ist die Entdeckung des Zwischenkieferknochens beim Menschen im März 1784 hervorgegangen. Zugleich führte ihn in Weimar die Verwaltung der Forsten auf die Pflanzenkunde. Damals waren die botanischen Hauptwerke von Linné sein tägliches Studium. Die Wiedereröffnung des Bergwerks in Ilmenau weckte das Interesse an Mineralogie und Geologie. In Italien wurden die Studien fortgesetzt, und Goethe entdeckte das Gesetz der Metamorphose der Pflanzen, dessen klassische Darstellung 1790 erschien. Nach Italien setzte die Beschäftigung mit der Optik, der Farbenlehre ein. 1791 konnte er dem Herzog melden, er habe den ganzen Kreis der Farbenlehre durchlaufen. 1791 und 1792 erschienen die „Beiträge zur Optik", 1810 der „Entwurf einer Farbenlehre" und die „Materialien zur Geschichte der Farbenlehre", 1817 die „Geschichte der botanischen Studien". Dazu kamen Studien über Meteorologie.

Goethe bekennt sich in seiner Naturauffassung zu dem spinozistischen Deus sive natura. In der Sulzer-Rezension der Frankfurter Gelehrten Anzeigen hatte er die Natur als Kraft bezeichnet. Das klingt nicht spinozistisch. Aber mit Spinoza teilt er die Vorstellung von der Gesetzmäßigkeit Gottes in der Natur. Das Ziel seiner Erforschung der Natur muß also sein, den unbestimmten Kraftbegriff der Jugend in einzelne genau umschriebene Gesetze zu verwissenschaftlichen. Diese Gesetze müssen nicht mathematische Inhalte haben, wie die Spinozas, sondern, entsprechend seinem Kraftbegriff, organisch-dynamische. Dabei scheidet die teleologische Naturauffassung der Aufklärung von vornherein aus. „Voir venir les choses est le meilleur moyen de les expliquer" — dieses Wort des Pflanzenzeichners Turpin hat Goethe an die Spitze der Geschichte seiner botanischen Studien gestellt. Es ist das Leitwort aller seiner Forschungen. Nicht die buntesten und gefülltesten Blumen, die eßbarsten und schönsten

Früchte sind dem Botaniker die wertvollsten, ja sie sind in gewissem Sinne „nicht einmal soviel wert als ein verachtetes Unkraut im natürlichen Zustande, als eine trockene unbrauchbare Samenkapsel", heißt es in dem „Versuch einer allgemeinen Vergleichungslehre".

Am stärksten hat ihn als Künstler das Problem der Bildung organischer Wesen gefesselt. Seine wichtigsten und nachhaltigsten Arbeiten liegen auf dem Gebiete der Morphologie. Es sind drei Gesetze, die er hier aufgestellt hat: Typus, Metamorphose, Ausgleichung.

Unter dem Typus (von griechisch typto, schlagen, prägen) versteht er die bildende Urform in dem Reiche des Organischen. Zwei Eigenschaften bezeichnen ihre Wirkungsweise: sie bringt, wie der Prägestempel beim Münzenschlagen, erstens immer die gleichen Gestalten hervor, und sie bringt zweitens — das unterscheidet sie vom mechanischen Prägestempel — immer verschiedene, individuelle Wesen hervor: eine einzelne Rose stimmt in ihren gattungsmäßigen Eigenschaften mit anderen Rosen überein, aber sie unterscheidet sich zugleich als Individuum von anderen Rosenindividuen. Stabilität und Versatilität sind so die beiden Grundeigenschaften des Typus. In der 1798 auf 1799 entstandenen „Metamorphose der Tiere" heißt es:

> „Zweck sein selbst ist jegliches Tier; vollkommen entspringt es
> Aus dem Schoß der Natur und zeugt vollkommene Kinder.
> Alle Glieder bilden sich aus nach ewgen Gesetzen,
> Und die seltenste Form bewahrt im geheimen das Urbild.
> So ist jeglicher Mund geschickt, die Speise zu fassen,
> Welche dem Körper gebührt; es sei nun schwächlich und zahnlos
> Oder mächtig der Kiefer gezahnt, in jeglichem Falle
> Fördert ein schicklich Organ den übrigen Gliedern die Nahrung;
> Auch bewegt sich jeglicher Fuß, der lange, der kurze,
> Ganz harmonisch zum Sinne des Tiers in seinem Bedürfnis.
> So ist jedem der Kinder die volle, reine Gesundheit
> Von der Mutter bestimmt; denn alle lebendigen Glieder
> Widersprechen sich nie und wirken alle zum Leben.
> Also bestimmt die Gestalt die Lebensweise des Tieres;
> Und die Weise zu leben, sie wirkt auf alle Gestalten
> Mächtig zurück. So zeiget sich fest die geordnete Bildung,
> Welche zum Wechsel sich neigt durch äußerlich wirkende Wesen."

Der Wechsel, ermöglicht durch die Polarität von Stabilität und Versatilität im Typus, ist die Metamorphose. Sie wird durch „äußerlich wirkende Wesen" hervorgerufen, wie Goethe in dem Versuch einer allgemeinen Vergleichungslehre sagt: „Die entschiedene Gestalt ist gleichsam der innere Kern, welcher durch die Determination des äußeren Elementes sich verschieden bildet." So ist die Gestalt des Fisches nicht nur von innen durch die allgemeine Urform des Wirbeltieres, sondern auch von außen durch besondere Elemente des Wassers, in dem er lebt, die Gestalt des Vogels durch das Element der Luft bestimmt.

„Das Wasser", heißt es in der Einleitung in die „Vergleichende Anatomie", „schwellt die Körper, die es umgibt, berührt, in die es mehr oder weniger hineindringt, entschieden auf. So wird der Rumpf des Fisches, besonders das Fleisch desselben, aufgeschwellt nach den Gesetzen des Elementes... Die Luft, indem sie das Wasser in sich aufnimmt, trocknet aus. Der Typus also, der sich in der Luft entwickelt, wird je reiner, je weniger feucht sie ist, desto trockener inwendig werden, und es wird ein mehr oder weniger magerer Vogel entstehen, desesn Fleisch und Knochengerippe zu bekleiden, dessen Hilfsorgane hinlänglich zu versorgen, für die bildende Kraft noch Stoff genug übrigbleibt. Was bei dem Fische auf das Fleisch gewandt wird, bleibt hier für die Federn übrig. So bildet sich der Adler durch die Luft zur Luft, durch die Berghöhe zur Berghöhe."

Das Gesetz der Ausgleichung oder der Harmonie bestimmt in dem Vorgang der Metamorphose das Maß zwischen Stabilität und Versatilität. Die Ausgleichung drängt eine Bildungskraft, die an einem Orte sich übermäßig auswirkt, an einem andern zurück:

> „Doch im Innern scheint ein Geist gewaltig zu ringen,
> Wie er durchbräche den Kreis, Willkür zu schaffen den Formen
> Wie dem Wollen; doch was er beginnt, beginnt er vergebens.
> Denn zwar drängt er sich vor zu diesen Gliedern, zu jenen,
> Stattet mächtig sie aus, jedoch schon darben dagegen
> Andere Glieder; die Last des Übergewichtes vernichtet
> Alle Schöne der Form und alle reine Bewegung.
> Siehst du also dem einen Geschöpf besonderen Vorzug
> Irgend gegönnt, so frage nur gleich: wo leidet es etwa
> Mangel anderswo? und suche mit forschendem Geiste!
> Finden wirst du sogleich zu aller Bildung den Schlüssel.
> Denn so hat kein Tier, dem sämtliche Zähne den obern
> Kiefer umzäunen, ein Horn auf seiner Stirne getragen,
> Und daher ist den Löwen gehörnt der ewigen Mutter
> Ganz unmöglich zu bilden, und böte sie alle Gewalt auf;
> Denn sie hat nicht Masse genug, die Reihen der Zähne
> Völlig zu pflanzen und auch Geweih und Hörner zu treiben."

In der Entdeckung des Zwischenkieferknochens und des Gesetzes der Metamorphose der Pflanzen hat Goethe zwei Einzelfälle seiner allgemeinen Morphologie herausgehoben.

Die Entdeckung des Zwischenkieferknochens hat er Herder, der ja in den „Ideen" den Typusbegriff ebenfalls verwendete, am 27. März 1784 in besonders feierlicher Form mitgeteilt: „Nach Anleitung des Evangelii muß ich dich auf das eiligste mit einem Glücke bekanntmachen, das mir zugestoßen ist. Ich habe gefunden — weder Gold noch Silber, aber was mir eine unsägliche Freude macht — das os intermaxillare am Menschen. Ich verglich mit Lodern Menschen- und Tierschädel, kam auf die Spur und siehe, da ist es. Nur bitt' ich dich, laß dir nichts merken, denn es muß geheim behandelt werden. Es soll dich auch recht herzlich freuen, denn es ist wie der Schlußstein zum Menschen. Fehlt nicht, ist auch da!" Man versteht Goethes Triumph, wenn man sich den damaligen Stand der Anthropologie vergegenwärtigt. Auch die frühere Naturwissenschaft hatte den von der Theologie angenommenen Unterschied zwischen dem Menschen als dem mit einer unsterblichen Seele begabten Ebenbild Gottes und den Tieren als bloßen seelenlosen Maschinen behauptet. Aber im Laufe der Forschung war der Unterschied mehr und mehr zusammengeschmolzen. Schließlich war der Zwischenkieferknochen, den man bei den höheren Säugetieren vorfand, beim Menschen vermißte, der einzige Unterschied im Skelett. Goethes Fund schloß die Lücke. Der Typus höheres Säugetier galt auch für die Gestaltung des Menschen. Der Zwischenkieferknochen war wirklich „der Schlußstein zum Menschen".

Die Abhandlung über die Metamorphose der Pflanzen führt in klassischer Weise in den Prozeß der Gestaltwertung im Pflanzenreich ein. In methodischem Wechsel von Beobachtungen und Deutung des Beobachteten wird das Wachstum der Pflanze beschrieben. Der Typus ist hier das Urblatt, da, abstrakt als Denkgebilde, konkret als Bildungsform, der Reihe nach durch Metamorphose Stengelblätter, Kelch, Blumenblätter, Geschlechtswerkzeuge und Frucht aus sich hervorbringt — wie Paragraph 115 das Gesetz bestimmt: „Es mag nun die Pflanze sprossen, blühen oder Früchte bringen, so sind es doch nur immer die selbigen Organe, welche in vielfältigen Bestimmungen und unter oft veränderten Gestalten die Vorschrift der Natur erfüllen. Dasselbe Organ, welches am Stengel als Blatt sich ausdehnt und eine höchst mannigfaltige Gestalt angenommen hat, zieht sich nun im Kelche zusammen, dehnt sich im Blumenblatte wieder aus, zieht sich in den Geschlechtswerkzeugen zusammen, um sich als Frucht zum letzten Mal auszudehnen."

Das polare Spiel von Ausdehnung und Zusammenziehung im organischen Reiche ist ein Analogon zu dem entsprechenden Gesetze im Menschenleben, wie es das Gedicht „Urworte. Orphisch" über die Stufen: Daimon, Tyche, Eros, Ananke, Elpis ausdrückt, es sind bezeichnenderweise hier wie dort fünf Stufen. Das bedeutet, daß es Goethe mit dem Deus sive natura ernst ist. Dieselben Gesetze, die für die Natur gelten, gelten auch für das geistig-sittliche Leben. Eindrücklich stellt dies das Gedicht „Metamorphose der Tiere" zum Schluß fest. Nachdem Goethe von dem Gesetz der Harmonie gesprochen, fährt er fort:

> „Dieser schöne Begriff von Macht und Schranken, von Willkür
> Und Gesetz, von Freiheit und Maß, von beweglicher Ordnung,
> Vorzug und Mangel, erfreue dich hoch! Die heilige Muse
> Bringt harmonisch ihn dir, mit sanftem Zwange belehrend.
> Keinen höhern Begriff erringt der sittliche Denker,
> Keinen der tätige Mann, der dichtende Künstler; der Herrscher,
> Der verdient es zu sein, erfreut nur durch ihn sich der Krone.
> Freue dich, höchstes Geschöpf der Natur! Du fühlest dich fähig,
> Ihr den höchsten Gedanken, zu dem sie schaffend sich aufschwang,
> Nachzudenken!"

So wirkt sich, was die Beobachtung der Natur Goethe lehrte, denn auch zugleich fruchtbar in seiner Kunstbetrachtung und in seinem dichterischen Schaffen aus. Am 28. Januar 1787 schrieb er aus Rom, er suche zu erforschen, „wie jene unvergleichlichen Künstler verfuhren, um aus der menschlichen Gestalt den Kreis göttlicher Bildung zu entwickeln, welcher vollkommen abgeschlossen ist, und worin kein Hauptcharakter, so wenig als die Übergänge und Vermittlungen fehlen. Ich habe die Vermutung, daß sie nach eben den Gesetzen verfuhren, nach welchen die Natur verfährt". Und am 25. Januar 1788 berichtete er von Rom aus an den Herzog: „Meine fleißige Vorbereitung im Studio der ganzen Natur, besonders die Osteologie, hilft mir starke Schritte machen. Jetzt sehe ich, jetzt genieß' ich das Höchste, was uns vom Altertum übrigblieb, die Statuen ... Dabei bin ich auf einen Gedanken gekommen, der mir vieles erleichtert ... Es läuft darauf hinaus, daß mich nun mein hartnäckiges Studium der Natur, meine Sorgfalt, mit der ich in der komparierenden Anatomie zu Werke gegangen bin, nunmehr in den Stand setzen, in der Natur und den Antiken manches im Ganzen zu sehen, was den Künstlern im Einzelnen aufzusuchen schwer wird, und das sie, wenn sie es endlich erlangen, nur für sich besitzen und andern nicht mitteilen können." Den gleichen Sinn hat es, wenn er am 13. März 1791 Heinrich Meyer zu der schweren Unternehmung Glück wünscht, „auf einen Kanon männlicher und weiblicher Proportionen loszuarbeiten, die Abweichungen zu suchen, wodurch Charaktere entstehen, das anatomische Gebäude näher zu studieren und die schönen Formen, welche die äußere Vollendung sind, zu suchen". Kanon entspricht dem morphologischen Begriff des Typus, Charakter der Einzelgestalt.

In einem auf Italien zurückgehenden Aufsatz wendet Goethe diese Begriffe zur Stilbestimmung in der bildenden Kunst an. Er unterscheidet drei Arten der Darstellung: 1. Einfache Nachahmung der Natur. Sie bleibt am Äußerlich-Sinnlichen haften, an den individuellen Gegenständen der Natur, ohne das Gesetzmäßige, das in ihnen zutage tritt, zu beachten. Demgegenüber beruht 2. die Manier auf der geistigen Durchbildung des Gegenstandes durch den Künstler. Er sieht „eine Übereinstimmung vieler Gegenstände, die er nur in ein Bild bringen kann, indem er das einzelne opfert". Statt die Zeichen der Natur nachzubuchstabieren, erfindet er sich aus seiner geistigen Persönlichkeit selber eine Sprache und kümmert sich nicht mehr um die Natur. Das Werk, das so entsteht, drückt den Geist des Künstlers aus. 3. Der Stil ist die Verbindung von Naturnachahmung und Manier. Der Künstler schafft analog dem Typus in der Hervorbringung der Wesen der organischen Natur. Er gibt die Einzelgestalt wieder auf Grund der Beobachtung der Natur, aber nicht nur als Einzelgestalt, sondern, indem er zugleich ins Innere dringt, als Vertreter des gesetzmäßig-schaffenden allgemeinen Typus (in der Sprache der Pflanzenmetamorphose: im Einzelblatt ist zugleich das Urblatt zu erkennen). Der Stil ist so symbolisch. Er ist für Goethe der künstlerische Ausdruck seines weltanschaulichen Pantheismus. Er ruht „auf den tiefsten Grundfesten der Erkenntnis, auf dem Wesen der Dinge". Goethe hat damit das Verhältnis von Kunst und Natur bestimmt. Kunst ist nicht „Nachahmung der Natur", wie die Ästhetik der Aufklärung behauptet hatte, sie ist ein Reich für sich. Sie schafft aber auch nicht ohne Beziehung zur Natur lediglich aus dem Geistigen des Künstlers. Sie ist Natur, indem ihre Gesetze denen der Natur entsprechen: der Stil hat die Eigenschaften des Typus. Sie ist aber nicht Natur, indem der menschliche Geist mit den ihm innewohnenden Gesetzen neue, selbständige Gebilde hervorbringt.

Noch entschiedener betont Goethe in dem Aufsatz „Frauenrollen auf dem römischen Theater, durch Männer gespielt" (1788) die Selbständigkeit der Kunst. Wenn er sieht, wie in Rom Frauenrollen durch junge Männer gespielt werden, so wird sein anfängliches Vorurteil bald überwunden. Er bemerkt, daß bei einer solchen Vorstellung der „Gedanke an Kunst immer lebhaft blieb und durch das geschickte Spiel nur eine Art von selbstbewußter Illusion hervorgebracht wurde... Es entsteht ein doppelter Reiz daher, daß diese Personen keine Frauenzimmer sind, sondern Frauenzimmer vorstellen". Wieder spielen in dem ästhetischen Begriff „selbstbewußte Illusion" die Begriffe (geistig erfaßter) Typus und (sinnlich geschautes) Individuum ineinander: man sieht individuelle Frauen und wird sich zugleich bewußt, daß sie nicht wirkliche, sondern nur typische Bedeutung haben.

Das dichterische Schaffen in Italien und in den Jahren nach Italien beschränkt sich, wenn man von der Umdichtung von „Reineke Fuchs", den Revolutionsdramen und den „Erzählungen deutscher Ausgewanderten" absieht, im wesentlichen auf die Vollendung von früher empfangenen und begonnenen Werken. In Italien vollendete Goethe den „Egmont" und goß die „Iphigenie" in die Versgestalt. Nach Italien wurden „Torquato Tasso" und „Wilhelm Meisters Lehrjahre" vollendet. Er stand nun den Bildungsbemühungen der ersten Weimarer Zeit mit geklärter Ironie gegenüber, so daß aus der gedanklichen Sicherheit auch die Festigkeit der dichterischen Gestalt erwachsen konnte. In „Torquato Tasso" vermochte er so dem schwärmenden Dichter den nüchtern kühlen Weltmann gegenüber zu stellen und den Charakterbereich des einen gegen den des andern ruhig abzugrenzen. In sich selber trug er beide.

Im „Wilhelm Meister"-Roman gleitet er weitschauend aus der Bildungswelt des 18. Jahrhunderts in die des 19. Das war sicherlich schon der Plan der ersten, auf die Wei-

Klärchens Lied „Freudvoll und leidvoll"
aus dem „Egmont"

marer Anfänge zurückgehenden Fassung, der „Theatralischen Sendung".
Schon damals wollte Goethe seinen Helden aus der Theaterschwärme-
rei der Aufklärung in jene verantwortungbewußte Gemeinnützigkeit
hineinführen, die für ihn selber in Weimar das Heilmittel gegen die
Wirren des Sturms und Drangs geworden war. Aber erst nachdem er
in Italien sich selber wiedergefunden, erreichte er jene Höhe der Über-
schau über eigenes Wähnen und Suchen, die ihm gestattete, den alten
Plan mit reifer Kunst zu Ende zu führen. Wilhelm Meister, der Theater-
schwärmer, muß erkennen, daß die Bühne eine Welt des Scheines und
der Entfesselung aller niedern Triebe des Menschen ist. Statt hohe, sittliche Bildung zu spenden, ist sie der Nährboden der Selbstsucht, der
Ränke, der sinnlichen Lust, der Eitelkeit, des Vergnügens an äußerlichem
Flitter. Aber auch jene innerliche, religiöse Bildung, wie sie Wilhelm in
den „Bekenntnissen einer schönen Seele" kennenlernt, kann nicht das Ideal
sein, da sie den Menschen zu den Aufgaben der diesseitigen Welt untüchtig
macht und zu einseitig dem flutenden Innenleben verpflichtet. Ebensowenig die am klassischen Altertum geschulte ästhetische Bildung des
Oheims. Wahre, dem Weltleben und der Gemeinschaft dienende Bildung
lernt Wilhelm erst auf dem Schlosse Lotharios kennen. Sie besteht nicht
mehr in mäßiger ästhetischer Selbstbetrachtung und Persönlichkeitspflege,
sondern in nützlichem Handeln. Graf Lothario, die Frauen Therese und
Natalie, die Männer des Turmordens — alle sind praktischen und helfenden Arbeiten ergeben, denen nun auch Wilhelm sich zuwenden soll. Aber
immer noch schwebt der himmlische Schein jener hohen Geistigkeit, die
das Jahrhundert kennzeichnet, auch über der nützlichen Tat. Im gleichen
Kreise, wo Wilhelm das neue, praktische Lebensideal in sich aufnimmt,
erfährt er auch letzte Erleuchtung über die sittlichen Gesetze des Lebens.
Sie gründet sich auf jenes Wort der Maximen und Reflexionen: „Das
schönste Glück des denkenden Menschen ist, das Erforschliche erforscht zu
haben und das Unerforschliche ruhig zu verehren." Wilhelm wird auf-
geklärt darüber, daß die Gestaltung seines Lebens, die er in mystischer
Jugenddumpfheit dem Schicksal zuschrieb, in Wirklichkeit durch die
bewußte Führung wohlmeinender und erleuchteter Männer geschah, die
ihm an entscheidenden Punkten seines Weges ihre leitenden Boten sand-
ten. Wie Lessings Nathan, so lehnt auch Goethe die wunderbaren, übersinnlichen Eingriffe in das Leben des Menschen ab. Zugleich aber — und
das scheidet ihn von dem Humanismus der Aufklärung — erfährt Wilhelm in den Schicksalen des alten Harfners und Mignons des geheimnisvolle Walten höherer Mächte, jener unbegreiflichen Gerechtigkeit, die
uns ins Leben hineinführt, den Armen schuldig werden läßt und ihn
dann der Pein überläßt.

Die hier angedeutete Entwicklung ist durch die Freundschaft mit Schiller
nicht unterbrochen oder abgelenkt, wohl aber gefördert worden; denn
Goethe war, als Schiller bestimmend in sein Leben trat, seiner eigenen
Art bereits allzu sicher, als daß er auch durch die stärkste Einwirkung
hätte veranlaßt werden können, sie zu verlassen. Wo er sie störend

empfand, zog er sich, wie bei der Abfassung von „Hermann und Dorothea", einfach in sich selber zurück. Goethe selber hat das Verhältnis zu Schiller zu den höchsten gezählt, die ihm das Glück in späteren Jahren bereitet habe; wirklich muß es als eines der größten Wunder in der neuern Geistesgeschichte bezeichnet werden. Zwei Männer, verschieden, ja teilweise gegensätzlich nach Natur, Geburt, Lebensschicksal, Weltauffassung, treffen in der Mitte ihres Weges zusammen, erkennen jeder den Wert des andern und setzen sich über alle Verschiedenheiten und Gegensätze hinweg, indem sie nur die Gemeinsamkeit des hohen Zieles und die Reinheit des gegenseitigen Strebens im Auge haben.

Schiller war es, der Goethe bewußt suchte und, bald um seine Anerkennung werbend, bald durch seine Kühle zurückgestoßen, unermüdlich und mit diplomatischer Kunst um seine Gunst rang. Denn Goethe bedeutete ihm nicht nur den hochgestellten Minister, den berühmten Dichter, sondern vor allem die Verkörperung des Ideals, das er sich selber von der Dichtung gebildet hatte. Goethe aber empfand zunächst hauptsächlich Abneigung. Seine Kunst- und Naturauffassung war durch Italien zu einer Höhe und Klarheit emporgediehen, daß er alles, was in dem Schrifttum der Zeit noch in der Trübe und Unsicherheit des Sturms und Drangs verharrte, nur als Hindernis seines Wollens betrachten konnte. In seinem Aufsatz „Erste Bekanntschaft mit Schiller" nennt er Heinses „Ardinghello" und Schillers „Räuber" unter diesen Erscheinungen. Jener habe Sinnlichkeit und abstruse Denkweisen durch bildende Kunst zu veredeln und aufzustutzen gesucht, dieser habe als kraftvolles, aber unreifes Talent gerade die ethischen und theatralischen Paradoxen, von denen er selbst sich zu reinigen gestrebt, recht im vollen hinreißenden Strome über das Vaterland ausgegossen. So vermied er Schiller, als dieser in seine Nähe kam, ob er gleich seine Ernennung zum Professor in Jena befürwortete. Auch „Don Carlos" sowohl wie die ersten philosophischen Schriften vermochten Goethe nicht zu versöhnen. Es war vor allem Schillers Begriff der Natur, was Goethe zur Zurückhaltung zwang: „Anstatt sie als selbständig, lebendig, vom Tiefsten bis zum Höchsten gesetzlich hervorbringend zu betrachten, nahm er sie von der Seite einiger empirischen menschlichen Natürlichkeiten." Ja, Goethe glaubte „gewisse harte Stellen" in Schillers Schrift über Anmut und Würde geradezu als gegen ihn gerichtet auffassen zu müssen.

So ist es mehr als ein Zufall, wenn es gerade über den Naturbegriff zuerst zu einem eingehenden und wesentlichen Gespräch zwischen den beiden kam. Im Sommer 1794 trafen sie beim Verlassen einer Sitzung der naturforschenden Gesellschaft in Jena zusammen, und als Schiller sein Mißvergnügen äußerte über „die zerstückelte Art", wie in dem angehörten Vortrage die Natur behandelt worden sei, erwiderte Goethe, daß es wohl noch eine andere Weise geben könne, die Natur nicht gesondert und vereinzelt vorzunehmen, sondern sie wirkend und lebendig, aus dem Ganzen in die Teile strebend darzustellen. Worauf er, durch Schillers Interesse angeregt, ihn nach Hause begleitete, ihm die Metamorphose der Pflanzen vortrug und mit ein paar Federstrichen eine symbolische Pflanze vor seinen Augen erstehen ließ. „Das ist keine Erfahrung, das ist eine Idee", soll Schiller eingeworfen waben. „Ich stutzte", fährt Goethe fort, verdrießlich einigermaßen: denn der Punkt, der uns trennte, war dadurch aufs strengste bezeichnet. Die Behauptung aus ‚Anmut und Würde‘ fiel mir wieder ein, der alte Groll wollte sich regen, ich nahm mich aber zusammen und versetzte: Das kann mir sehr lieb sein, daß ich Ideen habe, ohne es zu wissen, und sie sogar mit Augen sehe."

Der ganze Gegensatz zwischen den beiden tut sich hier auf: Schiller, der ungestüm Treibende, Goethe, der gelassen Abwartende, erst zögernd sich Erschließende. Schiller, der an Kant geschulte, scharfe Logiker, der Subjekt und Objekt genau trennt, Goethe, der in Symbolen anschaulich denkende Künstler, der sich nicht von dem Naturgegenstande abzuscheiden vermag. Aber sein Interesse an Schiller war geweckt. Die Mitarbeit an den „Horen", die Schiller damals begründete, führte sie näher zusammen, und als Schiller, den angesponnenen Faden sicher fortführend, ihm am 23. August 1794 jenen großen Brief schrieb, worin er Goethes Art und Entwicklung in einer unerhört klaren und tiefen Weise charakterisierte, schlug Goethe in die dargebotene Hand ein: „Zu meinem Geburtstag", antwortete er, der mir diese Woche erscheint, hätte mir kein angenehmer Geschenk werden können, als Ihr Brief ... Reiner Genuß und wahrer Nutzen kann nur wechselseitig sein, und ich freue mich, Ihnen gelegentlich zu entwickeln: was mir Ihre Unterhaltung gewährt hat, wie ich von jenen Tagen an auch eine Epoche rechne, und wie zufrieden ich bin, ohne sonderliche Aufmunterung auf meinem Wege fortgegangen zu sein, da es nun scheint, als wenn wir, nach einem so unvermuteten Begegnen, miteinander fortwandern müßten." Und so bittet er seinerseits Schiller, ihn mit dem Gange seines Geistes, besonders in den letzten Jahren, bekannt zu machen. Man liest aus seinen Worten das freudige Erstaunen darüber, daß Schiller ein anderer geworden ist, als der Verfasser der „Räuber" verhieß. „Für mich insbesondere", bekennt Goethe, „war es ein neuer Frühling, in welchem alles froh nebeneinander keimte und aus aufgeschlossenen Samen und Zweigen hervorging."

Das unvergängliche und einzigartige Zeugnis dieser Freundschaft ist der Briefwechsel der beiden. Mit literarischen Gegenständen beginnend, nimmt er bald einen wärmeren Ton an, verbreitet sich über gewöhnliche Dinge des Alltags und menschliche Belange aller Art, dringt in die Tiefen des dichterischen Schaffens beider ein, steigt auf die Höhen ästhetischer Gesetze, preist die großen Dichter der Vergangenheit, charakterisiert Menschen der Nähe und Ferne, meidet Bosheit und selbst Klatsch nicht und enthüllt so bis in verborgenste Winkel die Naturen zweier wahrhaft großen Menschen, das Denkmal edelster und weitester Bildung im Zeitalter des deutschen Humanismus.

Schon in dem Naturgespräch in Jena stand die große Persönlichkeit Kants im Hintergrunde. Ein Teil der Bedeutung Schillers für Goethe liegt darin, daß Goethe in ihm einen Vertreter jener philosophischen Klärung kennenlernte, die eben Kant in seinen drei Kritiken durchgeführt hatte. Denn wenn er schon, nach der Natur seines Geistes, aller Auseinandersetzung mit reiner Abstraktion abhold war, so war sie ihm doch zugänglich, wenn sie in einer lebendigen Persönlichkeit verkörpert ihm entgegentrat. Kant selber vermochte den Grund seines geistigen Seins nicht mehr zu erschüttern. Er konnte nur bestätigen, was Goethe bereits besaß. Wo Kants Ansichten nicht mit den seinigen zusammentrafen, blieben sie unwirksam auf der Seite. Daher lag die „Kritik der reinen Vernunft" „völlig außerhalb seines Kreises". Er entnahm aus ihr nur die Bestätigung seiner Überzeugung, daß, „wenngleich alle unsere Erkenntnis mit der Erfahrung angehe, sie dadrum noch nicht eben alle aus der Erfahrung entspringe... Der Eingang war es, der mir gefiel; ins Labyrinth selbst konnte ich mich nicht wagen." In der „kritik der praktischen Venunft", ob er schon mit der entschiedenen Betonung der Pflicht zum sittlichen Handeln übereinstimmte, verdroß den Spinozisten die Schroffheit, mit der Kant das Sittengesetz in Gegensatz zur natürlichen Neigung des Menschen stellte. Am nächsten stand ihm die „Kritik der Urteilskraft", der er „eine höchst frohe Lebensepoche schuldig" war. Es war ganz im Sinne seiner eigenen Studien, wenn Kant die Kunst und die Natur in ihrem Wirken von innen heraus nebeneinander stellte und wenn er, gegen den teleologischen Utilitarismus der Natur- und Kunstauffassung der Aufklärung, betonte, daß „die Erzeugnisse dieser zwei unendlichen Welten um ihrer selbst willen da sein" sollten. Ja, sogar in der Annahme eines schaffenden Typus in der Natur schien Kant mit Goethe zusammenzutreffen.

So gewann Goethes dichterisches Schaffen, das nach Italien eine fremde Welt um sich fühlte, durch Schillers willensstarke Persönlichkeit mannigfaltige Anregung. Ästhetische Aufsätze entstanden, die aufs Neue den Standpunkt des klassischen Idealismus bezeugten. In den „Xenien" (1796) traten die beiden Freunde alle Mittelmäßigkeiten und Scheingrößen der Zeit in den Staub. Die Balladen (meist 1797) erlösten Motive, die seit Jahrzehnten in Goethes Innern schlummerten, zu dichterischer Gestalt. Die schönste Blüte des neuen Frühlings aber war „Hermann und Dorothea" (1797). Was Goethe in den Revolutionsdramen unzulänglich versucht hatte, was ihm auch in der „Natürlichen Tochter" (1799/1803) nicht gelang, das brachte er in dem epischen Gedichte zu reinster Schönheit: das große Erlebnis der Zeit, den Gegensatz zwischen dem ruhig-idyllischen Dasein des deutschen Bürgertums des 18. Jahrhunderts und dem Revolutions- und Kriegssturm der neuen Zeit, der Bewegung und Aufruhr in die stille Gemütlichkeit bringt und die Kräfte der Menschen zur Bewährung aufruft. Nirgends hat Goethe die Tüchtigkeit und Kraft des deutschen Bürgertums so rein und ergreifend geschildert wie hier. Über jene in krankhafte Überzüchtung ausartende Verherrlichung des Gefühls in den Werken des Sturms und Drangs und der ersten Weimarer Jahre ist er jetzt zur reifen Darstellung der Liebe als Gründerin von Ehe und Familie vorgeschritten. Goethes naturwissenschaftliche Erkenntnis und seine Ehe mit Christiane sind in der Gestaltung dieses Bildes deutschen

Lebens aufs innigste vereinigt. Wenn er am Schlusse des für Christiane bestimmten Gedichtes über die Metamorphose der Pflanzen mit dem Wachstum der Pflanze das Wachstum des Menschen durch Liebe und Ehe vergleicht, so bildet für dieses verwandte Nebeneinander von Menschen- und Naturleben „Hermann und Dorothea" die Erfüllung in vollkommener dichterischer Gestalt.

9. GOETHE IM ALTER

„Im Innern ist ein Universum auch."

Goethe

Goethes Alter bietet ein anderes Bild der Lebensgestalt als seine Jugend und seine Mannesjahre. Er gleicht jetzt einem Baume, der, tief eingewurzelt und hoch gen Himmel ragend, mit mächtigem Wipfel ein weites Stückland beschattet. Eine große Ruhe und Stetigkeit waltet über ihm. Seine Säfte zieht er aus einem sehr breiten Erdreich, und manches verkümmert in seinem Schatten. Heere von Vögeln nisten in seinen Zweigen. Die Sonne ruht mit lebenweckendem Lichte auf Ästen und Blättern, der Regen durchrauscht sie, und die Stürme reinigen den Wipfel von altem, brüchigem Reisig. Gelassen schaut er über Zeit und Raum.

Was für eine gewaltige Strecke deutschen, abendländischen Geschehens ist begrenzt durch Anfang und Ende von Goethes Leben! In seiner Jugend eroberte Friedrich der Große seine Vormachtstellung in Deutschland. In Leipzig bewegte sich der Student in den glänzenden und verschnörkelten Salons des Rokoko. Er half Rokoko und Rationalismus stürzen. Zur gleichen Zeit, da Lessings „Nathan der Weise" erschien, schuf er die erste Fassung der „Iphigenie". Aber die Idee der Verantwortung, die er durch sein Leben und seine Werke der Weimarer Jahre verkündete, nahm die Zeit nicht auf. Von Frankreich her erhob sich drohend die Lohe der Revolution am Himmel, die in der Folge das Kultursystem des 18. Jahrhunderts zerstörte. Noch errichteten Goethe und Schiller um 1800 den Tempel klassischer Kunst, an dessen Stirne das „odi profanum vulgus" stand. Aber die Volkslehre der Revolution und Napoleon Bonapartes brandeten über ihn hinweg. Preußen und in seinem Gefolge Sachsen-Weimar wurden ein Jahr nach Schillers Tode eine Beute des französischen Siegers. Er wurde durch die vereinten Kräfte der europäischen Mächte überwältigt. Aber eine neue Macht wälzte sich feindlich gegen den Geist des goetheschen Weimars heran: die Doppelherrschaft der Masse und der Technik, jene mit Tausenden und bald Millionen von Arbeitern den Siegeszug dieser fördernd, diese bestrebt, der Masse irdisches Wohlsein und Glück zu schaffen. Goethe, wenn er Weimar verließ, fuhr noch wie in seiner Jugend im gemächlichen Reisewagen. Aber fortgeschrittenere Zeitgenossen in England eilten in den letzten Jahren seines Lebens bereits mit der Eisenbahn durch das Land, und die Ideen des Sozialismus gewitterten um seine letzten Gespräche in den stillen und vornehmen Räumen seines Hauses am Frauenplan. Er ahnte den Fortgang, die Zerstörung alles dessen, was er gepflanzt und wofür er gelebt, aber er war weise genug, um sich nicht gegen den Wandel alles Irdischen aufzulehnen.

Nicht minder erstaunlich dehnt sich sein Wirken körperlich und geistig in den Raum aus. In einer Zeit, wo die Verkehrsmittel noch dürftig waren und die Menschen die Seßhaftigkeit liebten, hat er einen bedeutenden Teil des Abendlandes durchreist. Er kannte Deutschland kreuz und quer; er war an den Rändern Frankreichs, in der Schweiz und Italien; in Österreich und Polen. Und geistig schaute er in noch weitere Räume. Als er jung war, begann man in den Ländern, die in der Förderung der Bildung Deutschlands weit vorausgeeilt waren, England und Frankreich, mit Verwunderung und Herablassung sich um die deutschen Fortschritte in Wissenschaft und Dichtung zu kümmern. Goethe vor allem war es zu danken, wenn die deutsche Literatur noch am Ende des 18. Jahrhunderts als ebenbürtig neben den andern anerkannt wurde. Noch mehr. Das Arbeitszimmer des Greises wurde für ein oder zwei Jahrzehnte ein Mittelpunkt abendländischer Dichtung und Wissenschaft. Am 11. Juni 1825 sprach er davon, wie das eindringende Deutsche in der französischen Literatur eine große Gärung hervorgebracht habe. Mit Interesse verfolgte er die Bemühungen der französischen Romantiker um Befreiung von den Fesseln der Klassik und las eifrig ihre Zeitschrift „Le Globe". Er nannte Victor Hugo ein entschiedenes Talent (4. Januar 1827) und interessierte sich für den Philosophen und Politiker Victor Cousin, der ihn 1817 und 1825 in Weimar besuchte. In England war es besonders Thomas Carlyle, der für Goethe wirkte. Er übersetzte „Wilhelm Meisters Lehrjahre" und brachte Goethe in immer neuen Aufsätzen seinen Landsleuten nahe. Von den Jüngeren trat Goethe keiner so nahe wie Lord Byron, der Goethe seinen „Sardanapal" widmete und den Goethe geradezu als den Repräsentanten der neuesten poetischen Zeit, das größte Talent des Jahrhunderts bewunderte. Von den zeitgenössischen Italienern schätzte er besonders Alessandro Manzoni, den Verfasser der „Promessi sposi". Dazu hielt er Ausschau über spanische, serbische, russische, indische, litauische, böhmische, nordische, chinesische Poesie. Der Beschäftigung mit der persisch-arabischen Bildung entstammt sein „Westöstlicher Divan". Es war eine Weiterführung Herderscher Ideen, wenn er aus eigenem, weitem Interesse heraus von einer Weltliteratur sprach: Nationalliteratur wolle jetzt nicht viel sagen, erklärte er am 31. Januar 1827 Eckermann, die Epoche der Weltliteratur sei an der Zeit, und jeder müsse jetzt dazu wirken, diese Epoche zu beschleunigen.

Ebenso spannen seine naturwissenschaftlichen Interessen geistige und persönliche Fäden von Weimar nach deutschen und fremden Ländern, von andern Ländern nach Weimar. Alexander von Humboldt, Samuel Thomas Sömmering, Lorenz Oken, Schelling, der schwedische Chemiker Berzelius, die Franzosen Auguste de Candolle, Cuvier, Geoffroy de Saint-Hilaire sind Namen, die den Verkehr Goethes mit zeitgenössischer Naturwissenschaft bezeichnen. Der große Streit zwischen den beiden Letztgenannten in der französischen Académie um den Artbegriff schien ihm wichtiger als der gleichzeitige Ausbruch der französischen Juli-Revolution. Stellt man sich zugleich die Beziehungen Goethes zu deutschen und ausländischen Künstlern, Staatsmännern und andern bedeutenden Männern vor, von der Freundschaft mit dem Berliner Musiker Karl Friedrich Zelter, den Huldigungen Beethovens und Schuberts, Spontinis und David d'Angers bis zu der Freundschaft mit König Ludwig I. von Bayern, so mag man sich ein Bild machen von der Verflechtung Weimars in das geistige Leben der Zeit und dem beispiellosen Reichtum von Goethes 9lter. In den Gesprächen Eckermanns, Sorets, den Unterhaltungen des Weimarischen Kanzlers von Müller sind ausführliche Berichte über Goethes Tageslauf, über die Gegenstände, mit denen er sich beschäftigte, seine Arbeiten, seine Besuche usw. niedergelegt. Es gibt kaum ein Gebiet der alten und neuen Geschichte, über das nicht gesprochen wurde, und wenig bedeutende Personen der Gegenwart, die nicht durch Goethe charakterisiert, wenige Fragen allgemeinen Inhaltes, die nicht erörtert wurden. Und was nahm alles seinen Weg durch das Haus am Frauenplan! Fürsten, wie König Ludwig I. von Bayern oder Prinz Wilhelm von Preußen, Gelehrte, wie Friedrich August Wolff, der klassische Philologe, Dichter, wie Ludwig Tieck, Künstler, wie die Klavierspielerin Ludovika Symanowitz, durchreisende Studenten ohne Namen. Wenn dem Alter das Sammeln eigen ist, so übte Goethe es in reichstem Maße. Es waren menschliche Beziehungen, Kenntnisse aus Natur und Geschichte, Kunstwerke, Bücher, Gegenstände der Natur oder zur Beobachtung der Natur, was sich um ihn anhäufte, und alles was er sammelte, ob es sich um Lebendes oder Totes handelte, erhielt den Stempel seines Geistes, bildete einen Teil des verschwenderisch vielfältigen Reiches, das Goethes Geist wie sein Haus ausmachte. Es vollzog sich auch hier das Gesetz des in ewiger Wandelbarkeit ewig gleich schaffenden Typus: alles war durch seinen Geist geformt, und jedes blieb doch ein Wesen eigener Prägung. Es war Natura naturans, in die unendliche Vielfalt der Natura naturata auseinandergesondert.

Man mag so von einer gewissen Versachlichung des Goetheschen Geistes sprechen. Von einer Schwächung oder einem Zurücktreten der schöpferischen Eigenkräfte und einem Überwuchertwerden durch das Gegenständlich-Andere. Aber es ist doch immer sein höchst persönlicher Geist, der das Fremde deutet und ordnet, anzieht oder abstößt, und es ist doch die eigene Welt, was sich in ihm und u m ihn aufbaut. Nur ist es jetzt weniger ein Neubilden von innen, ein Schaffen aus dem Erlebnis heraus, als ein Zubilden von außen, ein Heranziehen von Gegenständlichem in das eigene Ich. Die Erlebniskraft fehlt nicht, wie die Leidenschaft des Vierundsiebzigjährigen zu der neunzehnjährigen Ulrike von Levetzow im Sommer 1823 in Marienbad zeigt, und auch die Empfindungsfähigkeit der Sinne war bis zum Schlusse keineswegs greisenhaft abgestumpft. Aber er mied die Entscheidung, weil sie seine Existenz jetzt gefahrdrohend erschütterte.

Gerade weil er dies wußte und darunter litt, daß die Stärke des Körpers der Übermacht des Gefühls nicht mehr gewachsen war, umgab er sich, wo überstarke Eindrücke auf ihn einzubrechen drohten, mit der fernenden Schutzhülle scheinbarer Kälte und höfischer Form. Es waren für die Nächsten die schwersten Augenblicke, diese Schutzhülle zu achten und ihm dennoch den schmerzenden Eindruck nicht zu ersparen. Heinrich Voss, der Sohn des Haindichters, der als Gymnasiallehrer in Weimar lebte, erzählt zartfühlend, wie Goethe Schillers Tod erlebte. Er sei während Schillers letzter Krankheit ungemein niedergeschlagen gewesen. Und einmal habe Voss ihn in seinem Garten weinend gefunden. Als Schiller gestorben war, hatte niemand den Mut, es Goethe mitzuteilen. Als die Nachricht eintraf, war gerade Heinrich Meyer bei Goethe. Er wurde hinausgerufen und ging weg, ohne von Goethe Abschied zu nehmen. Die Einsamkeit, in der sich Goethe befindet, die Verwirrung, die er überall wahrnimmt, das Bestreben ihm auszuweichen, läßt ihn wenig Tröstliches erwarten. „Ich merke, Schiller muß sehr krank sein", sagt er und ist die übrige Zeit des Abends in sich gekehrt. Christiane erzählt ihm von einer langen Ohnmacht Schillers. Er läßt sich täuschen, ahnt aber Schlimmes. Am nächsten Morgen sagt er zu Christiane: „Nicht wahr, Schiller war gestern sehr krank?" Da fängt sie laut an zu schluchzen. „Er ist tot?" fragt Goethe mit Festigkeit. Sie bestätigt es. „Er ist tot", wiederholt Goethe, wendet sich ab, bedeckt sich die Augen mit den Händen und weint still. Als am 15. Juni 1828 die Nachricht vom Tode des Großherzogs auf der Reise von Berlin in das Goethesche Haus kam, war eben nach Tisch eine Gruppe Tiroler da, die ihre Lieder sangen. Plötzlich wird Goethes Sohn hinausgerufen. Er kommt bald wieder zurück und entläßt die Tiroler. Das Gespräch geht weiter. Man unterhält sich über die Oper „Oberon". Nach einiger Zeit hebt der junge Goethe die Tafel vorzeitig auf. Das fällt Goethe auf. Man zerstreut sich in verschiedenen Zimmern. Dann kommt der Diener und teilt einigen der Anwesenden die Trauernachricht mit. Allgemeine Bestürzung. Goethe tritt wieder herein. Es fällt ihm auf, wie sein Sohn bestrebt ist, die Gesellschaft fortzutreiben. Alle gehen. Darauf macht August dem Vater die Mitteilung. Spät am Abend, wie Eckermann wieder zu ihm kommt, hört er ihn seufzen und laut vor sich hinreden. „Ich hatte gedacht", sagte er dann, „ich wollte vor ihm hingehen; aber Gott fügt es, wie er es für gut findet, und uns armen Sterblichen bleibt weiter nichts, als zu tragen und uns emporzuhalten, so gut und so lange es gehen will". Am 11. November 1830 erhielt Goethe die Nachricht vom Tode seines Sohnes, der an einem Nervenschlag in Rom gestorben war. Als Eckermann, der auf der Reise das Ereignis durch Zufall in Göttingen erfahren hatte, zwölf Tage darauf, nach Weimar zurückgekehrt, in Goethes Zimmer trat, fand er ihn „vollkommen heiter und ruhig".

Gerade weil er es gelernt hatte, seine persönlichen Gefühle zurückzudrängen und im Gegenständlichen zu leben, war es ihm gegeben, aus Umständen und Geschehnissen, Menschen und Dingen den Sinn und die Richtung seiner Zeit wie kein anderer zu erfassen und weit in die Zukunft deutend zu schauen. Er war wie ein Wanderer, der nach weitem Wege abends auf einem hohen Berge angelangt ist und von hier aus nach allen Seiten das Land überblickt, die Menschen in ihrem Tun betrachtet, die Bergzüge und Flußläufe übersieht, die Art der Bebauung und das Wachstum auf Wiesen und Feldern. Aber es ist alles entfernt, das Kleine und Belanglose verschwunden, und nur das Große und Bedeutende geblieben, und der weitdringende Blick des Beschauers bringt Einheit in das Zertsreute, formt das Zufällige zu einer sinnvollen Ordnung und vergeistigt das Körperhaft-Einzelne zur Gesetzmäßigkeit des Allgemeinen.

Dies gilt im besonderen von Goethes Verhalten gegenüber den beiden großen gegensätzlichen Kulturströmungen, die das Zeitbild bis zu seinem Tode und über ihn hinaus bestimmen: der Romantik einerseits und dem Materialismus anderseits. Kein Zeitgenosse hat den Sinn dieser Bewegungen so früh und so tief durchschaut wie Goethe. Man könnte sagen, daß gerade die Doppelpoligkeit seiner Weltanschauung, die sowohl die geistige als die körperliche Welt in sich faßte, ihn zu diesem unmittelbaren Verhältnis zu den beiden Richtungen befähigte. Wenn aber jede in gewissem Sinne die einseitige Weiterführung und Ausbildung einer Richtung seines Denkens war, so beharrte er seinerseits bei sich selber, indem er stets auch die andere im Auge behielt. Er vernachlässigte als Romantiker die sinnliche Wirklichkeit nicht, und er hielt gegenüber der sozialen und wirtschaftlichen Bewegung der zwanziger Jahre an dem geistigen Grunde des Lebens fest.

Persönlich traten die einzelnen Vertreter der Romantik schon in Goethes Leben ein zu einer Zeit, da es noch gar keine Romantik gab oder sie als eine Abwendung von der Klassik noch nicht im Zeitbewußtsein lebte. Es ist bezeichnenderweise der feinfühligste Geist der Romantik gewesen, der zuerst Goethes Tiefe spürte, Caroline, die Tochter des Göttinger Orientalisten Michaelis. Im September 1783 lernte sie Goethe bei einem Besuch in Göttingen kennen. „Goethe war hier", schreibt sie am 30. September an Luise Gotter, „und ich hab' ihn nun gesehen." Am folgenden Tag fährt sie zu einer kleinen Reise aufs Land von Göttingen weg. „Wir fuhren mit schwerem Herzen weg, und die liebe Sonne am Himmel freute uns nicht. Alles Schöne, was wir sahen, konnte ihn uns nicht vergessen machen." Das Bild des Werther-Dichters begleitete sie auf der Fahrt, und wie sie abends heimkommt, ist Goethe bei Professor Schlözer zum Abendessen. „Da ging ein Wehklagen an. Jedermann ist zufrieden mit ihm. Und alle unsere schnurgerechten Professoren sind dahin gebracht, den Verfasser des „Werther" für einen soliden hochachtungswürdigen Mann zu halten." Von da an war Caroline für Goethe gewonnen. Ein halbes Jahr später kam sie, wohl durch Kestners, in den Besitz einer Handschrift der Prosafassung der „Iphigenie". Ihre Hingabe an Goethe hat sie später an August Wilhelm und seinen Bruder Friedrich Schlegel übertragen. Sie war es, die das Urteil der Schlegel über den klassischen Goethe begründete und damit das Verständnis für seine Werke nach der Sturm- und Drangzeit weckte.

Denn jenes Fremde, das Goethe nach der Rückkehr aus Italien in der Heimat anwehte, wirkte sich nicht zum wenigsten in der Gleichgültigkeit gegen seine neuen Werke aus. Die einen Kritiker, an die Leidenschaftlichkeit und Empfindsamkeit der siebziger Jahre gewöhnt, fanden sie kalt, wie etwa

Fauſt.

Ein Fragment.

Von

Goethe.

Ächte Ausgabe.

Leipzig,
bey Georg Joachim Göſchen,
1790.

Titelblatt der ersten, von Goethe besorg-
ten Ausgabe seines „Faust". Es handelt
sich um den noch nicht abgeschlossenen
1. Teil.

Iffland, der an der „Iphigenie" eine „seinsollende griechische Simplizität, die oft in Trivialität ausartet", tadelte, andere, die von der Aufklärung herkamen, vermißten die gutbürgerliche Moral. Selbst Schiller mißverstand in seiner umfangreichen Rezension von 1788 den „Egmont" seltsam, und August Wilhelm Schlegel schrieb zwei Jahre später über den „Torquato Tasso": „Keine der handelnden Personen ist so geschildert, daß man ihr Wohl und Wehe zu dem seinigen machen könnte. Tasso selbst erregt nur eine mit Unmut über sein grillenhaftes Betragen gemischte Teilnahme, und die Prinzessin äußert zu matte, kränkliche Gefühle, als daß man lebhaften Anteil daran sollte nehmen können." Die bei Göschen erschienene erste Gesamtausgabe der Goetheschen Werke hatte 1790 im siebenten Bande das Faust-Fragment gebracht. Darüber urteilte selbst Schillers Freund Körner: Der Bänkelsängerton, den Goethe gewählt habe, verleite ihn nicht selten zu Plattheiten, und J. G. Forster, der Mann von Carolines Freundin Therese Heyne, nannte Gretchen „ein albernes, alltägliches Gänschen".

Hier sah Caroline tiefer. Sie fand, wie Rudolf Haym es ausgedrückt hat, in Goethe sich selbst wieder. „Sie liebte ihn mit der ganzen Kraft weiblicher Hingebung, mit der ganzen Ausschließlichkeit weiblicher Leidenschaft und Parteilichkeit." Sie war es, die zu Anfang der neunziger Jahre dem Urteil der beiden Schlegel die Goethesche Welt erschloß. Hatte Friedrich noch im Spätherbst 1792 Goethes Werke als den „Abdruck einer eigennützigen kaltgewordenen Seele" und ihn selber als einen „Höfling" bezeichnet, so bewirkt Caroline eine völlige Wandlung seines Urteils. Sie las ihm im Februar 1794 „Iphigenie" vor, und nun gestand er dem Bruder, den Caroline schon früher für Goethe gewonnen hatte, daß die Musik dieses Werks ihm der geflügelten Fülle und der kräftigen Zarthat der Alten nahezukommen scheine. Jetzt bewundert er „eigentlich keinen deutschen Dichter als Goethe. Und doch ist er vielleicht nicht gerade durch Übermacht des Genies so unendlich weit erhaben als durch etwas anderes. Etwas, das er doch nur beinah hat, was allein den griechischen, vorzüglich den atheniensischen Dichtern eigentümlich ist". Nun traten beide Schlegel öffentlich für Goethe ein und eröffneten eine neue Beurteilung seines Schaffens. In Friedrichs Aufsatz über das Studium der griechischen Poesie (1795/96) wird Goethes Poesie nun „die Morgenröte echter Kunst und reiner Poesie" genannt. Goethe gehört neben Dante und Shakespeare in die Trias großer neuerer Dichter. „Faust" wird begriffen. „Wilhelm Meister" wird der „Kanon der Poesie" und gehört neben der französischen Revolution und Fichtes Wissenschaftslehre zu den „drei großen Tendenzen des Zeitalters", und in einem großen Aufsatz im „Athenäum" (1798) wird „Wilhelm Meister" ausführlich gewürdigt. Zu gleicher Zeit ungefähr nennt Novalis Goethe den „wahren Statthalter des poetischen Geistes auf Erden".

Damals waren die Brüder Schlegel bereits mit Goethe persönlich verbunden. Die Ironie der Geschichte hatte es gefügt, daß Schiller, der später in so heftige Feindschaft mit den Brüdern geraten sollte, den Verkehr einleitete, indem er August Wilhelm an den „Horen" und am „Musenalmanach" beschäftigte. Goethe lernte August Wilhelm Mitte Mai 1796 in Jena kennen. „Wilhelm Schlegel ist nun hier", schreibt er am 20. Mai an Heinrich Meyer, „und es ist zu hoffen, daß er einschlägt. Soviel ich habe vernehmen können, ist er in ästhetischen Haupt- und Grundideen mit uns einig. Ein sehr guter Kopf, lebhaft, tätig und gewandt". Friedrich wurde ihm durch Schiller im August jenes Jahres empfohlen. Durch die Schlegel kamen auch ihre romantischen Bundesgenossen zu Goethe: Novalis und Tieck 1799. Schelling und Fichte traten durch ihre Tätigkeit an der Universität Jena mit Goethe in Beziehung.

Und doch war von Anfang an ein Keim der Trennung in dem Verhältnisse, begründet weniger in dem Unterschiede der Charaktere als dem Gegensatze der Generationen und dem Gesetz der Steigerung in der Entwicklung geschichtlicher Ideen und Gestalten. Es ist ein weltanschaulich-wissenschaftlicher Unterschied in den Beziehungen Goethes zu Schelling, ein ästhetisch-künstlerischer in dem spätern Urteil der Romantiker über Goethe und Goethes über die Romantiker und ihre Nachfahren.

Goethes naturwissenschaftliche Forschungen waren letzten Endes sicherlich durch ein weltanschauliches und ästhetisches Bedürfnis bestimmt. Aber wie ein Denken stets zugleich Anschauung war, so leitete er das Gesetz stets von der Beobachtung her und hatte auch in den kühnsten Folgerungen die Wirklichkeit der Erfahrung im Hintergrunde. Seine Metamorphose der Pflanzen ist das klassische Muster dieser Methode. Faust, wie er das Buch des Makrokosmus aufschlägt und da Himmelkräfte auf- und niedersteigen und sich die goldnen Eimer reichen sieht, ist beglückt durch das Schauspiel, aber sofort wird er sich bewußt, daß es nur ein Schauspiel und keine Erkenntnis aus Erfahrung, nur Phantasie, keine Wissenschaft ist. Aber gerade die Metamorphose der Pflanzen, die Schiller eine Idee und keine Erfahrung nannte, zeigt anderseits, wie weit Goethe sich von der reinen und ausschließlichen Erfahrungswissenschaft entfernte. So konnte er, als Schelling ihm bei einem Besuche in Weimar 1800 sein „System des transzendentalen Idealismus" zurückließ und er in der Zeitschrift für spekulative Physik Schellings Gedicht „Epikurisch Glaubensbekenntnis Heinz Widerporstens" las, ihm am 27. September schreiben, seitdem er sich von der hergebrachten Art der Naturforschung habe losreißen müssen, habe er selten hier- oder dorthin einen Zug gespürt: „Zu Ihrer Lehre ist er entschieden. Ich wünsche völlige Vereinigung." Wirklich konnte er in Schellings transzendentalem Idealismus die ihm vertraute Lehre von der Gleichläufigkeit des Naturwerdens und des künstlerischen Schaffens und dem Symbolcharakter des Kunstwerkes finden: das Kunstwerk stellt das Unendliche der Natur im Endlichen dar. In dem Glaubensbekenntnis Heinz Widerporstens war die Natur als schaffende Kraft aufgefaßt. Ja, in dem 1798 erschienenen Werk von der Weltseele hatte Schelling an bedeutsamer Stelle Goethes „Metamorphose" angeführt und das Polaritätsgesetz seines dynamischen Pantheismus als allgemeines Gesetz zur Erklärung des Lebens verwendet. So konnte Goethe Schellings Idee von der Weltseele wohl huldigend zu dem Gedicht „Weltseele" verwenden. Aber die Gedichtform zeigt, daß es sich für Goethe um eine holde und tiefsinnige Phantasie, nicht um eine wissenschaftliche Erkenntnis handelte, über die er in Prosa schrieb. Es war denn doch ein wesentlicher Unterschied zwischen Goethes und Schellings Art. Wenn Goethe die Ideen im Anschauen des Gegenstandes empfing, so mußten Schelling die Gegenstände dazu dienen, an passenden Orten das luftige Gerüst seiner Spekulationen zu stützen. Und der reinen Spekulation war Goethe auch jetzt grundsätzlich abhold. Das schied ihn schließlich, wie von Kant, so von dessen Schüler Schelling. Er habe, schrieb er Schiller am 19. Februar 1802, einen sehr guten Abend mit Schelling zugebracht. „Die große Klarheit bei der großen Tiefe ist immer sehr erfreulich. Ich würde ihn öfter sehen, wenn ich nicht noch auf poetische Momente hoffte, und die Philosophie zerstört bei mir die Poesie und das wohl deshalb, weil sie mich ins Objekt treibt, indem ich mich nie rein spekulativ erhalten kann, sondern gleich zu jedem Satze eine Anschauung suchen muß und deshalb in die Natur hinausfliehe." Die immer mehr ins Mystische versinkende Spekulation des späteren Schelling erweiterte die Kluft. Goethe blieb bei der ruhigen Verehrung des Unerforschlichen und versagte sich forschende Ausblicke ins Übersinnliche. Durch Schellings „zweizüngelnde" Ausdrücke über religiöse Gegenstände, sagte er 1822 zu dem Kanzler von Müller, sei eine große Verwirrung entstanden und die rationelle Theologie um ein halbes Jahrhundert zurückgebracht worden.

Derselbe Gegensatz wurde auch im Ästhetisch-Künstlerischen zwischen Goethe und den Romantikern wirksam. Friedrich Schlegel hatte im „Wilhelm Meister" Goethes Ironie gepriesen, das freie Walten des Künstlergeistes, der niemals sich dem Zwange des Stoffes beugte, und Goethe selber hatte in ästhetischen Aufsätzen aus der Zeit seiner Freundschaft mit Schiller, z. B. in „Über Wahrheit und Wahrscheinlichkeit der Kunstwerke", die Selbstherrlichkeit der bildenden Phantasie des Künstlers behauptet und die Illusion, die das Kunstwerk hervorrufe, selbstbewußt genannt. Immer stand aber bei dieser Forderung der Freiheit der Phantasie doch die Treue gegen die Natur als Selbstverständlichkeit im Hintergrunde. Diese Treue gegen die Natur gab Friedrich Schlegel preis, wenn er Goethes Ironiebegriff zur „romantischen" Ironie steigerte und für den Künstler völlige Freiheit gegenüber Stoff und Stimmung forderte, die Zerstörung irdisch-sinnlicher Gestalt zum Zweck der intellektuellen Ausweitung des Kunstwerks zu kosmisch-unendlicher Bedeutung. Von dem Standpunkt dieser „progressiven Universalpoesie", wie Schlegel die romantische Dichtung in dem bekannten Athenäum-Fragment 1798 genannt hat, mußte Goethes Dichtung dem kühn und eilig ins Metaphysische vorstoßenden Geiste der romantischen Jünglinge bald als allzu erdenverhaftet, nüchtern und sachlich erscheinen. Friedrich Schlegel fand 1799 Tiecks Roman „Franz Sternbalds Wanderungen" poetischer als den „Wilhelm Meister" und Novalis gar entdeckte Voltaireschen Geist in dem „Wilhelm Meister" und nannte ihn einen „Candide" gegen die Poesie: Er handle vom gewöhnlichen, prosaischen Leben. Es sei eine poetisierte, bürgerliche und häusliche Geschichte, das Wunderbare sei darin ausdrücklich als Poesie und Schwärmerei behandelt.

Aber es wirkte in diesen psychologisch-ästhetischen Gegensatz noch ein weltanschaulicher hinein: der Gegensatz zwischen Altertum und dem am antiken Humanismus genährten Protestantismus einerseits und Mittelalter und Katholizismus anderseits. Was die Aufklärung emporgeführt hatte, war im wesentlichen protestantischer Geist gewesen, Weiterleben des im 17. Jahrhundert in der Orthodoxie an der geschichtlichen Außenseite erstickten Freiheitsbewußtseins der Reformation. Es ist keine Frage, daß dieser diesseitsfreudige, jenseitsabgewandte Geist des Humanismus im Laufe der Aufklärung zu einer oft allzu handfesten Versinnlichung des Denkens und Bildens geführt hatte. Es sollte eine seelische und geistige Vertiefung sein, wenn Tieck und ihm folgend Novalis und die Schlegel des zarten und lebensschwachen Wilhelm Wackenroders Liebe zu Mittelalter und Marienverehrung aufnahmen und in ihrer Art übertreibend weiterpflegten. Als Friedrich Schlegel 1802/4 Gemäldebeschreibungen aus Paris und den Niederlanden verfaßte, stellte er sie in ausgesprochenen Gegensatz gegen die klassische Kunstauffassung, die Goethe in seiner Zeitschrift „Die Propyläen" damals förderte. Seine Liebe galt nicht mehr den Malern der Renaissance, sondern denen des italienischen Quattrocento und des deutschen Mittelalters, der „alten christlichen Malerei", die er einzig verstehe und begreife, und an der er die kindliche gutmütige Einfalt und Beschränktheit pries, die ernste und strenge Form, das Schlichte und Naive der Gewänder lobte.

Als vor einem Menschenalter Goethe für gotische Baukunst geglüht, hatte er in dem Straßburger Münster nicht den Ausdruck mittelalterlichen Geistes, vielmehr die Offenbarung des deutschen Kunstgenius schlechthin erlebt. Er war auch jetzt frei genug, um sich den Sinn für mittelalterliche Kunst zu wahren. Von zwei jungen Freunden aus Köln, den Brüdern Sulpice und Melchior Boisserée ließ er sich ihre Sammlung altdeutscher Gemälde weisen und ihre Zeichnungen zum Aufbau des Kölner Domes vorlegen. Sobald aber die Liebe zum Mittelalter die Miene des geschichtlich Rückgewendeten und Engherzigen annahm, fühlte er sich gedrungen, die Freiheit des Humanisten und Protestanten zu betonen. Einem Artikel Heinrich Meyers in der Jenaischen Allgemeinen Literaturzeitung fügte er 1805 einige Worte gegen die „Phrasen der neukatholischen Sentimentalität", gegen das „klosterbruderisierende, sternbaldisierende Unwesen" bei; und um dem neuen mittelalterlichen Geiste ein Denkmal klassischer Weltanschauung entgegenzusetzen, gab er 1805 das Sammelwerk „Winckelmann und sein Jahrhundert" heraus. Als Friedrich Schlegel 1808 zum Katholizismus übertrat, sah er darin ein Zeichen der Zeit, „weil in keiner Zeit ein so merkwürdiger Fall eintrat, daß im höchsten Lichte der Vernunft, des Verstandes, der Weltübersicht ein vorzügliches und höchst ausgebildetes Talent verleitet wird, sich zu verhüllen, den Popanz zu spielen". Und jetzt sprach er das Wort: „Sich dem Protestantismus zu nähern ist die Tendenz aller derer, die sich vom Pöbel unterscheiden wollen".

Er nahm an dem Schaffen der späteren Romantiker regen Anteil. Clemens und Bettine Brentano waren ihm als Kinder der einst geliebten Maximiliane willkommen, und dem von Clemens Brentano und Achim von Arnim herausgegebenen Liederbuch „Des Knaben Wunderhorn" widmete er eine fein charakterisierende Besprechung, wie er die altdeutschen Studien der Brüder Grimm mit anerkennender Teilnahme verfolgte. Es waren Zeugnisse geschichtlichen Lebens, was hier gegeben wurde. Aber überall, wo romantischer Geist, entfesselt und des Maßes der Natur entbehrend, sich in seine Nähe drängte, wies er ihn mit schroffem Wort zurück. Er mußte so schließlich Bettine das Haus verbieten, weil sie sich in ihrer überbordenden Empfindsamkeit gegen Christiane verging, und er verschloß sich dem Dichtergenius Heinrich von Kleists, in dem ihn das Forciert-Exzentrische abstieß. Wenn er derartige Auswüchse romantischen Wesens wahrnahm, kam er dazu, das Klassische als das Gesunde, das Romantische als das Kranke zu bezeichnen. Die Nibelungen waren ihm klassisch wie Homer, denn beide „sind gesund und tüchtig". Aber der „Arme Heinrich" bereitete ihm „physisch-ästhetischen Schmerz: den Ekel gegen den aussätzigen Herrn, für den sich das verkaufte Mädchen aufopferte, wird man schwerlich los". Er glaubte sich vom bloßen Berühren eines solchen Buches schon angesteckt. Er konnte all das nur als Entfernung von der Natur und der natürlichen Ordnung der wirklichen Welt erklären, und so erfand er als Symbol für das gesamte nachklassische Geschlecht die Gestalt des Euphorion im „Faust", der, in einem übermächtig-dämonischen Drange nach Grenzenlosigkeit, den Fels emporstürmt und, im Wahne fliegen zu können, sich in die Luft wirft.

Goethes Werke aus den beiden ersten Jahrzehnten des 19. Jahrhunderts, im besonderen die „Wahlverwandschaften" und „Der westöstliche Divan", zeigen ein eigentümliches Doppelverhältnis zur Romantik. Einerseits sind sie von romantischer Geistigkeit durchflutet, anderseits ist diese Geistigkeit im innersten Wesen doch organische Weiterbildung Goethescher Art und stellt sich in sehr bestimmten Gegensatz gegen romantisches Denken und Leben. Den Roman „Die Wahlverwandschaften" hat zunächst ein persönliches Erlebnis aus Goethes Seele gelöst: die zarte Neigung des seit dem Herbst 1806 mit Christiane kirchlich Verbundenen zu Minna Herzlieb, dem Pflegetöchterchen des Buchhändlers Frommann in Jena im Frühwinter 1807. Das Verhältnis, mehr spielerisch-poetisch als menschlich-leidenschaftlich —, mag ihn immerhin aufs neue zum Nachdenken über das Problem der Ehe geführt haben. Es spiegelt sich in der Handlung des Romans. Ein junges Mädchen, Ottilie, tritt zerstörend in die Ehe von Eduard und Charlotte. Aber die Idee, dieses Eheschicksal in die Gesetzmäßigkeit von Wahlverwandtschaften zu stellen, erhielt Goethe, wie er selber bezeugt, von Schelling. Dieser hatte schon in der „Weltseele" die Welt als ein beseeltes Wesen aufgefaßt und die Mannigfaltigkeit der Lebensvorgänge auf ein einheitliches Prinzip zurückgeführt. So läßt Goethe — Gedanken Spinozas haben sicherlich mitgewirkt — das chemische Gesetz der Affinität, der größern oder geringern Anziehungskraft, die Naturkörper aus früheren Verbindungen löst und sie zu neuen vereinigt, auch im seelischen Leben der Menschen wirksam werden. Die Ehe von Eduard und Charlotte wird zerstört, indem Eduard zu Ottilie hingezogen wird, Charlotte zu Eduards Freund, dem Hauptmann. Der Roman scheint sich damit in die Reihe romantischer Liebes- und Ehebruchgeschichten einzustellen, die eröffnet wird von Friedrich Schlegels „Lucinde".

Aber Goethe geht in der geistig-sittlichen Entwicklung des Konfliktes einen völlig unromantischen Weg. Die Zeit, da er „Stella" als ein „Schauspiel für Liebende" geschrieben hatte, war längst vorbei. In seiner eigenen Ehe war sein Blut zur Ruhe gekommen und hatte er das Glück einer bürgerlich geordneten Häuslichkeit um so mehr schätzen gelernt, je mehr das politische Geschehen der Zeit auf Zerstörung und Auflösung alter fester Ordnungen ausging. Er hatte in „Hermann und Dorothea" dargestellt, wie zwei tüchtige Menschen mitten im Zusammenbruch sich mutig ein neues Eheglück gründen. So willig er war, auch in dem „Neigen von Herzen zu Herzen" das mächtige Naturgesetz der Wahlverwandtschaft gelten zu lassen, so mußte er ihm zugleich eine andere noch größere Macht entgegenstellen: den Amor Dei intellectualis, jenes:

> „Nur allein der Mensch
> Vermag das Unmögliche",

das sich den „ewigen, ehernen, großen Gesetzen" entzieht: den Willen zur sittlichen Vernunft.

Er konnte nicht einverstanden sein mit der Auffassung der Ehe in den Kreisen der Romantiker: mit dem jungen Schleiermacher, wenn er im „Athenäum" 1798 das naturfremde Gebot an „edle Frauen" richtete: „Laß dich gelüsten nach der Männer Bildung, Kunst, Weisheit und Ehre." Mit Friedrich Schlegel, wenn er in „Lucinde" mit dem schimmernden Theatermantel ästhetischer Bildung ein ziemlich gewöhnliches Liebesverhältnis maskierte. Mit Caroline, die, nachdem ihr erster Mann früh gestorben und sie in Mainz sich in ein gefährliches Liebesabenteuer eingelassen hatte, von Wilhelm Schlegel durch die Ehe rehabilitiert worden war, dann aber aus seiner Hand in die Schellings gegangen war. Mit dem ganzen geistreich-sinnlichen Spiel, das mit der Liebe in den romantischen Salons Berlins getrieben wurde. So teilte er die Menschen in zwei Gruppen. Die einen, sinnenbeherrscht, sind der Gesetzmäßigkeit der physischen Natur willenlos unterstellt, die magnetisch in ihr seelisches Leben hineinragt und durch geheimnisvolle Zeichen ihren Willen lenkt und ihr Schicksal bestimmt: Ottilie spürt durch Kopfweh ein Kohlenlager in der Erde; ihre Handschrift gleicht sich der des geliebten Eduard an; das Pendel in ihrer Hand wird durch die darunter liegende Metallstufe in Schwingung versetzt. Eduard sieht in dem Zufall eines zerbrochenen Glases die Ankündigung seines Todes. Die andern, freien Willens, sind Herren ihres Schicksals. Auch Charlotte wie der Hauptmann spüren den Zwang der Wahlverwandtschaft, die sie zueinander zieht. Charlotte kann nicht verhüten, daß die Liebe zu dem Hauptmann das Kind, das Eduard mit ihr zeugt, dem Hauptmann gleichen macht, wie es durch den in Ottilie verliebten Eduard die Augen von Ottilie erhält. Aber Charlotte und der Hauptmann können verhindern, daß die physische Macht ihre Seelen unterwirft. Sie entsagen ihrer Liebe und der Hauptmann reist ab, während Eduard und Ottilie der physischen Welt anheimfallen. Das leichte Verhältnis des Grafen und der Baronin, die auf dem Gute von Eduard und Charlotte zum Besuch erscheinen, und die frivolen Ausfälle des Grafen gegen die bürgerliche Ehe stärken die Bedeutung, die das Eheschicksal der Hauptpersonen erhält. So stehen die „Wahlverwandtschaften" als ernstes und feierliches Mahnzeichen der Heiligkeit der Ehe am Anfang des Jahrhunderts, das die Auflösung uralter sittlicher Ordnungen einleitet.

Stärker scheint der „Westöstliche Divan" romantischem Geiste und romantischer Kunst verpflichtet. Friedrich Schlegel hatte durch sein Buch „Über die Sprache und Weisheit der Inder" 1808 einen Teil der deutschen Asienwissenschaft, die Indologie, begründet. Die geheimnisvolle Welt des Orients reizte, wie alles Unbekannte, die Phantasie der Romantiker: Novalis' „Hymnen an die Nacht" und „Heinrich von Ofterdingen" künden davon. So schien auch Goethe diesen Zug nach dem Osten in sich zu spüren, als er 1814 bis 1819 den „Westöstlichen Divan" schuf. Allein wiederum ist, was Zugeständnis an den Geist der Romantik scheint, Goethes ureigenster Natur entwachsen. Längst schon hatte er sich den Gedanken angeeignet, daß Eine Bildkraft in verschiedensten Gestalten sich tätig erweist. In der „Metamorphose der Pflanzen" hatte er gezeigt, wie aus dem einen Urblatt die mannigfaltigsten Gebilde der Pflanze entsprossen; indem er den Typus zugleich als stabil und als versatil erklärte, hatte er die Vielfalt der Individuen und zugleich die Einheit der Art zu deuten gewußt. In dem unterdrückten Vorwort zum dritten Teil von „Dichtung und Wahrheit" hatte er die Absicht ausgesprochen, die Geschichte seines Lebens „nach jenen Gesetzen zu bilden, wovon uns die Metamorphose der

Pflanzen belehrt". Auch in den „Wahlverwandtschaften" hatte er für das Reich der physischen Natur und das menschliche Seelenleben das gleiche Gesetz als wirksam dargestellt. Die Weitschau des Alters brachte es mit sich, daß die Neigung wuchs, im Verschiedenen immer wieder das Gleiche zu sehen, über die Besonderheiten der sinnlichen Gestalten hinwegzuschauen zu der Einheit ihres allgemeinen Sinnes und das Eine dem Andern gleichzusetzen. Je mehr das sterbliche Wesen der ewigen Geistigkeit entgegenwuchs, um so mehr war er bereit, Geistiges im Irdischen zu sehen.

Es war ihm so kein neues Erlebnis, als er im Juni 1814 den Divan des persisch-arabischen Dichters Schems ed-dîn Mohammed, genannt Hafis, in der Übersetzung von Josef von Hammer-Purgstall kennenlernte und in der Einleitung über die Person und das Leben des orientalischen Dichters des 14. Jahrhunderts Züge las, die ihm als eine Präfiguration eigenen Wesens und Lebens erscheinen mußten: „Von Fürsten geehrt, von Freunden geliebt, verlebte Hafis in den Rosenhainen von Schiras unter Studien und Genuß seine Lebenstage, welche in eines der stürmischsten Jahrhunderte, welche die morgenländische Geschichte aufzuweisen hat, gefallen waren. Dynastien, die sich haßten und bekämpften, neue auf den Trümmern der andern sich erhoben und dann wieder übereinander stürzten, unterhielten immerfort den Brand des Krieges, bis daß durch Timurs alles verheerenden Eroberungsbrand ganz Asien aufflammte, eine weite schreckliche Feuersbrunst. Hafis ward dem Eroberer vorgestellt und auch von ihm gnädig aufgenommen... Die Greuel politischer Stürme, welche damals den Orient erschütterten, bilden einen merkwürdigen Kontrast mit der ungetrübten Heiterkeit des Dichters... Das Ungestüm der Zeiten mußte einen Geist wie Hafisens nur noch mit größerer Freiheit entfesseln, als es vielleicht in ruhigeren Zeiten geschehen wäre." Stellt man dazu noch den Haß Hafis' gegen Orthodoxie und Muckertum, sein Bekenntnis zu einem mystischen Pantheismus, so konnte Goethe wirklich in der geschichtlichen Gestalt des alten Sängers ein Blatt vom gleichen Baume erblicken, auf dem er selber gewachsen war.

Man kann nur von den ersten elf Jahren in Weimar sagen, daß er als Staatsmann tätig in die Weimarische und die deutsche Politik eingegriffen habe. Später begnügte er sich damit, Zuschauer und gelegentlicher Ratgeber des Herzogs zu sein und wahrte daneben nach Möglichkeit das Reich seines geistigen Schaffens. Er konnte nicht hindern, daß die politischen und kriegerischen Handlungen der Zeit in sein Leben eingriffen. Die Campagne in Frankreich riß ihn 1792 aus seiner Häuslichkeit. 1797 zwang ihn Bonapartes Feldzug in Italien, die beabsichtigte Reise über die Alpen in der Schweiz abzubrechen. Im Oktober 1806, als die Truppen Napoleons nach der preußischen Niederlage bei Jena Weimar überfluteten und Plünderer auch in Goethes Haus eindrangen, rettete ihm Christiane das Leben. Am 2. Oktober 1808 trat er in Erfurt selber Napoleon gegenüber, der sich über „Werther" und Voltaires „Mahomet" mit ihm unterhielt, ohne doch tiefere Kenntnis von Goethes Bedeutung zu haben. Goethe selber bewunderte Napoleons Genie und empfing dankbar den Orden der Ehrenlegion.

Als die Freiheitsbewegung ausbrach, hielt er sich zurück. Was hätte er seiner Persönlichkeit Angemessenes darin leisten können? Ende 1813, nach Großbeeren, der Katzbach, Dennewitz und Leipzig, unterhielt er sich mit dem Jenaer Historiker Heinrich Luden über die Lage, und als Luden begeistert von dem Erwachen Deutschlands sprach, kühlte er dessen Eifer mit zweifelnden Worten: Auch ihm liege Deutschland warm am Herzen, und er habe oft einen bitteren Schmerz empfunden bei dem Gedanken an das deutsche Volk, das so achtbar im einzelnen und so miserabel im ganzen sei. Wohl verspreche das deutsche Volk eine Zukunft. Aber die Zeit, wann sein Schicksal sich erfülle, vermöge kein menschliches Auge vorauszusehen. Inzwischen habe er in der Wissenschaft und der Kunst die Schwingen gefunden, durch welche die Deutschen ihren Rang unter den Völkern behaupten könnten; denn Wissenschaft und Kunst gehörten der Welt an und vor ihnen verschwänden die Schranken der Nationalität. Ähnlich hatte er sein Festspiel „Pandora" (1806) in eine Verherrlichung von Kunst und Wissenschaft ausgehen lassen wollen. Als das siegreiche Heer im Frühjahr 1814 aus Frankreich zurückkehrte, beteiligte er sich mit jugendlichem Eifer an den Vorbereitungen zur Siegesfeier in Weimar.

In diese Erneuerung Deutschlands, die — mannigfache Berichte bestätigen es — mit einer Wiederkehr eigener Jugend zusammentraf, fiel Goethes Bekanntschaft mit Hafis' Divan. So fand die geschichtliche Parallele eine aufnahmebereite Seele. Aber es bedurfte zu der allgemeinen geistigen Haltung und der Anregung durch die Zeit noch eines persönlichen Erlebnisses. Es wurde ihm, als er im Sommer 1814 wieder einmal die Lande aufsuchte, wo er in seiner Jugend geschwärmt hatte, und in Frankfurt im Hause des Bankiers Willemer Marianne Jung, bald darauf die zweite Gattin Willemers, kennenlernte. Sie war damals eine Dreißigjährige, von südlichem Kolorit, mit sprühenden Augen, lebhaftem Temperament und künstlerischer Begabung — eine „romantische" Frau. Sie wurde die Suleika des entstehenden Divans, der eigenen westöstlichen Gedichtsammlung. Im Sommer des nächsten Jahres, wo er beglückte und reiche Wochen auf der Gerbermühle, dem Willemerschen Landgute bei Frankfurt, zubrachte, wandelte er sich ganz in einen persisch-arabischen Dichter, zierte sein Leben mit orientalischen Gebräuchen, ließ sich einen arabischen Dolch und persisches Zeug schenken und besang das Zusammensein mit der geliebten Freundin in Gedichten.

So entstand der „Westöstliche Divan", der 1819 erschien. Er ist das große Bekenntnis von Goethes Altersweisheit. Nirgends bereitet sich — den „Faust" ausgenommen — sein geistiger Besitz so weit über die Welt wie hier. Seine Phantasie ist angefüllt mit Kenntnissen östlicher und westlicher Herkunft. Karawanenhandel, Teppiche, Dichter und Helden des Orients verbinden sich mit der Meeresvermählung des venezianischen Dogen und dem Leben in der Gerbermühle. Aber was bedeutet das einzelne in seiner geschichtlich-kulturellen Besonderheit? Es ist nur Ausprägung des allgemein bildenden Geistes. Timur verschmilzt mit Napoleon, der Euphrat mit dem Main, und Goethe wird Hafis oder Hatem.

„Selige Sehnsucht" drückt, in feierlich-abweisenden Strophen, die alte Idee der Wandlung alles Lebens in liebender Vermählung aus und das Emporsteigen zu höheren Gestalten:

> „Und solang du das nicht hast,
> Dieses Stirb und Werde,
> Bist du nur ein trüber Gast
> Auf der dunklen Erde."

In „Wiederfinden" wird das morgenliche Farbenspiel, das durch die Vereinigung von Licht und Finsternis entsteht, der Verbindung der Liebenden gleichgesetzt:

> „So mit morgenroten Flügeln
> Riß es mich an deinen Mund,
> Und die Nacht mit tausend Siegeln
> Kräftigt sternenhell den Bund."

So kann die Reihe von Naturerscheinungen: der Zypresse reinstes Streben, des Kanals reines Wellenleben, der aufsteigende Wasserstrahl, die sich umgestaltende Wolke, der Wiesenteppich und der Morgen, ihm als Bilder der Geliebten erscheinen, die in tausend Formen sich versteckt. Was die Weisheit des westlichen Dichters ahnt, hat die Weisheit des östlichen Propheten längst geoffenbart, wenn sie Allah unter hundert Namen verehrt:

> „Was ich mit äußerm Sinn, mit innerm kenne,
> Du Allbelehrende, kenn' ich durch dich;
> Und wenn ich Allahs Namenhundert nenne,
> Mit jedem klingt ein Name nach für dich."

Aber die Zeit eilt über diese romantische Weisheit dahin und bemüht sich, ihre schimmernden Schleier mit wirklicheren Werten zu vertauschen. Auch Goethe, bei aller Weltweite stets gegenwartsnah, läßt sich mitreißen; denn auch im Besonderen der vorwärts eilenden Zeit lebt das Allgemeine des göttlichen Geistes. Das bannende Zauberwort der neuen Zeit heißt nicht mehr Bildung, wie in der klassischen Zeit, oder Lust wie im Rokoko, sondern Nutzen — Utilitarismus. Die Masse, im 18. Jahrhundert Werkzeug der Großen, steigt gegen die einzelnen Bevorzugten empor und meldet ihre politischen und wirtschaftlichen Ansprüche an. Goethe hat, als einer der ersten, die neue Richtung erfühlt. In „Dichtung und Wahrheit" berichtet er, wie ihn und seine Freunde der Befreiungskampf der Amerikaner stärker interessiert habe, als die Kriege Friedrichs des Großen. In den „Lehrjahren" wird erzählt, wie Lothario unter den Fahnen der Vereinigten Staaten gekämpft habe; er führt Wilhelm, der sein Leben lang dem Ideal der Bildung nachgestrebt hat, dem neuen Ziele zu, das Nutzen heißt. Was Goethe an Amerika bewunderte, das war die Freiheit von geschichtlicher Belastung, an der Europa so schwer trug:

„Amerika, du hast es besser
Als unser Kontinent der alte,
Du hast keine verfallenen Schlösser
Und keine Basalte;

Dich stört nicht im Innern
Zu lebendiger Zeit
Unnützes Erinnern
Und vergeblicher Streit.

Auch in Europa zogen die Zeichen der anbrechenden Zeit des Nutzens seine Blicke auf sich. 1790 sah er im Bergwerk Tarnowitz die erste Dampfmaschine. 1797 machte er Beobachtungen über Spinnerei und Weberei am obern Zürichsee und ließ sich von Meyer die Fabrikationsweise und die einzelnen Fachausdrücke aufzeichnen. 1824 mußte ihm Sulpice Boisserée von der Dampfschiffahrt auf dem Rheine erzählen, und 1827 sprach er mit Ludwig I. von der Eisenbahn: „Das Innere der Städte umgeht sie, als wenn sie nicht beständen, und vom Genuß der schönen Natur kann nicht mehr die Rede sein ... Der Duft der Pflaume ist weg." In England und Frankreich zeitigte die Ausbreitung von Maschinenarbeit und Industrie das Aufkommen des Sozialismus als Schutzbewegung für die von der Industrie in Dienst gestellten Arbeiterheere. In England war Jeremy Bentham ein Verkündiger sozialistischer Ideen, in Frankreich der Graf Saint-Simon mit seinen Schülern. Massenbeglückung durch industrielle Arbeit war die Losung. Ein Leben der Nützlichkeit pries schon mit seinem Titel das saint-simonistische Journal „l'Utilitaire", das 1829 gegründet wurde. In der Industrie, so wurde gelehrt, liegen alle wirklichen Kräfte der Gesellschaft. Mit seinem Arbeitsanteil kann jeder sich seine Stellung seine Macht, sein Ansehen, sein Glück begründen. Vereinigung und Ordnung aller Produktionsmittel in den Händen der Gesellschaft, das soll die neue Form des Staates sein.

Goethe hat mit dem aus Genf stammenden Naturwissenschaftler Frédéric Soret, der als Prinzenerzieher in Weimar lebte, und der ein Neffe von Benthams Schüler Dumont war, sich über diese Fragen unterhalten. Am 20. Oktober 1830 eiferte er gegen das Utilitätsprinzip, und als Soret ihm auseinandersetzte, daß der wahre Utilitarier nicht den Egoismus predige, sondern daß er die Mitarbeit jedes einzelnen am Glück der Gesamtheit als die unerläßliche Vorbedingung für das eigene Glück betrachte, antwortete Goethe: „Ich verstehe nicht, warum man das Interesse des einzelnen dem der Masse opfern will; ich behaupte, jeder soll bleiben was er ist (Spinozas suum esse conservare), arbeiten und schaffen nach seiner innersten Überzeugung; ich habe als Schriftsteller niemals das Interesse der großen Masse im Auge gehabt. Ich war nur immer bestrebt, die Wahrheit zu sagen, nur zu schreiben, was meine Überzeugung war und was ich an sich für gut hielt; dadurch wurde auch das Wohl der andern gefördert, ganz ohne daß dies mein Hauptziel war; die Forderung, jeder habe dem Wohl der Gesamtheit Opfer zu bringen, scheint mir ein falsches Prinzip; Opfer zu bringen hat jeder seiner eigenen Überzeugung."

Goethes Äußerung zeigt, daß der Sozialismus als Forderung der neuen Zeit für ihn nicht eine gesetzgeberische Aufgabe des Staates war, sondern eine sittliche des einzelnen Menschen. In dem Paria-Zyklus erklärt die von ihrem brahmanischen Gatten enthauptete Mutter, der der Sohn, um sie wieder zum Leben zu erwecken, in der Hast versehentlich das Haupt eines Pariaweibes aufgesetzt hat, daß diese Vermischung der Kasten nach dem Willen des höchsten Gottes geschehen sei, dem keiner der Geringste sei, und der Paria dankt ihm:

> „Uns, die tief Herabgesetzten,
> Alle hast du neu geboren."

Goethe wußte wohl, daß man in der vornehmen Weimarer Gesellschaft über Christiane als Paria die Nase rümpfte.

Wenn er, gegenüber Sorets Verteidigung des Sozialismus, forderte, daß jeder seiner eigenen Überzeugung Opfer zu bringen habe, so deutete er damit auf einen Grundsatz, der in den letzten Jahrzehnten immer wieder von ihm gefordert und gelebt wurde: die Pflicht der Entsagung. Sie richtete sich gegen den Grundsatz des Lebensgenusses, wie er die Sittenlehre des 18. und nun auch des 19. Jahrhunderts beherrschte. Schon in den „Lehrjahren" wird die Entsagungspflicht Wilhelm Meister auferlegt, wenn er, nachdem er sich mit Natalie vermählt hat, statt sich seines Eheglücks in ruhigem Besitz zu freuen, durch die Welt wandern muß. Die letzte Liebe Goethes, die Neigung zu der jungen Ulrike von Levetzow, hatte für ihn mit der Pflicht der Entsagung geendet. Auf der Heimfahrt dichtete er die Marienbader Elegie, in der ergreifende Strophen die entsagende Caritas preisen:

> „Dem Frieden Gottes, welcher euch hienieden
> Mehr als Vernunft beseliget — wir lesen's —
> Vergleich ich wohl der Liebe heitern Frieden
> In Gegenwart des allgeliebten Wesens:
> Da ruht das Herz, und nichts vermag zu stören
> Den tiefsten Sinn, den Sinn ihr zu gehören.
>
> In unsers Busen Reine wogt ein Streben,
> Sich einem Höhern, Reinern, Unbekannten
> Aus Dankbarkeit freiwillig hinzugeben,
> Enträtselnd sich den ewig Ungenannten;
> Wir heißen's: fromm sein! — Solcher seligen Höhe
> Fühl' ich mich teilhaft, wenn ich vor ihr stehe.
>
> Vor ihrem Blick, wie vor der Sonne Walten,
> Vor ihrem Atem, wie vor Frühlingslüften,
> Zerschmilzt, so längst sich eisig starr gehalten,
> Der Selbstsinn tief in winterlichen Grüften;
> Kein Eigennutz, kein Eigenwille dauert,
> Vor ihrem Kommen sind sie weggeschauert.

Soweit ist der Greis jetzt von dem Jüngling entfernt, der über zerbrochene Herzen hinweggestürmt war, um des leidenschaftlichen Selbstgenusses willen. Wenn er wenige Jahre vor seinem Tode den „Lehrjahren" eine Fortsetzung folgen ließ, so konnte der Titel, an den Schluß der

„Lehrjahre" anknüpfend, nur lauten: „Wilhelm Meisters Wanderjahre oder die Entsagenden." Wilhelm Meister und die Seinigen sind nun alle, dem Geist des 19. Jahrhunderts entsprechend, Glieder der Masse und haben durch praktische Berufsarbeit dem Wohlsein aller zu dienen. Das heißt Materialismus, und Materialismus, als Herrschaft der Masse oder des Stoffes, bedingt Teilbarkeit, Zerfall. An die Stelle der Einheit geistiger Bildung, wie sie ursprünglich das Ideal Wilhelms gewesen ist, tritt jetzt das Spezialistentum der Berufsausbildung. „Jetzo ist die Zeit der Einseitigkeiten", verkündet Montanus; „wohl dem, der es begreift, für sich und andere in diesem Sinne wirkt... Sich auf ein Handwerk zu beschränken, ist das Beste. Für den geringsten Kopf wird es immer ein Handwerk, für den besseren eine Kunst, und der beste, wenn er Eins tut, tut er alles, oder, um weniger paradox zu sein, in dem einen, was er recht tut, sieht er das Gleichnis von allem, was recht getan wird."

Massengesinnung, Nutzen und Unruhe der neuen Zeit erfüllen und formen dieses letzte Prosawerk Goethes. Eine Menge von Menschen taucht aus der Masse auf und sinkt wieder in ihr unter. Die Arbeiter schließen sich zur Genossenschaft zusammen. Hand und Maschine kämpfen gegeneinander. Die Gewinnsucht setzt sich an die Stelle des künstlerischen Genusses der Arbeit. Eine allgemeine Bewegung ist im Volke, und große Teile wandern aus nach Amerika, um dort lohnende Arbeit zu finden. Alles das heißt Auflösung nicht nur der alten staatlich-gesellschaftlichen Ordnung, sondern auch drohende Zersetzung der religiös-sittlichen Grundbegriffe. Umso eindrucksvoller erhebt Goethe die mahnende Stimme für die Zukunft. Wenn die Formen zerbrochen werden, in denen die vergangene Zeit die sittlichen Ideen verkündet hatte, so mußte wenigstens ihr Gehalt gerettet und der neuen Zeit überantwortet werden. Sein Sinn war für Goethe das, was als sittliches Grundgesetz, als Opfer und Entsagung des Ich, als Demut vor den höchsten Mächten, dem egoistischen Begehrungswillen der neuen Zeit sich ordnend entgegenstellte: Ehrfurcht. Zu den tiefsinnigsten und feierlichsten Bildern der „Wanderjahre" gehört Wilhelms Besuch bei Makarie, jener weisen Frau, die, von der Welt abgeschieden, mit ihrem Arzt, der zugleich Astronom ist, sich der ehrfurchtsvollen Beobachtung des Sternenhimmels widmet, in dessen Gesetzmäßigkeit sie den Ausdruck auch der sittlichen Ordnung der Welt sieht. So gipfelt denn auch in der Erziehung zur Ehrfurcht die Bildung, die Wilhelms Sohn Felix in der Pädagogischen Provinz, dem idealen Landerziehungsheim, bekommt: Ehrfurcht vor dem, was über uns ist, Ehrfurcht vor dem, was unter uns, und Ehrfurcht vor dem, was unsersgleichen ist. Aus diesen drei Ehrfurchten entspringen drei Religionsformen: die allgemein völkische, die christliche, die philosophische, und alle drei vereinigen sich zu dem, was die wahre Religion der Zukunft sein soll: die Ehrfurcht vor sich selbst. Hat die Menschheit dem Glauben an Götter entsagt, hat das Christentum als die Religion des Erbarmens mit den Leidenden seine Bedeutung weithin eingebüßt und hat auch die Philosophie als Spenderin der Lebensweisheit ihre Macht verloren, so soll sich die Menschheit wenigstens dessen bewußt sein, daß sie nur gedeihen kann, wenn sie die sittliche Ordnung ehrfurchtsvoll wahrt, die mit der Naturform des Menschseins gegeben ist. Es ist die alte Erlösungslehre der „Iphigenie". Die Götter sind auf die Erde niedergestiegen und Menschen geworden. Aber die göttlichen Ideen sind mit ihnen nicht entschwunden. Sie sollen als sittliche Mächte ordnend, wegweisend, beschränkend in der Welt der entfesselten Herrschaft von Zahl und Masse weiter leben.

Die letzte Arbeit Goethes gehörte dem „Faust". Mitte August 1831 versiegelte er das vollendete Werk. Aber noch zu Anfang des folgenden Jahres beschäftigte ihn die „größere Ausführung der Hauptmotive", und erst fünf Tage vor seinem Tode gab er Wilhelm von Humboldt Nachricht von dem Abschluß seines Lebenswerkes. Es würde ihm, schrieb er, unendliche Freude machen, seinen Freunden noch bei Lebzeiten diese sehr ernsten Scherze mitzuteilen. Der Tag aber sei wirklich so absurd und konfus, daß er sich überzeuge, seine redlichen, lange verfolgten Bemühungen um dieses seltsame Gebäu würden schlecht belohnt und an den Strand getrieben, wie ein Wrack in Trümmern daliegen und von dem Dünenschutt der Stunden zunächst überschüttet werden. „Verwirrende Lehre zu verwirrtem Handel waltet über die Welt, und ich habe nichts angelegentlicher zu tun, als dasjenige, was an mir ist und geblieben ist, womöglich zu steigern." 1825 hatte er in seiner Zeitschrift „Kunst und Altertum" verkündigt: „Am Ende des Lebens gehen dem gefaßten Geiste Gedanken auf, bisher undenkbare; sie sind wie selige Dämonen, die sich auf den Gipfeln der Vergangenheit glänzend niederlassen."

Am Morgen des 22. März 1832 ruhte Goethe in dem grünen Lehnsessel neben seinem Bette. In träumenden Bildern arbeitete seine Phantasie. Er verlangte vom Diener Zeichnungen. Nahm einige Bissen von seinem Frühstück zu sich. Trank einen kurzen Schluck Wein und bestellte ein bestimmtes Gericht für Mittag. Ließ sich vom Sekretär John und dem Diener Friedrich aufrichten. Sagte zu seiner Schwiegertochter Ottilie, die neben ihm auf dem Bette kauerte: „Komm, mein Töchterchen, und gib mir ein Pfötchen." Und bat dann: „Öffnet doch den Fensterladen, damit mehr Licht hereinkomme." Dann verliert er die Besinnung. Wie träumend hebt er die rechte Hand, schreibt mit dem Mittelfinger Buchstaben in der Luft und auf der Decke, die über seine Knie gebreitet ist. Die Hände färben sich blau. Immer schwerer geht der Atem. Um elfeinhalb Uhr stirbt er. Das Auge hatte sich dem Lichte versagt, das ihm mehr als zweiundachtzig Jahre lang eine unerschöpfliche und geliebte Quelle der Beglückung und Erkenntnis gewesen war.

„Am andern Morgen", erzählt Eckermann, „ergriff mich eine tiefe Sehnsucht, seine irdische Hülle noch einmal zu sehen. Sein treuer Diener Friedrich schloß mir das Zimmer auf, wo man ihn hingelegt hatte. Auf dem Rücken ausgestreckt, ruhte er wie ein Schlafender; tiefer Friede und Festigkeit waltete auf den Zügen seines erhaben-edlen Gesichts. Die mächtige Stirn schien noch Gedanken zu hegen ... Der Körper lag nackend in ein weißes Bettuch gehüllet, große Eisstücke hatte man in einiger Nähe umhergestellt, um ihn frisch zu erhalten, solange als möglich. Friedrich schlug das Tuch auseinander, und ich erstaunte über die göttliche Pracht dieser Glieder. Die Brust überaus mächtig, breit und gewölbt; Arme und Schenkel voll und sanft muskulös; die Füße zierlich und von der reinsten Form; und nirgends am ganzen Körper eine Spur von Fettigkeit oder Abmagerung und Verfall. Ein vollkommener Mensch lag in großer Schönheit vor mir, und das Entzücken, das ich darüber empfand, ließ mich auf Augenblicke vergessen, daß der unsterbliche Geist eine solche Hülle verlassen."

Kein neuerer Dichter hat seinem Volke und der Menschheit ein größeres Vermächtnis hinterlassen, als Goethe in seinem „Faust". Er ist für unsere Zeit, was Dantes „Divina Commedia" für das Mittelalter: das umfassende Gemälde der Welt. Es kann sich hier nicht darum handeln, eine Deutung des Werkes zu geben. Nur seine überragende Stelle innerhalb des geistigen Schaffens Goethes soll mit wenigen Strichen gekennzeichnet werden. Das Verhältnis dafür muß aus der Natur von Goethes Denken heraus entwickelt werden. Man darf dem „Faust" nicht mit christlichen oder moralphilosophischen Begriffen nahen und sein Werden etwa als einen „Läuterungsvorgang" auffassen. Nichts lag Goethe ferner. Wie von den naturwissenschaftlichen Ideen der morphologischen Vergleichungslehre und der Metamorphose der Pflanzen direkte Fäden gezogen

52-54 Illustrationen zu Szenen aus Goethes „Faust"
Kupferstiche nach Zeichnungen von Peter Cornelius

52 Osterspaziergang. 53 „*Mein schönes Fräulein darf ich's wagen*". 54 *In Frau Martens Garten.*

Im September 1811 legte Sulpiz Boisserée Goethe drei Zeichnungen von Peter Cornelius vor, die sein Gefallen erregten. Als Cornelius 1816 Goethe seine Szenendarstellungen widmete und schickte, schrieb ihm dieser: „Fahren Sie fort auf diesem Wege alle Liebhaber zu erfreuen, mich besonders, der ich durch meine Dichtung sie angeregt, Ihre Einbildungskraft in diese Region hinzuwenden und darin so meisterhaft zu verharren."

Goethes Arbeit am Faust, seinem „Hauptgeschäft", wie er sie später nannte, reicht von 1771 bis 1831. Über sechzig Jahre, das entspricht dem Zeitraum von zwei Generationen, trug sich Goethe mit dem Faust-Stoff. Entsprechend verbindet diese Dichtung alle Merkmale von Goethes Wandlungen: vom Sturm und Drang über die Klassik bis zu den durch die Romantik hindurchgegangenen Motiven seiner Altersdichtung. So wurde der „Faust" zum eigentlichen, dichterischen Testament Goethes. In diesem Sinne bestimmte Goethe, daß der zweite Teil erst nach seinem Tode veröffentlicht werden sollte.

55. Hermann und Dorothea
Kupferstich von Daniel Nikolaus Chodowiecki von 1798 für die Erstausgabe im „Taschenbuch für Frauenzimmer von Bildung, auf das Jahr 1799"

In dem Epos von „Hermann und Dorothea" fand Goethes Auseinandersetzung mit der französischen Revolution ihre reifste Gestaltung. Unter dem Druck der Not erweist sich die Humanität als überwindende Kraft.

52
Osterspaziergang

„Mein schönes Fräulein
darf ich's wagen"

54 In Frau Martens Garten

55
Hermann und Dorothea

56
Corona Schröter
(1751—1802)

57
Das weimarische
Hoftheater

58
Das Theater
in Lauchstädt

werden können zu seiner Selbstbiographie und zu dem Schema der menschlichen Bildung und Umwandlung in „Urworte. Orphisch"; wie die „Wahlverwandtschaften" ohne Goethes Naturauffassung nicht verstanden werden können, so ist auch der „Faust" nur aus Goethes organischem Pantheismus zu deuten. Er ist das größte Bild des Naturgeschehens, das Goethe geschaffen, das Menschenleben, in der natürlichen Notwendigkeit und Gesetzesmäßigkeit seiner Entwicklung dargestellt. Die Gesetze der Polarität, der Gleichheit und Vielfältigkeit des Typus und der Metamorphose bestimmen den Gang und die Gestalt von Fausts Leben ebensosehr, wie sie die Entwicklung von Pflanze und Tier leiten, und hinter allen Einzelstufen des Lebens steht die Vorstellung von dem in den bildenden Kräften der Natur sich betätigenden Gotte. Man muß sich aber bewußt sein, daß es sich hier nicht um ein naturwissenschaftliches Werk handelt, sondern um eine Dichtung. Was Goethe hier zu sagen hat, sagt er nicht in Begriffen, sondern in Symbolen. Man hat sich an das Wort aus dem Lehrbrief des Wilhelm Meister zu erinnern: „Die Worte sind gut, sie sind aber nicht das Beste. Das Beste wird nicht deutlich durch Worte." Was besser ist als Worte, sind Symbole. Man hat sich daran zu halten und in den bunten Bildern, die Goethe gibt, den göttlichen Geist, in den Einzel-

56. Corona Schröter (1751—1802)
Gemälde von Georg Melchior Kraus

Die Schauspielerin Corona Schröter, die Kraus gelegentlich ihrer Zeichenstudien malte, hatte Goethe schon in seiner Universitätszeit in Leipzig auf der Bühne gesehen und war von ihr begeistert. Kaum daß Goethe 1776 in den Staatsdienst getreten war, holte er Corona Schröter nach Weimar. Er wie der Herzog Carl August warben heftig um ihre Gunst. 1779 spielte sie im Weimarer Liebhabertheater in der ersten Aufführung der Prosafassung von „Iphigenie" die Titelrolle; Goethe spielte Orest.

57. Das weimarische Hoftheater
Kupferstich

Das „alte" Theater gründet auf dem Redouten- und Komödienhaus, das 1779 mit Unterstützung der Herzogin Anna Amalia errichtet wurde. Dieser Bau mußte 1798, als er den Bedürfnissen der Klassiker nicht mehr ausreichte, umgestaltet werden. Das vergrößerte Haus wurde zu einer ruhmvollen Stätte zahlreicher Aufführungen von Goethes und Schillers Dramen, bis es 1825 abbrannte und seine Reste in einem neuen, anders angelegten Gebäude aufgingen.

58. Das Theater in Lauchstädt
Kupferstich

In dem Modebad Lauchstädt gastierte die Weimarer Hoftheater-Gruppe unter Goethes Leitung von 1802 bis 1806 während der Sommermonate. Am 26. Juni 1802 wurde das neuerrichtete Theater mit Goethes Vorspiel „Was wir bringen" eingeweiht. Am 10. August 1805 fand dort die Schiller-Gedenkfeier mit Aufführung der „Glocke" und Goethes Epilog statt.

heiten des Geschehens das Gesetz der organisch-bildenden Gottnatur zu sehen.

Im Prolog im Himmel entfaltet sich vor uns ein aus dem Rahmen des Menschlich-Irdischen herausgehobenes Bild Gottes und der Welt. Was Goethe in der Sulzer-Besprechung ausdrückte: „Natur ist Kraft, die Kraft verschlingt", tönt hier aus den großen Gesängen der Erzengel. Gott erscheint in seinen Werken als gesetzmäßig wirkende Kraft: in dem Brudergesang der kreisenden Sphären, in der kosmischen Bewegung der Erde mit dem Wechsel von Tag und Nacht, mit dem Rhythmus von Ebbe und Flut, in den atmosphärischen Vorgängen der Erde. In diesem Meer von schaffenden Kräften wirkt Mephistopheles als der verneinende Geist: geistig als kritischer Nörgler, stofflich als Zerstörer. Mit seinen ersten Worten bekrittelt er Gottes Werk:

> „Ich sehe nur, wie sich die Menschen plagen."

Und später:

> „Denn alles, was entsteht,
> Ist wert, daß es zugrunde geht."

Wie der Dampf, um Werke zu treiben und fruchtbare Arbeit zu leisten, in begrenzenden Röhren eingeschlossen werden muß, so bedarf die schaffende Kraft Gottes im Naturleben des Widerstandes, der Verneinung. „Alles Werdende", sagt Goethe einmal, „bedarf der verstandesmäßigen Korrektur und Kritik, wenn es nicht in maßlosem Fluten sich verlieren, zugrunde gehen soll". So braucht Gott den Mephist als Schalk, als bösen Knecht (wie Faust sein guter ist); des Menschen Tätigkeit kann allzu leicht erschlaffen; Mephist muß ihn reizen und als Teufel durch Verneinung wirken. Die Dichtung zeigt, wie in der Tat immer wieder durch Mephists Widerspruch oder Zerstörungswerk das stockende Leben Fausts weitergetrieben wird.

Aus diesen kosmologischen Voraussetzungen entwickelt sich das Erdenleben in den beiden polaren Gegenspielern Faust und Mephistopheles. Faust ist der unbestimmt Vorwärtsdrängende, Mephist der Begrenzende. Erst durch das Zusammenwirken beider als der bejahenden und der verneinenden Kraft entsteht Leben, Tat, Werk. Allem, was Faust ersehnt, wünscht, erstrebt, widersetzt sich Mephist geistig-kritisch oder stofflich-zerstörend, und ermöglicht so erst die Erfüllung von Fausts Drängen. Er kritisiert Fausts gelehrtes Streben und ermöglicht damit Fausts tiefste Erkenntnis. Er spottet über Fausts Selbstmordgedanken, und schenkt ihn gerade dadurch dem Leben zurück. Wie Faust von Gretchen in die Einsamkeit der Natur flieht, um die Geliebte nicht zu verderben, reizt Mephist durch das Bild der sich in Sehnsucht Verzehrenden seine Liebe aufs neue. Er entzündet in der ersten Walpurgisnacht die Sinnlichkeit des Faust als Begrenzung seiner geistigen Liebe und weckt gerade dadurch die Erinnerung an Gretchen, bewirkt die Reue und Rückkehr zu ihr. Als der Begrenzende, Verneinende und Zerstörende ist er im besonderen auch der Herr der Materie; denn im Gegensatz zu dem in Faust verkörperten

*Goethe diktiert seinem Schreiber John in seinem Arbeits-
zimmer. Radierung nach dem Gemälde von Schmeller, 1831*

unsterblichen Geiste wohnt der Materie das Element des Teilbaren, des
Zerfalls inne; er schafft, um die Sehnsucht Fausts nach Gretchen zu befriedigen und an ihr Ziel zu führen, das Schmuckkästchen herbei. Er
rafft später dem Faust die Schätze der ganzen Erde zusammen. Endlich
ist er, als der kritische Geist und der Herr der Materie, auch der Techniker, der immer Mittel und Wege weiß. So kann er Faust den Weg zu den
Müttern lehren, ohne ihn selber gehen zu können. Er steht Wagner bei
in der Verfertigung des Homunculus und schafft dem Kaiser die Maschinen, mit denen er den Gegenkaiser besiegt.

Bei diesem Spiel von Wirken und Gegenwirken, von Faust und Mephistopheles hat man sich aber bewußt zu sein, daß es sich dabei um das
Hin und Her von schaffenden Kräften, nicht um das Plus und Minus
mathematischer Zahlengrößen handelt. Um es in Goethes naturwissen-
schaftlicher Sprache auszudrücken: in beiden schafft die Polarität des
Typus, und was als Bild des Lebens entsteht, ist Metamorphose. Nichts
ist daher törichter, als bei der Erklärung des Faust von Widersprüchen
in der Dichtung und ihren Gestalten zu reden und etwa zu sagen, die

Weisheit des Mephistopheles bei der Beschreibung des Weges zu den Müttern oder die moralische Strenge, die er in der Verurteilung von Helenas Leichtfertigkeit zeige, stimme nicht zu dem Verführer und Genüßling, der Mephist in dem ersten Teil der Dichtung sei. Das heißt, die Forderung mathematischer Eindeutigkeit und Starrheit gegenüber Gestalten des Lebens erheben, die dem Gesetz der Wandlung unterliegen. Was man fordern darf, ist nur, daß sich neben der Versatilität des Typus auch seine Stabilität bewähre, d. h., daß alle Formen der Verwandlung sich auf die Urtypen zurückführen lassen, wie allen Organen der Pflanze das Urblatt zugrunde liegt. Und in der Tat, wenn wir festhalten, daß Mephist der Verneiner als Kritiker und Zerstörer und der wissende Beherrscher der stofflichen Welt ist, so ergeben sich alle Gestalten, in die er sich verwandelt, aus seinem Grundwesen oder Urbild.

In der Reihe von Fausts Erlebnissen, wie sie sich aus dem Spiel der beiden Gegenkräfte gestalten, folgt Goethe dem Gange seines eigenen Lebens, sofern es ein wesentliches Abbild des allgemeinen Menschenlebens ist, und dem Laufe der abendländischen Geschichte seit der Aufklärung. Er sieht, wenn er sein eigenes Leben als Vereinzelung der großen Zeitgeschichte faßt, in den anderthalb Jahrhunderten von dem Beginn der Aufklärung bis zu seinem Tode, die Bewegung des Lebens durch folgende Fragen bestimmt: Erkenntnis, Genuß, Kunst, Natur, Macht, Reichtum.

Als Forscher nach Erkenntnis beginnt Faust mit der rationalistischen und mechanistischen Methode der Aufklärung. Durch Verstand will er erkennen, was die Welt im Innersten zusammenhält, schauen alle Wirkenskraft und Samen. Als er erfährt, daß ihn statt der lebendigen Natur nur Tiergerippe und Totenbein umgeben, will er durch die Magie mit einem Schlag ins Innere der Natur eindringen: man hat dabei nicht sowohl an Goethes alchimistische Versuche und das Swedenborg-Studium zu denken, als an die Erkenntnislehre Herders, der der rationalistischen Erkenntnislehre Wolffs die intuitive Erfassung der Welt entgegenstellte. Aber das Bild der auf- und niedersteigenden Himmelskräfte (es erinnert an das Bild der Erzengel im Prolog) bleibt bloßes Schauspiel; der Erdgeist, die lebendige Einheit der irdischen Schöpferkräfte, offenbart sich ihm zwar, aber er stößt ihn zurück in die Beschränktheit seines irdischen Menschseins: die Kenntnis des Gesamtlebens der Erde läßt sich nicht durch Zauberspuk im Augenblick erringen. Faust zieht den logischen Schluß und will durch den Freitod die irdische Form seines Unsterblichen zerschlagen, um sich in die Unendlichkeit des Allseins hinauszuschwingen. Aber alles, was den Gehalt seines Menschseins ausmacht, der Reichtum der Erinnerungen, hält ihn im Leben zurück, und so hat er in dem Erlebnis der Osternacht eines gewonnen: Erkenntnis der Unfruchtbarkeit der rationalistischen Forschung. Das heißt: den Weg zum unmittelbaren Leben. An der Seite Wagners, des „trocknen Schleichers", der als Gegensatz Fausts tiefste Sehnsucht wirkungsvoll steigert, zieht er in die Frühlingsnatur hinaus und mischt sich unters Volk. Jetzt tritt Mephist, der unsichtbar ihn bereits in den Verzweiflungsausbrüchen der Monologe umschwebte, sichtbar in sein Leben. Die Frage nach der Erkenntnis hat sich mit seinem Erscheinen in die nach dem Lebensgenusse verwandelt.

Der Begriff des Genusses birgt zwei Inhalte: einen positiven und einen negativen. Der positive besteht in der stofflichen oder geistigen Förderung und Bereicherung. Genuß von Speisen führt dem Körper Aufbaustoffe zu; Genuß von geistigen Werten, Kunstwerken, Büchern, schafft Glück oder Erkenntnis; Erfahrung des unmittelbaren Lebens fördert sittliche Werte, Menschenkenntnis. Der negative Inhalt besteht in der Abnützung oder dem Verbrauch von stofflichem oder geistigem Besitz. Genuß von Speisen führt zur Abnützung der körperlichen Organe; Genuß von geistigen Werten zerstört die naive Empfänglichkeit, weckt Kritik; gegenüber Kunstwerken wird das Urteil heikel, gegenüber wissenschaftlichen Werken zurückhaltend und mißtrauisch; Erfahrung in Menschenkenntnis zerstört Illusionen. So sind Aufbau und Zerstörung, Leben und Tod am Genusse beteiligt; je mehr Genuß, desto reicher und ausgreifender das Leben, aber auch desto rascher und sicherer der Tod.

Wenn nun Faust alles grenzenlos Drängende, Aufbauende und Schaffende, Mephist alles Verneinende, Begrenzende, Zerstörende in sich darstellt, so ist mit ihrem gegensätzlichen Wesen auch ihre gegensätzliche Stellung zum Genuß gekennzeichnet. Faust genießt, um im Genuß sich grenzenlos des Lebens zu bemächtigen, alles an sich zu raffen, ohne je von dem Genossenen befriedigt zu werden. Jedes genossene Gut trägt in sich bereits den Ekel und damit den Wunsch nach einem neuen. Daher hört er aus allem nur den heiseren Gesang: „Entbehren sollst du, sollst entbehren." Wie Mephist ihm verspricht: „Ich gebe dir, was noch kein Mensch gesehn", fordert er von ihm Speise, die nicht sättigt; rotes Gold, das ohne Rast Quecksilber gleich in der Hand zerrinnt; ein Spiel, bei dem man nie gewinnt:

> „Zeig' mir die Frucht, die fault, eh' man sie bricht,
> Und Bäume, die sich täglich neu begrünen."

Er rast, ohne Verweilen, durch alle Genüsse hin, das Unbefriedigende in allen empfindend und doch aus jedem folgenden neue Beglückung erhoffend: die Frucht fault, aber die Bäume begrünen sich täglich neu.

Umgekehrt sieht Mephist in dem Genusse nur das Aufbrauchende und Zerstörende. Sein Streben ist, Faust durch ein Übermaß des Genießens körperlich und geistig zu erschöpfen, so daß er schließlich seine Beute wird. Diese in der Natur der beiden bedingte Gegensätzlichkeit bestimmt den Standpunkt eines jeden bei dem Vertrag, der, eben wegen der Gegensätzlichkeit des Standpunktes, eine Wette ist. Faust setzt seine Seele ein; Mephist alle Genüsse der Welt. Faust sagt:

> „Werd' ich beruhigt je mich auf ein Faulbett legen...
> Kannst du mich mit Genuß betrügen...
> Werd' ich zum Augenblicke sagen:
> Verweile doch! Du bist so schön!
> Dann magst du mich in Fesseln schlagen,
> Dann will ich gern zu Grunde gehn."

Er verspricht damit etwas, worüber er gar nicht verfügen kann. Denn da sein Wesen auf das Positive des Genießens gerichtet ist, kann er durch alle Genüsse nur hindurchrasen, ohne je von einem Befriedigung zu erlangen, je „beruhigt sich auf ein Faulbett zu legen". Bezeichnend ist, wie auf den Wunsch des Mephist um eine Sicherung des Vertrages durch ein paar Zeilen, diese Bitte auf Faust als Drohung wirkt, ihn zu binden und sein eilendes Streben an einem Punkte festzuhalten. Er bekennt aufs neue:

> „Rast nicht die Welt in allen Strömen fort,
> Und mich soll ein Versprechen halten?"

Und später:

> „Stürzen wir uns in das Rauschen der Zeit,
> Ins Rollen der Begebenheit...
> Nur rastlos betätigt sich der Mann."

Dagegen glaubt Mephist, der in dem Genuß nur das Zerstörende sieht, daß Faust am Ende doch dem Genuß erliegen und seine Beute werden müsse. Er fordert Faust darum auf, zuzugreifen und nicht blöde zu sein. Ihm ist das Leben ein Kauen an einer harten Speise, ein Sauerteig der Bosheit und Schalkheit (1. Kor. 5, 8), den man nicht verdauen kann: er hat in der Griesgrämigkeit seines Pessimismus einen kranken Magen bekommen. Er kann sich einfach nicht davon überzeugen, daß Fausts Seele in ihrem unsterblichen, unstofflichen Wesen niemals der Welt der Zerstörung verfallen wird. So ist durch den entgegengesetzten Standpunkt bei der Wette der schließliche Ausgang des Verhältnisses bereits vorausbestimmt. Der Teufel wird verlieren, weil er, in der Materie verhaftet, nicht begreift, daß die Seele immateriell, unsterblich ist.

Das Genußleben Fausts führt durch die kleine, dann die große Welt, durch die Freuden des bürgerlichen Lebens, Trinken und Lieben, und auf die Höhe und Weite der Menschheit, zu den Großtaten des künstlerischen, wissenschaftlichen, staatlichen, wirtschaftlich-technischen Schaffens. Im Genuß der kleinen Welt ist das Haupterlebnis Fausts Liebe zu Gretchen. Gerade es zeigt, wie Faust niemals aus dem Genuß Befriedigung und Beruhigung gewinnt. Was es ihm an positivem Gewinn schenkt, ist menschliches Glück und Einsicht in das lebendige Innere der Natur („Gabst mir die herrliche Natur zum Königreich"); aber sofort treibt ihn seine Unersättlichkeit weiter, und Gretchen fällt als Opfer am Wege. Das ist eine Deutung der Leidenschaft, die an die in „Clavigo" erinnert, aber weit darüber hinaus führt. Das Gefühl, jene Zaubermacht des Sturms und Drangs, wird damit aus dem Bereich des Einzelmenschlich-Psychologischen emporgehoben ins Kosmisch-Metaphysische. Es ist, in Faust verkörpert, ein notwendiger Inbegriff des Weltgeschehens, das Vorwärtstreibende und Aufbauende. Mit dieser kosmologischen Wertung der Liebe ist denn auch ausgesprochen, daß man das menschliche Verhalten in der Liebesleidenschaft nicht mit moralischem Maßstab messen darf. Es steht jenseits von Gut und Böse. Wenn Goethe in der Gretchen-Tragödie seinem tiefen Schmerz über seine Untreue gegen Friederike und andere Gestalt gab, so erlöste er sich damit zugleich von der Qual der Reue: es war Gesetz und

Macht der Gottnatur, was in ihm liebte und die Geliebte ins Unglück führte, es war nicht nur bürgerlich-menschliche Verschuldung. Der Schluß des ersten Teils der Dichtung ist damit zugleich eine Präfiguration des Ausganges des Gesamtwerks.

Der Gang durch die große Welt ist nicht mehr Genuß, sondern Handeln. Er führt Faust und Mephist auf die höchste Höhe der abendländischen Christenheit, an den Hof des Kaisers. Der teuflische Kunstgriff des Mephist, aus dem Kredit durch Bankzettel oder Banknoten (Schein-) Geld herzustellen, hat den Kaiser als den Herrn über die Erde und ihre Bodenschätze mit einem Schlage reich gemacht, und der Reichtum erlaubt nun üppige Lustbarkeit. Im Wohlstand gedeiht die Kunst. Faust tritt als Künstler auf. Er soll, wie Goethe in Weimar die Gestalt der Iphigenie heraufbeschworen hat, dem Hofe den Raub der Helena vorführen, einen alten Mythos im Kunstwerk neu schaffen. Mephist, als der wissende Techniker, verrät ihm das Geheimnis der Schöpfung eines Kunstwerkes; er muß zu den Müttern niedersteigen.

Es ist von geringem Belang, daß Goethe in Plutarchs Leben des Marcellus von sizilischen Göttinnen las, die Mütter genannt wurden. Das Wesentliche ist, wie er am 10. Januar 1830 zu Eckermann sagte, wirklich seine eigene Erfindung. Mit den Müttern, den Gebärenden, hat er in der symbolischen Sprache der Dichtung das bezeichnet, was er in der Begriffssprache der Wissenschaft Typus oder Typen nannte. Wenn es Faust bei der ersten Nennung des Namens Mütter schaudert, so nicht deswegen, weil ihm das Wort die reuevolle Erinnerung an Gretchen weckt, die durch ihn Mutter geworden ist, sondern weil mit dem Namen die Vorstellung eines tiefsten und wunderbaren Geheimnisses verbunden ist. Faust, wenn er sagt: „Es klingt so wunderlich!", meint das Wort im eigentlichen Sinne: als wunder-gleich, nicht etwa als merkwürdig. Daher ist die ganze Beschreibung des Reiches der Mütter in mystisch-heilige Dämmerung gerückt. Faust, indem er zu den Müttern niedersteigt, wird zum orakelspendenden Priester. Er tritt später im „Priesterkleid" als ein „Wundermann" vor die Hofgesellschaft. Alle höhere Erkenntnis ist für Goethe in den Zauberschleier heiligen Geheimnisses gehüllt: „Sagt es niemand, nur den Weisen", beginnt das Gedicht „Selige Sehnsucht".

Mit den Typen haben die Mütter erstens gemein die Abstraktion. Sie sind nicht Wesen der Anschauungswelt, sondern sie wirken aus dem Geistigen in die körperliche Welt hinein. Der Weg zu ihnen ist daher „kein Weg". Es geht ins Unbetretene, nicht Betretbare:

> „Nicht Schlösser sind, nicht Riegel wegzuschieben,
> Von Einsamkeiten wirst umhergetrieben."

Ihr Reich ist öder als der grenzenlose Ozean. Auf diesem sieht man doch etwas: Delphine, Wolken, Sonne, Mond und Sterne. In der anschauungsbaren Welt der rein gedachten (aber doch vorhandenen) Mütter gibt es keine Sinnesempfindungen mehr:

> „Nichts wirst du sehn in ewigleerer Ferne,
> Den Schritt nicht hören, den du tust,
> Nichts Festes finden, wo du ruhst."

Und später kennzeichnet Mephist dies dunkle Reich noch deutlicher:

„Versinke denn! Ich könnt' auch sagen: Steige!
's ist einerlei. Entfliehe dem Entstandnen
In der Gebilde losgebundne [= absolute] Reiche!"

Wie die Typen sind zweitens die Mütter schaffende Kräfte, die immer das Gleiche immer in verschiedener Gestalt hervorbringen und so die Metamorphose organischer Wesen bewirken:

Die einen sitzen, andre stehn und gehn,
Wie's eben kommt. Gestaltung, Umgestaltung,
Des ewigen Sinnes ewige Unterhaltung,
Umschwebt von Bildern aller Kreatur,
Sie sehn dich nicht, denn Schemen sehn sie nur."

Das Dritte, was Fausts Gang zu den Müttern erfordert, ist die Liebe. Auch hier taucht wieder jene tiefste Überzeugung Goethes auf, daß, was der Künstler nicht liebt, er nicht schildern soll noch kann. Die Typen sind wirklich Mütter: sie bringen nur hervor, was sie in Liebe empfangen haben. Ihr Schaffen ist ein Schaffen aus Liebe. Das ist der Sinn des Schlüssels, der, nachdem Faust ihn aus der Hand des Mephist empfangen hat, in der seinen, der positiv schaffenden, wächst, leuchtet, blitzt, und des glühenden Dreifußes, d. h. einer Schale auf drei Füßen: der stabförmige Schlüssel und die Schale sind Sinnbilder der Zeugung.

Der Anblick der Helena weckt in Faust die Begierde, das schönste Weib des Altertums als Gattin zu besitzen, wie Goethe in Italien sich zum südlich-antiken Menschen umgewandelt hat. Dazu aber muß Helena aus dem Reiche des Künstlerisch-Geistigen in das der Wirklichkeit eintreten. Sie muß als lebender Mensch geschaffen werden. Goethes pantheistischer Begriff des Lebens schließt die Einheit von Geist und Stoff in sich. Er stellt den Vorgang der Menschwerdung der Helena so dar, daß zuerst das geistige Bild der Helena geschaffen und sodann dieses in die Welt des Lebendig-Stofflichen eingeht und hier lebendig-wirklich wird.

Die Schöpfung des geistigen Bildes der Helena geschieht wiederum in zwei Phasen. Zuerst wird ein allgemein geistiges Wesen hergestellt, sodann erhält dieses den besondern Inhalt Helena. Die Herstellung eines allgemein geistigen Wesens geschieht in der gelehrten Welt der Universität. In gesteigerter Form kehrt Fausts ehemaliges Reich wieder. Der einstige Famulus Wagner ist Professor, der angehende schüchterne Student ein frecher, selbstbewußter Baccalaureus geworden. Wagner stellt mit Hilfe des Mephist den Homunculus künstlich her. Seine Natur ist Entelechie entsprechend der Leibnizischen Monade; strebende Geisteskraft, Idee. Kaum erscheint Homunculus in der Phiole, so sagt er:

„Dieweil ich bin, muß ich auch tätig sein."

Aber diese Strebekraft ist nur geistig-abstrakt, nicht zusammenhängend mit der Welt des Natürlich-Lebendigen: Homunculus ist in die gläserne Phiole eingeschlossen:

„Was künstlich ist, verlangt geschloßnen Raum."

Wagner darf ihn ans Herz drücken, doch nicht zu fest, damit das Glas nicht springe: die Begeisterung muß wissenschaftlich-geistig bleiben, sie darf sich nicht als natürliches Gefühl stürmisch äußern.

Nun erhält die allgemein-geistige Strebekraft das bestimmte Ziel. Man sieht Faust, auf dem Lager hingestreckt, von der Erzeugung der Helena durch den Besuch des Jupiter-Schwanes bei Leda sehnsüchtig träumend. Homunculus schwebt über dem Träumenden, beleuchtet ihn, eine Idee glänzt in ihm auf: eben das Bild der Helena. So fährt er denn mit Mephist nach den Gefilden Griechenlands.

Die klassische Walpurgisnacht ist wie die nordische des ersten Teils ein Reich aufgewühlter Sinnlichkeit, die aber hier nicht dem Genuß, sondern der Lebenzeugung dient. Ihre Handlung ist durch zwei Ziele bestimmt. Erstens will Faust Helena zum Leben aufwecken. Zweitens will Homunculus „enstehen" — aus dem bloß geistigen Dasein in die lebendige Natur eingehen. Beide Handlungsströme aber münden am gleichen Ziele: indem Homunculus lebendiges Wesen wird, ist Fausts Sehnsucht nach Wiedererweckung der Helena erfüllt. Zwei Hypothesen über die Entstehung des Lebens beschäftigen Goethes Zeit: Leben entsteht durch vulkanische Eruption aus der Erde; Leben entsteht aus dem Wasser. Dementsprechend beginnt jede der beiden Handlungen in den Gebirgsgegenden des oberen Peneios und wandert seinem Laufe nach zum Meer hinunter. Schließlich „entsteht" Homunculus im Ägäischen Meer, indem er, von der Schönheit der im Muschelwagen herannahenden Galatee-Aphrodite gewaltig angezogen, sich auf sie stürzt, an dem Wagen zerschellt und sich aufleuchtend ins Meer ergießt: als Infusorium muß er seinen Gang durch die lebendige Natur beginnen. In unendlichen Zeiträumen — auch hier gilt das Wort: „Den Poeten bindet keine Zeit" — wird aus ihm Helena entstehen.

Der dritte Akt des zweiten Teiles zeigt Faust als Gemahl der Helena. Er hat mit ihr das Reich der idealen Schönheit aufgerichtet. Die Gesetze der Moral sind aus ihm verbannt: er hat Menelaos besiegt und Helena geraubt. Mephist, der in dem Reiche der heitern Schönheit als die grämliche Moralität erscheint, ist in den Hintergrund gewiesen. Aber aus sich selber geht diese Welt zugrunde, wie die Klassik in der Maßlosigkeit der Romantik erstarb. Wie Fausts und Helenas Sohn Euphorion in seinem Wahne zu fliegen am Boden zerschellt, entschwindet auch Helena dem Faust; nur ihr Kleid und ihr Schleier bleiben zurück, die entseelten Hüllen oder Formen. Die Zeit des lebendigen Kunstschaffens ist vorbei; die der Macht beginnt.

Wie die großen Völkerkämpfe um 1800 das Reich des Lebensgenusses und der ästhetischen Bildung des 18. Jahrhunderts ablösen, so setzt nun auch in der Faust-Dichtung der Krieg zwischen Kaiser und Gegenkaiser um die Macht ein. Faust erringt mit Hilfe des Mephist, der die Naturgewalten zum helfenden Kampf aufruft, dem Kaiser den Sieg und wird mit einem schmalen Uferstreifen belohnt, den er urbar machen und gegen das Meer schützen soll. An die Periode der Machtkämpfe schließt die des technischen Kulturschaffens an, die Eroberung und Ausbeutung der Natur durch den Ingenieur. Das Zeitalter des Materialismus beginnt.

Es ist beherrscht durch das Gesetz der rücksichtslosen Begierde. Mephist schleppt mit seinen Gehilfen die Schätze der ganzen Welt herbei, und Gütchen und Leben von Philemon und Baucis fallen der Besitzgier Fausts zum Opfer. Aber zu gleicher Zeit melden sich auch die Begleiterinnen des habsüchtigen Materialismus: Grämlichkeit, Lebensschwere, Pessimismus. Dem macht- und geldgierigen Geschlecht des 19. Jahrhundert ist jene Heiterkeit verlorengegangen, die das 18. Jahrhundert beschwingte. Um Mitternacht nahen sich dem reichen und mächtigen Faust vier graue Weiber: der Mangel, die Schuld, die Not, die Sorge. Und die Sorge bleibt bei ihm und haucht ihn an, so daß er erblindet. Was nützt ihm alle Macht und aller Reichtum der Welt, wenn „die seligen Augen" erloschen sind, das Licht, das seinem Leben Glanz und Glück gab!

Aber immer noch wirkt rastlos der Schaffenstrieb in ihm, der seine Natur ist. Mitten im Gewimmel der Gräben und Dämme ziehenden Arbeiter stellt er sich vorahnend vor, wie er Raum schaffen wird für neues Leben freien Volkes. Im Vorgefühl dieses Glückes genießt er jetzt jenen höchsten Augenblick, von dem er in der Vertragsszene sprach. Er stirbt, und Mephist naht, sich seiner Beute zu versichern. Aber ihm fällt nur der entseelte Körper zu. Die unsterbliche Seele wird von den Engeln emporgetragen.

Fausts Erlösung darf nicht im christlichen Sinne als ein Emporsteigen des entsühnten Geistes in das himmlische Jenseits aufgefaßt werden. Goethe hat sich nur der naheliegenden Vorstellungen der christlichen Mythologie bedient, um die allmähliche Vergeistigung von Fausts Seele sinnbildlich darzustellen. Diese Vergeistigung wird aufgefaßt als ein Emporsteigen in immer lichtere, reinere, ätherische Regionen aus den trüben Dünsten des materiellen Lebens. Dieses Eingehen in den reineren Geisteszustand erfolgt ohne Buße und Bekehrung lediglich aus jenem unsterblichen Schaffensdrang heraus, der den tiefsten Sinn des Menschen Faust ausmacht: auch im Prolog im Himmel spricht Gott, wie er dem Menschen den Mephist beigibt als anreizenden Gesellen, damit seine Tätigkeit nicht erschlaffe, nichts davon, daß der Mensch Buße tun müsse, wenn er der Versuchung des Teufels erlegen ist. Er kennt den christlichen Begriff der Sünde als der Schuld gegen Gott nicht. Er sagt nur:

„Es irrt der Mensch, solang er strebt."

Aber er ist auch überzeugt, daß ein guter Mensch in seinem dunklen Drange sich des rechten Weges stets bewußt ist.

Dies erfüllt sich jetzt an Faust. Die Engel, wie sie mit Fausts Unsterblichem in die Höhe schweben, sprechen:

> „Gerettet ist das edle Glied
> Der Geisterwelt vom Bösen:
> Wer immer strebend sich bemüht,
> Den können wir erlösen."

Dies entspricht andern Äußerungen Goethes über die Erlösungsfrage. 1781 bekennt er, daß wir durch Standhaftigkeit und Treue in dem gegenwärtigen Zustande ganz allein der höhern Stufe eines folgenden und sie zu betreten fähig werden, es sei nun hier zeitlich oder dort ewiglich. Und 1829, an Lessing erinnernd: „Wenn ich bis an mein Ende rastlos wirke, so ist die Natur verpflichtet, mir eine andere Form des Daseins anzuweisen, wenn die jetzige meinen Geist nicht ferner auszuhalten vermag." Die Idee von „Selige Sehnsucht" und der Metamorphosenlehre klingt auf.

Daher ist bei der Darstellung von Fausts Eingehen in das Geisterreich auch keine Rede von der christlichen Vorstellung der Gnade Gottes, die dem Seligen das Reich des Jenseits aufschließt. An die Stelle des dogmatischen Begriffes der Gnade als des Rechtes des höchsten Herrschers zur Verzeihung ist der milde allgemein-menschliche Begriff der Liebe getreten; nicht des heidnischen Amor, sondern der christlichen Caritas. Sie nimmt Faust im Reiche der Seligen auf, sie macht ihm das Eingehen, das er sich durch sein strebendes Sich-Bemühen errungen hat, freundlich und leicht. Die Engel singen:

> „Und hat an ihm die Liebe gar
> Von oben teilgenommen,
> Begegnet ihm die selige Schar
> Mit herzlichem Willkommen."

Maria, heilige Frauen, Büßerinnen, unter ihnen Gretchen, nehmen ihn auf: Das „Ewig-Weibliche" zieht ihn hinan. In dem Meere unendlicher Liebe ist das Streben des irdischen Menschen zur Ruhe gekommen — man muß hinzusetzen: für einmal; denn die Entelechie in ihm wird eine neue Form der Wandlung beginnen.

So stellt die Faustdichtung das Höchste und Umfassendste, was Goethe über Schicksal und Sinn des Menschenlebens gedacht, in einer gesetzmäßig sich entwickelnden Reihe von Bildern dar, Vergängliches zum Sinn des Ewigen erhöhend. Da er ein wesentlich naturhafter Mensch gewesen ist, so ist, was er aus der Spanne seiner Zeit erlebt hat, zugleich das Ablaufgesetz aller Zeiten. Immer wird der Weg vom Erkenntnisstreben zur genießerischen Hingabe an das Leben, vom künstlerischen Schaffen zum Handeln um Macht und Reichtum führen, und immer wird dieses Handeln zutiefst durch das Wesen des Menschseins bedingt, vom Irrtum und Verschuldung begleitet sein.

Drittes Buch

DER DEUTSCHE IDEALISMUS

1. DIE BEGRÜNDUNG DES IDEALISMUS

> „Die selige Einigkeit, das Sein im einzigen Sinne des Wortes,
> ist für uns verloren, und wir mußten es verlieren, wenn
> wir es erstreben, erringen sollten. Wir reißen uns los vom
> friedlichen Hen kai pan der Welt, um es herzustellen, durch
> uns selbst.“
>
> Hölderlin

Das Gespräch Goethes und Schillers im Sommer 1794 über die Metamorphose der Pflanzen führt in unvergleichlicher Weise mitten in den Weltanschauungskampf der Zeit. Auf der einen Seite steht Goethe, in seinem Pantheismus unlösbar eingebettet in den Schoß der Natur, als Lebender und Schaffender ihren Gesetzen unterworfen: der Typus wirkt, wie im Reiche der Pflanzen und Tiere, so auch in dem der Kunst, und die Metamorphose wandelt nicht nur die Gebilde der organischen Natur um, sondern bestimmt auch die Entwicklung des einzelnen Menschen wie ganzer geschichtlicher Zeiträume. Auch als Forscher fühlt Goethe sich der Natur aufs innigste verbunden. Der Anthropologe Heinroth hat dies ausgedrückt, wenn er Goethes Art zu denken als „gegenständlich“ bezeichnete, in dem Sinne, daß sein Denken sich nicht von den Gegenständen sondere, daß die Elemente der Gegenstände, die Anschauungen, in dasselbe eingingen und von ihm auf das innigste durchdrungen würden, daß sein Anschauen selbst ein Denken, sein Denken ein Anschauen sei, und Goethe selber nahm das Wort auf, indem er den Begriff des denkenden Anschauens ausdrücklich auf sein gesamtes geistiges Verhältnis zur Wirklichkeit bezog, das naturwissenschaftlich-forschende, wie das dichtend-schöpferische. Er bekennt: „Die Erscheinung ist vom Beobachter nicht losgelöst, vielmehr in die Individualität desselben verschlungen und verwickelt.“ Immerhin ist er sich der Grenze zwischen Subjekt und Objekt wohl bewußt. In den Maximen und Reflexionen spricht er von dem Unterschied. „In Kunst und Wissenschaft“, sagt er, „sowie im Tun und Handeln kommt alles darauf an, daß die Objekte rein aufgefaßt und ihrer Natur gemäß behandelt werden. — Alles, was im Subjekt ist, ist im Objekt und noch etwas mehr. Alles, was im Objekt ist, ist im Subjekt und noch etwas mehr. Wir sind auf doppelte Weise verloren oder geborgen. Dem Objekt sein Mehr zuzugestehen und auf unser subjektives Mehr zu verzichten. Das Subjekt mit seinem Mehr zu erhöhen und jenes Mehr nicht anzuerkennen... Es ist daher das beste, wenn wir bei Beobachtungen soviel als möglich uns der Gegenstände und beim Denken darüber soviel als möglich uns unsrer selbst bewußt sind. — Bei Betrachtung der Natur im großen wie im kleinen habe ich unausgesetzt die Frage gestellt: Ist es der Gegenstand oder bist du es, der sich hier ausspricht? Und in diesem Sinne betrachtete ich auch Vorgänger und Mitarbeiter." Auch in dem Aufsatz „Einwirkung der neueren Philosophie", wo er von seinem Verhältnis zu Kant spricht, erklärt er, er habe die Außenwelt und sein Selbst nie voneinander gesondert, und wenn er nach seiner Weise über Gegenstände philosophierte, so habe er es mit unbewußter Naivität getan und wirklich geglaubt, er sehe seine Meinungen vor Augen. „So bald aber jener Streit zur Sprache kam, mochte ich mich gern auf diejenige Seite stellen, welche dem Menschen am meisten Ehre macht, und gab allen Freunden vollkommen Beifall, die mit Kant behaupteten, wenngleich alle unsere Erkenntnis mit der Erfahrung angehe, so entspringe sie darum doch nicht eben alle aus der Erfahrung. Die Erkenntnisse a priori ließ ich mir auch gefallen, sowie die synthetischen Urteile a priori (Goethe meint so etwas wie intuitive Erkenntnisse und Urteile); denn hatte ich doch in meinem ganzen Leben, dichtend und beobachtend, synthetisch und dann wieder analytisch verfahren; die Systole und Diastole des menschlichen Geistes war mir, wie ein zweites Atemholen, niemals getrennt, immer pulsierend."

Alle diese Äußerungen beweisen die geniale Naivität Goethes im denkenden Anschauen der Gegenstände. Wenn er selber Objekt und Subjekt scheidet, so ist diese Trennung nur eine heuristisch-praktische Wegleitung für den Forscher, der sich bemüht, den Gegenstand rein zu erfassen; um die logisch-erkenntnistheoretische Begründung des Unterschiedes, um die Entstehung der Urteile in dem menschlichen Verstand kümmerte er sich nicht. Aufschlußreich genug ist ja seine Bezeichnung des Erkenntnisvorganges als Systole und Diastole, also so etwas wie das Zusammenziehen und Ausweiten bei der Herztätigkeit oder dem Atemholen: sein Verhältnis zu den Gegenständen ist nicht die intellektuelle Gegenstellung von Subjekt und Objekt wie beim reinen Wissenschaftler, sondern der vitale Prozeß der Teile im Organismus, wie er dem Naturleben des Künstlers entspricht. Er muß daher Schiller sein Gesetz von der Metamorphose der Pflanzen vortragen in der Überzeugung, daß sein Inhalt reine Erfahrung sei. Wenn es das Wesen der Erfahrung ist, daß unser Ich durch fremden Weltstoff bereichert wird, so konnte Goethe, indem er am Wachstum von Pflanzen Beobachtungen machte und diese deutend zum Gesetz verallgemeinerte, wirklich von seinem Standpunkt aus sagen, er habe das Gesetz von der Methamorphose „erfahren".

Dieser im höchsten Sinne naiven Art der Erkenntnis trat in Schiller die durch die Kantische Kritik geschärfte Logik entgegen. Für ihn war Goethes Einsicht nicht Erfahrung, sondern Idee. Schiller, aus seiner an Kant geschulten intellektuellen Art, sah in Goethes Metamorphosenlehre weniger das beobachtete objektive Pflanzenmaterial, als den deutenden, denkenden Geist des beobachtenden Subjekts. Erfahren hatte Goethe für Schillers Urteil nur die einzelnen Pflanzen und die Vorgänge ihres Wachstums. Daß er sie verallgemeinerte, zu der Notwendigkeit eines immer wirksamen

Gesetzes erhob, das hatte er, streng logisch aufgefaßt, nicht in der Natur wahrgenommen, das war eine Tat seines eigenen Geistes, der seine Art zu denken der Naturwirklichkeit unbewußt untergeschoben hatte. So hatte das Gespräch für Goethe, und über ihn hinaus für die ganze Zeit, die Bedeutung einer Weltwende. Zum erstenmal meldete sich in der Geschichte der Dichter der neue Idealismus zum Wort. Man begreift, daß Schillers Einwand Goethe viel tiefer ging, als jener beabsichtigt hatte.

Die geistige Grundstellung der Deutschen zur Welt war in der ersten Hälfte des 18. Jahrhunderts die des Rationalismus gewesen, den Descartes, Spinoza und Leibniz begründet und Wolff systematisch ausgebaut hatten. Man faßte das Weltganze auf als von der göttlichen Vernunft geschaffen, geordnet und erfüllt. Die Welt in ihrer Gesamtheit wie in ihren Teilen war daher vernünftig eingerichtet und, da die Vernunft den Begriff des Zweckes in sich einschließt, zweckmäßig. Auch das Vorhandensein des Übels in der Welt, das dem Vernunftzwecke zu widersprechen schien, mußte, wie Leibniz und Haller sich nachzuweisen bemüht hatten, bei reiferem Nachdenken als in der Zweckmäßigkeit der Welt vorbedacht angenommen werden. Als sittlich Handelnder hat der Mensch sein Leben so einzurichten, seine Handlungen so zu leiten, daß sie im Einklang mit der vernünftigen Ordnung der Welt stehen. Die Mathematik hatte ein System von Größen errichtet, das die Sprache der Vernunft selber zu sein schien, das als Ganzes so sicher gegründet und dessen Teile so fest ineinander gefügt waren, daß ihre Aussagen für den, der sich mit der Mathematik abgab, eine unmittelbare und zwingende Evidenz besaßen. Daß die Winkelsumme eines Dreiecks zwei Rechte betrug, ließ sich durch keinerlei vernünftige Einwände bestreiten. Diese zwingende Evidenz den Urteilen auch auf dem Gebiete der andern Wissenschaften zu verleihen, war das Bemühen aller Forscher, im besonderen der Philosophen. In gleicher Weise endlich wurde auch die Kunst, im besonderen die Dichtung, in den logischen Zweckzusammenhang der Welt einbezogen, war sie doch Nachahmung der zweckmäßigen Natur. Daher die Forderung, daß das Dichtwerk einen Zweck haben, belehren, den Menschen auf dem Weg zur vernünftigen Tugend fördern und so zur Erreichung der Glückseligkeit beitragen müsse.

Dieser Rationalismus in Kosmologie und Theologie, Moralphilosophie, Erkenntnistheorie und Ästhetik erfuhr um die Mitte des Jahrhunderts einen doppelten Einbruch von Seite des französischen Materialismus und des englischen Empirismus. Beide stellten der geistig-logischen Erklärung und Bewertung der Welt eine Erfassung und Beurteilung der Wirklichkeit von dem Standpunkt der Sinnenbeobachtung her entgegen. Vor allem bedeutend wirkte sich die empirische Lehre des Schotten David Hume in dem deutschen Geistesleben aus. Hamann, Kant, Herder haben wichtige Ideen von ihm übernommen. Er lehnt grundsätzlich die Herleitung der Denkinhalte von einer Weltvernunft und eine logische Verursachung des Weltgeschehens ab. Alle menschlichen Vorstellungen oder Gedanken gehen nach ihm letzten Endes auf Sinneneindrücke zurück. Wo wir eine ursächliche Beeinflussung eines Gegenstandes durch einen andern wahrnehmen, wird sie nicht durch eine Kraft ausgeübt, sondern erklärt sich nur aus unserm aus der Gewohnheit der Beobachtung stammenden Glauben an eine innere Verknüpfung von Ursache und Wirkung. Es gibt eine Art von prästabilierter Harmonie zwischen dem Verlauf unserer Vorstellungen und dem Gang der Natur.

Den wissenschaftlichen Charakter der Notwendigkeit in den Urteilen der Mathematik hat Hume nicht bestritten. Allen Aussagen aber über Tatsachen der geschichtlichen Welt war die Eigenschaft der zwingenden Verpflichtung genommen, die der Rationalismus ihnen durch die Beziehung auf das logische Denken zu geben sich bemüht hatte. Wenn hier keine Kausalität herrschte und alle Erkenntnis letzten Endes auf einem Glauben beruhte, so war allem Sammeln und Denken auf geschichtlich-

59. Minchen (Wilhelmine) Herzlieb (1789—1865)
Miniatur nach dem Gemälde von Luise Seidler

Seit April 1803 verkehrte Goethe häufig im Hause des Jenaer Buchhändlers Frommann. Zu dessen Mündel Minchen Herzlieb empfand Goethe bald tiefe Neigung, so daß manche Züge ihres liebenswürdigen Charakters sich in Ottilie aus den „Wahlverwandtschaften" (1809) spiegeln.

60. Marianne von Willemer (1784—1860)
Nach einer Kreidezeichnung, die Marianne von Willemer Goethe 1819 zu Weihnachten schenkte.

Die Bekanntschaft von 1814 mit der gerade verheirateten Gattin des frankfurter Bankiers Willemer befruchtete Goethes in dieser Zeit entstehenden „West-östlichen Divan" in einzigartiger Weise: Nicht nur, daß Mariannens Erscheinung die Phantasie des Dichters beflügelte, sondern indem Marianne sich selbst in die Welt des Divans harmonisch einzufügen wußte und Goethes Gedicht mit eigenen Versen im gleichen Ton zu erwidern vermochte, entstand eine Zwiesprache, wie sie Goethe bis dahin und auch später wieder nicht erlebt hatte. Dem ersten Zusammentreffen vom Sommer 1814 in Frankfurt folgte im Jahr darauf eine abermalige Begegnung auf Willemers Landsitz Gerbermühle bei Frankfurt und auf dem Heidelberger Schloß. Nach dem schmerzlichen Abschied von 1815 gab es kein neues Wiedersehen. Desto vertrauter wurden die Briefe, die Goethe 1831, als er Marianne die ihren zur Verwahrung zurückschickte, „Zeugen allerhöchster Zeit" bezeichnet.

61. Ulrike von Levetzow (1804—1899)
Pastellgemälde eines unbekannten Künstlers

Ein letztes Mal hatte Goethe die Liebe überfallen, als er 1823 vierundsiebzigjährig durch den Herzog Carl August in Marienbad um die Hand der damals neunzehnjährigen Ulrike von Levetzow anhalten ließ. Das erschütternde Zeugnis seiner schließlichen Entsagung ist die „Marienbader Elegie".

62. Goethe im Alter
Gemälde von Joseph Karl Stieler, 1828

59 *Minchen (Wilhelmine)*
Herzlieb (1789—1865)

60 *Marianne von Willemer*
(1784—1860)

61 *Ulrike von Levetzow*
(1804—1899)

62 *Goethe im Alter*

63

Schille
Elte

65
Schillers
Geburtshaus
in
Marbach a. N.

66
Das Schloß
Solitüde
bei Stuttga

tatsächlichem Gebiete der wissenschaftliche Charakter im Sinne der zwingenden Wahrheit genommen, und alle Urteile, die hier gefällt wurden, entstanden nicht aus logischer Notwendigkeit, sondern aus der Willkür subjektiven Empfindens. Sie mochten eine gewisse Überzeugungskraft in sich tragen, wenn sie von einer genialen Intuition gefaßt und mit bedeutender Sprachkraft vorgetragen wurden. Aber sie gewannen diese Überzeugungskraft doch nur bei denen, die aus eigener Veranlagung und Denkrichtung für sie empfänglich waren, das heißt, sie trugen ein stark subjektives Moment.

Zu dieser Gefährdung und Unterwühlung des Wahrheitsbegriffes außerhalb der mathematischen Wissenschaften kam noch ein Zweites: die Vermischung von Wissenschaft und Metaphysik sowohl bei Materialisten und Empirikern wie bei Rationalisten. Beide zogen von dem winzigen Punkte ihrer Erfahrung oder ihrer Überzeugung den Schluß auf das Wesen des Weltganzen. Wie die Rationalisten sich angemaßt hatten, ihre menschliche Vernunft in das All hineinzudenken und von dieser göttlichen Weltvernunft aus Ordnung und Bewegung des Kosmos zu erklären, so leiteten die Materialisten alles Sein und Geschehen in der Welt von der Materie als dem Gegenstand der sinnlichen Wahrnehmung her, ohne die erkenntnistheoretische Berechtigung dieser petitio principii erst zu erweisen. Man begreift, daß bei denen, die weder den einen noch den andern dieser dogmatischen Standpunkte einzunehmen vermochten, Skeptizismus überhand nahm. Bedenkt man endlich, in welch verwirrender Weise der kirchliche

63./64. Schillers Eltern
Gemalt von Ludovike Simanowiz

Johann Kaspar Schiller (1723—1796) heiratete als Wundarzt in Marbach a. Neckar 1749 Elisabeth Dorothea Kodweiß (1732—1802). Er wurde Offizier in den Diensten des Herzogs Carl Eugen von Württemberg und erhielt 1775 die Leitung der herzoglichen Hofgärtnerei auf der Solitüde.

65. Schillers Geburtshaus in Marbach am Neckar
Lithographie

Als Johann Christoph Friedrich Schiller am 10. November 1759 geboren wurde, bewohnte die Familie das Erdgeschoß eines kleinen Hauses in Marbach. Die Wiedergabe zeigt das Haus im ursprünglichen Zustand mit dem Eingang auf der Seitenfront.

66. Das Schloß Solitüde bei Stuttgart
Ausschnitt aus dem Guachbild von Victor von Heideloff

Von Herzog Carl Eugen erbaut, wurden 1770 von ihm die zugehörigen im Hintergrund liegenden Kasernen als Offizierswaisenhaus eingerichtet, das er 1771 zu einer Anstalt erweiterte, auf der die begabten Söhne seines Landes erzogen und ausgebildet werden sollten. Auch Schillers Vater konnte sich der Aufforderung des Herzogs nicht entziehen, seinen Sohn auf die Militärpflanzschule zu schicken. Am 16. Januar 1773 trat Friedrich Schiller als Zögling in das Institut ein.

Glaube durch die Kritik der Aufklärung gegen den Schluß des Jahrhunderts bereits zersetzt war, so gewinnt man ein Bild von der Unsicherheit und Ratlosigkeit, die um 1780 über das Wesen der Wissenschaft und ihr Verhältnis zur Metaphysik, über Wahrheit und Glauben herrschte. Es genügt, auf das Schicksal einer so bedeutenden Persönlichkeit wie Herder hinzuweisen, der von einem fanatischen Offenbarungsglauben in seiner Bückeburger Zeit hinüberwechselte zu einem an Spinoza gebildeten Pantheismus und einem Humanismus, den er mit Goethe teilte.

Es war die geschichtliche Sendung Immanuel Kants (1724 bis 1804), dieser Verwirrung ein Ende zu machen und aufs neue die Grenzen zu ziehen zwischen Wissen und Glauben, Wissenschaft und Metaphysik, den Zweiflern den Weg zu der Möglichkeit sichern Wahrheitsbesitzes zu weisen und in den Dogmatikern den fördernden Zweifel am logisch nicht begründeten Glaubensstand zu wecken.

Kant hat die Pflicht des Wissenschaftlers, aus der verwirrenden Masse von Erkenntnismöglichkeiten auszuwählen, den Blick fest und unabgelenkt nur auf das zu erforschende Ziel zu richten und alle andern Probleme und Betrachtungsweisen auf der Seite zu lassen, in einer bewundernswerten Folgerichtigkeit ausgeübt. Mit bewußter Einseitigkeit hat er in seinen drei Kritiken je eine wesentliche Aufgabe der Forschung behandelt: in der „Kritik der reinen Vernunft" (1781) die Frage der Möglichkeit der Wissenschaft; in der „Kritik der praktischen Vernunft" (1788) die Frage der Sittlichkeit und in der „Kritik der Urteilskraft" (1790) die Doppelfrage von Kunst und Natur. Die auf die „Kritik der reinen Vernunft" folgenden „Prolegomena zu einer jeden künftigen Metaphysik" (1783) stellen die Wissenschaftslehre gegenüber der schwierigen Sprache der „Reinen Vernunft" in einer allgemein verständlicheren Form dar. Kant gleicht in diesen Werken einem Manne, der, beauftragt, von einem Berggipfel ein Panorama der ihn umgebenden Landschaft aufzunehmen, zuerst sich nach Osten wendet und ein Teilstück abbildet, dann nach Norden, Westen Süden, und jedesmal nur den einzelnen Teil ins Auge faßt, aber schließlich, indem er die Teile zusammenfügt, doch ein Bild des Ganzen gewonnen hat. Er nennt seine Werke „Kritiken", weil er, im Gegensatz zu den dogmatisch festgelegten philosophischen Systemen seiner Vorgänger, in ihnen seinen Standpunkt durch kritische Zergliederung von Grund und Wesen der Probleme gewinnt.

In der „Kritik der reinen Vernunft" untersucht Kant: Was ist und wie weit ist Wissenschaft möglich? Zum Begriff eines Urteils, das auf das Kennzeichen „wissenschaftlich" Anspruch erheben kann, gehört offenbar, daß es etwas Neues enthält und von allgemein überzeugender Geltung ist — Kant nennt solche Aussagen „synthetische Urteile a priori". Weder die Urteile der reinen empirischen noch die der rein rationalistischen Denkweise können diesen Anspruch erheben. Der Empiriker kann nicht beweisen, daß eine Rose, die er heute am Stocke blühen sieht, auch morgen noch in der gleichen Art blüht. Der Rationalist, der die Existenz Gottes aus der sinnreichen Einrichtung der Natur beweist, vermag den Gottesleugner nicht zu überzeugen, daß die Natur auch wirklich von einem persönlichen Gotte so sinnreich geschaffen worden sei. Die Urteile, die aus der Erfahrung sinnlicher Gegenstände gewonnen werden, unterliegen dem Wandel der Zeit und der Beschränkung durch den Raum und sind nicht von absoluter, sondern nur relativer Geltung. Die Urteile, die durch logische Überlegung abstrakter Begriffe gebildet werden, entbehren der überzeugenden Beziehung auf die Erfahrungstatsachen und schweben unsicher in einem leeren Raume. Die Aufgabe ist also, den Erfahrungsurteilen das Zufällige und Besondere zu nehmen und den logischen Urteilen einen empirischen Inhalt zu geben. Kant unterscheidet zwischen Urteilen aus der Erfahrungswelt, dem Reiche der Erscheinungen (Phainomena), und Urteilen reinen Denkcharakters (Noumena). Die Urteile aus der Erscheinungswelt sind dann wissenschaftlich, wenn ihnen das Zufällige und Einmalige der bloßen sinnlichen Erfahrung genommen ist. Dies geschieht dadurch, daß die besonderen Merkmale, die ihnen die Existenz der Gegenstände in Raum und Zeit verleiht, als Erscheinungsarten allgemeiner Anschauungsformen aufgefaßt werden. „Ein Baum steht an einem besonderen Ort und wächst zu einer bestimmten Zeit", ist ein — nicht wissenschaftliches — Erfahrungsurteil. Dieses bekommt wissenschaftliche Geltung, wenn man die Begriffe „besonderer Ort" und „bestimmte Zeit" der allgemeinen Vorstellung: „Er existiert in Raum und Zeit" unterordnet; denn alle Gegenstände der Erscheinungswelt existieren in Raum und Zeit. Aber Raum und Zeit sind nicht Eigenschaften der Gegenstände an sich; sie sind menschlich-subjektiv bedingte Formen, unter denen wir sie anschauen. Statt: „Der Baum existiert in Raum und Zeit" würde man richtiger sagen: „Wir sehen den Baum in Raum und Zeit". Raum und Zeit sind also Anschauungsformen der menschlichen Vernunft oder des menschlichen Geistes. In entsprechender Weise verwenden wir Denkformen oder Kategorien, wenn es sich um die Bestimmung eines Gegenstandes nach Quantität, Qualität, Relation und Modalität handelt, also z. B. um Urteile über Einheit oder Vielheit, über Bejahung oder Verneinung usw. Indem wir die aus der Erscheinungswelt gewonnenen Urteile mit den allgemeinen Anschauungs- und Denkformen bilden, geben wir ihnen den allgemein verpflichtenden Charakter der Wissenschaftlichkeit. Allerdings, da es Anschauungs- und Denkformen des menschlichen Geistes sind, die ihre Wissenschaftlichkeit bedingen, einer bloß für Menschen geltenden Wissenschaftlichkeit. Aber — schon Hume hatte von einer prästabilierten Harmonie zwischen dem Verlauf unserer Vorstellungen und dem Gang der Natur gesprochen — wir bedürfen keiner andern wissenschaftlichen Wahrheit, da auch der Begriff Natur oder Wirklichkeit eine menschliche Vorstellung ist. Kolumbus, indem er mit den Begriffen der menschlichen Wissenschaft im Westen Land suchte, hat Amerika wirklich entdeckt. Eine zweite Einschränkung ist schwerwiegender. Es gibt Wissenschaft nur da, wo die Vernunft mit den Denk- und Anschauungsformen zugleich arbeitet. Wo sie genötigt ist, über die reine Erscheinungswelt hinaus sich in geistig abstrakte Gebiete zu erheben, versagt sich ihr die wissenschaftliche Geltung. Für Kant sind nur die Mathematik und die mathematische Naturwissenschaft als die Wissenschaften von Raum und Zeit wirkliche Wissenschaften. Damit ist ausgesagt, daß es über die Noumena, die abstrakten Ideen, Gott, Freiheit des Willens, Unsterblichkeit keine Erkenntnis gibt, die auf Wissenschaftlichkeit Anspruch erheben kann. Man kann nicht beweisen, daß es einen Gott gibt oder nicht gibt, daß der Wille frei oder bestimmt ist, daß die Seele unsterblich oder sterblich ist, weil man jeweils beides beweisen kann. Der Gedanke schwebt, von dem sichern Boden der Erde losgelöst, in einem leeren Raume. Die abstrakten Ideen sind nicht Gegenstände des Wissens, sondern des Glaubens.

Erörterung dieser Ideen ist Kants Aufgabe in der „Kritik der praktischen Vernunft", seiner Moralphilosophie. Der Ausgangspunkt ist auch hier das Denken der Aufklärung. Diese hatte als Norm des sittlichen Handelns die Glückseligkeit aufgestellt. Allein eine Norm muß absolute Geltung haben, und Glückseligkeit ist ein viel zu schwankender und relativer Begriff, als daß sie als Norm gelten könnte: das Glück des Einen kann das Unglück des Andern sein; was wir heute als Glück erstreben, kann uns morgen als Unglück erscheinen. Die Norm des sittlichen Handelns kann aber überhaupt kein inhaltlicher Begriff irgendwelcher Art sein. Sie kann nur formal bestimmt werden. Kant formuliert sie so: „Es ist nichts in der Welt, ja auch außerhalb derselben zu denken möglich, was ohne Einschränkung für gut könnte gehalten werden, als allein ein guter Wille". Einzig das Bewußtsein, daß wir unsere Pflicht zu tun haben, die Achtung vor dem Sittengesetz, kann die Triebfeder unseres sittlichen Handelns sein. Unser Gut-Sein hat mit dem Glücklich-Sein gar nichts zu tun. Für so unbedingt notwendig hält es Kant, vom begriffsmethodischen Standpunkt aus, seinen durch die Tugend-Glück-Lehre des Rokoko verblendeten Zeitgenossen die völlige Unvereinbarkeit von Sittlichkeit und Glückseligkeit einzuhämmern, daß er in der schneidendsten Form die Neigung als Zustand des Glückes aus dem Reiche des sittlichen Handelns ausschließt. Sittlich ist das Handeln nur, wenn es ohne Neigung geschieht, nicht aber, wenn man auf etwas verzichtet, weil man kein Vergnügen daran empfindet. Sittlich handeln würde also nicht der Abstinent, der von Natur keinen Gefallen am Alkohol hat, sondern nur der Freund des Alkohols, der gegen seine Neigung verzichtet. So kommt Kant dazu, für das sittliche Handeln einen „kategorischen Imperativ" aufzustellen, wie er für die Wissenschaftslehre Anschauungs- und Denkformen (Kategorien) aufgestellt hatte, als allgemein und unbedingt verpflichtendes Gesetz: „Handle so, daß die Maxime deines Willens jederzeit zugleich als Prinzip einer allgemeinen Gesetzgebung gelten kann."

Diese in der menschlichen Natur begründete Pflicht zum sittlichen Handeln kann sich aber nun nur auswirken unter der Voraussetzung der Freiheit der Willensentscheidung. Eine Maschine, deren Bewegung durch das mathematische Gesetz bestimmt ist, kann nicht sittlich handeln. Nun hat die Moralphilosophie der Aufklärung Tugend und Glückseligkeit in ein Zweckverhältnis gebracht: Wir sollen tugendhaft sein, damit wir glücklich sind. Auch Kant kennt diesen Zusammenhang. Er weist darauf hin, daß es eine allgemein verbreitete Ansicht sei, daß Gutsein Glücklichsein in sich einschließe. Aber er stellt das Glück nicht als den Zweck der Tugend hin, sondern als ihre Folge. Wir sollen nicht gut sein, damit wir glücklich seien, denn die sittliche Pflicht gilt unbedingt, ohne jede Rücksicht auf Gewinn. Wohl aber darf man annehmen, daß demjenigen, der gut ist, Glückseligkeit zuteil werde, und da der Begriff der Glückseligkeit einen höchsten Grad in sich schließt und dieses höchste Glück im diesseitigen Leben nicht erreichbar ist, so ergibt sich aus dieser Überlegung der Glaube an ein jenseitiges Dasein und an die Unsterblichkeit der Seele. Da endlich ein Richter da sein muß, um zwischen Gut und Böse, Berechtigung und Nichtberechtigung zum Dasein in höchster Glückseligkeit zu entscheiden, so folgt aus diesem Gedankenzusammenhang der Glaube an ein höchstes Wesen oder die Existenz Gottes. Diese drei transzendenten Ideen, Freiheit, Unsterblichkeit und Gott, ergeben sich mithin als unbedingte Annahmen aus dem ebenso unbedingten Gebot des sittlichen Handelns. Sie sind, wenn sie sich einerseits nicht aus der reinen Vernunft wissenschaftlich beweisen lassen, doch anderseits Postulate der praktischen Vernunft. Sie gehören nicht in das Reich der Erkenntnis, sondern des Glaubens.

Die dritte Wendung Kants läßt ihn seinen Blick auf die Doppelfrage von Natur und Kunst richten. Er stellt ihre Problematik zusammen dar in der „Kritik der Urteilskraft". Denn gerade die Aufklärung hat den Satz der Alten, daß die Kunst eine Nachahmung der Natur sei, immer wieder aufs neue umschrieben. Sein Standpunkt erhellt schon in der Art, wie er die Urteilskraft als die gegenüber Natur und Kunst tätige Geisteskraft dem Verstande, als dem wissenschaftlichen Erkenntnisvermögen und dem Willen, als der Triebkraft des sittlichen Handelns, gegenüberstellt. Die Urteilskraft hat weder den Zweck der wissenschaftlichen Erkenntnis noch den der Tugend als Voraussetzung des Glückes; sie entscheidet einfach, ohne irgendein Zweckbegehren, zwischen den Gefühlen der Lust und der Unlust.

Das von jeder Zweckabsicht freie Wesen betätigt die Urteilskraft gegenüber der Natur. Sie ist teleologisch, aber nicht im Sinne der Aufklärung. Zu sagen, daß das Meer in der Eiszone einen reichen Vorrat von Tieren enthalte, damit die dort wohnenden Menschen Nahrung und Kleidung haben, wäre „ein sehr gewagtes und willkürliches Urteil". Darum gibt es aber doch eine Zweckmäßigkeit in der Natur. Es ist nicht eine äußerliche, utilitaristische, sondern eine innere, organische. „Ein Ding existiert als Naturzweck, wenn es von sich selbst (obgleich in zweifachem Sinne) Ursache und Wirkung ist... Ein Baum zeugt erstlich einen andern Baum nach einem bekannten Naturgesetze. Der Baum aber, den er erzeugt, ist von derselben Gattung; und so erzeugt er sich selbst der Gattung nach, indem er einerseits als Wirkung, anderseits als Ursache von sich selbst unaufhörlich hervorgebracht und ebenso sich selbst oft hervorbringend, sich als Gattung bestätigt erhält. Zweitens erzeugt ein Baum sich auch selbst als

Individuum", indem er wächst. Drittens erzeugt ein Teil dieses Geschöpfs auch andere von der gleichen Art. Das Auge eines Baums, einem fremden Zweig eingeimpft, bringt an dem fremden Stocke ein Gewächs der eigenen Art hervor. Ein derartiges Wesen nun, das als Ganzes und in seinen Teilen von sich selbst Ursache und Wirkung ist, heißt ein Organismus. Denn die innere Verursachung (Kant braucht auch den Ausdruck „innere Form") ist nicht bloß ein Bewegungsvorgang, sondern zugleich bildendes Wachstum. Darin unterscheidet sich das organische Wesen von der Maschine.

Diese Auffasung der Natur wiederholt sich nun in der Beurteilung der Kunst. Auch hier darf nicht von einem äußeren Zweck gesprochen werden. Vielmehr unterscheidet sich das Kunstwerk von der wissenschaftlichen Untersuchung und der sittlichen Tat gerade dadurch, daß es keinen Zweck hat, sondern bloß schön ist. Das ästhetische Urteil ist gekennzeichnet als „interesseloses Wohlgefallen". Es ist seiner Natur nach zwiespältig. Einerseits ist es der Ausdruck eines durchaus subjektiven Gefühls, es entbehrt der objektiven Begründung durch logische Kategorien, wie sie das wissenschaftliche Urteil zur Wahrheit erheben; man kann nicht beweisen, warum etwas, das wir schön nennen, schön ist. Anderseits tritt das ästhetische Urteil auf mit dem Anspruch auf allgemeine Geltung: wir nehmen, indem wir einen Gegenstand schön nennen, an, daß dieses Urteil auch für andere gelte. Das Wesen des ästhetischen Urteils ist also „subjektive Allgemeinheit". Kant bestimmt: „Schön ist, was ohne Begriff (ohne logische Begründung) allgemein gefällt."

Die Bestimmung des Urteils über die Schönheit ist die Zweckmäßigkeit; nicht die äußere: ein Drama gefällt uns nicht, weil wir merken, daß es uns nützt; sondern die innere: die Zweckmäßigkeit des Schönen ist ohne Zweck. Jeder trägt das Ideal dieser Zweckmäßigkeit in sich. Neben dem Schönen gibt es aber nun noch ein anderes ästhetisches Erlebnis, das Erhabene. Es ist das, „was durch seinen Widerstand gegen das Interesse der Sinne unmittelbar gefällt", sei es, daß es sich als ein hohes Gebirge oder als ein furchtbares Gewitter äußert. Seine psychologische Wirkung ist eine widersprüchliche. Es erniedrigt, quält, vernichtet uns als sinnliche Wesen, aber es erhöht unsere seelische Stärke und weckt in uns das Bewußtsein eines Vermögens, uns von der physischen Natur unabhängig zu machen, es hebt uns über die Grenzen der sinnlichen Natur in die Vorstellung des Unendlichen. Das ist die Empfindung, die das Tragische in uns erregt.

Indem die Kunst so, im Gegensatz zum Handwerk, zweckmäßig ist ohne irgendeinen äußeren Zweck, ist sie ein Spiel; insofern die innere Zweckmäßigkeit des Kunstwerkes der der Natur entspricht, scheint es Natur zu sein, ob man sich gleich bewußt ist, daß es Kunst ist. Es erscheint als Natur dadurch, daß zwar alle Pünktlichkeit in der Übereinkunft mit Regeln, nach denen allein das Produkt das werden kann, was es sein soll, angetroffen wird; aber ohne Peinlichkeit, ohne daß die Schulform durchblickt, d. i. ohne eine Spur zu zeigen, daß die Regel dem Künstler vor Augen geschwebt und seinen Gemütskräften Fesseln angelegt habe. Es ist ein Werk der Vernunft, deren Charakter die Freiheit ist, nicht der Natur, die den Gesetzen der Notwendigkeit unterworfen ist. Mit diesem Wesen der Freiheit tritt das Kunstwerk in den Bereich der Sittlichkeit. Es ist nicht moralisch in dem Sinne, daß es menschliche Lebensregeln darzustellen hätte; aber es ist sittlich in einem höheren Sinne: die sittlichen Ideen leben darin als Postulate der praktischen Vernunft. Das Schöne ist das Symbol der sittlichen Ideen. Was die Wissenschaft in Begriffen nicht auszudrücken vermag, stellt die schöne Kunst in Bildern dar. Das ist der Punkt, wo Kants Ästhetik sich am nächsten mit Goethes Kunstauffassung berührt. In jenem Kapitel der „Wanderjahre", wo er Wilhelm Meister in Makarie geradezu die Verkörperung des Sonnensystems schauen läßt, sagt Goethe von dem Dichter, daß die Elemente der sittlichen Welt in seiner Natur innerlichst verborgen seien und sich nur aus ihm nach und nach zu entwickeln hätten, daß ihm nichts in der Welt zum Anschauen komme, was er nicht vorher in der Ahnung gelebt habe. Goethe, der klassische Dichter, und Kant, der Philosoph der Klassik, haben beide die aufklärerische Auffassung überwunden, als ob die Kunst die schulmeisterliche Wortführerin der Erziehung zur Moral sei. Aber beide bekennen sich zu der Ansicht des tiefen Zusammenhanges zwischen Kunst und Sittlichkeit.

Durch Kants Kritiken ist die klare Trennung zwischen Wirklichkeit und Geist vollzogen. Die Wissenschaft ist das Erzeugnis des menschlichen Geistes und nicht die Erkenntnis der Dinge an sich. Der menschliche Verstand ist „der Gesetzgeber der Natur". Wohl reicht das sittliche Leben in das Reich der transzendenten Ideen als regulativer Prinzipien hinauf, aber nur durch die Macht des Glaubens, nicht des Wissens. Auch was über Natur und Kunst ausgesagt werden kann, ist nicht Wissen des Verstandes, sondern Urteil des Gefühls. Die „Welt" ist damit vom Menschen aus gesehen. Mit seinem kritischen Idealismus hat Kant ein Reich des menschlichen Geistes aufgebaut, worin er sich, jenseits der Dinge an sich, die nicht geleugnet werden, wohl aber unserm Wissen entzogen sind, erkennend, sittlich handelnd, urteilend und schaffend verhält. Kant hat damit den Weg zu einer neuen idealistischen Metaphysik gezeigt, ob er sich selber auch mit dem kritischen Idealismus begnügte. Er hat dem Menschen, den die Aufklärung zum behaglich genießenden Herrscher der Natur gemacht hatte, seine Würde wiedergegeben, indem er ihn zum verantwortungsvollen Herrn seines Schicksals machte — zum Herrn nicht durch die Sinne, sondern durch den Geist.

Die Folgerung eines unbedingten Idealismus hat aus Kants Philosophie zuerst Johann Gottlieb Fichte (1762—1814) gezogen. Der Kern seines Wesens war eine gewaltige sittliche Willenskraft, die wie die Verkörperung von Kants kategorischem Imperativ wirkt. Als er sich im März 1790 vor seiner Abreise von Zürich, wo er zwei Jahre lang Hauslehrer gewesen war, mit Johanna Rahn, der Tochter von Klopstocks Freund und Schwager Hartmann Rahn, verlobte, schrieb er ihr: „Wenn Sie sagen: Am Hofe, und wenn ich selbst Premierminister würde, wäre kein wahres Glück, so reden Sie aus meiner Seele. Das ist unter dem Monde nirgends.

Beim Dorfpfarrer ebensowenig als beim Premierminister. Der eine zählt Linsen, der andere Erbsen; das ist der ganze Unterschied. Glück ist nur jenseits des Grabes. Alles auf der Erde ist unbeschreiblich klein; das weiß ich: aber Glück ist's auch nicht, was ich suche; ich weiß, ich werde es nie finden. Ich habe nur Eine Leidenschaft, nur Ein Bedürfnis, nur Ein volles Gefühl meiner selbst, das: außer mir zu wirken. Je mehr ich handle, desto glücklicher scheine ich mir."

Mit dieser Anlage war er geradezu zum Schüler Kants vorbestimmt. Als er, nach seiner Rückkehr nach Leipzig, Ende 1790 die „Kritik der praktischen Vernunft" kennenlernte, wirkte sie wie eine Offenbarung auf ihn und erfüllte ihn mit unbeschreiblichem Glücke: „Ich lebe", schrieb er einem Freunde, „in einer neuen Welt, seitdem ich die ‚Kritik der praktischen Vernuft' gelesen habe. Sätze, von denen ich glaubte, sie seien unumstößlich, sind mir umgestoßen; Dinge, von denen ich glaubte, sie könnten mir nie bewiesen werden, z. B. der Begriff einer absoluten Freiheit, der Pflicht usw., sind mir bewiesen, und ich fühle mich darüber nur um so froher. Es ist unbegreiflich, welche Achtung für die Menschheit, welche Kraft uns dieses System gibt. Welch ein Segen für ein Zeitalter, in welchem die Moral von ihren Grundfesten aus zerstört und der Begriff Pflicht in allen Wörterbüchern durchstrichen war; denn — verzeihen Sie mir — ich überrede mich nicht, daß von der Kantischen Kritik irgend jemand, der seinen Verstand selbständig zu brauchen wußte, anders gedacht hat als ich, und ich erinnere mich, niemand gefunden zu haben, der gegen mein System Gründliches eingewendet hätte." Die neue Offenbarung, die Kant ihm schenkte, war die Entdeckung des Menschengeistes als des Schöpfers und Gestalters der Welt. Bis dahin hatte man die menschliche Persönlichkeit als Glied in das Ganze der Welt eingefügt. Nun lehrte ihn Kant, daß das menschliche Ich der Natur ihre Gesetze gab, daß es eine sittliche Persönlichkeit war, die nicht um des sinnlichen Behagens willen tugendhaft war, sondern aus Pflichtbewußtsein handelte, und daß es, in Analogie zum Schaffen der Natur, in Kunstwerken Symbole der sittlichen Ideen bildete. Man begreift, wie sehr Kants Lehre dem hohen und selbstbewußten Tätigkeitsdrang Fichtes Genüge tat.

Er war so groß, daß er an den Grenzen, die Kant in kritischer Besonnenheit gezogen, nicht haltmachen konnte, daß er sie überschreiten, vordringen mußte in das Reich neuer Erkenntnis, das Kant, wie Moses das Gelobte Land, nur von der Höhe seiner Weisheit geschaut, nicht betreten hatte. Kants Aufgabe war es gewesen, den Realismus der Aufklärung, die Meinung, als ob man mit den Kräften des menschlichen Verstandes die Wirklichkeit der Dinge an sich zu erkennen vermöchte, in Nichts aufzulösen und das Bild der Welt als die Schöpfung des menschlichen Geistes nachzuweisen. Für seinen Nachfolger galt es, die Gesetze dieses schaffenden Menschengeistes aufzudecken, zu zeigen, wie auf welchem Wege er dazu kam, eine Welt der Vorstellungen aufzubauen. Es entsprach Fichtes hohem Selbstbewußtsein, dem Gefühl seines tätigen Willens, wenn er den schaffenden Geist schlechthin als das Ich bezeichnete.

Die Gesetze dieses schaffenden Ich zu beschreiben, hieß aber nun, daß er jene vorsichtige methodologische Scheidung aufgab, die Kant zwischen den Problemen der Erkenntnis, der Sittlichkeit, der Naturphilosophie und der Ästhetik vorgenommen hatte. Ihm stand durchaus Kants praktische Vernunft im Vordergrunde. Alles, was der Begriff Welt umfaßte, war eine Schöpfung der praktischen Vernunft. Schaffen aus sittlicher Pflicht war nicht nur im Handeln im engeren Sinne, sondern auch im Reiche der Forschung und der Kunst. Das Ich waltete schrankenlos über alle von der Kritik künstlich gesetzten Grenzen hin. 1794 verfaßte er, als Professor in Jena, eine „Grundlage der gesamten Wissenschaftslehre" für seine Zuhörer. Darin sagt er: Die Forderung, daß alle Realität durch das Ich schlechthin gesetzt sein solle, ist eine Forderung der praktischen Vernunft. Das Ich ist schlechthin als daseiend und Schöpfer der (menschlichen) Welt zu setzen. Die Untersuchung seines Verhaltens ist die Aufgabe der Philosophie. Daher beginnt er seine „Erste Einleitung in die Wissenschaftslehre" (1797) mit der Feststellung: „Merke auf dich selbst: Kehre deinen Blick von allem, was dich umgibt, ab, und in dein Inneres: ist die erste Forderung, welche die Philosophie an ihren Lehrling tut. Es ist von nichts, was außer dir ist, die Rede, sondern lediglich von dir selbst." Die einzige Realität, die es gibt, ist das Ich als das denkende Handeln. Es gibt außer ihm keine andere äußere Wirklichkeit. Alles ist Schöpfung des Ich und also in dem Ich enthalten. Die sog. äußeren Dinge existieren nur in bezug auf das Ich, als Objekte oder Schöpfungen des Ich. Der Realist, der an die Dinge um ihrer selbst willen glaubt, ist ein Dogmatiker. Der wahre Philosoph, der Idealist, glaubt nur an sich selbst, an die Selbständigkeit und Unabhängigkeit seines Ich. Er „bedarf der Dinge nicht zur Stütze seines Selbst und kann sie nicht brauchen, weil sie jene Selbständigkeit aufheben und in leeren Schein verwandeln. Das Ich, das er besitzt und welches ihn interessiert, hebt jenen Glauben an die Dinge auf; er glaubt an seine Selbständigkeit aus Neigung, er ergreift sie mit Affekt. Sein Glaube an sich selbst ist unmittelbar ... Was für eine Philosophie man wähle, hängt sonach davon ab, was man für ein Mensch sei ... Ein von Natur schlaffer oder durch Geistesknechtschaft, gelehrten Luxus und Eitelkeit erschlaffter und gekrümmter Charakter wird sich nie zum Idealismus erheben."

Ich heißt tätiges Streben, und dieses richtet sich auf ein Objekt. Es kann nur etwas schaffen, wenn es die Unbegrenztheit seines Wollens durch ein Ziel begrenzt. „Im Begriffe des Strebens selbst liegt schon die Endlichkeit, denn dasjenige, dem nicht widerstrebt wird, ist kein Streben." Dieses Ziel ist das Nicht-Ich. Da aber dieses Ziel stets, ob es gleich etwas dem Ich Fremdes ist, doch durch das Streben des Ich auf dasselbe bedingt ist, ist es zugleich in dem Ich eingeschlossen. Das Ich behauptet sich immer wieder gegenüber dem Nicht-Ich. Das Streben des Ich kommt nie zur Ruhe. In dem dialektischen Prozesse von Ich und Nicht-Ich geschieht die Tätigkeit des Ich und, als dessen Leistung, die Schöpfung der Welt.

Die ungeheure Willenskraft Fichtes hat in dem Bilde der Welt den idealistischen Anteil des Ich gewaltig überbetont. Zu kurz zu kommen schien der Anteil der Sachen, das Reich außerhalb der Strebekräfte und Belange des Ich, also das, was man als Natur bezeichnet. Der Natur in dem Idealismus der Kantschüler ihren Platz anzuweisen, war die Aufgabe, die sich Friedrich Wilhelm Schelling (1775—1854) gestellt hat.

Er ging von Fichte aus, wie schon der Titel seines 1795 veröffentlichten Erstlings zeigt: „Vom Ich als Prinzip der Philosophie." Aber schon 1797 gelangte er über Fichte hinaus und hatte er sich selber gefunden in seinen „Ideen zu einer Philosophie der Natur". Platon, Spinoza und Leibniz hatten Anteil an der Wendung. Von allen dreien hatte er gelernt, daß es nicht nur ein Reich der schaffenden Ideen, sondern auch eine geschaffene Natur gab, und daß beide zu einer ursprünglichen und unauflöslichen Zweieinheit verbunden waren. Er suchte diese zweigeteilte Welt auf dem Wege der bei Fichte gelernten Dialektik aufzubauen. Philosophieren heißt: sich der äußeren Welt gegenüberstellen. Die Reflexion trennt den Gegenstand von der Anschauung, das Bild vom Begriff. Aber diese Trennung ist nicht Zweck, sondern Mittel: sie führt zur Erkenntnis, daß in dem vorstellenden Ich beide, Gegenstand und Anschauung, Bild und Begriff enthalten und nicht zu trennen sind, daß Natur und Geist identisch sind.

Diese Überlegungen schon führen den Idealismus Schellings in die Nähe von Goethes Pantheismus. Die nächste Schrift Schellings, „Von der Weltseele" (1798), zeigt ihn denn auch stark von Goethes Naturauffassung beeinflußt; sie ist nicht denkbar ohne Goethes Ideen der Polarität, des Typus und der Metamorphose. Nur daß Goethes Anschauungen, unter dem Einfluß von Platon, Spinoza und Leibniz und vor allem aus Schellings eigenem geistigen Bedürfnis, aus der empirisch gestützten wissenschaftlichen Einsicht zur philosophischen Kosmologie ausgeweitet sind. Kühne Deutung spärlicher Einsichten der zeitgenössischen Naturwissenschaft, vor allem auf dem Gebiete der Elektrizität und des Magnetismus, muß mithelfen, das luftige Gewölbe als dünne Stütze zu tragen.

Wenn Schelling einerseits den Blick auf die bewußte Tätigkeit des Geistes richtet, anderseits auf das bewußtlose Wachstum der Natur und beide im Begriff der menschlichen Vorstellung zur Identität bringt, so stellt ihm — darin gipfelt sein „System des transzendentalen Idealismus" (1800) — die Kunst die höchste Form der Vereinigung des Bewußten und des Bewußtlosen dar. In ihr vollendet sich die transzendentale Philosophie, indem sie sich im Subjektiven als zugleich bewußte und bewußtlose Tätigkeit darstellt. Auch sie beruht, wie die Philosophie, auf dem produktiven Vermögen. Der Unterschied liegt in der verschiedenen Richtung der produktiven Kraft. Bei der Philosophie richtet sie sich nach innen, um das Unbewußte in intellektueller Anschauung zu reflektieren, bei der Kunst nach außen, um das Unbewußte durch Produkte zu reflektieren. Der Grundcharakter des Kunstwerkes als Synthese von Natur und Freiheit ist bewußtlose Unendlichkeit. Es ist die symbolische Darstellung des Unendlichen im Endlichen. Jedes Kunstwerk ist daher unendlicher Auslegung fähig.

Das gedankliche Leben des Ich betätigte sich bei Fichte und Schelling mit einer solch leidenschaftlichen Hingabe und Ausschließlichkeit in der philosophischen Dialektik, daß es alle andern geistigen Belange in sich aufzusaugen schien, im besonderen auch die Religion. Hatte schon die Philosophie der Aufklärung diese aus dem Denken der Gebildeten mehr und mehr verdrängt, so mußte es jetzt um so mehr zu einer Auseinandersetzung zwischen Philosophie und Religion kommen, als die idealistische Philosophie sich so energisch jenes Gebietes bemächtigt hatte, das vordem das besondere Feld der Religion gewesen war: des Transzendenten. Die Auseinandersetzung wurde die Aufgabe F r i e d r i c h E r n s t D a n i e l S c h l e i e r m a c h e r s (1768—1834). Er war aus herrnhutischen Kreisen hervorgegangen, und wenn er auch als Schüler des theologischen Seminars zu Barby sich der herrnhutischen Enge entfremdete und den Zugang zu weltlicher Dichtung und Philosophie erkämpfte, so blieb der Grund seines Denkens doch herrnhutisch-gemütvolle Innerlichkeit und Gleichgültigkeit, ja Feindschaft gegen alle äußerlichen Formen und Dogmen des Glaubenslebens. Ihm eignete in noch höherem Maße als Schelling eine starke künstlerische Phantasie, mit der er die Erörterung der Probleme der nüchternen Strenge logischer Beweisführung entzog und sie zur hinreißenden Darstellung unmittelbaren Erlebens poetisierte. In Berlin, wo er 1796 Prediger an der Charité geworden war, hatte er in die schöngeistigen Kreise der Romantiker Eingang gefunden und eine zärtliche Neigung zu der geistvollen Jüdin Henriette Herz empfunden. Phantasie und Liebe haben denn auch mit der herrnhutischen Innerlichkeit einen innigen Bund geschlossen in den beiden Werken, die sein entscheidender Beitrag zu dem Idealismus der Kant-Nachfolger sind, den „Reden über Religion" (1799) und den „Monologen" (1800).

Die „Reden über Religion" wenden sich „an die Gebildeten unter ihren Verächtern". Ihre Voraussetzung ist der Zerfall des religiösen Lebens unter dem Einfluß der Aufklärung: die Logisierung ihres metaphysischen Teiles zur Philosophie, die Säkularisierung ihres praktischen Teiles zur Moral. Für Schleiermacher ist Religion weder Metaphysik noch Moral, sondern ein selbständiges Drittes. Alle drei haben das Verhältnis des Menschen zum Universum als Gegenstand. Verschieden aber ist die Art dieses Verhältnisses. In der Metaphysik ist es theoretisch. Erkenntnis ist ihre Aufgabe. Ihr Reich das Wissen. In der Moral ist es praktisch. Sie leitet Pflichten daraus ab. Ihr Reich ist das Handeln. Die Religion aber ist unmittelbare Anschauung des Universums. — Schleiermachers Inbrunst hat hier den Begriff der intellektuellen Anschauung zur religiösen Ekstase gesteigert: „Die Betrachtung der Frommen ist nur das unmittelbare Bewußtsein von dem Allgemeinsein alles Endlichen im Unendlichen und durch das Unendliche, alles Zeitlich im Ewigen und durch das Ewige. Dieses Suchen und Finden in allem, was lebt und sich regt, in allem Werden und Wechsel, in allem Tun und Leiden, und das Leben selbst im unmittelbaren Gefühl nur haben und kennen als dieses Sein, das ist Religion."

Alle angelernten, geschichtlich übermittelten Begriffe sind für sie wertlos, bloß Gedächtnis und Nachahmung: „Jede heilige Schrift ist nur ein

Mausoleum der Religion, ein Denkmal, daß ein großer Geist da war, der nicht mehr da ist." Zu den preisgegebenen Dogmen gehört auch der Glaube an den persönlichen Gott und die Unsterblichkeit der einzelnen Seele. Religion haben heißt das Universum anschauen. „Versucht doch aus Liebe zum Universum euer Leben aufzugeben. Strebt darnach, schon hier eure Individualität zu vernichten, und im Einen und Allen zu leben ... Und wenn ihr so mit dem Universum zusammengeflossen seid..., dann wollen wir weiter reden über die Hoffnungen, die uns der Tod gibt, und über die Unendlichkeit, zu der wir uns durch ihn unfehlbar emporschwingen."

Man sieht: eine seltsame, in sich widerspruchsvolle Rettung der Religion. Schleiermacher hat die Religion gerettet, indem er sie den Geistlichen entzog und den Philosophen und Liebenden übermittelte. Er gleicht einem Manne, der den Wein erhalten will, aber das Faß zerschlagen hat: der Inhalt rinnt nach allen Seiten davon. Enthalten so die „Reden" ebensoviel des Zerstörenden als des Erneuernden, so bringen die „Monologen" als ihre Fortsetzung das Bild der neuen Weltansicht, eine Rhapsodie über die Freiheit. Nirgends sonst steigt der Idealismus, der jenes Geschlecht beseelte, so stolz und sicher in die Bergluft einer erdentrückten Geistigkeit. Wiederum ist der Ausgangspunkt die intellektuelle Anschauung, die Reflexion. Selbstbetrachtung allein führt in die höhere Welt. Sie setzt uns in den Stand, die erhabene Forderung zu erfüllen, „daß der Mensch nicht sterblich nur im Reich der Zeit, auch im Gebiet der Ewigkeit unsterblich, nicht irdisch nur, auch göttlich soll sein Leben führen ... So oft ich ins Innere selbst den Blick zurückwende, bin ich zugleich im Reich der Ewigkeit; ich schaue des Geistes Handeln an, das keine Welt verwandeln und keine Zeit zerstören kann, das selbst erst Welt und Zeit erschafft."

Wie Schelling in der „Weltseele" der positiven Kraft die negative gegenüberstellt und durch sie die Individuation bewirken läßt, so weiß auch Schleiermacher, daß das Universum nur in individueller Gestalt erscheinen kann, und daß durch Prüfungen die Persönlichkeit gebildet werden muß. Aber gerade die zur Freiheit Gebildeten schließen sich zusammen zu einer Gemeinschaft, die gegen den Geist des Materialismus und Mechanismus kämpft. Das Bewußtsein der Freiheit gibt unbegrenzte Kraft und Entwicklungsfähigkeit. „Leb' ich doch im Bewußtsein meiner ganzen Natur. Immer mehr zu werden, was ich bin, das ist mein einziger Wille." Wie der Künstler den Stoff, so formt der wollende Idealist das Leben. Die beflügelnde Kraft ist Phantasie. Mit ihr kann er schaffen, was der Wirklichkeit gebricht. Das Leben in der Freiheit überwindet die Schranken der Natur und die Grenzen von Jugend und Alter.

Die Geschichte des deutschen Idealismus ist ein steiler Flug in den Äther des leeren Weltraumes, wo alles Irdische tief unten entschwindet, wo der Geist sich, nicht gehemmt durch die Schwere der Körper, nach Willkür bewegen kann und, indem er nirgends anstößt, sich im Besitze unbedingter Freiheit wähnt. Aber ihm ward das Schicksal dessen, der sich schrankenlos aufwärts hebt:

„Nirgends haften
Die unsichern Sohlen,
Und mit ihm spielen
Wolken und Winde."

Das Schicksal des Euphorion. Goethe sah tiefer und weiter, und seine Vision der Welt trug den Stempel größerer Wahrheit. Er blieb der Erde nahe und schaute aus der Endlichkeit in die Unendlichkeit. So ist sein Schaffen erhöht über den Wandel des Zeitlichen. Es war die Tragödie des Idealismus wie alles Unbedingten und doch der Erde Verhafteten, daß er mit seiner Forderung und seinem Wahne überzeitlicher Erkenntnis doch nur den zeitlich letzten und höchsten Gipfel jenes Glaubens an den Geist darstellte, der, in der christlichen Religion begründet, die Jahrhunderte erfüllt und dem Tun der Menschen seinen Sinn gegeben hatte, ehe er im 19. Jahrhundert in dem Strudel des Materialismus unterging.

2. SCHILLERS JUGEND

„Alle acht Tage war er ein anderer, ein vollendeterer;
jedesmal wenn ich ihn wiedersah, erschien er mir vorgeschritten in Belesenheit, Gelehrsamkeit und Urteil."

Goethe

Betrachtet man in Schillers Dramen die Reihe der Helden, in denen der
Dichter sich selber oder wesentliche Züge von sich dargestellt hat, so
gewahrt man in ihnen eine Zweiheit gegensätzlicher Kräfte. Karl Moor ist
einerseits der Abenteurer, der kühn und rücksichtslos ausgreifende
Räuberhauptmann, anderseits der zärtliche Sohn und empfindsame
Liebhaber der Amalia. Ferdinand von Walter ist nicht nur der begeisterte
Vorkämpfer für Standesgleichheit, Wahrhaftigkeit und Sittenreinheit, er
schmilzt auch in heißen Gefühlen gegenüber seiner Luise. Don Carlos und
Marquis Posa vereinen heldischen Sinn mit Zärtlichkeit. Wallenstein ist
der große und berechnende Feldherr und zugleich der liebende Hausvater.
In der „Jungfrau von Orleans" wird der tragische Untergang der Johanna
dadurch begründet, daß sie in ihrer Heldenbrust zugleich ein weiblich
fühlendes Herz trägt. Ja Wilhelm Tell ist der kühne Alpenjäger, der Frei-
heitsheld und der Mörder des Landvogts nur deswegen, weil er ungestört
und friedlich das Glück seines Hauses mit Weib und Kindern genießen
will.

Diese Beobachtungen legen den Schluß nahe, daß eine entsprechende
Spannung auch in dem Dichter selber wirksam war. Man braucht nur die
Reihe der bekanntesten Bildnisse Schillers zu durchgehen, so bestätigen
sie jene Vermutung. Allerdings nicht in der Weise, daß sie jene beiden
entgegengesetzten Züge Schillers in sich vereinigen, wohl aber so, daß
sie zwei Menschen darstellen, je nachdem der Künstler, aus eigener seelischer Verwandtschaft, den einen oder den andern in dem Dichter sah, oder
der Dichter, aus den Umständen des Augenblicks, sich ihm als den einen
oder andern zeigte. Die Bilder zerfallen in zwei Gruppen, von denen die
eine Schiller als den heldischen und willensmächtigen Idealisten, die andere
als den weichen und empfindsamen Gemütsmenschen darstellt. Von der
ersten Gruppe ist das bekannteste Bild Johann Heinrich Danneckers große
Büste von 1793. Dannecker selber, als er sie schuf, sagte: „Ich will Schiller
lebig machen, aber der kann nicht anders lebig sein als kolossal. Schiller
muß kolossal in der Bildhauerei leben." Und er schrieb ihm „etwas Adler-
mäßiges zu, dessen Bewegungen immer stark sind". Vor allem die sogenannte Gewandbüste im Museum in Weimar drückt dieses Kolossale aus.
Sie erscheint als Gegenstück zu der Trippelschen Goethebüste. Der Kopf
ist nach antikem Vorbild wiedergegeben, das Haar in schönen Locken
angeordnet und frei niederwallend, die Nase kühn vorspringend, der
Mund energisch geschlossen, der Blick fest und klar ins Weite gerichtet.

Das kleine Ölbild in Kassel, das darstellt, „wie der Kerl aussieht, der die ‚Räuber' geschrieben hat", ist eine jugendlich übertreibende Variante dieses Typus; das vor und nach dem Tode gemalte Ölbild von Friedrich August Tischbein hat ihn zum Theaterhelden veräußerlicht. Von den Bildnissen der zweiten Gruppe ist Anton Graffs Gemälde das vorzüglichste. Es ist 1786, während Schillers Aufenthalt in Dresden, begonnen und 1791 beendet worden. Der Dichter ist sitzend dargestellt. Den linken Arm hat er auf einen Tisch gestützt, auf den die rechte Hand lässig aufgelegt ist. Der sanft geneigte Kopf ist an die linke Hand gelehnt. Die Haare sind schlicht nach hinten gestrichen. Der Blick der sinnenden Augen ist auf den Beschauer gerichtet. Das Adlermäßige der Nase tritt zurück. Der Mund entbehrt des energischen Zuges. Das Ganze drückt träumerische Weichheit aus. Das Gemälde der Ludovika Simanowitz (1793) steigert das Träumerisch-Sinnende dieses Typus zum Demütig-Weiblichen, vor allem wohl, weil die Neigung des Kopfes nicht, wie in dem Graff-Bilde, durch den stützenden Arm begründet ist.

Die Äußerungen anderer über Schillers Aussehen, Auftreten und Gehaben bewegen sich ebenfalls nach diesen zwei entgegengesetzten Richtungen. Der Buchhändler Sander aus Berlin, der Schiller 1797 besuchte, berichtet: „Schiller ist nicht mein Mann. Ein sehr gemeines Gesicht und dabei etwas Widriges. Denke dir sehr eingefallene Backen, eine sehr spitze Nase, fuchsrotes Haar auf dem Kopfe und über den Augen. Und nun war er in seinem Garten, mit gelben eingetretenen Pantoffeln und in einem Schlafrock ähnlichen Überzugs. Wäre ich so mit ihm in einer öden Gegend zusammengetroffen, ich hätte für mein Leben oder wenigstens für meine Börse gefürchtet." Ein Jahr später hatte der Student Lacher den entgegengesetzten Eindruck: „Ein langer, schlanker, starker Mann stand mitten im Zimmer. Ein graugelber Überrock bedeckte, bei offenem Hemdkragen, seinen Leib. Kurzgeschnittene gelbe Haare umflatterten seine hohe, breite Stirne, blau, sanft und ernst sind seine Augen, eine etwas gebogene Nase, die sich mit einer Falte in die Stirn verliert, sein Angesicht ist blaß, ein äußerst reizender, redlicher Mund, und das ganze Wesen strömte eine ernste Liebenswürdigkeit aus, dem man mit Zutrauen und Vergnügen nahte." Den sprechenden Schiller in Gesellschaft beschrieb der dänische Dichter Jens Baggesen nach einem Besuche im August 1790 so: „Schiller ist ein feuerspeiender Berg, dessen Gipfel mit Schnee bedeckt ist. Er scheint kalt zu sein; sein ganzes Betragen selbst gegen seine vertrautesten Freunde — am allermeisten gegen seine Frau — ist kalt. Er ist in der Gesellschaft n i c h t s , ganz und gar nicht unterhaltend, ganz und gar nicht witzig — meistens stumm. Nie hat man ihm einen guten Einfall abgelockt, nie ist ein Bonmot über seine Lippen gekommen. Bisweilen aber — doch äußerst selten, wird er gerührt, und dann ist er rührend bis zu Tränen allen denen, die ihn umgeben. Er sagt nie seiner Frau oder irgend einem seiner Freunde was Liebes — sein Ton mit ihr ist trocken, hart, kalt, gleichgültig, verdrießlich." Dagegen berichtet vier Jahre später Wilhelm von Humboldt, Schiller sei für das Gespräch ganz eigentlich geboren gewesen. „Er suchte nie nach einem bedeutenden Stoff der Unterredung. Er überließ es mehr dem Zufall, den Gegenstand herbeizuführen, aber von jedem aus leitete er das Gespräch zu einem allgemeineren Gesichtspunkt, und man sah sich nach wenigen Zwischenreden in den Mittelpunkt einer den Geist anregenden Diskussion versetzt. Er behandelte den Gedanken immer als ein gemeinschaftlich zu gewinnendes Resultat, schien immer des Mitredenden zu bedürfen, wenn dieser sich auch bewußt blieb, die Idee allein von ihm zu empfangen, und ließ ihn nie müßig werden. Schiller sprach nicht eigentlich schön. Aber sein Geist strebte immer in Schärfe und Bestimmung einem neuen geistigen Gewinne zu, er beherrschte dies Streben und schwebte in vollkommener Freiheit über seinem Gegenstande. Daher benutzte er in leichter Heiterkeit jede sich darbietende Nebenbeziehung, und daher war sein Gespräch so reich an den Worten, die das Gepräge glücklicher Geburten des Augenblicks an sich tragen. Die Freiheit tat aber dem Gange der Untersuchung keinen Abbruch. Schiller hielt immer den Faden fest, der zu ihrem Endpunkt führen mußte, und wenn die Unterredung nicht durch einen Zufall gestört wurde, so brach er nicht leicht vor Erreichung des Zieles ab." Schiller konnte sehr stolz aussehen. Eine Frau, die ihren Sohn in der Akademie besuchte, sagte, als sie Schiller durch den Schlafsaal wandeln sah: „Sieh doch, der bildet sich wohl mehr ein als der Herzog von Württemberg." Aber als sein Jugendfreund Wilhelm von Hoven ihn am Weihnachtsabend 1794 besuchte, fand er ihn vor einem großen aufgeputzten Weihnachtsbaume ganz allein sitzend und heiter lächelnd von seinen Früchten herunternaschend. „Ich erinnere mich meiner Kindheit", sagte er, „und freue mich, die Freude meines zukünftigen Sohnes zu antizipieren. Der Mensch ist nur einmal in seinem Leben Kind, und er muß es bleiben, bis er seine Kindheit auf ein anderes fortgeerbt hat." So berichtet auch Johann Heinrich Voß der Jüngere, wie Schiller mit seinem Sohne Karl Löwe und Hund gespielt, bald der eine, bald der andere den Löwen agiert habe und alle beide auf vier Füßen im Zimmer herumgekrochen seien. „So habe auch ich ihn mehrmals gefunden, daß er auf der Erde lag und mit einem seiner Kinder spielte."

Schillers eigene Äußerungen bezeugen, wie stark die Gegensätze seines Affektlebens nach beiden Seiten ausschlugen. Er war groß in Liebe und Haß. Es gibt Briefe an Körner, die von Gefühlsseligkeit überborden. Damals — 1785 — sang er das „Lied an die Freude":

> „Seid umschlungen, Millionen,
> Diesen Kuß der ganzen Welt."

Derselbe Schiller aber fand auch Worte bittersten Hasses und schneidenden Hohnes, wo er die Erfahrung machte oder zu machen glaubte, daß seine Liebe auf Kälte stieß, oder daß man seine Güte mißbrauchte. Als Goethe ihn bei dem ersten Zusammentreffen nicht freundlich genug behandelte, schrieb er an Körner: „Öfters um Goethe zu sein, würde mich unglücklich machen ... Es ist ein Egoist in ungewöhnlichem Grade ... Ein solches

Wesen sollten die Menschen nicht um sich herum aufkommen lassen. Mir ist er dadurch verhaßt."

Diese Gegensätzlichkeit der Veranlagung wirkte sich in einer außerordentlichen Spannung des Innenlebens aus. Es ist früher von der Kräftepolarität in Goethes Persönlichkeit gesprochen worden. Schillers Spannung kann mit ihr verglichen werden. Aber sie ist doch etwas anderes. In Goethe bewegt sich die Pendelschwingung in verschiedenen Ebenen; bei Schiller nur in einer, dafür aber stärker, entschiedener. Es ist eine eigentliche Spaltung in ihm. Und das heißt, daß ihm jene Aufmerksamkeit versagt ist, die, nach einem Wort der „Wanderjahre", „das Leben ist". Eine der ersten Entdeckungen, die Schiller an Goethe machte, war eben diese Aufmerksamkeit. „Ihr beobachtender Blick", bekannte er ihm, „der so still und rein auf den Dingen ruht, setzt Sie nie in Gefahr, auf den Abweg zu geraten, in den sowohl die Spekulation als die willkürliche und bloß sich selbst gehorchende Einbildungskraft sich so leicht verirrt." Eben diese Spekulation und willkürliche Einbildungskraft waren, wie Schiller damals einsah, die Gefahren, die ihn bedrohten. Denn so groß war die Spannung seines Innern, daß sie ihn zwang, sich übermäßig mit sich selbst zu beschäftigen, den Blick, statt nach außen, immer wieder nach innen zu richten. Und so trat eine gewisse Überzüchtung des Innern ein; Spekulation und Einbildungskraft, aus diesen inneren Kräften genährt, nicht durch Anschauungen der Außenwelt geleitet und berichtigt, durchdrangen wie ein wucherndes Gewebe seine Seele. Es war ein Glück für ihn, daß jene Grundspannung noch eine andere Kraft zeitigte: eine gewaltige sittliche Energie, die ihn befähigte, jene beiden andern Kräfte zu bändigen und schließlich eben doch jene Höhe des Ideals zu erreichen, die sein Ziel war.

Aus dieser inneren Spannung erklärt sich, daß Schiller sein geistiges Leben nur in Gedanken, nicht in Anschauungen entwickeln konnte. Er konnte, was auf ihn eindrang, seinem geistigen Besitze nur einverleiben, indem er es abstrahierte, in Reflexion verwandelte. Humboldt bezeugt, er habe die Kenntnis der Wirklichkeit und der Natur nicht aus der Anschauung geschöpft, sondern sie mehr durch seine eigene Phantasie geschaffen. Diese Notwendigkeit der Begriffsbildung durch Abstraktion bedingte oft geradezu die Auslöschung der sinnlichen Umwelt, zum mindesten ihre Abrückung durch Schließen der Läden oder Ziehen der Vorhänge beim Schaffen: die innere Arbeit der Gedanken war so groß und nahm ihn so ganz in Anspruch, daß das Äußere nur störend wirkte. Lotte Lengefeld hat dies fein beobachtet, als sie ihm schrieb: „Ein Geist wie der Ihrige sieht die Dinge in einer gewissen Entfernung in einem schöneren Lichte, als sie wirklich haben, und die Welt wird Ihnen lieber bleiben in dieser Entfernung." Schiller selber übertrug seine eigene Art auf Lotte, wenn er ihr schrieb: „Es ist gut, daß Sie sich Ihr kleines Zimmer durch Reisebeschreibungen recht groß und weit machen. Mir ist es immer ein unaussprechliches Vergnügen, mich im möglichst kleinsten körperlichen Raum im Geist auf der großen Erde herumtummeln zu können."

353

Wenn es die fruchtbare Größe Goethes ausmacht, daß er in der Natur eingewachsen ist und ihre mütterlichen Kräfte nährend in sich hineinströmen läßt, so ist es Schillers Art, der Wirklichkeit gegenüberzustehen, ihr sein im inneren Kampfe sich verzehrendes Ich entgegenzusetzen und sie dichtend zu gestalten, indem er sie besiegte — eben indem er ihre Bilder in Gedanken verwandelte, sie in seiner eigenen Sprache zu sprechen zwang. Sein Verhältnis zum Stoffe ist so — echt dramatisch — ein oft leidenschaftlicher Kampf. Es geht heiß zu in diesem Kampfe. Der Dichter steigert seine inneren Kräfte zu höchster Erregtheit, um den Feind niederzuzwingen; ja die Leidenschaft des Streites bricht sich in der Jugend oft in wildem Lärm Bahn. Schillers Jugendfreund Petersen erzählt: „Wenn er dichtete brachte er seine Gedanken unter Strampfen, Schnauben und Brausen zu Papier." Als Schiller einmal über einen Kranken in der Akademie die Aufsicht zu führen hatte und sich dazu an dessen Bett setzte, geriet er, statt ihn zu befragen und zu beobachten, „in solche brausende Bewegung und heftige Zuckungen, daß dem Kranken angst und bange wird, sein zugegebener Arzt möchte in Wahnwitz und Tobsucht verfallen sein." Aus der Mannheimer Zeit erzählt die Tochter des Buchhändlers Schwan, als sie Schiller einmal hätten besuchen wollen, hätten sie vor der Saaltüre ein arges Geschrei gehört und eintretend Schiller erblickt, wie er in Hemdärmeln auf und ab rannte, gestikulierte und ganz barbarisch krakeelte. Zwei brennende Lichter standen auf einem Tisch mit Papieren mitten im Saal und alle Läden waren geschlossen. Als Schwan ihn anrief, atmete Schiller tief auf und sagte: „Drum hatte ich gerade den Mohren am Kragen."

Es entspricht durchaus dem Dramatisch-Kampfmäßigen dieser Arbeitsweise, wenn im Gegensatz zu der körperlichen Erregtheit zugleich der Verstand wach ist und zielbewußt schafft. Humboldt nennt den Gedanken das Element von Schillers Leben: „Anhaltend selbsttätige Beschäftigung des Geistes verließ ihn fast nie und wich nur den heftigeren Anfällen seines körperlichen Übels." Und Goethe äußerte sich zu Eckermann: „Es war nicht Schillers Sache, mit einer gewissen Bewußtlosigkeit und gleichsam instinktmäßig zu verfahren, vielmehr mußte er über jedes, was er tat, reflektieren; woher es kam, daß er über seine poetischen Vorsätze nicht unterlassen konnte, sehr viel hin und her zu reden, so daß er alle seine späteren Stücke Szene für Szene mit mir durchgesprochen hat." Der Briefwechsel zwischen den beiden Freunden ist dessen Zeugnis. So bereitwillig Goethe auf diese Erörterungen einging und Ratschläge spendete, wo es sich um Schillers Werke handelte, so peinlich waren sie ihm, wo es sein eigenes Schaffen galt, und er rettete sich dann, um sein Werk nicht bereden, sondern ruhig reifen zu lassen, gern in die Stille und teilte Schiller erst das vollendete mit. Schon diese Art des Schaffens zeigt, daß Schiller jener Generation angehörte, die die reflektierende Dialektik der idealistischen Philosophie und die Bewußtheit der romantischen Dichtung hervorgebracht hat. Er stand an sittlicher Willenskraft Fichte nahe und teilte die Begabung an Phantasie und Gedankengewalt mit seinem jüngeren Lands-

354

mann Schelling. Aber er war neben beiden der Dichter. Das bewußte Denken war ihm nicht Endzweck, sondern bloß Durchgang von der Wirklichkeit zu ihrer Bewältigung im dichterischen Gebilde, wie er es in dem Gedicht „Das Ideal und das Leben" geschildert hat:

„Wenn, das Tote bildend zu beseelen,
Mit dem Stoff sich zu vermählen,
Tatenvoll der Genius entbrennt,

Da, da spanne sich des Fleißes Nerve,
Und beharrlich ringend unterwerfe
Der Gedanke sich das Element."

Aber die Reiche Wirklichkeit, Gedanke, Phantasiebild lagen nicht immer reinlich geschieden neben- oder hintereinander. Oft genug trug das endgültige Werk noch die Spuren des gedanklichen Kampfes an sich. Noch in jener Selbstcharakteristik vom 31. August 1794, die er auf Goethes Wunsch verfaßte, gestand er von sich: Er schwebe, als eine Zwitterart, zwischen dem Begriff und der Anschauung, zwischen der Regel und der Empfindung, zwischen dem technischen Kopf und dem Genie. „Dies ist es, was mir, besonders in früheren Jahren, sowohl auf dem Felde der Spekulation als der Dichtkunst ein ziemlich linkisches Ansehen gegeben; denn gewöhnlich übereilte mich der Poet, wo ich philosophieren sollte, und der philosophische Geist, wo ich dichten wollte. Noch jetzt begegnet er mir häufig genug, daß die Einbildungskraft meine Abstraktion, und der kalte Verstand meine Dichtung stört."

Als er dies schrieb, war er bereits auf dem Wege zur klaren Sonderung der beiden Reiche. Denn dies ist die geniale Größe Schillers, daß er wirklich auf dem ihm durch seine Natur vorgezeichneten Wege, durch Reflexion und Gedanken, zum klassischen dichterischen Werke als der reinen anschaulichen Gestalt des Gedankens gelangte. Und so konnte Goethe von ihm zu Zelter sagen: „Jedes Auftreten von Christus, jede seiner Äußerungen gehen dahin, das Höhere anschaulich zu machen. Immer von dem Gemeinen steigt er hinauf, hebt er hinauf ... Schiller war eben diese Christustendenz eingeboren, er berührte nichts Gemeines, ohne es zu veredeln."

Die große sittliche Kraft Schillers dürfte in erster Linie das Erbe seines Vaters sein. Dieser, Johann Kaspar, war der Sohn eines Bäckers. Da der frühe Tod seines Vaters ihn am Studium hinderte, ging er in eine Lehre als Wundarzt, nahm mit zweiundzwanzig Jahren Dienste und machte den österreichischen Erbfolgekrieg bald auf bayrischer, bald auf französischer, bald auf österreichischer Seite mit, kam nach Holland und sogar bis nach London. 1749 erschien er in Marbach, wo er eine verheiratete Schwester hatte, führte die anmutige, schlanke und gemütstiefe Elisabeth Dorothea Kodweis, die Tochter des Wirtes zum goldenen Löwen als seine Frau heim und ließ sich in Marbach als Wundarzt nieder. Aber als sein Schwiegervater durch Unvorsichtigkeit sein Vermögen verlor, sah sich der strebsame und tüchtige Mann nach einer lohnenderen Tätigkeit um und trat, während seine Frau bei den Eltern in Marbach blieb, als Furier in ein württembergisches Regiment ein, das in französischem Solde am Siebenjährigen

Krieg teilnahm. Als Fähnrich machte er die Schlacht bei Roßbach mit. Er stand im Felde, als ihm am 10. November 1759 in Marbach sein erster und einziger Sohn Johann Christoph Friedrich geboren wurde.

Johann Kaspar hatte, als er aufs neue Dienste genommen, das beschauliche Leben im Kreise seiner Familie seinem Ehrgeiz geopfert. Der Herzog Karl Eugen brauchte, zur Befriedigung seiner kostspieligen Launen, beständig große Einnahmen, und er verschaffte sich Geld, indem er seine Truppen an fremde Mächte verkaufte. Um stets aufs neue Soldaten zusammenzutreiben, unterhielt er überall Werber. Auch Schillers Vater, der inzwischen zum Hauptmann befördert worden war, übernahm die Stelle eines Werbeoffiziers. Sie bot ihm die Möglichkeit, endlich dauernd mit seiner Familie vereinigt zu werden: vor dem Sohne war eine Tochter, Christophine, geboren worden, zwei weitere Töchter, Luise und Nanette, folgten. 1763 zog man nach Schwäbisch-Gmünd, im folgenden Jahr nach Lorch. In Marbach, Ludwigsburg, wo die Familie kurze Zeit gewohnt, und in Lorch nahm der Knabe die ersten Eindrücke der Welt auf. Er sah, wenn er mit der Mutter den Vater in seinem Standquartier besuchte, das soldatische Leben. In der Nähe von Lorch lag die Kirche des einstigen Benediktinerklosters, worin viele Glieder des Geschlechtes der Hohenstaufen beigesetzt waren. Stärker als die liebliche Landschaft dürften auf den Knaben die Erzählungen des Vaters aus der schwäbischen Vergangenheit und aus seinem eigenen Leben im Felde gewirkt haben. Am stärksten aber des Vaters eigenes Vorbild, dessen Blut er in sich spürte. Der tatkräftige Mann, der sich mit hellen Augen überall umgesehen hatte, wohin ihn die Kriegsfurie trug, der in Holland die Torfbereitung, in Lüttich die Kohlenförderung, im Würzburgischen den Weinbau und in Hessen die Baumzucht kennengelernt hatte, glühte von jenem Geiste zu helfen, aufzuklären und zu verbessern, der das Jahrhundert erfüllte. Er griff zur Feder und begann in Lorch „Ökonomische Beiträge zur Verbesserung des bürgerlichen Wohlstandes" herauszugeben. Vor allem der Baumzucht galt seine Liebe. Er hat darüber ein umfassendes Werk geschrieben, nachdem der Herzog ihn 1775 zum Intendanten der Hofgärtnerei auf der Solitüde ernannt hatte. Es gelang seiner Kunst, aus felsigem Grund fruchtbares Erdreich zu schaffen, so daß er in elf Jahren über 20 000 Bäume aufzuziehen vermochte.

So wuchs der Sohn in den Händen der frommen, gemütvollen Mutter und am Beispiel des unermüdlich tätigen Vaters auf. Es war ein bescheidenes Stück Leben, das sich um ihn ausbreitete, nicht zu vergleichen mit dem Glanz und Reichtum von Goethes Vaterstadt. Aber es war ein Stück tüchtiges deutsches Bürgertum, dessen sittlich-religiöse Keime der Heranwachsende in sich aufnahm. In Lorch empfing er den ersten Schulunterricht, und der Stadtpfarrer Moser gab ihm mit seinem Sohne Latein. Er soll damals, nach der Erzählung seiner Schwester Christophine, selber den Wunsch gehabt haben, Pfarrer zu werden. Sie mußte ihm eine schwarze Schürze als Chorrock umbinden, und ein Stuhl wurde zur Kanzel, auf der er predigte: die erste Regung des Bedürfnisses, sittlich ins Weite zu wirken. Auch darin bildet Schillers Jugendleben einen Gegensatz zu dem Goethes, daß es ihm nicht vergönnt war, in beschaulicher Ruhe die wandelnden Gestalten einer immer gleichen Umgebung auf sich eindringen zu lassen. Die Tätigkeit des Werbeoffiziers bedingte Wechsel des Schauplatzes. 1766 wurde der Vater nach Ludwigsburg versetzt. Neue Bilder traten vor das Auge des Knaben. Die Stadt war kurz vorher von dem Herzog infolge eines Zwistes mit Stuttgart zur Residenz erhoben worden, und die Laune des Fürsten schmückte sie mit prachtvollen Bauten an breiten Straßen, durch die Hofleute in seidenen Fräcken sich bewegten, schimmernde Karossen fuhren und Militär in bunten Uniformen und mit klingendem Spiel marschierte. Und wiederum drängt sich einem ins Bewußtsein, welch ganz anderes Bild diese durch den Machtbefehl eines Serenissimus entstandene künstliche Herrlichkeit dem Heranwachsenden bot, als der gediegene, im Lauf der Jahrhunderte natürlich gewachsene Wohlstand von Frankfurt dem jungen Goethe. Schillers Vater selber gehörte als Offizier sozusagen zu dieser Welt der fürstlichen Macht- und Prachtentfaltung. Der Sinn für Herrschergrüße, aber auch Herrscherlaunen und Höflingswesen bildete sich in dem Knaben, um so mehr, als der Vater sich in den Kopf gesetzt hatte, daß dem Sohn die gelehrte Ausbildung, die ihm selber versagt gewesen war, den Weg zur Höhe ebnen sollte. In Ludwigsburg besuchte Schiller die Lateinschule. Er unterzog sich den jährlichen Landexamina, die ihm den Besuch eines der geistlichen Seminarien und schließlich des Stiftes in Tübingen eröffnen sollten. Das waren die Pläne der Eltern und des Sohnes. Da traf sie Ende 1772 die Verfügung des Herzogs, daß Schiller für das nächste Jahr in die Militärische Pflanzschule auf der Solitüde versetzt werden solle. Der Herzog mußte die von ihm vor kurzem gegründete Erziehungsanstalt mit Schülern bevölkern, und sein Wunsch war für seine Untergebenen Befehl. Ein neuer, gründlicher Wechsel in Schillers Leben: fürstliche Willkür brach störend ins Innerste seiner Person, den lange gehegten Bildungsgang hinein. Der Eingriff mußte die Spannung der Gegensätze in ihm aufs höchste steigern.

Schubart hat über die Schulmeisterlaune des Herzogs mit der Gründung der Militärakademie gespottet. Nur zum Teil mit Recht. Auch diese Schule verdankte ihr Dasein dem großen Erziehungswillen des Jahrhunderts, und sie hat ohne Frage Tüchtiges geleistet. Es lag in den Verhältnissen, wie sie nun einmal ein fürstliches Regiment im Zeitalter des Absolutismus mit sich brachte, wenn die Bildung sich in eine höfische Uniform pressen lassen mußte. Der Herzog dachte nicht an eine allgemeine höhere Schule für seine Landeskinder; er wollte sich nur tüchtige Offiziere und Beamte heranziehen. Schon dieser staatliche oder richtiger fürstliche Zweck bedingte eine Ausbildung durch Dressur. Es war pädagogische Gartenbaukunst in französischem Stile, was hier getrieben wurde: wirklich mochte auch die Ecole militaire Ludwigs XV. dem Herzog die Idee seiner Anstalt gegeben haben. 1771 als „Militärische Pflanzschule" gegründet, wurde die Anstalt 1773 zur Militärakademie erhoben. Man konnte Kriegswissenschaft, Kameralia, Forstwirtschaft, Rechtswissenschaft, Medizin, später auch noch Handelswissenschaft an ihr studieren. 1775 wurde die Schule, die zuerst auf der Solitüde geführt wurde, nach Stuttgart verlegt, 1781 erhob sie Kaiser Josef II. zum Range einer Universität, die nun den Namen der Hohen Karlsschule erhielt.

Der Herzog verfolgte mit seiner Schule neuzeitliche Bildungsabsichten. Nicht toter Gedächtnisstoff, sondern lebendiges Wissen sollte den Zöglingen vermittelt werden. Der Grundsatz des Herzogs war, es sollten in den jungen Menschen Kräfte geweckt werden. Die Schule stand im Gegensatz zu den alten Gymnasien, in denen der Unterricht in den klassischen Sprachen überwog. Die praktischen Fächer, Französisch, Naturwissenschaften, Mathematik, Geographie und Geschichte waren stark betont. In Latein und Griechisch wurde mehr Gewicht auf das Lesen der Schriftsteller als auf formale Beherrschung der Sprache gelegt. Dem Zeitgeist wurde durch Unterbauung des Unterrichts mit Philosophie gehuldigt. In Jakob Friedrich Abel hatte der Herzog einen tüchtigen Philosophen gefunden, wie er denn überhaupt darauf bedacht war, seiner Schule vorzügliche junge Lehrer zu geben.

Aber die Wirkung dieses von psychologischem und pädagogischem Scharfblick zeugenden Lehrplans litt unter dem despotischen Willen des Gründers. Die Karlsschule blieb, trotz den besten Absichten und Einsichten, doch immer die Dressuranstalt des Absolutismus, die Schöpfung einer fürstlichen Laune ebensosehr wie etwa das Opernhaus oder die Marställe in Ludwigsburg. Die Zöglinge sollten Karls Kreaturen werden; dafür erhielten sie in der Schule Unterricht, Verpflegung, Wohnung und Kleidung. Der Herzog trug, wie für ihre Bildung, so auch für ihr sittliches Verhalten die Verantwortung. Er war, wie in den durch fürstlichen Willen geschaffenen Städten des 18. Jahrhunderts, Mannheim, Karlsruhe, alle Straßen strahlenförmig von dem Schlosse ausgingen, der Mittelpunkt der Anstalt und des Lebens ihrer Lehrer und Schüler. Seine Huld die Sonne, die sie bestrahlte.

Nach den Standesbegriffen der Zeit waren die Zöglinge in Kavaliere, Honoratiorensöhne, Offizierssöhne und Bürgerliche eingeteilt, die je ihre besonderen Schlafsäle hatten. Das Leben der Anstalt war durch militärische Disziplin geregelt. Die Zöglinge trugen Uniform: blaue Röcke, weiße Hosen, Degen und Zopf. Jeden Tag wurde acht Stunden unterrichtet. Um 5 Uhr wurde im Sommer, im Winter um 6 Uhr aufgestanden. Nach dem Ankleiden hatten die Schüler paarweise zur Musterung und zum Rapport nach dem Rangiersaal zu marschieren. Von da ging es in den Speisesaal. Vor und nach dem Frühstück wurde auf Kommando gebetet, wobei Körperstellung und Haltung der Hände durch Vorschriften geregelt waren. Darauf Abmarsch in die Lehrsäle. Nach dem Mittagessen Spaziergang unter Führung durch die Aufseher. Der Herzog selber wachte über der genauen Durchführung der Vorschriften. Sobald er sich zeigte, mußten sich die Abteilungen militärisch aufstellen. Die Offiziere übergaben ihm den Rapport; darauf schritt er die Reihen ab. Gestraft wurde durch Billetts, Entzug des Essens, Verbot des Ausgehens. Auch die Lehrer standen unter der strengen Aufsicht des Herzogs. Es waren an den Türen Guckfenster angebracht, durch die der oberste Schulherr jederzeit ungesehen den Unterricht verfolgen konnte. So wurde den Zöglingen beständig ihre Abhängigkeit von dem Herzog eingeprägt. In dem Reglement für die Kavaliers- und Offizierssöhne stand folgender Artikel: „Seine herzogliche Durchlaucht sind diejenige höchste Person, welcher ein jeder Kavaliers- und Offizierssohn den vollkommensten Respekt schuldig ist. Sowenig nun Höchst-Erlaucht-Deroselben gnädiges Betragen und väterliche Vorsorge von ihnen eine knechtische Forcht verlangt, so gewiß versehen Sie sich zu ihnen, daß sie, von dem Gefühl der ihnen zufließenden Wohltaten durchdrungen, bei allen Gelegenheiten Merkmale der reinsten Ehrforcht und Dankbarkeit von sich blicken lassen und deswegen auch, wenn Seine herzogliche Durchlaucht nur von weitem gesehen werden ... so lange stillstehen bleiben, bis Höchst-Dieselbe weit vorbei passiert sind."

Der Herzog bezeichnete die Zöglinge etwa als seine Söhne. Wirklich sollte ihr Verhältnis zu ihm auch an die Stelle der Familie treten. Briefe an die Angehörigen mußten durch die Zensur des Intendanten oder des Herzogs gehen. Erst 1783 — also nach Schillers Abgang — wurde den Zöglingen gestattet, ihre Eltern zu besuchen. Besuche der Eltern oder anderer Verwandten in der Akademie bedurften der besonderen Erlaubnis des Herzogs oder des Intendanten. Die Unterredung hatte in Gegenwart eines Aufsehers zu geschehen. Solange Schiller auf der Akademie war, hatten die Schüler keine Ferien. Als 1777 Professor Haug, dessen Sohn in der Anstalt war, um die Erlaubnis bat, den Sohn zu einer Taufe nach Hause und in die Kirche kommen zu lassen, lehnte der Herzog das Gesuch ab und sprach seine Verwunderung aus, daß der Professor, der doch ein Vorbild des Fleißes sein sollte, nur auf den Gedanken kommen könne, so etwas zu verlangen. 1781 hatte ein Oberstleutnant in Ludwigsburg seine sechzehnjährige Tochter an der Ruhr verloren. Seine Frau lag an der gleichen Krankheit auf den Tod darnieder. Er bat, daß seine drei Söhne nach Hause kommen dürften, um von der Mutter Abschied zu nehmen. Der Intendant schlug die Bitte ab. Erst ihre Wiederholung hatte Erfolg. Als Ersatz für diese Entfremdung von ihrer Familie durften die Akademisten an Hoffesten teilnehmen, vor allem an der Feier der Geburtstage des Herzogs und seiner Geliebten Franziska von Hohenheim. Auch die Stiftungstage wurden durch Theateraufführungen oder Ballette der Zöglinge festlich begangen.

Auf Schiller wirkte sich seine Aufnahme in die Karlsschule verschieden aus. Zunächst wurde es sicherlich als eine Ehre betrachtet, als der Herzog den Major Schiller aufforderte, ihm seinen Sohn zur Erziehung in die Karlsschule zu geben. Denn diese war eine Vorzugsanstalt, wie die anderen Fürstenschulen der Zeit, von modernem Geiste erfüllt und mit trefflichen Lehrern ausgestattet. Die starke Bedeutung, die der Philosophie im Unterrichtsplan eingeräumt war, konnte Schiller bei seinem von Natur nach innen gewandten Geiste nur zusagen. Das persönliche Verhältnis, das die Zöglinge zu dem durchlauchtigen Schulherrn hatten, mußte seinem Bedürfnis für Glanz und Größe schmeicheln. Es scheint auch, daß der Herzog ein besonderes Augenmerk auf ihn gerichtet hatte, und es lag durchaus im Rahmen der fürstlichen Laune, auch gelegentlich mit der Würde des Serenissimus zu spielen. Als er vernahm, daß Schiller die Gabe besitze, witzig und treffend Personen nachzuahmen, forderte er ihn, wie er eines Tages mit Franziska die Akademie besuchte, auf, ihn selber nachzuahmen. Schiller weigerte sich. Wenn aber Durchlaucht darauf bestehe, müsse er es tun. Darauf forderte er den Stock des Herzogs. Gesten und Redeweise des examinierenden Stifters nachahmend, nahm er den Herzog vor. Als die Durchlaucht nicht gut bestand, fuhr Schiller heraus: „Potztausendsakerment, er ist ein Esel,“ nahm die Gräfin am Arm und wollte fort. Worauf der Herzog verblüfft ausrief: „Hör' Er, lass' Er mir die Franzel!“

Neben solchen Vorteilen hatte aber die Ausbildung in der Karlsschule einen großen Nachteil: die Gewalttätigkeit der ganzen Einrichtung. Sicherlich hätte Schiller gerade in den Jahren, wo der Eigenwille und Freiheitsdrang seiner Persönlichkeit durchbrach, auch die Zucht in anderen Anstalten, so in einem der Seminarien, nur schwer ertragen; haben doch sogar Hölderlin und noch im 19. Jahrhundert Mörike darunter gelitten. Es gehört zum natürlichen Gesetz von Schillers Entwicklung, daß der Widerstand der Verhältnisse seine Kraft steigerte, indem er seinen Trotz aufrief. So dürfte der militärische Zwang der Karlsschule seinen Unabhängigkeitssinn erst recht geweckt haben. Menschlich waren solche Erfahrungen sicherlich vielfach schmerzlich, fördernd aber für den Durchbruch seiner Persönlichkeit, die von Natur auf Freiheit und sittliche Stärke angelegt war. Im übrigen ist zu sagen, daß Schiller eine eigentliche Bedrückung durch den Herzog erst nach dem Austritt aus der Anstalt erlitt.

So war denn der Schaden, den Schillers Persönlichkeit durch den gewalttätigen Geist der Karlsschule erfuhr, ganz anderer Art: er bestand in der Naturentfremdung, in der Entfernung von den natürlichen Bedingungen, wie sie ein junger Mensch in seiner Entwicklung bedarf. Gehemmt oder geradezu verhindert war das freie Sichbewegen in der Landschaft, der Verkehr mit Eltern und Geschwistern, die Kenntnis des bürgerlichen Lebens im mannigfaltigen Sinne des Wortes, also alles das, worin der anregende Reichtum von Goethes Jugendleben bestand. Jene „Armut an allem, was man erworbene Kenntnis nennt“, über die Schiller in dem Briefe vom 31. August 1794 gegenüber Goethe klagt, hat hier ihren Grund. Die Abschließung von der Natur war für ihn um so verhängnisvoller, als seine Veranlagung ohnehin in das geistige Innere gerichtet war. Die starke Betonung der Realien und der reichliche Philosophieunterricht konnten für den Mangel an Erfahrung einen gewissen Ersatz geben, indem jene eine Fülle von Begriffen vermittelten und dieser den Verstand schulte. Aber die Begriffe waren nicht aus unmittelbarer Anschauung gebildet, also Wissen aus zweiter Hand, und das philosophische Denken steigerte wiederum Schillers Hang zur Spekulation. Seine Jugendgedichte zeigen, wie sehr er sich damals daran gewöhnte, in einer Welt großer Vorstellungen zu leben, die er angelesen oder im Unterricht aufgenommen, nicht selber durch Erfahrung gebildet hatte; in Allgemeinhciten zu denken, wo die Phantasie des Dichters sinnlicher Anschauungen bedurfte. Es mochte seinem Hang zu großen Gedanken wohlgefallen, mit hohen Vorstellungen zu prunken; er vergaß dabei nur, daß, weil er ihren Inhalt nicht erlebt hatte, es nichts als hohe Worte waren, und war sich nicht bewußt, daß er damit der gleißenden Pracht des Rokokohofes in sein Innerstes, in die dichterische Sprache, Eingang gestattet hatte.

Das aber war nicht nur ein geistiger und dichterischer Schaden, sondern vor allem ein menschlicher und sittlicher. Er ist die Art der Jugend, sich durch den glänzenden Schein blenden zu lassen, und Schiller war der Gefahr mehr als ein anderer ausgesetzt, gerade weil der Sinn für Größe in ihm bedeutend war. Hier aber hätte das Leben in der Karlsschule geradezu verheerend auf sein Gemüt wirken können. Denn sie nahm, aufs engste mit dem Hofhalt Karl Eugens verbunden, an dem prunkenden Scheine teil, der sein Wesen ausmachte. So kam es vor, daß, als 1775 Erzherzog Maximilian die Anstalt besuchte, laut Tagesbefehl alle möglichen Bücher auf den Tischen und Schränken der Kavaliere stehen mußten, um ihren regen Fleiß vorzutäuschen, ja man trieb die Heuchelei so weit, daß man die Schlafsäle, in die man die Fremden führte, mit Hofbetten ausstattete, die dann, als die Besucher sich verzogen hatten, wieder weggenommen wurden.

Nicht weniger bedenklich war die Heuchelei, zu der man die Schüler an den fürstlichen Geburtstagsfeiern zwang. Da mußten Reden gehalten werden, in denen die Schmeichelei sich in die Theatergewänder schimmernder Lüge kleidete. 1779 hatte Schiller am Geburtstag der Franziska von Hohenheim über das Thema zu sprechen: „Gehört allzuviel Güte, Leutseligkeit und große Freigebigkeit im engsten Verstand zur Tugend?" 1780 sprach er, zu dem gleichen Anlaß, über: „Die Tugend, in ihren Folgen betrachtet". Die erste Rede klang in eine Lobpreisung von Karl und Franziska aus: „Nicht mit der schamrotmachenden Heuchelrede kriechender Schmeichelei (Ihre Söhne haben nicht schmeicheln gelernt) — nein der offenen Stirne der Wahrheit kann ich auftreten und sagen: Sie ist's, die liebenswürdige Freundin Karls — Sie, die Menschenfreundin! Mutter! Franziska! nicht den prangenden Hof — die Großen Karls nicht, nicht meine hier versammelten Freunde, die alle glühend vor Dankbarkeit den Wink erwarten, in ein strömendes Lob auszubrechen — Nein! die Armen in den Hütten rufe ich itzt auf — Tränen in ihren Augen — Franziska! — Tränen der Dankbarkeit und Freude. — Im Herzen dieser Unschuldigen wird Franziskens Andenken herrlicher gefeiert als durch die Pracht dieser Versammlung. Wenn dann der größeste Kenner und Freund der Tugend belohnet? — Karl — wo hat ihn je der Schein geschminkter Tugend geblendet? — Karl — feiert das Fest von Franziska! — wer ist größer: der so Tugend ausübt — oder der sie belohnet? — beides Nachahmung der Gottheit!" Weiter konnte die Heuchelei nicht getrieben werden, als daß sie selber, in der Maske der Wahrheit, die Heuchelei an den Pranger stellte. Was für ein Kern sittlicher Kraft mußte in Schiller sein, wenn seine Seele in dem parfümierten Brodem dieser Hofluft keinen

Schaden nahm! Er selber hat, als er, aus schweren Schicksalen auftauchend, lichteren Höhen entgegensah, 1789 gegenüber Karoline von Beulwitz sehr hart über die „herz- und geistlose Erziehung" geurteilt, die bei ihm die „leichte, schöne Bewegung der ersten werdenden Gefühle" gehemmt habe. „Den Schaden, den dieser unselige Anfang des Lebens in mir angerichtet hat, fühle ich noch heute."

Bei der Abgeschlossenheit vom natürlichen Leben ergoß sich des Heranwachsenden Liebesbedürfnis in zärtliche Freundschaften mit andern Akademisten. Wilhelm Petersen, Friedrich von Hoven, Friedrich Scharffenstein werden genannt. Alle verband die Liebe zur Dichtung. Vor allem das Verhältnis zu Scharffenstein war sehr innig, dem Schiller die Verse widmete:

„Sangir liebte seinen Selim zärtlich,
Wie du mich, mein Scharffenstein;
Selim liebte seinen Sangir zärtlich,
Wie ich dich, mein lieber Scharffenstein."

Höher aber als die Freundschaft stand Schiller sein Dichtertum, über dessen Ruhm er eifersüchtig wachte, und als einst Scharffenstein bei der Besprechung von Gedichten Kleists und Klopstocks mißfällige Äußerngen über Schillers Gedichte tat, schwoll dessen Zorn so sehr an, daß er dem Freunde einen flammenden Anklagebrief schrieb: „Du hast nichts auf mich gehalten! — wie oft (aber immer nur, wenn du in Zorn gerietest, sonst heucheltest du Achtung und Bewunderung), wie oft, wie oft hatt' ich's hören müssen von dir ... bitter, bitter, wie mein ganzes Wesen eben ein Gedicht sei, wie meine Empfindung vorgegebene Empfindung. Von Gott, Religion, Freundschaft etc. Phantasei, kurz alles bloß vom Dichter nicht vom Christen, nicht vom Freund herausgequollen — o weh, o weh, was das mein Herz angriff, und ihr habt's gesagt, Gott weiß es, Gott zeug' es, gesagt habt ihr's, o mit den trügenden Zügen, mit der ernstesten Miene, o weh! o weh! und wie schmerzt mich das von euch! — von dir!"

Als Fach hatte Schiller zuerst die Rechtswissenschaft gewählt — Theologie, für die er sich schon früh entschieden, wurde an der Karlsschule nicht gelehrt. Als dann, mit der Verlegung der Anstalt nach Stuttgart, noch Medizin eingeführt wurde, entschloß er sich für diese, weil sie zur Poesie in viel näherer Verwandtschaft stehe als die Rechtswissenschaft; er dachte an die physiologischen und psychologischen Kenntnisse, die sie ihm vermittelte, und die er um so eher brauchte, als ihm die unmittelbare Erfahrung der Menschen fehlte. Es sind Arbeiten aus seinem Medizinstudium erhalten: Beobachtungen bei der Leichenöffnung eines Eleven; die Krankheitsgeschichte eines andern.

1779 gedachte er seine Studien abzuschließen, ein Jahr vor seinen Altersgenossen: er strebte offenbar in die Freiheit. Aber die Dissertation „Philosophie der Physiologie", die er einreichte, fand nicht die Billigung der Lehrer. Professor Klein erklärte: Er habe die weitläufige und ermüdende Abhandlung zweimal gelesen, den Sinn des Verfassers aber nicht erraten können. „Sein etwas zu stolzer Geist, dem das Vorurteil für neue Theorien und der gefährliche Hang zum Besserwissen allzu fest anklebt, wandelt in so dunkel gelehrten Wildnissen, wo hinein ich ihm zu folgen mir nimmermehr getraue." Er rügte „viele falsche Grundsätze". „Dabei ist der Verfasser äußerst verwegen und sehr oft gegen die würdigsten Männer hart und unbescheiden." Der Kandidat hatte offenbar, was ihm an festen Kenntnissen abging, durch Selbstbewußtsein und Phantasie ersetzt. Der Herzog, bei dem die Entscheidung lag, verfügte, die Arbeit solle nicht gedruckt werden. Es sei zwar viel Schönes darin gesagt, und Schiller habe besonders viel Feuer gezeigt. Aber weil dieses wirklich noch zu stark sei, so könne es noch nicht öffentlich an die Welt ausgegeben werden. Schiller müsse noch ein Jahr in der Akademie bleiben, „wo inmittelst sein Feuer noch ein wenig gedämpft werden kann, so daß er alsdann, wenn er fleißig zu sein fortfährt, gewiß ein recht großes Subjectum werden kann." In dem Urteil ist bereits das spätere Zerwürfnis vorgebildet. Der Herzog anerkannte Schillers Begabung, er war stolz auf sie, denn er hielt sie für sein Werk. Er teilte Schillers Arbeit dem Geheimen Legationsrat von Mosheim in Stuttgart mit, damit er „das vorzügliche Genie dieses jungen Menschen daraus wahrnehme". Aber der Zögling war zu wenig gefügig und bescheiden; so mußte er noch ein weiteres Jahr sich unter die väterliche Zucht des Herzogs ducken.

1780 meldete sich Schiller aufs neue zur Prüfung. Jetzt hatte er zwei Arbeiten anzufertigen: eine lateinische, eigentlich medizinische, über den Unterschied zwischen den Entzündungs- und den Faulfiebern („Tractatio de discrimine febrium inflammatoriarum et putridarum") und eine deutsche psychologisch-philosophische: „Versuch über den Zusammenhang der tierischen Natur des Menschen mit seiner geistigen". Die erste wurde des Druckes nicht würdig befunden; man vermißte „Vollständigkeit und Sorgfalt der Ausführung". Die zweite dagegen erhielt das Urteil, daß „ein so schweres Thema mit viel Genie" behandelt worden sei. Doch wurde beanstandet, daß der Verfasser sich von seiner Einbildungskraft manchmal zu viel fortreißen lasse und durch poetische Ausdrücke den ruhigen Gang des philosophischen Stiles unterbreche. Aber sie wurde angenommen und in der Cottaischen Druckerei gedruckt. Es führt in ihr ebensosehr der Dichter und Literaturkenner das Wort wie der Arzt. Aus Dramen Shakespeares, Goethes „Götz von Berlichingen", Klopstocks „Messias", Gedichten Hallers, Gerstenbergs „Ugolino", Addisons „Sterbendem Cato", werden Stellen angeführt zum Beweis des Zusammenhangs zwischen Seele und Körper. Ja, Schiller erlaubt sich den Spaß, sich selber als Gewährsmann anzuführen. Zweimal werden Stellen aus einer Tragödie des Engländers Krake: „Life of Moor" zitiert: Gespräche aus den „Räubern", deren Anfänge auf die Karlsschule zurückgehen.

Der Drang nach Freiheit schien nun gestillt. Er war aus der Anstalt entlassen. Aber noch nicht aus der Zucht des Herzogs. Gerade weil dieser Schillers Feuergeist kannte (und fürchtete), so fand er es in seiner angemaßten Erzieherrolle um so notwendiger, den Ungebärdigen weiterhin unter der Fuchtel zu halten. Er hatte, als er Schillers Vater veranlaßt hatte, ihm den Sohn in die Karlsschule zu geben, ihm eine spätere gute Versorgung versprochen. Er pflegte auch wirklich begabte Schüler sofort nach dem Examen in ansehnlichen Stellen unterzubringen. Schiller aber, als er am 15. Dezember 1780 entlassen wurde, erhielt den Posten eines Regimentsmedikus, in Wirklichkeit Feldscherers, bei dem Regiment von Augé in Stuttgart, das aus 240 halbinvaliden Sodaten bestand. „Er kommt zu Augé", sagte man, statt: Er gehört in die Rumpelkammer. Die Stelle war als Demütigung für den stolzen jungen Dichter gemeint. Die Demütigung wurde noch verschärft, indem Schiller bei einem Monatssold von 18 Gulden bloß den Rang eines Unteroffiziers erhielt und die steife und lächerliche Uniform tragen mußte. Der Vater, der dem Sohn für teures Geld ein bürgerliches Gewand hatte anfertigen lassen und sich bei dem Herzog dafür verwandte, daß der Sohn es tragen dürfe, erhielt den Bescheid: „Sein Sohn soll Uniform tragen." Scharffenstein, der Leutnant geworden war, hat Schillers komisches Aussehen bei der Parade geschildert: „Er war eingepreßt in der Uniform, damals noch nach dem alten Schnitt, und vorzüglich bei den Regimentsfeldscherern steif und abgeschmackt. An jeder Seite (des Kopfes) hatte er drei steife vergipste Rollen, der kleine militärische Hut bedeckte kaum den Kopfwirbel, in dessen Gegend ein dicker falscher Zopf gepflanzt war, der lange Hals war von einer sehr schmalen, roßhärenen Binde eingewürgt. Das Fußwerk vorzüglich war merkwürdig: durch den weißen Gamaschen unterlegten Filz waren seine Beine wie zwei Zylinder von einem größeren Diameter als die in knappe Hosen eingepreßten Schenkel. In diesen Gamaschen, die ohnehin mit Schuhwichse sehr befleckt waren, bewegte er sich, ohne die Knie recht biegen zu können, wie ein Storch. Dieser ganze, mit der Idee von Schiller so kontrastierende Apparat war oft nachher der Stoff zu tollem Gelächter in unsern kleinen Kreisen."

Und doch genoß Schiller die Freiheit von dem Zwang der Karlsschule mit der ganzen Stärke seines Temperaments, um so ausgelassener als sein Dienst und die lächerliche Uniform ihn auch jetzt noch an die Gewalt des Herzogs erinnerten. Hatten die Göttinger Hain-Dichter von Freiheit geschwärmt — Schiller erfuhr am eigenen Leibe, was Tyrannei war. Sein Haß gegen sie war so groß, daß niemals ein Dichter ihn derart leidenschaftlich hat zum Himmel lodern lassen, wie Schiller in den „Räubern". Daneben bot das Leben neben dem Dienst der bescheidenen Freuden genug: Wirtshausbesuch, Kegelschieben, Kartenspiel mit den Freunden von der Karlsschule her. Das Lieblingswort auch in diesem Kreise war „Kerl". Ein Zettel Schillers an die Genossen gibt einen Blick in das genialische Treiben: „Seid mir schöne Kerls. Bin da gewesen, und kein Petersen, kein Reichenbach. Tausendsakerlot! Wo bleibt die Manille (Kartenspiel) heut? Hol' euch alle der Teufel! Bin zuhaus, wenn ihr mich haben wollt. Adjes."

Wie dieses „Zuhaus" aussah, wissen wir aus einer Schilderung Scharffensteins. Es war ein „nach Tabak und sonsten stinkendes Loch, wo außer einem großen Tisch, zwei Bänken und einer an der Wand hängenden schmalen Garderobe, angestrichenen Hosen usw. nichts anzutreffen war, als in einem Eck ganze Ballen der „Räuber", in dem anderen ein Haufen Erdbirnen mit leeren Tellern, Bouteillen u. dergl. untereinander." Kam ein eleganter Schöngeist wie etwa Leuchsenring zu Besuch, so ging jedesmal eine schüchterne, stillschweigende Revue dieser Gegenstände dem Gespräch voran. Der Raum war Schiller von einer Hauptmannswitwe, Luise Vischerin, ausgemietet worden. Er bildete den Hintergrund zu der fragwürdigen ersten Liebe Schillers.

In dem Liebesleben Goethes und Schillers tritt der ganze ungeheure Unterschied zwischen den beiden Persönlichkeiten zutage. Goethes Liebesleben bietet in all seinen Erlebnisstufen ein durchaus organisch-natürliches Bild. Die frühe Neigung zu Gretchen, die eifersüchtige Leidenschaftlichkeit um Annette, die tiefe Gefühlsinbrunst zu Friederike, die Liebesverzauberung durch Lili, die Seelenfreundschaft mit Frau von Stein, die sinnliche Liebe zu Christiane — jedesmal entspricht das Verhältnis dem natürlichen Bedürfnis der jeweiligen Lebensstufe, die sich durch die Liebe vollendet.

Wie anders Schillers Liebe zu Luise Vischer! Die ganze Unterdrückung durch die Unnatur jahrelangen Eingesperrtseins rächt sich in ihr. Schillers Wesen, von Natur gespalten, bricht in einer geradezu furchtbaren Weise auseinander. Sinne und Geist gehen völlig getrennte Wege. Die Sinne, die nicht gelernt haben, durch Beobachtung Urteile zu bilden, werden von der Ekstase des Geistes überwältigt, so daß sie erst recht nicht mehr fähig sind, die Wirklichkeit zu sehen, wie sie ist. Frau Vischer war acht Jahre älter als Schiller. Karoline von Beulwitz nennt sie „mehr geistreich als schön". Andreas Streicher, der Musiker, spricht von einer „niedlichen kleinen Frau". Scharffenstein sagt, sie sei ein gutes Weib, das, ohne im mindesten hübsch und sehr geistreich zu sein, doch etwas Gutmütiges, Anziehendes und Pikantes hatte. Christophine Schiller nennt sie eine magere Blondine mit blauen schwimmenden Augen, die sich weder durch Geist noch durch Talente besonders auszeichnete; ihre Herzensgüte werde allgemein gerühmt; sie sei musikalisch gewesen und habe Klavier gespielt. Ihrem Mann, der Hauptmann und Quartiermeister gewesen war, hatte sie drei Kinder geboren. Jetzt war sie verwitwet. Von ihrem späteren Leben weiß man, daß sie 1784 sich von einem Rechtsstudenten entführen ließ und aus diesem Verhältnis noch ein Kind gebar. Also eine reife Frau, die einerseits die Sinne ihres Untermieters glühend entzündete, anderseits seinen Idealismus zu höchster Schwärmerei entflammte. Indem er sie liebte, erlebte er nicht bildend ein Stück Wirklichkeit, sondern — sie hatte vor ihm einen andern geliebt und trug Schiller eine abgeschlossene Liebeserfahrung entgegen —; er nahm bereits in einer fremden Seele gebildete Wirklichkeit in sich auf; er erfuhr sozusagen die Liebe als Begriff und Vorstellung, nicht als Natur — so wie er eben alle Kenntnis der Welt gewann. So konnte er auch nicht anders als, indem er nun seine Gefühle in Oden ausgoß, ein idealisch übersteigertes Bild der Wirklichkeit geben.

Wie die bürgerliche Luise ihm zur göttlichen Laura wurde — die Vorstellung der petrarchischen Geliebten war schon längst abgegriffen —, so erhob er ihre ganze schlichte Gestalt, ihr Klavierspiel, ihre gesamte Umwelt in himmlische Sphären:

> „Wenn dein Finger durch die Seiten meistert,
> Laura, itzt zur Statue entgeistert,
> Itzt entkörpert steh' ich da.
> Du gebietest über Tod und Leben,
> Mächtig wie von tausend Nervgeweben,
> Seelen fordert Philadelphia." („Laura am Klavier")

> „Meine Laura! Nenne mir den Wirbel,
> Der an Körper Körper mächtig reißt!
> Nenne, meine Laura, mir den Zauber.
> Der zum Geist gewaltig zwingt den Geist.
>
> Sieh! er lehrt die schwebenden Planeten
> Ew'gen Ringgangs um die Sonne fliehn
> Und, gleich Kindern um die Mutter hüpfend,
> Bunte Zirkel um die Fürstin ziehn." („Phantasie an Laura")

Aber diese idealistische Überstiegenheit war nur die eine Seite von Schillers Geist. Die andere wühlte mit einer wilden Wollust im Schmutze niedriger Sinnlichkeit. Damals ist das Gedicht „Der Venuswagen" entstanden mit dem grellen Gemälde der an den Hurenwagen angejochten „Metze Cypria":

> „Ja, so heule — Metze, kein Erbarmen!
> Streift ihr keck das seidne Hemdchen auf.
> Auf den Rücken mit den runden Armen!
> Frisch! und patschpatsch! mit der Geißel drauf.

Damals lebte die Welt der „Räuber" in seinem Gemüte mit Karl und Franz Moor. Karl, dessen reine Größe durch erlittenes und in der erhitzten Einbildung gesteigertes Unrecht zum Verbrechertum ausartet, und Franz, der durch Häßlichkeit und Neid zum vollendeten Bösewicht wird. Aber was für ein Zeugnis für Schillers sittliche Größe ist es, daß er am Schlusse des Dramas die Gerechtigkeit triumphieren läßt und Karl zur Einsicht in sein verwerfliches Tun bringt! So wirkte sich bei unverrückter Klarheit über den letzten Sinn des Lebens der Rausch der Freiheit nach dem jahrelangen Zwang in Schillers leidenschaftlichem Gemüte in einem Wirrwarr sich streitender Empfindungen aus. Er war ein Baum, dessen Wurzeln fest in der Erde stecken, dessen Krone aber durch tobende Stürme hin und her geschüttelt wird. 1781 erschienen die „Räuber", deren zweite 1782 folgende Ausgabe das Motto „In Tirannos" trug mit dem Bilde eines zornig gegen einen Felsen die Pranken schlagenden Löwen. Eine nicht weniger stürmische Tat war die Herausgabe seiner ersten Gedichtsammlung, der „Anthologie auf das Jahr 1782".

Friedrich Gotthold Stäudlin, ein Jahr älter als Schiller, gab auf 1782 einen „Schwäbischen Musenalmanach" heraus. Es war ein Dichter der Idylle nach der Art der zahmen Göttinger, der mit etwas weinerlicher Demut durch den Almanach den Schwaben den ihnen gebührenden Platz auf dem deutschen Parnaß anwies: Wenn der Deutsche am Rhein und an der Elbe, sagte er im Vorwort, den Almanach naserümpfend in die Ecke werfen wolle, so solle er ihn doch wieder holen und mit unbefangenem Auge durchsehen, „und sagen Sie mir, ob wir armen Schwaben denn unter einem so böotischen Himmel wohnen, daß die herrliche Pflanze des Genies nicht gedeihen kann". Schon diese servile Bescheidenheit reizte Schillers Zorn. Die Böotier galten im Altertum als Feinde der Musen. Aber Stäudlin hatte Schiller noch obendrein persönlich gekränkt. Er hatte ihn zur Mitarbeit eingeladen, aber von den Gedichten, die jener ihm eingesandt, nur die „Entzückung an Laura", und dazu noch verkürzt, aufgenommen: er hatte mit seiner maßvollen Harmlosigkeit kein Verständnis für Schillers ungefüge Größe.

Schiller parierte die Mißachtung mit einem Gegenschlag. Er gab die „Anthologie auf das Jahr 1782" heraus, die, neben einigen Beiträgen seiner Freunde, in der Hauptsache eigene Gedichte enthielt, und um Stäudlins Ausdruck von dem den Musen unfreundlichen Böotien zu überbieten, setzte er auf das Titelblatt: „Gedruckt in der Buchdruckerei zu Tobolsko". Als Mediziner widmete er die Sammlung „Meinem Prinzipal dem Tod" und redete ihn in der Widmung an als „großmächtigster Zar alles Fleisches, allezeit Verminderer des Reichs, unergründlicher Nimmersatt in der ganzen Natur". „Blumen in Sibirien?" las man in der Vorrede. „Dahinter steckt eine Schelmerei, oder die Sonne muß Front gegen Mitternacht machen... Wir haben lange genug Zobel gefangen, laßt's uns einmal auch mit Blumen versuchen." Stäudlin nahm den Handschuh auf. Der zweite Jahrgang des Musenalmanachs enthielt eine poetische Epistel, in der er Schillers Odendichtung verspottete:

> „Gehäufter Unsinn überall
> Und ungeheurer Wörterschwall —
> Ha! welch ein Flug! — das tönt mir allzu lyrisch!
> Mich dünkt, ich lese gar sibirisch!
> Es wirbelt, strudelt, donnert, braust
> In jeder Zeile so wie in des Dichters Hirne."

Dazu richtete er gegen Schiller die Satire „Das Kraftgenie":

> „Ich bin und heiße Kraftgenie,
> Ein Lieblingssohn der Phantasie!
> Seit Vater Lohenstein erblich,
> Ging nie ein Geist hervor wie ich."

Er verhöhnte den titanischen Stil in Schillers Oden und seine „Räuber":

„Was soll mir das Kastratenheer
Und all die Zwerge um mich her?
Ich stelle nur Kolossen auf
Und drücke Shakespeares Stempel drauf.

Da leset, habt ihr Kraftgefühl,
Da leset mal mein Trauerspiel!
Seht einen Halbgott hier der Welt,
Dort einen Teufel aufgestellt."

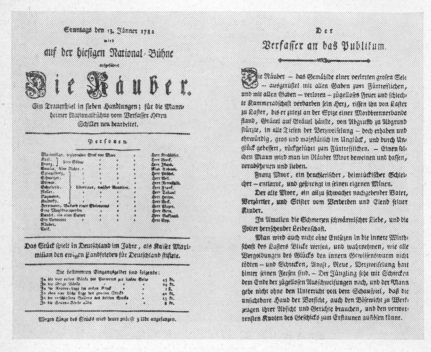

Theaterzettel zur Erstaufführung der „Räuber"

67. Die Hohe Karls-Schule in Stuttgart
Stahlstich nach der Zeichnung von Walter Conz

1775 zog die Militärakademie von der Solitüde in die früheren Kasernen hinter dem Stuttgarter Schloß um. Schiller studierte dort zunächst die Rechte, dann Medizin. 1780 wurde er als Regimentsmedicus in herzoglichen Diensten entlassen.

68. Festakt der Erhebung der Militärakademie zur Hohen Karls-Schule
Kupferstich nach der Zeichnung von Victor Heideloff 1782

Alljährlich fand anläßlich des Stiftungsfestes am 14. Dezember eine Preisverteilung an die Schüler statt. 1779 erhielt Schiller drei Silbermedaillen und Diplome für praktische Medizin, Arzneimittellehre und Chirurgie.

69. Silhouette des Eleven Schiller

67
Die
Hohe Karls-Schule
in Stuttgart

Festakt der Erhebung
der Militärakademie
zur Hohen Karls-Schule

69 Silhouette des Eleven Schiller

70 *Das Mannheimer Nationaltheater, 1782*

72
*Schiller trägt im Bopserwald
die „Räuber" vo*

71
Friedrich Schiller

Schiller seinerscits verspottete Stäudlins Musenalmanach in dem „Wirtembergischen Repertorium", das er damals herausgab. Der Pegasus des Herrn Stäudlin komme, hieß es darin, „nur bis an die Pfütze des Musenberges, wo die Hundsviolen und andre gemeine Blumen stehen und einem nicht gar lieblich in die Nase riechen". Der Streit war damit für ihn erledigt. Nicht aber für Stäudlin, der noch 1788 Schiller als „genialen Vagabund" verhöhnte, als sein Schicksal längst eine andere Wendung genommen hatte.

Am 13. Januar 1782 hatte der Intendant des Mannheimer Nationaltheaters, der Freiherr Wolfgang Heribert von Dalberg, die „Räuber" zur Uraufführung gebracht. Schiller hatte der Aufführung beigewohnt, ohne Urlaub von seinem Regimentschef zu nehmen. Ende Mai reiste der Herzog mit Franziska nach Wien, um dem Kaiser für die Erhebung der Karlsschule zur Universität persönlich zu danken. Da bat Schiller Dalberg, auf diesen Zeitpunkt eine Wiederholung der „Räuber" anzusetzen, und reiste mit Frau von Wolzogen, der Mutter eines seiner Freunde von der Karlsschule, und Luise Vischer nach Mannheim: er muß schon damals gehofft haben, am Mannheimer Theater eine Anstellung zu bekommen. Die Reise war auch diesmal ohne förmliche Beurlaubung erfolgt. Als der Herzog nach seiner Rückkehr davon erfuhr, bestrafte er Schiller mit 14 Tagen Arrest. Schiller benutzte die Muße zur Arbeit an zwei neuen Dramen,

70. Das Mannheimer Nationaltheater, 1782
Kupferstich der Brüder Klauber

Auf diesem Theater wurden am 13. Januar 1782 die Räuber zum ersten Mal aufgeführt. Schiller war aus Stuttgart ohne Urlaub entwichen, um die Aufführung anzusehen. In einer eigenen Loge sitzend erlebte er inkognito den tosenden Beifall der Zuschauer. Vom 1. September 1783 bis zum 1. September 1784 war Schiller an der Mannheimer Bühne als Theaterdichter angestellt. In dieser Zeit wurden dort am 11. Januar 1784 „Die Verschwörung des Fiesko zu Genua" und am 9. März 1784 „Kabale und Liebe" ebenfalls erstmals aufgeführt.

71. Friedrich Schiller
Kupferstich von Friedrich Kirschner, 1784 (Ausschnitt)
Der Stich zeigt den jungen Schiller der Mannheimer Zeit.

72. Schiller trägt im Bopserwald die „Räuber" vor
Aquarell von Karl von Heideloff nach der Skizze seines Vaters Victor von Heideloff, einem Mitschüler Schillers

Im Januar 1775 erschien im „Schwäbischen Magazin" Schubarts Erzählung „Zur Geschichte des menschlichen Herzens". Sie gab den Stoff zu Schillers „Räubern". Schiller schrieb sie heimlich in der Akademie und trug sie den Freunden im Waldversteck vor.

„Fiesco" und „Kabale und Liebe". Zugleich aber tat er Schritte bei Dalberg, um ihn zu bewegen, ihn am Theater anzustellen und so der Gewalt des Herzogs zu entziehen. „Euer Exzellenz würden", schrieb er ihm am 4. Juni, „ihn von der Seite ungemein kitzeln, wenn Sie in den Brief, den Sie ihm wegen mir schreiben, einfließen ließen, daß Sie mich für eine Geburt von ihm, für einen durch ihn Gebildeten und in seiner Akademie Erzogenen halten, und daß also durch diese Vokation seiner Erziehungsanstalt quasi das Hauptkompliment gemacht würde, als würden ihre Produkte von entschiedenen Kennern geschätzt und gesucht. Dieses ist der Paßpartout beim Herzog."

Ehe der klug zuwartende Dalberg sich entschied, hatte sich ein neues Gewitter über Schiller zusammengezogen.

In den „Räubern" II/3 sagt Spiegelberg zu Razmann: „Zu einem Spitzbub . . . gehört ein eigenes Nationalgenie, ein gewisses . . . Spitzbubenklima, und da rat' ich dir, reis' du ins Graubündnerland, das ist das Athen der heutigen Jauner". Die Stelle wurde von einem Arzt in dem graubündnerischen Zizers, Dr. Amstein, aufgegriffen und im April 1782 in der bündnerischen Zeitschrift „Der Sammler" als eine „schändliche Calumnie, schwarze Verleumdung und unsinnige und pöbelhafte Rache" bloßgestellt. Der Artikel wurde dem Herzog in die Hände gespielt. Dieser ließ Schiller vor sich kommen, machte ihm Vorwürfe und verbot ihm, bei Strafe der Kassation, weitere Komödien zu schreiben und mit dem Ausland zu verkehren. Die Veranlassung zu dieser schroffen Maßregelung mochte nicht nur der Zorn der Graubündner sein, sondern auch jenes „In Tirannos" auf dem Titelblatt der zweiten Ausgabe der „Räuber". Er merkte, daß seine Karlsschule in Schiller einen gefährlichen Revolutionär großgezogen hatte. Es scheint auch, daß der Regimentsmedikus seine Amtspflichten nicht immer sehr ernst genommen hat.

Schiller aber erfuhr, daß er aus einem Tragödienschreiber selber der Held einer Tragödie geworden war. Seine ganze Zukunft stand auf dem Spiel.

Er wandte sich in einer Eingabe vom 1. September an den Herzog: Er sei auf die Einnahmen aus seinen literarischen Arbeiten angewiesen. Das Ausland habe ihnen Beifall gezollt. Der Herzog möge den Befehl zurücknehmen, daß er nichts Literarisches mehr schreiben und nicht mit Ausländern kommunizieren dürfe. Der Herzog nahm das Schreiben nicht an. Der gütliche Ausweg war versperrt. Aber in Württemberg bleiben konnte Schiller nicht. Gehorchte er dem Herzog, so gab er das Größte preis, was er besaß: seine Dichtung. Fügte er sich nicht, so stand das harte Schicksal Schubarts, den er einmal auf dem Asperg besucht hatte, warnend vor seinem Geiste. Es gab nur einen Ausweg für ihn: die Flucht. Er mußte ihn einschlagen, trotz der Gefahr, die er über sich und über seine Eltern, die in der Gewalt des Herzogs waren, heraufbeschwor. Es ging um die heiligste Verpflichtung, die gegen sich selber.

Mit dem zwei Jahre jüngeren Musiker Andreas Streicher, der eine Studienreise nach Hamburg zu machen beabsichtigte, hatte er beschlossen,

Stuttgart im Frühjahr 1783 zu verlassen. Da bot sich schon im September 1782 eine günstige Gelegenheit zur Flucht. Der russische Großfürst Paul besuchte auf jener Bildungsreise durch Europa, auf der ihn Klinger begleitete, auch den württembergischen Hof. Zu Ehren des hohen Gastes veranstaltete der Herzog glänzende Festlichkeiten in Stuttgart, Hohenheim, Ludwigsburg und auf der Solitüde. Während diese Veranstaltungen die allgemeine Aufmerksamkeit auf sich zogen, konnten Schiller und Streicher unbemerkt Stuttgart verlassen. In der Nacht vom 22. auf den 23. September führten sie den Plan aus. Um 10 Uhr bestiegen sie den Wagen. Der Weg wurde zum Eßlinger Tor hinaus genommen, weil dieses das dunkelste war und einer der bewährtesten Freunde Schillers dort die Wache hatte. Streicher erzählt: „So gefaßt die jungen Leute auch auf alles waren, und so wenig sie eigentlich zu fürchten hatten, so machte dennoch der Anruf der Schildwache: „Halt! Wer da? Unteroffizier heraus;" einen unheimlichen Eindruck auf sie. Nach den Fragen: „Wer sind die Herren? Wo wollen Sie hin?" wurde von Streicher des Dichters Name in Doktor Ritter und der seinige in Dr. Wolf verwandelt, beide nach Eßlingen reisend angegeben und so aufgeschrieben. Das Tor wurde nun geöffnet, die Reisenden fuhren vorwärts mit forschenden Blicken in die Wachstube des Offiziers, in der sie zwar kein Licht, aber beide Fenster offen sahen. Als sie außer dem Tore waren, glaubten sie einer großen Gefahr entronnen zu sein, und gleichsam als ob diese wiederkehren könnte, wurden, solange als sie die Stadt umfahren mußten, um die Straße nach Ludwigsburg zu gewinnen, nur wenige Worte unter ihnen gewechselt. Wie aber einmal die erste Anhöhe hinter ihnen lag, kehrten Ruhe und Unbefangenheit zurück, das Gespräch wurde lebhafter und bezog sich nicht allein auf die jüngste Vergangenheit, sondern auch auf die bevorstehenden Ereignisse. Gegen Mitternacht sah man links von Ludwigsburg eine außerordentliche Röte am Himmel, und als der Wagen in die Linie der Solitüde kam, zeigte das daselbst auf einer bedeutenden Erhöhung liegende Schloß mit allen seinen weitläufigen Nebengebäuden sich in einem Feuerglanze, der sich in der Entfernung von anderthalb Stunden auf das überraschendste ausnahm. Die reine, heitere Luft ließ alles so deutlich wahrnehmen, daß Schiller seinem Gefährten den Punkt zeigen konnte, wo seine Eltern wohnten, aber alsbald, wie von einem sympathetischen Strahl berührt, mit einem unterdrückten Seufzer ausrief: „Meine Mutter!"

Die Flüchtlinge wandten sich nach Mannheim. Dort hoffte Schiller am Theater eine Stelle zu finden. Von Mannheim aus machte er noch einen förmlichen Versuch, den Herzog günstig zu stimmen. General Augé, durch den er sich an den Herzog gewandt, gab ihm den Bescheid: Der Herzog habe sein Schreiben gnädig aufgenommen, er sei durch den Besuch gut gelaunt; er solle nur getrost zurückkommen. Er wagte nicht, auf diesen unbestimmten Bescheid hin, wieder nach Stuttgart zurückzukehren. Aber auch Dalberg, der es offenbar mit dem Herzog nicht verderben wollte, gab keine Aussicht auf Hilfe. In Mannheim war es teuer zu leben. So gingen die Flüchtlinge nach Sachsenhausen. Von da bat Schiller Dalberg um einen Vorschuß von 200 Gulden auf zwei weitere Dramen. Er wurde verweigert. Streicher mußte mit dem Geld für sein Studium aushelfen. Von Sachsenhausen ging es nach Oggersheim in der Rheinpfalz. Beständig war Schiller in Angst vor den Schergen des Herzogs. Er wechselte seinen Namen in Dr. Schmid. In den Briefen an die Seinigen suchte er, um die Späher zu täuschen, den Anschein zu erwecken, als reise er nach Berlin oder Petersburg. So nahte der Winter.

Frau Henriette von Wolzogen hatte ihm auf ihrem Gute in dem Dorfe Bauerbach bei Meiningen eine Zuflucht angeboten. Jetzt nahm er sie an. In Bauerbach lebte er von Anfang Dezember 1782 bis Ende Juli 1783 in einem Bauernhause, da das Herrenhaus wegen Baufälligkeit nicht bewohnbar war. Das Dorf war klein, von Teerbrennern, Tagelöhnern, ein paar jüdischen Hausierern bewohnt. Der einzige gebildete Mensch, mit dem Schiller Umgang hatte, war der Bibliothekssekretär Reinwald in Meiningen, der später Christophine Schiller heiratete. Er versorgte ihn mit Büchern: philosophischer, dramaturgischer, ästhetischer und dichterischer Literatur und geschichtlichen Werken. Aus Robertsons Geschichte Schottlands tauchte die Gestalt Maria Stuarts auf, aus der Novelle des Abbé de Saint Réal „Histoire de Don Carlos" merkte er sich die Gestalt des spanischen Infanten. Daneben arbeitete er an eigenen Werken, so an „Luise Millerin" („Kabale und Liebe"), und bereits entwarf er die Handlung des „Don Carlos". Im Januar und dann wieder im Mai hielt sich Frau von Wolzogen mit ihrer sechzehnjährigen Tochter Lotte in Bauerbach auf. Da faßte Schiller, von der Einsamkeit und Aussichtslosigkeit seiner Lage zermürbt, einen tollen Entschluß. Er hielt bei Frau von Wolzogen um die Hand ihrer Tochter an: „Es war eine Zeit, wo mich die Hoffnung eines unsterblichen Ruhmes so gut als eine Galanterie, ein Frauenzimmer, gekitzelt hat. Jetzt gilt mir alles gleich, und ich schenke Ihnen meinen dichterischen Lorbeer in die nächste Boeuf à la mode, und trete Ihnen meine tragische Muse zu einer Stallmagd ab, wenn Sie sich Vieh halten. Wie klein ist doch die höchste Größe eines Dichters gegen den Gedanken, glücklich zu leben." Mit einer gewalttätigen Schroffheit treten die beiden Naturen in Schiller, die heldische und die fühlende, gegeneinander, und die Sehnsucht nach Sinnenglück hat über den Drang nach Ruhm gesiegt. Aber der zynische Ton des Briefes mochte Frau von Wolzogen lehren, daß es ein Scheinsieg der Verzweiflung war. So tat sie ihrerseits Schritte, daß Schiller von Bauerbach erlöst wurde und nach Mannheim kam.

Von den Bemühungen, durch die Errichtung eines Nationaltheaters der deutschen Bildung über die französische in Mannheim zum Siege zu verhelfen, war früher die Rede. In Mannheim hatte der Musiker und Dichter Schubart eine Zeitlang sich der Gunst des Kurfürsten Karl Theodor erfreut und hatte der Maler Müller seine Geniestreiche verübt. Immer noch blühte die Deutsche Gesellschaft, deren Seele der Buchhändler Schwan war. Dem Nationaltheater, das 1777 förmlich gegründet worden war, wie Karl Theodor als Kurfürst von Bayern seine Residenz von Mannheim nach

München verlegte, stand Wolfgang Heribert von Dalberg als Intendant vor, ein Dilettant, der wohl persönliche Opfer für die von ihm geleitete Bühne zu bringen und tüchtige Schauspieler wie Iffland, Beil, Beck zu engagieren vermochte, aber des zielbewußten Geschmackes entbehrte und die Rührstücke eines Iffland höher stellte als den „Kaufmann von Venedig" oder Schillers „Fiesco" und „Kabale und Liebe".

An dieser Bühne wurde Schiller am 1. September 1783 auf ein Jahr als Theaterdichter mit 300 Gulden Gehalt angestellt, wofür er drei Stücke zu liefern hatte: „Fiesco", „Kabale und Liebe" und „Don Carlos". Sein Glück war vollkommen. Er war von der Gewalt des Herzogs erlöst. Er konnte als Dichter schaffen. Eine angesehene Bühne führte seine Stücke auf. Aber bald genug kam der Rückschlag. Ein heftiges Fieber warf ihn darnieder.

Es war die Reaktion auf die Not und Aufregung des letzten Jahres. Die giftigen Dünste, die in dem heißen Sommer aus dem Sumpfwasser der Festungsgräben aufstiegen, brachten die Krankheit durch Infektion zum Ausbruch. Dazu kam Enttäuschung und Ärger am Theater. Die „Verschwörung des Fiesco", die im Januar 1784 aufgeführt wurde, brachte es nur zu einem Achtungserfolg. Wohl riß „Luise Millerin", auf Veranlassung Ifflands in „Kabale und Liebe" umgetauft, im April das Publikum zur Begeisterung hin. Aber Schiller merkte, daß die Mannheimer Opern, Operetten, leichte Lustspiele und Familienrührstücke der schweren Kost seiner Tragödien vorzogen; am 20. Juni 1784 wurden sogar die einst so umjubelten „Räuber" vor leeren Bänken aufgeführt. Dahlberg, in französischem Geschmack erzogen, war nicht der Mann, sich dem Willen des

Theaterzettel zur Erstaufführung des „Fiesco"

373

Publikums zu widersetzen. Er ließ sich im Mai 1784 in seiner Unsicherheit über Schillers Stücke von dem berühmten Theatermann Ludwig Schröder, der damals in Wien wirkte, ein Urteil geben. Es lautete vernichtend: „Der Kaiser will keine Sturm- und Drangstücke, und mit Recht ... Es ist schade um Schillers Talent, daß er eine Laufbahn ergreift, die der Ruin des deutschen Theaters ist. Die Folge ist deutlich. Wird der Geschmack an diesen Sturm- und Drangstücken allgemein, so kann kein Publikum ein Stück goutieren, das nicht wie ein Raritätenkasten alle fünf Minuten etwas anderes zeigt, in welchem nicht alle Leidenschaften immer aufs höchste gespannt sind ... Ich hasse ... diese regellosen Schauspiele, die Kunst und Geschmack zugrunde richten. Ich hasse Schillern, daß er wieder eine Bahn eröffnet, die der Wind schon verweht hatte."

Dieses Urteil über Schillers Schaffen, das auch Dalbergs Meinung war, erklärt, warum dieser auch allen Bemühungen Schillers, die Mannheimer Bühne zu heben, Widerstand entgegensetzte. Schiller plante, nach dem Vorbild Lessings in Hamburg, die Herausgabe einer Theaterzeitschrift. Mitteilungen aus der Geschichte des Theaters in Mannheim, Beurteilungen der Schauspieler, Darstellung der Verwaltung, Aufsätze allgemein ästhetisch-dramaturgischer Art sollten ihren Inhalt bilden. Was Schillers Absicht war, zeigt der in der Deutschen Gesellschaft gehaltene Vortrag: „Was kann eine gute stehende Schaubühne wirken?", worin er die sittlich-volksbildende Bedeutung des Theaters erörterte. Aber Dalberg verhielt sich ablehnend gegenüber so weitfliegenden Plänen.

Denn jetzt zeigte es sich, daß auch die Schauspieler keineswegs gewillt waren, mit Schiller zu gehen. Die Bühnenkünstler sind von jeher ein schwer zu behandelndes Volk gewesen, wie auch hinter den Kulissen zu aller Zeit Intrige und Eifersucht wucherten. Man wird kaum annehmen dürfen, daß Schiller, ungestüm, selbstbewußt, von hohen Idealen erfüllt, aber ohne viel Erfahrung mit Menschen, gegenüber seinen Mitarbeitern immer jenes Maß von Klugheit geübt habe, das sie fordern konnten. Und nun war unter den Schauspielern einer, der selber, wenn auch mit Stücken ganz anderer Art, nach dem Lorbeer des Dramatikers rang: Iffland. Begreiflich, daß ihm der Ruhm Schillers in die Nase stach und er alles tat, sein Ansehen zu untergraben. Am 3. August 1784 wurde in Mannheim eine Posse von Friedrich Wilhelm Gotter aufgeführt: „Der schwarze Mann." Darin wird ein jämmerlicher Tropf von Sturm- und Drangdichter, Flickwort, lächerlich gemacht, ein Hungerleider, Maulheld und Phrasendrescher, der in Shakespeare vernarrt ist und auf die Franzosen schimpfte. Iffland spielte die Rolle in der Maske Schillers.

Am 1. September war Schillers Anstellungsvertrag abgelaufen. Er wurde nicht mehr verlängert. Die Einnahmen vom Theater versiegten. Dazu lasteten noch alte Schulden auf ihm. Er hatte die Räuber auf eigene Kosten drucken lassen; der Vater, der ihm das Geld vorgestreckt hatte, wurde von den Gläubigern bedrängt. Frau von Wolzogen war bei einem Juden für ihn eine Bürgschaft eingegangen, die nun verfallen war. Das Studiengeld Streichers war auf der Flucht aufgezehrt worden. Was nützte es Schiller,

374

daß seine Stücke auf allen Bühnen gespielt, seine Stücke nachgedruckt wurden, wenn weder Bühnen noch Drucker Honorare zahlten? Ein wackerer Zimmermann und Maurer, Hölzel, bei dem Schiller wohnte, half ihm über die schlimmste Not.

Er faßte den Plan, die Theaterzeitschrift, die Dalberg abgelehnt hatte, in erweiterter Form und auf eigene Faust herauszugeben, und gründete die „Rheinische Thalia". Das Publikum, das seinen Dramen zugejubelt, sollte ihm helfen, sein Leben zu fristen. Kaum hat je ein junger Schriftsteller mit großartigerem Vertrauen, aber auch mit größerem Leichtsinn sein Schicksal der Welt anheimgestellt. „Ich schreibe", hieß es in der Ankündigung vom 11. November 1784, „als Weltbürger, der keinem Fürsten dient. Früh verlor ich mein Vaterland, um es gegen die große Welt auszutauschen, die ich nur eben durch die Fernröhre kannte. Ein seltsamer Mißverstand der Natur hat mich in meinem Geburtsort zum Dichter verurteilt. Neigung für Poesie beleidigte die Gesetze des Instituts, worin ich erzogen ward, und widersprach dem Plan seines Stifters. Acht Jahre rang mein Enthusiasmus mit der militärischen Regel; aber Leidenschaft für die Dichtkunst ist feurig und stark wie die erste Liebe. Was sie ersticken sollte, fachte sie an. Verhältnissen zu entfliehen, die mir zur Folter waren, schweifte mein Herz in eine Idealenwelt aus — aber unbekannt mit der wirklichen, von welcher mich eiserne Stäbe schieden — unbekannt mit den Menschen... unbekannt mit den Neigungen freier, sich selbst überlassener Wesen... unbekannt mit dem schönen Geschlecht... unbekannt mit Menschen und Menschenschicksal, mußte mein Pinsel notwendig die mittlere Linie zwischen Engel und Teufel verfehlen, mußte er ein Ungeheuer hervorbringen, das zum Glück in der Welt nicht vorhanden war... Ich meine die ‚Räuber'... Sie kosteten mir Familie und Vaterland... Nunmehr sind alle meine Verbindungen aufgelöst. Das Publikum ist mir jetzt alles, mein Studium, mein Souverän, mein Vertrauter. Ihm allein gehöre ich jetzt an. Vor diesem und keinem andern Tribunal werde ich mich stellen. Dieses nur fürchte und verehr' ich."

Der Plan war weit genug: Gemälde merkwürdiger Menschen und Handlungen; Philosophie für das handelnde Leben; schöne Natur und Kunst in der Pfalz; deutsches Theater sollte er umfassen. Aber wann hat jemals ein Publikum ein so idealisches Unternehmen hilfreich unterstützt! Ob auch Schiller alle Bekannten drängte, Subskribenten zu werben, der Erfolg war so dürftig, daß er darauf verzichten mußte, dem ersten Heft ein Subskribentenverzeichnis beizugeben: „Da nur der kleinste Teil meiner Herren Subskribenten sich mir genannt hat", lautete die fadenscheinige Ausrede. „Es will niemand gern pränumerieren, und auch die Vornehmen haben nach dem Neuen Jahre kein Geld", schrieb Reinwald.

Zu diesem Verdruß kam das Ärgernis, das Schillers Besprechungen der Mannheimer Theateraufführungen in der „Thalia" erregten. In einer Rezension der Aufführung von „Kabale und Liebe" am 18. Januar 1785 schrieb Schiller: „Herr Beil erfüllte die launigte Rolle des Musikus, so viel er wenigstens davon auswendig wußte." „Kabale und Liebe" sei, klagte er

Dalberg, durch das nachlässige Einstudieren der mehresten ganz in Lumpen zerrissen worden. Die Schauspieler ihrerseits ließen Schillers Vorwürfe nicht auf sich sitzen. Im März entlud sich ihr Zorn in einem eigentlichen Theaterskandal, bei dem Boek auf öffentlicher Bühne mit Gebrüll und Schimpfwörtern und Händen und Füßen gegen Schiller ausschlug und „auf die pöpelhafteste Art" von ihm redete.

Endlich, um Schillers Erfahrung der Welt vollends zum Wirrsal zu steigern, fehlte es auch nicht an einem leidenschaftlichen Liebeserlebnis. Kleinere Neigungen gingen voraus: zu einer Schauspielerin Katharina Baumann, die die Luise Millerin gespielt hatte, zu Margarete Schwan, der Tochter des Buchhändlers. In wirkliche Bedrängnis aber brachte Schiller die Liebe zu Charlotte von Kalb. Er hatte die zwei Jahre Jüngere durch Frau von Wolzogen kennengelernt. Schön, gefühlvoll, hochgebildet und geistreich, entbehrte sie doch, früh verwaist und ohne Liebe aufgewachsen, der sichern Leitung des Lebens. Bald empfindsame schöne Seele, bald kokette Weltdame, vertiefte sie sich in die Mysterien von Katholizismus und Pietismus und ergötzte sich dann wieder an den freisinnigen Späßen Voltaires. 1783 hatte sie ohne Liebe den Bruder des weimarischen Kammerpräsidenten von Kalb geheiratet, einen äußerlichen, lebenslustigen Offizier, der in Landau in Garnison stand. Im Sommer 1784 erschien sie, da das Leben in Landau ihr zu einförmig war, in Mannheim. Hier fand sie in Schiller den Mann, der die Nöte ihres Herzens verstand, dessen eigenes Gefühl ihr entgegenflammte. Es war ein Verhältnis, das schwere Stürme in sein Leben brachte. Aber er hat, mit der sittlichen Sicherheit seiner Person, den Ausweg aus dem Wirrsal gefunden. So sehr ihn ihre Schönheit fesselte, ihre Liebe den Heimatlosen stärkte, ihre Haltlosigkeit konnte nicht das dauernde Glück seines Lebens bilden. Die Frau, mit der er später sich verband, ist denn auch in allem das genaue Gegenspiel zu Charlotte von Kalb. Diese hat in empfindsamen Worten den Abschied von Schiller geschildert. Sie mochte damals hoffen, ihn dennoch einmal zu gewinnen. In Schillers Inneres aber lassen uns zwei Gedichte blicken. Das eine, „Freigeisterei der Leidenschaft", zeigt den Dichter als Besiegten in dem „Riesenkampf der Pflicht". Er reicht der Tugend den Kranz zurück, um als Lohn die Geliebte zu erhalten:

> „Der einz'ge Lohn, der meine Tugend krönen sollte,
> Ist meiner Tugend letzter Augenblick."

Das zweite, „Resignation", verkündet den Sieg der Tugend. Ein unsichtbarer Genius verheißt dem Entsagenden:

> „Zwei Blumen blühen für den weisen Finder,
> Sie heißen Hoffnung und Genuß.
> Wer dieser Blumen eine brach, begehrte
> Die andre Schwester nicht.
>
> Genieße, wer nicht glauben kann. Die Lehre
> Ist ewig wie die Welt. Wer glauben kann, entbehre."

Den Entschluß des Verzichtes zu fassen, erleichterte Schiller eine freundliche Fügung von außen. Immer hatte er bisher aus eigener Kraft kämpfend sein Leben gestaltet und sein Schicksal zu zwingen gesucht. Jetzt bot sich ihm zum erstenmal eine großzügige helfende Hand an.

Im Juni 1784 hatte er durch Vermittlung von Schwans Geschäftsteilhaber Götz, dem Sohn des Anakreontikers, eine Sendung aus Leipzig erhalten: vier Briefe, überfließend von Verehrung für den Dichter; eine seidene, kunstvoll gestrickte Brieftasche; die mit Silberstift gezeichneten Bilder der Spender, zweier Brautpaare, und endlich eine Vertonung von Amaliens Lied aus den „Räubern": „Schön wie Engel voll Wallhallens Wonne." Die Sender waren, wie er erfuhr, Christian Gottfried Körner und seine Braut Minna Stock, die Tochter des Leipziger Kupferstechers, und Ludwig Ferdinand Huber und seine Braut Dora Stock. Körner hatte die Vertonung gemacht, Dora die Bilder gezeichnet und Minna die Brieftasche gestickt. Lange hatte der also Beschenkte, in den innern und äußern Drangsalen seiner Lage, keine Sammlung zum Danke gefunden. Endlich, im Dezember, schrieb er „mit Schamröte" an Huber, sprach in verhüllten Ausdrücken von „unglückseligen Zerstreuungen", die ihn am Schreiben gehindert hätten, stellte seinen nahen Besuch in Leipzig als möglich hin und schickte die Ankündigung der „Thalia". Schon am 11. Januar schrieb Körner: „Wir wissen genug von Ihnen, um Ihnen nach Ihrem Briefe unsere ganze Freundschaft anzubieten; aber Sie kennen uns noch nicht genug. Also kommen Sie selbst so bald als möglich. Dann wird sich manches sagen lassen, was sich jetzt noch nicht schreiben läßt. Es schmerzt uns, daß ein Mann, der uns so teuer ist, Kummer zu haben scheint. Wir schmeicheln uns, ihn lindern zu können, und dies macht uns Ihre Freundschaft zum Bedürfnis."

Einen Monat später hatte Körner Schillers Antwort: „Ich kann nicht mehr hierbleiben. Zwölf Tage habe ich's in meinem Herzen herumgetragen, wie den Entschluß aus der Welt zu gehen. Menschen, Verhältnisse, Erdreich und Himmel sind mir zuwider. Ich habe keine Seele hier, keine einzige, die die Leere meines Herzens füllte, keine Freundin, keinen Freund; und was mir vielleicht noch teuer sein könnte, davon scheiden mich Konvenienz und Situationen."

Am 9. April verließ er Mannheim. Er hatte Huber von seinen Geldnöten in Kenntnis gesetzt, und Körner hatte ihm in zartester Weise durch den Buchhändler Göschen „als vorläufige Anzahlung auf die Thalia" 300 Taler übersandt, mit denen Schiller seine Verbindlichkeiten in Mannheim hatte lösen können.

3. SCHILLERS WELTANSCHAULICHE UND ÄSTHETISCHE AUSEINANDERSETZUNGEN

> „Ich bedarf einer Krisis.
> Die Natur bereitet eine Zerstörung,
> um neu zu gebären."
>
> Schiller

In Schillers Persönlichkeit und Leben ist bis zu seiner Abreise aus Mannheim im April 1785 etwas Zwängendes und Gequältes. Feindliche Gewalten — der despotische Wille des Herzogs, die kärgliche Stelle als Feldscherer, die Leiden der Flucht, die Krankheit in Mannheim, das geringe Verständnis Dalbergs, der Neid und die Intrigen der Schauspieler, die Gleichgültigkeit des Publikums und nicht zuletzt die wachsenden Schulden — all das bedrängte sein Leben und forderte die höchste Aufbietung seiner Abwehrkräfte heraus. In seinen drei ersten Dramen spiegeln sich diese Kämpfe. Sie stellen alle den Ansturm einer großen, heldenhaften Persönlichkeit gegen eine in Sittenlosigkeit, Starrheit und Ungerechtigkeit verfallene Gesellschaft dar, und es ist bezeichnend für Schillers düstern Gemütszustand, daß der sich für Freiheit und Gerechtigkeit einsetzende Held in diesem Kampf jeweils selber zum Verbrecher wird und untergeht. So stellt sich dem Gepeinigten das Leben als ein furchtbarer Krieg böser Mächte gegen die edelsten Ziele menschlicher Größe und Reinheit dar, die nur im Geiste des Ringenden fortleben, deren Verwirklichung aber immer wieder bekämpft und verhindert wird: Es ist das Los des Schönen auf der Erde, daß das Schicksal den Helden, wie Max Piccolomini im „Wallenstein", unter den Hufschlag des Pferdes wirft. In Schiller selber steigert sich der Gegensatz zwischen der sinnlichen Weichheit und dem sittlichen Willen zu fast unerträglicher Spannung. Er sucht sie zu lösen, indem er bald der einen, bald der andern Macht das Übergewicht gibt. Als er in Bauerbach sich einredete, mit Lotte von Wolzogen glücklich werden zu können, hatte das Gefühlsbedürfnis gesiegt; als er in Stuttgart sich zur Flucht entschloß, der herrische Wille zur Größe. Die Stimmung, die dieser Kampf in ihm erzeugt, ist bald dunkler Pessimismus, bald heller Optimismus. Im „Wirtembergischen Repertorium" hat Schiller 1782 diesen Gegensatz in einem Gespräch zwischen zwei Freunden: „Der Spaziergang unter den Linden" geschildert. Der junge Edwin ist der Glückliche, der die Welt mit frohherziger Wärme umfaßt, der alte Wollmar der Trübe, der sie in die Trauerfarbe seines Mißgeschicks kleidet. „Sehen Sie", sagt Wollmar, „Ihnen malt sich itzt die Natur wie ein rotwangigtes Mädchen an seinem Brauttag. Mir erscheint sie als eine abgelegte Matrone, rote Schminke auf ihren grüngelben Wangen, geerbte Demanten in ihrem Haar." Edwin sagt: „Soll ich darum das Veilchen unter die Füße treten, weil ich die Rose nicht erlangen kann?" Wollmar: „Wohin nur ein Samenkorn des Vergnügens fiel, sprossen schon tausend Keime des Jammers . . . Jeder Tropfen Zeit ist eine Sterbeminute der Freuden, jeder wehende Staub der Leichenstein einer begrabenen Wonne. Auf jeden Punkt im ewigen Universum hat der Tod sein monarchisches Siegel gedrückt. Auf jeden Atomen les' ich die trostlose Aufschrift: Vergangen!" Edwin: „Und warum nicht: Gewesen? Mag jeder Laut der Sterbegesang einer Seligkeit sein — er ist auch die Hymne der allgegenwärtigen Liebe. — Wollmar, an dieser Linde küßte mich meine Juliette zum ersten Mal." Wollmar: „Junger Mensch! unter dieser Linde habe ich meine Laura verloren."

Die Spannung löste sich in Leipzig und Dresden, vor allem dank der Güte und dem Verständnis, das Körner Schiller entgegenbrachte. Schiller hatte sich in seinen Briefen zuerst an den beweglicheren Huber gewandt (er heiratete später in Mainz Therese Forster, die Witwe des Weltreisenden und die Freundin Caroline Böhmers, und war dann Redaktor an der „Allgemeinen Zeitung"). Aber bald trat derjenige in den Vordergrund, der nach Charakter und Bildung das eigentliche Haupt des dichterfreundlichen Quartetts war: Christian Gottfried Körner. Drei Jahre älter als Schiller, war er der Sohn eines angesehenen und reichen Pfarrers und Professors in Leipzig. Er war in einer Schule strenger Pflichterfüllung aufgewachsen, hatte die Rechte studiert, aber sein Studium auf der breitesten Grundlage aufgebaut: neben klassischer Philologie, Naturwissenschaften und Mathematik beschäftigte ihn vor allem die Philosophie. Eine Bildungsreise als Begleiter eines sächsischen Grafen durch Deutschland, Holland, England, Belgien, Frankreich und die Schweiz hatte seine Bildung erweitert, sein Urteil geschärft, seinen Geschmack geklärt, vor allem ihm den Sinn für die Kunst erschlossen, ihm zugleich aber auch geoffenbart, was ihn, den Kunstfreund, von dem wirklichen Künstler trennte. Wieder in die Heimat zurückgekehrt, hatte er sich mit Minna Stock verlobt, zum Mißvergnügen seiner Eltern, deren lutherischer Strenge die „Kupferstechermamsell" nicht als Schwiegertochter paßte. Der Sohn hatte sich, um sich von ihnen unabhängig zu machen, zum Konsistorialrat und Assessor in Dresden ernennen lassen. Da machte der plötzliche Tod der Eltern ihn zum Erben eines bedeutenden Vermögens und gestattete ihm die Heirat.

Das war der Mensch, den Schiller brauchte, und der, wie kein anderer, geeignet war, ihn, mit der äußeren Hilfe, die er ihm aus der Fülle seiner Mittel bieten konnte, vor allem durch seine Bildung, seine Liebe zu der Dichtung und den Dichtern und sein edles Menschentum innerlich zu fördern und jene peinliche Spannung in ihm zu lösen, indem er ihm den Glauben an die Menschen und damit an sich selber zurückgab. Man spürt das Neue sofort in Schillers Briefen: es geht wie ein Aufatmen, ein geheimes Aufjauchzen durch sie. Es erfüllte sich, was er in einem seiner ersten Briefe schrieb: „Wie unaussprechlich viele Seligkeiten verspreche ich mir bei Ihnen, und wie sehr soll es mich beschäftigen, Ihrer Liebe, Ihrer Freundschaft und womöglich Ihres Enthusiasmus für mich wert zu bleiben." Körner aber schrieb: „So haben sich denn also unsere Seelen trotz aller Entfernung gefunden — wir sind Freunde —, und bald wird der erste Blick und Händedruck den Bund unserer Herzen versiegeln ... Sie müssen so bald als möglich auch von mir wissen, wie sehr ich mich nach dem Augenblicke sehne, da wir sie mit offenen Armen empfangen werden." Niemals hat sich, in dem kunstfreundlichen 18. Jahrhundert, die Verehrung für den Dichter glühender ausgesprochen, niemals aber auch wirksamer und folgenreicher erfüllt.

Am 17. April 1785 kam Schiller in Leipzig an. Es war eben Messezeit, und die Stadt war voll Lebens und fremder Besucher. Körner war durch sein Amt in Dresden festgehalten. Aber Huber und die beiden Mädchen bildeten Schillers Gesellschaft und machten ihn mit Leipzigs Berühmtheiten bekannt. Den Sommer brachte man in dem nahen Dorfe Gohlis zu. Göschen, der Buchhändler, und der Ästhetiker und Kunstgelehrte Karl Philipp Moritz (1727—1793; er ist der Verfasser des autobiographischen Romans „Anton Reiser") fanden sich ein. Von Moritz, der kurz darauf seine wichtige Schrift über „Die bildende Nachahmung des Schönen" herausgab, konnte Schiller erfahren, daß der Zweck der Kunst nicht die moralische Belehrung war. Ende Juni vermochte sich Körner endlich für einen kurzen Besuch in Gohlis frei zu machen. Als er wieder abgereist war, schrieb ihm Schiller am 3. Juli: „Der gestrige Tag wird mir unvergeßlich bleiben, solange ich lebe. Gäbe es Geister, die uns dienstbar sind und unsere Gefühle und Stimmungen durch seine sympathetische Magie fortpflanzen und übertragen, du hättest die Stunde zwischen halb acht und halb neun vormittags in der süßesten Ahnung empfinden müssen. Ich weiß nicht mehr, wie wir eigentlich darauf kamen, von Entwürfen für die Zukunft zu reden. Mein Herz wurde warm ... Mit weicher Beschämung, die nicht niederdrückt, sondern männlich emporrafft, sah ich rückwärts in die Vergangenheit, die ich durch die unglücklichste Verschwendung mißbrauchte. Ich fühlte die kühne Anlage meiner Kräfte, das mißlungene (vielleicht große) Vorhaben der Natur mit mir. Eine Hälfte wurde durch die wahnsinnige Methode meiner Erziehung und die Mißlaune meines Schicksals, die zweite und größere aber durch mich selber zernichtet. Tief, bester Freund, habe ich das empfunden, und in der allgemeinen feurigen Gährung meiner Gefühle haben sich Kopf und Herz zu dem herkulischen Gelübde vereinigt: die Vergangenheit nachzuholen und den edlen Wettlauf zum höchsten Ziele von vorn anzufangen ... O mein Freund! nur unserer innigen Verkettung, unserer heiligen Freundschaft allein war es vorbehalten, uns groß und gut und glücklich zu machen ... Der Himmel hat uns seltsam einander zugeführt, aber in unserer Freundschaft soll er ein Wunder getan haben." Das ist die Stimmung, aus der das „Lied an die Freude" emporblühte, jener unerhörte Jubelruf eines zur Seligkeit allgemeiner Menschenliebe erlösten Herzens.

Im August fand die Hochzeit von Körner und Minna Stock statt, und im September folgte Schiller dem jungen Paar nach Dresden, wo er sich in der Nähe der Freunde eine Wohnung mietete: Körner hatte ihn gebeten, ihn auf mindestens ein Jahr der Notwendigkeit des Geldverdie-

nens entheben zu dürfen. Aber Schillers Geist kannte keine Muße. Jetzt
wo die Sorge für das tägliche Brot von ihm genommen war, steigerte
sich seine Arbeitslust erst recht. Er setzte die „Rheinische Thalia" als
„Thalia" fort und schrieb für sie Erzählungen, wie den „Verbrecher aus
Infamie", „Die Geisterseher" und die „Philosophischen Briefe", an denen
auch Körner zögernd mitarbeitete. Langsam wuchs der „Don Carlos".
Folgenreicher aber für die Zukunft war die innere Wandlung, die in der
Nähe der tiefen und geordneten Persönlichkeit Körners in Schiller vor
sich ging. Und mit der inneren Festigung wuchs auch die Klarheit über
seine Begabung und die Richtung seines Schaffens. Je mehr in der neu
erlangten Sicherheit und Ruhe die Zeit des stürmischen Ringens zurücksank, um so deutlicher erkannte er, daß seine Aufgabe als Dichter nicht
war, mehr oder weniger unklare Freiheitsideale zu verkünden und brausende Köpfe zur Begeisterung hinzureißen, sondern Menschen der Wirklichkeit in ihren Kämpfen um große Ziele darzustellen. Seine Erziehung
in der abgeschlossenen Welt der Karlsschule hatte ihn verhindert, die
Wirklichkeit in ihrer unmittelbar natürlichen Gestalt kennenzulernen.
Noch mehr: es darf gesagt werden, daß seine durch die seelische Spannung
nach innen gezogene Gemütsart ihn zur Beobachtung der Wirklichkeit,
wie sie Goethe übte, gar nicht befähigt hätte. Es hätte seiner vorwärts-
drängenden Tatkraft schon die stille, unermüdliche Geduld gefehlt, die die
aufmerksame Aufnahme der Gebilde der äußeren Welt und ihre Umwandlung zu geistigen Gestalten
erfordern. Er bedurfte sinnliche
Wirklichkeit, Kenntnis der äußeren Welt, aber er bedurfte
sie in abgekürzter, begrifflicher
Form, um sie sich zu eigen zu
machen, eine Wirklichkeit, die
von anderen Geistern erlebt und
von anderen aufgezeichnet, in
geistige Vorstellungen umgewandelt war: die Geschichte gewordene Wirklichkeit. Die Geschichte konnte ihm zweierlei werden:
Erkenntnisquelle und Stoffma-
gazin für den Dichter; Beruf
und Mittel zum Lebensunterhalt
für den Menschen. Man darf annehmen, daß Körner mit seiner
reichen Bildung ihn auf diesem
Wege mächtig gefördert, wenn
nicht überhaupt ihn auf diesen
Weg gewiesen hat. Die Erkenntnis wuchs im Winter 1785/86 in
ihm. Am 15. April 1786 schrieb

*Schillers humoristische Zeichnung von Chri-
stian Gottfried Körner zu dessen Geburtstag am 2. Juli 1786*

er Körner: „Ich muß ganz andere Anstalten treffen mit dem Lesen. Ich fühle es schmerzlich, daß ich noch so erstaunlich viel lernen muß, um zu ernten. Im besten Erdreich wird der Dornstrauch keine Pfirsche tragen, aber ebensowenig kann der Pfirsichbaum in einer leeren Erde gedeihen. Unsere Seelen sind nur Destillationsgefäße, aber Elemente müssen ihnen Stoff zutragen, um in vollen, saftigen Blättern ihn auszuschwellen. — Täglich wird mir die Geschichte teurer ... Ich wollte, daß ich zehen Jahre hintereinander nichts als Geschichte studiert hätte. Ich glaube, ich würde ein ganz anderer Kerl sein. Meinst du, daß ich es noch werde nachholen können?" Es war die Geschichte der Befreiung der Niederlande, in die sich der Verfasser des „Don Carlos" zuerst vertiefte.

Aber auch das Wachstum eines so sehr vom klaren Willen beherrschten Geistes vollzog sich nicht geradlinig nach mathematischem Gesetze; es gab auch hier Rückfälle und Ausbuchtungen. Zu Anfang 1787 riß den Unerfahrenen eine Liebesleidenschaft aufs neue in dunkle Wirrnis. Auf einem Maskenball hatte er die junge, verführerisch schöne Henriette von Arnim kennengelernt. Er fand Zutritt zum Hause ihrer Mutter, einer vermögenden Offizierswitwe, und es schien, als ob man seine Werbung nicht ungern sehe. Dann aber stellte es sich heraus, daß der Ruf der Mutter und ihrer Töchter nicht der beste war und man den berühmten Dichter nur als Lockmittel benützte, um andere, reichere Bewerber anzuziehen. Schiller merkte es, zugleich aber wuchs seine Leidenschaft. Wieder stand sinnliche Neigung mit sittlichem Ernst in hartem Kampfe. Körner erwies sich aufs neue als der hilfreiche Freund, indem er Schiller veranlaßte, sich für einige Zeit in das abgelegene Bergstädtchen Tharandt zurückzuziehen.

Nach dem Erscheinen des „Don Carlos" im Juni 1787 fühlte sich Schiller stark genug, Dresden zu verlassen und sein Schicksal wieder in die eigenen Hände zu nehmen. Sein Blick war auf Weimar gerichtet. Er hatte, von Mannheim aus, auf Veranlassung der Frau von Kalb, dem in Darmstadt zu Besuch weilenden Herzog Karl August 1784 den ersten Akt des „Don Carlos" vorgelesen und von dem Herzog den Titel eines Rates bekommen. So dünn der Faden war, der ihn an Weimar band, Schiller ergriff ihn, um sich mit ihm wenn möglich an Weimar festzuhalten. Er zog aus wie ein Konquistador, um sich das Goldland der Zukunft dort zu erobern. Die innere Festigung und die menschliche Wärme, die er durch Körners Freundschaft gewonnen, gaben ihm Stärke und Zuversicht. Sie beruhten auf einer im höchsten Sinne optimistisch-idealistischen Anschauung über den Grund und die Ordnung der Welt.

In den in der „Thalia" 1786 und 1789 erschienenen „Philosophischen Briefen", vor allem dem Kernstück, der „Theosophie des Julius" (als Julius bezeichnet Schiller sich selber), hat Schiller damals seine Gedanken über Gott und Welt, Erkenntnis und Sittlichkeit niedergelegt. Wesentliches in ihnen geht auf die Stuttgarter Zeit zurück. Den Grund verdankt Schiller Leibniz und Shaftesbury, deren Ideen er in die Sprache seines gesteigerten Enthusiasmus umsetzt. Leibnizens Monadenlehre hatte an der Karlsschule Professor Abel vorgetragen, Shaftesbury hatte Schiller aus einem Werke eines Schülers des englischen Philosophen kennengelernt, Adam Fergusons „Institutes of Moral Philosophy", die Christian Garve als „Grundsätze der Moralphilosophie" 1772 in deutscher Übersetzung herausgegeben hatte. Aus den Ideen beider hatte Schiller für sich das System eines optimistischen Pantheismus gebildet.

Am 4. April 1788 überraschte Körner den Freund, indem er ihm zu den „Philosophischen Briefen zwischen Julius und Raffael" noch einen letzten Brief des Raffael, vielleicht den einzigen, den er überhaupt zu dem Briefwechsel beigesteuert hat, übersandte. Er zeigt sich darin noch ein letztes Mal als der große Freund und Ratgeber Schillers, indem er mit behutsamen Worten die „Theosophie" als das hinstellt, was sie ist: als einen Gedankenroman, nicht als philosophische Wissenschaft. Noch einmal greift er zurück in die Anfänge ihres Verhälnisses und auf seine Bemühungen, Schiller aus dem Zustand des Pessimismus herauszuheben: „Alles kam darauf an, dich auf den Wert des Selbstdenkens aufmerksam zu machen und dir Zutrauen zu deinen eigenen Kräften einzuflößen. Der Erfolg deiner ersten Versuche begünstigte meine Absicht. Deine Phantasie war freilich mehr dabei beschäftigt, als dein Scharfsinn. Ihre Ahnungen ersetzten dir schneller den Verlust deiner teuersten Überzeugungen, als du es vom Schneckengange der kaltblütigen Forschung, die vom Bekannten zum Unbekannten stufenweise fortschreitet, erwarten kannst. Aber eben dies begeisternde System gab dir den ersten Genuß in diesem neuen Felde von Tätigkeit, und ich hütete mich sehr, einen willkommenen Enthusiasmus zu stören, der die Entwicklung deiner trefflichen Anlagen beförderte. Jetzt hat sich die Szene geändert ... Dein Weg geht vorwärts, und du bedarfst keiner Schonung mehr. Daß ein System, wie das deinige, die Probe einer strengen Kritik nicht aushalten konnte, darf dich nicht befremden, alle Versuche dieser Art, die dem deinigen an Kühnheit und Weite des Umfanges gleichen, hatten kein anderes Schicksal ... Der erste Gegenstand, an dem sich der menschliche Forschungsgeist versuchte, war von jeher — das Universum."

Nichts beweist so sehr die Weisheit und Liebe Körners als dieser Brief. Als Schiller am 15. April den Brief des Freundes beantwortete, schrieb er: „Daß sich mein Julius gleich mit dem Universum eingelassen, ist bei mir wohl individuell, nämlich weil ich selbst fast keine andere Philosophie gelesen habe und zufällig mit keiner andern bekannt geworden bin. Ich habe immer nur das aus philosophischen Schriften (den wenigen, die ich las) genommen, was sich dichterisch fühlen und behandeln läßt. Daher wurde diese Materie, als die dankbarste für Witz und Phantasie, bald mein Lieblingsgegenstand." Körner-Raffael hatte von den „Taschenspielerkünsten der Vernunft" in Schillers Theosophie gesprochen und erklärt, wenn er dem Freunde Rechenschaft geben wollte von den Gründen, worauf seine entgegengesetzten Äußerungen beruhten, so müßte er eine „etwas trockene Untersuchung über die Natur der menschlichen Erkenntnis vorausschicken", die er aber lieber auf eine Zeit verspare, wo sie für Schiller ein Bedürfnis sein werde. „Noch bist du nicht in derjenigen

Stimmung, wo die demütigenden Wahrheiten von den Grenzen des menschlichen Wissens dir interessant werden können." Das deutet auf Kant hin, in dessen kritische Philosophie Körner bereits tief eingedrungen war. Und Schiller verstand den Wink: „Ich müßte mich sehr irren", schrieb er, wenn das, was du von trockenen Untersuchungen über menschliche Erkenntnis und demütigenden Grenzen des menschlichen Wissens fallen ließest, nicht eine entfernte Drohung — mit dem Kant in sich faßt. Was gilt's den bringst du nach? Ich kenne den Wolf am Heulen. In der Tat glaube ich, daß du sehr recht hast; aber mit mir will es noch nicht recht fort, in dieses Fach hineinzugehen."

In Wahrheit: noch fehlte ihm die innere Ruhe und äußere Sicherheit, um jenen kühnen Grundriß der Welt, den mehr seine schweifende Phantasie als sein kritischer Verstand gezeichnet hatte, auf seine Richtigkeit zu prüfen. Als er im Sommer 1787 den Boden Weimars betrat, erlebte er zwei Enttäuschungen. Der Herzog, der in preußische Dienste getreten war, befand sich in Potsdam, und Goethe war noch in Italien. Dafür nahmen ihn Wieland, Herder und die Frau von Stein freundlich auf, und Anna Amalia lud ihn zu einem musikalischen Abend in Tiefurt. Aber er gewahrte, daß sich die Weimaraner nicht so leicht gewinnen ließen wie Körner, daß vielmehr eine Kluft zwischen ihm und ihnen lag. Die Herzogin-Mutter und Wieland hatten von jeher dem französischen Geschmacke gehuldigt. Bei Herder war der Sturm und Drang längst verrauscht. Der Herzog widmete sich nüchterneren Aufgaben, wie der wirtschaftlichen

73. Charlotte von Kalb (1761—1843)
Kupferstich nach Friedrich August Tischbein

In der Zeit seines Mannheimer Aufenthaltes gewann Schiller durch den Umgang mit Charlotte von Kalb weltmännische Bildung.

74. Charlotte von Wolzogen (1766—1794)
Kupferstich nach einem Pastellgemälde

Während seines Aufenthaltes in Bauerbach entflammte Schiller zu Henriette von Wolzogens Tochter Charlotte, die im Frühjahr 1783 längere Zeit auf dem Gut ihrer Mutter verbrachte. Da aber Charlotte für Schiller nur freundschaftliche Gefühle hegte, empfahl Frau von Wolzogen ihm, die Verbindungen zu Dalberg, dem Leiter der Mannheimer Bühne wieder anzuknüpfen, und bewog ihn, nach Mannheim zurückzukehren.

75. Das Schillerhaus in Bauerbach
Lithographie

Nach Erscheinen der „Räuber" machte Schiller die Bekanntschaft mit Henriette von Wolzogen, der Mutter seines früheren Mitzöglings Wilhelm von Wolzogen. Als Schiller aus Stuttgart geflüchtet war, lud sie ihn auf ihr Gut nach Bauerbach bei Meiningen ein, wo er sich vom Dezember 1782 bis zum Juli 1783 aufhielt. Hier wurde „Luise Millerin", wie Schiller „Kabale und Liebe" ursprünglich genannt hatte, abgeschlossen, „Don Carlos" begonnen und „Maria Stuart" geplant.

73
Charlotte von Kalb (1761—1843)

74
Charlotte von Wolzogen (1766—1794)

75
Das Schillerhaus in Bauerbach

76 *Das Schillerhaus in Leipzig-Gohlis*

77
*Körners Haus und Weinberg
in Loschwitz bei Dresden*

78 *Christian Gottfried Körner (1756—1831)*

79
Schiller zur Zeit seines Aufenthaltes bei Körne

Hebung seines Landes und den militärischen Pflichten, die ihm der Fürstenbund auferlegte. Goethe hatte sich in Italien dem Klassizismus zugewandt. So fanden Schillers Sturm- und Drangdramen wenig Beifall, und selbst „Don Carlos", aus dem Schiller in Tiefurt vorlas, wurde von Gotter, der von Gotha zu Besuch gekommen war, heruntergemacht. Am meisten Verständnis für Schiller zeigte noch Herder, dessen „Gespräche über Gott" sich mit dem Pantheismus der „Philosophischen Briefe" berührten. Aber Schiller war nicht gesonnen, sich ducken zu lassen. Er merkte erst jetzt, wie er in Dresden innerlich gewachsen war, und wie ihm Körners Freundschaft einen wundervollen Halt bot. Die Hauptsache aber mußte er sich durch zielbewußte Arbeit selber erkämpfen. Am 28. August schrieb er an Huber, dessen schwankendes Wesen ihm damals Sorge machte: „Das Resultat aller meiner hiesigen Erfahrungen ist, daß ich meine Armut erkenne, aber meinen Geist höher anschlage, als bisher geschehen war. Dem Mangel, den ich im Vergleich mit andern in mir fühle, kann ich durch Fleiß und Applikation begegnen, und dann werde ich das glückliche Selbstgefühl meines Wesens rein und vollständig haben ... Um nun zu werden, was ich soll und kann, werd' ich besser von mir denken lernen und aufhören, mich in meiner eigenen Vorstellungsart zu erniedrigen. Ich habe viel Arbeit vor mir, um zu meinem Ziele zu gelangen, aber ich scheue sie nicht mehr ... Glaube mir, es steht unendlich viel

76. Das Schillerhaus in Leipzig-Gohlis
Als Schiller im März 1785 von Körner nach Leipzig eingeladen worden war, hatte er zunächst in der Stadt gewohnt. Im Mai zieht er in das Dorf Gohlis, wo er mit seinen leipziger Freunden in einem Hause zusammen wohnt.

77. Körners Haus und Weinberg in Loschwitz bei Dresden
Am 11. September 1785 folgte Schiller Körner nach Dresden und Loschwitz. Bis Ende Oktober lebte man gemeinsam im Haus am Weinberg. Im kleinen Pavillon auf dem Berg vollendete Schiller indeß den „Don Carlos".

78. Christian Gottfried Körner (1756—1831)
Kupferstich von Lazarus Gottlieb Sichling nach dem Gemälde von Anton Graff

Körner wurde in den zwei Jahren des Zusammenseins auch für spätere Zeiten der Freund Schillers. Nicht nur hatte er ihn aus wirtschaftlicher Bedrängnis erlöst, sondern als der Ältere und Erfahrenere Schiller auch in geistigen Fragen zur Seite gestanden. Körner hatte Schiller auf Kant hingewiesen, was für Schillers ganze Geisteshaltung entscheidend werden sollte.

79. Schiller zur Zeit seines Aufenthaltes bei Körner
Silberstiftzeichnung von Dora Stock, 1787

Die beiden Jahre von 1785 bis 1787 mit Körner in Leipzig und Dresden dürfen als Schillers glücklichste Zeit bezeichnet werden. Aus den traurigen Mannheimer Verhältnissen erlöst, war Schiller von einem anregenden Freundeskreis umgeben und konnte sich sorglos seinen Arbeiten widmen. Der poetische Ausdruck dieser glücklichen Verhältnisse wurde die Hymne „An die Freude".

in unserer Gewalt, wir haben unser Vermögen nicht gekannt — dieses Vermögen ist die Zeit. Eine gewissenhafte, sorgfältige Anwendung dieser kann erstaunlich viel aus uns machen." Er befolgte selber, was er dem andern riet. Er arbeitete fleißig an der „Geschichte der Befreiung der Niederlande" und legte sich auf, täglich zehn und zwölf Stunden Quellenforschung zu treiben. Die Arbeit widerum stärkte sein Selbstbewußtsein. Wenn seine Urteile über die Weimaraner, die ihm so wenig entgegenkamen, anfänglich schroff und gereizt lauteten, so werden sie jetzt ruhiger, gelassener. „Seit ich", erkannte er selber, „mit mir selbst einig bin, finde ich auch außer mir mehr Freude." Aber es war auch nicht zu verachten, daß Wieland ihn zur Mitarbeit am „Deutschen Merkur" einlud und ihm hohe Honorare in Aussicht stellte.

Alle diese Erfahrungen genügten der einen Seite seiner Natur: dem strebenden Willen. Bald vermochte auch sein Gemüt aufzublühen durch seinen Verkehr im Hause Lengefeld. Im Dezember 1787 hatte er, nach einem Besuch bei Frau von Wolzogen in Bauerbach, durch deren Sohn Wilhelm dessen Verwandte in Rudolstadt, Frau Luise von Lengefeld und ihre Töchter Caroline und Lotte, kennengelernt.

Frau von Lengefeld hatte 1776 ihren Mann verloren, der als Landjägermeister in fürstlich-schwarzburgischen Diensten gestanden. Sie war eine Frau von großer Güte und hoher Bildung, aber auch von einem ausgeprägten Sinn für höfische Form; sie war später Prinzessinnenerzieherin und Oberhofmeisterin in Rudolstadt. Ihren beiden Töchtern hatte sie eine mehr als übliche Bildung zu geben gesucht. So hatte sie mit ihnen, um sie geläufig französisch sprechen zu lehren, ein Jahr lang in Vevey am Genfer See gelebt. Die ältere war dann mit sechzehn Jahren einem Herrn von Beulwitz verlobt worden, die jüngere sollte bei der Herzogin Luise in Weimar Hofdame werden.

Caroline war die geistig bedeutendere von beiden, aber sie war auch weniger harmonisch und innerlich geordnet als ihre Schwester; in manchen Zügen erinnert sie an Charlotte von Kalb. Ihre Ehe mit Beulwitz mußte nach einigen Jahren gelöst werden. 1794 heiratete sie ihren Vetter Wolzogen, fand aber auch in dieser Verbindung kein dauerhaftes Glück. Nun suchte sie in der Schriftstellerei Befriedigung. Sie hatte in Zeitschriften Schilderungen ihrer Erlebnisse in der Schweiz veröffentlicht. Später schrieb sie einen Roman, „Agnes von Lilien", dessen erster Teil Schiller in den „Horen" abdruckte, ein zweiter Roman, „Cordelia", erschien 1840.

Lottes geistige Begabung trat weniger hervor, als die ihrer Schwester. Sie schwieg meist in deren Gesellschaft und ließ Caroline reden. Dafür besaß sie die Gabe treuer und liebevoller Hingabe. Die Natur des Weibes wirkte lebendiger und ursprünglicher in ihr als in ihrer Schwester. Aber auch sie lebte in der reichen Bildung der Zeit. Sie hatte nicht nur die bekannten empfindsamen Romane gelesen wie Richardsons „Clarissa Harlowe" und „Sir Charles Grandison" und Gellerts „Schwedische Gräfin", Rousseaus „Nouvelle Héloïse", Goethes „Werther" und Millers „Siegwart", sondern auch ernsthafte und gewichtige geschichtliche Werke,

wie Gibbons „History of the Decline and Fall of the Roman Empire",
Plutarchs Biographien und Shaftesburys Essais. Aber die Kenntnis solcher
Werke störte ihre weibliche Natur nicht und riß sie nicht aus ihrer Welt.
Sie vergaß, wie sie einmal sagte, über den schöngeistigen Büchern ihren
Strickstrumpf nicht, der immer ihre Hände mitbeschäftigte. So diente die
Lektüre, statt sie unzufrieden zu machen, nur dazu, sie innerlich zu
bereichern; denn sie vermochte alles, was sie las, sich organisch anzueignen
und mit gesundem Gefühl zu durchdringen. Sie blieb so immer bei sich
selber und fand oft die glücklichsten und feinsten Wendungen zur Charakteristik von Menschen und Werken. Wie bezeichnend für sie wie für
den Besprochenen ist etwa ein Urteil über Herder: „Ich glaube wohl, daß,
wenn man Herders Schriften mit Nachdenken liest, es einem oft vorkommt, seine wahre Meinung lange unter den blumigsten Worten zu
suchen, und am Ende findet man vielleicht weniger, als man suchte. Eine
Geschichte der Menschheit wäre wohl schon interessant, ohne so viele
Auszierung, seine harmonische Sprache reißt einen oft hin und gefällt,
man denkt, seinen Sinn gefaßt zu haben, und es ist am Ende doch nicht
so. In seinen Gedichten ist viel Anziehendes auch für mich, er hat oft
so sanfte, liebliche Bilder und einen traurigen Ton, der in mancher Stimmung viel gibt; ich habe viele seiner Gedichte sehr gern." Oder wie treffend ist ihr Urteil über Lafontaine: „Ich bin über die Fabeln von Lafontaine geraten und freue mich über seine Einfachheit und Natur. Man sollte
solche Bücher nicht Kinder lesen lassen, die das eigentlich Schöne darin nie
finden werden, und dann gefällt es selten." Ihrem schlichten Wesen sagte
die Stelle einer Hofdame, die ihre Mutter ihr zugedacht hatte, keineswegs
zu. Einmal, wie sie erkältet war, schrieb sie: „Ich war einige Tage nicht
wohl, die allzu strenge Kälte hatte meine Brust angegriffen, wie vielen
andern auch, und es machte mir so unheimlich. Gestern war ich bei Hof,
weil ich eben noch nicht ganz wohl war und daher nichts Interessantes
zu Hause vornehmen konnte; da trieb ich mich denn herum, es ist eben
kein Kompliment für den Hof, aber er soll auch keins von mir erwarten."

Begreiflich, daß Schiller sich von den beiden Schwestern aufs stärkste
angezogen fühlte. Seine Doppelnatur fand in ihnen ihre Befriedigung.
Caroline beschäftigte seinen Geist und regte seine Willenskraft an, Lotte
erquickte sein Gemüt. Seit jenem Besuch im Dezember 1787 hielt er durch
Besuche und Briefe die Beziehung aufrecht, und bereits regte sich in ihm
die Hoffnung auf dauernde Verbindung. „Ich führe eine elende Existenz",
schrieb er Körner am 7. Januar 1788, „elend durch den inneren Zustand
meines Wesens. Ich muß ein Geschöpf um mich haben, das mir gehört, das
ich glücklich machen kann und muß, an dessen Dasein mein eigenes sich
erfrischen kann ... Ich bedarf eines Mediums, durch das ich die andern
Freuden genieße ... Ich bin bis jetzt ein isolierter, fremder Mensch in der
Natur herumgeirrt und habe nichts als Eigentum besessen ... Ich sehne
mich nach einer bürgerlichen und häuslichen Existenz, und das ist das
einzige, was ich jetzt noch hoffe." Auf den Frühling mietete ihm Lotte in
der Nähe von Rudolstadt, in dem Dorfe Volkstädt an der Saale, eine

kleine Wohnung. Wenn er tagsüber fleißig gearbeitet hatte, traf er die Schwestern abends zum Spaziergang an der Saale oder besuchte sie in Rudolstadt. In den Briefen wächst die Vertraulichkeit des Tones. Er teilt den Freundinnen von seinen Arbeiten mit, liest ihnen aus Vossens Odyssee-Übersetzung vor und vermittelt ihnen die Bekanntschaft mit den griechischen Tragikern. Was sie ihm bedeuteten, sprach er nach einem gemeinsam verlebten Abend am 26. Mai 1788 aus: „Mehr solche Abende und in so lieber Gesellschaft — mehr verlange ich nicht. Rudolstadt und diese Gegend überhaupt soll, wie ich hoffe, der Hain der Diane für mich werden; denn seit geraumer Zeit geht mir's wie dem Orest in Goethes „Iphigenia", den die Eumeniden herumtreiben... Sie werden die Stelle der wohltätigen Göttinnen bei mir vertreten und mich vor den bösen Unterirdischen beschützen."

Aber welcher der beiden Schwestern gehörte seine Liebe? Seine Briefe sind an beide gerichtet, und gerade die gehaltvollsten und leidenschaftlichsten gelten Caroline. Wie er bereits mit Lotte verlobt ist, redet er, in einem gemeinsamen Briefe an beide, Caroline zuerst an: „O meine teuerste Caroline, meine teuerste Lotte." Darf hier von einer Doppelliebe gesprochen werden, und Schiller wäre ein zweiter Bürger geworden? In der Zeit, da er mit Lotte bereits verlobt war, im Januar 1790, trafen Schiller und Lotte, Wilhelm von Humboldt, Caroline von Beulwitz und Karl von La Roche, der Sohn der Sophie, in Weimar zusammen. Von diesem Zusammensein hat Humboldt seiner Braut, Caroline von Dacheröden, berichtet: „Schiller wurde in den ersten Stunden vertraut, d. h. er genierte sich nicht. Aber die Art, wie sie untereinander sind, drückte mich oft. Wenn ich Caroline ansah, über ihn hingelehnt, das Auge schwimmend in Tränen, den Ausdruck der höchsten Liebe in jedem Zuge — ach ich kann's dir nicht schildern, wie mir's dann war. Denn es war kein freies Äußern, kein Hingeben in die Empfindung, alles gehalten, gespannt... Lotten gibt auch die Liebe kein Interesse; sie war an seiner Seite wie fern von ihm. Er gegen Beide? Hast du ihn nie Caroline küssen sehen und dann Lotten?"

Das scheint in der Tat, auch wenn man das reichere Gefühlsleben und die größte Aufgeschlossenheit der Menschen jener Zeit in Rechnung zieht, auf eine Doppelliebe, ja auf ein zweideutiges Verhalten Schillers hinzuweisen. Es gab auch wirklich Zeiten, wo er an ein Zusammenleben zu Dreien dachte. Man kann sich wohl denken, daß Schiller in der Unsicherheit seines so lange verhaltenen Gefühlslebens seine Liebe zwischen beide Schwestern teilte.

Indes vollzog sich das ganze Geschehen in einer tieferen seelischen Ebene. Offenbar haben Humboldt und La Roche einen Ton ausgelassener Genialität in das Zusammensein hineingetragen, der wohl Caroline behagte, der aber Schiller und Lotte abstieß. Humboldt selber fand, daß die Gespräche mit Schiller nicht weniger leer oder doch von sehr kaltem Interesse gewesen seien. Und Lotte schrieb am 3. Januar an Schiller, nach dessen Rückreise nach Jena: „Unser Zusammenleben die paar Tage war mir nicht so wohltuend wie sonst, wenn wir allein sind; die anderen sind so unruhig gewesen, Karl und Wilhelm, und ich weiß nicht, sie haben mir auch einen Geist des Herumtreibens eingebracht, und ich genoß deiner lieben Gegenwart nicht so schön wie sonst. Es werden noch ruhige Tage kommen, wo ich dir, hoffe ich, das Gefühl meiner Liebe recht klar, recht fühlbar machen kann. Es könnte mich oft drücken, wenn ich nicht den unwandelbaren Glauben an deine Liebe in meiner Seele trüge, daß ich so wenig dir sagen, ausdrücken kann, wie mein Herz dich umschließt, mein Geliebter, und ich könnte zuweilen deswegen fürchten, daß dein Herz meine Liebe nicht so heiß auffassen könnte, wie ich sie dir möchte fühlbar machen." Schiller bestätigte den Eindruck Lottes in einem Brief an beide Schwestern: „Es ist mir gar lieb, daß auch ihr es gefühlt habt, meine Lieben, wie wenig eigentlich bei unserem letzten lärmenden Beisammensein für unser Herz gewonnen worden ist. Es war wirklich Zeit, daß wir uns trennten. Nichts Schlimmeres könnte uns je begegnen, als in unserer eigenen Gesellschaft Langeweile zu empfinden, und es war nahe dabei. Der Himmel verschone uns davor, daß wir je, alle sechse, zusammenleben." Es mochte Zeiten geben, wo in Lotte, angesichts der größeren geistigen Lebhaftigkeit ihrer Schwester, Zweifel aufstiegen, ob sie auch wirklich Schiller genüge. Dergleichen Bedenken zerstreute er in dem Briefe vom 15. November 1789, in dem er klar sein Verhältnis zu beiden Schwestern feststellte: „Caroline ist mir näher im Alter und darum auch gleicher in der Form unserer Gefühle und Gedanken. Sie hat mehr Empfindungen in mir zur Sprache gebracht als du, meine Lotte — aber ich wünschte nicht um alles, daß dieses anders wäre, daß du anders wärest, als du bist. Was Caroline vor dir voraus hat, mußt du von mir empfangen; deine Seele muß sich in meiner Liebe entfalten, und mein Geschöpf mußt du sein, deine Blüte muß in den Frühling meiner Liebe fallen. Hätten wir uns später gefunden, so hättest du mir diese schöne Freude weggenommen, dich für mich aufblühen zu sehen." Man sieht, nur Lotte entsprach dem Ideal der Frau und der Ehe, das sich Schiller gebildet hatte; er konnte nur sie wirklich lieben.

Aber wie durfte der Bürgerliche, Mittel- und Beruflose es wagen, um die Hand des adeligen Fräuleins zu werben, dessen Mutter Schiller achtete, aber daneben ein ausgesprochenes Standesbewußtsein besaß und, auch wenn sie in die Verbindung einwilligte, nicht reich genug war, für die Existenz des jungen Paares zu sorgen?

Schillers Ernennung zum außerordentlichen Professor der Geschichte in Jena beseitigte diese Hindernisse. Im Herbst 1788 war seine „Geschichte des Abfalls der vereinigten Niederlande" erschienen. Zur gleichen Zeit hatte Professor Eichhorn, der Historiker, einen Ruf nach Göttingen angenommen, und man hatte Schiller die erledigte Professur angeboten. Im Dezember hatte Goethe als Kurator der Universität ein „gehorsames Promemoria" an das Geheime Konsilium gerichtet, worin er Schiller für die Stelle empfahl, der sich durch seine Schriften einen Namen erworben und besonders neuerdings durch seine „Geschichte des Abfalls der vereinigten Niederlande" Hoffnung gegeben habe, daß er das historische

Fach mit Glück bearbeiten werde. Die Stelle war zunächst ohne Besoldung, aber sie war Schiller willkommen, weil sie ihn in ein Staatswesen eingliederte und die Möglichkeit schuf, durch die Kollegiengelder und schriftstellerische Arbeiten das zum Leben Nötige zu erwerben. Jetzt fand sich auch Frau von Lengefeld bereit, ihm ihre Tochter zu geben. Am 22. Februar 1790 wurde das Paar in Wenigenjena getraut, und dann zog es in die Junggesellenwohnung, die Schiller bis dahin innegehabt hatte. „Was für ein schönes Leben führe ich jetzt", schrieb Schiller am 1. März an Körner, der gegenüber Schillers Heirat nicht ohne Bedenken war. Ich seh mit fröhlichem Geiste um mich her, und mein Herz findet eine immerwährende Befriedigung außer sich, mein Geist eine so schöne Nahrung und Erholung. Mein Dasein ist in eine harmonische Gleichheit gerückt; nicht leidenschaftlich gespannt, aber ruhig und hell gingen mir diese Tage dahin. Ich habe meiner Geschäfte gewartet wie zuvor, und mit mehr Zufriedenheit mit mir selbst."

Am 26. Mai 1789 hielt er seine erste Vorlesung über das Thema: „Was heißt Universalgeschichte?" Er hatte dafür des Philosophen Reinhold Hörsaal gewählt, der achtzig Plätze faßte. Schon eine halbe Stunde vor Beginn waren Vorsaal, Treppe und Flur mit Studenten gefüllt. Er mußte sich zum Umzug in den Saal des Theologen Grießbach entschließen, in dem vierhundert Personen Platz hatten, und da dieser am andern Ende von Jena lag, so wälzte sich die ganze Menge durch die Johannisstraße hinunter von einem Saal zum andern; die ganze Straße kam in Alarm, die Wache trat heraus, und man meinte, es sei Feuerlärm. Die große Zahl von Zuhörern hielt noch einige Zeit an; später verringerte sie sich auf ein paar Dutzend. Er pflegte je fünfstündige geschichtliche Privatkollegien zu halten und dazu einstündige öffentliche Vorlesungen über geschichtliche und ästhetische Stoffe. Es war eine gewaltige Arbeit, die er zu leisten hatte. Die Vorbereitung der Vorlesungen nahm ihm, der niemals regelrecht Geschichte studiert hatte und keine systematischen Kenntnisse mitbrachte, einen großen Teil seiner Zeit in Anspruch. Daneben war die schriftstellerische Fronarbeit zu erledigen, die helfen sollte, den Lebensunterhalt zu erwerben. Es waren kleinere Aufsätze für Wielands „Merkur" und die „Thalia". Dazu hatte er eine Geschichte des Dreißigjährigen Krieges begonnen. Das Glück seiner Ehe schien ihm eine unbeschränkte Arbeitskraft zu geben. Er saß bis vierzehn Stunden des Tages am Schreibtisch. Für die Sommerferien 1790 sandte er Lotte allein nach Rudolstadt und blieb selber bei seiner Arbeit in Jena. Erst vor Beginn des Wintersemesters gönnte er sich zwölf Tage Ferien.

Die Macht des Willens überstieg die Grenzen des Körpers. Als er in den Weihnachtsferien mit Lotte in Erfurt weilte, wo der Statthalter des Kurfürsten von Mainz, Karl Theodor von Dalberg, ihn am 3. Januar 1791 in die kurfürstliche Akademie der Wissenschaften aufnehmen ließ, wurde er bei dem darauffolgenden Festmahl plötzlich von heftigen Schmerzen in Brust und Unterleib befallen, so daß man ihn in einer Sänfte nach Hause bringen mußte. Die ärztlichen Mittel brachten Linderung, und er konnte wieder nach Jena zurückfahren. Zu Hause stellten sich die Schmerzen aufs neue ein. Die Krankheit dauerte Wochen und zwang zur Aufgabe der Vorlesungen auch für den Sommer. In den Pausen wurde gearbeitet. Der „Dreißigjährige Krieg" wurde gefördert, und aus ihm wuchs als neuer Dramenplan „Wallenstein" heraus. Im Mai warf ihn ein dritter Anfall nieder, und nun verordnete der Arzt eine Kur in Karlsbad. Sie bewirkte, daß er im Herbst die Vorlesungen wieder aufnehmen konnte. Daneben wurden zwei Bücher aus Vergils „Aeneis" übersetzt. Die Kosten, die die Krankheit verursacht, mußten eingebracht werden. Aber wie konnte er das mit den geschwächten Kräften? Doch es war, als ob sein Wille auch jetzt das Schicksal zu zwingen vermöchte.

Im Sommer 1790 hatte der dänische Dichter Jens Baggesen mit seiner Frau, einer Enkelin Hallers, Schiller in Jena besucht. Als er wieder nach Dänemark zurückgekehrt war, hatte er Schillers Ruhm verkündet und vor allem den Erbprinzen Friedrich Christian von Augustenburg durch eine Vorlesung des „Don Carlos" für Schiller begeistert. Da verbreitete sich, nach dem dritten Anfall der Krankheit, in Dänemark das Gerücht, Schiller sei gestorben. Baggesen veranstaltete mit Freunden, unter denen der dänische Finanzminister Ernst von Schimmelmann war, in einem Dorfe bei Helsingör eine Totenfeier. Er trug selber das „Lied an die Freude" vor, und Musik fiel weihevoll ein. Um so größer war der Jubel, als die Trauernachricht sich als Irrtum erwies. Ja, ein Brief Reinholds meldete, daß Schiller vielleicht ganz genesen könne, wenn ihm vergönnt wäre, sich für einige Zeit der strengen Arbeit zu enthalten. Nun wandte sich Baggesen an den Prinzen, und dieser setzte, im Verein mit dem Grafen Schimmelmann, dem Dichter auf drei Jahre ein jährliches Geschenk von tausend Talern aus. „Der Menschheit", so begründeten es die Geber, „wünschen wir einen ihrer Lehrer zu erhalten, und diesem Wunsche muß jede andere Betrachtung nachstehen."

Am 13. Dezember erhielt Schiller die Nachricht aus Kopenhagen. Am gleichen Tage teilte er seine Freude Körner mit: „Das, wonach ich mich schon, solange ich lebe, aufs feurigste gesehnt habe, wird jetzt erfüllt. Ich bin auf lange, vielleicht auf immer, aller Sorgen los; ich habe die längst gewünschte Unabhängigkeit des Geistes." Am 19. Dezember dankte er dem Prinzen und Schimmelmann: „Erröten müßte ich, wenn ich bei einem solchen Anerbieten an etwas anderes denken könnte, als an die schöne Humanität, aus der es entspringt, und an die moralische Absicht, zu der es dienen soll. Rein und edel, wie Sie geben, glaube ich empfangen zu können. Ihr Zweck dabei ist, das Gute zu befördern; könnte ich über etwas Beschämung fühlen, so wäre es darüber, daß Sie sich in dem Werkzeug dazu geirrt hätten. Aber der Beweggrund, aus dem ich mir erlaube, es anzunehmen, rechtfertigt mich vor mir selbst und läßt mich, selbst in den Fesseln der höchsten Verpflichtung, mit völliger Freiheit des Gefühls vor Ihnen erscheinen. Nicht an Sie, sondern an die Menschheit habe ich meine Schuld abzutragen. Diese ist der gemeinschaftliche Altar, wo Sie ihr Geschenk und ich meinen Dank niederlege."

Die großen Worte enthielten in Wahrheit eine Verpflichtung für ihn. Die Mahnung zu höherer Selbstbildung. Er wußte, wieviel ihm fehlte. Er habe, schrieb er Baggesen, den Schriftstellerberuf gewählt, ehe er ihm durch Kenntnisse und Reife des Geistes gewachsen gewesen sei. Aber er hatte stets seine Arbeitskraft zur Fristung des Lebens anspannen müssen. Jetzt gab ihm das dänische Geschenk endlich die Freiheit, an der Klärung seines Geistes zu arbeiten. Immer wieder hatte Körner ihn auf Kant hingewiesen. Hatte er zuerst, aus der Fülle seiner äußeren Nöte heraus, abgewehrt, so war ihm im Laufe der Zeit doch klar geworden, daß er sich mit Kant auseinandersetzen mußte. Schon am 5. März 1791 teilte er Körner mit, daß er Kants „Kritik der Urteilskraft" studiere, die ihn durch ihren lichtvollen, geistreichen Inhalt hinreiße und ihm das Verlangen beigebracht habe, sich nach und nach in seine Philosophie hneinzuarbeiten. Jetzt war die Zeit dazu gekommen. Am 16. Dezember bestellte er sich bei dem Buchhändler Crusius in Leipzig die „Kritik der reinen Vernunft", und am 1. Januar 1792 schrieb er Körner: „Ich treibe jetzt mit großem Eifer Kantische Philosophie und gäbe viel darum, wenn ich jeden Abend mit dir darüber verplaudern könnte. Mein Entschluß ist unwiderruflich gefaßt, sie nicht eher zu verlassen, bis ich sie ergründet habe, wenn mich dieses auch drei Jahre kosten könnte."

Er hatte den Denker gefunden, der, nach der Anlage seines Geistes, ihn auf seinem Wege zu fördern einzig imstande war.

Die Wirkung, die Kants kritische Philosophie auf Schiller hatte, war zunächst eine negative. Sie zerschnitt jenen gefährlichen Bund von Spekulation und Phantasie, den Philosophie bis dahin für ihn bedeutet hatte, trennte den Denker vom Dichter und lehrte jenen kritisch denken und mit gehöriger Zucht seine Gedanken entwickeln. Die ästhetischen Schriften, die Schiller im Anschluß an sein Kantstudium verfaßt hat, leiden, soweit sie sich auch im einzelnen von Kant entfernen, nicht mehr an jener Verschwommenheit und Übersteigenheit wie die „Philosophischen Briefe", sondern bewegen sich streng und maßvoll auf der Bahn logischer Entwicklung. Er hat durch Kant — und hier wandelt sich die negative Wirkung in eine positive — wissenschaftlich arbeiten gelernt.

Aber er blieb auch jetzt er selber, und dies so sehr, daß man sowohl Kant wie Schiller unrecht tut, wenn man ihn einen Kantianer nennt. Er hat, wie man das bei Schiller nicht anders erwarten kann, Kant mit eigenen Augen gelesen und nur das aus seiner Philosophie genommen, was ihn in der angeborenen Eigenart seines Geistes zu fördern vermochte. Er hat in Kantische Gedanken eigene hineingewoben, die grundsätzlich kaum zu ihnen paßten, ja er hat gegenüber Kant in wichtigen Fragen seinen eigenen Standpunkt geltend gemacht; denn er las Kant als Dichter, und er war sich immer bewußt und betonte es um so stärker, je weiter er in dem Studium Kants vordrang, daß er nicht Philosoph, sondern Künstler war. Trotzdem darf man sagen, daß Kant ihm durch seine reinigende Kritik unschätzbare Dienste geleistet hat.

Zunächst hat Kant den Geschichtsschreiber gefördert durch zwei wich-

tige geschichtsphilosophische Aufsätze, die er in der „Berlinischen Monats-
schrift" 1784 und 1786 veröffentlicht hatte: „Idee zu einer allgemeinen
Geschichte in weltbürgerlicher Absicht" und „Mutmaßlicher Anfang der
Menschengeschichte". Kant greift darin den Widerspruch auf, der durch
das geschichtsphilosophische Denken des 18. Jahrhunderts hindurchgeht.
Der Aufklärung war die Idee des Fortschrittes eingeboren. Man war der
Überzeugung, daß der Mensch kraft seiner Vernunft die menschliche
Kultur geschaffen habe, und daß er auf dem Wege sei, mit ihr höher und
höher zu steigen und sich aus dem anfänglichen Zustande der Barbarei
zu höchster Bildung und — was dem Vernunftgläubigen dasselbe bedeutete — zu höchster Glückseligkeit emporzuarbeiten. Diesem Vernunft-
und Entwicklungsglauben hatte Rousseau in seinen geschichtsphilosophischen Aufsätzen die Idee von dem verderblichen Einflusse der Vernunftbildung entgegengesetzt. Für ihn bedeutet der anfängliche Naturzustand
der Menschheit nicht rohe Barbarei, sondern Reinheit, Ursprünglichkeit,
Wahrheit und Güte, und die Geschichte der Menschheit ist ihm nicht ein
Emporsteigen zu höherer Bildung und Glückseligkeit, sondern ein Herab-
sinken zu Verworfenheit und Unglück.

Kant verbindet beide Ansichten. Im ersten Aufsatz stellt er als den in
der Anlage des Menschen gegebenen Plan der Natur die Heranbildung
einer vollkommenen Staatsverfassung hin, in der alle Gaben des Menschen
sich entwickeln können. Aufgabe der Geschichte ist es, diesen Plan zu
einer vollkommenen bürgerlichen Vereinigung zu verwirklichen. Im
zweiten Aufsatz werden die einzelnen Stufen dieser Entwicklung dargelegt
Auf der ersten steht der Mensch unter der Leitung des Naturinstinktes.
Die Geschichte der Natur fängt vom Guten an; denn sie ist das Werk
Gottes. Die zweite Stufe ist das Zeitalter der Vernunft. Die Geschichte der
Vernunft fängt vom Bösen an; sie ist das Werk der Menschen. Der Abfall
von der Natur führt zu Üppigkeit. Eine Zivilisation bildet sich aus. Ihre
Folge ist Unzufriedenheit mit der Vorsehung. Die dritte Stufe ist das nur
in der Sehnsucht existierende goldene Zeitalter, in dem der Glückszustand
der ersten Stufe durch die bewußten Kräfte der Vernunft wieder hergestellt wird.

Diese Kantische Konstruktion entsprach Schillers geschichtsphilosophischem Bedürfnis in ganz besonderem Maße. Der Gegensatz in seinem
Innern fand durch sie eine Erklärung und Auflösung, indem er in eine
zeitliche Folge von Entwicklungsstufen umgewandelt wurde. Die gegensätzlichen Mächte waren zur Harmonie vereinigt im Naturzeitalter; sie
trennten sich unter der Herrschaft der Vernunft, und sie strebten wieder
zusammen in dem Glauben an das goldene Zeitalter. In dem philosophischen Gedicht „Der Spaziergang" stellt Schiller diesen dreigeteilten Gang
der menschlichen Bildung dar. Aber auch in der Schrift über naive und
sentimentale Dichtung klingt er, ins Ästhetische gewendet, nach.

Doch die geschichtsphilosophischen Aufsätze waren nur der Eingang zu
Kants eigentlicher Philosophie. Was diese ihm bedeutete, hat Schiller gegenüber Körner am 18. Februar 1793 ausgesprochen: „Es ist gewiß von

keinem Sterblichen kein größeres Wort gesprochen worden, als dieses Kantische, was zugleich der Inhalt seiner ganzen Philosophie ist: Bestimme dich aus dir selbst. Sowie das aus der theoretischen Philosophie: Die Natur steht unter dem Verstandesgesetze. Diese große Idee der Selbstbestimmung strahlt aus gewissen Erscheinungen der Natur zurück, und diese nennen wir Schönheit." Er war mit einem wenig klaren Begriff der Schönheit — und das ist die erste Frage, die er an Kant stellte — an das Studium des Philosophen herangegangen. Zwar hatte er sich von Moritz sagen lassen, daß der Künstler ohne jede belehrende Absicht in Analogie mit dem Hervorbringen der Natur aus seiner Naturanlage seine Werke schaffe. Allein Moritzens Aufsatz über die „Bildende Nachahmung des Schönen" ist wenig glücklich in der Darstellung und ohne grundsätzliche logische Festigung des darin dargelegten Standpunktes. Von seinem Studium der Aufklärungsästhetik her und aus der Macht seines eigenen sittlichen Willens war in Schiller immer noch die Idee von der Pflicht des Künstlers zu erziehen, wie er sie in dem Jugendaufsatz über die Schaubühne als moralische Anstalt niedergelegt und in seinen Sturm- und Drangdramen zu verwirklichen gesucht hatte. Noch sein „Don Carlos" hatte durch die Verkündigung der Idee der Gedankenfreiheit auf die Zeit zu wirken gestrebt.

Jetzt fand er in Kants „Urteilskraft", zu der er zuerst griff, die Bestimmung des Schönen als „interesseloses Wohlgefallen" und statt der äußerlich utilitaristischen Zweckmäßigkeit der Aufklärungsästhetik die Idee der inneren Zweckmäßigkeit im Sinne der Organisation im Kunstwerk. Er nahm diese Erkenntnis auf, aber er konnte sich nicht mit der bloß formalen Bestimmung der Schönheit bei Kant begnügen. Er mußte als lebenig Schaffender, nicht als abstrakt denkender Philosoph, auf seine eigene Natur zurückgreifen. Er fand in ihr den Kampf zwischen Sinnlichkeit und Vernunft und nahm aus ihm die Bestimmung der Schönheit. Im Februar 1793 entwickelte er in langen Briefen Körner seine Ansichten. Sie sollten das Präludium zu einem umfassenden ästhetischen Werke sein, dem er den Namen „Kallias" geben wollte. Es kam nicht zustande; aber aus den Briefen erkennen wir Schillers Absicht. In dem Werke der Kunst, so führte er aus, lebt der Künstler als freie Persönlichkeit. Diese gibt ihm den Charakter der Selbstbestimmung als Widerschein ihrer eigenen sittlichen Freiheit. Aber diese Freiheit stellt sich in sinnlicher Gestalt dar. Sie wirkt nicht nur gedanklich auf unsern Verstand, sondern auch auf unser Gefühl durch sinnliche Bilder. Alles erscheint uns als schön, von dem wir das Gefühl haben, daß es in innerer Zweckmäßigkeit frei aus sich selber lebe. Sinnlichkeit und Vernunft erscheinen in dem Kunstwerk zur Harmonie vereinigt. „Freiheit in der Erscheinung" ist seine Bestimmung.

Im gleichen Jahre nahm Schiller in dem Aufsatz über „Anmut und Würde" diese Gedanken wieder auf. Wieder geht er von dem psychologischen Gegensatz Sinnlichkeit und Vernunft aus. Zwei Zustände unterscheidet er zuerst: Unterdrückung der Sinnlichkeit durch die Vernunft; Unterdrückung der Vernunft durch die Sinnlichkeit. Im ersten Zustand herrscht der Zwang. Die Freiheit fehlt. Er gleicht der politischen Form der despotischen Monarchie. Im zweiten Zustand beherrscht die Materie den Geist. Die Freiheit ist in Zügellosigkeit ausgeartet. Er gleicht der politischen Form der Ochlokratie, der Massenherrschaft. Anmut ist weder im ersten noch im zweiten Zustand zu finden. Sie entsteht erst aus der Harmonie von Sinnlichkeit und Vernunft, von Stoff und Form.

Schiller ist sich wohl bewußt, daß er mit dieser Bestimmung, die an Shaftesbury erinnert, in schroffen Gegensatz zu Kant und seinem ethischen Rigorismus, d. h. der Ausscheidung des sinnlichen Vergnügens aus dem moralischen Handeln, gerät. Kant, sagt er, habe die Idee der Pflicht mit einer Härte vorgetragen, die alle Grazien davon zurückschrecke und einen schwachen Verstand leicht verleiten (im Text: versuchen) könnte, auf dem Wege einer finstern und mönchischen Asketik, die moralische Vollkommenheit zu suchen. „Über die Sache selbst kann, nach den von ihm geführten Beweisen, unter denkenden Köpfen, die überzeugt sein wollen, kein Streit mehr sein, und ich wüßte kaum, wie man nicht lieber sein ganzes Menschsein aufgeben, als über diese Angelegenheit ein anderes Resultat von der Vernunft erhalten wollte." Aber der Rigorismus Kants widerspricht der menschlichen Natur. Diese ist „ein verbunderes Ganze in der Wirklichkeit, als es dem Philosophen, der nur durch Trennen was vermag, erlaubt ist, sie erscheinen zu lassen. Nimmermehr kann die Vernunft Affekte als ihrer unwert verwerfen, die das Herz mit Freudigkeit bekennt ... Wäre die sinnliche Natur im Sittlichen immer nur die unterdrückte und nie die mitwirkende Partei, wie könnte sie das ganze Feuer ihrer Gefühle zu einem Triumph hergeben, der über sie selbst gefeiert wird?"

Man soll nicht sagen, daß Schiller Kant mißverstanden habe. Schiller hat im Gegenteil den Kantischen Pflichtbegriff mit einer großen Klarheit herausgestellt. Aber er kann ihn sich nicht zu eigen machen, weil er nicht methodologisch das Ganze der menschlichen Natur nach einzelnen philosophischen Fragestellungen zerschneidet und jeden Teil gesondert betrachtet, sondern weil er es als das Ganze nimmt und beurteilt. Sein Standpunkt also ist nicht der logische, sondern der psychologische. Er kennt einen Höhepunkt der Ausgleichung von Sinnlichkeit und Vernunft, Neigung und Pflicht, den er als „Schöne Seele" bezeichnet. „Nur im Dienste einer Schönen Seele kann die Natur zugleich Freiheit besitzen und ihre Form bewahren, da sie erstere unter der Herrschaft eines strengen Gemüts, letztere unter der Anarchie der Sinnlichkeit, einbüßt."

Aber, und damit kommt Schiller zu der zweiten Frage, die ihn beschäftigt, die Stufe der Schönen Seele ist ein Idealzustand, der immer wieder von der physischen Natur des Menschen gestört wird. In dem beständigen Kampf zwischen Sinnlichkeit und Vernunft hat der Mensch seine Vernunft zu behaupten. Er darf nicht tun, was die Begierde will, sondern was das Pflichtgebot fordert. Kann er nicht moralisch schön handeln, soll er moralisch groß handeln. Erhabenheit zeigen in seiner Gesinnung. Der Ausdruck dieser erhabenen Gesinnung ist Würde: „Anmut liegt also in der Freiheit der willkürlichen Bewegungen; Würde in der

Beherrschung der unwillkürlichen. Die Anmut läßt der Natur da, wo sie die Befehle des Geistes ausrichtet, einen Schein von Freiwilligkeit; die Würde hingegen unterwirft sie da, wo sie herrschen will, dem Geist." Man erkennt: es ist der Begriff des Tragischen, den Schiller in seiner Gegenüberstellung von Anmut und Würde gefunden hat.

Mit der Bestimmung der Schönheit als Harmonie von Pflicht und Neigung hat Schiller nun drittens die Möglichkeit gewonnen, auf der höheren Ebene seine Lieblingsvorstellung von der bildenden Wirkung der Kunst wieder aufzunehmen. Auch in dieser Auseinandersetzung ist Kantisches neben Schillerischem Gedankengut. Aus der „Kritik der praktischen Vernunft" hat er sich den Gedanken zu eigen gemacht, daß die gute Tat, wenn sie schon nicht um der Belohnung willen getan wird, doch in der Zuversicht getan werden kann, daß die Belohnung als Folge sich einstellen werde. Entsprechend hat das Kunstwerk bei Schiller nicht den Zweck zu bilden, wohl aber kann die Bildung als Folge des ästhetischen Verhaltens sich einstellen. Aus Schillers eigener Gedankenwelt stammt die Bestimmung des Kunstwerkes als Harmonie von Sinnlichkeit und Vernunft oder Freiheit in der Erscheinung. Das Werk, worin er diese Frage behandelte, sind die „Briefe über die ästhetische Erziehung des Menschen", die, als Dank an den Prinzen von Augustenburg, 1793/94 entstanden. Zugleich aber auch als Mahnung an die Zeit, die, in den Wirren der französischen Revolution, den Besitz an sittlicher Bildung zu verlieren drohte, den die Jahrhunderte ihr überliefert hatten. Schiller erfuhr es in seiner nächsten Nähe. Die Studenten in Jena forderten mehr Freiheit und suchten ihre Rechte von den Behörden durch Aufruhrszenen zu ertrotzen. Schiller aber stellte sich dagegen. Jetzt hatte die Vernunft über die Sinnlichkeit zu siegen. Im Senat, als einer der Professoren zum Nachgeben riet mit der Begründung: Aus einem Studenten könne noch alles werden, widersprach Schiller: Das sei eben der Beweis dafür, daß die Studenten noch nichts seien. Es erfüllte ihn mit gemischten Gefühlen, als er durch den „Moniteur", das Regierungsblatt der Revolution, 1792 erfuhr, daß er zum Citoyen français ernannt worden sei: die „Räuber" waren, in der französischen Bearbeitung des Elsässers La Martelière, unter dem Titel „Robert chef de brigands" unter der jauchzenden Begeisterung der Massen als Kundgebung der Revolution in Paris aufgeführt worden.

Schiller knüpft an die Ereignisse in Paris an, wo, wie man glaubt, das große Schicksal der Menschheit verhandelt werde. Dann wendet er die uns nun bekannten Gegensätze Sinnlichkeit und Vernunft auf die politische Frage an und unterscheidet den Naturstaat, den das bloße gesellschaftliche Bedürfnis bestimmt und die Naturkräfte beherrschen, von dem Vernunftstaat, worin das Sittengesetz herrscht. Zu diesem Vernunftstaat müssen die Menschen erzogen werden. Dies kann durch die Schönheit geschehen, die die Vereinigung von Sinnlichkeit und Vernunft darstellt. Die Wirkung der Schönheit besteht in der Herstellung der Harmonie als des seelischen Gleichgewichtes, und zwar entsprechend den in ihr enthaltenen zwei Elementen, nach zwei Richtungen: durch das sinnliche

Element lockert sie den geistig angespannten Menschen, durch das geistige gibt sie dem sinnlich erschlafften Energie. Sie macht den sinnlichen Menschen empfänglich für die Stimme der Vernunft, den vernünftigen für die Stimme des Gefühls. Sie wirkt so als Symbol des Sittlichen. Indem der Mensch durch die Schönheit sittlich frei wird, bestimmt diese Haltung sein Leben in Gesellschaft und Staat. „Wenn in dem dynamischen Staat der Rechte der Mensch dem Menschen als Kraft begegnet und sein Wirken einschränkt — wenn er sich ihm in dem ethischen Staate der Pflichten mit der Majestät des Gesetzes entgegenstellt und sein Wollen fesselt, so darf er ihm im Kreise des schönen Umgangs, in dem ästhetischen Staat nur als Gestalt erscheinen, nur als Objekt des freien Spiels gegenüberstehen. Freiheit zu geben durch Freiheit ist das Grundgesetz dieses Reichs."

Soll man dieses Bild des harmonischen Menschen und des vollkommenen Staates als Wunschtraum eines weltfremden Idealisten oder als das Ziel aller Menschheits- und Völkerentwicklung bezeichnen? Schillers eigenes Zukunftsbild ist durchaus geschichtlich bestimmt. Wenn er sich einerseits den Gewalttätigkeiten und den Staatsreformen der französischen Revolution widersetzt, so müßte er anderseits nicht Schiller sein, müßte seine ganze Jugend unter dem Druck eines unwürdigen Despoten vergessen haben, wenn nicht auch er sich tragen ließe von jenen hohen Hoffnungen auf Weltverbesserung, die, als Erbe der Aufklärung, die Zeitgenossen der Französischen Revolution beseelten. Der absolute Staat, der Staat des Zwanges, der sich anmaßte, das Leben der Untertanen bis in die letzten Bedürfnisse des Alltags zu lenken, mußte überwunden werden. Aber auch mit Kant konnte Schiller nicht einverstanden sein, wenn er den Menschen unter die Herrschaft eines rigorosen Sittengesetzes stellte und die freie Neigung des Gefühls unterdrückt wissen wollte. Er hatte in der Bildung seiner eigenen Persönlichkeit die sinnlich-gefühlsweiche und die sittlich-vernünftige Seite seines Wesens zur harmonischen Ausgleichung gebracht und in ihr Beruhigung im Menschlichen und Befruchtung des geistigen Schaffens, das Ziel der klassischen Kunst, gefunden. Nun stellt er, was er aus eigenem rastlosem Streben für sich selber erreicht hat, als Ziel und Ideal für die nach einer besseren Zukunft ausschauende Menschheit hin. Es ist ein echt Schillerscher Gedanke, daß die Schönheit nicht jenseits des tätigen Lebens auf himmelfernen Wolken schweben soll, sondern daß sie mitten in dem Leben wirksam zu sein habe, als ästhetische Bildung, als Gleichgewicht zwischen dem Sinnlichen und dem Vernünftigen, als Symbol des Sittlichen.

4. SCHILLER IN DER FREUNDSCHAFT MIT GOETHE

„Denn er war unser!“
Goethe

Die Freundschaft mit Schiller war für Goethe das beglückendste und förderndste Ereignis seiner reifen Mannesjahre, ohne daß man sagen darf, daß der Gang seiner Entwicklung durch sie eine entscheidende Wendung erfahren habe. Für Schiller aber war die Freundschaft mit Goethe geradezu das Ziel seines Lebens, die Bestätigung seines menschlichen und geistigen Wertes, der Gewinn höchster dichterischer Reife in dem klassischen Kunstbegriff. Er bildete sich von dem entscheidenden Wendepunkt seines Werdens an, etwa seit der Mitte der achtziger Jahre, an dem großen Vorbild Goethes empor. Er strebte, durch Tüchtigkeit und Klugheit in seine Nähe zu kommen. Er ist so, was er als Dichter ist, zu einem großen und wichtigen Teil durch Goethe geworden, nicht durch die Nachahmung Goethes; denn das hätte seiner kraftvoll nach eigenem Gesetze lebenden Persönlichkeit nicht entsprochen; vielmehr in der Auseinandersetzung und im Gegensatze zu Goethe, im Wetteifer um das eine Ideal der hohen Kunst.

Er war im Sommer 1793 mit seiner Frau in die Heimat gereist, um die alten Eltern wiederzusehen. Er wagte die Reise, trotzdem zwei Briefe, die er an Karl Eugen geschrieben, ohne Antwort geblieben waren. Der Herzog werde ihn ignorieren, hatte man ihm gesagt. Aber die früheren Erfahrungen mahnten zur Vorsicht und empfahlen, sich zunächst an der Grenze, in Heilbronn, zu halten. Der Herzog starb wenige Monate nach Schillers Ankunft in Schwaben. Nun konnte er sich frei bewegen, besuchte seine Familie und seine alten Freunde in Ludwigsburg, Stuttgart und Tübingen: Petersen, von Hoven, Abel. Mit Stäudlin kam es zur Aussöhnung. Ehrenvoll empfing ihn die Karlsschule kurz vor ihrer Aufhebung. Dannecker formte seine Büste, Ludowika Simanowitz malte ihn. Am folgenreichsten war die Anknüpfung mit dem Verleger Johann Friedrich Cotta in Tübingen. Auf Cottas Wunsch, die Leitung einer politischen Zeitung zu übernehmen, ging Schiller nicht ein. Er plante, da die literarisch-ästhetische Bildung ihm näher stand als die politische Tätigkeit, eine Zeitschrift geistigen Inhaltes. Nach der Rückkehr nach Jena kam im Juni 1794 die Gründung der „Horen“ zustande, die als Monatszeitschrift zu Anfang 1795 erscheinen sollte.

Sie wurde die klassische Zeitschrift der Deutschen. „Sie wird sich“, heißt es in der Ankündigung, „über alles verbreiten, was mit Geschmack und philosophischem Geiste behandelt werden kann, und also sowohl philosophischen Untersuchungen als poetischen und historischen Darstellungen offenstehen. Alles was entweder bloß den gelehrten Leser interessieren oder was bloß den nichtgelehrten befriedigen kann, wird davon ausgeschlossen sein; vorzüglich aber und unbedingt wird sie sich alles verbieten,

*Das Schiller-Bildnis
von Gottfried Schadow, 1804*

was sich auf Staatsreligion und politische Verfassung bezieht. Man widmet sie der schönen Welt zum Unterricht und zur Bildung und der gelehrten zu einer freien Forschung der Wahrheit und zu einem fruchtbaren Umtausch der Ideen; und indem man bemüht sein wird, die Wissenschaft selbst, durch den inneren Gehalt, zu bereichern, hofft man zugleich den Kreis der Leser durch die Form zu erweitern." Das Programm entspricht ganz den Ideen der Briefe über die ästhetische Erziehung. Jenseits der politischen Fragen und Händel sollte ein Reich der ästhetischen Bildung errichtet werden, in dem sich alle freien Geister zu erhöhter Unterhaltung zusammenfinden würden. Dem Ziele entsprachen auch die Mitarbeiter, die Schiller anwarb: Historiker wie Woltmann, Philosophen wie Kant und Fichte; Kritiker wie Herder, Wilhelm von Humboldt, August Wilhelm Schlegel; Dichter wie Klopstock. Und diplomatisch zog er den Kreis nicht mit allzu wählerischer Ausschließlichkeit: von der Garde der Älteren wurden auch der Popularphilosoph Garve, Gotter, der Nicolai nahestehende Aufklärer J. J. Engel (der Verfasser des Familienromans „Herr Lorenz Stark und seine Söhne"), Gleim u. a. zur Mitarbeit eingeladen.

Vor allem aber lag Schiller an der Gewinnung Goethes. Er war mit der bestimmten Absicht nach Weimar gegangen, in die Nähe Goethes zu kommen, und es schmerzte ihn um so mehr, als er bemerken mußte, daß sich Goethe in freundlicher Ferne hielt. Sie hatten sich bald nach Goethes Rückkehr aus Italien im Hause der Frau von Lengefeld getroffen. Der Bericht, den Schiller davon an Körner sandte, zeigt das ungeheure Interesse, das er an allem nimmt, was Goethe angeht. Jedes Wort, das dieser von Italien berichtet, wird wiedergegeben. Aber zugleich ist er voll Groll und Enttäuschung über Goethes Unnahbarkeit, und später, wie Goethe sich ihm beharrlich verschließt, fällt das harte Wort: „Ein solches Wesen sollten die Menschen nicht um sich herum aufkommen lassen ... Ich betrachte ihn wie eine stolze Prüde, der man ein Kind machen muß, um sie vor der Welt zu demütigen" (2. Februar 1789). So lebten sie nebeneinander, ohne sich nahe zu kommen, während inzwischen Schiller durch die Geschichte und die Philosophie den Weg zurücklegte, den Goethe durch Naturwissenschaft und Kunst in Italien vollendet hatte. Es kann nicht anders sein, als daß Goethe dieses rastlose und großgemute Streben zur Höhe Eindruck machte. Er habe den redlichen und so seltenen Ernst, der in allem erscheine, was Schiller geschrieben und getan habe, immer zu schätzen gewußt, bekannte er später. Als Schiller ihm daher die Einladung zu den „Horen" sandte, erklärte er, „mit Freuden und von ganzem Herzen von der Gesellschaft sein" zu wollen, und versprach von seinen ungedruckten Sachen mitzuteilen. Gewiß werde eine nähere Verbindung mit so wackeren Männern, als die Unternehmer seien, manches, das bei ihm ins Stocken geraten sei, wieder in einen lebhaften Gang bringen.

Das Gespräch über die Metamorphose der Pflanzen brachte, ob auch die Gegensätze der Naturen gerade hier sich auftaten, eine weitere Annäherung. „Seien Sie versichert," schrieb Goethe am 25. Juli 1794, „daß ich mich auf eine öftere Auswechslung von Ideen mit Ihnen lebhaft freue." Es brauchte nur diese ausgestreckte Hand für Schiller, um sie lebhaft zu ergreifen. Am 23. August schrieb er jene tiefgreifende Charakteristik Goethes und seines Werdens, in der Goethe zum erstenmal sich völlig verstanden sah, noch mehr, die in ihm selber das Verlangen erregte, durch Schiller auch über den Gang seines eigenen Geistes bekannt zu werden. Aus Schillers Antwort spricht die Freude, Goethe endlich nahegekommen zu sein: „Nun kann ich hoffen, daß wir, soviel von dem Weg noch übrig sein mag, in Gemeinschaft durchwandern werden, und mit um so größerem Gewinn, da die letzten Gefährten auf einer langen Reise sich immer am meisten zu sagen haben." Eine Einladung Goethes, im September vierzehn Tage bei ihm zu verbringen, nahm Schiller mit Freuden an. Erst jetzt, in dem zweiwöchigen Zusammensein, erkannten sie, wie nahe sie sich schon standen. Als Schiller wieder zu Hause war, schrieb er am 29. September: „Es wird mir Zeit kosten, alle die Ideen zu entwirren, die Sie in mir aufgeregt haben; aber keine einzige, hoffe ich, soll verloren sein. Es war meine Absicht, diese vierzehn Tage bloß dazu anzuwenden, so viel von Ihnen zu empfangen, als meine Rezeptivität erlaubt; die Zeit wird es nun lehren, ob diese Aussaat bei mir aufgehen wird."

Damit ist die Freundschaft zwischen diesen beiden größten Dichtern der Deutschen eröffnet, ein Bund, der seinesgleichen sucht und, wenn man den natürlichen Gegensatz der Persönlichkeiten betrachtet, geradezu als ein Wunder erscheint. Aber der Gegensatz der Naturen wurde durch die Höhe der Bildung und die Größe des gemeinsamen Anliegens überwunden. Und so kann man die beiden zwei Planeten vergleichen, von denen jeder seine eigene Bahn zieht und sein besonderes Leben hervorbringt, die aber beide um die gleiche Sonne kreisen und von ihr das Gesetz ihres Wandelns erhalten. Über alle Reiche des Lebens und des Geistes erstreckt sich das Gespräch der beiden, wie es der Briefwechsel aufbewahrt. Goethe mag oft über den philosophischen Eifer den Kopf geschüttelt haben, mit dem Schiller gleich zu Anfang der Freundschaft den werdenden „Wilhelm Meister" betreute; Schiller mag manches an Goethes Lebensgewohnheiten, vor allem seine Ehe, unbegreiflich gewesen sein; sie sahen beide über solche Nebensächlichkeiten weg zu dem einen großen Ziel, das sie beide vereinigte. Sicherlich hat diese Freundschaft Schiller mehr gegeben als Goethe. Sie schenkte ihm vor allem eins: die Erkenntnis seines eigenen Dichtertums und die Möglichkeit der Rückkehr zur Dichtung. Noch am 27. Juni 1796, als er bereits wieder den Schritt in die Dichtung getan, schrieb er Körner: „Gegen Goethen bin ich und bleib' ich eben ein poetischer Lump." Man kann darnach ermessen, was es brauchte, bis er sich zu der Erkenntnis durchgerungen hatte, daß er, wenn er auch nicht das Naturgenie Goethes hatte, doch, im Gegensatz dazu, einen entsprechend wesenhaften Dichtertypus in sich darstelle.

Er erkämpfte sich diese Überzeugung auf dem ihm eigenen, dem philosophischen Wege, in der Abhandlung über naive und sentimentalische Dichtung (1795). Aber er hat nun von Goethe gelernt, seine Ideen durch eine Fülle von Erfahrungstatsachen aus der Literatur zu unterbauen. Den Grundriß gibt Kants Dreiteilung der Kulturgeschichte. Von der Natur geht auch Schiller aus. In den Geschöpfen der Natur lieben wir „das stille schaffende Leben ..." das ruhige Wirken aus sich selbst, das Dasein nach eigenen Gesetzen, die innere Notwendigkeit, die ewige Einheit mit sich selbst. — Sie sind, was wir waren; sie sind, was wir wieder werden sollen. Wir waren Natur wie sie, und unsere Kultur soll uns, auf dem Wege der Vernunft und der Freiheit, zur Natur zurückführen. Sie sind also zugleich Darstellung unserer verlorenen Kindheit, die uns das Teuerste bleibt; daher sie uns mit einer gewissen Wehmut erfüllen. Zugleich sind sie Darstellungen unserer höchsten Vollendung im Ideale, daher sie uns in eine erhabene Rührung versetzt."

Von diesem entwicklungsgeschichtlichen Gegensatz zwischen Natur als Wirklichkeit, Kultur und Natur als Ideal, leitet Schiller nun zwei Arten der künstlerischen Darstellung her: naiv und sentimentalisch. Naiv ist der Sieg der Natur über die Kunst, aber nicht durch Gewalt als dynamische, sondern durch ihre Form, als moralische Größe, als innere Gesetzmäßigkeit. Sentimentalisch ist die Sehnsucht nach der Natur, die Sehnsucht nach ihrer Glückseligkeit bei dem sinnlichen, nach ihrer Vollkommenheit bei dem moralischen Menschen. Naiv sein heißt: natürlich empfinden. Sentimentalisch sein heißt: das Natürliche empfinden.

Der naive Dichter folgt bloß der einfachen Natur und Empfindung und beschränkt sich bloß auf Nachahmung der Wirklichkeit. Er kann daher zu dem Gegenstand auch nur ein einziges Verhältnis haben. Dagegen reflektiert der sentimentalische Dichter über den Eindruck, den die Gegenstände auf ihn machen; auf diese Reflektion ist die Rührung begründet, in die er selbst versetzt wird und uns versetzt. Der Gegenstand wird hier auf eine Idee bezogen, und nur auf dieser Beziehung beruht seine dichterische Kraft. „Der sentimentalische Dichter hat es daher immer mit zwei streitenden Vorstellungen und Empfindungen, mit der Wirklichkeit als Grenze und mit seiner Idee als dem Unendlichen zu tun, und das gemischte Gefühl, das er erregt, wird immer von dieser doppelten Quelle zeugen."

So hat Schiller in den Begriffen naiv und sentimentalisch zwei wichtige logische Kategorien des literarischen Urteils gefunden. Um so mehr bedauert man, daß er die Klarheit und Treffsicherheit der beiden logischen

Begriffe durch die Hereinziehung des geschichtlichen Unterschiedes antik — modern verwirrt hat, indem er die antiken Dichter als naiv, die modernen als sentimentalisch bezeichnet. Diese Gleichsetzung ist in doppelter Richtung verfehlt: Formal, weil naiv und sentimentalisch logisch gefundene allgemeine Geisteshaltungen bezeichnen, die nun auf zeitlich abgegrenzte Perioden übertragen werden; inhaltlich, weil, geschichtlich betrachtet, es im Altertum wie in der Neuzeit naive und sentimentalische Dichter gibt. Die Begriffe naiv und sentimentalisch können aber nur dann kategorische Bedeutung haben, wenn sie auf alle Dichtung aller Zeiten angewendet werden können. Die Verwirrung gibt sich in der Abhandlung selber kund, Goethe nämlich widerspricht seiner Gleichsetzung von antiknaiv und modern-sentimentalisch. Denn Schillers Ausgangspunkt bei der ganzen Abhandlung ist ja sein Verhältnis zu Goethe. Er selber — das ist die wertvolle Erkenntnis, die er sich gegenüber Goethe errungen hat, und die Bekräftigung seines Dichtertums — ist ein sentimentalischer Dichter. So muß also Goethe ein naiver sein; es gibt also auch unter den neueren Dichtern naive.

Man spürt die innere Festigung und Klärung, die Schiller sich mit der Auseinandersetzung selber bereitet hat, sofort in seinem Schaffen: in der Abwendung von der Philosophie und der Rückkehr zur Dichtung. Vom 7. Januar 1795 stammt das Wort gegenüber Goethe: „Der Dichter ist der einzige wahre Mensch, und der beste Philosoph ist nur eine Karikatur gegen ihn." Im gleichen Jahre entstanden, als Wegzeichen der Rückkehr, Gedankengedichte wie „Das Reich der Schatten" („Das Ideal und das Leben"), „Das verschleierte Bild zu Sais", „Die Ideale", „Der Spaziergang". 1796 brachte die große gemeinsame Auseinandersetzung mit allem Unredlichen, Schwächlichen und Verstiegenen in der zeitgenössischen Literatur, die „Xenien".

Schillers eigenhändige Niederschrift des „Jägerliedchens" aus dem „Tell", 1804

1797 entstanden im Wetteifer die Balladen. Zugleich nahm Schiller nun den Dramenstoff auf, auf den sein Blick schon seit Jahren gerichtet war: Wallenstein. „Maria Stuart", „Die Jungfrau von Orleans", „Die Braut von Messina", „Wilhelm Tell" folgten. Und „Demetrius" wurde in Angriff genommen. Bei all diesen Werken steht Goethe dem Freunde hilfreich zur Seite; denn Schiller liebte es nach wie vor, seine Pläne mit andern dialektisch zu erörtern. In ihrer Reihe aber erkennt man zugleich, wie Schiller seine eigene Art immer entschiedener ausbildet.

In den Balladen stellt sich die sentimentalische Art Schillers der naiven Goethes gegenüber. In seinen eigenen Balladen, die nicht eigentlich jetzt verfertigt wurden, sondern nach jahrzehntelangem innerem Reifen plötzlich sich aus ihm gelöst und die äußere Gestalt gewonnen haben, hat Goethe Stoffe behandelt, die aus der Tiefe seiner Natur ihren geistigen Gehalt bekommen haben. Schillers bewußte Art aber greift irgendwelche Stoffe der Geschichte und Sage auf und entwickelt allgemeine sittliche Ideen in ihnen, so die Freundestreue in der „Bürgschaft", die strafende Gerechtigkeit in den „Kranichen des Ibykus". Im Lichte bewußter Überlegung wird der Stoff gestaltet. Die Entstehung der „Kraniche des Ibykus" zeigt, wie treulich Goethe ihn etwa beriet; er hat in seinen Briefen vom 22. und 23. August 1797 Schiller, der ihm den Entwurf des Gedichtes gesandt, u. a. geraten, die Kraniche als Schwarm von Zugvögeln zu behandeln, und den Dichter sie schon auf der Schiffahrt und bei der Wanderung sehen zu lassen: „Sich, als Reisenden, vergliche er mit den reisenden Vögeln, sich, als Gast, mit den Gästen, zöge daraus eine gute Vorbedeutung, und riefe alsdann unter den Händen der Mörder die schon bekannten Kraniche, seine Reisegefährten, als Zeugen an." Schiller hat Goethes Winke, zum Teil wörtlich, befolgt.

Im „Wallenstein" wirkt sich der Gegensatz zwischen dem Realisten und dem Idealisten, in dessen Umschreibung die Abhandlung über naive und sentimentalische Dichtung ausmündet, in der Charakteristik Wallensteins und Max Piccolominis aus und gibt so die Motivierung des Geschehens. Der Realist, so wird in der Abhandlung bestimmt, besitzt in Rücksicht auf das Theoretische einen nüchternen Beobachtungsgeist und eine feste Anhänglichkeit an das gleichförmige Zeugnis der Sinne, in Rücksicht auf das Praktische eine resignierte Unterwerfung unter die Notwendigkeit der Natur. Auf alles, was bedingungsweise existiert, erstreckt sich der Kreis seines Wissens und Wirkens. Er erhebt die Regel des Augenblicks zu einem allgemeinen Gesetz und stürzt sich daher unausbleiblich in Irrtum. In seinem Handeln wird er stets durch äußere Ursachen und äußere Zwecke bestimmt; er ordnet sich einer physischen Notwendigkeit ruhig und gleichförmig unter. Hinsichtlich der Gründe seines Handelns fragt er nur, wozu eine Sache gut sei, und taxiert die Dinge nach ihrem Werte. Von dem, was seinen Zweck in sich selbst hat, hält er nicht viel.

So charakterisiert Wallenstein sich selber in der großen Auseinandersetzung mit Max. Er tadelt an ihm, daß seine Jugend aus ihrem heißen Kopfe keck der Dinge Maß nimmt, die nur sich selber richten.

Der Idealist wird in der Abhandlung über naive und sentimentalische Dichtung als der unbedingt freie Mensch hingestellt, der sich nur durch die Notwendigkeit der Vernunft bestimmen läßt. Aus sich selbst schöpft seine Vernunft alles, und auf sich selbst bezieht sie alles, eine absolute Größe ist jeder Begriff, den sie aufstellt, und jeder Entschluß, den sie bestimmt. In seinem Wissen sucht der Idealist zu unbedingten

Wahrheiten vorzudringen. Die Dinge, denen der Realist sein Denken unterwirft, muß er sich seinem Denkvermögen unterwerfen (Wallenstein zu Max: „Aus ihrem heißen Kopfe nimmt sie keck, Der Dinge Maß, die nur sich selber richten"). In seinem Handeln nimmt der Idealist die Bestimmungsgründe aus reiner Vernunft. Wenn der Realist in seinen politischen Tendenzen den Wohlstand bezweckt, so macht der Idealist, selbst auf Gefahr des Wohlstands, die Freiheit zu seinem Augenmerk. Unabhängig von jedem Zustand ist ihm das höchste Ziel. Er ist bereit, die Mängel seines Systems mit seinem Individuum und seinem zeitlichen Zustand zu bezahlen, und achtet dieses Opfer nicht. Ihm gehört die Erde nicht, und das Schicksal ist ihm nicht hold. Er zerfällt mit dem Glücke und mit sich selbst. Weder sein Wissen noch sein Handeln kann ihm Genüge tun, weil er ein Unendliches von sich fordert, und doch nur ein Beschränktes leistet.

Man fragt sich, wie der ursprüngliche seelische Gegensatz in Schillers Persönlichkeit sich zu der Unterscheidung der beiden Charakteranlagen: Realist und Idealist verhält. Das Verhältnis ist nicht so einfach, daß der heldischen Willenskraft in Schillers Persönlichkeit der Realist, dem weichen Gefühle der Idealist entsprechen würde. Die Scheidung von Realist und Idealist ist eine neue, durch Kant und Goethe gewonnene Einsicht. Aber auch jener Gegensatz seiner eigenen Anlage ist an der neuen Erkenntnis beteiligt, in der Weise, daß Wille und Gefühl in beiden Charakteren gegensätzlich wirken. Das Gefühl ist bei dem Realisten in den Dienst des Willens gestellt, der Wille bei dem Idealisten in den Dienst des Gefühls. Es ist ein Zeichen der Versachlichung von Schillers Wesen, seiner gereiften Weltkenntnis, wenn ihm jetzt der Unterschied von objektiven Menschentypen wichtiger geworden ist als der Kampf von seelischen Kräften im subjektiven Ich — ein Beweis der ins Unendliche gesteigerten Entwicklungsfähigkeit Schillers, die Goethe gegenüber Eckermann hervorhob, als er von seiner Christustendenz sprach.

Auch Schillers äußeres Leben im letzten Jahrzehnt zeigt diesen Aufstieg zur Höhe. Zwar die „Horen" erwiesen sich als eine Fehlhoffnung. Noch niemals hat sich eine Zeitschrift mit einem so anspruchsvollen Programm aus eigener Kraft die dauernde Gunst des Publikums zu sichern vermocht. Fast gewaltsam wollte Schillers philosophisch-ästhetischer Plan gegen die Zeit trotzen, deren Richtung gerade auf das Politische ging, das Schiller ausgeschlossen hatte — Cotta erwies sich als der Feinfühligere, als er Schiller die Leitung des geplanten politischen Journals antrug. Von Anfang an krankten die „Horen" am Mangel an tüchtigen Mitarbeitern und an der Gleichgültigkeit der breiteren Leserkreise. Schon bevor das erste Heft erschienen war, mußte Schiller, am 29. Dezember 1794, Körner seine bedrängte Lage klagen, „weil Goethe und ich fast alles dafür liefern, und leider Goethe nicht die exquisitesten Sachen und ich nicht die allgemeinverständlichsten ... Goethe will seine Elegien nicht gleich in den ersten Stücken eingerückt, Herder will auch einige Stücke erst abwarten, Fichte ist von Vorlesungen überhäuft, Garve krank, Engel faul, die andern lassen nichts von sich hören. Ich rufe daher: Herr hilf mir oder ich sinke!"

Es zeigte sich, daß Wieland mit seinem „Deutschen Merkur" den Geschmack des gebildeten Publikums besser getroffen hatte als Schiller. Der Inhalt der „Horen" war ihm bald zu schwer, bald zu wenig unterhaltend. So nahm das anfänglich bedeutende Interesse bald ab, und wie nun vollends Schiller aus Stoffmangel mittelmäßige Beiträge aufnehmen mußte und die „Horen" gar ein Tummelplatz des literarischen Ehrgeizes von Damen der Weimarer Gesellschaft zu werden drohten, versickerten Abonnenten und Leser. Der Xenienkampf offenbart vollends die Einsamkeit Goethes und Schillers. Schiller selber verlor die innere Anteilnahme an der Zeitschrift und bemühte sich für seine neue Gründung, den „Musen-Almanach". Auf Ende 1797 gingen die „Horen" in aller Stille ein.

> ## Musen - Almanach
>
> *für*
>
> d a s J a h r 1 8 0 2.
>
> ———
>
> Herausgegeben
>
> *von*
>
> **A. W. Schlegel** *und* **L. Tieck.**
>
> ∼∼∼∼∼∼∼∼∼∼∼∼∼∼∼∼
>
> T ü b i n g e n,
> in der Cotta'schen Buchhandlung,
> 1 8 0 2.

Titelblatt der Fortsetzung von Schillers „Musen-Almanach"

Die äußeren Verhältnisse besserten sich von Jahr zu Jahr. 1797 konnte er vor Jena am Leutrabache ein Haus mit Garten erwerben, um durch die Nähe der Natur seinen Körper zu stärken. Denn die Krankheit war zur beharrlichen Begleiterin seines Lebens und zur bedenklichen Störerin seiner Arbeit geworden. Große Hitze und harte Kälte erzeugten Brustkrämpfe. Schlaflosigkeit suchte ihn, oft auf Wochen, heim. Mit unermüdlicher Liebe stand ihm seine Frau zur Seite, und in dem Schoße der Familie fand er seine Erholung. Aber bald wurden ihm die regelmäßigen Vorlesungen zu beschwerlich. Immer wieder mußte er sich beurlauben lassen, und 1798 wurde er zum Honorarprofessor ernannt. Damit war auch die Möglichkeit gegeben, nach Weimar überzusiedeln und in größere Nähe Goethes zu kommen. Im Dezember 1799 fand die Übersiedlung statt. Schiller unterstützte fortan Goethe in der Leitung des Theaters, der Besorgung des Repertoires und der Ausbildung der Schauspieler. Es galt, jenen künstlerischen Stil, den die beiden Freunde in ihren Werken darstellten und in ihren ästhetischen Aufsätzen verkündeten, auch im Spiel des Schauspielers auszudrücken. Ekhof war das große Vorbild. Seine Darstellung war im großen Stil, weil sie erstlich völlig objektiv war und nichts Subjektives sich mit einmischte; zweitens, weil sie objektiv notwendig, nicht zufällig war. Es ist der Grundsatz der „Freiheit in der Erscheinung", der auch im Schauspiele verwirklicht werden soll. Die Aufführung der Wallenstein-Trilogie bedeutete die Begründung dieses klassischen Schauspielstiles. Mit großer Sorgfalt wurde sie vorbereitet. Einerseits sollte das geschichtliche Bild des Dreißigjährigen Krieges so vollkommen und getreu als möglich sein; Goethes Freund Heinrich Meyer mußte alle möglichen Abbildungen von Lagerszenen aus der Zeit des Krieges herbeischaffen. Anderseits aber mußte das Bild der Wirklichkeit zum Ideale erhöht werden. Diesem Zwecke diente u. a. die gebundene Sprache. Unermüdlich ließ sich Goethe selber von den Schauspielern die Verse vorsprechen, um ihre „Rhythmophobie" zu überwinden.

Dazu kam die Sorge für das Repertoire. Ausländische Stücke wurden bearbeitet und übersetzt: von Goethe Voltaires „Mahomet" und „Tancred", von Schiller Shakespeares „Macbeth", Gozzis „Turandot" und zwei Lustspiele Picards als „Der Parasit" und „Der Neffe als Onkel". Auch ältere deutsche Stücke, wie der „Nathan", die „Iphigenie auf Tauris", wurden für das Theater bearbeitet.

Aber so behaglich sich Schiller in Weimar fühlte — er hatte sich 1802 ein Haus gekauft und im gleichen Jahre verschaffte ihm der Herzog den erblichen Reichsadel —, so sehr strebte sein Geist in größere Weite. Zweimal, 1802 und 1803, hatte ihn Iffland, der nun die Leitung des Theaters in Berlin innehatte, nach der preußischen Hauptstadt zu ziehen gesucht. Ehemalige Kollegen von Jena, Fichte, Woltmann und andere, wirkten bereits dort. Aus Wien sollte Johannes von Müller berufen werden. Im Mai 1804 begab sich Schiller selber nach Berlin. Es mochte ihn wohl locken, aus dem kleinen Weimar nach der großen, mächtig aufstrebenden Hauptstadt Preußens zu ziehen, und die günstigen Bedingungen, die man ihm anbot, konnten schon wegen seiner Familie auf ihn Eindruck machen. Er sollte Mitglied der Akademie werden, Berater beim Nationaltheater und, falls Müller nicht kam, Lehrer der Geschichte beim Kronprinzen. Ein Gehalt von dreitausend Talern wurde in Aussicht gestellt — soviel betrug das Ministergehalt Goethes; Schiller bezog von Weimar vierhundert Taler. Die Verhandlungen, die er nach der Rückkehr mit dem Herzog führte, endigten mit einer vermittelnden Lösung. Der Herzog verdoppelte sein Gehalt und stellte eine weitere Zulage von zweihundert Talern in Aussicht. Dazu sollte Schiller jährlich einige Monate in Berlin zubringen dürfen.

Was für einen Ausblick eröffnet diese Abmachung! Man mag sich ausmalen, wie Schiller, nachdem er einmal an Preußen gebunden war, mit seinem Sinn für die großen Personen und Taten der Geschichte, ähnlich wie Fichte, in Berlin von der politischen Not der Zeit erfaßt worden wäre. Er hatte 1801, nach dem für Deutschland schmählichen Frieden von Lunéville, in dem das Reich das linke Rheinufer an Frankreich abtreten mußte, ein Gedicht „Deutsche Größe" entworfen und darin, angesichts des politischen Versagens, Deutschlands künftige Macht im Reiche der Bildung gesehen: die Macht der Deutschen ist „eine sittliche Größe", sie wohnt in der Kultur und im Charakter der Nation, der von ihren politischen Schicksalen unabhängig ist. „Dem, der den Geist bildet, beherrscht, muß zuletzt die Herrschaft werden, denn endlich an dem Ziel der Zeit, wenn anders die Welt einen Plan, wenn des Menschen Leben irgend nur Bedeutung hat, endlich muß die Sitte und die Vernunft siegen, die rohe Gewalt der Form erliegen — und das langsamste Volk wird alle die schnellen, flüchtigen einholen... Das köstlichste Gut der deutschen Sprache, die alles ausdrückt, das Tiefste und das Flüchtigste, den Geist, die Seele, die voll Sinn ist. Unsere Sprache wird die Welt beherrschen." Die Worte des Entwurfs erinnern an den Ausgang von Goethes „Pandora". Es ist die Auffassung der Klassik von Deutschlands Bestimmung. Aber darf man annehmen, daß Schiller, bei seiner unbegrenzten Entwicklungsfähigkeit, bei ihr stehengeblieben wäre? Muß man nicht eher glauben, daß, wenn er Jena und die folgenden Jahre noch erlebt und seine Gesundheit ihm die Kraft gegeben hätte, er, ähnlich wie Fichte, auf den politischen Kampfplatz herniedergestiegen wäre und mitgearbeitet hätte an Deutschlands Erneuerung?

Und doch: wer kann sich Schiller in Preußen wirkend denken! Es gehört zur Einheit seines geschichtlichen Bildes, daß seinem Schaffen rein geistige Ziele gesetzt sein sollten; er hat den Zusammenbruch Preußens und auch Weimars nach der Schlacht bei Jena nicht mehr erlebt.

Den Winter 1804/05 verbrachte er unter schweren Anfällen der Krankheit. Aber in der Zeit des Leidens wuchs seine Persönlichkeit zu der vollen Entfaltung menschlicher Größe. Gerade indem die Schmerzen die Kraft überwindenden Willens aufs höchste in Anspruch nahmen, entbanden sie auch die Gefühlswärme seiner Natur. Eine heitere Freundlichkeit, eine verklärende Milde lag über seinem Wesen, ein wahrer Gottesfriede, bezeugt Caroline von Wolzogen, und einmal schloß er ein Gespräch über den Tod mit den Worten: „Der Tod kann kein Übel sein, da er etwas Allgemeines ist." „Nichts konnte Schiller mehr Freude gewähren", berichtet Heinrich Voss, „als wenn er andern eine unvermutete Freude bereitete."

Von der letzten Zeit geben die Briefe von Voss an seine Eltern das treueste Bild. Im Februar 1805 wurde Schillers Krankheit ernster. Der schneidende Frost des Winters, dazu eine schwere Erkrankung Goethes lösten die Verschlimmerung seines Gesundheitszustandes aus. Voss erbot sich, bei beiden Kranken zu wachen. „Goethe war ein etwas ungestümer Kranker, Schiller aber die Sanftheit und Milde selber." Am 1. Mai war Schiller mit seiner Schwägerin zum letztenmal im Theater. Goethe hatte ihn vorher besucht. Unter der Haustüre nahmen sie Abschied voneinander. Auf dem Wege erklärte Schiller, sein Zustand sei ganz seltsam, in der linken Seite, wo er seit langen Jahren immer Schmerz gefühlt, fühle er nun gar nichts mehr. Der linke Lungenflügel war völlig zerstört. Als Voss in Schillers Loge trat, fand er sein Aussehen ganz verändert. Ein heftiges Fieber hatte ihn ergriffen. In den folgenden Tagen nahm die Krankheit ihren raschen Fortgang. Nach dem 6. Mai trat der Zerfall der

Kräfte ein. Am 9. Mai, nachmittags 5 Uhr, starb er. Goethe war während Schillers Krankheit sehr niedergeschlagen gewesen. Voss fand ihn einmal weinend in seinem Garten. Als Schiller gestorben war, hatte, berichtete Voss, niemand den Mut, es Goethe zu sagen. Meyer, der bei ihm gewesen, ging, als er die Nachricht erhielt, weg, ohne Abschied zu nehmen. Die Einsamkeit, in der Goethe war, die Verwirrung, die er wahrnahm, ließen ihn Schlimmes befürchten. „Ich merke es", sagte er endlich, „Schiller muß sehr krank sein", und blieb die übrige Zeit des Abends in sich gekehrt. Am folgenden Morgen fragt er Christiane: „Nicht wahr, Schiller war gestern sehr krank?" Christiane kann sich nicht länger halten. Statt zu antworten, fängt sie laut an zu schluchzen. „Er ist tot?" fragt Goethe mit Festigkeit. „Sie haben es selbst ausgesprochen", antwortet sie. „Er ist tot", wiederholt Goethe noch einmal, wendet sich seitwärts, bedeckt sich die Augen mit den Händen und weint, ohne eine Silbe zu sagen.

Am 10. August veranstaltet Goethe eine Totenfeier in Lauchstädt. Das „Lied von der Glocke" wurde szenisch aufgeführt und darauf Goethes Epilog gesprochen.

5. ROMANTISCHE REVOLUTIONÄRE

Caroline, August Wilhelm und Friedrich Schlegel

> „Sonderbar ist es, daß, einmal in die Stürme einer
> großen Revolution verwickelt mit meinen Privat-
> begebenheiten, ich es gleichsam jetzt zum zweiten
> Mal werde, denn die Bewegung in der literari-
> schen Welt ist so stark und gährend wie damals
> die politische."

Caroline Schlegel 1803

In der Bezeichnung des nachklassischen Dichtergeschlechtes als Romantiker liegt, so willkürlich der von Friedrich Schlegel gewählte Name auf
den ersten Blick erscheint, doch ein tieferer Sinn. Romantisch heißt
romanhaft und weist auf die phantastische Art und Stoffwelt der „Ritter-
romane" hin. Der Roman aber ist von allen dichterischen Formen von
jeher die loseste, willkürlichste, von jedem Zwang des Kunstgesetzes
freieste gewesen. Er läßt dem besondern Ausdrucksbedürfnis des Verfassers den weitesten Spielraum. Seinem Stoffe nach kann er Bekenntnis
innerer, seelisch-geistiger Zustände und Vorgänge oder Darstellung äußerer
Handlungen und Entwicklungen sein. Das Geschehen, das er bringt, kann
bald sorgfältig motiviert, bald eine bloße Aneinanderreihung von Abenteuern sein. Sprachlich endlich ermöglicht die Prosa den individuellsten
Ausdruck der Persönlichkeit des Verfassers. Der Roman, als die künstlerisch am wenigsten gebundene Form der Dichtung, taucht denn auch in
der Geschichte des alten und des mittelalterlichen Geistes dann auf, wenn
in einer allgemeinen Lockerung und Umwandlung der Bildung auch die
strengen Dichtungsformen, Gedicht, Epos, Drama, als Zeiterscheinungen
absterben.

In dem gleichen Sinne hat Friedrich Schlegel in dem berühmten
116. Fragment (im Athenäum I) die romantische Poesie im allgemeinen
bestimmt. Sie ist „progressive Universalpoesie": stets im Werden, nie
vollendet und abgeschlossen, alle Stoffe, Darstellungsmöglichkeiten, Stim-
mungsarten und Formen in sich enthaltend. Sie vereinigt die getrennten
Gattungen der Poesie in sich und setzt sie mit der Philosophie und
Rhetorik in Berührung. Sie mischt Poesie und Prosa, Genialität und
Kritik, Kunstpoesie und Naturpoesie. Sie umfaßt alles, was nur poetisch
ist. Sie drückt den Geist des Autors vollständig aus und ist zugleich ein
Spiegel der ganzen umgebenden Welt, ein Bild des Zeitalters. Sie ist der
höchsten und allseitigsten Bildung fähig. „Sie allein ist unendlich, wie sie
allein frei ist und das als ihr erstes Gesetz anerkennt, daß die Willkür des
Dichters kein Gesetz über sich leide." Das Lebenselement, das diese Dich-

tung im Innersten bestimmt, all ihre Gebilde formt und eine „romantische" Stimmung über sie gießt, ist daher die Ironie, die unbedingte geistige Freiheit über sich selbst, den darzustellenden Stoff und die gestaltenden Formen. Sie ist das Gegenteil der Stimmungsbefangenheit, mit der der realistische Dichter sich in den Stoff verliert, die ihn bei der Wahl der Darstellungsmittel leitet, damit er den Gegenstand so stark und eigenmächtig vor den Leser stelle, wie er ihn selber empfunden. Die Ironie soll dem Leser stets und in jedem Augenblick zum Bewußtsein bringen, daß er einem menschlichen Künstlergeiste, nicht einem toten Dinge gegenübersteht, einem Genie, das selbstherrlich mit den Dingen, mit sich selber und mit dem Leser spielt, selbstherrlich Stimmungen erzeugt und sie ebenso selbstherrlich wieder zerbläst.

All das zeigt: Romantik will Lösung des seelisch und geistig Gebundenen sein, und sie wird Auflösung des festgefügten geistigen und sittlichen Lebens. Mit ihr vollzieht sich im Reiche des Literarisch-Geistigen das gleiche, was sich in den zwei Jahrzehnten um 1800 im Staatengefüge Europas durchsetzte. Am 14. Juli 1789 begann mit dem Sturm auf die Bastille die Französische Revolution. Am 27. August zerstörte die Erklärung der Menschenrechte die jahrhundertealte Ordnung der Stände. In den Parteien entstanden über das Königtum, den Adel und die Geistlichkeit hinweg neue politische Gebilde als Vertretungen des Volkes. In Parlamenten, der Gesetzgebenden Versammlung und dem Nationalkonvent, wurde die neue republikanische Verfassung Frankreichs aufgestellt. Die Hinrichtung Ludwigs XVI. am 21. Januar 1793 verkündete auch äußerlich die Zerbrechung der monarchischen Form. In Strömen von Blut hauchten die Angehörigen der alten Herrschaft unter dem Fallbeil der Guillotine ihr Leben aus. Dann stieg, nach den Greueltaten des Wohlfahrtsausschusses und der Schreckensherrschaft, die jugendliche Gestalt Napoleon Bonapartes siegend auf und nahm als erster Konsul die blutbespritzten Zügel der Regierung in feste Hände. Er schaffte so im Innern Frankreichs eine neue Ordnung, ein Sohn der Revolution und zugleich ein neuer Alleinherrscher. Aber jetzt griff der Geist der Auflösung auf die andern Staaten Europas über, und in zwei Jahrzehnten gewaltiger Eroberungszüge und blutiger Schlachten wurde das politische System zertrümmert, das die Kriege Ludwigs XIV. und Friedrichs des Großen begründet hatten. Alte Staaten stürzten in sich zusammen. Neue entstanden durch den Willen des Diktators. Von Paris aus wurde für ein Jahrzehnt die Welt regiert. Ihr Antlitz hatte sich gründlich gewandelt. Es war, was Napoleon beseelte, „der verzehrende Trieb nach Tätigkeit", „die Sehnsucht nach dem Unendlichen", wie sie Friedrich Schlegel auf dem geistigen Gebiete sich zuschrieb. Sie gehörten beide, der eine 1769, der andere 1772 geboren, der gleichen Generation an. Und mit ihnen die andern, die sich den Namen Romantiker beilegten.

Wie Napoleon das Staatssystem des 18. Jahrhunderts zertrümmerte, so unternahmen die Romantiker die Zerstörung der geistig-sittlichen Werte der Aufklärung. Auch diese war in ihren Anfängen eine Bewegung der

410

Auflösung gewesen, ihre geschichtliche Aufgabe die Vernichtung des geistigen, darauf des politischen Absolutismus des Barocks durch das Bekenntnis zu der Macht der autonomen Vernunft. Aber die Vernunft, die in den Begründern der Aufklärung, Leibniz voran, ein wirklich schöpferisches Vermögen gewesen war, hatte sich in ihren Nachfolgern in den kritisch unterscheidenden menschlichen Verstand umgewandelt. Aufs neue war, was das freie Feld ursprünglicher Geisteskräfte gewesen, in das Schachbrett einer klug berechneten Geistes- und Lebensordnung umgewandelt worden. Die Wirkung dieser Verstandesherrschaft auf literarischem Gebiet waren Werke, die, wenn man von Klopstocks Oden und „Messias" absieht, durch eine bedächtige Mittelmäßigkeit in Inhalt und Form bestimmt, die nach Regeln geformt waren und weder im Guten noch im Schlechten von dem goldenen Mittelwege abwichen, nüchtern, manchmal witzig, bürgerlich-verständig, ohne Leidenschaft und ohne Größe.

Gegen 1770 hatte es der Sturm und Drang unternommen, das natürliche Leben von der Umklammerung durch den Verstand zu befreien. Hamann hatte die schöpferischen Urkräfte der Sprache und der Dichtung bloßgelegt und dem Verstande die Sinne, der kahlen Allegorik des Rationalismus die tiefsinnige Hieroglyphik irrationaler geschichtlicher Gegebenheiten entgegengestellt, und Herder hatte gegen den seichten und künstlichen Pragmatismus der aufgeklärten Geschichtsschreibung geeifert, hatte pantheistisch den Gang Gottes durch Natur und Geschichte aufzudecken unternommen, hatte der „Schachbrettpsychologie" der Aufklärer seine Idee von der lebendigen Einheit der seelischen Kräfte und Funktionen entgegengesetzt und hatte von der Volksdichtung als dem der Regeln baren Ausdruck des ursprünglichen Menschengeistes geschwärmt. Aber weder Hamann noch Herder waren in einem tieferen Sinne Dichter gewesen, und was die andern, die Bürger, Voß, Hölty, Claudius, die Lenz, Klinger und Wagner an Dichtwerken geschaffen, hatte — sieht man von dem einzigen Goethe ab — der Tiefe und dem Schwung der theoretischen Prophetie keineswegs entsprochen und hatte sich, am großen Maßstab der Geschichte gemessen, nicht über das Mittelmaß anständiger Begabung erhoben — von dem Genie, das doch jeder im Munde führte und die meisten sich zutrauten, verspürten die Nachkommen wenig.

So hat die lösende Wirkung des Sturms und Drangs als einer allgemeinen Erschütterung des geistigen Lebens nicht eine dauernde Umwandlung des Antlitzes der Zeit zustandegebracht, und die Fäden sind spärlich und dünn, die von ihm zur Romantik hinüberreichen. Wenn die vorstürmenden Romantiker sich in der Vergangenheit umsahen, so knüpften sie weniger an die Stürmer und Dränger an — etwa Herder ausgenommen —, als daß sie die Aufklärer als Widersacher vor sich sahen. Bei manchem von ihnen handelte es sich bei diesem Kampfe zunächst um den Gegensatz zwischen Sohn und Vater: nicht nur Tieck und Wackenroder, auch die Brüder Schlegel stammten von einem Vater ab, der fest auf dem Boden der Aufklärung stand. Aber über diesen Streit im Schoße der Familie steigerte sich der Gegensatz zum Kampf der Generationen als

Träger geistiger Bekenntnisse. Als Friedrich Schlegel 1797 nach Berlin übersiedelte und in den Kreis trat, in dem Lessings Name heilig gehalten wurde, fühlte er sich gedrungen, in einem Aufsatz, der in Reichardts „Lyceum" erschien, sich mit Lessing und seiner Bedeutung für die neue Zeit auseinanderzusetzen. Seine Absicht war, ihn von seinen Freunden, den Aufklärern, zu trennen, „den Namen des verehrten Mannes von der Schmach zu retten, daß er allen schlechten Subjekten zum Symbol ihrer Plattheit dienen sollte... Ihn denen zu entreißen, welche er, solange er gelebt, nie aufgehört hat zu hassen und zu verfolgen, und die ihn nun als einen Virtuosen der goldenen Mittelmäßigkeit zu vergöttern und ihn sich ausschließlich gleichsam zuzueignen gewagt haben, als sei er einer der ihrigen." Er prägt Lessing seine eigenen Züge auf und rettet ihn für die entstehende Romantik. Was auch für den Romantiker unvergänglich ist, das ist Lessings lebendige Persönlichkeit, der „große freie Stil seines Lebens". „Lessing war einer von den revolutionären Geistern, die überall, wohin sie sich auch im Gebiet der Meinungen wenden, gleich einem scharfen Scheidungsmittel, die heftigen Gärungen und gewaltigsten Erschütterungen allgemein verbreiten. In der Theologie wie auf der Bühne und in der Kritik hat er nicht bloß Epoche gemacht, sondern eine allgemeine und dauernde Revolution allein hervorgebracht oder doch vorzüglich veranlaßt."

Wenn Friedrich Schlegel so mit feinem Spürsinn den ursprünglichen Aufklärungssinn erkannte, so war er mit seinem Bruder und den andern Streitgenossen um so bereiter, den weniger lebendigen Geistern der Aufklärung die Strohkränze der Verachtung und Verhöhnung aufzusetzen. Aus diesem Kampfe heraus hat August Wilhelm 1799 im Literarischen Reichsanzeiger des „Athenäums" jene Konkursanzeige veröffentlicht, worin er den Hofrat Wieland des Plagiats an einer großen Zahl griechischer, lateinischer, französischer, englischer, italienischer und spanischer Schriftsteller anklagte. Im Gegensatz gegen den friedlich-duldsamen Wieland hatte Nicolai, streitlustig und starrköpfig wie er bis ins Alter blieb, die neu aufkommenden Romantiker von sich aus angegriffen. Er hatte in zwei Romanen, der „Geschichte eines dicken Mannes" (1794) und „Leben und Meinungen Sempronius Gundiberts eines deutschen Philosophen" (1798), die kritische Philosophie und vor allem Fichtes Ich-Lehre lächerlich gemacht. Dann hatte er 1799 in den „Vertrauten Briefen von Adelheid B. an ihre Freundin Julie S." in der Person eines jungen Mannes, dem die Kantische Philosophie den Kopf verwirrt hatte, Friedrich Schlegel als Professor Pandolfo verspottet und sich über die Bureaux d'esprit und die Witzmärkte in den Gesellschaften jüdischer Frauen in Berlin, in denen die Romantiker, Friedrich Schlegel, Schleiermacher u. a., verkehrten, lustig gemacht. Er wurde dafür von den Angegriffenen als Verkörperung verknöcherter Rechthaberei und Engherzigkeit zur Zielscheibe ihres Witzes genommen. Im Reichsanzeiger des „Athenäums" stellte ihn A. W. Schlegel bloß, indem er Nicolai in Form einer ärztlichen Anzeige die in seinen Laboratorien fabrizierte „antiphilosophische Latwerge" anpreisen ließ, die bei hoffnungsvollen Jünglingen allen aus dem Philosophieren hervorgehenden Übeln vorbeugend abhelfen werde. Eine weitere Anzeige teilte mit, Nicolai, der kürzlich in krankhaftem Zustande Geister gesehen habe, wünsche nun auch einmal die seinigen zu sehen und verspreche dem, der ihm die Mittel angebe, dies schwierige Unternehmen auszuführen, eine verhältnismäßige Belohnung. Hintendrein erfuhr man dann, daß, was Nicolai bei dieser Geisterschau für Einbildungskraft gehalten habe, bloße Hämorrhoiden gewesen seien.

Zu Wieland und Nicolai gesellten sich Iffland und Kotzebue. Kotzebue, der dramatische Vielschreiber, der in Rußland verhaftet und nach Sibirien verbannt worden war, hatte, auf Grund von Athenäumsfragmenten, unter dem Titel „Der hyperboräische Esel", eine abgeschmackte Satire gegen die Romantiker ausgesandt. Er wurde dafür von A. W. Schlegel 1800 in der Posse: „Ehrenpforte und Triumphbogen für den Theaterpräsidenten von Kotzebue bei seiner gehofften Rückkehr ins Vaterland" bestraft. Beide Zusammen, Iffland und Kotzebue, samt der ganzen spießbürgerlich-nüchternen Welt der platten Aufklärung verfolgte Tieck mit unermüdlichem Spotte. So in dem „Gestiefelten Kater".

Man kann all diese Angriffe nur erklären einerseits mit dem Ehrgeiz der romantischen Literaturjünglinge und anderseits mit dem breiten Ansehen, dessen sich die Aufklärung und ihre schriftstellernden Vertreter gerade damals in den Kreisen des gebildeten Bürgertums erfreuten. Die Jungen, mit ihrer höheren Weltansicht und ihrem unbedingten geistigen Wollen, sahen sich von einer undurchdringbaren Mauer langeingesessener Mittelmäßigkeit umgeben, die es zu durchstoßen, ja niederzureißen galt. Geht man auf den Ursprung ihres Feldzuges gegen die Aufklärung zurück, so ist er, bei aller witzigen Bosheit und ehrlichen Überzeugung, im einzelnen so wenig ihrem eigenen Geiste entsprungen, wie so vieles andere, was sie unternommen: 1797 waren in Schillers Musenalmanach die „Xenien" erschienen als Strafgericht nicht nur über die Aufklärungsschriftsteller im engeren Sinne, sondern über alle Mittelmäßigkeit, die sich damals in der deutschen Schriftstellerwelt breitmachte. Diesem einmaligen Hagel scharfgespitzter und tödlich treffender Pfeile gegenüber muten die Pamphlete und Satiren der Romantiker oft an wie Kämpfe von Schuljungen, die unaufhörlich zerplatzende Schneebälle gegen Mißliebige schleudern, ohne sie ernstlich zu verletzen. Denn indes die Romantiker ihre aufgeregten und reichlich pedantischen Gefechte gegen die alten Aufklärer lieferten, gingen Goethe und Schiller, nachdem sie in den „Xenien" sich mancherlei Groll vom Herzen gewälzt hatten, ruhig ihren Weg zu klassischer Größe.

Goethe hatte in Weimar die schwächliche Moralität der Aufklärung und die Gefühlsfreiheit des Sturms und Drangs durch eine höhere Sittlichkeit ersetzt, deren Idee den Menschen als verantwortungsvolles Wesen in die große gesetzmäßige Ordnung der Natur einbaute. So stand er, mit der Weisheit des Gereiften, gegensinnig über dem entfesselten Sturm der Revolutionszeit. Er anerkannte seine Berechtigung, wo er seine Aufgabe darin sah, Unterdrückung und Ungerechtigkeit durch zeitliche Mächte zu beseitigen; aber er verurteilte ihn, wo er aus dem Zeitlichen in das Überzeitliche hinüberzugreifen drohte und die Wurzeln des sittlich-natürlichen Lebens selber zu lockern versuchte. Man begreift, daß, als Goethe im „Faust" den romantischen Menschen darstellte, er ihn in Euphorion als den alle Gesetze der Natur überspringenden, sich im Fliegerwahn in die Luft werfenden Jüngling zeichnete.

Schiller steht der romantischen Generation schon zeitlich näher als Goethe: er war nur acht Jahre älter als A. W. Schlegel. So ging auch er durch die Schule Kants, und Fichte stand er nahe. Dazu ist er in seinem Leben und Schaffen in ähnlicher Weise durch die Freiheitsforderung bestimmt wie die jungen Romantiker: er hat sie in seinen Sturm- und Drangdramen mit Einschluß des „Don Carlos" mit hinreißender Leidenschaft ausgerufen und noch im „Wilhelm Tell" dargestellt. Aber was er unter Freiheit verstand, stammte aus anderem Reiche und war etwas anderes als die revolutionäre Gebärde der Romantiker. Er hatte persönlich unter der drückenden Gewaltherrschaft eines Despoten gelitten, was bei keinem Romantiker der Fall war, und er setzte sein Leben und die Sicherheit der Seinen aufs Spiel, um für das freie Schaffen seines Genius Raum zu gewinnen, was wiederum den Romantikern erspart blieb. Freiheit war so für ihn eine rein persönliche Forderung. Was das Ganze des bürgerlichen Lebens betraf, war er, wie Goethe, für Ordnung, Gesetzlichkeit und sittliche Verantwortung des einzelnen. Seine „Briefe über die ästhetische Erziehung" zeigen, wie gründlich ernst es ihm mit der sittlichen Bildung war. Aber es sollte eine neue sittliche Bildung sein, nicht mehr die spießerische Moralität der Aufklärung. Aus dem Gleichgewicht der stofflich-sinnlichen und der geistig-formalen Kräfte im ästhetischen Menschen sollte auch das Gleichgewicht von Genuß und Pflicht, Anspruch und Verantwortung im politischen Menschen folgen. Er sah so die Aufgabe der Loslösung von der sittlich-staatlichen Lebensordnung des aufgeklärten Despotismus wesentlich tiefer als die Romantiker, und sein ganzes Leben, mit dem unablässigen Ringen um die Reinheit und Größe des sittlichen Ideals, beweist, daß es sich für ihn bei diesem Streben nicht um die leichtfertige Zerstörung einer alt und morsch gewordenen Welt handelte, sondern daß er bereit war, an die Stelle der zu zerstörenden eine neue bessere Ordnung zu setzen, die nicht aus äußerem Zwang befolgt, sondern mit innerer Freiheit anerkannt werden sollte.

Damit ist bereits angedeutet, was die Romantiker mit den beiden Klassikern verband, und was sie von ihnen schied. Keine Frage, Goethe stand ihnen näher als Schiller. Denn Goethe mit der pantheistischen Universalität seines Geistes, die vor keinen Schranken der sinnlichen Welt haltmachte und denkend in die Unendlichkeit der unsinnlichen ausgriff, kam ihrem Drange nach Grenzenlosigkeit, nach der Überwindung der sinnlich-bürgerlichen Welt durch den Ausflug ins metaphysische Reich weithin entgegen. Schon Goethes Ehe war alles andere als ein Verhältnis des aufgeklärten Bürgertums. Dazu kam seine Naturbetrachtung, die der Schellingschen Naturphilosophie wesenhaft vorbaute, seine Symbolik, die mit jedem Wort den Blick von den sinnlichen Umrissen des einzelnen in die Unendlichkeit des Allgemeinen hob. Schon im Sommer 1793 bewunderte Friedrich Schlegel „keinen deutschen Dichter als Goethe, weil er etwas beinahe habe, was allein den griechischen, vorzüglich den atheniensischen Dichtern eigentümlich" sei. In der Mitte der neunziger Jahre, als sich in Friedrich Schlegel der Begriff der romantischen Dichtung kristallisierte, erschien Goethes Roman „Wilhelm Meisters Lehrjahre". Er wurde für Friedrichs genialen Spürsinn sofort das Musterbild eines universalen romantischen, d. h. modernen Dichtwerkes. Im „Athenäum" hat er ihn 1798 charakterisiert. „Die Art der Darstellung ist es, wodurch auch das Beschränkteste zugleich ein ganz eigenes selbständiges Wesen für sich, und dennoch nur eine andere Seite, eine neue Veränderung der allgemeinen und unter allen Verwandlungen einigen menschlichen Natur, ein kleiner Teil der unendlichen Welt zu sein scheint." Das ist symbolischer Stil. Philine erscheint so als das „verführerische Symbol der leichtesten Sinnlichkeit". Für die seelische Atmosphäre des Romans heißt diese geistige Transparenz des sinnlichen Einzeldings Ironie. Friedrich Schlegel hat aus Goethes Meister-Roman geradezu den schillernden Begriff der romantischen Ironie geschöpft. „Man lasse sich dadurch", sagt er in seinem Aufsatz, „daß der Dichter selbst die Personen und die Begebenheiten so leicht und so launig zu nehmen, den Helden fast nie ohne Ironie zu erwähnen und auf sein Meisterwerk selbst von der Höhe seines Geistes herabzulächeln scheint, nicht täuschen, als sei es ihm nicht der heilige Ernst" — „den Scherz für Ernst, und den Ernst für Scherz halten" war ihm in jenem Athenäumsfragment der Inbegriff der Sokratischen Ironie. Für Friedrich Schlegel war so Goethe „der wahre Statthalter des poetischen Geistes auf Erden", seine Poesie „die Morgenröte echter Kunst und reiner Schönheit".

Man begreift, daß auch das menschliche Verhältnis der beiden Brüder Schlegel zu Goethe das denkbar beste war und Goethe sogar für die kritischen Jungenstreiche Friedrichs ein verzeihendes Lächeld hatte. Schiller, der den Wert von Wilhelms Feder für seine „Horen" erkannte, hatte Anfang 1796 den Verkehr vermittelt, und schon am 20. Mai 1796 schrieb Goethe seinem Freunde Heinrich Meyer: „Wilhelm Schlegel ist nun hier, und es ist zu hoffen, daß er einschlägt. Soviel ich habe vernehmen können, ist er in ästhetischen Haupt- und Grundideen mit uns einig, ein sehr guter Kopf, lebhaft, tätig und gewandt." Im gleichen Jahre habilitierte sich August Wilhelm Schlegel in Jena, und 1798 erhielt er eine außerordentliche Professur. Man sah sich gegenseitig in Weimar und Jena. Zu Anfang 1798 verbringt A. W. Schlegel „glückliche Stunden" bei Goethe, und am 24. Februar schreibt ihm Goethe: „Da ich höre, daß Sie uns nach Ostern verlassen wollen, so werde ich mich um so mehr eilen, im März nach Jena zu kommen, um Ihres Umgangs noch einige Zeit zu genießen." Er machte sich August Wilhelms feines Versgefühl für seine hexametrischen Dichtungen zunutze, und wie Goethes „Braut von Korinth" im Musenalmanach erscheint, charakterisiert sie Wilhelm Schlegel, im Gegensatz zu Schiller, mit unübertrefflichem Verständnis. Goethe seinerseits nimmt sich der dramatischen Versuche der beiden Schlegel an und bringt Wilhelms Umdichtung des euripideischen „Ion" und Friedrichs Tragödie „Alarkos" in Weimar zu liebevoller Aufführung. So nahe stehen ihm die beiden Brüder, daß Wieland sie 1799 als Schildknappen Goethes und Schillers bezeichnet. Das engere Verhältnis dauerte bis 1804, der Briefwechsel Wilhelms mit Goethe bis 1829, der Friedrichs bis 1813.

In der Beifügung von Schillers Namen freilich täuschte sich der ahnungslose Wieland. Wohl begegneten sich Schiller und Friedrich Schlegel sehr nahe, jener in der naiven und sentimentalischen Dichtung, dieser in dem Aufsatz über das Studium der antiken Poesie, in der Unterscheidung zwischen antiker und moderner Dichtung. Aber Schildknappen Schillers waren die beiden Brüder nie gewesen. 1799 vollends war Schiller bereits mit Friedrich zerfallen und stand zu Wilhelm nur noch in einem kühlen literarischen Verhältnis. Die Schuld trug einerseits Friedrichs kritische Zweideutigkeit, der Schillers „Würde der Frauen" und „Ideale" zerpflückt und die Überzahl von Übersetzungen in den „Horen" getadelt hatte, andrerseits der Klatsch der Weimarer und Jenaer Gesellschaft. Man bot boshafte Urteile Carolines, der „Dame Luzifer", über Schiller herum und warf ihr in Schillers Familie vor, sie habe die Heirat des einst mit Körners Schwägerin verlobten Ferdinand Huber mit Therese Heyne, der Witwe Georg Forsters, gefördert. So schrieb Schiller, als er am 31. Mai 1797 Wilhelm Schlegel das noch ausstehende Honorar für seine Beiträge in den „Horen" sandte, ihm einen schroffen Absagebrief: „Es hat mir Vergnügen gemacht, Ihnen durch Einrückung Ihrer Übersetzungen aus Dante und Shakespeare in die „Horen" zu einer Einnahme Gelegenheit zu geben, wie man sie nicht immer haben kann;. da ich aber vernehmen muß, daß mich Herr Friedrich Schlegel zu der nämlichen Zeit, wo ich Ihnen diesen Vorteil verschaffe, öffentlich deswegen schilt, und der Übersetzungen zu viele in den „Horen" findet, so werden Sie mich für die Zukunft entschuldigen. Und um Sie, ein für allemal, von einem Verhältnich frei zu machen, das für eine offene Denkungsart und eine zarte

80. Schiller
Lithographie nach dem Gemälde von Ludovike Simanowiz, 1793

Als Schiller 1789 in Jena eine historisch-philosophische Professur erhielt, heiratete er am 22. Februar 1790 Charlotte von Lengefeld.

81. Charlotte Schiller, geb. v. Lengefeld (1766—1826)
Gemälde von Ludovike Simanoviz, 1794

82. Schiller in Karlsbad
Zeichnung von Johann Christian Reinhart

Nach den schweren Krankheitsanfällen im Frühjahr 1791 entschloß sich Schiller zu einer vierwöchigen Kur in Karlsbad.

Schiller

81
*Charlotte Schiller
geb. von Lengefeld
(1766—1826)*

82
Schiller in Karlsbad

83
*Schillers Gartenhaus
und Garten in Jena*

84
Schillers Haus in Weima

85
Schiller

Gesinnung notwendig lästig sein muß, so lassen Sie mich überhaupt eine
Verbindung abbrechen, die unter so bewandten Umständen gar zu sonderbar ist, und mein Vertrauen zu oft schon kompromittierte." Es gelang
Wilhelm Schlegel, wenigstens das literarische Verhältnis zu Schiller wieder-
herzustellen. Aber das zu Friedrich, dem „Laffen", blieb zerfallen, und
alles, was sich um die Brüder Schlegel scharte, teilte deren Abneigung
gegen Schillers Schaffen. Nennt Friedrich am 29. Oktober 1798 gegenüber
Caroline den „goethesken Prolog" zum Wallenstein eine „ausgehöhlte
Fruchthülse", und meint er, es gehöre eine impertinente Geduld dazu,
„um solche lange Drachen in Papier, in Worte und Reime auszuschnitzen",
so gibt Caroline selber sich Mühe, dem Schillerschen Werke gerecht zu
werden, soweit es ihr möglich ist. „Wir haben in Weimar endlich", schreibt
sie am 24. April 1799 an Luise Gotter, „den ,Wallenstein' ums Leben
gebracht und wollen hoffen, daß er dadurch die Unsterblichkeit erlangt."
Sie lobt die Schönheit und Kraft der einzelnen Teile, findet aber, das
Ganze habe durch die Länge sehr an Effekt verloren. „Es ist eben ein
Werk der Kunst allein, ohne Instinkt." Für das „Lied von der Glocke"
aber mit seinem Gemälde des bürgerlichen Lebens hat sie nur die Lauge
boshaftesten Hohns: „Wir sind", berichtet sie am 21. Oktober 1799 ihrer
Tochter Auguste, „gestern mittag fast von den Stühlen gefallen vor
Lachen, es ist à la Voß, à la Tieck, à la Teufel, wenigstens um des Teufels
zu werden." Nicht weniger übel klingt es bei Schleiermacher. Als dieser
die Konkursanzeige über Wieland im „Athenäum" las, rief er am
5. Oktober 1799 Wilhelm Schlegel zu einer ähnlichen Teufelei gegen
Schiller auf: „Was für eine himmelschreiende Sünde ist es, solch ein risibles
Subjekt zu vernachlässigen, wie der Schiller ist mit seinem kaum aus-
gekrochenen und schon zusammengeschmolzen werden sollenden ,Wallen-
sten'! Und welch ein herrlicher Beweis von Rücksichtslosigkeit wäre es,
wenn Sie ihn springen ließen." Man sieht, wie die „Reden über Religion"
auch eine recht menschliche Kehrseite hatten, und was für ein frecher
Sperling in der Nähe von Friedrich Schlegel der später so salbungsvolle
Theologe Schleiermacher sein konnte. August Wilhelm Schlegel zeigte
sich — notgedrungen — auch hier als der überlegene. „Auf Ihre Vor-

83. Schillers Gartenhaus und Garten in Jena
Zeichnung Goethes vom März 1819

Nachdem Schiller seit 1789 in Jena verschiedene Wohnungen gemietet hatte, er-
warb er 1797 ein Haus mit Garten, das er bis zu seiner endgültigen Übersiedlung
nach Weimar bewohnte.

84. Schillers Haus in Weimar
Im April 1802 zog Schiller in das von dem Engländer Mellish erworbene Haus
an der Esplanade. Er bewohnte es bis zu seinem Tode.

85. Schiller
Gemälde von Friedrich August Tischbein, 1805

schläge wegen der Teufeleien", schrieb er Schleiermacher am 1. November, „kann ich nicht ganz eingehen. Wenn wir mit Schiller übel umgehen, so verderben wir unser persönliches Verhältnis mit Goethe, woran mehr gelegen ist, als an allen Teufeleien der Welt."

Dem ungemessenen Streben dieser jungen Frechlinge entsprach weltanschaulich nicht die kritische Besonnenheit von Kants Transzendentalphilosophie, sondern die aus ihr abgeleitete Metaphysik Fichtes, Schellings und Schleiermachers; nur sie bot ihnen die Möglichkeit, die Schranken der sinnlich-verständigen Welt zu überspringen und auf den Flügeln einer philosophierenden Phantasie oder phantastischen Philosophie im Übersinnlichen und Unendlichen zu schweifen. Für Friedrich Schlegel gehörte Kant schon früh zu den Denkern, die ihn aufs stärkste anzogen; schon in den ersten Briefen an seinen der Philosophie noch widerstrebenden Bruder taucht Kants Name auf, und am 3. April 1793 erklärt er, er habe, u. a., Kantische Philosophie mit ganzem Ernst vorgenommen. Am 13. September schreibt er, Kants Lehre sei die erste gewesen, so er etwas verstanden, und sei die erste, aus der er noch viel zu lernen hoffe. Aber schon scheidet er sich von dem Lehrer. „Ich bin mit dem nicht eins, was ihr doch zum Grunde liegt, die intelligible Freiheit, der regulative Gebrauch der Ideen überhaupt, die reine Gesetzmäßigkeit als Triebfeder des Willens usw. Bei der ‚Kritik der Urteilskraft‘ vergiß doch ja nicht, daß er ein alter Mann ist." Dann aber rühmt er wieder darin „das Wort einer großen, schönen Seele … Die nachlässige, steife Hülle gibt dem Göttlichen, so sie einschließt, ein Siegel der Echtheit, das ich ungern vermissen würde." Er plante damals in Dresden Vorlesungen über die Kantische Philosophie zu halten, die eine Kritik Kants enthalten sollten, und als Wilhelm, der kein philosophischer Kopf war, Kants Ästhetik abwehrte, schrieb er ihm am 17. August 1795: „Deine heftige Anti-Kantik erinnert mich an unsere Verwandtschaft. Laß Dich umarmen! Du bist ein Schlegel — Schlegelikotatos." Damals hatte er bereits Kant innerlich überwunden und sich Fichte angeschlossen, der, wie er am 23. Dezember Wilhelm schrieb, Kant und Spinoza zurückläßt. Die Wissenschaftslehre, die 1794 und 1795 erschien, hatte die Umwandlung bewirkt, weil sie seinem revolutionären Geiste entsprach. Nur eine Philosophie, so erklärt er jetzt, sei die für den Dichter angemessene, die Fichtesche, „die schaffende, die von der Freiheit und dem Glauben an sie ausgeht und dann zeigt, wie der menschliche Geist sein Gesetz allem aufprägt, und wie die Welt sein Kunstwerk ist."

Aber auch Fichte konnte für den euphorionhaften Unendlichkeitsdrang Friedrich Schlegels nicht das letzte Wort sein. 1797 hatte er Schleiermacher kennengelernt, und dieser führte ihn zum Studium Spinozas. Nun verschob sich der Ausgangspunkt seiner Philosophie. An die Stelle des ringenden und schaffenden sittlichen Ichs als Anfang alles Denkens trat die Vorstellung des gegebenen Universums. „Der Gedanke des Universums und seiner Harmonie", heißt es in dem 1799 niedergeschriebenen „Brief über Philosophie", „ist mir Eins und Alles; in diesem Keime sehe ich eine Unendlichkeit guter Gedanken, welche ans Licht zu bringen und auszubilden ich als die eigentliche Bestimmung meines Lebens fühle". Fichte hatte als „Element aller Gewißheit" den Glauben ausgegeben. Auch Friedrich Schlegel hielt diesen Glaubensgrund alles Wissens fest. Aber wenn Fichte unter Glauben die Selbstgewißheit, das unmittelbare Fürwahrhalten verstand, so verschob sich für Friedrich Schlegel der Begriff ins Religiöse, und Glaube wurde ihm Offenbarung der göttlichen Weisheit. Jetzt trat Jakob Böhme in sein Denken, zu dem ihn Tieck führte. In Jena hielt er 1800 eine Vorlesung über Transzendentalphilosophie. Er versuchte darin, Fichte mit Böhme und Spinoza zu vereinigen, indem er in dem Idealismus als der „Philosophie des Unendlichen" die Identität von Ichbewußtsein und Realität verkündete. „Das Wesentlichste des Idealismus", heißt es darin, „ist in der Annahme einer absoluten Intelligenz, die die Realität in sich vereinigt, und die wir nur symbolisch kennen." Ein paar Jahre später hatte er auch die Überzeugung verloren, die Identität von Bewußtsein und Realität aus dem philosophischen Gedanken zu finden. Sein Glaubensbegriff hatte nun völlig den geschichtlichen Inhalt der katholischen Religion in sich aufgenommen. Es war nur eine Folge dieser Entwicklung, wenn er mit seiner Frau Dorothea am 16. April 1808 in Köln zur katholischen Kirche übertrat. Die Enden seines Lebens hatten sich zum Ringe zusammengeschlossen, und er, der in seiner Jugend für sein himmelstürmendes Streben keine Grenze gekannt, hatte in der kirchlichen Hierarchie diesseitig-jenseitiger Gedanken seine Ruhe gefunden. Es war ein symbolisches Geschehnis: die Romantik als Epoche der Revolution war damit zum Stillstand gekommen.

Aber weder Friedrich Schlegel noch sein Bruder August Wilhelm spiegelt die revolutionäre Bedeutung dieser geschichtlichen Epoche menschlich so rein und unbedingt wie eine Frau: Caroline.

Als Wilhelm Schlegel seinem Bruder Bruchstücke aus Carolinens Briefen mitgeteilt hatte, schrieb ihm Friedrich am 28. Juli 1792: „Welches Weib! — Du Glücklicher, Du wagst es noch zu klagen? — Was wollte ich nicht mit einem solchen Glücke ertragen!" Sie war als die erste Tochter aus der zweiten Ehe des Orientalistikprofessors Michaelis am 2. September 1763 in Göttingen geboren, der Kleinstadt mit der glänzenden Universität. Göttingen, so erklärte sie später, „ist eine Stadt, von der im allgemeinen nicht viel Tröstliches zu sagen ist, allein in keiner von so geringem Umfang wird man so viel einzelne merkwürdige gescheute Menschen antreffen". Über ihre Familie fällt sie das harte Urteil, sie sei durch Verdorbenheit, Unverstand, Schwäche und Heftigkeit der einzelnen Mitglieder zerrüttet gewesen: „Der eine betet, der andere klagt das Schicksal an, der Grund des Übels liegt aber nicht jenseits der Wolken." Der Vater war mit einem schwierigen Charakter vereinsamt, die Mutter umständlich und schwunglos, ohne Verständnis für die Tochter, der sie die andern Kinder vorzog. Zwischen beiden, und im Kreise ihrer Geschwister, führte Caroline ihr eigenes Leben: hochbegabt, gescheit, nach allen möglichen Gebieten des Wissens ausschauend, aber mit einem Abscheu vor gelehrten Frauen, dem Vergnügen des Augenblicks sich hingebend, wo es sich bot, unruhig, phantasievoll, und doch ohne Illusionen. „Ich bin keine Schwärmerin, keine Enthusiastin", bekannte sie als Fünfzehnjährige, „meine Gedanken sind das Resultat von meiner, wenn's möglich ist, bei kaltem Blut angestellten Überlegung. Ich bin gar nicht mit mir zufrieden, mein Herz ist keinen Augenblick selbst gleich, es ist so unbeständig... Ich habe wahres festes Vertrauen auf Gott, ich bitte ihn so sehnlich, mich glücklich zu machen, aber ich habe so verschiedene Wünsche, wodurch ich das zu werden suchte, daß, wenn er sie alle nach meiner Phantasie erfüllen wollte, ich notwendig unglücklich werden müßte." Mit unbeschränkter Genußfähigkeit gibt sie sich dem Leben hin: „Ich will", schreibt sie sechzehnjährig, „meinen Frühling genießen... Mir vor Sorgen und Kummer graue Haare wachsen lassen, das ist meine Sache nicht." Dabei ist sie aber auch Realistin genug, um das Wort: „Wenn man durch lachende Illusionen glücklich ist, wozu bedarf man der Wirklichkeit?" für sich abzulehnen. Ja, sie gesteht später ihrer drei Jahre jüngern Schwester Lotte, daß das Gefühl einer gewissen Nichtigkeit am Ende die schönsten Farben der Zukunft auflöse. „Wir wären elend, wenn nicht aus Kleinigkeiten unsre Glückseligkeit zusammengesetzt wäre, deren Summe eitel ist, aber die im einzelnen doch fähig sind, uns ganz zu beschäftigen. Denn aus jener Stimmung, wo die Seele in sich zurückkehren zu wollen und im Begriff schien, ihre Tiefen und unser Wesen zu ergründen — ruft uns doch so leicht das Mindeste zurück, eine Stimme, ein schneller Blick, der auf ein Band fällt, auf ein Etwas — und das leitet uns wie ein Blitz zurück auf die Gegenwart, auf Annehmlichkeit und Abwechslung des Lebens." Die Genußfähigkeit ihres lebhaften Gemütes schützte sie aber nicht vor Enttäuschungen. „Unbesonnenheit führte mich auf Irrwege, Leidenschaften warfen mich hin und her, ich hätte sinken können, aber die Hand der Vorsehung hielt mich und ließ mich nur darum alle Unannehmlichkeiten des Wegs fühlen, um mich seines glücklichen Ziels wert zu machen." (23. 10. 1782.) Ihre Freundin, Therese Heyne, verdeutlicht diese dunklen Andeutungen: Caroline sei durch Unerfahrenheit und die Gesellschaft eines unnützen Mädchens in sehr zweideutigen Ruf geraten und habe aus Eitelkeit und Neid einige wirklich boshafte und unvorsichtige Streiche begangen; „dieses gibt ihr jetzt den Anschein von Prüderie, da sie wirklich wider ihr Temperament sanft und zurückhaltend ist".

Im Juni 1784 machte sie der Unruhe ihres Lebens ein vorläufiges Ende, indem sie den Arzt in dem Bergwerkstädtchen Clausthal, Dr. Böhmer, heiratete. Es war eine auf Wohlwollen und guten Vorsätzen gegründete Verstandesheirat. „Böhmer", schreibt sie ein paar Wochen nach ihrer Heirat, „muß ein guter Ehemann sein, solange ich ihn liebe, und meine Zärtlichkeit für ihn trägt nicht das Gepräge auflodernder Empfindungen". Sie gebar drei Kinder, von denen nur das älteste, Auguste, lebensfähig war. Sie hatte Mühe, sich nach der lebhaften Geselligkeit der Universitätsstadt in das einsame Clausthal einzugewöhnen, vor allem, da ihr Mann mit Geschäften überhäuft war: „Die Fluren sind so schwarz; das Ganze hat einen Anstrich von Schwermut." Aber sie sucht mit ihrer Genußfähig-

keit auch dem Winter mit seiner reinen Luft, dem heiteren Sonnenschein,
den diamantnen Bäumen und der mäßigen Schneefläche, die von der
Abendsonne mit der sanftesten Rosenfarbe geschmückt wird, einen Reiz
abzugewinnen. Ja, sie sieht den Winter sogar mit leichterem Herzen kommen, als den Frühling, trotzdem er rauh ist und die Natur arm und kalt.
Denn der Frühling macht ihr Heimweh: „Es ist immer die Jahreszeit
süßer Schwermut; but, as there is no occasion for a sweet one, so wird
dann eine bittre draus." Ihr tägliches Leben ist armselig und einförmig
und bietet ihrer Phantasie und Tatkraft wenig Anregung, ihre Stimmung
ist trübe. „Wie wenig Gegenstände gibt's, wo die halbwegs vernünftige
Einbildungskraft sich an Freuden übt. Ich bin nicht mehr Mädchen, die
Liebe gibt mir nichts zu tun, als in leichten häuslichen Pflichten — ich
erwarte nichts mehr von einer rosenfarbenen Zukunft — mein Los ist geworfen." So zerstreut sie sich durch uferloses Lesen schöngeistiger und
geschichtlicher Werke der Zeit und verschmäht sogar des alten Bucholtz
gelehrten und weitschweifigen Roman von Herkules und Valiska von
1659 nicht. „Da ich nichts Nahes fand, was mich beschäftigte, so blieb die
weite Welt mir offen — und die... machte mich weinen. Da ist immer
die Rede von schwachen Stunden. Weh mir, wenn in guten es mir an
Freuden mangelte! So eingeschränkt bin ich nicht. Durch Interesse an
Dingen außer mir, durch Betrachtung, durch Mutterschaft, durch alles,
was ich tu, genieß ich mein Dasein."

Der Tod ihres Mannes erlöste sie 1788, nach vierjähriger Ehe, aus der
Clausthaler Gefangenschaft. „Ich weiß nicht", bekennt sie einem Freunde,
„ob ich je ganz glücklich sein kann, aber das weiß ich, daß ich nie ganz
unglücklich sein werde. Sie haben mich in einer Lage gekannt, wo ich, von
allen Seiten eingeschränkt, durch den Druck meines eigenen Gewichts
niedersank — grausam bin ich herausgerissen, doch fühle ich, daß ich es
bin, denn es ist so hell um mich geworden, als wenn ich zum ersten Mal
lebte, wie der Kranke, der ins Leben zurückkehrt, und eine Kraft nach der
andern wieder erlangt und neue reine Frühlingsluft atmet, und in nie emp-
fundenem Bewußtsein schwelgt. Ein Schleier fällt nach dem andern, es ist
mir nichts mehr sehr wichtig — Erfahrung mindert den Wert der Dinge,
denn es nimmt ihnen die Neuheit —, ich schätze nichts mehr, als was mir
mein Herz gibt, und erwerbe nichts, als was ich mir selbst bereite." Das ist
eine romantische Auswertung ihrer Entwurzelung durch den Verlust ihres
Mannes. Man könnte in dieser Mischung von Genußfähigkeit und Verzicht
von Ironie sprechen, wie sie Friedrich Schlegel später bestimmt hat. Man
spürt, diese Frau hält, ob sie sich auch in ihrer Leidenschaft zum Glücklichsein auf Augenblicke verlieren kann, doch im Ganzen ihr Schicksal fest
in eigenen Händen. Das ist eine ganz andere Art von Weib als die Frauen
um Wieland, Klopstock, Voß und Claudius, als Goethes Frau von Stein
und Christiane und Schillers Lotte, auch als Lessings geschäftstüchtige Eva
König und Herders kluge Caroline. Sie ist nicht gesonnen und geschaffen,
sich von den Männern bilden zu lassen; sie ist dazu da, sie aus sich zu
bilden. Und so beginnt sie jetzt zu wirken.

Aus Clausthal kehrt sie nach Göttingen zurück und geht dann für einige Zeit nach Marburg zu ihrem Bruder Fritz. Sie war damals eine „kleine gottlose Frau", eine „kokette junge Witwe", die sich von den Männern in Göttingen, Marburg und Gotha umwerben ließ, ohne einen von ihnen zu erhören. Zu den abgewiesenen Bewerbern gehörte auch der Student Wilhelm Schlegel in Göttingen, der ihr „dreimal schrieb". „Schlegel und ich! Ich lache, indem ich schreibe! Nein, das ist sicher — aus uns wird nichts." Aber das Herumscharmieren taugte auf die Dauer nicht für sie. Sie verlangte nach wirklichem Erleben, auch wenn es ein lebensgefährdendes Abenteuer in sich schloß. „Wer sicher ist, die Folge nie zu bejammern, darf tun, was ihm gut dünkt", schrieb sie damals an einen Freund. In Mainz lebte ihre Freundin Therese Heyne, die ohne Neigung die Frau des Weltumseglers Georg Forster geworden war. Dieser, seit 1788 Oberbibliothekar, schwach und unbeständig, berauschte sich an den Freiheitsideen der Französischen Revolution und trat, nachdem die Franzosen unter General Custine am 21. Oktober 1792 Mainz erobert hatten, am 5. November dem dortigen Jakobinerklub bei. Er war es, der in Mainz den Freiheitsbaum aufpflanzte. Aber bereits rückte die preußische Armee vor. Es kam zur Belagerung und im Sommer 1793 zur Rückeroberung der Stadt. Damals hatte das Forstersche Ehepaar Mainz bereits verlassen. Therese hatte sich ihrem Hausfreunde Ferdinand Huber angeschlossen, der später, zu Körners und Schillers Verdruß, ihr zweiter Mann wurde. Forster ging im März 1793 als Deputierter nach Paris, starb aber schon im Januar 1794.

Das waren die aufregenden Ereignisse, die Caroline das große Erlebnis, aber auch die tiefste Gefährdung ihres Lebens brachten und ihr die höchste Bewährung ihres Charakters auferlegten. 1791 war ihr Vater gestorben. Das Haus in Göttingen war verkauft worden. Sie hatte dort keine Heimat mehr. Ihre Mutter war mit der jüngsten Tochter nach Hamburg gezogen. So begab sie sich im März 1792 zu Therese Forster nach Mainz. Sie ist in der aufgewühltesten Stimmung, beständig im Kampfe mit ihren Wünschen, Plänen, Leidenschaften. Und schwingt sich doch immer wieder über alles Ungemach hinweg. „Alles schlägt mir fehl", klagt sie im Sommer. „Ich werde niemals glücklich werden. Ist das nun wohl meine Schuld? Und dennoch zürnt meine milde Seele nicht mit dem Schicksal — und trachtet nur darnach, sich auch das härteste zu versüßen ... Nichts verzeih ich mir weniger als nicht froh zu sein — auch kann der Augenblick niemals kommen, wo ich nicht eine Freude, die sich mir darbietet, herzlich geniessen sollte. Das ist mir natürlich — das wird immer meine Unruhe dämpfen, meine Wünsche zum Schweigen bringen — und wenn es auch lange noch keine Gleichmütigkeit wird, so kann ich doch nie unterliegen. Ich habe mich nun einmal so fest überzeugt, daß aller Mangel, alle Unruhe, aus uns selbst entspringen — wenn du nicht haben kannst, was du wünschest, so schaff dir etwas anders — und wenn du das nicht kannst, so klage nicht — nicht aus Demut, aus Stolz ersticke alle Klage."

Es kann, bei ihrem Charakter, keine Frage sein, daß sie mit der Revolution liebäugelte — sie habe im Anfang herzlich geschwärmt und Forsters Meinung habe die ihrige mit sich gezogen, gestand sie später. Aber sie ist klug und fest genug, sich ihr nicht zu ergeben. „Das rote Jakobinerkäppchen, das Sie mir aufsetzten", schreibt sie am 12. August 1792 an einen Freund, „werf' ich Ihnen an den Kopf. Wir kennen die Helden von Brissots Schlag (Brissot war der Begründer der nach ihm benannten Gruppe der Girondisten, Gemeinderat von Paris, dann verhaftet und 1793 hingerichtet) recht gut für das, was sie sind, und wissen qu'il nage dans l'opprobre sans s'y noyer, puisque c'est son élément." Ihre Abneigung gegen die Jakobinermütze hielt sie nicht ab, als Freundin der Forster mit den Offizieren der französischen Besatzung lebhaften Verkehr zu pflegen; und da, im Winter 1792/93, erreichte sie ihr Schicksal. In einer schwülen Ballnacht wurde sie die Geliebte eines erst neunzehnjährigen Offiziers, Jean-Baptiste Dubois-Crancé, des Neffen des Generals d'Oyré, des Kommandanten von Mainz. Sie weiß, sie ist wegen ihrer Beziehungen zu Forster und wegen des Verkehrs mit den Franzosen bei den Deutschen verdächtig. Sie strebt von Mainz fort. „Mein Name ist proskribiert — das weiß ich — gut, daß ich nicht selbst den Fluch über ihn gebracht." Am 30. März 1793 gelingt es ihr, mit ihrer Tochter und zwei ihr befreundeten Frauen aus dem von den Preußen eingeschlossenen Mainz zu entweichen. Sie strebt nach Gotha und Göttingen. Glücklich gelangen die Frauen nach Oppenheim. Da werden sie von den Preußen aufgegriffen und, da Caroline in ihrer selbstbewußten Art und ihrer Aufregung die Soldaten herausfordert, festgenommen, am 8. April nach der Festung Königstein gebracht und dort zuerst schwer eingekerkert. „Sehen Sie den schrecklichen Aufenthalt", schreibt sie an Gotter, „atmen Sie die schneidende Luft ein, die dort herrscht — lassen Sie sich von dem durch die schädlichen Dünste verpesteten Zugwind durchwehn — sehen Sie die traurigen Gestalten, die stundenweise in das Freie getrieben werden, um das Ungeziefer abzuschütteln, vor dem Sie dann Mühe haben, sich selbst zu hüten — denken Sie sich in einem Zimmer mit sieben andern Menschen, ohne einen Augenblick von Ruhe und Stille... Ich habe Tage da gelebt, wo die Schrecken und Angst und Beschwerden eines einzigen hinreichen würden, ein lebhaftes Gemüt zur Raserei zu bringen." Im Juni bringt man sie in bloßen Ortsarrest nach dem nahen Kronberg. „Schuldig bin ich übrigens gewiß nicht", schreibt sie am 1. Mai an Gotter in Gotha, „ich teile den ausgezeichnet bittern Haß, den man auf Forster geworfen hat. Man irrt sich in dem, was man über meine Verbindung mit ihm glaubt — um seinetwillen allein will man mich als Geisel betrachten." In Kronberg hat sie ein eigenes Zimmer, wo es Stühle gibt statt nur hölzerne Bänke. Aber ihre Lage ist nach wie vor die furchtbarste. Sie hat in Königstein entdeckt, daß sie Mutter ist, und muß alles tun, ihren Zustand der Umgebung zu verheimlichen. „Ich hatte mir", berichtet sie am 30. Juli, „eine bestimmte Zeit gesetzt; wurde ich innerhalb dieser nicht gerettet, so hätte ich zu leben aufgehört, denn meinem armen Kinde war es ja besser ganz Waise zu sein, als eine entehrte Mutter zu haben."

Inzwischen bemühten sich ihre Verwandten und Freunde um ihre Freilassung: ihre Schwester Luise, ihr Bruder Philipp, A. W. Schlegel, Wilhelm von Humboldt. Schließlich gelang es Philipp, durch den preußischen König die Befreiung zu erwirken. Sie ging für einige Zeit nach dem abgelegenen Lucka bei Leipzig, wo sie ihr Kind zur Welt brachte und Gelegenheit hatte, über ihre Lage nachzudenken. Sie war bei allen Freunden bürgerlicher Sittlichkeit schwer kompromittiert. Man verdammte sie als Vaterlandsverräterin und Sittenlose. Vor allem im Körnerschen Hause in Dresden, wo man sie noch außerdem als Heiratsstifterin zwischen Therese Forster und Huber haßte, wurde sie verurteilt. Das Hannoversche Universitätskuratorium erteilte am 16. August 1794, ja sogar noch am 26. September 1800 dem Prorektor der Universität Göttingen den Auftrag, ihr einen längeren Aufenthalt in Göttingen zu verbieten und, wenn sie sich dort einfinden würde, sie sofort wegzuweisen. Nirgends klafft der Gegensatz zwischen der altgegründeten, auch von der Aufklärung nicht ernstlich angegriffenen Sittlichkeit des deutschen Bürgertums und der revolutionären Freigeisterei des neuen Geschlechts so grell auf, wie in dieser Verfehmung Carolines. Zwar findet sie ihre Ruhe in der Größe der eigenen Seele. „Gegen mich haben sie alle ihre drohende Hand erhoben", schreibt sie, „was ich tat, ist verdammenswert vor jedermann . . . Ich will vergessen und vergessen werden . . . Hier tief in der Brust wohnt ein Frieden, den kein Geschick vernichten konnte." Aber es ist nun nur folgerichtig, daß sich ihres Geschickes diejenigen annahmen, die es als ihre Sendung betrachteten, dem neuen Geiste den Weg zu bahnen: die Brüder Schlegel.

Sie waren, als Söhne Johann Adolf Schlegels, des einstigen Bremer Beiträgers, der 1759 Generalsuperintendent in Hannover geworden war, in einem geistig angeregten Hause aufgewachsen und hatten die Neigung zur Literatur als Erbe des Vaters überkommen, der ihr über der reichen Arbeit seines geistlichen Amtes frühzeitig hatte entsagen müssen. Um so ausgiebiger machten die Söhne daraus ihren Lebensberuf. August Wilhelm, am 5. September 1767 geboren, hatte in Göttingen erst Theologie, dann klassische Philologie studiert. Unter seinen Lehrern hatte vor allem Heyne ihm das Verständnis für die ästhetischen, aber auch die antiquarischen Fragen der Altertumswissenschaft vermittelt, während Bürger seinen Geschmack gebildet und seine Verskunst gefördert hatte. Er schloß sich damals so enge an Bürger an, daß dieser ihn seinen „poetischen Sohn" nannte, „an dem er Wohlgefallen habe", seinen Lieblingsjünger, dessen Meister er gern heißen möchte, wenn solche Jünger nicht ohne Meister fertig würden, und in einem tönenden Sonett ihn pries als einen jungen Aar, dessen königlicher Flug den Druck der Wolken überwinden und die Bahn zum Sonnentempel finden werde. Er hat damit seinem Wissen um Begabung das schlechteste Zeugnis ausgestellt; denn wenn einer in der Generation der Romantiker in seinem Urteil und seinem Weg auf andere angewiesen war, so Wilhelm Schlegel. Im Grunde war er ein feinfühliger Nachempfinder, mehr Ästhetiker und Literarhistoriker als Dichter und erfolgreich vor allem deswegen, weil er es verstand, mit Fleiß und Ordnungssinn die genialen Ideen der andern, vor allem seines Bruders und Carolines, in die angenehme und leicht eingängliche Sprache gelehrter Werke umzusetzen. Caroline hatte ihn sofort durchschaut und ihn darum spottend abgewiesen, als er um sie geworben. Er hatte darauf, nachdem er sein Studium in Göttingen mit einer Arbeit über die Homerische Geographie abgeschlossen, in Amsterdam eine sehr einträgliche Hauslehrerstelle übernommen. „Schlegel ist Hofmeister in Amsterdam und ißt und trinkt gut", schrieb Caroline.

Ganz anders als der geordnete, liebenswürdige Wilhelm war sein am 10. März 1772 geborener Bruder Friedrich. Er stimmte mit Wilhelm nur überein in der für die Romantiker charakteristischen Unfähigkeit, seine Weltkenntnis und sein Denken der unmittelbaren Naturerfahrung entspringen zu lassen: in seinem unbedingten intellektuellen Literatentum. In allem andern war er das genaue Gegenteil des Bruders: unberechenbar, wo dieser besonnen, genialisch, wo dieser bloß begabt; sprunghaft, wo dieser stetig; schwärmend, wo dieser nüchtern; sinnlich, wo Wilhelm geistig. Er ist von einer ungeheuren Ichbesessenheit. Wo ein fremder Wille, eine äußere Ordnung sich an ihn andrängt, lehnt er sich leidenschaftlich auf. „Ich kann nicht gefesselt sein", schreibt der Einundzwanzigjährige seinem Bruder gegenüber den Versuchen der Eltern, seine Laufbahn zu bestimmen; „ich muß und will mir selbst leben, sicher und unbesorgt über das, was mir dabei aufstoßen mag, animo fretus. — Ich sehe die offenbare Unmöglichkeit ein, mich itzt in ein bürgerliches Joch zu schmiegen, um einen dürftigen Lohn meinen Geist, das bessere Teil meines Lebens, unwiederbringlich hinzuopfern." In dem Aufsatz über das Studium der griechischen Poesie preist er Aristophanes, um „seines mutwilligen Frevels" willen: seine gesetzlose Ausschweifung sei nicht bloß durch schwelgerische Fülle des üppigsten Lebens verführerisch reizend, sondern auch durch den Überfluß von sprudelndem Witz, überschäumendem Geist und sittlicher Kraft in freiester Regsamkeit hinreißend schön und erhaben. Freiheit ist ihm das Merkmal des Genies, und gegenüber der Feststellung, es gebe so wenig Genies, ruft er aus: „Gebt die Bildung frei, und laßt sehen, ob es an Kraft fehlt!" Der ganze Kulturzustand der Menschheit hängt von der Freiheit ab. Seine Ichbesessenheit wirkt sich durchaus gesellschaftsfeindlich aus. Er ist so sehr in sein Inneres vergraben, in seine von allen möglichen sich widersprechenden Stimmungen und Problemen durchfurchte und aufgepeitschte seelische Welt, daß er nach außen unliebenswürdig, rauh, abstoßend erscheint und Mühe hat, an die Menschen heranzukommen. Dabei ist der Widerspruch in seinem Innern so groß, daß er, bei regstem Geiste und dem heißen Trieb nach Tätigkeit, seine Kräfte doch oft nicht zu sammeln und zu einem großen einheitlichen Werke zu ordnen vermag, trotzdem der Verstand in ihm das Gemüt und die Sinne durchaus beherrscht. Es verfällt dann der Trägheit und ist zur Arbeit unfähig. So wechselt leidenschaftlicher Arbeitseifer mit Nichtstun. Jene spornt ihn aufs höchste an, die Trägheit lähmt ihn. Das „Fragment", der Aphorismus, die zugespitzte, oft fragliche Behauptung ist als blitzartiges Hervorbrechen genialer Einsicht der seiner zerrissenen Natur gemäße Ausdruck. Aber auch der Brief als unmittelbares und formloses Ausströmen des erregten Innern und als Sammelbecken von Fragmenten. In „Lucinde" hat er sich selber so charakterisiert: „Bei diesem Charakter mußte er oft in der geselligsten und fröhlichsten Gesellschaft einsam sein, und er fand sich eigentlich am wenigsten allein, wenn niemand bei ihm war. Dann berauschte er sich in Bildern der Hoffnung und Erinnerung und ließ sich absichtlich von seiner Phantasie verführen. Jeder seiner Wünsche stieg mit unermeßlicher Schnelligkeit und fast ohne Zwischenraum von der ersten leisen Regung zur grenzenlosen Leidenschaft. Alle seine Gedanken nahmen sichtbare Gestalt und Bewegung an und wirkten in ihm und wider einander mit der sinnlichsten Klarheit und Gewalt. Sein Geist strebte nicht die Zügel der Selbstherrschaft festzuhalten, sondern warf sie freiwillig weg, um sich mit Lust und mit Übermut in dies Chaos von innerem Leben zu stürzen. Pharao zu spielen mit dem Anschein der heftigsten Leidenschaft und doch zerstreut und abwesend zu sein; in einem Augenblick von Hitze alles zu wagen und, sobald es verloren war, sich gleichgültig wegzuwenden: das war nur eine von den schlimmen Gewohnheiten, unter denen Julius seine wilde Jugend verstürmte. Diese eine ist genug, den Geist seines Lebens zu schildern, welches in der Fülle der empörten Kräfte selbst den unvermeidlichen Keim eines frühen Verderbens enthielt. Eine Liebe ohne Gegenstand brannte in ihm und zerrüttete sein Inneres." Der ästhetische Ausdruck des „Chaos von innerem Leben" ist seine Bestimmung der romantischen Dichtung als progressive Universalpoesie und der romantischen Ironie als die ihr zugrundeliegende Stimmung.

Er bereitete den Eltern schwere Sorge. Sie hatten ihn, um seines ungeordneten Tätigkeitstriebes willen, eines regelrechten Studiums unfähig erachtet und zum Kaufmann bestimmt. Aber aus der Lehre in Leipzig kehrte er wieder nach Hause zurück und setzte das Studium durch. Im Galopp eroberte er das Gymnasialwissen und ging dann als Jurist nach Göttingen. Aber die klassische Philologie und die neue Literatur waren ihm anziehender, sowohl in Göttingen wie in Leipzig, wohin er nach Wilhelms Abreise nach Amsterdam übergesiedelt war. Sein Hunger nach Büchern war unermeßlich. Damals, im Mai 1791, begann sein Briefwechsel mit Wilhelm. Er war beiden ein Bedürfnis. Wilhelm, fern von Deutschland, erfuhr so, was in der Heimat an literarischen Taten geschah, und Friedrich konnte seinem Bedürfnis nach Entleerung seines gärenden Innern frönen. „Du wirst dir schon müssen gefallen lassen", schrieb er am 4. Oktober 1791, „daß ich dir Bücher statt Briefe schicke. Es ist mir beinahe zum Bedürfnis geworden, mich dir ganz mitzuteilen." Es waren, wie man sich denken kann, nicht bloße sachliche Berichte, sondern zugleich Anregungen, Gedanken, Keime aus einem überall sprossenden Geiste. So verdankte Wilhelm ihm Wertvollstes: die Lösung von Bürger, den Hinweis auf Kant und die Philosophie, auf Schiller. Er dankte ihm, indem er aus seinen reichen Einnahmen die Schulden bezahlte, in die Friedrich ein Abenteuer mit einer leichtlebigen Leipzigerin gestürzt hatte.

Noch etwas anderes leistete ihm Friedrich: er wurde sein Vertreter bei Caroline. Denn Wilhelm, von ihr einst so schnöde abgewiesen, wurde nun der treueste Helfer der Verfehmten. „Sie fühlen", schreibt sie Ende August 1793 an Friedrich, „welch ein Freund mir Wilhelm war. Alles, was ich ihm jemals geben konnte, hat er mir jetzt freiwillig, uneigennützig, anspruchs-los vergolten durch mehr als hülfreichen Beistand. Er hat mich mit mir ausgesöhnt, daß ich ihn mein nennen konnte, ohne daß eine blinde un-widerstehliche Empfindung ihn an mich gefesselt hielt." Wilhelm scheint ihr in dem, was er ihr war, „alles umfaßt zu haben, was man männlich und zugleich kindlich, vorurteilslos, edel und liebenswert heißen kann."

Der Dienst für den Bruder versetzte Friedrich in die heikelste Lage. Über das sittliche Vorurteil war er erhaben. Carolines Schicksal, gerade weil es den Schicklichkeitsbegriffen der bürgerlichen Kreise widersprach, konnte sie ihm nur nahebringen. Noch mehr aber ihr Geist, ihre leicht-bewegliche Phantasie, ihr zartes Gefühl. Er kam sich schon durch ihre Briefe bereichert vor. Wieviel mehr, als er bei häufigen Besuchen in dem nahen Lucka ihres persönlichen Umganges genoß. „Was ich bin und sein werde", schrieb er ihr später, „verdanke ich mir selbst; daß ich es bin, zum Teil Ihnen." „In ihrem Wesen", so schildert er sie in der „Lucinde", „lag jede Hoheit und Zierlichkeit, die der weiblichen Natur eigen sein kann, jede Gottähnlichkeit und jede Unnatur, aber alles war fein, gebildet und weiblich." Die Mischung des Ungleichen in ihr war beseelt von einem Hauch von Harmonie und Liebe: „Sie konnte in derselben Stunde irgend-eine komische Albernheit mit dem Mutwillen und der Feinheit einer gebildeten Schauspielerin nachahmen und ein erhabenes Gedicht vorlesen mit der hinreißenden Würde eines kunstlosen Gesanges." Man wundert sich nicht, daß er sich selber in Caroline verliebte, sie schwärmend seine Diotima nannte; man wundert sich eher darüber, daß er sich zu beherr-schen vermochte und dem Bruder die Treue hielt.

Sie selber dankte ihm für seine hilfreiche Freundschaft, indem sie ihm ihr Inneres aufschloß, fruchtbarste Keime ihres Geistes in ihn senkte: „Carolines Urteile über Poesie sind mir sehr neu und angenehm. Sie dringt tief ins Innere." Sie offenbarte ihm in der literarischen Kritik seinen eigentlichen Beruf. Und vor allem etwas gab sie ihm — und Wilhelm —: die Erkenntnis der überragenden Bedeutung Goethes. Denn sie hat als erste des romantischen Geschlechtes erkannt, was Goethe war. Schon als achtzehnjähriges Mädchen rühmte sie, daß er so ganz herrlich, so hinreißend schön schreibe, und sie findet weder seinen „Werther" noch „Stella" noch die „Die Geschwister" unnatürlich. Am 30. September 1783 schreibt sie Luise Gotter: „Noch in aller Eil' ein Wort, meine Liebe. Goethe war hier, und ich hab' ihn nun gesehen." Sie ließ ihre Goethe-verehrung in Friedrich überströmen. Sie war eine Meisterin des Lesens und las ihm 1793 die „Iphigenie" „herrlich" vor. Man hört so in den späteren Aufsätzen der beiden Brüder über Goethe immer wieder ihre Stimme.

So war durch geistige Verbindung und menschliche Beziehung das Ver-hältnis zwischen Wilhelm und Caroline bald so eng geworden, daß

427

Wilhelm, als er 1795 von Amsterdam wieder nach Deutschland zurück-
kehrte und sich 1796 in Jena niederließ, am 1. Juli mit der vier Jahre
älteren Caroline die Ehe schloß. Auch Friedrich, der von 1794 an in
Dresden gelebt und dort seine wichtigen Aufsätze über alte und neue
Literatur geschrieben hatte, zog jetzt nach Jena und wirkte als freier
Schriftsteller in Wilhelms und Carolines Nähe, bis das Zerwürfnis mit
Schiller ihn bestimmte, Jena zu verlassen und nach Berlin zu gehen. Es
waren die Jahre der inneren Festigung der romantischen Schule.

Sicherlich war die Heirat Carolines mit Wilhelm Schlegel ihrerseits aus
Not und Dankbarkeit, nicht aus wirklicher Liebe, zustande gekommen.
Die Ehe war nicht glücklich, und wenn in den Unterhaltungen Goethes
und Schillers Caroline mit ihren witzigen Bosheiten als „Dame Lucifer"
spukt, so mag man annehmen, daß an ihrer Medisance der Mangel an
Befriedigung in ihrer Ehe mit Schuld gewesen ist. Auf Michaelis 1798 kam
Schelling, auf Fichtes und Goethes Veranlassung, als Professor nach Jena
und trat damit ebenfalls in den Schlegelschen Kreis. Der erste Eindruck,
den er auf Caroline machte, war zwiespältig. Es habe nie eine sprödere
Hülle gegeben, schreibt sie am 4. Februar 1799 an Novalis. „Aber ungeachtet ich nicht sechs Minuten mit ihm zusammen bin ohne Zank, ist
er doch weit und breit das Interessanteste, was ich kenne, und ich wollte,
wir sähen ihn öfter und vertraulicher. Dann würde sich auch der Zank
geben. Er ist beständig auf der Wache gegen mich und die Ironie in der
Schlegelschen Familie." Die Worte zeigen, daß Schelling mit dem Ernst
und der Tiefe seiner Natur auf die spielerischen Geistreicheleien, wie sie
im Schlegelschen Hause die Unterhaltung beherrschten, weder eingehen
konnte noch wollte, und nun war Caroline innerlich groß genug, um diese
Ablehnung zu begreifen, da sie offenbar des Schlegelschen Tones bereits
selber satt war. So geschah es, daß Schelling sie zu sich hinüberzog.
Böhmer hatte sie geheiratet, weil sie, mit sich selber noch zu wenig bekannt, einen Mann haben wollte. Mit Wilhelm Schlegel hatte sie sich verbunden, weil er ihr die rettende Hand bot. Zum erstenmal traf nun die
Sechsunddreißigjährige in dem zwölf Jahre jüngeren Schelling den Mann,
den sie im tiefsten Sinne zu lieben vermochte, der die reinste Quelle ihres
reichen Geistes zum Fließen brachte. Sie selber war innerlich und äußerlich noch jung genug, um auch in ihm eine leidenschaftliche Neigung zu
entflammen. 1799 schrieb er in einem Weihnachtsgedicht an sie das
Bekenntnis:

> „Darum vernimm, du Leben meines Lebens,
> Was ich im innern Heiligtum vernommen...
> Was du durch eigne Kraft nicht magst erringen,
> Soll durch die Kraft der Liebe dir gelingen.
>
> So eile denn auf ungebahnten Stegen,
> Du himmlisch Bild, dem Zagenden voran,
> Bezeichnend ihm auf goldnen Sonnenwegen
> Zur ewigen Wahrheit die gewagte Bahn."

428

Caroline aber hat niemals schönere, wahrhaftere und gefühlstiefere Briefe geschrieben als die an Schelling. Sie hatte sich ihm ganz ergeben. Abgefallen war nun von ihr alle Schlegelsche Ironie und übermütige Geistesspielerei, und rein, klar und demütig trat das Eigentliche ihres Wesens wie eine plötzlich erschlossene Metallader zutage. Es ist in Wahrheit ein „neues Leben", das in ihr angebrochen ist. „Mein Herz, mein Leben, ich liebe dich mit meinem ganzen Wesen", schreibt sie im Oktober 1800. „Ich habe den Himmel recht gebeten, mich zu erleuchten und mir gute Gedanken zu verleihen, ehe diese Post abginge, und er hat mich auch erhört. Wenn ich dir wollte oder vielmehr vermöchte, alles hinzuschreiben, was in mir vorgegangen ist, es würde so tief und so wehevoll werden, wie deine Blätter, aber ich muß mich schonen und gebe dir nur den Frieden von Gott, in dem sich mein Herz aufgelöst hat, voll fester Hoffnung, daß ich ihn dir auch mitteilen werde. Ich habe dich innig lieb, ich küsse deine Stirn, deine beiden lieben Augen und den süßen Mund. Das ist recht das selige Zeichen des Kreuzes." Den Männern, die bisher in ihr Leben getreten, fühlte sie sich überlegen. Jetzt beugt sie sich dankbar vor dem soviel jüngeren. Wie sie ihm zu Weihnachten 1800 einen Mantel schenkt, schreibt sie: „Der blaue Mantel wickelte dich ein wie den Grafen Egmont. O daß ich dein Klärchen sein könnte." Eine Woche später: „Dein Ring ist stark und stärker wie Ketten, es ist der Ring, an dem die Kette hängt, die mein Leben festhält." Und Anfang 1801: „Ja du erhebst mich schon durch die Hoffnungen, die du mir gibst, durch deine Ansichten, wie ich sie auch haben könnte, deine Ideen, wie ich sie nur dir nachhaben kann, daß wir uns in jener heiteren Helle begegnen, welche allein das wahre Element meines Gemüts ist." Sie denkt sich ganz in Schellings Gedanken ein. Sie füllt Briefe mit Ideen seiner Naturphilosophie. Sie ist glücklich, ihn mit ihrem anderen Liebling, mit Goethe, verbunden zu wissen. „Sieh nur Goethen viel und schließe ihm die Schätze deines Innern auf", muntert sie Schelling auf, und Goethe bittet sie, sich Schellings anzunehmen, dessen Gemüt durch die, wie es scheint, aussichtslose Leidenschaft zu Caroline verdüstert ist: „Sie haben das Gewicht über ihn, was die Natur selber haben würde... Reichen Sie ihm in ihrem Namen die Hand. Es bedarf weniges weiter, als Sie wirklich schon tun; Ihre Teilnehmung, Ihre Mitteilung ist mehrmals ein Sonnenstrahl für ihn gewesen, der durch den Nebel hindurchbrach, in dem er gefangenliegt."

Bei dem großen Altersunterschiede hatte sie ihre Liebe zuerst als die der Mutter zum Sohne zu rechtfertigen gesucht. „Ich habe ihn angenommen in meiner Seele als den Bruder meines Kindes", schreibt sie am 6. März 1801 an Wilhelm Schlegel. Aber die Liebe des Weibes verdrängt die der Mutter. „Freund ist ein allgemeines Wort gegen das, was ich meine, Liebling, du, den ich wie ein teures Kind an mein Herz drücke und verehre als Mann." Schon damals weiß sie, daß sie ein Verbrechen begangen hat, da sie sich der Liebe überließ. August Wilhelm Schlegel suchte sie zu halten. Er hatte Jena verlassen, wo er als Professor nicht allzuviel Erfolg hatte, und lebte eine Zeitlang mit ihr in Braunschweig. Aber die Liebe war stärker als die Pflicht, und im September 1802 richteten Wilhelm und Caroline Schlegel an den Herzog Karl August das Gesuch um Scheidung ihrer Ehe. Jetzt sah sie ein, daß Schlegel nur ihr „Freund hätte sein sollen, wie er es sein Leben hindurch so redlich, oft so sehr edel gewesen ist". Schelling brachte sie, nachdem die Scheidung vollzogen war, zu seinen Eltern nach Murhardt. Am 26. Juni 1803 wurden sie durch Schellings Vater getraut. Dann folgte Caroline dem geliebten Manne nach Würzburg. Ihr vielbewegtes Leben war an seiner Seite zur Ruhe gekommen. 1806 erfolgte die Übersiedlung nach München. Von hier aus verfolgte sie mit erschütterter Anteilnahme die Kriegsvorgänge in Jena und Weimar. Goethes Schicksal stand auch jetzt im Mittelpunkt ihres Interesses: „Goethe schrieb an meinen Mann wie derjenige, der fest und unerschütterlich auch in solchen Stürmen geblieben ... Wie zerrissen sieht es in der Welt aus. Welche Unsumme von Elend, von vernichtetem Wohlstand, Schlechtigkeit — welcher gänzlicher Mangel an der gemeinsten Sicherheit." Aber mehr als alle die Vernichtung der äußeren Güter durch den Krieg beschäftigte sie die „abscheuliche Verwirrung aller moralischen Dinge. Ich bin aber auch sehr glücklich, daß ich die Ägide neben mir habe, denn geht von einer Seite die ganze Konvenienzwelt mit allen ihren alten Formen unter, so geht mir an einem schöneren Horizont eine unwandelbare Welt auf. Der, in dem ich sie finde, ist ein unerschöpflicher Brunnquell alles Herrlichen und Tröstlichen."

Mit ihrem feinen Verständnis für alles Geistige nahm sie an den Studien und naturphilosophischen Versuchen Schellings teil. Sie sorgte ihrerseits dafür, daß das Verhältnis zu Goethe rege blieb. Zu der Zeit, da sich in diesem der Roman „Die Wahlverwandtschaften" mit seiner Idee der Beziehung zwischen menschlichem Seelenleben und Naturgeschehen zu bilden begann, wohnte sie den Pendelversuchen des Italieners Campetti mit Schwefelkies bei: „Das Beste ist, daß sich ein jeder selbst von der Echtheit dieser Kraft, von dieser Wirkung des Menschen auf sog. tote Materien, die also wohl auch lebendig sein müssen, überzeugen kann ... Man möchte sich totfreuen über diese Herrlichkeit der Dinge und die Gegenwart Gottes in ihnen." Noch drei Jahre waren ihr gestattet, an Schellings Seite in München zu leben. Am 7. September 1809 starb sie, auf einer Reise mit Schelling zu dessen Eltern, in Maulbronn. Schelling hatte auf der ganzen Reise „ein drückend schmerzliches Gefühl" begleitet. Ihr Tod warf „eine schreckliche Klarheit auf dieses wunderbare Gefühl". Caroline schien keine bewußte Ahndung zu haben. „Das einzige, was alle meine Verwandten bemerkten", berichtet Schelling, „war, daß sie diesmal so ganz besonders liebevoll und zärtlich gegen alle war, recht als ob sie noch mit ihnen abletzen wollte: allen schien sie wie verklärt zu sein, und schwebt ihnen jetzt nach ihrem Tode wie ein göttliches Wesen vor ... Auch im Tode verließ sie die Anmut nicht; als sie tot war, lag sie mit der lieblichsten Wendung des Hauptes, mit dem Ausdruck der Heiterkeit und des herrlichsten Friedens auf dem Gesicht ... Wäre sie mir nicht gewesen, was sie war, ich müßte als Mensch sie beweinen, trauern, daß dies Meisterstück der Geister nicht mehr ist, dieses seltene Weib von männlicher Seelengröße, von dem schärfsten Geist, mit der Weichheit des weiblichsten, zartesten, liebevollsten Herzen vereinigt. O, etwas derart kommt nie wieder!"

Damals hatten sich Schellings und Carolines Wege längst von denen des Schlegelschen Kreises getrennt. Die Ironie, die diesen bestimmte, erwies sich nicht als ein lebenverbindendes Element. 1798 hatte man auf einer Zusammenkunft in Dresden die romantische Schule förmlich begründet. In Berlin, wohin sich Friedrich 1797 von dem ihm durch Schiller verleideten Jena begeben, hatte er in der in unglücklicher Ehe mit dem Bankier Veit lebenden Tochter Moses Mendelssohns, Dorothea, die Freundin gefunden, die ihm die Liebe und den Halt bot, deren er so sehr bedurfte. Sie war neun Jahre älter als er; aber das hinderte nicht, daß sie ihm Geliebte und, nach ihrer Scheidung von Veit, Gattin wurde. Aus diesem Verhältnis ist das einzige Werk Friedrich Schlegels hervorgegangen, das, wenn nicht als Dichtung, so doch als Zeugnis eines bestimmten Bildungszustandes der Zeit, Epoche gemacht hat, sein Roman „Lucinde". Er hatte ihn Ende 1798 begonnen, als sein Verhältnis zu Dorothea durch die Scheidung geklärt wurde. Er erschien 1799.

Ein unerquickliches, verworrenes und verwirrendes Werk, ein Spiegel der Zerrissenheit von Schlegels Gemüt, die sich, durch Selbstbewußtsein gebläht, als souveräne Herrschaft über die dürftige Lebensform der andern gebärdete. Er spricht es in dem Roman selber aus, daß kein Zweck zweckmäßiger sei als der, „daß ich gleich anfangs das, was wir Ordnung nennen, vernichte ... und mir das Recht einer reizenden Verwirrung deutlich zueigne und durch die Tat behaupte". Briefe, eine dithyrambische Phantasie, Reflexionen, Schilderungen, Selbstbekenntnisse umgaukeln in buntem Wechselspiel das episch-psychologische Kernstück des Werkes, die „Lehrjahre der Männlichkeit", worin der Verfasser eine Erzählung seines Liebeslebens zu geben unternimmt, soweit er in der ironischen Unruhe seines Geistes der Erzählung fähig ist. Und wie er denn ein Mensch ist, der seinem persönlichen Leben stets die Bedeutung allgemein-zeitlichen Geschehens, ja metaphysischer Weite zuerkennt, so soll seine Liebe zu Dorothea, die er darin darstellt, zugleich die Wendung von der bürgerlichen zur romantischen Ehe ankündigen.

Als junger Mensch hatte Friedrich Schlegel von seinem Streben nach dem Unendlichen gesprochen. Jetzt wurde ihm die Liebe die seelische Form für das Streben, und der Vereinigung mit der Geliebten bedeutete ihm, über die bloße sinnliche Gemeinschaft hinaus, das Eingehen in jenes hohe metaphysische Reich, das für die Romantiker die Überwindung des bürgerlichen Spießertums und der engen Vernunftlehre der Aufklärung bedeutete. „Fast alle Ehen", lautet eines seiner Fragmente im ersten Jahrgang des „Athenäums", „sind nur Konkubinate, Ehen an der linken Hand, oder vielmehr provisorische Versuche, und entfernte Annäherungen zu einer wirklichen Ehe, deren eigentliches Wesen ... darin besteht, daß mehrere Personen nur eine werden sollen." Eine der „Ideen" im dritten Bande des „Athenäums" sprach aus: „Nur durch die Liebe und durch das Bewußtsein der Liebe wird der Mensch zum Menschen." Der Roman unternahm es, diese Auffassung der Liebe auf Grund von Friedrichs eigenem Liebesleben zu verkünden. Julius, der Held, besitzt die ungesellige Natur von Friedrich. Er hat zuerst ein junges Mädchen geliebt und wieder verlassen. Eine Kokette umgarnt ihn, peitscht seine Sinne auf, ohne ihm Befriedigung zu gewähren. Wie sie sich von einem andern schwanger fühlt, tötet sie sich. Er zieht nun die Freundschaft von Männern der Frauenliebe vor. Da lernt er die Geliebte eines Freundes (Caroline) kennen. Sie wandelt seine Verachtung der Frau zu ihrer Vergötterung und führt ihn in eine neue geistige Welt. Aber erst Lucinde (Dorothea) wird ihm die Erfüllung seiner Sehnsucht. Auch sie hat den entschiedenen Hang zum Romantischen. „Auch sie war von denen, die nicht in der gemeinen Welt leben, sondern in einer eigenen, selbst erdachten und selbst gebildeten. Nur was sie von Herzen liebte und ehrte, war in der Tat wirklich für sie, alles andere nichts; und sie wußte, was Wert hat. Auch sie hatte mit kühner Entschlossenheit alle Rücksichten und alle Bande zerrissen und lebte völlig frei und unabhängig." Sie ist eine Künstlerin, wie er ein Künstler ist, und so erlöst sie das künstlerische Schaffen in ihm. Auch sein Leben wird nun zum Kunstwerk. „Es ward Licht in seinem Innern, er sah und übersah alle Massen seines Lebens und den Gliederbau des Ganzen klar und richtig, weil er in der Mitte stand." Wie sie Mutter wird, hat die Sehnsucht nach dem Unendlichen ihre Erfüllung gefunden: „Der Sinn für die Welt ist uns erst recht aufgegangen. Du hast durch mich die Unendlichkeit des menschlichen Geistes kennengelernt, und ich habe

86. Wallensteins Lager
Weimarer Bühnenbild, Kupferstich von Carl Müller nach einer Zeichnung von Georg Melchior Kraus

Den Plan zum Wallenstein-Drama verfolgte Schiller schon seit 1791. Er stieß damals auf den Stoff durch Quellenstudien zur „Geschichte des 30jährigen Krieges". Ursprünglich war an zusammenhängende fünf Akte mit einem Vorspiel gedacht. Als sich der Umfang des Dramas abzuzeichnen begann, riet Goethe zur Dreiteilung des Werkes. So entstanden nacheinander: 1796 Wallensteins Lager, 1797/98 Die Piccolomini, 1798/99 Wallensteins Tod.

87. Einband zur Erstausgabe von „Wilhelm Tell",
1804 bei Maurer in Berlin

Während seiner dritten Schweizer Reise teilte Goethe Schiller den Plan eines Tell-Epos' mit. Nach der Wallenstein-Trilogie, „Maria Stuart" und „Jungfrau von Orleans" übernahm Schiller den Tell-Stoff und verwandelte ihn in ein Drama, das er 1804 abschloß.

88. Tells Apfelschuß
Illustration zur gleichnamigen Szene im dritten Akt des Dramas.

86
Wallensteins Lager

87
Einband
zur Erstausgabe
on „Wilhelm Tell"

WILHELM TELL.

Berlin

88
Tells Apfelschuß

89
*Schillers Arbeits-
und Sterbezimmer*

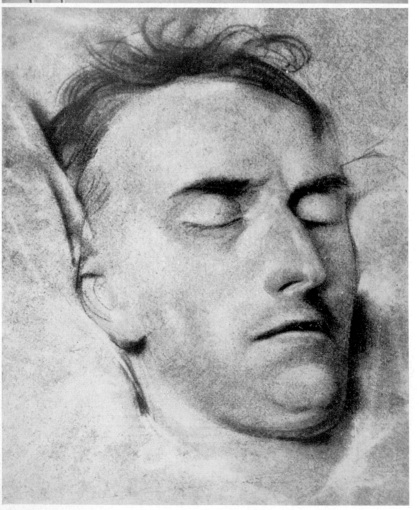

90
*Schiller
auf dem Totenbe*

durch dich die Ehe und das Leben begriffen und die Herrlichkeit aller Dinge."

Goethe hatte die hinreißende dichterische Gewalt seines „Werther" nicht davor beschützt, daß sein Bekenntnisroman von den Nahestehenden mißdeutet wurde. Wieviel weniger war die künstlerisch schwache „Lucinde" vor Neugier und Klatsch gesichert! Sogar Dorothea war ärgerlich darüber, „daß die Götterbuben aus der Schule schwatzten". Schleiermacher unternahm den Rettungsversuch in seinen „Vertrauten Briefen über Friedrich Schlegels Lucinde" (1800). Die wahre himmlische Venus sei durch Friedrich Schlegel entdeckt worden, erklärte er. Wir sollen nun „erst recht verstehen die Heiligkeit der Natur und der Sinnlichkeit". Wie er in den „Reden über Religion" die unio mystica der Seele mit Gott unter dem Bilde des Liebeserlebnisses dargestellt hatte, so sah er jetzt von der andern Seite in der Vereinigung der Liebenden die Offenbarung Gottes: „Der Gott muß in den Liebenden sein, ihre Umarmung ist eigentlich seine Umschließung, die sie in demselben Augenblick gemeinschaftlich fühlen, und hernach auch alles. Ich nehme in der Liebe keine Wollust an ohne diese Begeisterung und ohne das Mystische, welches hieraus entsteht."

Trotz dieser Verherrlichung der Liebe im Wort blieben die Menschen im Alltag nach wie vor kleinlich und boshaft. Caroline hatte bald zu urteilen, daß Dorothea Friedrichs Verderben sei, indem sie ihn zu einer Hauseinrichtung und einem großen Leben weit über seine Mittel verleite und Gesellschaften und Konzerte gebe. Auch schwatze und lüge sie über Wilhelm und Caroline. Die beiden Frauen vertrugen sich nicht, und die Feindschaft griff auf die beiden Männer und auf Schelling über. Die Hauptschuldige dürfte Dorothea gewesen sein, der Friedrich völlig verfallen war. So schlug der Versuch, nach Schillers Weggang wieder in Jena zusammenzuleben, fehl. Friedrich und Dorothea gingen wieder nach Berlin, von da nach Dresden und Paris. In Paris beschäftigte sich Friedrich mit Persisch und Sanskrit. 1808 gab er sein Werk über die Sprache und Weisheit der Inder heraus. Es war die letzte Anregung, die er der deutschen Wissenschaft gab. Sein Übertritt zum Katholizismus entfremdete ihn Wilhelm vollends. Er ging nach Wien und hoffte, sich als Katholik dem Wiener Hofe angenehm zu machen. Wirklich wurde er 1815 Legationsrat

89. Schillers Arbeits- und Sterbezimmer
in seinem Haus in Weimar an der Esplanade.

90. Schiller auf dem Totenbett
Kreidezeichnung von Ferdinand Jagemann, 1805

Als Schiller am 9. Mai 1805 gestorben war, wagte man Goethe mit Rücksicht auf dessen eigenen höchst bedenklichen Gesundheitszustand erst am folgenden Tage zu benachrichtigen. Am 1. Juni schrieb Goethe über Schillers Tod an Zelter: „Ich dachte mich selbst zu verlieren und verliere nun einen Freund und in demselben die Hälfte meines Daseins." In den wenigen Worten liegt beschlossen, welchen Verlust der Tod Schillers für Goethe bedeutete.

bei der österreichischen Gesandtschaft am Bundestag in Frankfurt. Aber sein klerikaler Übereifer verdroß Metternich. Er kehrte nach drei Jahren nach Wien zurück, war publizistisch tätig und gab vor einem meist aus müßigen Frauen bestehenden Publikum Vorlesungen. In der Nacht vom 11. zum 12. Januar 1829 starb er an einem Schlage. Sogar Dorothea mußte nach seinem Tode bekennen: „Friedrichs Werke sind nur Bruchstücke; wieviel mehr sein ganzes Leben! Es liegt darin viel Schwankendes und Unfertiges, es sind mehr Ahnungen und Träume."

Während derart die einst so glänzenden Verheißungen Friedrichs zu trüber Dämmerung verblichen, stieg des weniger begabten, aber gelenkigeren Wilhelm Stern beharrlich zur Höhe. Er hatte von 1801 bis 1804 in Berlin seine berühmten Vorlesungen über schöne Literatur und Kunst gehalten und darin ein Kompendium der romantischen Literaturgeschichte gegeben. Darauf war er nach Wien gegangen und hatte dort den Teil seiner Vorlesungen über das Drama wiederholt. Als Gesellschafter der Frau von Staël und Lehrer ihrer Kinder begleitete er sie auf ihren Reisen und wandelte sich hier zum eleganten Lebemann. Durch sie, die in Paris sich einst mit dem schwedischen Geschäftsträger vermählt hatte, erlangte er Beziehungen zu Schweden und ging 1812 nach Stockholm. Sein Buch „Sur le système continental" (1813) trug ihm die Stelle eines Sekretärs bei dem zum Kronprinzen von Schweden vorgerückten Bernadotte ein. Nach Napoleons Sturz ging er mit Madame de Staël nach Paris. Hier trieb er, wie Friedrich, Sanskrit, und, beharrlicher als jener, entfaltete er darauf, seit 1818 Professor der Indologie in Bonn, eine reiche Tätigkeit. Heine hat boshaft beschrieben, wie der elegante Freiherr von Schlegel als Professor wirkte. Er trug Glacéhandschuhe, war parfümiert von Eau de mille fleurs und begleitet von einem Bedienten in Livrée, der die Wachslichter in den silbernen Armleuchtern auf dem Katheder putzen mußte. Das Verhältnis zu Friedrich wurde in dieser Zeit so gespannt, daß Wilhelm, durch des Bruders Katholizismus und das beständige Anpumpen des über seine Mittel Lebenden gereizt, ihm, in einem aalglatten Schreiben an „den teuersten Bruder", öffentliche Feindschaft ankündigte: Er werde, nach dem Vorbilde der Römer, nicht nur gegen Friedrichs neuere Ansichten schreiben, sondern auch die Verhältnisse seines Privatlebens angreifen. Eine erste Auseinandersetzung erfolgte 1828. Weitere Schritte Wilhelms verhinderte Friedrichs Tod. Am 12. Mai 1845 ist auch Wilhelm gestorben. Damals trieb Deutschland wieder einer Revolution zu; aber es war nicht mehr eine geistige, wie die Romantik, sondern eine politische.

6. DIE ALTDEUTSCHE WENDUNG

Wackenroder / Tieck / Novalis

„Die Welt wird Traum, der Traum wird Welt."
Novalis

Caroline hat einmal von Friedrich Schlegel gesagt, er habe mit seinem fast leidenschaftlichen Hange zur Geselligkeit immer isoliert gelebt. Umgekehrt könnte man von den Romantikern insgesamt sagen, sie hätten mit ihrem Hange zur Isolation immer in Geselligkeit gelebt. Es ist ein seltsamer Widerspruch in der Geschichte der Romantiker, daß sie einerseits die Forderung des Individualismus in der selbstherrlichsten Weise stellten und anderseits wie kein früheres Dichtergeschlecht der Kameradschaft, ja der Klickenbildung bedürftig waren. Wilhelm und Friedrich Schlegel, Novalis, Tieck, Wackenroder, Schelling, Schleiermacher bilden von etwa 1795 bis 1800 eine nach außen fest geschlossene, wenn auch nach innen mannigfach, mehr menschlich als geistig, gespaltene Gruppe von Schriftstellern, die von Kant und Fichte weltanschaulich überragt werden.

Wilhelm Heinrich Wackenroder ist als Freund Tiecks mit den Romantikern in Verbindung gekommen. Er war am 13. Juli 1773 in Berlin geboren — der am wenigsten Berlinische aller Schriftsteller der preußischen Hauptstadt. Sein Vater war Geheimer Kriegsrat, Justizbürgermeister der Stadt, ein Beamter aus der Schule Friedrichs des Großen, streng, männlich, ein Aufklärer nach der Art von Nicolai. Er drückte so stark auf den Sohn, daß dieser in allem sein Gegenteil wurde: weich, empfindsam, schüchtern, gemütvoll und nervös. Er ist in Gegenwart seiner Eltern „aufs Maul geschlagen". Im Umgang mit andern ist ihm „die übertriebene Reizbarkeit der Nerven sehr zu Last". Der bloße Anblick eines ihm unsympathischen oder widersprechenden Menschen tut ihm im eigentlichen Verstande weh: „Bloß ihn ansehen, macht meine Brust so beklemmt, daß ich nicht frei Atem holen kann." Er kann, so stolz er auf sein Vaterland ist, doch nicht Soldat werden; denn er besitzt zu wenig körperlichen Mut, um einen Säbel oder ein Gewehr in die Hand zu nehmen. Bei dieser Weichheit seines Gemütes geht seine Neigung auf die Musik. Aber der Wille des Vaters zwingt ihn zum Rechtsstudium. Er hat nicht die Kraft zu widerstreben, trotzdem er todunglücklich darob ist. Er weiß, seine Empfindsamkeit wird ihm als Juristen eine wahre Bürde sein. Die Jurisprudenz schränkt die Freiheit des Urteils durch Gesetze, Gewohnheiten und tausend Kleinigkeiten ein. Er soll seinen kalten Verstand brauchen, wo Herzen gegeneinanderstoßen, das Feuer der Leidenschaft mit Wasser ersticken, den Knoten des mannigfaltig verschlungenen Interesses so vieler zerhauen, einen Vorfall, über den er, wenn er ihn auf der Bühne dargestellt sähe, von dem innigsten Mitleid durchdrungen, in Tränen zerflösse, soll er wie eine Variante einer gemeinen Lesart ansehen und ausrechnen, ob er in den Zusammenhang paßt oder nicht.

In der gefühlvollen Hilflosigkeit seiner Knabenjahre findet er in einem Mitschüler des Friedrichswerderschen Gymnasiums, das er besucht, einen Freund: Ludwig Tieck. Auch Tieck ist empfindsam, schwärmerisch und nervös wie Wackenroder, aber alle diese Eigenschaften sind bei ihm hauptsächlich altersbedingt, gewissermaßen auf der Oberfläche, um den Kern seines Charakters gelagert, der durch einen kühlen Verstand gebildet wird. So läßt er sich die Freundschaft des weichen Gefährten gefallen. Er geht auf sie ein, er versteht sie. Er macht die Schwärmerei mit, denn er spürt in ihr etwas Echtes, Gemütstiefes, das ihn selber auflockert. Wackenroder aber faßt das Gefühl, das Tieck ihm entgegenbringt, mit der ganzen Innigkeit seiner Seele auf. Von seiner häuslichen Umgebung zurückgestoßen, schließt er sich ihm ganz auf, betet ihn an, schenkt ihm seine Zärtlichkeit und umschwärmt ihn wie ein geliebtes Mädchen. Am 5. Mai 1792 schreibt er ihm am Schlusse eines langen Ergusses: „Es ist bald zwölf Uhr nachts. Ich lege mich jetzt schlafen. Ich merke, daß es eine wahre Wonne ist, an dich zu schreiben. Selig, selig ist der Tag, den ich mit dem Gedanken an dich beschließe. Er wird mich auch im Schlafe nicht verlassen. Träume du auch von mir. Denkst du jetzt an mich? Oder träumst du von mir? — Eine allerliebste schmelzend-sanfte Elegie von Voß fängt an:

„Denkt mein Mädchen an mich?"

Es ist eine höchst natürliche schöne Empfindung darin. Jetzt hat es gerade zwölf geschlagen. Gute Nacht, Tieck, fliege her, und ich drücke den feurigsten Kuß auf deine Lippen. Gute Nacht, der Himmel sei mit dir! Gute Nacht!"

Auf den Sommer 1792 geht Tieck zum Studium nach Halle. Auf den Winter nach Göttingen. Wackenroder aber muß noch ein Jahr in Berlin bleiben. Sein Vater hält ihn noch nicht für reif zur Universität. Auf den Sommer 1793 vereinigt er sich mit Tieck in Erlangen. In den Ferien wird der Harz durchstreift, werden Bamberg und Nürnberg besucht. In Bamberg hören sie herrliche Musik, in Nürnberg entzücken sie die Denkmäler alter deutscher Kunst. Später besichtigen sie die Galerien von Kassel und Dresden, wo die Sixtinische Madonna sie mit Bewunderung erfüllt.

In Göttingen beendete Wackenroder 1794 das Rechtsstudium. Dann ließ er sich in Berlin in ein Amt einspannen. Aber seine Liebe gehörte dem Schönen, der Musik, der Literatur, der bildenden Kunst. 1797 wurde er durch Tieck mit Friedrich Schlegel zusammengeführt. „Mir ist Wackenroder der Liebste aus dieser ganzen Kunstschule", schrieb damals Friedrich an seinen Bruder. „Er hat wohl mehr Genie als Tieck: aber dieser gewiß mehr Verstand." Der Gegensatz zwischen den harten Pflichten des Amtes und der weichen Kunstschwärmerei rieb den zarten Körper des Jünglings auf. Schon Ende 1797 schrieb Friedrich dem Bruder, Wackenroder sei sehr krank gewesen, aber jetzt wieder außer Gefahr. Es war eine Scheingenesung. Am 13. Februar 1798 starb er am Nervenfieber. „Er ist mehrere Monate melancholisch gewesen, oder wie andere sagen, rasend", meldete Schlegel dem Bruder.

Der stille, schwermütige, in sich gekehrte Jüngling muß sich seltsam ausgenommen haben in der Gesellschaft Friedrich Schlegels. Wenn er eines nicht hatte, worin dieser die Quintessenz alles Romantischen sah, so war es die Ironie. Hätte er sie gehabt, er hätte vielleicht den Widerspruch zwischen Beruf und Neigung überwunden. Aber er hätte dazu aus härterem Holze geschnitzt sein müssen. Er war so weich oder, um mit Friedrich Schlegel zu reden, er hatte so wenig Verstand, daß seine künstlerische Begabung gar nicht völlig zum Durchbruch kam. Er hatte Tieck einmal vorgeschwärmt: „Nur Schaffen bringt uns der Gottheit näher; und der Künstler, der Dichter ist der Schöpfer. Es lebe die Kunst! Sie allein erhebt uns über die Erde und macht uns unseres Himmels würdig." Aber er selber war kein Dichter. Und das war die tiefste Tragik seines Lebens. Er konnte nur von der Seligkeit und Höhe der Kunst schwärmen, so zart und innig wie kein anderer der Romantiker; aber er konnte seine Gefühle und Gedanken nicht zum großen Kunstwerk runden. Etwa zwanzig Aufsätze hat er geschrieben. Ludwig Tieck hat sie, mit eigenen im Stile Wackenroders abgefaßten, in zwei Sammlungen herausgegeben, den „Herzensergießungen eines kunstliebenden Kloserbruders" (1797) und den „Phantasien über die Kunst" (1799).

Was ihm in diesen Aufsätzen im Kreise der Frühromantiker seine besondere Stelle gibt, das ist das Fehlen aller Philosophie. Friedrich Schlegel und, von ihm angeregt, Novalis und sogar sein Bruder Wilhelm erhoben sich im Gefolge Fichtes, Schellings und Schleiermachers über die sinnliche Welt in die übersinnliche und stiegen auf der intellektuellen Leiter der Philosophie in das metaphysische Reich hinauf. Auch Wackenroder schwärmte aus der festen und sichtbaren Sinnenwelt in die Räume der Unendlichkeit aus; aber er tat es auf den Flügeln des Gefühls, einer weichen, innigen Ahnung. Das war sein Trotz gegen den überklugen Rationalismus der Aufklärung. Künstler sein, die Kunst lieben, hieß ihm fromm sein, nicht fromm wie ein aufgeklärter Tleologe, sondern einfältig wie ein Kind. Die Aufklärung war eine ausgesprochen protestantisch-humanistische Bewegung, und man war in Berlin stolz auf diesen Ursprung der Bildung und verachtete das Mittelalter als eine dunkle Zeit in der Geschichte. Die Verachtung genügte, um in dem verlorenen Sohn der Aufklärung eine tiefe Liebe für das verkannte Mittelalter zu wecken, eine Liebe, die nicht nur für die Kunstdenkmäler des Mittelalters schwärmte, wie sich Goethe für die gotische Baukunst begeistert hatte, sondern für die ganze geistige Welt des Mittelalters, also auch die katholische Religion. Er sah in ihr die wahre Gestalt des Christentums, aus dem Diesseits in ein herrliches Jenseits aufsteigend, den tiefen Quellbrunn nicht nur der Frömmigkeit, sondern auch der wahren, weil übersinnlichen und innigen Kunst. So wurde er, aus Abneigung gegen die aufgeklärte, erdenfeste Gegenwart, der Entdecker des Mittelalters, der Wegweiser in eine gefühlvolle Dämmerwelt, darin das ahnungsvolle Gemüt sich heimischer fühlte als in der hellbeleuchteten Neuzeit.

Man wußte damals schon viel von mittelalterlicher Dichtung. Bodmer hatte die Minnesänger, einen Teil des Nibelungenliedes und Fabeln herausgegeben, sein Schüler Heinrich Müller die Nibelungen, den Parzival, den Tristan, den Armen Heinrich. Die Göttinger Dichter hatten Minnelieder nach mittelalterlicher Art verfaßt. Aber die Ausgaben dienten gelehrtem Interesse, und der erneuerte Minnesang war antiquarische Spielerei. Erst Wackenroder durchdrang die Kenntnis des Mittelalters mit tiefer Liebe und geistiger Offenbarungskraft. In jenem Jahre, da ihn der Vater noch vor dem Abgang zur Universität in Berlin zurückhielt, hörte er bei dem Prediger Erdwin Julius Koch, der ein „Kompendium der deutschen Literaturgeschichte von den ältesten Zeiten bis auf Lessings Tod" verfaßt hat, Vorlesungen über altdeutsche Dichter. Er habe manche sehr interessante Bekanntschaft gemacht, schrieb er Tieck, und gesehen, daß dies Studium, mit einigem Geist betrieben, sehr viel Anziehendes habe. Man finde viel Genie und poetischen Geist in diesen alten Überbleibseln. Es ist bezeichnend für Tiecks Verständigkeit, wenn er den Freund vor dieser Beschäftigung mit den „Nachklängen der Provenzalen" warnt. „Soviel ich die Minnesänger kenne, herrscht eine erstaunliche Einförmigkeit in allen ihren Ideen; es ist überhaupt schon gar keine Empfehlung für den poetischen Geist dieses Zeitalters, daß es nur diese eine Art von Gedichten gab, nur diesen Zirkel von Empfindungen, in denen sich jeder wieder mit mehr oder weniger Glück herumdreht. Dreht man sich mit vielen lange herum, so ist der Schwindel, der Wüstheit des Kopfes nach sich zieht, gewiß eine unausbleibliche Folge, wenigstens haben sie noch keinen Dichter gebildet — und auch das ist schon ein großer Beweis gegen sie." Es ist ein Zeugnis der tiefen Liebe, die Wackenroder bereits für die mittelalterliche Dichtung gefaßt hat, wenn er, bei seiner sonstigen Abhängigkeit von Tieck, sie gegen ihn verteidigt: „Du kannst übrigens sehr wenig von den altdeutschen Literaten, wenn du bloß die Minnesänger kennst. Überhaupt ist sie zu wenig bekannt. Sie enthält sehr viel Gutes, Interessantes und Charakteristisches und ist für Geschichte der Nation und des Geistes sehr wichtig." Auch aus dem Heldenbuche kann er Tieck „manches Schöne" mitteilen.

Aber die Liebe zu den alten Dichtern ist nur eine Übergangsstufe. Bald zieht ihn, mächtiger als das Wort der Sprache, das Bild der Kunst an. Aus ihm erst quillt mit überwältigender Stärke jene Innigkeit und Andacht, die sein Gemüt sucht. Zwei wunderbare Sprachen kennt er, durch die Gott den Menschen vergönnt hat, die himmlischen Dinge in ganzer Macht zu fassen: die Natur und die Kunst. Jene redet Gott im Säuseln des Waldes und im Rollen des Donners, in der Schönheit eines Tales, der Glätte eines Flusses oder einer heiteren grünen Wiese. Die Sprache der Kunst reden auserwählte Menschen. Nicht die Weltweisen, die in ihrem Eifer für die Wahrheit irregegangen sind, die die Geheimnisse des Himmels in irdische Beleuchtung stellen wollen und die dunkeln Gefühle von denselben mit kühner Verfechtung ihres Rechtes aus ihrer Brust verstoßen. „Vermag der schwache Mensch die Geheimnisse des Himmels aufzuhellen? Glaubt er verwegen ans Licht ziehen zu können, was Gott mit seiner Hand bedeckt? Darf er wohl die dunkeln Gefühle, welche wie verhüllte Engel zu uns niedersteigen, hochmütig von sich weisen? — Ich ehre sie in tiefer Demut; denn es ist große Gnade von Gott, daß er uns diese echten Zeugen der Wahrheit herabsendet. Ich falte die Hände und bete an.“

Wie er die metaphysische Sprache der Philosophen, die das Denken der Zeit so mächtig beherrschen, ablehnt, so geht er auch über die begriffliche Sprache der Dichter hinweg zur Sprache der bildenden Kunst. „Ihr ist durch ähnliche dunkle und geheime Wege eine wunderbare Kraft auf das Herz des Menschen eigen. Sie redet durch Bilder der Menschen und bedienet sich also einer Hieroglyphenschrift, deren Zeichen wir dem Äußern nach kennen und verstehen. Aber sie schmelzt das Geistige und Unsinnliche, auf eine so rührende und bewundernswürdige Weise, in die sichtbaren Gestalten hinein, daß wiederum unser ganzes Wesen und alles, was an uns ist, von Grund auf bewegt und erschüttert wird. Manche Gemälde aus der Leidensgeschichte Christi oder von unsrer heiligen Jungfrau oder aus der Geschichte der Heiligen haben, ich darf es wohl sagen, mein Gemüt mehr gesäubert und meinem inneren Sinne tugendseligere Gesinnung eingeflößet, als Systeme der Moral und geistliche Betrachtungen.“ Was für eine andere Auffassung von der Kunst, als sie etwa Heinse in seinem „Ardinghello“ verkündet hat! Dürer, Lionardo da Vinci und Raffael haben so gemalt. Sie waren nicht Verherrlicher der sinnlichen Welt, sie waren andächtige Künder der Religion, ihr Schaffen ein Werk der Frömmigkeit. Denn in den Zeiten, da sie lebten, war die Religion, nicht die Philosophie, den Menschen das schöne Erklärungsbuch, wodurch sie das Leben verstehen lernten; ohne sie schien ihnen das Leben nur ein wildes, wüstes Spiel — ein Hin- und Herschießen mit Weberspulen, woraus kein Gewebe wird. „In ruhiger, bescheidener Stille, ohne viel scharfsinnige Worte, malten oder bildeten sie ihre Menschenfiguren und gaben ihnen treulich dieselbe Natur, die das geheimnisvoll-wunderbare lebendige Original ihnen zeigte: und ebenso bildeten sie ihr Leben ganz folgsam nach den vortrefflichen Himmelslehren der Religion.“ Daher soll man Bildersäle auch nicht betrachten als Jahrmärkte, sie sollen Tempel sein, wo man in stiller und schweigender Demut und in herzerhebender Einsamkeit die großen Künstler bewundern und „mit der langen, unverwandten Betrachtung ihrer Werke in dem Sonnenglanze der entzückendsten Gedanken und Empfindungen sich erwärmen möchte. Ich vergleiche den Genuß der edleren Kunstwerke dem Gebet.“

Aber auch über die bildende Kunst erhebt sich an Kraft der Offenbarung und lösender Innigkeit des Genusses die Musik. Sie ist „ganz ein Bild unseres Lebens: eine rührend-kurze Freude, die aus dem Nichts entsteht und ins Nichts vergeht — die anhebt und versinkt, man weiß nicht warum: eine kleine fröhliche, grüne Insel, mit Sonnenschein, mit Sang und Klang — die auf dem dunkeln, unergründlichen Ozean schwimmt“. Immer wieder hat er versucht, das Geheimnis der Musik zu deuten. Nirgends ist es ihm schöner gelungen als in dem „Wunderbaren morgenländischen Märchen von einem nackten Heiligen“.

Nirgends wie in diesem schönsten Märchen der Romantik ist die beseligende Erlösung der unter der Last der Alltagspflicht stöhnenden Seele durch die Musik herrlicher und einfacher geschildert. Wenn Wackenroder eine durch und durch dichterische Natur und doch im ganzen kein Dichter gewesen ist, einmal in diesem Märchen ist ihm ein Dichtwerk von bezaubernder Anmut gelungen.

Kein Zeitgenosse hat Wackenroder nähergestanden als Ludwig Tieck. Aber was für ein Unterschied klafft zwischen den beiden! Der Unterschied zwischen dem ursprünglich fühlenden Künstler und dem verstandesmäßigen Literaten. Beiden war die Abneigung gegen die Philosophie gemein, und beide hatten doch, als Romantiker, das Bedürfnis, über der sinnlichen Alltagswirklichkeit der Aufklärer ein höheres Reich des Unendlichen, Unfaßbaren, dem Verstand Unzugänglichen aufzubauen. Für Wackenroder war es das Reich des Gemütes, der frommen Andacht, der heiligen Ahnung; auch für Tieck war es nicht etwas Geistiges, sondern etwas Seelisches: das Reich des Grauens. Es war, bei aller Zugehörigkeit zur Romantik, im Grunde doch so tief in der Verstandes- und Sinnenhelle der Aufklärung verwurzelt, daß er sich vor dem, was dem Verstand und den Sinnen unbegreiflich war, nur fürchten konnte. Er tat sich etwas darauf zugute, gegen den Rationalismus der Aufklärung zu kämpfen, wie er, im „Prinzen Zerbino", in gleicher Weise auch die Philosophie lächerlich machte. Aber im Grunde blieb er sein ganzes Leben lang ein Berliner Rationalist. Denn man kann von zwei Haltungen aus den Rationalismus verneinen. Er kann einem aus der Sicherheit eines tiefen und reinen Gemütes unzugänglich sein. Man spricht dann gleichsam eine ganz andere Sprache und versteht die des Rationalismus überhaupt nicht. Es ist die Haltung eines Eichendorff oder Mörike. Oder man bekämpft den Rationalismus mit seinen eigenen Waffen, in seiner eigenen Sprache; man nimmt die Zeichen der Mathematik, stellt sie auf den Kopf und behauptet, ein Quadrat sei ein Kreis. So gibt es viele geborene Rationalisten, in denen der Rationalismus sich selbst aufhebt und dennoch Rationalismus bleibt. Tieck war ein derartiger Rationalist.

Hat Tieck ein Erlebnis gehabt, das ihm eine Idee schenkte im Sinne einer persönlichkeitsnotwendigen, einmaligen geistigen Stellung zum Weltganzen? Man muß die Frage verneinen, und vielleicht darf man sagen, daß die Fülle von Verstandesbildung, die er schon in früher Jugend in sich aufnahm, das bestimmende Idee-Erlebnis in ihm verhindert habe. Wilhelm Schlegel hat Wieland als den Allerweltsaneigner verspottet. Tieck war es nicht weniger. Er war für die Romantik das, was Wieland für die Aufklärung, und es ist nicht schwer, auch für ihn eine Liste von Schriftstellern und Werken zusammenzustellen, die er ausgeschöpft, nachgeahmt hat, von den deutschen Volksbüchern bis zu Shakespeare, Cervantes und den romanischen Novellisten — wobei die Nachahmung oft weniger in der sichtbaren Herübernahme von Motiven besteht als in der Zusammenstellung von Handlungen nach Analogie. Vor allem spürt man die Nachahmung auch in der Sprache, die nirgends, wie die Sprache seines Freundes

Wackenroder, den einmaligen Hauch des ursprünglich Seelischen verrät, sondern stets literatenhaft bleibt.

Vielleicht kennzeichnet man seine Art am treffendsten, wenn man ihn einen Schauspieler nennt; als Schauspieler hat er sich ja auch früh und spät betätigt. Er war in Dresden als Vorleser Shakespearischer Dramen berühmt, und er hat als Knabe und Jüngling Theater gespielt, einmal sogar im Chor der Petrikirche in Berlin. Während der Propst Teller fern auf der Kanzel das Wort Gottes auslegte, saß der Knabe mit seinen Geschwistern unter einem ungeheuren Regenschirm und deklamierte die Tiraden von Karl Moor, so daß sie von den Gewölben der Kirche widerhallten, der Prediger stockte, die Kirchendiener nach dem Störenfried suchten und die Kinder die Flucht ergreifen mußten. Was für ein Schauspiel von sinnbildlicher Bedeutung! Der Knabe als Deklamator in der Kirche! Er hat sein Histrionentum innerhalb der romantischen Jenseitsinbrunst damit vorweggenommen.

Er stammte, geistig, nicht gesellschaftlich, aus den gleichen Kreisen wie Wackenroder. Sein Vater war ein Seilermeister, aber man war damals in Berlin auch in den Handwerkerkreisen schon so weit fortgeschritten, daß man die aufgeklärte Bildung zu schätzen wußte, die Friedrich Nicolai mit seinen Büchern verbreitete. Wenn er seine kirchlich-fromme Frau die alten Lieder in dem Gesangbuch lesen sah, so spottete er über den „Bräutigam der Seele", und zu Paul Gerhardts Lied:

> „Nun ruhen alle Wälder,
> Vieh, Menschen, Städt' und Felder
> Es schläft die ganze Welt" —

bemerkte er: „Wie kann man dergleichen abgeschmacktes Zeug behaupten! Die ganze Welt schläft nie! In Amerika scheint die Sonne, da wachen die Leute." Aber man bekommt dann doch wieder Achtung vor dem Manne, der eine Weltgeschichte und Wochenschriften nicht nur auf dem Bücherbrett stehen hatte, sondern auch las, der Goethe weit über die Dichter der Aufklärung stellte und seinen „Götz" und sogar den „Werther" pries. So sorgte er auch bei seinen Kindern, von denen der am 31. Mai 1773 geborene Ludwig das älteste war, für eine gute Erziehung. Alle geistigen Möglichkeiten standen dem Knaben zu Gebote. Er las haufenweise, was er erlangen konnte: Volksmärchen, die ihm die Mutter zutrug, Goethe, Homer, die Komödien des Dänen Holberg, den „Don Quixote" und Shakespeare in der Wieland-Eschenburgschen Übersetzung, vor allem an Shakespeare konnte er sich nicht sattlesen. Sogar dem Vater, der doch die Bücher schätzte, war diese Leserei zuviel. Wie er ihn bei der Lektüre von „Maß für Maß" ertappte, meinte er: „Nun ja, das hat noch gerade gefehlt, um dich vollends verrückt zu machen", und als er ihn über dem „Don Quixote" sah, sagte er: „Wenn du so fortfährst, wirst du als ein Narr und verdrehter Mensch durchs Leben laufen."

Als ein gebildeter Mann ging der alte Tieck gern ins Theater, das ja eine „moralische Anstalt" war, und lud die Schauspieler auch zu sich nach

Hause ein. Die Theaterfreundschaft des Vaters steigerte sich bei dem Sohne zur eigentlichen Leidenschaft. Er spielte, durch frühe Besuche des Marionettentheaters und der Oper angeregt, mit seinen Freunden Theater, und als er das Gymnasium besuchte, gewann er durch seine Schauspielkunst Zutritt zu einem der ersten Häuser des literarisch-musikalischen Berlins, dem des Kapellmeisters Reichardt. Auf dessen Hausbühne spielte er mit früher Meisterschaft Heldenrollen und setzte die Intrigen und leidenschaftlichen Verwicklungen der gespielten Stücke auch hinter den Kulissen fort. In der frühen Erzählung „Ulrich der Empfindsame" (1796) berichtet er aus eigener Erinnerung von seinem Helden: „Ulrich und seine Luise spielten sich mit jedem Tage in das Verliebtsein mehr hinein, er machte alle leidenschaftlichen Szenen außerordentlich rührend und beweglich; wenn er auf die Knie stürzte, so wankte das ganze Theater, und in dem Fußstampfen hatte er sich eine Fertigkeit erworben, in der es ihm schwerlich irgendein Held oder Tyrann der deutschen Bühne gleichtun wird. Seine Mutter hatte eine herzliche Freude an ihm und schluchzte manchmal laut, wenn es wohl vorkam, daß er sich zu ermorden drohte, oder andere ehrliche Leute umbrachte und sich dann zuletzt selber erstach; ein andermal hatte sie dann wahre Hochachtung vor ihm, wenn er alle übrigen Menschen in der Großmut übertraf oder sehr viel kindliche Liebe zeigte."

Aber plötzlich kam der Rückschlag. Schmerzliche Erlebnisse, vor allem der jähe Tod zweier Freunde, mögen mitgewirkt haben. In der Hauptsache aber war es das Gefühl der Gleichgewichtsstörung, wie es den Tänzer ergreifen mag, der sich allzu lange rasend um sich selber gedreht hat. Nervöse Störungen traten auf. Depressionen und Bewußtseinsverdunkelungen. Wozu nützte all das Theaterspielen? Was hatte all der Bildungsflitter, mit dem er sich geschmückt, für einen Zweck? Was hatte das Leben für einen Sinn? Angstzustände traten auf. Auf dem Weg zu einer „Hamlet"-Aufführung im Theater kehrte er plötzlich um und ging wieder nach Hause. Seine Vorstellungsbilder verzerrten sich. Es kam vor, daß in der Schule die Gesichter seiner Freunde sich in grinsende Larven verwandelten. Verwirrung und Angstzustände steigerten sich derart, daß sie seinen Geist zu umnachten drohten. Einmal, in der Markgrafenstraße, verdunkelte sich plötzlich sein Bewußtsein, so daß er nicht mehr wußte, wo er war. Sein Zustand legte ihm Selbstmordgedanken nahe. Oder er dachte, von einem Äußersten zum andern schweifend, daran, katholisch zu werden. Es war eine regelrechte Neurose, die ihn ergriffen hatte. In dem Märchen „Abdallah" (1791/92) hat er derartige Zustände dargestellt. Vor allem aber in seinem großen Jugendroman, der „Geschichte des William Lovell (1795/96). Dieses Werk des Zweiundzwanzigjährigen ist sicherlich das bedeutendste, weil lebenswahrste, was Tieck geschrieben hat. Aber was für ein furchtbares Buch! An Lebens- und Menschenverachtung, an Schicksalsverneinung etwa dem Erstling Grabbes, dem „Herzog Theodor von Gotland" zu vergleichen. Der ganze Jammer, die ganze Haltlosigkeit und sittliche Verwirrung eines Menschen spiegeln sich darin, dem der Bildungsdünkel der Aufklärung, zu früh aufgenommen, in den Kopf gestiegen ist und sich in das Gegenteil, Verzweiflung am Sinn und Zweck des Lebens, umgewandelt hat. Man denkt daran, wie gleichzeitig unter Friedrich Wilhelm II., dem schwachen, üppigen und bigotten Nachfolger des großen Friedrich, am Berliner Hofe Ausschweifung und mystische Frömmigkeit sich breitmachten und der König sich von den Rosenkreuzern leiten ließ und gläubig im Zauberspiegel des Obersten Bischoffwerder Geistererscheinungen anstaunte.

Man erkennt aber auch, wie notwendig für jenes zerfahrene Geschlecht Kants Philosophie war mit ihrer neuen Begründung des Erkenntnisbegriffes, ihrer sittlichen und ästhetischen Gesetzgebung. Zur gleichen Zeit erschienen wie „Wilhelm Meisters Lehrjahre", führt Tiecks Roman seinen Helden nicht auf die Höhe eines neuen, dem Glück der Menschheit dienenden Bildungsideals, sondern in die Tiefe von Verzweiflung und Untergang. William Lovell ist als der Sohn eines begüterten Engländers in Glanz und Wohlleben aufgewachsen. Zärtlich liebt er ein junges Mädchen, Amalia. Aber sein Vater wünscht, daß er noch die Welt kennenlerne, und schickt ihn nach Paris. Die schwelgerische Erinnerung an seine Amalia begleitet ihn, hält ihn aber nicht davon ab, den Verführungskünsten einer gräflichen Kokotte zu erliegen. So spaltet sich sein Wesen in eine schwächliche Empfindsamkeit und eine genießerische Sinnlichkeit. Wie er merkt, daß die Gräfin ihn betrügt, gibt ihm auch seine Liebe zu der fernen Amalia keinen Halt. Im Gegenteil. Hemmungslos verfällt er nun der Sinnlichkeit. „Der Mensch", erklärt er, „ist zum Genusse da: man hüte sich vor jener Trunkenheit des Geistes, die uns zu lange von der Erde entrückt." Sein schwärmerischer Jugendidealismus reicht gerade noch aus, um sich als Schleier der Schwermut auf seine Seele zu legen. Diese gleicht nun einer „heiteren Landschaft", der der Maler durch eine Ruine einen melancholischen Zug gegeben hat". Unaufhaltbar geht der Spaltungsprozeß weiter.

Zwei Freunde, als Verkörperung der beiden Ausartungen seines Wesens, stehen ihm bestimmend zur Seite. Der eine ist der Deutsche Balder, ein schwermütiger, romantischer Grübler, der von dem Vorhandensein eines Geisterreiches hinter der Sinnenwelt überzeugt ist, in das der Mensch nach dem Tode eingeht. Es gibt Menschen, erklärt er, denen die Gabe verliehen ist, durch die Sinnenwelt ins Reich der Geister zu schauen. Der andere ist der Italiener Rosa, ein Erfahrungs- und Verstandesmensch. Sinnliche Wahrnehmungen, so lehrt er seinen Schüler, sind der Quell unseres Wissens. Der menschliche Verstand ordnet das Chaos, als das uns die Welt erscheint. Er ist auch der Gesetzgeber des sittlichen Lebens, das Maß aller Dinge.

Lovell sinkt immer tiefer, wird Falschspieler, Räuberhauptmann. Eine fürchterliche Unruhe hetzt ihn von Ort zu Ort. Nun sucht er nur noch Betäubung. „Es gibt nichts Höheres im Menschen", erklärt er, „als den Zustand der Bewußtlosigkeit; dann ist er glücklich, dann kann er sagen, er sei zufrieden. Und so wird er im Tode sein."

In Goethes „Wilhelm Meister" wird die Schicksalsfrage damit beant-

443

wortet, daß ein Bund von menschenfreundlichen, sittlich hochstehenden Männern den Lebensweg Wilhelms gelenkt hat, und daß Wilhelm auf dem Gute Lotharios der Einblick in ihr Tun und die Aufnahme in ihren Orden gewährt wird. Auch in „William Lovell" gibt es eine solche bewußte Führung des Schicksals. Aber sie wird von einem Bösewicht ausgeübt, Andrea, der eigentlich Waterloo heißt, und der, mit Lovells Vater verfeindet, seinen Sohn verdirbt, um sich an ihm zu rächen. Er hat ihm Balder und Rosa zugesellt. Und durch sie seinen klaren Willen und seinen Körper zerstört. Er ist der Maschinenmeister des satanischen Bühnenspiels und wird schließlich selber die Beute des Teufels. Hat er wirklich Lovells Leben bestimmt? Das würde die Macht des freien Willens beweisen. Aber daran glaubt er gar nicht. Es ist vielmehr so, daß eine Hand aus dem Dunkel ihn gepackt, ein unbekannter Wille seine Bewegungen geleitet hat. Sein Wirken ist verfehlt. Er hat sich selber zum größten Narren gemacht. So bleibt die letzte Schicksalsfrage unbeantwortet. Ein dunkler Vorhang schiebt sich vor das letzte Licht. Schließlich fällt Lovell im Zweikampf mit Amaliens Bruder. Das entscheidende Wort aber hat sein Freund Mortimer, der nicht ein „Idealist" sein will, sondern ein realistischer Tatsachenmensch ist. Er findet nach einer schweren und harten Jugend sein Glück darin, ein Landgut zu verwalten, und bescheidet sich mit der Weisheit: „Der nur kann glücklich sein, der vom Leben nicht zu große Erwartungen hegt und in seinen Forderungen bescheiden ist. Der Stolze, auf sein Genie Vermessene ... kommt immer verunglückt und bettelarm zurück." Eine Lebensauffassung, zu der sich auch der von den Romantikern so grimmig gehaßte Friedrich Nicolai hätte bekennen können.

War überhaupt damals ein Unterschied zwischen Nicolai und Tieck? Äußerlich jedenfalls nicht. Denn Tieck stand zu jener Zeit in einem regelrechten Anstellungsverhältnis zu dem Verleger und Buchhändler Nicolai wie auch zu seinem Sohne. An Nicolais „Straußfedern", einer Sammlung von moralisch-satirischen Erzählungen, arbeitete Tieck mit und kämpfte hier, ganz aufklärerisch, gegen Ritter-, Räuber- und Geisterromane, Geniesucht und idealistische Philosophie. Das Schlußstück der Sammlung, die „Merkwürdige Lebensgeschichte Sr. Majestät Abraham Tonelli" (1798) entspricht ganz Nicolais Gesinnung, und durchaus in der Bahn von Nicolais Fichteverspottung bewegt sich der Angriff auf den Idealismus, wenn Tonelli von sich erzählt: „Ich verfiel oft auf den Idealismus und stellte mir vor, alle diese Wirklichkeit sei nur meine überaus närrische Einbildung ... Wenn ich dann aber wieder die Bäume um mich her sah und meinen hungrigen Magen fühlte, so sah ich wohl ein, daß ich Unrecht haben müsse." Die „Geschichte des William Lovell" war im Verlag des jüngeren Nicolai erschienen. Zu gleicher Zeit (1795/96) gab Tieck dort einen bürgerlichen Aufklärungsroman: „Peter Leberecht, eine Geschichte ohne Abenteuerlichkeiten" heraus. 1797 folgte im gleichen Verlag die Sammlung der „Volksmärchen von Peter Leberecht". Sie spiegeln die innere Gespaltenheit des Verfassers. Er gleicht dem William Lovell inmitten seiner Freunde Balder und Rosa. Er gibt sich gemütvoll in wässerigen und kindischen Bearbeitungen von Volksbüchern und in eigenen Märchen, wie der „Schönen Magelone" und dem „Blonden Eckbert", und er spielt den Ironiker in der „Denkwürdigen Geschichtschronik der Schildbürger". Jene bewegen sich auf die Romantik zu, diese könnte dem Stil, nicht der Tendenz nach, Wieland verfaßt haben. Aber das Romantische, wie es Tieck versteht, ist etwas völlig anderes als die Romantik, wie sie Friedrich Schlegel mit seinen Freunden damals begründete. Im Schlegelschen Kreis ist die Romantik weltanschaulich-metaphysisch; sie will das Unendlich-Geistige in der Dichtung einfangen und diese so aus der sinnlichen Enge des aufgeklärt-bürgerlichen Realimus herausheben, sie mit komischem Lichte durchstrahlen. Für Tieck ist das Romantische ein psychologischer, nicht ein metaphysischer Begriff. Der unendliche Geist erscheint bei ihm verendlicht, verstofflicht, versinnlicht. Während Fichtes Ich, Schellings Weltseele und sogar Friedrich Schlegels Ironie abstrakte Werte sind, ist der Geist bei Tieck etwas sehr Konkretes: er kann sprechen und handeln, man kann ihn sehen und hören. Er bedeutet nicht „das Geistige" schlecht-hin und allgemein, sondern ein einzelnes Individuum. Es wäre ein Unsinn, bei Fichte von verschiedenen „Ichen" zu reden. Bei Tieck aber kann man von dem Geist die Mehrzahl bilden. Geist ist bei ihm Gespenst.

Aus dieser Auffasung entspringt die völlig verschiedene seelische Wir-kung, die das Geistige bei Tieck und in dem Schlegelschen Kreise hat. Hier ist es das, was den Menschen erhebt und weitet. Bei Tieck drückt es ihn nieder, beengt, beängstigt ihn. Es ist das Wunderbare und Unheimliche, das Grauenhafte und Dämonische. Es ist also wie ein Kinderschreck durch-aus in die Atmosphäre des bürgerlichen Alltagslebens aufgenommen. Be-zeichnend für diese Auffassung des Geisterhaften ist etwa das Märchen „Der blonde Eckbert". Ritter Eckbert lebt mit seiner Frau Berta in einer düsteren Gegend im Harz. Sein einziger Freund ist Philipp Walter. Einst erzählt seine Frau in Gegenwart des Freundes ihre Geschichte. Sie ist das Kind armer Eltern. Vom Vater mißhandelt, verläßt sie das Elternhaus, irrt durch Wälder und Gebirge und kommt schließlich halb verhungert zu einer alten Frau. Diese nimmt sie auf. Sie muß ihr Hündchen und ihren Vogel besorgen. Der Vogel singt immer das gleiche Lied von der Wald-einsamkeit. Dazu legt er jeden Tag ein Ei, darin sich ein Edelstein be-findet. Berta muß die Edelsteine sammeln, während die Alte fort ist. In ihrer Einsamkeit träumt sie von einem herrlichen Ritter, der sie einst heiraten wird. Einmal, während die Alte wieder abwesend ist, flieht sie mit dem Vogel, und in einem Gefäß nimmt sie die Edelsteine mit sich. In einer schönen Stadt läßt sie sich nieder. Wie der Vogel auch hier immer das Lied von der Waldeinsamkeit singt und damit in ihr Gewissensbisse weckt, tötet sie ihn. Darauf heiratet sie Eckbert. Beim Abschied nennt Walter den Namen des Hundes, den Berta vergessen hat: Strohmian. Sie merkt, daß Walter irgendwie in ihr Schicksal verflochten ist. Sie gerät in eine seltsame Unruhe und wird krank. Darauf tötet Eckbert den Freund. Zu gleicher Zeit stirbt auch Berta. Eckbert geht nach einem andern Ort und findet hier in dem Ritter Hugo einen neuen Freund. Aber auch gegen ihn hegt er ein unerklärliches Mißtrauen. Und auf einmal sieht er, daß Hugo niemand anders als der ermordete Walter ist. Nun meint er, wahnsinnig zu werden. In allen Menschen, die ihm begegnen, sieht er Walter. Er begibt sich auf Reisen und kommt zu jener alten Frau. Sie hat sich in Walter und Hugo verwandelt. Von ihr erfährt er, daß er in Berta seine Schwester geheiratet hat. So wirkt ein unbegreiflich dunkles Schicksal als etwas Grauenhaftes in dem Leben des Menschen.

Wackenroder war es gewesen, der in Tieck, nach anfänglichem Widerstand, den Sinn für die deutsche Vergangenheit geweckt hatte. Mit Wakkenroders Name verbunden ist denn auch seine „altdeutsche Geschichte: Franz Sternbalds Wanderungen" (1798). Er soll im Frühling 1797 dem Freunde auf einem Spaziergang den Plan mitgeteilt und damit dessen lebhaftes Interesse erweckt haben. Wackenrodersche Vorstellungen tauchen in dem Romane auf: andächtige Schwärmerei für die Malerei, Dürer, Nürnberg, Raffael, Musik. Aber sie sind alle aus der Gemütssprache Wackenroders in die Verstandessprache Tiecks umgesetzt und damit vergröbert, übertrieben, verstofflicht. Mit der reinen Luft Wackenroderscher Innigkeit mischt sich ein schwüler Hauch Heinsescher Sinnlichkeit, die der Dichter Florestan preist. Und zuletzt ist Tieck, wie schon der Titel „Wanderungen" andeutet, nicht wenig Goethes „Wilhelm Meister" verpflichtet. Aber wie es dem Nachahmer immer geht, er übertreibt. Die ästhetische Bildung im „Wilhelm Meister", die schließlich Hingabe an das tätige Leben wird, ist bei Tieck übertrumpft durch die Poetisierung des Lebens schlechthin. Alles höhere Leben geschieht nur in der Betätigung oder doch wenigstens Verehrung der Kunst. Der Künstler ist der eigentliche Mensch, der Gottbegnadete, der Vermittler des Unendlichen, und der Nichtkünstler kann sich dieser höheren Welt nur würdig machen, wenn er als Mäzen dem Künstler dient.

Daß für Tieck die Verwendung wunderbarer und unheimlicher Vorgänge nicht der Ausdruck eines ursprünglichen weltanschaulichen Glaubens, sondern nur Mittel zu schriftstellerischer Wirkung war, zeigt am besten die Erörterung des Wunderbaren in seinen späteren Werken. Er eifert da wie ein waschechter Aufklärer gegen die romantische Schwärmerei, deren er sich früher selber schuldig gemacht hat, und stellt jetzt das Wunder gern als den bewußten Betrug eitler oder machtsüchtiger Personen hin. So wird in der Novelle „Die Wundersüchtigen" (1829) erzählt, wie ein Geheimrat eine wichtige Urkunde verloren hat. Durch Magie soll sie wieder aufgefunden werden. Aber die Magier, die dies unternehmen, erweisen sich als Schwindler, und die Familie ist von der Wundersucht geheilt. Diese aufklärerische Stellung hält Tieck aber nicht davon ab, später wiederum Spukgeschichten zu schreiben, wie „Die Klausenburg" oder „Der Schutzgeist". Gerade diese Haltung beweist, daß er seine Werke nicht aus dem Zwang einer weltanschaulich bestimmten Persönlichkeit schuf, sondern bloß aus der Willkür und der spielerischen Begabung eines Literaten. Er hat für Nicolai Aufklärungsmärchen verfaßt, solange es noch keine

Romantik gab. Er hat sich durch Wackenroder zu altdeutschen Geschichten und zur Musikverherrlichung anregen lassen. Er hat, als er sich mit Friedrich Schlegel befreundete, dessen Thesen von der progressiven Universalpoesie aufgegriffen und in seinem großen epischen Drama „Kaiser Octavianus" nach seiner Art stofflich zu verwirklichen versucht. Mit den Romantikern hat er in Märchenkomödien den Kampf gegen die Aufklärung geführt. Später regten ihn Goethes Novellen und die Novellen der Romantiker zu eigenen Novellen an, mit denen er allmählich in den Realismus hineinglitt. Als der Wunderglaube zeitgemäß war, füllte er seine Erzählungen mit unglaublichen Vorgängen und Personen; als er dem Zeitdenken nicht mehr entsprach, erörterte er ihn kühl und verständig. Nichts ist bezeichnender für dieses spielerische Verhältnis Tiecks zum Unerklärlichen als seine Kritik der Wundergeschichten E. T. A. Hoffmanns in der Novelle „Das Zauberschloß". Er ist gar nicht imstande, den tieferen Sinn von Hoffmanns Phantasiewelt und ihre Bestimmtheit durch dessen persönliches Schicksal zu begreifen.

Es ist kein Zufall, wenn dieser Schriftsteller, für den Dichten nur ein wirkungsvolles Abspielen von Rollen war, in späteren Jahren als Sprecher von Theaterstücken seine glänzendsten Triumphe feierte. Er lebte, als er Seite an Seite mit den Romantikern gegen die Aufklärung kämpfte, in Berlin. Nicolai aber, charaktervoller als sein bisheriger Schützling, sagte sich sofort von ihm los, als er dessen wahre Art durchschaute, und spottete in der Allgemeinen Deutschen Bibliothek über Tiecks Bestreben, die Ammenmärchen, die altgotische Hans Sachsische, Jacob Böhmische Schusterpoesie wieder emporzubringen; Hausväter und Erzieher wurden gewarnt, ihren Zöglingen dergleichen Phantastereien in die Hand zu geben. Derber noch rächten sich Iffland und Kotzebue. Diese Händel verleideten Tieck den Aufenthalt in Berlin. 1801 begab er sich nach Dresden und von hier nach dem Gute Ziebingen bei Frankfurt a. d. Oder, wohin ihn ein Freund eingeladen hatte. In den folgenden Jahren war er auf Reisen in Süddeutschland, Italien, England, der Schweiz. 1819 kehrte er wieder nach Dresden zurück. Hier erhielt er 1825 die Stelle des Dramaturgen am Hoftheater. In dieser Zeit machte er sich seinen Namen als Vorleser, vor allem Shakespearischer Dramen. Zweimal in der Woche sammelte er in seiner Wohnung einen Kreis von Bewunderern und Bekannten um sich, und durchreisende Fremde ließen sich die Gelegenheit nicht entgehen, unter Opferung eines Goldstückes den berühmten Dichter Tieck vortragen zu hören. Die Schauspielerin Karoline Bauer hat ihn in dieser Tätigkeit geschildert. Als sie ihm ihren ersten Besuch machte, war Tieck 61 Jahre alt. Er hatte aber in seinem Wesen noch etwas anmutig Jugendliches. „Er trug einen langen schwarzen, talarartigen Sammetrock mit weiten Ärmeln à la Raffael und ein schwarzes Sammetkäppchen, welches ein wenig kokett aussah, dem Dichter aber allerliebst stand. Der schwarze Sammet hob die Marmorblässe des schönen, edel geformten Gesichts mit den großen, tiefen dunklen Augen und die alabasterartig schimmernden kleinen wohlgepflegten Hände sehr vorteilhaft hervor ... Trat Tieck aus seinem Arbeits-

447

zimmer unter die stets zahlreich versammelten Gäste, so glaubte man trotz der Gicht einen Grandseigneur zu seinem Hofstaat herabsteigen zu sehen. Bei aller Würde und Artigkeit, mit der er Fremde empfing, lag doch in seinem Wesen ein wenig Herablassung, selbst gegen Vornehme und Berühmtheiten."

Am 9. Oktober 1828 las er im Goetheschen Hause in Weimar den „Clavigo". Eckermann, der darüber berichtete, bezeugt, das Stück habe in Tiecks Vortrag eine Wirkung getan wie nie zuvor. „Es war mir, als hörte ich es vom Theater herunter, allein besser; die einzelnen Charaktere und Situationen waren vollkommener gefühlt; es machte den Eindruck einer Vorstellung, in der jede Rolle ganz vortrefflich besetzt worden. — Man könnte kaum sagen, welche Partien des Stückes Tieck besser gelesen, ob solche, in denen sich Kraft und Leidenschaft der Männer entwickelt, ob ruhig klare Verstandesszenen, oder ob Momente gequälter Liebe. Zu dem

91. Caroline Schlegel (1763—1809)
Gemälde von Johann Friedrich August Tischbein, 1798

Caroline hatte ein abenteuerliches Leben hinter sich, als sie 1796 August Wilhelm Schlegel heiratete. Sie hatte teil an dem polemischen Verhältnis der Schlegels zu Goethe und Schiller und wurde ihrer geistvollen Bosheit wegen von diesen die „Dame Lucifer" genannt.

92. August Wilhelm Schlegel (1767—1845)
Kupferstich von Gustav Zumpe

Als Sohn eines Generalsuperintendenten studierte August Wilhelm Schlegel Theologie, ging aber gleichzeitig seinen philologischen Interessen nach. Auf diesem Gebiet entfaltete er besondere Fähigkeiten, die weniger in der Dichtung selbst lagen als vielmehr in der kritischen Einstellung zu ihr. Er war in Verbindung mit seinem Bruder Friedrich maßgebend am Programm der romantischen Poesie beteiligt, das er in der gemeinsamen Zeitschrift „Athenäum" und in Vorlesungen darlegte.

93. Dorothea Schlegel (1763—1839)
Gemälde von Anton Graff

Die Tochter Moses Mendelssohns lebte nach ihrer Scheidung von dem Bankier Veith seit 1798 mit Friedrich Schlegel zusammen, den sie 1804 heiratete. Sie und ihr Verhältnis zu Friedrich Schlegel wurden zum Anlaß des Romanfragments „Lucinde".

94. Friedrich Schlegel (1772—1829)
Zeichnung von Phillip Veit

Wie sein Bruder August Wilhelm war Friedrich Schlegel an der Grundlegung der deutschen Romantik beteiligt. Im „Athenäum" lieferte er wesentliche Beiträge. Auch bei ihm überwogen die theoretischen Schriften und Vorlesungen die Dichtungen an Bedeutung. Sein Roman „Lucinde" (1799) vertritt ein dem Geist der Klassik ganz entgegengesetztes Lebensideal, das die Aufhebung jeglicher Form fordert.

91
Caroline Schlegel (1763—1809)

92
August Wilhelm Schlegel (1767—1845)

93
Dorothea Schlegel (1763—1839)

94
Friedrich Schlegel (1772—1829)

95   Friedrich Leopold von Hardenberg, genannt Novalis (1772—1801)

97
Illustration zu Tiecks „Kaiser Oktavianus"
(1801—1803)

96   Johann Ludwig Tieck (1773—1853)

Vortrag letzterer Art standen ihm jedoch ganz besondere Mittel zu Gebot. Die Szene zwischen Marie und Clavigo tönet mir immer noch in den Ohren; die gepreßte Brust, das Stocken und Zittern der Stimme, abgebrochene, halb erstickte Worte und Laute, das Hauchen und Seufzen eines in Begleitung von Tränen heißen Atems, alles dieses ist mir noch vollkommen gegenwärtig und wird mir unvergeßlich sein. Jedermann war im Anhören versunken und davon hingerissen; die Lichter brannten trübe, niemand dachte daran oder wagte es, sie zu putzen, aus Furcht vor der leisesten Unterbrechung; Tränen in den Augen der Frauen, die immer wieder hervorquollen, zeugten von des Stückes tiefer Wirkung, und waren wohl der gefühlteste Tribut, der dem Vorleser wie dem Dichter gezollt werden konnte."

95. Friedrich Leopold von Hardenberg, genannt Novalis (1772—1801)
Stich von Eduard Eichens

Novalis war eine überragende Begabung. Er war nicht nur der Dichter der von romantisch-schwermütiger Trauer um die verstorbene Geliebte erfüllten „Hymnen an die Nacht" (1797) und geistlicher Lieder, sondern er war neben Friedrich Schlegel, mit dem ihn eine enge Freundschaft verband, der bedeutendste Theoretiker der frühen Romantik. Er besaß vorzügliche philosophische und historische Kenntnisse, die es ihm erlaubten, zu seiner Zeit kritisch Stellung zu nehmen und den preußischen Zusammenbruch vorauszusehen. Sein Geschichtsbild war nicht an der historischen Tatsächlichkeit, sondern an der Idee einer Zeit orientiert. Unter diesem Blickwinkel verfaßte er seinen Aufsatz „Die Christenheit oder Europa" (1799) und sein Romanfragment „Heinrich von Ofterdingen" (1798—1801), welchem er auch seine naturwissenschaftlichen Kenntnisse, die er sich in seiner Berufsentwicklung zum Bergassessor angeeignet hatte, zugrunde legte. Der Roman sollte ein Ausdruck der von Friedrich Schlegel in der Zeitschrift „Athenäum" geforderten „progressiven Universalpoesie" werden, indem er das gesamte Leben in romantischem Sinne poetisierte.

96. Johann Ludwig Tieck (1773—1853)
Zeichnung von Christian Vogel von Vogelstein

Ludwig Tieck hat als einziger Vertreter der romantischen Generation alle Stadien der Romantik von ihrem Beginn bis zum Anbruch des Realismus dichtend durchlebt. Von der frühromantischen „Geschichte des Herrn William Lovell" (1793/95) und von „Franz Sternbalds Wanderungen" (1798) bis zu den historischen Schilderungen und Erzählungen „Der Aufruhr in den Cevennen" (1826) und „Vittoria Accorombona" (1840) spiegeln seine Werke den Wandel jener Zeit zwischen 1795 und 1840 wider.

97. Illustration zu Tiecks „Kaiser Oktavianus", 1801—1803
Stich von Carl Mayer nach einer Zeichnung von Johann Baptist Zwecker

Das Werk ist ein Beispiel für „romantische Universaldichtung". Es vereinigt Volksbuchstoff und mittelalterliche Motive, deutsche Waldeinsamkeit und orientalische Stimmung. Die Handlung ist ebenso locker wie umfassend gestaltet. Erzählung wechselt mit Lyrik, und Sprachform und Versmaß sind so vielfältig wie möglich gehalten.

Damals regten sich die Zeichen einer neuen Zeit, die eifrig damit beschäftigt war, den verstaubten Hausrat der Romantik aus der Dichtung hinauszuschaffen. Aber als 1840 der Romantiker Friedrich Wilhelm IV. den preußischen Thron bestieg, lud er den alten Romantiker Tieck nach Potsdam ein, und von 1842 an lebte Tieck als Vorleser des Königs und als Berater der königlichen Schauspiele bald in Berlin, bald in Potsdam. Als er, fast achtzigjährig, am 28. April 1853 starb, mochte mancher sich fragen, ob er denn überhaupt noch gelebt habe.

Friedrich von Hardenberg steht nach seiner seelischen Veranlagung Wackenroder näher als Tieck, obgleich er mit Tieck befreundet war und Wackenroder nur vom Hörensagen kannte. Aber der Kreis seiner Bildung ist weiter gezogen, sein Geist ist schärfer, bohrender, und so hat in ihm auch die philosophische und naturwissenschaftliche Forschung der Zeit Raum gefunden. Seinen Dichternamen Novalis führt er selber auf einen alten Geschlechtsnamen zurück, der für ihn „nicht ganz unpassend" sei. In der Tat haben sich im 13. Jahrhundert Herren von Hardenberg nach einem Gute Großenrode bei Nörten in Hannover „von Rode" oder „de Novali" genannt; auch der Dichter mochte sich als ein Neuland Rodender vorkommen. Er soll, nach der Familienüberlieferung, den Namen auf der ersten Silbe betont haben, was man bei seiner Kenntnis des Lateinischen schwer begreift.

Wenn so schon durch seine Abstammung der Weg ins christliche Mittelalter bei ihm vorgezeichnet war, so wurde er vertieft durch den Ort seiner Geburt. Das Stammhaus Oberwiederstedt in der Grafschaft Mansfeld, wo er am 2. Mai 1772 geboren wurde, war zum Teil aus einem früheren Nonnenkloster entstanden und hatte mit seinen Wehrmauern, den schweren Gewölben und der großen Halle im Erdgeschoß den mittelalterlichen Geist bewahrt. Der Vater, willensstark, streng und temperamentvoll, äußerlich rauh, aber innerlich gemütsweich, hatte, als er seine erste Frau früh an den Blattern verloren, diesen Schicksalsschlag als eine Strafe Gottes für ein wüstes und wildes Leben empfunden und war darauf nach schweren Glaubenskämpfen der Herrnhutergemeinschaft beigetreten. Er faßte seine Bekehrung ernst auf und scheint seine Frömmigkeit etwas gewaltsam betrieben zu haben. Tieck berichtet, wie er einst bei Novalis zu Besuch gewesen sei, habe er im Nebenzimmer schelten hören. „Was ist vorgefallen?" fragte er den Diener, worauf dieser ihm den Bescheid gab: „Der Herr hält Religionsstunde." Seine zweite Frau, Hardenbergs Mutter, war eine weiche, einfach-fromme Frau, die zeitweise an Schwermut litt.

Der Dichter war ein in sich gekehrtes, schwächliches Kind, das auch zuerst wenig begabt schien, bis eine schwere Erkrankung an der Ruhr seine geistigen Kräfte weckte. Das Leben in Oberwiederstedt war einfach und eingezogen und ohne viel geistige Anregung, wie es der strengen Frömmigkeit des Vaters entsprach. Aber im Hause eines Oheims, des Deutschordenskomturs Friedrich Wilhelm von Hardenberg, wo der Knabe ein Jahr zubrachte, lernte er weltliche Geselligkeit kennen und fand in einer großen Bibliothek Nahrung für seinen Wissenshunger. 1787 siedelte die

Familie nach Weißenfels über, wo der alte Hardenberg kursächsischer Salinendirektor geworden war. Drei Jahre später bezog Novalis die Universität Jena zum Studium der Rechte. Hier wirkten vor allem zwei seiner Lehrer stark auf ihn: Reinhold und Schiller. Reinhold, Wielands Schwiegersohn, führte ihn in die Philosophie Kants ein. Schiller begeisterte ihn durch seine pantheistischen Jugendgedichte, durch die „Räuber" und den „Don Carlos", durch den Gedankenreichtum seiner Geschichtsvorlesungen und durch die Güte und sittliche Größe seiner Persönlichkeit. Es ist mehr als bloße Höflichkeit, wenn er am 22. September 1791 an Schiller schrieb: „Ein Wort von Ihnen wirkte mehr auf mich als die wiederholten Ermahnungen und Belehrungen anderer. Es entzündete tausend andre Funken in mir und ward mir nützlicher und hülfreicher zu meiner Bildung und Denkungsart als die gründlichsten Deduktionen und Beweisgründe." Noch schwerer wiegt, was er kurz darauf an Reinhold über Schiller schrieb: „Sein Blick warf mich nieder in den Staub und richtete mich wieder auf. Das vollste, uneingeschränkteste Zutrauen schenkte ich ihm in den ersten Minuten, und nie ahnete mir nur, daß meine Schenkung zu übereilt gewesen sei. Hätt' er nie mit mir gesprochen, nie teil an mir genommen, mich nicht bemerkt, mein Herz wäre ihm unveränderlich geblieben; denn ich erkannte in ihm den höheren Genius, der über Jahrhunderte waltet, und schmiegte mich willig und gern unter den Befehl des Schicksals. Ihm zu gefallen, ihm zu dienen, nur ein kleines Interesse für mich bei ihm zu erregen, war mein Dichten und Sinnen bei Tage und der letzte Gedanke, mit welchem mein Bewußtsein abends erlosch." In Jugendgedichten vernimmt man den Klang Schillerscher Hymnen, vor allem in den „Klagen eines Jünglings", wo er Schiller preist als den edlen Dulder,

> „Den der Himmel nicht in seinem Glanze,
> Nicht die Höll' in ihren Nächten beugt."

Er hatte in frühen Gedichten Bürger nachgeahmt, und er hatte Wieland geliebt. Jetzt zog ihn Schiller aus den Niederungen des tändelnden Rokokos zu den Höhen einer edleren und ernsteren Anschauung von Leben und Dichtung. Durch die „Theosophie des Julius" in den „Philosophischen Briefen" und durch seine Gedichte ließ er sich sagen, daß, wie Schiller über die „Künstler" an Körner schrieb, die Wahrheit und Sittlichkeit in der Schönheit verhüllt sein müsse. Jetzt erschien ihm sogar das strenge Urteil, das Schiller über Bürgers Gedichte gefällt hatte, noch zu gelind, und er billigte es, daß Schiller seinen Maßstab „a priori aus einem den Gesetzen der Sittlichkeit korrespondierenden Gesetze" aufgestellt habe. „O! Ich lerne immer mehr einsehen, daß nur moralische Schönheit, je absichtsloser sie bewirkt zu sein scheint, den einzig unabhängig wahren Wert eines jedweden Werks des dichterischen Genies ausmacht." Schillers Wirkung auf Novalis blieb unerschüttert, auch als er später im Schlegelschen Kreise abfällige und boshafte Worte über den geliebten Lehrer hören mußte.

Nach zwei Semestern ging Novalis im Oktober 1791 mit seinem Bruder Erasmus nach Leipzig. Die glänzende, lebenslustige Stadt übte auch auf ihn ihren Einfluß aus. Er war keineswegs ein Duckmäuser, sondern liebte Fröhlichkeit und die Gesellschaft junger Mädchen. Neben seinem juristischen Studium pflegte er weitere geistige Interessen. Die Geschichte war ihm durch Schiller, die Philosophie durch Reinhold und Schiller liebgeworden. Dazu traten nun naturwissenschaftliche und mathematische Studien. Wichtig vor allem war in dieser Zeit seine Bekanntschaft mit Friedrich Schlegel, und bald schlossen sich beide mit großer Innigkeit aneinander an, beide von gleicher Wißbegierde erfüllt, beide aber auch sehnsüchtig in genialisch-kühlen Ahnungen und Einfällen aus dem Reiche der Sachkenntnisse in höhere Räume der Erkenntnis ausgreifend. Schlegel lebte damals seinen Studien über das klassische Altertum in seinem Verhältnis zur neueren Literatur, er hatte sich in Kant eingelesen und verfolgte mit brennendem Interesse den Gang der Französischen Revolution. So stärkte er das Interesse für Geschichte, Philosophie und Kunst in Novalis. Wirkte dieser auf den rastlosen, durch den Zwiespalt seiner Begabung zerrissenen Freund mildernd und ausgleichend durch seine glaubensgestärkte innere Sicherheit und die Harmonie seiner Persönlichkeit, so imponierte Schlegel dem Gefährten durch die Kühnheit seiner Ideen und den Reichtum seines Wissens. Man spürt geradezu, wie der sprunghafte Stil Schlegels in Novalis' Briefe übergreift und er sich bemüht, ähnliche tiefsinnige und knabenhafte Orakelsprüche von sich zu geben. Ende März 1793 schreibt er Schlegel: „Deine Augen müssen dunkel werden über der schwindelnden Tiefe, in die du hinabsiehst, in die du den bezauberten Hausrat deines Lebens hinabstürzest. Der König von Thule, lieber Schlegel, war dein Vorfahr. Du bist aus der Familie des Untergangs... Du wirst leben wie wenig leben, aber natürlich kannst du auch keinen gemeinen Tod sterben; du wirst an der Ewigkeit sterben. Du bist ihr Sohn, sie ruft dich zurück. Eine seltne Bestimmung hast du bei Gott. Vielleicht seh' ich nie wieder einen Menschen wie dich. Für mich bist du der Oberpriester von Eleusis gewesen. Ich habe durch dich Himmel und Hölle kennengelernt — durch dich von dem Baum des Erkenntnisses gekostet."

Ein leidenschaftliches Liebeserlebnis in Leipzig zeitigte in Novalis den Entschluß, Sodat zu werden. Er gab ihn auf, als er einsah, daß seine militärische Laufbahn bei dem mittelmäßigen Vermögen der Familie allzu langsam und eingeschlossen sein würde. Aber der Entschluß, sich zur Männlichkeit zu erziehen, ist die Frucht des Erlebnisses. In Wittenberg schloß er 1794 mit einem juristischen Examen seine Studien ab. Nun schickte ihn der Vater nach dem thüringischen Städtchen Tennstedt, wo der tüchtige und gebildete Kreisamtmann Just ihn in die kursächsische Verwaltungspraxis einführte. Er lebte sich eifrig in seine amtlichen Aufgaben ein; daneben vertiefte er sich in den freien Stunden in Fichtes Wissenschaftslehre und in Spinoza. „Fichten bin ich Aufmunterung schuldig", schrieb er am 8. Juli 1796 an Friedrich Schlegel. „Er ist's, der mich weckte und indirekte zuschürt." Wenn Kant durch seine kritische Methode seinen Verstand schärfte, so lehnte sich sein phantasievoller Überschwang immer wieder gegen seine behutsamen Grenzsetzungen auf. Fichtes unbedingter Freiheitsbegriff, die Verherrlichung des Ich als der schaffenden Einbildungskraft, mußte ihn für die Wissenschaftslehre gewinnen. Aber doch war sein Wirklichkeitssinn durch die naturwissenschaftlichen Studien und die praktische Tätigkeit bereits so erstarkt, daß ihn die allzu große Abstraktheit und Naturferne in Fichtes System mehr und mehr abstieß.

Eine menschliche Ergänzung zu diesen philosophischen Studien bot ihm die Liebe zu Sophie von Kühn in dem Tennstedt nahen Grüningen. Sie war, als er sie im November 1794 im Hause ihres Stiefvaters, des Rittmeisters von Rockenthien, kennenlernte, zwölf Jahre alt. Mit fünfzehn Jahren ist sie am 19. März 1797 gestorben. Er hatte seine Neigung einem Kinde geschenkt, das während der Dauer des Verhältnisses zur Jungfrau heranreifte. Immer wieder spricht er in seinen Briefen und Tagebüchern von seiner sinnlichen Natur und seiner Empfänglichkeit gegen weibliche Reize. Er hatte bis dahin für viele Mädchen geschwärmt. In seiner Amtsstube, schreibt er am 16. November 1794, sei ein wahres Pandämonium, in welchem ihn „unaufhörlich der Wollustteufel schikaniere und mit voluptuösen Bildern vor ihm herum auf dem Papier tanze“; und sein Bruder Erasmus bezeugt, daß sein Nervensystem äußerst reizbar, sein Herz im höchsten Grade empfänglich und offen für den Eindruck sei, den ein schönes, unschuldiges Mädchen auf ihn mache. Wir haben kein Urteil über die Schönheit Sophies. Auf Hardenberg aber, bei der, wie es scheint beständigen Erhitzung seines Blutes und in dem überschwenglichen Idealismus seines Denkens, machte sie augenblicklich Eindruck. Eine Viertelstunde habe ihn bestimmt, gestand er dem Bruder. Sophies Natürlichkeit in Verbindung mit ihrer Jugend und ihrem Aussehen mag die Liebe in ihm entzündet haben. Ihre Briefe mit der kindlichen Unbeholfenheit und mundartlichen Färbung ihrer Sprache und mit ihrer auch für die mangelhafte Frauenbildung der Zeit schauderhaften Rechtschreibung verraten nichts von der außergewöhnlichen Begabung, die Novalis in ihr sah. Ebensowenig ihre Charakteristik in seinem Tagebuch. Es heißt darin u. a.: „Ihre Frühreife. Sie wünscht allen zu gefallen. Ihr Gehorsam und ihre Furcht vor dem Vater. Ihre Dezenz, und doch ihre unschuldige Treuherzigkeit. Ihr Steifsinn und ihre Schmiegsamkeit gegen Leute, die sie einmal schätzt oder die sie fürchtet. Ihr Betragen in der Krankheit. Ihre Launen ... Hang zum kindischen Spiel ... Liest sie gern? Hang zu weiblichen Arbeiten. Sie will nichts sein. Sie ist etwas ... Sie macht viel aus Poesie ... Offenheit. Sie scheint noch nicht zu eigentlichem Reflektieren gekommen zu sein ... Ihr Schreck für die Ehe ... Ihr Tabaksrauchen ... Ihre Gespensterfurcht ... Gesicht bei Zoten ... Sie ist irritabel — sensibel. Ihr Hang gebildet zu sein ... Sie will sich nicht durch meine Liebe genieren lassen. Meine Liebe drückt sie oft. Sie ist kalt durchgehends.“ Das sind nicht außergewöhnliche Züge eines Mädchens in den Entwicklungsjahren, deren körperliche Zeichen sogar sie ihm in ihren Briefen nicht verschweigt. Er aber steigert Klarisse, wie er sie nennt, zur Heiligen und Weisen. Ihr Name Sophie oder Sophia ist ihm Sinnbild und Offenbarung göttlicher Weisheit, sie wird ihm Verkörperung der Philosophie. „Mein Lieblingsstudium heißt im Grunde wie meine Braut", schreibt er im Juli 1796. „Sophie heißt sie — Philosophie ist die Seele meines Lebens und der Schlüssel zu meinem eigensten Selbst."

Da erkrankt, im November 1795, Sophie an einem Leberleiden, verbunden mit Lungenschwindsucht. Zeiten scheinbarer Genesung wechseln mit Zeiten neuer Erkrankung. Man bringt sie nach Jena, wo Hofrat Stark ihre Behandlung übernimmt. Sie empfängt da Goethes Besuch. Dreimal wird sie operiert. Man hofft, sie zu Novalis' Eltern nach Weißenfels bringen zu können. Vergeblich. Am 14. März 1797 weiß er, daß sie nur noch einige Tage zu leben hat. Fünf Tage darauf stirbt sie.

„Meine Phantasie wächst, wie meine Hoffnung sinkt", schrieb er einen Monat vor ihrem Tode. „Wenn diese ganz versunken ist und nichts zurückließ als einen Grenzstein, so wird meine Phantasie hoch genug sein, um mich hinauf zu heben, wo ich das finde, was hier verlorenging." Hat er sie schon zu ihren Lebzeiten verherrlicht, so wird sie ihm nun vollends zur Heiligen, zur Offenbarerin göttlicher Weisheit. Die Briefe der folgenden Zeit überströmen von Klagen des Verlassenen. Ihr Grab ist auch sein Grab. „Meine ganze Freude, meine Aussichten, mein Leben, meine Liebe liegen hier begraben. Ihr und mein Grab werden mich gewiß, solange ich noch lebe, mit unaussprechlicher Liebe und Kraft zu allem Guten erfüllen." Er ist selber „ein welkes Blatt, das vielleicht bald vom Stamm abfällt". Er will ihr nachsterben. „Ich habe noch einiges zu verrichten — dann mag die Flamme der Liebe und Sehnsucht auflodern und dem geliebten Schatten die liebende Seele nachsenden. Der Augenblick des Wiedersehens ist der freudigste Aufblick, den ich noch unter dieser Sonne habe." In jener Zeit stirbt auch sein Bruder Erasmus an der Lungenschwindsucht. Aber sein Tod hat mehr eine wohltätige als nachteilige Wirkung auf ihn. „Er hat meine Kräfte eher vermehrt als vermindert."

Dennoch fordert ihn das Leben noch für sich. Er ist im Februar 1796 nach Weißenfels zurückgekehrt, wo er in der Salinendirektion arbeitet. Er sucht in den Wissenschaften, in der Philosophie Trost und Stärkung. „Ich studiere sie nach höheren Zwecken, von einem höheren Standpunkte. In ihnen, in Aussichten auf die unsichtbare Welt, in wenigen Freunden und Pflichtgeschäften will er bis zum letzten Atemzuge leben." Es ist ein Beweis für die sich steigernde Lebensfreude, wenn jetzt die Liebe zu Schellings Naturphilosophie die frühere Begeisterung für Fichtes abstrakte Wissenschaftslehre ablöst. Er lernt Schelling persönlich kennen und findet großes Gefallen an ihm. Aber es ist auch ein Zeichen der Abrückung von dem strengen philosophischen Denken, wenn jetzt der verschwommene Idealismus des an Plato und Shaftesbury geschulten Holländers Franz Hemsterhuis mehr und mehr seine Phantasie beherrscht. Sein Optimismus, seine Lehre von dem Aufsteigen der Seele zu immer größerer Vollkommenheit und von einer endlichen Wiederkehr des goldenen Zeitalters mochten seine Sehnsucht nach Sophie nähren. Zu gleicher Zeit aber dringt er tiefer in die Naturwissenschaften ein. Überhaupt ist er voll von Plänen. „Mancherlei ist mir", schreibt er am 26. Dezember 1797 an Friedrich

Schlegel, „durch den Kopf gegangen. Erst Poesie, dann Politik, dann Physik en masse." Zum Zwecke der Ausbildung als Bergwerksingenieur geht er Ende 1797 nach Freiburg. Hier studiert er unter Abraham Gottlob Werner Geologie und Mineralogie. Der Physiker Wilhelm Ritter in Jena führt ihn in die Lehre des Magnetismus und Galvanismus ein und vermittelt ihm den Glauben an die organische Einheit der Natur. Dazu studiert er die Natursymbolik von Franz von Baader und gewinnt aus ihr die Überzeugung von der Offenbarung eines geistigen Urgrundes in den Erscheinungen der sinnlichen Natur. Ein unbändiger Ideenreichtum, eine überströmende Schaffensfreude ist in ihm. Das naturphilosophische Märchen „Die Lehrlinge zu Sais" und der politische Aufsatz „Glauben und Liebe" entstehen. Er sendet dem „Athenäum" Fragmente. Aber in dem Schaffensrausche, in dem er lebt übersteigt er auch alle Schranken besonnener Kritik. Weder Kant noch Schleiermacher finden mehr Gnade vor seinen Augen. Friedrich Schlegel meint bewundernd, Novalis habe das Talent zu einem neuen Christus.

Wirklichkeitsnäher war er, als er sich im Dezember 1798 in Freiburg mit Julie von Charpentier, der Tochter des Berghauptmanns, verlobte. Im Mai des folgenden Jahres kehrte er nach Weißenfels zurück. In Dresden und Jena traf er die Brüder Schlegel und andere Glieder des romantischen Kreises. Einen neuen Freund gewann er in Ludwig Tieck. „Deine Bekanntschaft hebt ein neues Buch in meinem Leben an", schrieb ihm Novalis am 6. August 1799. „Du hast auf mich einen tiefen, reizenden Eindruck gemacht — noch hat mich keiner so leise und doch so überall angeregt wie du." Tieck war es, der ihn, in Verbindung mit seiner praktisch-wissenschaftlichen Tätigkeit, von der Spekulation weg und zur Dichtung zurückführte. „Die Philosophie", schrieb er im Februar 1800 an den Kreisamtmann Just, „ruht jetzt bei mir im Bücherschranke. Ich bin froh, daß ich durch diese Spitzberge der reinen Vernunft durch bin und wieder im bunten, erquickenden Lande der Sinne mit Leib und Seele wohne." Im Frühjahr 1799 hatte er die „Hymnen an die Nacht" und wohl kurz darauf die geistlichen Lieder niedergeschrieben. Im Herbst entstand der Essai „Die Christenheit oder Europa". Im Januar 1800 kündigte er Friedrich Schlegel seinen „bald fertigen" Roman „Heinrich von Ofterdingen" an. Im Sommer erhielt er die Amtshauptmannsstelle im thüringischen Kreis. Er kam nicht mehr dazu, seine neue Tätigkeit auszuüben. Schon seit Jahren wühlte auch in ihm jene Krankheit, die seinen Bruder Erasmus hingerafft hatte. Als er im Oktober 1800 die Nachricht vom Tode seines Bruders Bernhard erhielt, verursachte der Schrecken einen Blutsturz. In Gegenwart Friedrich Schlegels ist er am 25. März 1801 unter den Klängen des Klavierspiels seines Bruders Karl entschlafen. Alle seine Werke tragen den Stempel eines Menschen auf sich, dessen Körper die inbrünstige Sehnsucht nach den Gefilden geistiger Ewigkeit und Unendlichkeit verzehrte. Was er nach dem Verlust von Sophie geahnt und gewünscht, hatte sich an ihm erfüllt: er war fast auf den Tag vier Jahre später, ihr nachgestorben.

Nur in Briefen und manchen Fragmenten hat Novalis den phrasenseligen

Übermut Friedrich Schlegels nachgeahmt. Seine Werke sind sonst voll von einer großen Reinheit und klaren Innigkeit. Es gibt selten einen Geist von einer solchen Mannigfaltigkeit und Weite der Wissensinteressen: Philosophie, Naturwissenschaft, Physik, Mathematik, Geschichte umfaßt sein geistiges Streben. Es ist etwas von Goethescher Allheit darin. Aber es war ihm versagt, die Fülle und Mannigfaltigkeit seines Wissens in abgeschlossene dichterische Gebilde hineinzuleiten oder aus ihr ihnen Gestalt zu geben, wie es Goethe immer wieder vermochte. Die weltumfassende Wißbegierde des Novalis ist ein beständiges Fragen, ein Auslangen, eine Sehnsucht. Es war ihm nur in amtlich-bergbautechnischen Aufgaben gegeben, die Antwort durch peinliche und gewissenhafte Einzeluntersuchung zu finden. Wo es um das große Ganze der Erkenntnis ging, begnügte sich sein genialischer Geist mit Ahnungen, Einfällen, Gedankenblitzen, Behauptungen. Er hat mit den Funken solchen Augenblicksdenkens, solcher zerstückten Weisheit ganze Hefte gefüllt. Tiefsinn steht in diesen „Fragmenten" neben Unsinn, sachliches Wissen neben abenteuerlichen Phantasmen, Gründlichkeit neben Leichtsinn, und sehr vieles ist auch bloß Lesefrucht. Man muß sich hüten, sie allzu ernst zu nehmen. Auch sie sind Ausblick, nicht Abschluß. Ausblick in eine unendliche Welt, die zu umfassen dem menschlichen Geist versagt ist. Ausdruck einer Persönlichkeit, deren Schicksal es war, in ihrem körperlichen wie geistigen Dasein nur zu versprechen, nicht zu erfüllen. „Die Erwartung", heißt der erste Teil von Novalis' großem Roman „Heinrich von Ofterdingen", die zweite „Die Erfüllung". Aber von dem zweiten hat er nur den Anfang geschrieben.

Auch er war ein Euphorion. Er gehörte zu dem romantischen Geschlechte, dem es versagt war, aus den Urkräften der Erde zu leben und auf dem Boden der Wirklichkeit zu stehen. Im Gegensatz zu den Schlegeln und Tieck war ihm ein tiefes Erlebnis beschieden: die Liebe zu Sophie von Kühn und die Erfahrung ihres Todes. Aber es hat sich völlig anders in ihm ausgewirkt als etwa die Liebe zu Lotte Buff in Goethe: nicht psychologisch-menschlich und eigentlich künstlerisch, d. h. weltdarstellend, sondern geistig-philosophisch und weltdeutend. Die „Hymnen an die Nacht" sind der dichterische Ausdruck dieses Erlebnisses. Aber nur insoweit, daß es sie veranlaßt hat. Denn es ist nicht eigentlich in ihnen gestaltet, wie die Liebe zu Lotte Buff in Goethes „Werther" gestaltet ist, sondern es gibt Novalis nur die Anregung zu geheimnisvollen philosophischen, theologischen und kulturgeschichtlichen Betrachtungen. Es veranlaßt ihn, sich von dem „allerfreulichen Lichte" abzuwenden zu der „heiligen, unaussprechlichen, geheimnisvollen Nacht". Und nun wird im weiteren die Nacht gedeutet. Erst in ihrem optischen Gegensatz zum Tage. Dann als Reich der Liebe und lebenschaffender Mutterschoß. Drittens als Sinnbild des Todes, der dem Trauernden der Eingang in neues höheres Leben ist. Endlich leitet die Jenseitsvorstellung hinüber zum Preise des diesseitsverneinenden Christentums im Gegensatz zum diesseitsbejahenden klassischen Altertum.

Er war gar nicht fähig, das Leben und die Menschen um ihn herum in ihrer einmaligen psychologischen Bedingtheit zu erfassen und entsprechend darzustellen. Es wäre ihm zu armselig, zu bedeutungslos gewesen. Wie alle Glieder des nachkantischen Geschlechtes mußte er das Einzelne im Zusammenhang des Allgemeinen sehen, das Physische in bezug auf das Metaphysische erfassen und dem Sinn den Vorrang geben vor den Sinnen. Schon die pietistische Erziehung hatte seinen Geist ins dunkle Innere des geistlichen Lebens gezogen. Nachher hatte Kant ihn die Fraglichkeit des Erfahrungswissens gelehrt. Dann verschrieb er sich der Abstraktion Fichtes, der Naturphilosophie Schellings, der moralisierenden Schöngeisterei des Hemsterhuis, dem Idealismus Platons und Plotins, dem Pantheismus Spinozas, dem Tiefsinn Jakob Böhmes, der medizinischen Reiztheorie des Schotten John Brown, den naturwissenschaftlichen Offenbarungen eines Werner und Ritter und versuchte schließlich aus all diesen Anregungen und aus der Sehnsucht seines eigenen Geistes eine Art System der Lebensdeutung zusammenzusetzen, einen „magischen Idealismus". Zwei Reiche stehen sich gegenüber: Natur und Geist. Sie wirken im Menschen als Körper und Seele. Zwei Arten von Reizen gehen von ihnen aus, äußere und innere, die eine wirkt auf die andere. Geist ist Erscheinung und Wirken innerhalb der Körperwelt.

Das Geschlecht der um 1770 geborenen Deutschen hätte die geschichtliche Sendung gehabt, sich mit den Ideen der Französischen Revolution auseinanderzusetzen und, was davon eine neue fruchtbare Gestalt des politischen Daseins begründen konnte, dem deutschen Leben zuzuführen. Es liegt eine erschütternde Tragik darin, daß es, durch einen allzu hoch fliegenden und weltfremden Idealismus verblendet, dazu nicht fähig war. Auch Novalis nicht.

Der 1799 entstandene Aufsatz „Die Christenheit oder Europa" zeigt, daß Novalis' Denken jetzt in einer Zeit wurzelt, die noch weiter entfernt ist von den Aufgaben der Gegenwart: dem katholischen Mittelalter. „Es waren", so beginnt er, „schöne glänzende Zeiten, wo Europa ein christliches Land war, wo Eine Christenheit diesen menschlich gestalteten Weltteil bewohnte. Ein großes gemeinschaftliches Interesse verband die entlegensten Provinzen dieses geistlichen Reiches ... Ohne große weltliche Besitztümer lenkte und vereinigte Ein Oberhaupt die großen politischen Kräfte". An den Kampf zwischen Kaiser und Papst denkt Novalis nicht. Denn er beschreibt das Mittelalter nicht wie es wirklich war, sondern wie es der Idee nach sein sollte. Die katholische Einheit Europas wurde durch die Protestanten zerstört. Novalis hatte den Aufsatz, wie „Glauben und Liebe", zur Veröffentlichung im „Athenäum" bestimmt. Aber Wilhelm Schlegel hatte Bedenken und wandte sich an Goethe, der die Veröffentlichung widerriet. So unterblieb sie. Das nebelzarte Gebilde von Wackenroders Schwärmerei für das Mittelalter hatte sich in Novalis' kräftigeren Händen in eine allzu harte und doch zugleich ungeschichtliche Gestalt verwandelt.

Als eine Vorstufe zum „Heinrich von Ofterdingen" mutet das fragmentarische Märchen oder die naturphilosophische Allegorie „Die Lehrlinge zu Sais" an, das 1798 aus Novalis' Studium in Freiburg unter Werner heranwuchs. Das Thema ist die Frage der Erkenntnis. Schiller hatte sie in dem Gedicht „Das verschleierte Bild zu Sais" im Sinne des Kantischen Wahrheitsbegriffes beantwortet. Wie der Jüngling nachts verbotenerweise den Schleier von dem Bilde der Göttin Isis hebt, findet man ihn am Morgen besinnungslos; er bekennt nicht, was er gesehen, aber seine Heiterkeit ist dahin. Novalis ersetzt den Kritizismus Kants und Schillers durch einen erotischen Idealismus. Hyacinth, der auf der Suche nach der Wahrheit schließlich vor dem Bilde der Göttin zu Sais landet, hebt im Traume den Schleier — und seine Geliebte Rosenblütchen sinkt in seine Arme: die Liebe war der Drang, der unbewußt sein Streben nach der Erkenntnis leitete. Sie gibt ihm nun auch die Offenbarung der Wahrheit. Da aber die Liebe nur, im Sinne Fichtes, die Urkraft des schaffenden Ich ist, so konnte Novalis wohl auch den Sinn des Märchens in das Distichon fassen:

> „Einem gelang es — er hob den Schleier der Göttin zu Sais —;
> Aber was sah er? Er sah — Wunder des Wunders — sich selbst."

So gipfelte Novalis' Denken und Schaffen schließlich in einem großen Roman, worin er alles ausdrücken wollte, was ihm an Offenbarung über Geist und Leben geschenkt war: „Heinrich von Ofterdingen". Er war in der Bibliothek eines Bekannten, des Majors von Funk, im Frühjahr 1799 auf den Namen des sagenhaften Sängers gestoßen, den er zuerst Afterdingen nannte. Im Sommer darauf lernte er Tieck kennen, der die Schwärmerei für das deutsche Altertum in ihm entzündete. Im darauffolgenden Winter arbeitete er eine Zeitlang in der Saline Artern am Fuße des Kyffhäusers. Damals hatte er, unter dem Einfluß Tiecks und seiner naturwissenschaftlichen und praktischen Studien, die „Spitzberge der reinen Vernunft" überstiegen und war von der Philosophie zur Dichtung zurückgekehrt. So schrieb er den ersten Teil seines Romans. Er sollte ein „romantischer" Roman werden. Nicht eine „poetisierte bürgerliche und häusliche Geschichte", wie Goethes „Wilhelm Meister", in dem „das Wunderbare ausdrücklich als Poesie und Schwärmerei" behandelt sei, sondern „durch und durch Poesie", „Die Poesie ist nämlich wie die Philosophie eine harmonische Stimmung unsers Gemüts, wo sich alles verschönert, wo jedes Ding seine gehörige Ansicht — alles seine passende Begleitung und Umgebung findet. Es scheint in einem echt poetischen Buche alles so natürlich — und doch so wunderbar."

Goethe hatte die Handlung des „Wilhelm Meister" aus der Gegenwart gewählt. Novalis verlegte die seinige in das Mittelalter. Wie in Tiecks „Sternbald" sollte es sich um die Verherrlichung des Künstlers, hier des Dichters, handeln. Aber Novalis greift tiefer in das Geheimnis des Schaffenden als Tieck, der sich von der Buntheit der äußern Welt blenden läßt. Er gießt in die Gestalt des mittelalterlichen Sängers alles hinein, was er über die Kräfte des Geistes und den Verkehr mit der sinnlichen und der übersinnlichen Welt gedacht, phantasiert, erahnt hat. Der Dichter wird ihm nun der eigentliche magische Idealist, der Magiker im Dienst der Natur. Er schafft und wirkt innerlich und erfüllt das inwendige Heiligtum des

Gemüts mit neuen, wunderbaren und gefälligen Gedanken. Er weiß die geheimen Kräfte der Natur in uns nach Belieben zu erregen und gibt uns durch Worte eine unbekannte, herrliche Welt zu vernehmen. „Wie aus tiefen Höhlen steigen alte und künftige Zeiten, unzählige Menschen, wunderbare Gegenden und die seltsamsten Begebenheiten in uns herauf und entreißen uns der bekannten Gegenwart ... Eine magische Gewalt üben die Sprüche des Dichters aus; auch die gewöhnlichen Worte kommen in reizenden Klängen vor und berauschen die festgebannten Zuhörer." Auch hier ist, wie im „Sternbald", nur in einem tieferen Sinne, die ganze Welt poetisiert. Immer und überall ist die Dichtung wirksam und gegenwärtig, und alle Personen sind darin einig, daß der Dichter ein Zauberer ist. Die Kaufleute, die Heinrich auf seiner Reise nach Augsburg antrifft, preisen den Dichter als Deuter der Wunder der Natur.

Ein solcher Dichter ist Heinrich von Ofterdingen, und es ist das Thema des ersten Teils des Romans zu zeigen, wie Heinrich zu seiner Berufung heranwächst. Die Dichtung, deren Sinnbild die blaue Blume ist, ersteht durch Eintauchen in die Tiefe der Natur und durch das Liebeserlebnis, sie ist innerlich aus dem Gemüt geboren und ist Künderin des Wunderbaren.

> Die Welt wird Traum, der Traum wird Welt.

Das ist der Sinn der blauen Farbe heißt es schließlich. „Heinrich von Ofterdingen" ist der reinste und tiefste Roman, den die Frühzeit der Romantik hervorgebracht hat: der sehnsüchtige Jenseitstraum eines dem Tode sich zuneigenden Jünglingsgemütes; aber ein Bruchstück, wie das ganze Leben des Novalis ein Bruchstück war, wie die ganze Romantik mit ihrem Streben nach dem Unendlichen nur Anfang war, niemals Vollendung: progressive Universalpoesie.

7. LEBEN IM IDEAL

Jean Paul / Hölderlin

„Seine innere Welt steht weit abgerissen neben der äußern, er kann von Keiner in die andre, die äußere ist nur der Trabant und Nebenplanet der innern. Seiner Seele... verbauen die bunten eignen Gewächse, auf denen sie sich wiegt und vergisset, die Aussicht auf die Gegenstände jenseits ihres Körpers, die nur dünne Schatten auf ihre Gedanken-Auen werfen."

Jean Paul

Die romantischen Denker, Kritiker und Dichter des nachkantischen Geschlechts hatten aus der kritischen Philosophie eine neue Metaphysik abgeleitet. Vor allem Fichte mit seiner Annahme des schaffenden Ich als des Welturhebers hatte bahnbrechend gewirkt. Die Bedeutung der neuen Systemgründungen lag in der Vertiefung und Ausweitung des menschlichen Denkraumes durch den philosophischen Verstand. Es war wie das Aufstoßen eines Fensters in einem Wohnzimmer. Den grundsätzlichen Gegenstand zwischen dem physischen und dem metaphysischen Reiche wollte man nicht anerkennen. Deutlich zeigt diese Vermischung von Irdischem und Überirdischem Friedrich Schlegels „Lucinde". Der Verfasser unternimmt es, die Form der bürgerlichen Ehe dadurch zu vergeistigen, daß er sie in das kosmische Geschehen einbezieht. So hat auch bei Novalis die Jenseitssehnsucht gar nichts an seinen bürgerlichen Gedanken und Lebensgewohnheiten geändert. Er wollte, als ihm Sophie von Kühn entrissen war, ihr nachsterben. Er hat sich aber in Freiberg darauf sehr eindringlich mit Naturwissenschaft als der Wissenschaft von der sinnlichen Erfahrungswelt beschäftigt, um durch dieses Studium sich den Weg in den bürgerlichen Beruf zu bahnen, und er hat sich damals aufs neue verlobt. Eine physische Ursache, die Schwindsucht, war schuld daran, daß er dieses Ziel nicht erreichte, nicht etwa ein metaphysischer Grund. Bei Tieck vollends ist das metaphysische Denken zur ganz gewöhnlichen Gespensterfurcht vermenschlicht.

Neben diesen Romantikern aber gibt es nun, ungefähr gleichzeitig mit ihnen lebend, Dichter, denen die denkerische Abspaltung des menschlichen Ich von dem großen Ganzen der ursprünglichen Allnatur zum tragischen Erlebnis wurde. Sie sahen tief genug in den Grund alles Menschseins, um zu erkennen, daß das menschlich-bürgerliche Dasein und das kosmische Sein grundsätzlich geschiedene Reiche waren, zwischen denen ein luftleerer Raum klaffte, durch welchen es keinen Weg vom einen zum andern gab, ja daß, wenn man einen Luftstrom aus dem Metaphysischen ins Physische hineinleiten wollte, er Keime in dieses hineintrug, die den Tod mit sich brachten. Es ist die Tragik der Individuation, was das Schicksal dieser Dichter wurde. Sie waren irgendwie, bald mehr, bald weniger, von dem Pantheismus der Zeit berührt. In dem Hen Kai Pan, dem Einundallsein, hat der Pantheismus seine Weltformel geprägt. Aber nur das schwärmerische Gefühl kann in dieser Formel seine Erlösung finden. Wenn der grübelnde Verstand sich ihrer bemächtigt, so erkennt er, daß das Eine doch nicht das All ist, und wenn er ehrlich und tiefblickend genug ist, so vermag er die Kluft nicht mit der Nebelbrücke des Gefühls zu überdecken, sondern steht schaudernd vor dem Abgrund, der für ihn die unlösliche Tragik des Menschseins bedeutet —um so tiefer und dunkler, je höher der Gipfel ist, auf den er denkend und schaffend gestiegen.

Diese Tragik bildet das Schicksal Jean Pauls und Hölderlins. In ihnen erst wirkt sich die Bedeutung der „Kopernikanischen Entdeckung" Kants in ihrer ganzen Furchtbarkeit aber auch Fruchtbarkeit aus, weil sie sie nicht bloß mit dem spekulierenden Verstande, sondern mit der ganzen Einheit ihrer Persönlichkeit, mit der Gesamtheit ihrer seelischen Kräfte erlebten.

Es gibt in dem Leben Jean Pauls ein Ereignis, das man als eine Parallele zu der Kantischen Abschnürung der menschlichen Bewußtseinswelt von der Wirklichkeit an sich bezeichnen könnte. Er schildert es in seiner Selbstbiographie so: „In frühester Zeit war das Wort Weltweisheit... mir wie eine offne Himmelspforte, durch welche ich hineinsah in lange, lange Freudengärten. Nie vergess' ich die noch keinem Menschen erzählte Erscheinung in mir, wo ich bei der Geburt meines Selbstbewußtseins stand, von der ich Ort und Zeit anzugeben weiß. An einem Vormittag stand ich als ein sehr junges Kind unter der Haustüre und sah links nach der Holzlege, als auf einmal das innere Gesicht, ich bin ein Ich, wie ein Blitzstrahl vom Himmel vor mich fuhr und seitdem leuchtend stehenblieb: da hatte mein Ich zum ersten Mal sich selber gesehen und auf ewig."

Ein derartiges Erlebnis zerstört in einem Menschen ein für allemal das Goethesche Gefühl des Geborgenseins in dem Mutterschoße der Welt. Die Welt wird für ihn etwas Fremdes, Kaltes, Feindliches, Undurchdringliches. Er zieht sich vor ihr in sein Ich zurück wie in eine wärmende und bergende Schutzhütte. Er ist bestrebt, sich diese Behausung wohnlich und gemütlich zu machen. Er entdeckt, dies zu erreichen, die Kräfte in sich selber: Verstand, Gefühl, Phantasie. Vor allem die Phantasie, die die dunklen Regungen des Gefühls mit glänzenden Farben ausschmückt, herrliche Bilderwände vor die kalte und feindliche Außenwelt ausbreitet und der Sehnsucht die tragenden Flügel leiht. Als Jean Paul zwanzig Jahre alt war, stiegen in Paris die Brüder Montgolfier zum erstenmal in ihrem Luftballon in den freien Raum auf. Die Erfindung hat Jean Paul brennend interessiert. Die Montgolfieres waren ihm von da an das berauschende Sinnbild jener Sehnsucht, die, von dem Schwarmgeiste seines Ich emporgetrieben, ihn über die Erde hinauf in das unendliche Reich der Phantasie emportrug.

Er bedurfte dieser Magie zuerst schon um der Armseligkeit seiner menschlichen Existenz willen. Er wurde als Johann Paul Friedrich Richter am 21. März 1763 zu Wunsiedel im Fichtelgebirge geboren. Wenn er dem Tage seiner Geburt sinnbildliche Bedeutung zumißt, weil er zugleich der

Frühlingsanfang ist, so dürfte eine andere Gleichzeitigkeit folgenschwerer sein: Am 15. Februar jenes Jahres war durch den Frieden von Hubertusburg der Siebenjährige Krieg beendet worden und damit für Deutschland eine jahrzehntelange Friedensperiode eingeleitet, die erst das Gedeihen der geistigen Welt ermöglichte, in der sich Jean Paul wohlfühlte, und die der Grund seines Schaffens wurde. Der Vater war Tertius, d. h. dritter Lehrer, Geistlicher und Organist, die Mutter die Tochter eines wohlhabenden Tuchmachers in Hof. Von seiner Mutter sagt Jean Paul nicht viel mehr, als daß sie schön, aber kränklich zart gewesen sei; sie hat sich in den Sorgen des Alltags verzehrt. Um so größeren Raum nimmt in dem Leben des Sohnes der Vater ein. Ja von ihm hat der Sohn die bestimmenden Züge seines Charakters geerbt. „Er lebte auf Flügeln und wurde als der anmutigste Gesellschafter voll Scherz ... gesucht. Die Kraft des geselligen Scherzes begleitete ihn durch sein ganzes Leben, indes er im Amte als strengster Geistlicher und auf der Kanzel als sogenannter Gesetzprediger galt." Er war musikalisch reich begabt, verzichtete aber aus Mangel an Mitteln auf eine Ausbildung als Musiker, ließ „sein Tongenie in eine Dorfkirche" begraben und begnügte sich damit, neben seinen geistlichen Amtsgeschäften geistliche Musik zu schreiben, die ihn zu einem beliebten Kirchenkomponisten des Fürstentums Bayreuth erhob. 1765 wurde er Pfarrer in Joditz, und hier besuchte Jean Paul zuerst die Dorfschule. Aber bald übernahm, nachdem eine geringfügige Mißhandlung durch einen Bauernjungen seinem Sohn zur Klage Anlaß gegeben, der Vater den Unterricht seiner Kinder selber. „Vier Stunden vor- und drei Stunden nachmittags gab unser Vater uns Unterricht, welcher darin bestand, daß er uns bloß auswendig lernen ließ, Sprüche, Katechismus, lateinische Wörter und Langens Grammatik. Wir mußten die langen Geschlechtregeln jeder Deklination samt den Ausnahmen nebst der beigefügten lateinischen Beispielzeile lernen, ohne sie zu verstehen." Dagegen blieben Geschichte, Naturgeschichte, Geographie, Arithmetik und Astronomie vom Unterricht ausgeschlossen. Um so lechzender war des Knaben Durst nach Büchern „in dieser geistigen Saharawüste". Er verschaffte sich an Büchern, was er erreichen konnte, aus der Bibliothek seines Vaters und anderswoher. Die Bayreuther Zeitung, die der Vater von seiner Patronatsherrin monatlich oder vierteljährlich erhielt, nährte das Wissen um die Zeitereignisse. Früh regte sich der künstlerische Trieb in Verfertigung von Uhren und Malereien, in Erfindung neuer Buchstaben aus alten Kalenderzeichen.

Seltsam, und ein Beweis für die durch den eigenen Verzicht gesteigerte Gereiztheit des Vaters war es, daß der Musikunterricht streng von der Ausbildung der Kinder ausgeschlossen war. Und doch war Jean Pauls Seele der Tonkunst überall aufgetan. „Wenn der Schulmeister die Kirchengänger mit Finalkadenzen heimorgelte: so lachte und hüpfte mein ganzes kleines gehobenes Wesen wie in einen Frühling hinein, oder wenn gar am Morgen nach den Nachttänzen der Kirchweihe ... die fremden Musikanten samt den gebänderten Bauernburschen vor der Mauer unseres Pfarrhofes

mit Schalmeien und Geigen vorüberzogen: so stieg ich auf die Pfarrhof-
mauer, und eine helle Jubelwelt durchklang meine noch enge Brust, und
Frühlinge der Lust spielten darin mit Frühlingen." Stunden widmete er
auf einem alten verstimmten Klavier dem Abtrommeln seiner Phantasien.
Diese Musikschwelgerei war die Tagesseite des aufblühenden Gemütes.
Die Nachtseite war eine wilde Gespensterfurcht. Der Knabe schlief eine
Zeitlang mit dem Vater in der gleichen Kammer, und bis dieser zu Bett
ging, lag er jeweils hilflos „mit dem Kopfe unter dem Deckbette im
Schweiße der Gespensterfurcht und sah im Finstern das Wetterleuchten
des bewölkten Geisterhimmels".

Als 1776 der Vater nach Schwarzenbach a. d. Saale versetzt wurde, kam
der Knabe in eine öffentliche Schule und erhielt zugleich Privatunterricht
bei einem Kaplan Völkel. Erstaunlich, was hier für Wissensstoff auf den
Geist des Knaben einstürmte: neben Geographie und Deutsch, Latein und
Griechisch Philosophie und Hebräisch. Dazu kam ein uferloses Lesen: Romane
aus der ersten Hälfte des 18. Jahrhunderts, vor allem der Robinson. So groß
war das Wissen bereits des Sechzehnjährigen, daß der Rektor des Gymnasiums
in Hof, wohin er auf Ostern 1779 gebracht wurde, ihn nach der Aufnahmeprü-
fung sofort zum „obern Primaner" erklärte und ihn damit der Eifersucht seiner
Mitschüler aussetzte. Die Hänseleien, mit denen sie ihn verfolgten, hörten
erst auf, als er in einer Schuldisputation mit der Fülle seiner Kenntnisse
und der Schlagfertigkeit seines Witzes sogar den Rektor besiegte. Den
Vater hatte er bald nach dem Eintritt ins Gymnasium verloren. Dafür
gewann er drei Freunde, die er zärtlich liebte: Christian Otto, den Sohn
eines wohlhabenden Kaufmanns, Johann Bernhard Hermann, den Sohn
eines armen Zeugmachers, und Adam Lorenz von Örthel, dessen Vater,
ein reicher Kaufmann, sich mehrere Rittergüter und den Adel gekauft
hatte. Er hatte seinem Sohne ein Gartenhaus an der Saale eingeräumt.
Dort fanden sich die Freunde zu Stunden seliger Schwärmerei zusammen,
wandelten in mondhellen Sommernächten philosophierend durch den
langen Bogengang, der zum Flusse hinabführte, oder genossen das in
Empfindungszauber schwelgende Klavierspiel Jean Pauls.

Daneben mehrte auch der Gymnasiast sein Wissen durch systematischen
Fleiß. Von seinem fünfzehnten Jahre an füllte er dicke Hefte mit Exzerp-
ten aller Art und versah sie jeweils mit zwei Registern, deren eines die
exzerpierten Schriften, das andere die behandelten Gegenstände ver-
zeichnete. Im Mittelpunkt seines Interesses standen philosophische Werke.
Dazu kamen Auszüge aus allgemeinen Zeitschriften, theologischen, moralischen, psychologischen und ästhetischen Werken. Vor allem auch die
Schriftsteller der englischen und französischen Aufklärung, Voltaire,
Lamettrie, Hume, wurden gelesen. Es war ein streng geordnetes Wissen,
das er sich auf diese Weise aneignete. Daneben hatten andere Bände
Übungen im Denken aufzunehmen, Aufsätze über die verschiedensten
Fragen der Wissenschaft und Philosophie, z. B. über den Begriff Gottes,
über die Vervollkommnung von Mensch, Tier, Pflanze und noch gerin-
geren Wesen, über die Begriffe von Geistern, die anders als wir sind. In

der Abhandlung über Gott bekennt er sich zu dem Optimismus der Aufklärung: die Welt ist nicht ein Jammertal, sondern ein Freudental. Gott ist mit dem mehr zufrieden, dem alles in der Welt gefällt, als mit dem, dem gar nichts recht ist. Freude macht uns zu allgemeinen Menschenfreunden, und Traurigkeit läßt uns allen gram sein.

Als er sich so bemühte, einen Schatz von Erkenntnis und Wissen in sich aufzuhäufen und die Welt so schön zu finden, als sie nur immer sein konnte, lebte er äußerlich in den dürftigsten Verhältnissen. Der Tod des Vaters hatte die Familie in Armut zurückgelassen. Um das kleine Erbe mußte die Mutter mit den Verwandten prozessieren. Aber mit seinem innern Reichtum konnte Jean Paul der Not heiter ins Gesicht sehen, so daß er noch im späten Alter bekannte: „Das Erfreuliche und Zauberische, auf das ich ewig und sehnsüchtig zurückschaue, ist meine Jugendzeit; aber nicht meine äußere, die kahlste, die je Jünglinge ertragen, sondern meine innere, welche unter dem hohen Schnee der äußeren Lage ihre Blumen und Blüten und den ganzen Frühling trieb."

Die Not begleitete ihn nach Leipzig, wo er sich im Mai 1781 an der Universität einschreiben ließ. Er studierte Theologie, aus eigener Neigung Philosophie und Mathematik. Von seinen Lehrern übte der Philosoph Platner den stärksten Einfluß auf ihn aus. „Um Ihnen Platnern zu malen", schrieb er im November 1781 an seinen väterlichen Freund, den Pfarrer Vogel in Rehau, „müßt' ich er selbst, oder noch mehr sein. Man muß ihn hören; man muß ihn lesen, um ihn bewundern zu können. Und dieser Mann, der soviel tiefe Philosophie und soviel Annehmlichkeit, soviel gesunden Menschenverstand mit so großer Gelehrsamkeit, soviel Kenntnis der alten Griechen mit der Kenntnis der Neueren vereinigt, der als Philosoph, als Arzt, Ästhetiker und Gelehrter gleich groß ist, und

98. Jean Paul (1763—1825)
Kupferstich

Der Lehrers- und Organistensohn Jean Paul Friedrich Richter war der Lieblingsdichter der Zeit. Man achtete Goethe — aber man las Jean Paul. „Goethe faßte alles bestimmt auf, bei mir ist alles romantisch zerflossen" charakterisierte er den Unterschied seiner Dichtung zu der Goethes. Zunächst vom Weimarer Idealismus beeinflußt, wendete er sich doch bald von der klassischen Form ab und gab unter Einwirkung der englischen Satiriker und Humoristen dem Gefühl, der Phantasie und der humoristischen Lebensauffassung Raum.

99. Jean Pauls Wohn- und Sterbehaus in Bayreuth
Lithographie von Heinrich Stelzner

Nachdem Jean Paul in der ersten Hälfte seines Lebens mehrfach den Wohnort gewechselt hatte, ließ er sich 1804 endgültig in Bayreuth nieder. Seit 1808 erhielt er einen Ehrensold, der ihm ein unabhängiges Dichten ermöglichte.

100. Jean Pauls Dichterstube
Lithographie von Heinrich Stelzner

98
Jean Paul
(1763—1825)

99
Jean Pauls
Wohn- und Sterbehaus
in Bayreuth

100
Jean Pauls Dichterstube

101 *Johann Christian Friedrich Hölderlin*
(1770—1843)

102
Susette von Gontard (1769—1802)

103
Das Hölderlin-Haus in Tübingen

104   *Der siebzigjährige Hölderlin*

ebenso viel Tugend und Weisheit, ebenso viel Empfindsamkeit als Tiefsinn besitzt, dieser Mann ist nicht nur dem Neide jedes schlechten Kopfes, sondern der Verfolgung mächtiger Dummköpfe und der heimlichen Verleumdung ausgesetzt." Platner muß in der Tat ein außerordentlicher Dozent gewesen sein, der, wie kein Professor in Leipzig, von seinen Studenten geliebt und verehrt wurde. Sie drängten sich im Hörsaal um ihn, und wenn er, berichtet ein durchreisender Russe, das Katheder verließ, machten sie ihm wie einem Könige einen geräumigen Weg bis zur Tür. Er war ein witziger Polyhistor. In seine Vorlesungen flocht er Beobachtungen ein, die er auf seinen Reisen in Frankreich und Holland gemacht. Er scheute sich aber auch nicht, mit weltmännischem Freisinn und satirischen Ausfällen nationale und politische Fragen herbeizuziehen, und forderte die Dichter auf, statt nur das häusliche Leben zu schildern, das politische Leben darzustellen, um die Erschlaffung Deutschlands zu verhindern. Seinem philosophischen Standpunkt nach war er Leibnizianer.

Begreiflich, daß dieser Mann den jungen Studenten zu höchster Bewunderung hinriß. Seinem Gefühlsbedürfnis, wie seinem metaphysischen Erkenntnisdrange entsprach Leibnizens weitgeschwungenes Gedicht von der besten aller möglichen Welten; seiner eigenen Lust an der Anekdote und bunten Gelehrsamkeit, seiner überströmenden Phantasie und seinem Hange zu geistreichen Formulierungen die witzige Belesenheit und satirische Schärfe des Lehrers. War ihm nicht hier ein Weg gewiesen, der ihn aus der Kümmerlichkeit seines ärmlichen Daseins hinauszuführen vermochte? Was aber war die äußere Not gegen die innere? Die Sucht an

101. Johann Christian Friedrich Hölderlin (1770—1843)
Zeichnung von Franz Karl Hiemer, 1792

Der Sohn eines Klosterhofmeisters begann 1788 das Theologiestudium im Tübinger Stift. In seiner Jenaer Zeit hatte er Umgang mit Schiller, der Bruchstücke seines lyrischen Romans „Hyperion" 1794 in der „Thalia" abdruckte. Aber Hölderlins Auffassung von der Antike entwickelte sich zu einem eigenen Griechentum, das aus der Weimarer Ästhetik hinausführte und ihn zwischen Klassik und Romantik stellte.

102. Susette von Gontard (1769—1802)
Büste von Landolin Ohnmacht, etwa 1792

1795 kam Hölderlin als Hauslehrer in die Familie des Frankfurter Bankiers Gontard. Mit dessen schöngeistiger Frau Susette, die als „Diotima" in Hölderlins Dichtung einging, verband ihn eine „fröhliche heilige Freundschaft".

103. Das Hölderlin-Haus in Tübingen
Seit 1802 mehrten sich bei Hölderlin die Zeichen geistiger Umnachtung, die schließlich 1806 völlig über ihn hereinbrach. 1807 konnten Freunde ihm bei einem Schreiner in Tübingen bis zu seinem Tode 1843 Unterkunft und Pflege verschaffen.

104. Der siebzigjährige Hölderlin

allem zu zweifeln? „Ich bin nicht glücklich", schreibt er, „denn wenn ich es bin, so steigt im Hintergrunde das Gespenst der Furcht, oder der Vernunft, oder des Ekels auf, wächst mit seinen Gliedern bis an den Himmel — und nun stürzet der fürchterliche Koloß über meine ganze Empfindung her und wird der Grabhügel meiner Freude... Dann kommt endlich die Kälte des Verstandes, die noch von dem kahlen Baum der Freude das letzte gelbe Blättchen abschüttelt; da erscheint das Gerippe der Abstraktion und schwingt unter den gebückten Blumen die hungrige Todessense. Wohlan, so will ich mich mit dürrem Heu füttern." Der zwiefachen Not zu begegnen, wird er Schriftsteller. „Es fiel mir einmal ein", schreibt er Vogel am 8. März 1782, „so zu denken: ich will Bücher schreiben, um Bücher kaufen zu können; ich will das Publikum belehren..., um auf der Akademie lernen zu können; ich will den Endzweck zum Mittel machen und die Pferde hinter den Wagen spannen, um aus dem bösen Hohlwege zu kommen." Er begann witzige Schriften zu lesen, Seneca, Ovid, Pope, Young, Swift, Voltaire, Rousseau, Boileau. Erasmus' „Moriae Encomium" brachte ihn auf den Gedanken, selber ein „Lob der Dummheit" zu schreiben. Er analysiert das Wesen des Witzes: „Er wird den Seiltänzern gleichen, an denen man gar nicht zierliche Pas, sondern gefährliche Sprünge bewundert... Der Witz hat gute Füße, der Verstand gute Augen; der erste stürzt ohne den andern, und der andere kriecht ohne den ersten; wenn es ihre Neigungen erlauben, so muß der Blinde den Lahmen auf die Achsel nehmen; aber sie sind selten einig, und die Krücke ficht gegen den Stock. Wenn Sie meinem Witze also erlauben, weite Sprünge zu tun, so müssen Sie auch gefährliche erlauben, und wenn die Wahrheit die Hausgöttin unsres Kopfes ist, so verläßt er sie nicht nur oft, er opfert ihr auch selten."

So hängte er die wenig geliebte Theologie an den Nagel und verfaßte seine ersten Schriften, die „Grönländischen Prozesse" (1782) und die „Auswahl aus des Teufels Papieren" (1789). Der Witz machte in ihnen wirklich nicht nur weite, sondern auch gefährliche Sprünge. Sie waren nicht bloß dazu bestimmt, ihn aus der Not und Enge, worin er schmachtete, in das schrankenlose Idealreich der Phantasie emporzuheben; er brachte dorthin auch den galligen Geschmack mit, den die Misere in seinem Munde erzeugt hatte, und schliff seinen Witz zu oft schneidender Schärfe. Er verspottete alle möglichen Torheiten, über die sich seit Jahrzehnten die Satirenschreiber lustig gemacht hatten: den Aberglauben und den Adelsstolz, den Putz der Weiber und die Eitelkeit der Stutzer, die Heuchler und die Schmeichler. Es war kein gläubiger Optimist mehr, der diese Satiren schrieb, vielmehr ein schneidender Zweifler, der sein Zwerchfell auf Kosten des Herzens übte. „Ich bin kein Theolog mehr; ich treibe keine einzige Wissenschaft ex professo, und alle nur insofern, als sie mich ergötzen oder in meine Schriftstellerei einschlagen; und selbst die Philosophie ist mir gleichgültig, seitdem ich an allem zweifle... In künftigen Briefen will ich Ihnen viel von Skeptizismus und von meinem Ekel an der tollen Maskerade und Harlekinade, die man Leben nennt, schreiben" (an Vogel, 1. Mai 1783). Seine Empfindsamkeit, schrieb er 1783 in sein Tagebuch, habe sich anfangs in bittere brausende Deklamation verwandelt, wie ungefähr die des Rousseau, und endlich erst in kalte Ironie. „Daher ist die Satire derer heftig, bitter, deklamatorisch, die viel Gefühl haben, z. B. Pope, Young, Rousseau; — kalt hingegen und als Ironie ist sie bei denen, die sich eben nicht durch weiches Herz auszeichnen, z. B. Voltaire und Swift."

Für die „Grönländischen Prozesse" hatte er einen Verleger in dem alten Voss in Berlin gefunden. Aber sie gingen nicht. So streckte Voss die Hand nicht mehr aus nach den „Teufelspapieren", und alle Versuche, sie anderswo unterzubringen, schlugen fehl. Es ging Jean Paul in allem schlecht. Seine Mutter, selbst durch Spinnarbeit sich kümmerlich des Hungers erwehrend, vermochte ihm nichts zu schicken. Sein Freund Örthel, der ihm immer wieder beigestanden, konnte nichts mehr für ihn tun. Schuhmacher und Wäscherin drängten auf Bezahlung, und die Speisewirtin vertrieb ihm mit der gleichen Frage: „Nun, Herr Richter, ist das Geldschiff noch nicht da?" täglich den Appetit. Er sah keinen andern Ausweg, als unter einem falschen Namen und mit einer entstellenden Haartracht im November 1784 aus Leipzig zu seiner Mutter nach Hof zu fliehen. Er teilte ihre Armut, bis ihm um Neujahr 1787 der Kaufmann von Örthel auf dem Gute Tölpen den Unterricht bei seinem jüngsten Sohne übertrug. Die Stelle war nicht geeignet, seine Lebensstimmung aufzuheitern. Sein Zögling war wenig begabt, und es gelang ihm nicht, sein Vertrauen zu gewinnen.

Seine Seele war so beschaffen, daß nicht die zehrende Not des Alltags und nicht der Stachel beruflicher Enttäuschung, sondern einzig ein tiefer menschlicher Schmerz ihren eigentlichen Reichtum zu heben vermochte: der 1786 und 1790 eintretende Tod seiner beiden liebsten Freunde Adam von Örthel und Bernhard Hermann. In der schwärmenden Freundschaft mit ihnen hatte er das reinste Glück genossen. Ihr Tod traf ihn an den letzten Wurzeln seiner Existenz. Beide hatten ihm beglückt geschenkt, was sie ihm zu geben hatten. Örthel hatte, obwohl zart und kränklich, die Mühe auf sich genommen, ihm bis tief in die Nacht seine Manuskripte abzuschreiben, und hatte ihm immer wieder mit Geld beigestanden. Beide hatten durch ihre Freundschaft in der Zeit der dunkeln Zweifelsucht und Bitterkeit seinen Lebensmut aufrecht gehalten. „O! entfernter Freund!" schrieb Jean Paul am 1. Februar 1785 an Örthel, der damals in Leipzig studierte, „wie oft hoben deine Briefe mein Herz, das der Tugend wenig mehr zu geloben im stande ist als Entschlüsse! Wie oft erwärmte es deine Menschenliebe! Wahrhaftig, wenn dein elender Körper eine bewegliche Leiche war, so war dein Geist eine Begräbnislampe, die das ewige Feuer der Griechen enthält." Anderthalb Jahre darauf starb Örthel. Hermann war von einem tiefen Forschungseifer für chemische und physikalische Versuche erfüllt. Es war ihm gelungen, sich das Medizinstudium in Leipzig zu ermöglichen. Hier verfaßte er physikalische Aufsätze. An Jean Paul hing er mit zärtlichster Liebe. Er hatte ihm seine Papiere geborgt, damit er unbehelligt aus Leipzig fliehen konnte. Jean Paul seinerseits spendete ihm aus der Fülle seines Geistes, aus der Glut seiner Seele. Am 1. August 1788 schrieb er ihm: „Möge dir der Traum das geben, was dir die Menschen versagen. Fliehe mit deiner Phantasie in die Kindheitsauen zurück und vergiß über dem Mondschein der Vergangenheit und vor dem Sternenhimmel der Zukunft die schlagenden Esel in der Stadt." Seine Freundschaft mit Hermann verglich er einmal gegenüber Örthel einer Ehe; auch bei den Griechen, meinte er, war die Freundschaft der Männer oft im eigentlichen Sinn eine Ehe. Von Not und Krankheit entkräftet, über vergeblichen Versuchen, sein Leben durch eine befriedigende Tätigkeit auszufüllen, starb Hermann 1790.

Dieser Schmerz ging zu tief, als daß er durch Hohn und Gelächter hätte überwunden werden können. Jean Paul versuchte, den Doppelschlag dadurch zu verwinden, daß er sich der Stoa verschrieb, mit der er sich schon 1783 und 1784 auseinandergesetzt hatte, und Epiktet, Seneca und Marcus Aurelius Antonius las. Sie mußten ihm helfen, mit dem Öl ihrer negativen Glückslehre das aufgeregte Meer zu glätten, dessen Wogen ihn wild hin und her warfen. Systematisch und mit strenger Gedankenzucht untersuchte er ihre Tugendlehre, um zu dem Ergebnis zu kommen, daß auch die Stoiker, entgegen der theologischen Fabel, die Tugend nicht von aller Rücksicht auf Gott losgetrennt hatten: „Ohne Aufblick zum vollkommensten Wesen ist die Tugend kalt, oft ohne Aufmunterung und Flügel, ohne Freude" (an Vogel 15. Juli 1787). 1788 hatte Kant seine „Kritik der praktischen Vernunft" herausgegeben. Er wurde ihm der „belehrende Engel unter den Zeitgenossen", der ihm half, über die Stoa hinweg, die seichte Tugendlehre der Aufklärung zu überwinden, die den Menschen anleitete, tugendhaft zu sein, um seiner Glückseligkeit willen. „Die Verbesserung und Fortführung dieser stoischen Antwort trieb seit sechs Jahrtausenden kein Scharfsinn so weit, als der Kantische, und wessen Tugend die Schriften dieses Mannes nicht stärken, der sieht nur seine Geistes-, nicht seine Seelengröße, nur seinen sichtbaren Kopf, nicht sein unsichtbares großes Herz." So schrieb er im „Ernsthaften Anhang" zum ersten Teil der „Teufelspapiere", und noch am 17. November 1795 bekannte er seinem Freunde Emanuel: „Glauben Sie mir auf mein Wort, das Geschrei über seine Unverständlichkeit werden Sie nicht mitschreien, wenn Sie bloß in die ewig glänzenden Sonnen schauen, die er im Reiche der Moral aufgehen läßt. Ihm fehlet zu einem zweiten Sokrates nur der Giftbecher und zum zweiten Christus nur das Kreuz."

Was die halsbrecherische Akrobatik seines Witzes nicht vermocht hatte, das gelang jetzt der Erhabenheit des Kantischen Pflichtgedankens: den Schmerz über den Verlust seiner Freunde zu überwinden und ihn aus der Sahara der dürren Satirenschreiberei zu sich selber zurückzuführen oder, was das gleiche war, die verschütteten Quellen seines Gemütes und seiner Phantasie aufzuschließen. Die Gebrechlichkeit und Widersprüchlichkeit der Welt konnte nicht dadurch erträglich gemacht werden, daß man für sich selber sich in gefährlichen Luftsprüngen darüber hinwegschwang,

468

sondern nur, indem man die Spalten und Kanten der Wirklichkeit in den farbigen Nebeln der Seele verschwinden ließ. 1789 gab er seine Stelle bei Örthel auf und kehrte nach Hof zurück. Im März des folgenden Jahres betrauten ihn einige ältere Freunde mit dem Unterricht bei ihren sieben Kindern in Schwarzenbach. Hier fand er zudem einen Kreis junger Mädchen, die sich zu moralisch-philosophischer Unterhaltung um ihn scharten. Er sprach in dieser „erotischen Akademie" u. a. von der Unsterblichkeit der Seele, von Reisen, Kindererziehung und Ehe, von dem Unterschied zwischen Liebe und Freundschaft mit dem weiblichen Geschlecht. Aus seiner neuen Lebensstimmung und aus den Anregungen dieses Kreises ist sein erster Roman, die „Unsichtbare Loge", hervorgegangen, den er vom März 1791 bis zum Februar 1792 niederschrieb. Das Werk trägt zum erstenmal den Schriftstellernamen Jean Paul. Das Menschlich-Vertraute, Gemütvoll-Nahe kündigt sich in den beiden Vornamen an, dessen Gefühls- duft der strenge Name Richter zerschnitten hätte.

Jenes jugendliche Erlebnis des Ich hatte seine eigene Welt von dem Ganzen der Wirklichkeit abgelöst. Er hatte, in der äußeren Not seiner Existenz, sein zweifelndes, verzweifelndes Ich durch Satire und Ironie zum Kampf gegen die Wirklichkeit aufgerufen. Der Tod der beiden Freunde, indem er die Kluft zwischen Ich und äußerer Welt vertiefte, hatte zugleich die Schwäche, ja Aussichtslosigkeit des Verstandestrostes aufgedeckt, zu- gleich aber, wenn er nicht in der Verzweiflung zugrundegehen wollte, eine neue Welt in ihm entdeckt: Liebe, Gemüt, Phantasie. Novalis hatte schwärmend verkündet:

„Die Welt wird Traum, der Traum wird Welt."

Jean Paul dachte anders. Er sah: die Welt konnte niemals Traum werden, wie auch der Traum niemals in die Welt eingehen konnte. Ewig und un- erbittlich waren beide voneinander getrennt. Aber warum konnte man ein Traumreich nicht jenseits der Wirklichkeit aufschlagen, ein Reich der Unendlichkeit aufbauen aus der Sehnsucht der Seele und darin lustwan- deln wie in dem herrlichsten und blütenvollsten Paradiese, jenseits und über der Endlichkeit, die in ihrer nackten Jämmerlichkeit weiterbestehen blieb, auch wenn der Schein, der von der Traumwelt in sie fiel, sie ver- goldete? Wie tief symbolisch ist es: zweimal hat der Heranwachsende blatternarbige Mädchen geliebt. Er sah den Mangel der Wirklichkeit gar nicht. Seine Liebe ließ ihn eine höhere Schönheit in ihr erleben.

Sein Wirken in jenem Kreise junger Mädchen in Schwarzenbach hatte seine Sehnsucht mächtig entzündet und seinen Gefühlen immer wieder neue Nahrung gegeben. Aber etwas Merkwürdiges geschah. Sein Gefühl verdichtete sich nicht in die Liebe zu einem einzelnen weiblichen Wesen. Es schwelgte im Grenzenlosen, aber es stieg nicht auf die Erde nieder und unterwarf sich ihren Begrenzungen. Alles Leiblich-Individuelle sollte aus- getilgt sein. Einmal schildert er einer seiner Freundinnen, wie er nachts mit einem Juden über die Freundschaft streitet. Jener glaubt an zwei

469

Stufen: die liebende und die helfende. Er glaubt noch an eine dritte höhere Stufe, „an jenen Einklang der Brust, wenn eine Saite, von einem Herzen zum andern gespannt, auf beiden zittert, sobald sie der Ewige mit seiner großen Welt berührt — an jene Ähnlichkeit, wo die Gedanken schon Worte sind und die Blicke schon Umarmungen..., wo die zwei Überglücklichen wie zwei Kinder nebeneinander in den zwei Armen des Unendlichen liegen und einander trunken anblicken und sich mit ihren Augen die Liebe gegen den Ewigen, der sie begeistert, sagen".

Die — für die Liebende — tragische Kehrseite dieser überströmenden Alliebe Jean Pauls war seine Unfähigkeit, sich für eine bestimmte Person zu erklären. Immer wieder schob sich das Idealbild vor die wirkliche Gestalt, löste sich das irdische im Nebel des Unendlichen auf. In den Jahren 1791 und 1792 schwankte sein Herz zwischen vier Mädchen, Renate Wirth, Helene Köhler, Amöne und Caroline Herold. Allen vieren schreibt er Briefe voll großer Gedanken und erhabener Gefühle. Aber sie sind so hoch ins Jenseits der Unendlichkeit erhoben, daß auch die geliebten Gestalten wie Schatten verblassen. Wie bestimmt, körperlich, einmalig stehen Goethes geliebte Frauen auf den Blättern der Geschichte! Die Geliebten Jean Pauls gleichen sich alle. Sie sind alle mit dem feinen Silberstift der Sehnsucht und Gefühlsseligkeit auf bläuliches Papier hingehaucht. Auch seine spätern Seelenfreundschaften tragen diesen Zug, die mit Charlotte von Kalb, Emilie von Berlepsch, Julie von Krüdener, Caroline von Feuchtersleben. Es ist ein sinnvoller Zufall, der auf die Verschwommenheit und Gleichheit dieser Verhältnisse hinweist, daß drei seiner Freundinnen den Namen Caroline tragen: Caroline Herold, Caroline von Feuchtersleben. Eine Caroline Mayer wurde schließlich (am 27. Mai 1801) seine Frau, nachdem zwei seiner früheren Verhältnisse, die bis zur Verlobung gediehen waren, sich wieder aufgelöst hatten.

Von dieser verschwimmenden Gefühlsseligkeit gibt die Erzählung „Der Mond" ein Bild, die Jean Paul in „Quintus Fixlein" aufgenommen hat. Zwei Liebende steigen mit ihrem Kinde auf eine hohe Alp gegenüber dem Staubbache. Rosamunde ist „eine vom Schmerz durchbohrte helle Perle"; „Eugenius' Phantasie zerschlug mit ihren zu großen Flügeln das zu weiche dünne Körpergewebe". Beide taugen so nicht mehr für die Menschenwelt. In einer Hütte lassen sie sich nieder. Eines Abends stirbt das Kind. Dann verläßt auch Eugenius die Erde. „Sein ziehender Geist flatterte höher an die Grenzen des Lebens. Er fassete die Betäubte mit zuckender Kraft und lallete erblindend und sinkend: Rosamunde, wo bist du? Ich fliege — ich sterbe — wir bleiben beisammen." Von dem Monde blickt er auf die noch auf der Erde gebliebene Rosamunde hinunter. „O, meine Rosamunde," ruft er, „warum ziehst du nicht aus einer Kugel fort, wo dich nichts mehr liebt?" Endlich stirbt auch sie. Ihr Mann, ihr Kind und neben ihnen der Engel der Ruhe treten in einer Sonnenfinsternis zu ihr. „Ihr Geliebter und ihr Kind flogen wie Frühlinge an ihr Herz und sagten eilend: O Teure, geh mit uns — ihr Mutterherz zersprang vor Mutterliebe — das Erdenblut stockte — ihr Leben war aus — selig, selig stammelte sie an den zwei geliebten Herzen: Darf ich denn noch nicht sterben? — Du bist schon gestorben, sagte der freudig weinende Engel der drei Liebenden ... Und die Wellen der Wonne schlugen hoch über die selige Welt zusammen und alle Glückliche und alle Kinder sahen unsere Kugel an, die noch im Schatten zitterte."

Allen Gestalten, die Jean Paul liebt, eignet diese Fähigkeit der Jenseitsseligkeit, die eine Schöpfung ist seiner grenzenlosen Phantasie und seines innigen Kindergemütes. Es sind die Menschen, über deren Triebe ein höheres Prinzip herrscht. „Solche Menschen", schreibt er an einen Freund am 27. April 1790, „die alles auf der Erde für Mittel, nicht für Zweck ansehen, die wie Shakespeare und die meisten Engländer das Gefühl der Eitelkeit aller Dinge in ihrem Busen tragen, die, von der hiesigen irdischen Bestrebung nicht mitgerissen, von unsern Menschenfreuden und -leiden unbetäubt, genießen, leiden und tun nur mit dem besonnenen Blick entweder nach einer andern Welt oder nach dem Grabe — können nur von der Natur gebildet und vom Schicksal nie gemißbildet werden." Es ist bezeichnend für diese Jenseitsseligkeit, daß sie sich mit der Idylle des wirklichen Lebens nicht nur verträgt, sondern sie geradezu fordert, weil sie die Gegendimension zur Unendlichkeit ist. Die Mißachtung der Wirklichkeit bringt auch eine Verachtung ihrer Maße und Urteile mit sich. Für Jean Paul gelten nicht die Begriffe groß und klein, reich und arm, wertvoll und wertlos, mit denen die Menschen des Alltags die Dinge messen. Größe und Wert der Dinge sind an sich gleichgültig, weil nur das gilt, was der Mensch denkend, fühlend, bildend daraus macht. Er kennt das Gesetz des Gegensatzes und weiß, daß es, um das Große hervorzubringen, des Kleinen bedarf, und daß das Licht der Sonne erst dann zu strahlendem Glanze erglüht, wenn es auf die hemmende Masse der Weltkörper stößt. Daher seine Vorliebe für die Idylle. Das Schulmeisterlein Wuz, Quintus Fixlein, Walt in den „Flegeljahren" und Fibel sind solche in der Enge eines spießerhaften Daseins stillvergnügte Helden des Alltags. Sie haben alle die Art des Knaben Wuz, der abends mit zugedrückten Augen zwischen den Brustwehr-Schenkeln des Vaters sich auf das Blenden des kommenden Taglichts spitzt und in dem aus dem unabsehlichen Gewölbe des Universums herausgeschnittenen oder hineingebauten Klosett der Stube so beschirmt ist, so warm, so satt, so wohl. Wielands Don Sylvio, der als junger Schwärmer die Wände seines Zimmers mit bunten Faltern schmückt, erwacht zur Erkenntnis, daß seine jugendlichen Phantasien Illusionen waren. Jean Paul erspart seinen Lieblingen diese Ernüchterung. Das Perlmuttergehäuse der Phantasie, in das sie sich einspinnen, erweist sich als ein dauerhafter Mantel für das ganze Leben, weil es nicht aus jugendlich-irrender Unkenntnis der Welt gebildet ist, sondern eine höhere Erkenntnis bedeutet, eben die der reineren Welt der Phantasie.

Diese Erkenntnis, als die Gabe einer holden Fee dem Bescheidenen in die Wiege gelegt, ersetzt nicht nur die materielle Armut mit einem geistigen Reichtum, sie läßt ihn auch alle Zeit vergnüglich sich seines Lebens freuen. Die Idylliker Jean Pauls sind alle Humoristen, fröhliche Lebenskünstler wie ihr Schöpfer. Aller Schmerz und alle Lebensbitterkeit wächst aus dem gebieterischen Nein, sei es des materiell-körperlichen oder des seelisch-geistigen Lebens der Wirklichkeit: Krankheit und Tod als Hemmung und Verneinung des physischen Lebens; seelisches Leiden als Enttäuschung in menschlichen oder beruflichen Verhältnissen, als Erkenntnis eigener Unkraft. An Jean Pauls Kleinmenschen treten diese Prüfungen nicht heran, weil sie nicht in der Winzigkeit ihres wirklichen Daseins, sondern in der Unendlichkeit des erträumten leben, ohne doch mit kalter Ironie das kleine Dasein zu verachten. So hoch sie über das Diesseits fliegen, sie gelangen nie in jene Eisregion, wo alles menschliche Leben erstarrt. Aus der trauten Enge ihres eigentlichen Daseins steigt immer wieder ein warmer menschlicher Hauch, ein Duft des liebenden Gemütes mit in die Höhe, der sie vergnügt lächeln macht. Wuz freut sich vor dem Aufstehen auf das Frühstück, den ganzen Vormittag auf das Mittagessen, zur Vesperzeit aufs Vesperbrot und abends aufs Nachtbrot. Stets sorgt er am Abend dafür, daß er am nächsten Morgen fröhlich aufwacht. Und welche Freuden erst schenkt ihm die Liebe!

Wehe aber den andern, die dem Irdischen verfallen, von dem wüsten Traume sinnlicher Güter und Leidenschaften verblendet sind! Jean Paul kennt Frauen und Männer dieser Art. In der „Unsichtbaren Loge" gehört die Residentin von Bouse zu ihnen, die mit erlogener Sentimentalität ihre Lüsternheit verdeckt, Gustavs ideale Liebe in einen „verfinsternden Gefühlsorkan" verwandelt und seine Sinne entzündet. Im „Titan" ist die Titanide Linda ein derartig dämonisches Weib. Der großartigste Vertreter dieses Wirklichkeitsgenießers ist Roquairol im „Titan". In ihm hat Jean Paul die Freigeisterei, die Illusionslosigkeit, den Zynismus und die Genußsucht der Aufklärung verkörpert. Er ist „ein Kind und Opfer des Jahrhunderts. Wie die vornehmen Jünglinge unserer Zeit so früh und so reich mit den Rosen der Freude überlaubt werden, daß sie, wie die Gewürzinsulaner, den Geruch verlieren und nun die Rosen zum Sybaritenpolster unterbetten, Rosensirup trinken und in Rosenöl sich baden, bis ihnen davon nichts zum Reiz mehr dasteht als die Dornen: so werden die meisten — und oft dieselben — von ihren philanthropischen Lehrern anfangs mit den Früchten der Erkenntnis vollgefüttert, daß sie bald nur die honigdicken Extrakte begehren, dann den Apfelwein und Birnmost davon, bis sie sich endlich mit den gebrannten Wassern daraus zersetzen. Haben sie noch dazu wie Roquairol eine Phantasie, die ihr Leben zu einem Naphthaboden macht, aus welchem jeder Fußtritt Feuer zieht: so wird die Flamme, worein die Wissenschaften geworfen werden, und die Verzehrung noch größer. Für diese Abgebrannten des Lebens gibt es dann keine neue Freude und keine neue Wahrheit mehr, und sie haben keine alte ganz und frisch; eine vertrocknete Zukunft voll Hochmut, Lebensekel, Unglauben und Widerspruch liegt um sie her." In den Niederungen des Alltags stellt Jean Paul mit grimmigem Zynismus in „Doktor Katzenberger" diese Menschenart dar. Wo der ideale Phantasiemensch in erhabenen Gefühlen und Vorstellungen schwelgt, hat er sich ein Mißgeburtenkabinett angelegt mit ausgestopften Tierleichen und in Spiritus aufbewahrten Embryonen. Er fängt Maikäfer und saugt sie aus. Er erjagt fette runde Spinnen, die er als Landaustern und lebendige Bouillonkugeln frisch ißt. Während der Tod die Idealmenschen zu glänzenden Jenseitsphantasien anregt, dient der Kirchhof Katzenberger dazu, um darauf Knochen zu sammeln. Mit großer psychologischer Folgerichtigkeit zeigt Jean Paul, wie dieses Verhaftetsein an der Materie schließlich zu ihrer Zerstörung, die ausschließliche Bejahung des sinnlichen Genusses zu seiner Verneinung führt. An der Wirtshaustafel verekelt Katzenberger den Tischgenossen den Genuß des Essens durch unappetitliche Gespräche über die Anatomie der inneren Organe und die physiologischen Vorgänge bei der Verdauung. Die Idylle ist hier zur gestankerfüllten Schlafkammer geworden.

„Doktor Katzenbergers Badereise" ist vielleicht, im Sinne des Realismus, die wirklichkeitsnächste, mit äußerer Anschauung am meisten gesättigte Erzählung Jean Pauls. Wo er sich in seinen Jenseitsphantasien gehen läßt und die Wirklichkeit mit zarten und innigen Träumen und tiefen Betrachtungen umspinnt, ist er der Gefahr immer wieder unterlegen, seine Schilderungen in verschwommene Nebelbreiten zerfließen zu lassen. Wie die Fabeln und Personen seiner Erzählungen stofflich nicht oder selten erlebt, sondern erdacht und erfunden sind, so stehen auch seine Menschen nicht auf dem Boden der wirklichen Welt, bewegen sich, denken, handeln und sprechen nicht nach den Gesetzen der Wirklichkeit. Das klassische Dichtwerk stellt eine organisch in sich geschlossene Welt dar, darin, dem Leser durchsichtig, das Gesetz der Kausalität herrscht, ihr Gewebe von innen und außen den Gang des Lebens bestimmt und aus dem Gemüte des Menschen ein eigentliches Schicksal herauswächst; wo die Personen ins Geistige erhöhte Abbilder wirklicher Menschen sind. Nicht so bei Jean Paul. Seine Phantasiewelt ist über die irdische Wirklichkeit so hoch erhoben, daß sie auch ihrer Ursächlichkeit und Gesetzlichkeit entrückt ist. In der Mondscheinphantasie des „Quintus Fixlein" erfahren wir nicht, warum die beiden Liebenden mit ihrem Kind in die Berge fliehen, an was für einer Krankheit das Kind, der Vater und schließlich auch die Mutter sterben. Gar die Frage stellen: wovon diese Menschen auf der abgelegenen Alp gelebt haben, hieße das Phantasiebild in die Niedrigkeit menschlichen Bedürfnisses herunterziehen, die das ganze Luftgewebe zerreißen würde. Im „Titan" wird Albano der Held einmal zu seiner einstigen Geliebten Liane gerufen. Sie ruht, weiß gekleidet, den Kopf von einem bunten Grasblumenkranz umgeben, mit weißen, tiefen Wangen in einem Krankenstuhle. Sie ist tödlich erkrankt und stirbt bald darauf. Eine Begründung des Leidens und Sterbens wird nicht gegeben.

Daher auch die Unbestimmtheit und Schemenhaftigkeit von Jean Pauls Gestalten. Anschaulich, innerlich und äußerlich, werden Gestalten der Dichtung durch Klarheit und Bestimmtheit der äußern Umrisse, durch Sicherheit der seelischen Zeichnung, durch Folgerichtigkeit des Charakters und der Lebensführung, durch glaubhafte Begründung ihres Handelns. All das fehlt oder ist nur leise angedeutet bei Jean Paul, weil es ihm, als Gesetz des materiellen Lebens, unwesentlich ist. Seine Gestalten sind durch ihre und des Dichters Gefühle wie durch Montgolfieren unsern irdischen Blicken entrückt. Sie sind mit philosophischen Betrachtungen so umsponnen, daß ihre natürlichen Umrisse in dem dichten Gewebe verschwinden.

Und doch war Jean Paul selber als Mensch durchaus nicht der weichliche und haltlose Träumer, als der er in seinen Werken erscheint, weder äußerlich noch innerlich. Äußerlich führte er sein Leben mit dem sichern Blicke für das, was in der Wirklichkeit Geltung hat.

Er war, nachdem seine Erziehertätigkeit ihr Ende gefunden hatte, im Mai 1794 von Schwarzenbach nach Hof zurückgekehrt. In Schwarzenbach hatte er nach der „Unsichtbaren Loge" ein zweites großes Werk, den „Hesperus" geschrieben, der 1795 erschien. Ihm folgten das „Leben des Quintus Fixlein" (1796), der „Siebenkäs" (1796/97), „Titan" (1800/03) und die „Flegeljahre (1804/05). Er war, wie er selber 1796 feststellte, nun der am meisten gelesene Schriftsteller in Deutschland. Im März jenes Jahres hatte er Charlotte von Kalb kennengelernt. Sie bewog ihn, im Sommer die Großen in Weimar aufzusuchen, und ebnete ihm dort, als er am 10. Juni ankam, die Wege. Wieland nahm ihn freundlich auf. Zu Herder bildete sich sogleich das innigste Verhältnis. Als er in Begleitung des Kammerherrn von Knebel zu dessen Garten ging, begegneten sie Herder, seiner Frau und zwei Kindern. „Unter dem freien Himmel lag ich endlich an seinem Mund und an seiner Brust und ich konnte vor erstickender Freude kaum sprechen, und nur weinen, und Herder konnte mich nicht satt umarmen." Es war die Zeit, da Herder sich von Goethe und Schiller losgelöst hatte und im Kampfe gegen Kant stand, da er die Humanitätsbriefe schrieb und gegen die neue, klassische Ästhetik seine historische Literaturbetrachtung ausspielte. So mochte er in Jean Paul, dessen Gegensatz gegen Goethe und Schiller er wohl spürte, einen willkommenen Bundesgenossen gefunden haben. „Er lobte fast alles an meinen Werken — sogar die „Grönländischen Prozesse", berichtete der neue Freund.

Herders Freundschaft bedeutete ihm viel. Die Briefe, die er ihm fortan schreibt, gehören zu den zärtlichsten Ergüssen seiner hingebenden Seele. Aber den Stempel des Ruhmes konnte ihm nur Goethe auf die Stirne drücken, Goethe, von dem er, nach der Lektüre Homers und der griechischen Tragiker, einmal bekannte, nach den letzten Gesängen der Ilias und dem Ödip zu Kolonos könne man nichts mehr lesen als Shakespeare oder Goethe. Goethe seinerseits hatte den „Hesperus" im Juni 1795 an Schiller gesandt und ihn dabei als einen Tragelaph von der ersten Sorte bezeichnet, ein wunderliches Mischwesen von Bock und Hirsch, und Schiller hatte ihm das Lob gespendet: „Er ist gar nicht ohne Imagination und Laune, und hat manchmal einen recht tollen Einfall, so daß er eine lustige Lektüre für die langen Nächte ist." Als Jean Paul in Weimar erschien und Goethe ihn persönlich kennenlernte, fand er ihn ein so kompliziertes Wesen, daß er sich nur mündlich mit Schiller über ihn unterhalten könne. „ Hier scheint es ihm übrigens wie seinen Schriften zu gehen; man schätzt ihn bald zu hoch, bald zu tief, und niemand weiß das wunderliche Wesen recht anzufassen." Je länger Jean Paul in Weimar blieb, um so mehr entfernte sich Goethe von ihm, und als jener mit Anspielung auf die „Römischen Elegien" die „arrogante Äußerung" gegen Knebel tat, nicht einen Properz, sondern einen Tyrtäus brauche die Zeit, dichtete Goethe auf ihn das Epigramm „Der Chinese in Rom": Der Chinese meint vor den klassischen Bauten Roms, daß nur an Latten und Pappen, Geschnitz und bunter Vergoldung sich der feinere Sinn erfreuen könne:

> „Siehe, da glaubt' ich im Bilde so manchen Schwärmer zu schauen,
>   Der sein luftig Gespinst mit der soliden Natur
> Ewigem Teppich vergleicht, den echten reinen Gesunden
>   Krank nennt, daß ja nur er heiße, der Kranke, gesund."

Goethes Art, nach dem Gesetze der bildenden Natur seine Gestalten von innen her organisch zu atmendem Leben erstehen zu lassen, vertrug sich nicht mit Jean Pauls Überdeckung der reinen Wirklichkeit mit dem bunten Blütenregen seiner Phantasie. Wieviel entschiedener mußte Schiller, an Kant und aus eigener Willenskraft zu gespannter Strenge geschult, die überbordende Formlosigkeit Jean Pauls ablehnen!

Jean Paul seinerseits, der dem Ruhme und der großen Kunst Goethes und Schillers sein Werk als Best-Seller entgegenzusetzen hatte, fühlte in aller gesellschaftlichen Höflichkeit, mit der Goethe ihn empfing und mehrmals einlud, doch den Gegensatz. Goethes Art zu bilden, so hoch er sein Werk bewunderte, stieß ihn, der seine Gestalten liebevoll in den weichen Mantel seines warmen Gefühls einhüllte, um ihrer kühlen Gegenständlichkeit willen ab. Er fand ihn auch als Menschen kalt. „Er ist ein Vulkan, außen überschneit, innen voll geschmolzener Materie", schrieb er an Charlotte von Kalb. Als die Xenien im Herbst 1796 erschienen, fand er Goethes Charakter fürchterlich: „Das Genie ohne Tugend muß dahin kommen." Er meint ein paar Jahre später zu bemerken, daß Goethe auch gegen Schiller so kalt sei wie gegen jeden. Seine Urteile über Schiller sind zwiespältig. An „Wallensteins Lager" fand er „wenig sowie an „Sternbalds" zweitem Teil". Als die „Piccolomini" mit großer Pracht aufgeführt wurden, urteilte er: „Die schönste Sprache — kräftige poetische Stellen — einige gute Szenen, keine Charaktere — keine fortströmende Handlung — oft ein dramatisierter Zopf oder Essig — dreifaches Interesse und kein Schluß." „Wallensteins Tod" nannte er, die Schillersche Patavinität (den schlechten Stil) abgerechnet, die Belohnung für jeden, der im Jammertale der zwei andern Teile ausgelitten und ausgerungen habe. Als er 1798 in Halberstadt den alten Gleim besuchte, dachte er voll Zorn an seinen Besuch in Weimar und Jena zurück: „Wie hebt diesen biederen Borussianer, der vor lauter Feuerflammen nie die rechte Gesichtsfarbe anderer Menschen sehen kann, mein Herz über die ästhetischen Gaukler in Weimar und Jena..., die für keine Seele eine haben, vor denen alle Charaktere nur beschauet, nicht ergriffen, wie die Charaktere, die von fünf bis acht Uhr auf der Bühne dauern, vorüberwehen."

Dieses harte Urteil hielt ihn nicht ab, im Spätsommer 1798 Weimar zu seinem Wohnsitz zu erwählen, das ihm vor allem durch Herder teuer wurde. Jetzt hatte er sich nicht mehr nur mit Goethe und Schiller, sondern auch mit der idealistischen Philosophie und den Romantikern auseinanderzusetzen.

Er hat 1798 einmal erklärt, daß bei ihm die Philosophie früher gewesen sei als die Dichtkunst. Und wirklich hat es in seiner Jugend Jahre gegeben, wo er mehr Philosoph als Dichter oder sonst etwas war. Kants Moralphilosophie hatte er aufs wärmste begrüßt. Aber die logische Begründung von Kants Wissenschaftslehre war seinem Geist nicht zugänglich. Die beiden Denker, die ihm am nächsten standen, waren Herder mit seinem geschichtlichen Individualismus und Fritz Jacobi mit seiner Ableitung alles Wissens und Handelns aus Gefühl und Glauben. Er nennt ihn am 13. Oktober 1798 den Lehrer seines Innersten und gesteht ihm, er könne aus seinen Werken nur wenig erraten, wieviel sein Herz und sein innerer Tag den seinigen schuldig seien. „Noch keine Philosophie — außer der der Alten — hat mich so tief angefasset und das Licht in den düstersten Schacht so reinigend gesenkt, als Ihre", schrieb er ihm am 5. Dezember 1798. Je mehr Kants Philosophie bestimmend auf die Zeit einwirkte, um so mehr zog er sich vor ihr in sein eigenes Innere zurück; ja er sah in ihr eine große Gefahr für das geistige Leben. „Wenn ein großer Mann", schrieb er am 22. Mai 1795 seinem Jugendfreund Christian Otto, „eine große Laterne hat, so wird er wie bei uns zunachts die, die ihm nicht nahe genug stehen, nur desto blinder machen; daher gibt jetzt das Kantische System, wie jedes neue Große, eine Zeitlang allen Köpfen Einseitigkeit und Fesseln: das starke Licht wird selber Gegenstand und stellet sich also zwischen die Gegenstände. Bloß dem nutzt jenes System, der schon vorher sein System hatte und der's also in seines zerlassen kann, oder dem Mann von Kraft wie Jacobi; und bloß dem schadet es nicht, der's — nicht studiert hat, wie z. B. ich, und es kann also nicht Herr über mich werden." Man begreift aus solchen Äußerungen, daß ihn auch die Kantische Schule wenig erbaute. Als er Schelling 1797 in Leipzig im Museum traf, gefiel er ihm „so wenig als die ganze verfluchte Philosophenhorde: Ich macht' ihn doch höflich nach dem ersten Wort auf das hinter mir hängende Gemälde aufmerksam, das die Babylonische Turmbaute — und die Philosophie — vorstellte". Schellings „Weltseele" las er mit „viel Vergnügen über den Scharfsinn und viel Erbosung über die mechanische und atomistische Philosophie, die in jeder Minute über die atomistische Physik klagt". Noch mehr als Schelling stieß ihn Fichte ab. Er fand in seinem System „eine mordende Luftleerheit". „Fichte", schrieb er am 15. Mai 1799 an Jacobi, „hat unendlichen Scharfsinn und nichts weiter; wie kannst du ihn mit dir nur vergleichen. Der Tiefsinn, den du in deinem Spinoza so tief davon abtrennst, setzt innerlich gegeb'ne Gegenstände voraus, die uns eine andere Welt voll äußerer zeigen, und die ich nie recht bei Fichten fand." So schrieb er denn gegen Fichtes Philosophie eine widerlegende Satire, die „Clavis Fichtiana".

Ähnlich zwiespältig im einzelnen und abweisend im ganzen war sein

Verhältnis zu den Romantikern. Im Fragment 421 sprach Friedrich Schlegel ausführlich von Jean Paul: „Der große Haufen liebt Friedrich Richters Romane vielleicht wegen der anscheinenden Abenteuerlichkeit... Ein eignes Phänomen ist es; ein Autor, der die Anfangsgründe der Kunst nicht in der Gewalt hat, nicht ein Bonmot rein ausdrücken, nicht eine Geschichte gut erzählen kann, nur was man gewöhnlich gut erzählen nennt, und dem man doch schon um eines solchen humoristischen Dithyrambus willen, wie der Adamsbrief des trotzigen, kernigen, prallen, herrlichen Leibgeber, den Namen eines großen Dichters nicht ohne Ungerechtigkeit absprechen dürfte." Das ganze Fragment nimmt mit der andern Hand zurück, was es mit der einen reichlich ausspendet. Das war kritische Ironie. Vielleicht wenn Jean Paul zur „Schule" gehört hätte, wäre das Lob eindeutiger gewesen. Aber er stand abseits. Als die Schlegel 1796 in Jena und Weimar auftauchten, kam es auch zu einem spärlichen persönlichen Verkehr. So erschien auch Ende Mai 1800 Friedrich Schlegel in Weimar, um Jean Paul zu besuchen, und blieb anderthalb Stunden auf seiner Stube. „Er liebt mich trotz seines Missions-Feuereifers", berichtet Jean Paul an Jacobi. „Er wurde mir noch mehr gut, ob er gleich meinen Antagonismus in allen Punkten zu hören bekam. Er ist ein unbefangener, sanfter, fast kindlicher, einfacher Mensch... Wir wurden leichter einig, als unsere Bücher weissagten... Indem ich sein Herz höher stellte: so fand ich auf der andern Seite sein Gehirn nicht vollötig."

In Weimar lebte Jean Paul bis zum Juni 1801, von da zog er nach Meiningen, wo er bis Mitte 1803 wohnte, ein Jahr lang lebte er darauf in Koburg, wo die „Vorschule der Ästhetik" und die „Flegeljahre" entstanden, und im November 1804 ließ er sich für zwanzig Jahre in Bayreuth nieder. Hier schrieb er 1805 und 1806 seine Erziehungslehre „Levana". Äußerlich durch den Titel eines Legationsrates und die Verleihung der Doktorwürde von Heidelberg geehrt, teilte er seine Zeit zwischen seiner Arbeit und der Pflege von Freundschaft und Familie. Er lebte mit Charlotte Mayer, die ihm zwei Töchter und einen Sohn geschenkt hatte, in glücklicher Ehe. Bezeichnend für seine idyllische Art ist seine Liebe zur tierischen Kleinwelt. Er hielt sich ein Eichhörnchen, Mäuse, eine Kreuzspinne, Laubfrösche, einen Kanarienvogel. Aber auch das politische Schicksal Deutschlands bekümmerte ihn. Hatte er sich zuerst von Napoleons Größe blenden lassen, so versuchte er in der Zeit nach Jena das Seinige zum Wiederaufbau Deutschlands beizutragen. 1808 gab er die „Friedenspredigt für Deutschland" heraus. Die letzten Jahre seines Lebens waren auch äußerlich voll Unruhe. Als ob er hätte ausdrücken müssen, wie wenig er bei aller Liebe zur Idylle an die Festigkeit menschlicher Verhältnisse gefesselt sei, begab er sich 1816 auf ein Wanderleben: Regensburg, Heidelberg, Frankfurt, Stuttgart, Löbichau, München bezeichnen von 1816 bis 1820 die Stationen seines Lebens. 1822 ging er nach Dresden. Da meldete sich ein Augenleiden, an dem er erblindete. Eine Wassersucht kam dazu. Am 14. November 1825 starb er in Bayreuth. Die breitere Wirkung seiner Schriften dauerte bis gegen die Mitte des Jahrhunderts. Gottfried Keller las den „Hesperus" im Sommer 1843 und nannte Jean Paul einen reichen, üppigen Blumengarten und segensvolles, nährendes Fruchtfeld zugleich. „Er ist beinahe der größte Dichter, welchen ich kenne ... nur läßt er seine Helden allzuviel weinen, und seine Tränen- und Blutstürze sowie die Gestirne und die Sonne sind gar zu oft auf dem Schlachtfeld." Man trifft den Nachklang dieser Begeisterung noch in einer etwa zehn Jahre später niedergeschriebenen Stelle des „Grünen Heinrich". Aber als Keller Ende der Siebziger Jahre den Roman umarbeitete, kürzte er den Abschnitt über Jean Paul auf die Hälfte. Der Realimus hatte keinen Sinn mehr für seine Gefühlsausschweifungen.

Auch Friedrich Hölderlin war kein Liebling des realistischen 19. Jahrhunderts. Erst das 20. hat ihn im eigentlichen Sinne entdeckt. Hölderlin lebt das höhere Leben wie Jean Paul nur jenseits der Wirklichkeit. Aber während dieser, wo es um die Lenkung der eigenen Ansprüche an die Wirklichkeit geht, mit tüchtigen Organen ausgestattet ist — Ironie, Satire, Humor, Willenskraft und Klugheit —, ist Hölderlin diese Selbstbehauptung versagt.

Er wurde am 20. März 1770 in Lauffen am Neckar geboren. Seinen Vater, der Klosterhofmeister, d. h. Verwalter der Einkünfte und Güter des ehemaligen Klosters war, verlor er im dritten Jahre. 1774 heiratete die erst 36jährige Witwe den Bürgermeister Gock von Nürtingen. Auch diesen verlor sie schon 1779. Von da an wuchs der Knabe mit seinen Geschwistern unter der Obhut der Mutter und der Großmutter heran. Er war mit großer Schönheit begabt, aber schon als Kind von einer verträumten Ungeschicklichkeit gegenüber der Ordnung der Welt. Verse aus einer frühen Fassung des „Hyperion" weisen auf eigenes Erleben:

> „Oft sah und hört' ich freilich nur zur Hälfte,
> Und sollt' ich rechtwärts gehn, so ging ich links,
> Und sollt' ich eilig einen Becher bringen,
> So bracht' ich einen Korb."

Aber mit übermächtiger Phantasie spann er sich in sein Inneres ein. Da träumte er von großen Heldentaten und führte Heere zum Kampf, und mußte es dann immer wieder erleben, daß die Weltgewandten mit Gelächter ihn aus seiner seligen Ekstase schreckten und sein Heldentum zum Spotte vor der argen Welt wurde. Er floh in die Natur, und sie gewährte ihm dauerhafteren Schutz, aber nur, weil er auch sie mit den Gebilden seiner Phantasie bevölkerte:

> „Da ich ein Knabe war,
> Rettet' ein Gott mich oft
> Vom Geschrei und der Rute der Menschen.
> Da spielt' ich sicher und gut
> Mit den Blumen des Hains,
> Und die Lüftchen des Himmels
> Spielten mit mir.
>
> Und wie du das Herz
> Der Pflanzen erfreust,
> Wenn sie entgegen dir
> Die zarten Arme strecken,
> So hast du mein Herz erfreut,
> Vater Helios! und wie Endymion
> War ich dein Liebling,
> Heilige Luna ...

Mich erzog der Wohllaut
Des säuselnden Hains,
Und lieben lernt' ich
Unter den Blumen.

Im Arme der Götter wuchs ich groß."

Die Briefe des Heranwachsenden wissen wenig von diesem Blumen-
glücke zu berichten, wohl aber immer wieder von Zusammenstößen mit
der Welt, die ewige Mißstimmung verursachten. Er schien, um seiner
Weltfremdheit willen, zum Theologen bestimmt und ging 1786 nach dem
Kloster Maulbronn, wo er sich im Seminar auf das Studium vorbereitete.
Von 1788 bis 1793 studierte er, als Zögling des Stiftes, in Tübingen. Er
war ein unglaublich empfindlicher Mensch. Wie er in Maulbronn von
seinem Freunde Nast während des Essens einen Brief bekommt, worin
jener ihn mit einer heiteren Zukunft tröstet, kann er sich des Weinens
nicht enthalten. In Maulbronn verliebt er sich in Luise Nast, der Schwester seines Freundes. Wie er Nast seine Liebe mitteilt, weckt schon die
Erinnerung einen Sturm der Gefühle in ihm auf. „Wie's da in meinem
Herzen tobte — wie ich beinah' kein Wort reden konnte — wie ich
zitternd kaum das Wort — Luise hervorstammelte — das weißt du —
Bruder — das hast du selbst gefühlt... Immer noch plagten mich
grimmige Launen — und manche Träne floß — über der Ungewißheit
— ob sie mich auch wirklich liebe." Die innere Erregung weckt sogar
Zweifel gegen den Lenker seines Schicksals. Man hält ihn im Kloster, um
seines Kummers willen, für gefährlich melancholisch. Es ist, bei allen
Gefühlsekstasen, keine glückliche Liebe. Er selber weiß, daß er Luise mit
seinen ewigen Verstimmungen das Leben verbittert. In Tübingen löst er
sich von ihr: „Du wirst einsehen, daß du mit deinem mürrischen, miß-
mutigen, kränkelnden Freunde nie hättest glücklich werden können."
Dabei ist er aber durchaus nicht nur ein dem Geistigen zugewandter
Mensch. Er ist auch auf sein leibliches Wohl bedacht, liebt den Zucker,
klagt über die Suppe im Kloster und achtet ängstlich auf seine Gesundheit.
Er weiß, er ist „zum Stoiker ewig verdorben, ewig Ebb' und Flut."
Auch in Goethes Seele war diese Empfindlichkeit gegen Menschen und
Dinge. Aber sie wirkte nach außen. Die von Hölderlin nach innen. Sie
half Goethe, sich die Gegenstände außer sich rein und genau vorzustellen,
weil er sich bemühte, die Mißstimmung zu überwinden. Bei Hölderlin
zeitigt sie nur wechselnde Stimmungen, meist Verstimmungen, deren er
nicht Herr wird, trotzdem er einmal einen Aufsatz schreiben will: „Wie
gelangt man zur wahren Zufriedenheit?" Daher umwölkt sie ihm mit
ihren Nebeln die Außenwelt. So kann auch die Heilung nicht aus der
Mehrung und Sicherung des Wissens um die Welt kommen, sondern nur
als innerer Gegendruck gegen den äußeren Druck. Entweder zieht er sich
von den Menschen zurück: schon in Maulbronn plant er, nach dem Uni-
versitätsstudium Einsiedler zu werden. Oder er flüchtet sich in sein eigenes
Innere und macht hier den Spott und die Demütigungen, die er von der

Wirklichkeit erfährt, durch um so kühnere Phantasien und Sehnsuchts-
bilder wett. „Wenn ich oft so düster zu meiner Luise komme und über
die Menschen klage — und mir für die Zukunft bange wird — da mahnt
sie mich an die Ewigkeit — und das sind selige Stunden... Auch in der
Trennung ist deine Liebe Seligkeit; auch dieses Sehnen ist Wonne." Er
selber sieht ein, daß der unüberwindliche Trübsinn in ihm meist unbe-
friedigter Ehrgeiz ist.

105. Heinrich von Kleist (1777—1811)
Jugendbildnis von unbekanntem Maler

*Der Offizierssohn, der selber 1799 als Leutnant aus der Armee schied, führte ein
unruhiges und unglückliches Leben. Seine philosophischen Studien hatten ihn in
einen ausweglosen Widerstreit von seelischer Wahrheit und dinglicher Wirklichkeit
gestürzt. Fortan konnte ihn kein Beruf mehr befriedigen, so daß er sich immer
wieder auf die Dichtung zurückgeführt sah, als dem einzigen Bezirk, in dem
sich das Ausmaß dieses Widerspruchs überblicken und bestimmen ließ.*

106. Ulrike von Kleist (1774—1849)
Miniatur

*Kleists Stiefschwester Ulrike war die einzige Vertraute seiner mannigfaltigen
Pläne.*

107. „Le Juge ou la cruche cassée". Der Richter oder der zerbrochene Krug
*Kupferstich von Jean Jaques Le Veau nach dem Gemälde von Louis Philibert
Debucourt*

*Dieser Kupferstich war der Anlaß zu Kleists Komödie „Der zerbrochene Krug"
(1806). Während Kleists Aufenthalt in Bern (1802) hing der Stich in Zschokkes
Zimmer. Im Verein mit Wielands Sohn Ludwig trug man zu dritt einen Wett-
streit aus, indem jeder das Motiv auf seine Art bearbeiten sollte. Zschokke schrieb
eine Erzählung, Ludwig Wieland eine Satire. Doch Kleist erwarb mit seinem
Lustspiel den Preis.*

108. Henriette Vogel
Kleists Todesgefährtin

109. Heinrich von Kleist
Kreidezeichnung nach der Miniatur von Kleists Braut, Wilhelmine von Zenge, 1806

*Obgleich Kleist sich um Goethe, Schiller und Wieland in Weimar durch Besuche
bemüht hatte, blieb ihm der Anschluß an die Gesellschaft der Klassiker versagt.
1808 hatte Goethe den „Zerbrochen Krug" auf die Weimarer Bühne gebracht, ihn
aber im Kompromiß mit der klassischen Tradition in drei Akte aufgeteilt, was
zu einem völligen Fehlschlag führte. Das Trauerspiel „Penthesilea" (1806/07)
lehnte Goethe seiner Radikalität wegen ab. Goethes und Kleists Auffassungen
bildeten zu große Gegensätze, als daß eine Verständigung möglich gewesen wäre.
Von dieser Einsicht bestimmt, versagte sich Goethe Kleist auch für die künftige
Zeit. Kleists Dichtung ließ sich weder der klassischen noch der romantischen Richtung der Zeit einordnen. So blieb er hoffnungslos unverstanden und wurde das
Opfer seiner eigenen Probleme.*

105   *Heinrich von Kleist (1777—1811)*   106   *Ulrike von Kleist (1774—1849)*

107
„*Le Juge ou la
cruche cassée*".
*Der Richter
oder der
zerbrochene
Krug*

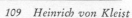

108   *Henriette Vogel*   109   *Heinrich von Kleist*

110
Ernst Theodor Amadeus Hoffmann (1776 - 1822)

111
Hoffmanns Illustration zu seinem allegorischen Märchen „Prinzessin Brambilla", 1820

112
E. Th. A. Hoffmann und Devrient bei Lutter und Wegner in Berlin

113
„Doktor Bartholo aus dem Sinspiel: Figaros Hochzeit"

Später schreibt er einmal Schiller, das Mißfallen an ihm selbst und dem, was ihn umgebe, habe ihn in die Abstraktion hineingetrieben. Dieser Trieb zur Abstraktion zeigt sich entweder als Mißachtung der äußeren Wirklichkeit: er verschmäht es bis weit in die Tübinger Zeit, seine Briefe mit einem Datum zu versehen, und wenn er eine Reise macht, so ist es ihm nicht gegeben, die neue Landschaft, die er sieht, genau und in Einzelheiten zu schildern. Wie er, als Seminarist, auf einer Wanderung nach Oggersheim kommt, wo Schiller sich auf seiner Flucht aufgehalten hat, schreibt er: „Von dem Lustschloß der Kurfürstin kann ich nichts Eigentliches sagen — ich sah nichts — als Häuser und Gärten, denn Schiller ging mir im Kopf herum." Ebenso als er nach Waltershausen fährt: „Über meine Reise von Stuttgart bis Nürnberg kann ich euch nichts sagen. Ich schloß meist die Augen, und ließ euch, und was mir sonst lieb ist, vor mir erscheinen." Wo er Landschaftliches schildert, tut er es in den allgemeinsten Ausdrücken: „Das Schloß [Waltershausen] liegt über dem Dorfe auf dem Berge, und ich habe eines der angenehmsten Zimmer."

Oder aber der Trieb zur Abstraktion weist ihn auf die Philosophie, im weiteren auf ein Schwärmen in großen Idealen und erhabenen Vorstellungen. Als er in Tübingen studierte, brach in Paris die Revolution aus. Ihre Ideale entflammten die Tübinger Studenten dergestalt, daß sie einen politischen Klub bildeten und 1793 auf dem Marktplatz einen Freiheitsbaum aufrichteten. Vom griechischen Altertum träumend, meinten sie, dessen Menschengröße und Heldentum sei, in den Franzosen verkörpert, wieder auf die Erde niedergestiegen. Die Begeisterung schwang so hoch,

110. Ernst Theodor Amadeus Hoffmann (1776—1822)
Selbstbildnis

E. Th. A. Hoffmann lebte in zwei Welten: Wie er zugleich ein äußerst befähigter Jurist und ein begabter Musiker, Zeichner und Dichter war, so war auch seine Phantasie in realer Welt und Geisterwelt gleichermaßen beheimatet. Daraus erwuchs seiner Dichtung bei aller Realität das Geheimnisvolle, Gespensterhafte und Grausige.

111. Hoffmanns Illustration zu seinem allegorischen Märchen „Prinzessin Brambilla", 1820
Ebenso phantastisch und verwirrend wie Hoffmann den Faden seiner Erzählung spann, zeichnete er auch die ihr entsprungenen Gestalten.

112. E. Th. A. Hoffmann und Devrient bei Lutter und Wegner in Berlin
Gemälde nach Karl Themann

In dem Schauspieler Ludwig Devrient fand Hoffmann in seiner Berliner Zeit einen Freund, mit dem er regelmäßig im Weinlokal Lutter und Wegner zusammentraf und sowohl künstlerische Probleme erörterte, wie auch die skurrilsten Possen trieb.

113. *Wie sehr die Zeitgenossen Hoffmann als Karikaturist zu fürchten hatten, läßt seine Zeichnung „Doktor Bartholo, aus dem Singspiel: Figaros Hochzeit, nach Herrn Kaselitzens Darstellung" erkennen.*

daß der Herzog selber ins Stift kommen und den Studenten eine Strafpredigt halten mußte. Auch Hölderlin, der sonst so tief in sich versunkene, hielt damals die Augen offen für das politisch-kriegerische Geschehen. „Glaube mir," schrieb er an die Schwester während des ersten Koalitionsfeldzuges, „wir kriegen schlimme Zeit, wenn die Österreicher gewinnen. Der Mißbrauch fürstlicher Gewalt wird schröcklich werden. Glaube das mir! und bete für die Franzosen, die Verfechter der menschlichen Rechte". Er findet es „süß und groß, Gut und Blut seinem Vaterlande zu opfern", und nennt es „rührend und schön, daß unter der französischen Armee bei Mainz ganze Reihen stehen von fünfzehn- und sechszehnjährigen Buben". Damals war Rousseau sein Held, und in Hymnen, die Inhalt und Klang von Schiller geborgt hatten, pries er die Menschheit, die Wahrheit, die Freiheit, die Göttin der Harmonie, die Schönheit. Aber Schillers Gedankengedichte hatten einen strafferen Bau und verkündeten einen gespannteren Willen. Hölderlin schwelgte vor allem in großen und klangvollen Worten. Der Hymnus an die Menschheit schließt mit der Strophe:

> „So jubelt, Siegsbegeisterungen,
> Dir keine Lipp' in keiner Wonne sang!
> Wir ahndeten — und endlich ist's gelungen,
> Was in Äonen keiner Kraft gelang —
> Vom Grab' erstehn der alten Väter Heere,
> Der königlichen Enkel sich zu freun;
> Die Himmel kündigen des Staubes Ehre
> Und zur Vollendung geht die Menschheit ein."

In strengere Zucht nahm die Philosophie sein Denken. Zwar schrieb er von Tübingen aus an die Mutter: die Muse mache ein saures Gesicht, wenn ihre Söhne einzig und allein auf dem philosophischen und theologischen Altare opferten. Aber das hielt ihn nicht ab, neben seinem Dichten einen großen Teil seiner Liebe der Philosophie zu widmen. Es sind die Denker des Idealismus, denen er sich hingab. „Leibniz", schreibt er Neuffer, „und mein Hymnus auf die Wahrheit hausen seit einigen Tagen ganz in meinem Capitolium. Jener hat Einfluß auf diesen". Die großartige Idee Leibnizens von der Durchgeistung der Welt, der vorausbestimmten Harmonie und der Emporentwicklung der Monaden dürfte ihn ergriffen haben. Im Zusammenhang mit seinen theologischen Studien las er den „Gottesleugner" Spinoza und fand, daß man, wenn man die Beweise für das Dasein Gottes nur mit der kalten, vom Herzen verlassenen Vernunft prüfe, auf seine Ideen kommen müsse. „Aber", schrieb er der Mutter, „da blieb mir der Glaube meines Herzens, dem so unwidersprechlich das Verlangen nach Ewigem, nach Gott gegeben ist, übrig. Zweifeln wir aber nicht gerade an dem am meisten, was wir wünschen? ... Wer hilft uns aus diesen Labyrinthen? — Christus. Er zeigt durch Wunder, daß er das ist, was er von sich sagt, daß er Gott ist. Er lehrt uns Dasein der Gottheit und Liebe und Weisheit und Allmacht der Gottheit so deutlich. Und er muß wissen, daß ein Gott und was Gott ist, denn er ist aufs innigste verbunden mit der Gottheit. Ist Gott selbst."

Schon der Ausdruck Gottheit scheint zu zeigen, daß das Christentum des Theologiestudenten alles andere als orthodox ist. So kann er dem Glauben an Christus die Begeisterung für Platon zugesellen. Was er in ihm fand, war reichste Nahrung für die der Wirklichkeit entstrebende Sehnsucht seines Gemütes. In dem Höhlengleichnis des „Staates" hatte Platon das irdische Leben der Existenz von Gefangenen verglichen, die, in einer Höhle an Händen und Füßen gefesselt, gegen die Hinterwand der Höhle schauen, während hinter ihnen ein helles Licht strahlt. Gestalten bewegen sich zwischen dem Lichte und ihnen, aber sie sehen nur ihre Schattenbilder auf der Höhlenwand. Im „Symposion" hatte Platon durch Sokrates den Eros, den Sohn des Reichtums und der Armut, als den heißen Drang nach Schönheit als körperlicher und geistiger Vollkommenheit gekennzeichnet. Im „Timaeus" endlich hatte er das Reich der Ideen oder des ewig vollkommenen Seins dem Reiche des Werdens und des Scheins gegenübergestellt. Seinem Freunde Neuffer schreibt Hölderlin von den Götterstunden, „wo ich aus dem Schoße der beseligenden Natur oder aus dem Platanenhaine am Ilissus zurückkehre, wo ich, unter Schülern Platons hingelagert, dem Fluge des Herrlichen nachsah, wie er die dunklen Fernen der Urwelt durchstreift oder schwindelnd ihm folgte in die Tiefe der Tiefen, in die entlegensten Enden des Geisterlandes, wo die Seele der Welt ihr Leben versendet in die tausend Pulse der Natur, wohin die ausgeströmten Kräfte zurückkehren, nach ihrem unermeßlichen Kreislauf, oder wenn ich trunken vom sokratischen Becher und sokratischer geselliger Freundschaft am Gastmahle den begeisterten Jünglingen lauschte, wie sie der heiligen Liebe huldigen mit süßer feuriger Rede... und endlich der Meister, der göttliche Sokrates selbst mit seiner himmlischen Weisheit sie alle lehrt, was Liebe sei." Durch Platon fand er bestätigt, was er dumpf in sich ahnte: das Leben in der sinnlichen Wirklichkeit ist ein Leben des Scheins, und wesenhaft einzig ist das geistige Reich der Ideen, die für den sinnvollen Menschen die Ideale sind. Damals, 1792, begann der Roman „Hyperion" sich in ihm zu bilden.

Dieser junge Mensch, ob er auch 1793 seine theologische Prüfung machte, war nicht gesonnen, die Kanzel zu besteigen. Er war nie unchristlich, aber Pfarrer sein hätte für ihn bedeutet, den ganzen flutenden Reichtum seines von allem Hohen ergriffenen Geistes in das starre Gefäß des christlichen Bekenntnisses und der kirchlichen Unterweisung einzusperren. Er, der von jeher in der Unendlichkeit seiner Sehnsucht gelebt, hätte diese Einengung nicht ertragen. Er hatte in Stäudlins Musenalmanach Hymnen erscheinen lassen; und durch Stäudlin war er Schiller vorgestellt worden, als dieser 1793/94 in der Heimat weilte. So wurde Schiller für die nächste Zeit der Lenker seines Schicksals. Er war es, der ihm Ende 1793 die Stelle des Hofmeisters bei dem Söhnchen der Frau von Kalb auf Schloß Waltershausen bei Meiningen verschaffte. Hölderlin war anfangs begeistert von der Landschaft, von der Frau von Kalb und seiner Tätigkeit als Erzieher. „Mein lieber Zögling hängt an mir, wie an einem Vater oder Bruder. Ich dachte mir nie die Seligkeit, die in dem Geschäfte eines Erziehers liegt", schrieb er der Großmutter. Aber taugte er, mit der Unendlichkeit seiner Ansprüche an sich und die Welt, wirklich zum Lehrer? Man schüttelt den Kopf, wenn man in einem Briefe an Schiller liest, er wolle das Kind zum Bewußtsein seiner sittlichen Freiheit bringen, es zu einem der Zurechnung fähigen Wesen machen. Wirklich weiß er auch der Mutter zu melden, daß sein Unterricht den besten Erfolg habe. Der Junge sei recht guter Art, ehrlich, fröhlich, lenksam. Aber im Oktober 1794 findet er seinen Beruf oft sehr schwer, und bald hört man von einer gänzlichen Unempfindlichkeit des Knaben für alle vernünftige Lehre, von seiner verwilderten Natur, ja von einem geheimen Laster. Die Prügelmethode, die der Lehrer anwandte, schien zuerst ihre Wirkung zu tun; aber bald fiel der Zögling wieder in die „höchste Stumpfheit und Trägheit" zurück, und auf Ende 1794 gab Hölderlin seine Stelle auf.

Er hatte sich in Waltershausen über den Mißerfolg seiner praktischen Tätigkeit mit der Flucht ins geistige Reich getröstet. Diesmal war es Kant, von dem er die „Kritik der Urteilskraft" las. Dazu vertiefte er sich in Schillers Werk über Anmut und Würde. „Kant", so schrieb er später, „ist der Moses unserer Nation, der sie aus der ägytischen Erschlaffung in die freie einsame Wüste seiner Spekulation führt, und der das energische Gesetz vom heiligen Berge bringt." Das weist darauf hin, daß er damals auch die „Praktische Vernunft" und wohl auch die Kantische Erkenntnislehre sich zu eigen gemacht hatte.

Aber er war, wie zum Stoiker, auch zum eigentlichen Schüler Kants ewig verdorben. Im Oktober 1794 arbeitete er, im Anschluß an Platon, an einem Aufsatz über das Schöne und Erhabene, worin er, Schiller noch überbietend, weit über „die Kantische Grenzlinie" vorrücken wollte. Kants strenge Gedankenzucht taugte nicht für ihn. Im November 1794 war er mit der Familie von Kalb nach Jena gezogen, und hier geriet er in den Bannkreis Fichtes. „Fichte ist jetzt die Seele von Jena", schrieb er Neuffer. „Und gottlob!, daß er's ist. Einen Mann von solcher Tiefe und Energie des Geistes kenn' ich sonst nicht. In den entlegensten Gebieten des menschlichen Wissens die Prinzipien dieses Wissens, und mit ihnen die des Rechts aufzusuchen und zu bestimmen, und mit gleicher Kraft des Geistes die entlegensten kühnsten Folgerungen aus diesen Prinzipien zu denken und trotz der Gewalt der Finsternis sie zu schreiben und vorzutragen, mit einem Feuer und einer Bestimmtheit, deren Vereinigung mir Armen ohne dies Beispiel vielleicht ein unauflösliches Problem geschienen hätte — dies, lieber Neuffer, ist doch gewiß viel, und es ist gewiß nicht zuviel gesagt von diesem Manne." Hölderlin hörte bei Fichte die Wissenschaftslehre und las seine gedruckten Vorlesungen über die Bestimmung des Gelehrten. Er suchte auch seinen Bruder durch den Hinweis auf Fichte zu klarem und willensstarkem Handeln aufzupeitschen. Die Lehre vom unendlich fortwirkenden Ich, der Glaube an den unendlichen Fortschritt im Guten bekommt in ihm geradezu den Wert einer Religion. Denn auf dieses heilige Gesetz in uns gründet sich der vernünftige Glaube an Gott und Unsterblichkeit und die weise Lenkung unseres Schicksals. „So gewiß der höchste Zweck höchstmögliche Sittlichkeit ist, so notwendig wir diesen Zweck als den höchsten annehmen müssen, so notwendig ist uns der Glaube, daß die Dinge, da wo unseres Willens Macht nicht hinreicht, sie gehen wie sie wollen, dennoch zu jenem Zwecke zusammenstimmen, d. h. von einem heiligen weisen Wesen, das die Macht hat, wo die unsrige nicht hinreicht, zu jenem Zwecke eingerichtet seien."

Nach wie vor nahm sich Schiller freundlich seines Landsmanns an. Durch ihn kam Hölderlin mit Goethe in Verkehr. Auch Herder erwies sich gütig und teilnehmend. Aber der Plan, in Jena sich als Privatdozent für philosophische und ästhetische Vorlesungen zu habilitieren, kam nicht zur Ausführung, und als die Mittel, die er sich erspart, trotz bescheidenster Lebensführung zur Neige gingen, blieb ihm als Zuflucht nur das Haus der Mutter in Nürtingen. Eine neue Stelle fand er auf Ende 1795 in Frankfut a. M., wo er die Kinder des Bankiers Gontard zu unterrichten hatte. Damals gewöhnte er sich an den Gedanken, daß die im Geist Lebenden auf der Erde leiden müssen. „Du verstehst mich," schrieb er Neuffer am 15. Januar 1796, „wenn ich dir sage, daß unser Herz auf einen gewissen Grad immer arm bleiben muß. Ich werde mich auch wohl noch mehr daran gewöhnen, mit wenigem vorlieb zu nehmen, und mein Herz mehr darauf zu richten, daß ich der ewigen Schönheit mehr durch eignes Streben und Wirken mich zu nähern suche, als daß ich etwas, was ihr gliche, vom Schicksal erwartete." Seine ganymedische Sehnsucht läßt ihn in Gedanken sich mit dem All vereinen. Aber dann erlebt er wieder den Rückstoß des Hen Kai Pan, des Erlebnisses des Pantheismus. „Könnt' ich [den Genuß der Wahrheit und der Freundschaft] so voll und stark und rein dir geben, als du es wert bist! Aber Einer ist nicht Alles, und ich bin ohne dies ein alter Blumenstock, der schon einmal mit Grund und Scherben auf die Straße gestürzt ist und seine Sprößlinge verloren und seine Wurzel verletzt hat und nun mit Mühe wieder in frischem Boden gesetzt und kaum durch ausgesuchte Pflege vom Verdorren gerettet, aber doch hie und da noch immer welk und krüpplig ist und bleibt." Sein Zufluchtsort vor solchen Anfechtungen bleibt einzig das Bewußtsein seiner Bildung: „Man muß eben denken, daß man die Ehre, unter die gebildetere Klasse zu gehören, überall mit etwas Schmerz bezahlen muß. Das Glück ist hinter dem Pfluge" (an die Mutter November 1797). Was er je von Mut und Heldentum und Willensstärke gesungen, bleibt alles Wunschtraum. Er selber ist kein Held und kein Kämpfer. Er kann sich nur in den durchscheinenden Herrschermantel des Denkers einhüllen und, ein heiliger Sebastian, duldend aufschauen zu den Himmlischen, als deren Sohn er auf Erden leiden muß. Es ist das Bewußtsein eines tragischen Schicksals, was sich in ihm ausbildet: groß zu sein im Reiche des Geistes und der Schönheit, aber mißachtet in den Reihen der Menschen. Schon vor Waltershausen hatte er Neuffer von der ehernen Notwendigkeit geschrieben. Jetzt unterwirft er sich dem „heiligen Schicksal: wir können nicht Berge zu Talen und Tale zu Bergen machen. Aber wir können uns auf dem Berge des weiten Himmels und der freien Luft ... und im Tale der Ruhe und Stille freuen."

Sicherlich hat an der Ausbreitung dieses tragischen Schicksalsgefühls sein Verhältnis zu der Mutter seiner Zöglinge entscheidend mitgewirkt. Susette Gontard war, als Hölderlin in ihr Haus trat, 26 Jahre alt. Von edler, aber herber Schönheit, tiefem Gemüte und einem starken Bedürfnis nach geistiger Bildung, darbte sie an der Seite des kaufmännisch gesinnten, viel älteren Gatten. Sie erfuhr bald genug, daß der Lehrer ihrer Kinder an einem ähnlichen Zwiespalt litt wie sie selber. Zu der Teilnahme an seinem geistigen Streben, seinem dichterischen Werke gesellte sich das Mitgefühl für den hilflosen Adel seiner Seele. Und aus beidem entstand in ihr, wie in ihm, jener Eros, den der platonische Sokrates als den Sohn des Poros und und der Penia, des Reichtums und der Armut, bezeichnet hatte. Im Juni 1796 näherte sich der Krieg der Stadt Frankfurt — die kaiserliche Armee zog sich damals von Wetzlar zurück —, und Gontard fand es geraten, seine Familie auswärts in Sicherheit zu bringen. Der Hauslehrer begleitete sie nach Kassel und dann nach Westfalen. Immer noch gehört seine Liebe den Franzosen, deren „Riesenschritte die Seele innigst stärken". Aber die Kanonen tönten ihm nicht lieblich in die Ohren. „Es ist doch was ganz Leichters, von den griechischen Donnerkeulen zu hören, welche vor Jahrtausenden die Perser aus Attika schleuderten über den Hellespont hinweg bis hinunter in das barbarische Susa, als so ein unerbittlich Donnerwetter über das eigne Haus hinziehen zu sehen."

Damals muß in der beständigen Nähe, die die Flucht bedingte, und in der Gemeinsamkeit der Gefahr die Innigkeit zwischen Frau Gontard und Hölderlin sich gefestigt haben. Sie dauerte an, als man im Oktober wieder nach Frankfurt zurückkehrte, und gewährte ihm reinstes Glück. Susette wurde ihm Diotima in Erinnerung an jene Seherin, die bei Platon dem Sokrates das Geheimnis der Liebe enthüllt. „Ich habe eine Welt von Freude umschifft, seit wir uns nicht mehr schrieben," berichtet er am 16. Februar 1797 an Neuffer. „Und noch ist es so! Noch bin ich immer glücklich wie im ersten Moment. Es ist eine ewige fröhliche heilige Freundschaft mit einem Wesen, das sich recht in dies arme geist- und ordnungslose Jahrhundert verirrt hat! Mein Schönheitssinn ist nun vor Störung sicher. Er orientiert sich ewig an diesem Madonnenkopfe. Mein Verstand geht in die Schule bei ihr, und mein uneinig Gemüt besänftiget, erheitert sich täglich in ihrem genügsamen Frieden... Ich dichte wenig und philosophiere beinahe gar nicht mehr. Aber was ich dichte, hat mehr Leben und Form; meine Phantasie ist williger, die Gestalten der Welt in sich aufzunehmen." Und wieder ertönt das Wort von dem heiligen Schicksal.

Er war ein träumender Tor, der sich auf dem Ozean unmöglicher Hoffnungen treiben ließ, ohne der Klippen zu achten, die in der Tiefe drohten. Schon nach einigen Monaten merkte er, daß seiner Sehnsucht Grenzen gezogen sind, und im Februar 1798 setzt er unter eine Reihe von weltklugen Ermahnungen an den Bruder das Wort: „Ich spreche wie einer, der Schiffbruch erlitten hat. So einer rät nur gar zu gern, daß man im Hafen bleiben soll, bis die beste Jahreszeit zu der Fahrt vorhanden sei. Ich habe offenbar zu früh hinausgestrebt, zu früh nach etwas Großem getrachtet, und muß es wohl, solang ich lebe, büßen." Es kam, wie es kommen mußte. Dem Bankier Gontard konnte der enge Verkehr des Hauslehrers mit seiner schöngeistigen Frau unmöglich zusagen, bei dem er geistig den kürzeren zog. Hölderlin hatte „beinahe tägliche Kränkungen" zu erfahren. Eine unzarte Bemerkung veranlaßte Hölderlin, im Herbst 1798 in schroffer Form seine Stelle aufzugeben und das Haus zu verlassen. „Wir schieden höflich auseinander", schrieb er der Mutter. Gegenüber dem Bruder war er rückhaltloser: „Wie oft hätt' ich dir gerne geschrieben in den letzten Tagen zu Frankfurt, aber ich verhüllte mein Leiden mir selbst, und ich hätte manchmal mir die Seele ausweinen müssen, wenn ich es aussprechen wollte."

Er hatte sich einiges erspart und lebte davon in Homburg vor der Höhe. Er plante sich durch Herausgabe einer poetischen Monatsschrift über Wasser zu halten und schrieb an einer Tragödie „Der Tod des Empedokles". Inzwischen suchte er der Geliebten geistig nahe zu bleiben. Briefe mußten den Verkehr vermitteln. Er findet sich jeweils am Donnerstag um zehn Uhr an der Hecke des Gartens ein, und sie erscheint oben am Fenster. Er hält zum Zeichen seinen Stock auf die Schulter, sie nimmt ein weißes Tuch. Schließt sie in einigen Minuten das Fenster, so wird sie hinunterkommen, tut sie's nicht, so darf sie's nicht wagen. An der Hecke tauschen sie dann die Briefe. Wie ihm damals zu Mute ist, sagt der Anfang eines seiner Briefe: „Täglich muß ich die verschwundene Gottheit wieder rufen. Wenn ich an große Männer denke, in großen Zeiten, wie sie, ein heilig Feuer, um sich griffen, und alles Tote, Hölzerne, das Stroh der Welt in Flamme verwandelten, die mit ihnen aufflog zum Himmel, und dann an mich, wie ich oft, ein glimmend Lämpchen, umhergehe, und betteln möchte um einen Tropfen Öl, um eine Weile noch die Nacht hindurch zu scheinen — siehe! da geht ein wunderbarer Schauer mir durch alle Glieder, und leise ruf' ich mir das Schreckenswort zu: lebendig Toter!" An ihr ist es, ihn aufzurichten in solchen Augenblicken der Selbstvernichtung, indem sie zugleich eingeht in seine Idee von dem heiligen Schicksal, wie es über dem tragischen Menschen schwebt, und ergreifend ist es, wie diese liebende Frau bis auf das Wort sich in den Geliebten eingestimmt hat: „Ach! Könnte ich hin zu dir und dir Trost geben. Ich habe kein Geheimnis vor dir, meine Seele! Auch ist meine Liebe zu voll, um daß mein Herz mir sterbe. Wenn ich still und trocken bin, so zweifle nur nicht an mir, dann brennt es in der Tiefe, und ich muß wie du mich vor Leidenschaft bewahren." „Die Leidenschaft der höchsten Liebe findet wohl auf Erden ihre Befriedigung nie! — — — Fühle es mit mir: diese suchen wäre Torheit — — miteinander sterben! — — doch wir haben heilige Pflichten für diese Welt. Es bleibt uns nichts übrig als der seligste Glaube aneinander und an das allmächtige Wesen der Liebe, das uns ewig unsichtbar leiten und immer mehr und mehr verbinden wird ... Lebt der Geist der Harmonie und Liebe ewig in der Welt: warum, wie könnte er uns verlassen?" „Die Natur, die dir alle edeln Kräfte, hohen Geist und tiefes Gefühl gab, hat dich bestimmt, ein edler, vortrefflicher glück-

licher Mann zu werden und es in allen deinen Handlungen zu beweisen... Wenn es sein muß, daß wir dem Schicksal zum Opfer werden,
dann versprich mir, dich frei von mir zu machen und ganz zu leben, wie
es dich noch glücklich machen, du nach deiner Erkenntnis deine Pflichten
für diese Welt am besten erfüllen kannst, und laß mein Bild kein Hindernis sein."

In „Hyperions Schicksalslied" hat Hölderlin mitten in seiner Liebe zu
Diotima die Erinnerung an Platons Scheidung von Ideen und Erscheinungswelt, Sein und Werden festgehalten. Rasch erfüllte sich sein irdisches Dasein. 1800 kehrte er von Homburg wieder nach der Heimat. In
Hauptwil im Kanton Thurgau trat er im Januar 1801 bei einer Familie
von Gonzenbach eine neue Hofmeisterstelle an. Und wieder taugte er
nicht zu seiner Aufgabe. Seine Briefe verraten, daß alles in und um ihn
wankt. Wieder flattern sie, wie einst in der haltlosen Jugend, ohne An-
gabe von Ort und Zeit in die Welt hinaus, und ihr Inhalt zeigt, daß
ihm mit der eigenen Seele auch die Welt zerrissen ist. Er hat gerungen bis
zur tödlichen Ermattung. Er weiß, daß er in dem Irrtum befangen war,
alles Äußerliche zu verachten. Nun ist ihm mit dieser Erkenntnis auch die
Harmonie der Welt, die aus der Liebe stammt, zerbrochen, und alles ist
hin. In furchtbarer Größe geht ihm die Tragik der Individuation auf:
„Es ist nur ein Streit in der Welt, was nämlich mehr sei, das Ganze oder
der Einzelne? Und der Streit widerlegt sich in jedem Versuche und Beispiele durch die Tat, indem der, welcher aus dem Ganzen wahrhaft
handelt, von selber zum Frieden geweihter und alles Einzelne zu achten
darum aufgelegter ist, weil ihm sein Menschensein, gerade sein Eigenstes,
doch immer weniger in reine Allgemeinheit, als in Egoismus oder wie
du's nennen willst, fallen läßt."

Im Juni ist er wieder in Nürtingen. Allerlei Pläne schwirren durch
seinen Kopf. Auch der Plan, in Jena Vorlesungen zu halten, taucht wieder
auf. Aber ihm selber beginnt vor seinem Schicksal zu grauen: „Jetzt
fücht' ich, daß es mir nicht geh' am Ende, wie dem alten Tantalus, dem
mehr von Göttern ward, als er verdauen konnte." Um die Jahreswende
1801 verließ er die Heimat und reiste über Lyon nach Bordeaux, wo er
im Hause des Hamburgischen Konsuls eine neue Stelle gefunden hatte. Im
Juni kehrte er wieder zurück. Damals starb Diotima. Es ist, als ob er es
aus der Ferne geahnt hätte. Erst zu Hause erfuhr er ihren Tod. Aber sein
Geist war umnachtet. Was äußerlich die Erkrankung ausgelöst, ist unbekannt. Den innern Verlauf enthüllen seine Briefe klar genug. Er selber,
als sein Geist sich wieder einigermaßen aufhellte, konnte sein Schicksal nur
mit dunkel mythologischem Bilde ausdrücken: „Das gewaltige Element,
das Feuer des Himmels und die Stille der Menschen, ihr Leben in der
Natur, und ihre Eingeschränktheit und Zufriedenheit, hat mich beständig
ergriffen, und wie man Helden nachspricht, kann ich wohl sagen, daß
mich Apollo geschlagen." Es ist nicht unmöglich, daß in dem dunkeln
Wort sich das Erlebnis der Rückwanderung durch die Landschaft und der
Hitze des südlichen Frankreichs ausspricht. In Zeiten der Aufhellung ver-

mochte er aus dem Griechischen zu übersetzen, Sophokles, Pindar und eigene Gedichte zu schaffen. Aber immer wieder kam die Umnachtung. Im Sommer 1803 besuchte ihn sein Stiftsgenosse Schelling im Hause der Mutter und fand ihn am Geiste ganz zerrüttet. Im Sommer 1804 nahm ihn sein Freund Sinclair zu sich nach Homburg. Aber im Frühling 1806 erfolgte ein neuer Schub der Krankheit. Nun versuchte man es mit einer klinischen Behandlung. Umsonst. Im Sommer 1807, nachdem die Erregungszustände abgeklungen waren, brachte man ihn bei dem Schreiner Zimmer in Tübingen unter. Hier lebte er noch, immer mehr ins Dunkle versinkend, bis zum 10. Juni 1843.

Als Dichter gleicht Hölderlin Jean Paul darin, daß er seine Gestalten nicht aus der Natur wachsen läßt, sondern aus dem Gedanken, also nicht eine menschliche Wirklichkeit bildet, sondern eine ideale Welt. Aber er ist stärker als Jean Paul an die klassische Kunstlehre gebunden. Er lebt, denkt und schafft nicht aus dem Gefühl und dem Glauben, sondern aus dem gefühlgesättigten Gedanken. Er umwindet und umspricht daher seine Gestalten nicht mit Bildern und Betrachtungen, sondern er gibt Entwicklungen. Freilich nicht Entwicklungen im Sinne der organischen Zweckmäßigkeits- oder Kausalitätsidee Kants, Goethes und Schillers, sondern geistig-gedankliche. Wie er selber ganz im Geistigen und aus dem Geistigen lebt, leidet und sich freut, so erfüllt er auch seine Gestalten ganz mit Anliegen des Geistes und läßt sie ihr Leben unter dem Antrieb von allgemeinen Ideen vollbringen wie Wahrheit, Schönheit, Menschheit, Freiheit. Dabei bezeichnen seine beiden umfänglichsten Werke, der Roman „Hyperion" und die Tragödienfragmente „Empedokles", selber zwei Stufen seiner eigenen geistigen Entwicklung: „Hyperion", dessen beide Teile 1797 und 1799 erschienen, stellte die Erfüllung der Sehnsucht nach Schönheit durch das Diotima-Erlebnis dar, „Empedokles" die Tragik der irdischen Heimatlosigkeit des geistigen Menschen.

Der Fortschrittsglaube der Aufklärung, wie ihn Hölderlin am großartigsten in Leibnizens Monadenlehre erfahren hatte, war durch den von ihm ebenfals verehrten Rousseau in Frage gestellt worden. Wenn die Menschheit in ihrem anfänglichen Naturzustand alle Sittlichkeit und Glückseligkeit in sich vereinigte, so konnte es von diesem paradiesischen Jugenddasein nur noch ein Hinuntersteigen, keine Entwicklung nach oben mehr geben.

Es ist früher dargelegt worden, wie Kant es unternahm, in zwei Aufsätzen der Berlinischen Monatsschrift das Dilemma zu lösen. Die Menschheit lebte im Anfang in einem paradiesischen Naturzustande. Die Entwicklung des Verstandes brachte die Ausbildung der Zivilisation und damit den unseligen Abfall von der Naturunschuld. Aus der Wahrnehmung der Mängel der Zivilisation, wie Krieg, Üppigkeit und dergleichen, erwacht in den denkenden Menschen die Unzufriedenheit und damit die Sehnsucht nach einem dritten Reiche, dem von Dichtern so gepriesenen goldenen Zeitalter. Man weiß, wie stark auf Schiller diese Kantische Idee von der Dreistufigkeit der Menschheitsgeschichte gewirkt hat.

Nicht weniger auf Hölderlin. Schon in der „Hymne an die Freiheit" (1792) ist der Gedanke, daß die Welt, treu der Liebe seligen Gesetzen, ihr heilig Leben frei lebe. Nur der Mensch ist von ihr abgefallen, gezeichnet mit der Hölle Schmach:

> „Ach! er war das göttlichste der Wesen,
> Zürn' ihm nicht, getreuere Natur!...
> Eil', o eile, neue Schöpfungsstunde,
> Lächle nieder, süße, güldne Zeit!"

Am 2. Juni 1796 schreibt er dem Bruder in einem Trost- und Stärkungsbriefe: „Freilich sehnen wir uns oft auch, aus diesem Mittelstand von Leben und Tod überzugehen ins unendliche Sein der schönen Welt, in die Arme der ewig jugendlichen Natur, wovon wir ausgingen. Aber es geht ja alles seine stete Bahn, warum sollten wir uns zu früh dahin stürzen, wohin wir gelangen?" Ähnlich am 4. Juni 1799 ebenfalls an den Bruder: „Wir sind schon lange darin einig, daß alle die irrenden Ströme der menschlichen Tätigkeit in den Ozean der Natur laufen, so wie sie von ihm ausgehen."

Im „Hyperion" bildet das Gesetz der Dreistufigkeit die Idee des Geschehens: „Von Kinderharmonie sind einst die Völker ausgegangen, die Harmonie der Geister wird der Anfang einer neuen Weltgeschichte sein. Von Pflanzenglück begannen die Menschen und wuchsen auf und wuchsen, bis sie reiften; von nun an gährten sie unaufhörlich fort, von innen und außen, bis jetzt das Menschengeschlecht, unendlich aufgelöst, wie ein Chaos daliegt, daß alle, die noch fühlen und sehen, Schwindel ergreift; aber die Schönheit flüchtet aus dem Leben der Menschen sich herauf in den Geist; Ideal wird, was Natur war, und wenn von unten gleich der Baum verdorrt ist und verwittert, ein frischer Gipfel ist noch hervorgegangen aus ihm, und grünt im Sonnenglanze, wie einst der Stamm in den Tagen der Jugend; Ideal ist, was Natur war. Daran, an diesem Ideale, dieser verjüngten Gottheit, erkennen die wenigen sich, und eins sind sie, denn es ist Eines in ihnen, und von diesen, diesen beginnt das zweite Lebensalter der Welt." Wenn Hölderlin in diesen deutlich an Schillers Ausführungen in der naiven und sentimentalistischen Dichtung anklingenden Worten Hyperions nur von zwei Lebensaltern der Welt spricht, so meint er damit die zwei schönen Zeitalter, das der Natur und das des Ideals; er zählt in seiner Verlorenheit an das geistige Leben das zwischen ihnen liegende Zeitalter des Abfalls oder der Verstandesherrschaft nicht.

Wie Hölderlin sich immer gern als Griechen betrachtete, so stellt er jetzt im „Hyperion" sein Leben, die Wirklichkeit durch Vergeistigung abrückend, als das eines Griechen seiner Zeit dar. Hyperion wächst, wie Hölderlin in dem weltfernen Lauffen, in dem abgeschiedenen Tina im Frieden der Natur auf: das erste Zeitalter. Ein weiser Lehrer, Adamas, senkt ihm die Liebe zu den Helden des Plutarch, zu der Götterwelt und Kunst der Griechen ins Herz, und einmal, wie sie auf Delos bei Sonnenaufgang auf dem Gipfel des Berges Kynthos stehen, wo die Trümmer des

Apollotempels liegen, ergreift Adamas seine Hand und hält sie dem Sonnengotte entgegen; er deutet ihm damit seinen Namen: Hyperion, der Drobenwandelnde, ist ein alter Beiname des Apollo. Der zweite Abschnitt, entsprechend dem zweiten Weltalter, setzt ein. Der Jüngling kommt nach Smyrna, wo die Menschen nichts wissen von dem alten Griechenland. Er lebt, wie Hölderlin, in sich versunken, bis der tatkräftige Alabanda, ähnlich wie Fichte den Dichter, ihn aus seiner Versunkenheit hinausreißt. Aber er stößt sich an der Freundschaft Alabandas mit zynischen Menschenverächtern und kehrt nach Tina zurück. In Kalaurea lernt er Diotima kennen, deren Schönheit ihm den Sinn für die Harmonie der Welt erschließt. Ein Brief Alabandas zieht ihn in den Krieg der Russen gegen die Türken — es handelt sich um den Krieg von 1770. Er soll die Griechen befreien helfen. Und wirklich wird er nun ein Heerführer. Aber die Roheit des Kriegerlebens stößt ihn ab. Er nimmt Dienste in der russischen Flotte. In einer Seeschlacht fliegt sein Schiff in die Luft. Er kommt mit dem Leben davon. Alabanda verläßt ihn. Diotima stirbt an Verzweiflung über die Not des Vaterlandes. Hyperion geht nach Deutschland. Hölderlin hat in einem Brief an den Bruder vom 1. Januar 1799 die Deutschen „glebae addicti" genannt: „Die meisten sind auf irgendeine Art, wörtlich oder metaphorisch, an ihre Erdscholle gefesselt, und wenn es so fortginge, müßten sie sich am Ende an ihren lieben (moralischen und physischen) Erwerbnissen und Ererbnissen ... zutodeschleppen. Jeder ist nur in dem zu Hause, worin er geboren ist, und kann und mag mit seinem Interesse und seinen Begriffen nur selten darüber hinaus. Daher jener Mangel an Elastizität, an Trieb, an mannigfaltiger Entwicklung der Kräfte, daher die finstere wegwerfende Scheue oder auch die furchtsame, unterwürfig-blinde Andacht, womit sie alles aufnehmen, was außer ihrer ängstlich-engen Sphäre liegt; daher auch die Gefühllosigkeit für gemeinschaftliche Ehre und gemeinschaftliches Eigentum." Mit ähnlichen Worten schildert Hyperion die Deutschen: „Ich kann kein Volk mir denken, das zerrissener wäre, wie die Deutschen, Handwerker siehst du, aber keine Menschen, Denker, aber keine Menschen, Priester, aber keine Menschen, Herrn und Knechte, Jungen und gesetzte Leute, aber keine Menschen ... Deine Deutschen bleiben gerne beim Notwendigsten, und darum ist bei ihnen auch so viele Stümperarbeit und so wenig Freies, Echterfreuliches ... die Tugenden der Deutschen sind ein glänzend Übel und nichts weiter; denn Notwerk sind sie nur, aus feiger Angst, mit Sklavenmühe dem wüsten Herzen abgerungen." Voll Verachtung gegen „diese allberechnenden Barbaren", kehrt Hyperion wieder nach Griechenland zurück und lebt fortan als Einsiedler auf Salamis: der Wunschtraum des Jünglings Hölderlin hat hier wenigstens eine literarische Erfüllung gefunden.

Damit aber ist Hyperion in sein drittes Lebensalter eingetreten. Umgeben von der reinen Natur, verehrt er voll Sehnsucht das Ideal der Schönheit, nicht nur als Schönheit der Landschaft, sondern ebenso sehr, ja noch mehr, als Harmonie des Alls. Der Gedanke ist an seinem Erlebnis mehr beteiligt als das Auge. „O ihr", ruft er aus, „die ihr das Höchste und

Beste sucht, in der Tiefe des Wissens, im Getümmel des Handelns, im Dunkel der Vergangenheit, im Labyrinthe der Zukunft, in den Gräbern oder über den Sternen! Wißt ihr seinen Namen? Den Namen des, das Eins ist und Alles? Sein Name ist Schönheit." Schon zuckt der tragische Riß in der Individuationsidee des Hen Kai Pan auf. Hyperion führt einmal das „große Wort, das Hen diapheron heauto [das eine in sich selber Unterschiedene] des Heraklit" an, das als das „Unendlich-Einige", das Wesen der Schönheit ausdrücke. Und schon weiß er, daß das Lebensgefühl des Einen, der geistig das All in sich aufgenommen hat, und physisch doch der Eine bleibt, mit Leiden verbunden ist: „Muß nicht alles leiden? Und je trefflicher es ist, je tiefer! Leidet nicht die heilige Natur? O meine Gottheit! Daß du trauern könntest, wie du selig bist, das konnt' ich lange nicht fassen. Aber die Wonne, die nicht leidet, ist Schlaf, und ohne Tod ist kein Leben ... Ja! Ja! Wert ist der Schmerz, am Herzen der Menschen zu liegen, und dein Vertrauter zu sein, o Natur! Denn er nur führt von einer Wonne zur andern, und es ist kein anderer Gefährte, denn er."

Aber noch ist Hyperion der volle Sinn dieser Tragik nicht aufgegangen. Noch vermag er den Riß der Welt und des eigenen Herzens durch die Anbetung der Schönheit zu überdecken. Alles hat er verloren. Ein Fremdling, wandert er durch sein Vaterland wie einen Totengarten: „Aber du scheinst noch, Sonne des Himmels! Du grünst noch, heilige Erde! Noch rauschen die Ströme ins Meer, und schattige Bäume säuseln im Mittag. Der Wonnegesang des Frühlings singt meine sterblichen Gedanken in Schlaf. Die Fülle der allebendigen Welt ernährt und sättiget mit Trunkenheit mein darbend Wesen. O selige Natur! Ich weiß nicht, wie mir geschiehet, wenn ich mein Auge erhebe vor deiner Schöne, aber alle Lust des Himmels ist in den Tränen, die ich weine vor dir, der Geliebte vor der Geliebten ... Eines zu sein mit allem, das ist Leben der Gottheit, das ist der Himmel des Menschen. Eines zu sein mit allem, was lebt, in seliger Selbstvergessenheit wiederzukehren ins All der Natur, das ist der Gipfel der Gedanken und Freuden, das ist die heilige Bergeshöhe, der Ort der ewigen Ruhe."

Wenn man Hölderlin so oft den Klassikern zureiht, so entfernt er sich nirgends so weit von ihnen als in diesen Worten des „Hyperion", im ganzen Gehalte des Romans. Er gehört in Wirklichkeit dem nachkantischen Geschlechte, nicht dem Geschlechte Goethes an. Nirgends wird das deutlicher, als wenn man das Naturgefühl seines Hyperion dem des Werther vergleicht. Auch Werther ist voll pantheistischer Allinbrunst. Aber Natur ist ihm auch etwas sehr Materielles, das man nicht nur anschauen und denken, sondern auch riechen und essen kann, das in Bauern und Kindern und Gemüsen hineinreicht in den Haushalt der Menschen. Hyperion aber ist ein Einsiedler, und immer wieder blendet der Gedanke sein Auge. Wenn er von der Natur schwärmt, so bedeutet sie ihm nicht die gesehene Landschaft, sondern das erdachte All, nicht etwas Physisches, sondern etwas Metaphysisches. Im „Faust" erschließt die Liebe zu Gretchen dem Faust das Innere der Natur und lehrt ihn seine Brüder im stillen Busch, in Luft und Wasser kennen; aber er läßt sich auch von Mephist aus der Welt die Betrachtung in den Strudel des Genusses ziehen. Hyperion aber wird durch seine Liebe zu Diotima aus der Welt des Lebendigen hinausgetrieben in die der denkerischen Betrachtung. Er ist ein Geschöpf jener Zeit, die auch Fichte und Hegel und Schleiermacher und Wackenroder und Tieck und die Schlegel hervorgebracht hat.

Darum mußte der Gedanke ihn schließlich auch aus der blühenden Buntheit des Lebens in das Dunkel des Todes führen. Was im „Hyperion" durch das philosophische Blendwerk der Allschönheit überdeckt ist, öffnet sich im „Empedokles" als verschlingender Abgrund. Es konnte nicht ausbleiben, daß sein Geist über dem Furchtbaren der tragischen Erkenntnis zerbrach; denn sie bedeutete ihm die Verneinung des Letzten und Höchsten, was er sich in seinem Einsiedlerdasein errungen hatte: des Lebens in Schönheit. Das ist auch der Grund, warum er die Tragödie nicht zur Vollendung zusammenzuschließen vermochte. So sind nur Bruchstücke entstanden: der „Tod des Empedokles" und „Empedokles auf dem Ätna". Aber ob auch die äußere Einheit fehlt, die geistige läßt sich im wesentlichen klar erkennen.

In einem nach Beginn des Dramas niedergeschriebenen Aufsatzentwurf: „Grund zum Empedokles" hat Hölderlin die Tragik der Dichtung begrifflich zu umschreiben gesucht. Zwei Reiche stellte er einander gegenüber: das aorgische, das ungeschaffene Chaos der Natur, und das organische, gestaltete des Schöpfergeistes. In Empedokles, dem großen Philosophen, Arzt und Staatsmann von Agrigent (490 bis 430 v. Chr.), vollzieht sich die Auseinandersetzung der beiden Reiche. Er eignet als Schaffender sich die allumfassende Natur an und sucht sie immer mehr in sich auszubreiten. „Er mußte nach Identität mit ihr ringen, so mußte also sein Geist im höchsten Sinne aorgische Gestalt annehmen, von sich selbst und seinem Mittelpunkte sich reißen, immer sein Objekt so übermäßig penetrieren, daß er in ihm, wie in einem Abgrunde, sich verlor." Anderseits mußte das Objekt von seinem Gemüte durchdrungen werden, wurde das Aorgische in ihm zum Organischen, zur Individualität, und verlor damit seine ursprüngliche Natur. „Er war das Allgemeine, das Unbekannte, das Objekt, das Besondere. Und so schien der Widerstreit der Kunst, des Denkens, des Ordnens, des bildenden Menschencharakters und der bewußtloseren Natur gelöst, in den höchsten Extremen zu Einem und bis zum Tauschen der gegenseitigen unterscheidenden Form vereinigt. Dies war der Zauber, womit Empedokles seiner Welt erschien ... In diesem unabhängigen Verhältnisse lebt er, in jener höchsten Innigkeit ... mit den Elementen, indes die Welt um ihn hierin gerade im höchsten Gegensatze lebt, in jenem freigeisterischen Nichtdenken, Nichtanerkennen des Lebendigen von einer Seite, von der andern in der höchsten Dienstbarkeit gegen die Einflüsse der Natur."

In doppelter Weise wirkt sich dieser tragische Charakter des Empedokles aus: erstens in seinem Verhältnis zur bürgerlichen Gesellschaft, zweitens in seinem Verhältnis zum All der Natur. Im ersten Gegensatze taucht die

Idee der Dreistufigkeit der Geschichte wieder auf. Empedokles als Angehöriger der ersten und dritten Stufe steht im Gegensatze zur zweiten. Die weltlichen und geistlichen Spitzen der festgefügten Zivilisation, der Archon und der Priester, bekämpfen den Denker, der die flutende Unendlichkeit der Natur und des Ideals in sich trägt, als Störenfried und Empörer. Der Priester Hermokrates sagt:

> „Es haben ihn die Götter sehr geliebt,
> Doch nicht ist er der erste, den sie drauf
> Hinab in sinnenlose Nacht verstoßen
> Vom Gipfel ihres gütigen Vertrauns,
> Weil er des Unterschieds zu sehr vergaß
> Im übergroßen Glück, und sich allein
> Nur fühlte; so erging es ihm, er ist
> Mit grenzenloser Öde nun bestraft.“

Das Volk steinigt und verjagt den Empörer.

Tiefer noch schneidet der Gegensatz zwischen Empedokles und der Natur in sein Schicksal. Es ist aufgewachsen in dem stillen Leben der Erde. Wenn er auf fernen Bergeshöhen saß und des Lebens heilig Irrsal übersann, atmete der Äther ihm heilend um die liebeswunde Brust, und er spürte das Wandeln und Wirken ihrer schöpferischen Kräfte in sich als der Genosse der Natur. Aber aus dem Bunde ward die Herrschaft des Menschen über die Natur, die Austilgung des Aorgischen. Empedokles sagt zu seinem Schüler:

> „Alles weiß ich, alles kann ich meistern;
> Wie meiner Hände Werk, erkenn' ich es
> Durchaus und lenke, wie ich will,
> Ein Herr der Geister, das Lebendige.
> Mein ist die Welt und untertan und dienstbar
> Sind alle Kräfte mir ... Zur Magd ist mir
> Die herrnbedürftige Natur geworden,
> Und hat sie Ehre noch, so ist's von mir.“

Man meint den Triumphgesang der Fichteschen Ichbotschaft zu hören. Aber die tragische Folge dieser Alleinherrschaft des schöpferischen Geistes ist die grenzenlose Einsamkeit des Ich:

> „Weh! Einsam! Einsam! Einsam!
> Und nimmer find' ich
> Euch, meine Götter,
> Und nimmer kehr' ich
> Zu deinem Leben, Natur!“

Das aber ist der Tod. Empedokles stürzt sich in den Feuerschlund des Ätna, um durch den Sturz die Absonderung seines Ich aufzuheben und sich aufs neue mit der Natur zu vereinigen.

Es ist das Tantalus-Schicksal, das Hölderlin für sich in sich vollenden fühlte, und das er jetzt seinem Empedokles bereitet. In dem Gedicht „Der

Rhein" hat er 1802 die Tragik des zwischen den Göttern und Menschen stehenden Helfers gezeichnet:

> „Es haben aber an eigner
> Unsterblichkeit die Götter genug, und bedürfen
> Die Himmlischen eines Dings,
> So sind's Heroen und Menschen
> Und Sterbliche sonst. Denn weil
> Die Seligsten nichts fühlen von selbst,
> Muß wohl, wenn solches zu sagen
> Erlaubt ist, in der Götter Nam'
> Teilnehmend fühlen ein andrer —
> Den brauchen sie; jedoch ihr Gericht
> Ist, daß sein eigenes Haus
> Zerbreche der, und das Liebste
> Wie den Feind schelt' und sich Vater und Kind
> Begrabe unter den Trümmern,
> Wenn einer wie sie sein will, und nicht
> Ungleiches dulden, der Schwärmer."

Das mochte der Gedanke sein, den Hölderlin in das Dunkel seines späteren Lebens mit sich nahm, und der ihm, wie ein jenseitiges Licht, die irdische Nacht erhellte.

8. INNEN- UND AUSSENWELT

Kleist / Hoffmann / Chamisso

> „Es gibt eine innere Welt und die geistige Kraft, sie in voller
> Klarheit, in dem vollendetsten Glanze des regesten Lebens
> zu schauen, aber es ist unser irdisches Erbteil, daß eben die
> Außenwelt, in der wir eingeschachtet, als der Hebel wirkt,
> der jene Kraft in Bewegung setzt."
>
> E. T. A. Hoffmann

Die Tragik von Hölderlins Empedokles ist eine Tragik des Gedankens, nicht der Wirklichkeit. Denn nur wer sich zur Weltanschauung des Pantheismus bekennt, wird in der Formel des Hen Kai Pan einen unlöslichen Widerspruch finden, indes derjenige, der, ohne Abhängigkeit von einer geistigen Ordnung, einfach handelnd in der gegebenen Welt steht, ohne derartige Anfechtungen durchs Leben geht.

Die Gewalt von Ideen nimmt im Laufe ihres geschichtlichen Wirkens ab. So verliert auch zu Beginn des 19. Jahrhunderts der pantheistische Idealismus des nachkantischen Geschlechtes mehr und mehr seine alles Leben bedingende Kraft. Gegenüber den Ordnungen des Gedankens gewinnen die Aufgaben, Forderungen und Tatsachen der Wirklichkeit an Gewicht, und die Zusammenstöße zwischen diesen und dem Reich der Ideen, zwischen Tat und Bildung gewinnen nun bei einer Gruppe jüngerer,

114. Adalbert (Louis Charles Adelaide) von Chamisso (1781—1838)
Stich von Xaver Steifensand nach einer Zeichnung von Carl Weiß
Durch die französische Revolution wurde die Familie de Chamisso von ihren Besitzungen in der Champagne vertrieben. Der junge Chamisso trat in preußische Militärdienste und führte fortan ein zwiespältiges Leben zwischen den politischen Lagern.

115. Peter Schlemihl verkauft seinen Schatten an den „Mann im grauen Rock"
Illustration zu „Peter Schlemihls wundersame Geschichte", gezeichnet und gestochen von Johann Baptist Zwecker
Mehr als durch seine Gedichte gewann Chamisso durch seine 1814 von Foqué herausgegebene Erzählung von Peter Schlemihl Bedeutung. Das Schicksal des Mannes ohne Schatten entspricht etwa dem Chamissos, der, ähnlich jenem, seiner besonderen Verhältnisse wegen immer wieder von den Zeitgenossen sowohl in Preußen wie in Frankreich gemieden wurde.

116. *Erst 1819, nachdem Chamisso wie Peter Schlemihl eine naturwissenschaftliche Forschungsreise unternommen hatte, fand er wie dieser ruhigere Lebensverhältnisse; Er erhielt den Ehrendoktor der Berliner Universität, wurde Kustos des botanischen Gartens und auf Vorschlag Alexander von Humboldts Mitglied der Preußischen Akademie der Wissenschaften.*

114
*Aldalbert (Louis
Charles Adelaide)
von Chamisso
(1781—1838)*

*ter Schlemihl
rkauft seinen
hatten an den
ann im grauen
ck"*

116

*Adalbert
von Chamisso*

117 *Ernst Moritz Arndt (1769 - 1860)*

118 *Arndts Wohn- und Sterbehaus in Bonn*

119 *Karl Theodor Körner (1791 - 1813)*

120 *Körner, Friesen und Hartmann*

um 1780 geborener Dichter — Kleist, Hoffmann, Chamisso — erlebnis-
bestimmende Bedeutung.

Anfang März 1793 starb in Frankfurt a. O. Heinrich von Kleists
Mutter. Der Sohn, der damals als Fähnrich im preußischen Heere am
Rheine stand, eilte zu ihrer Bestattung nach Hause. Seine Rückreise
schilderte er in dem ersten uns erhaltenen Briefe seiner Tante von Massow,
die fortan dem verwaisten Kleistischen Haushalte vorstand. In seiner
kindlichen Naivität birgt der Brief bereits den ganzen Charakter Kleists
in sich. Der damals Fünfzehnjährige nimmt mit regem Geiste und scharfer
Beobachtungsgabe Menschen und Dinge in sich auf, die ihm bei der Post-
fahrt begegnen. Er liebt Genauigkeit und Ausführlichkeit der Erzählung.
Die Zeitangaben sind sehr bestimmt, die Orte, durch die man fährt, werden mit Namen genannt. Geschichtliche Tatsachen werden angedeutet.
Manchmal steigert die erregte Phantasie ein an sich harmloses Ereignis
ins Romantisch-Grausige. Wie „im tiefsten Gebürge" auf der Fahrt von
Gotha nach Eisenach ein Mensch sich hinten an den Wagen klammert und
der Postillon mit der Peitsche nach ihm schlägt, stellt sich der Knabe vor,
es sei ein Räuber; und das fürchterliche Schreien des Geschlagenen scheint
ihm von zwanzig Räubern herzurühren. Soweit bewegt sich die Erzählung durchaus auf dem Boden alltäglicher Wirklichkeit. Aber ein Zug hebt
sie darüber hinaus. Vor Naumburg sehen die Reisenden eine Burg auf
einem hohen Felsen. Man erzählt, ein hundertjähriger Greis sei der einzige

117. Ernst Moritz Arndt (1769—1860)
Nach der Zeichnung von Ludwig Heine gestochen von Eduard Eichens
*Der Enkel eines Schäfers und Sohn eines Gutspächters auf Rügen studierte neben
Theologie Geschichte und vertrat in diesem Zusammenhang die deutsche Sache
so energisch, daß er 1806 vor den napoleonischen Truppen aus Greifswald, wo er
eine Geschichtsprofessur inne hatte, fliehen mußte. Neben politischen Schriften
entstanden in der Zeit der Freiheitskriege vor allem seine vaterländischen Gedichte.*

118. Arndts Wohn- und Sterbehaus in Bonn
*1818 wurde Arndt als Professor für Geschichte an die neu gegründete Universität
Bonn berufen, wo er mit Unterbrechung lehrte.*

119. Karl Theodor Körner (1791—1813)
Kreidezeichnung von seiner Schwester Emma Körner
*Schillers Freund Christian Gottlieb Körner wurde am 23. September 1791 ein
Sohn geboren. Als Jüngling suchte Karl Theodor dem Freunde des Vaters bewußt
nachzueifern. 1811 wurde er Burgtheaterdichter in Wien. 1812 wurde sein Trauer-
spiel „Zriny" dort zum ersten Mal aufgeführt und danach hundertmal gespielt.
Im März 1813 meldete sich Körner zu den Lützowschen Jägern und fiel bereits
am 26. August 1813 als Leutnant.*

120. Körner, Friesen und Hartmann
als Lützowsche Jäger auf Vorposten
Gemälde von Georg Friedrich Kersting

497

Bewohner des Ritterschlosses. „Dies hören, und den Entschluß gefaßt zu haben, ihn zu sehen, war eins." Alles Einspruchs der andern Reisenden ungeachtet, fängt Kleist an, den hohen Felsen hinanzuklettern. Ein Tritt auf einen losen Stein, der abbricht, und ein darauffolgender fünf Fuß hoher Fall schreckt ihn von seinem Vorhaben ab und hätte schlimmere Folgen für ihn haben können, wenn ihn einer der Begleiter nicht aufgefangen hätte.

Dieser Vorfall erhellt sinnbildlich das Gesetz von Kleists Persönlichkeit. Den Knaben reizt etwas Hohes, Romantisches. Sofort regt sich in ihm der Wunsch, es zu erreichen. Er will den Wunsch zur Tat werden lassen, ohne sich um die Möglichkeit und die Gefahr zu kümmern. Mit einer Unbedingtheit, die keine Besonnenheit kennt, steigt er in die Höhe, stürzt. Ein Helfer rettet ihn vor dem gefährdenden Falle. Was dem Knaben der hundertjährige Greis in der hohen Burg, ist dem Jüngling die Bildung, dem angehenden Dichter das hohe, noch nie dagewesene Drama, dem Manne der Kampf gegen Napoleon und gegen den verknöcherten preußischen Staat. Immer wieder setzt er sein ganzes Leben ein um ein hohes, in den Wolken schwebendes Ziel. Ottokar (in der „Familie Schroffenstein"), Robert Guiskard, Jupiter (im „Amphitryon"), Penthesilea, der Prinz von Homburg unternehmen solche Wagnisse, bei denen es um Sein oder Nichtsein geht. Immer wieder findet sich Kleist nach solchen Schwüngen nach dem Ideal in die Wirklichkeit zurück. Schließlich wirft er sich in das Wagnis des Todes. Aber aus dem rettet ihn keine hilfreiche Hand mehr.

Heinrich von Kleist ist am 10. Oktober 1777 als drittes Kind aus der zweiten Ehe seines Vaters in Frankfurt geboren. Aus der ersten stammte seine Schwester Ulrike. Die Familie war eine Soldatenfamilie, die dem preußischen Staate u. a. achtzehn Generale und zwei Feldmarschälle geschenkt hatte. Auch Kleists Vater war Soldat, und die Tradition und Kriegszucht der Armee Friedrichs des Großen bestimmte den Geist des Hauses. 1788 starb der Vater, und nun wurde der Knabe, der in Frankfurt gemeinsam mit einem Vetter durch einen Theologen, Martini, unterrichtet worden war, nach Berlin ins Haus eines Predigers, Catel, gebracht, der am französischen Gymnasium lehrte. Der Geist der Aufklärung, der in Berlin herrschte, bestimmte auch seine Ausbildung. Wieland war damals sein Liebling. 1792 trat er als Gefreiter ins Garderegiment in Potsdam ein. Er zog mit seiner Truppe 1793 an den Rhein und machte die Belagerung von Mainz mit — mit welcher Begeisterung, enthüllt der Stoßseufzer: „Gäbe uns der Himmel nur Frieden, um die Zeit, die wir hier so unmoralisch töten, mit menschenfreundlicheren Taten bezahlen zu können!" Nach dem Frieden von Basel kehrt er als Fähnrich nach Potsdam zurück und führt zunächst das gewöhnliche Leben des jungen Offiziers, besucht Bälle, macht Musik, kann aber mit allen rauschenden Vergnügungen des Trübsinns, der ihn quält, nicht Herr werden. Eine Harzreise bringt vorübergehend Aufheiterung. Aber das Übel sitzt tiefer. Der ganze militärische Betrieb ekelt ihn an. „Die größten Wunder militärischer Disziplin, die der Gegenstand des Erstaunens aller Kenner waren, wurden der Gegenstand meiner herzlichsten Verachtung", schreibt er Martini. Er flieht aus der gedankenleeren Öde seines Berufes in die Wissenschaften und ist schon jetzt „mehr Student als Soldat". 1797 ist er zum Leutnant befördert worden. Zwei Jahre darauf nimmt er seine Entlassung.

Die Familie ist nicht begütert. Was er tut, ist gegen die alte soldatische Überlieferung. Aber man willigt ein, daß er studiert, wenn er es tut, um damit einmal eine Versorgung im Zivildienst zu bekommen. Das aber ist nicht nach seinem Sinne. So hebt der Kampf an zwischen den — vernünftigen — Forderungen der Familie und seiner höheren Überzeugung. Ein langer Brief an Martini vom März 1799 ist gefüllt mit Betrachtungen über die Frage, ob ein denkender Mensch seiner eigenen Überzeugung folgen dürfe. Es ist viel rabulistische Advokatenkunst in seinen Ausführungen; denn im Grunde handelt es sich für ihn nicht um eine Frage der Überlegung, wo er bereits aus dem Zuge seines Herzens entschlossen ist, seiner Überzeugung zu folgen. „Wenn man also", schreibt er seinem Mentor, „nur seiner eigenen Überzeugung folgen kann und darf, so müßte man eigentlich niemand um Rat fragen, als sich selbst, als die Vernunft; denn niemand kann besser wissen, was zu meinem Glücke dient, als ich selbst; niemand kann so gut wissen wie ich, welcher Weg des Lebens unter den Bedingungen meiner physischen und moralischen Beschaffenheit für mich einzuschlagen am besten sei; eben weil dies niemand so genau kennt, niemand sie so genau ergründen kann, wie ich." So folgt er denn seinem eigenen Kopfe und beginnt sein Studium nicht um des künftigen Brotes willen, sondern zu seiner Bildung schlechthin. Niemand hat damals den Schillerschen Unterschied zwischen dem Brotgelehrten und dem philosophischen Kopfe und das Schillersche Ideal der ästhetischen Bildung so unbedingt erfaßt wie Heinrich von Kleist.

Keine Zeit der Geschichte lebte so gründlich von allgemeinen sittlichen Bildungsfragen und Beglückungsplänen wie die Aufklärung; denn sie bereitete jene große und folgenschwere Abkehr vom christlichen Erlösungsglauben zur Hingabe an die Aufgaben und Formen eines reinen Weltlebens vor. Allen voran geht Leibniz mit seiner Lehre von der Emporentwicklung der geisterfüllten Welt — banal ausgedrückt: vom Fortschritt. Wieland hatte sein frühes Lehrgedicht von der „Natur der Dinge" mit Leibnizischen Ideen gefüllt. Aber auch Lessing hatte in der „Erziehung des Menschengeschlechts" die sittliche Vervollkommnung als Ziel der Bildung, auch über den Tod hinaus, hingestellt. Es ist selbstverständlich, daß Kleist, wenn er es nun unternimmt, sein Leben auf die Forderung der Bildung zu stellen, von solchen Ideen ausgeht. Es ist ein aufklärerisches Bekenntnis, wenn er in jenem Brief an Martini Glück „nur die vollen und überschwenglischen Genüsse" nennt, „die in dem erfreulichen Anschauen der moralischen Schönheit unseres eigenen Wesens liegen". Deutlicher drückt er sich zwei Jahre später gegenüber seiner Braut aus: „Ich hatte schon als Knabe (mich dünkt am Rhein durch eine Schrift von Wieland) mir den Gedanken angeeignet, daß die Vervollkommnung der Zweck der Schöpfung wäre. Ich glaubte, daß wir einst nach dem Tode von der Stufe der Vervollkommnung, die wir auf diesem Sterne erreichten, auf einem andern weiter fortschreiten würden, und daß wir den Schatz von Wahrheiten, die wir hier sammelten, auch dort einst brauchen könnten. Aus diesen Gedanken bildete sich so nach und nach eine eigne Religion, und das Bestreben, nie auf einen Augenblick hienieden stillzustehen und immer unaufhörlich einem höheren Grad von Bildung entgegenzuschreiten, ward bald das einzige Prinzip meiner Tätigkeit. Bildung schien mir das einzige Ziel, das des Bestrebens, Wahrheit der einzige Reichtum, der des Besitzes würdig ist." Das ist die Leibnizische Bildungsidee. Leibniz hatte seinen Monaden Wahrnehmungs- oder Erkenntniskraft und das Streben nach sittlichem Handeln eingedacht.

Im April 1799 läßt sich Kleist in Frankfurt immatrikulieren. Er studiert Philosophie, Mathematik, Physik. Aber kaum hat er diesen Wissenschaften Raum in sich gewährt, so stößt ihn ihre Abstraktheit und kalte Logik ab. „Bei dem ewigen Beweisen und Folgern verlernt das Herz fast zu fühlen, und doch wohnt das Glück nur im Herzen, nur im Gefühl, nicht im Kopfe, nicht im Verstande... Verstanden wenigstens möchte ich gern zuweilen sein... von Einer Seele wenigstens möchte ich gern zuweilen verstanden werden." So schreibt er am 12. November 1799 an seine Schwester Ulrike, die fortan die Vertraute all seiner Nöte sein wird. Aber Ulrike, so tief sie ihn versteht, besitzt einen zu selbständigen, fast männlichen Charakter. Er sehnt sich nach einem weiblichen Wesen, das jünger ist als er, das liebevoll ist, ihn anhört und ihm angehört, das noch unfertig ist und das er bilden kann. Er findet es in Wilhelmine von Zenge, der Tochter eines Generalmajors. Sie ist, wie er das Weib, sein Weib ahnt: einfachen Gemütes, noch wenig gebildet, fügsam. Sie wird 1800 seine Braut. Es ist das seltsamste Liebesverhältnis, das man sich denken kann. Von Liebe, d. h. dem Aufgehen im Gefühl, der Anbetung der Geliebten, ist wenig oder nie in seinen Briefen die Rede. Desto mehr von ihm selber, seinen Nöten und Kämpfen, der Unruhe seines Geistes, von hohen Wünschen und Plänen zur Menschenbildung, zur Begründung einer idealen ehelichen Gemeinschaft. Er

Silhouette von Kleists Braut
Wilhelmine von Zenge

nimmt es damit ungeheuer ernst. Er will die Braut in sein Streben nach wahrer Bildung hereinziehen. Die Liebe hat nur dann einen Zweck, wenn beide durch sie edler und besser werden. Er führt seine sich selbst aufgegebene Erziehertätigkeit bis zum letzten Ende durch. Er stellt der Braut Aufsatzthemen, die sie bearbeiten soll, Fragen psychologischer, ehepädagogischer Art. Er schreibt selber Musteraufsätze für sie, als ob seine Briefe nicht schon selber moralische Aufsätze genug wären. Man sieht: er hat sich Wilhelmine nicht verlobt, um eine Geliebte und später eine Gattin zu haben, sondern einen Menschen, der sein Denken in Bewegung setzt, den er bilden kann, vor dem er alles aussprechen kann, was ihn quält, ein Du, das ihn aus der peinigenden Einsamkeit seines versperrten Ich erlöst. Den gleichen Zweck hat es, wenn er die Kenntnisse, die er in experimental-physikalischen Vorlesungen gehört, vor Wilhelmine und einigen andern Mädchen wieder von sich gibt. Im Grunde bildet sein Verhalten gegenüber seiner Braut den seltsamsten Widerspruch zu seinen theoretischen Ausführungen über das Ideal der Ehe. Er ist ein Mensch, dem der gerade Weg zu andern Menschen verbaut ist, der sich in wunderlichen Kreisen und Windungen immer nur um sein eigenes Ich bewegen kann.

So wundert man sich nicht, daß auf einmal ein schweres Hindernis sich in sein Verhältnis zu Wilhelmine und all seine hohen Bildungsideen hineinschiebt; daß seine Ichversponnenheit sich zu dem beklemmenden Wahn zusammenballt, er sei infolge jugendlicher Verirrung zur Ehe untauglich. In Ludwig von Brockes hat er einen älteren, verstehenden Freund gefunden. Mit ihm macht er eine Reise nach Würzburg, wo er einen erfahrenen Arzt aufsuchen will. Die Reise weit weg von der Heimat, die verschleiernde Art, wie er gegen Wilhelmine von dem Zweck der Reise spricht („einst wirst du alles erfahren, und mir mit Tränen danken"); die eindrucksvollen Schilderungen der Irren im Julius-Hospital in Würzburg — alles läßt uns den Grund der Reise klar genug erkennen. Wenn sie einen vollen Erfolg brachte, so dürfte daran, außer der Hilfe des Arztes, vor allem der Zuspruch des warmherzigen und verständnisvollen Freundes schuld gewesen sein.

Die Reise hat ihn so beruhigt, daß er jetzt die Kraft hat, dem Drängen der Familie nachzugeben und ein Amt in Aussicht zu nehmen. In Berlin stellt er sich dem Könige vor und wird nun zu den Sitzungen der Technischen Deputation eingeladen, einer Kommission zum Studium technischer und industrieller Aufgaben. Aber kaum hat er sich dazu bereit erklärt, so zieht er sich wieder in sein Inneres zurück: Der Mensch paßt nicht in das Gefäß eines Amtes, wenn ein höheres Feuer ihn erwärmt. Er will den ganzen Bettel wieder hinwerfen. Wenn der Minister von dem Effekt einer Maschine spricht, so versteht Kleist darunter den mathematischen; der Minister das Geld, das sie einbringt. Wenn er ein neues Werk über Mechanik lesen und darüber in einer Sitzung der Kommission berichten soll, so überlegt er sich, wieviel Zeit ihn das Studium eines solchen Buches kostet, und beschließt, es ungelesen zu lassen, es folge daraus, was da wolle.

Bisher hat er immer noch an seinem Doppelideal Wahrheit und Bildung festgehalten. Er hat es als Schild vor sich gehalten gegen alle Ansprüche des praktischen Lebens. Auf einmal merkt er, wie der Schild ihm aus der Hand gleitet. Im Winter 1800 auf 1801 lebte er mit Brockes in Berlin zusammen. Da geht der Freund zu Anfang 1801 in seine Heimat Mecklenburg zurück. Das ist für Kleist der Anlaß, seiner Braut ein schwärmerisches Bild von „diesem herrlichen Menschen" zu entwerfen. Alle Tugenden sind in ihm vereinigt. Er stellt für Kleist offensichtlich das Ideal eines Mannes dar. Aber auf einmal stößt man in dieser Schilderung auf das Wort: „Sein Grundsatz war: Handeln ist besser als Wissen. Daher sprach er selbst zuweilen verächtlich von der Wissenschaft." Wohl entschuldigt ihn Kleist, mehr für sich selber als für Wilhelmine, sofort: unter Wissenschaft verstehe er Vielwisserei. Aber es gelingt ihm doch nicht, damit den Pfeil aus der Wunde zu ziehen. Denn durch des geliebten Freundes Verachtung der Wissenschaft ist Kleists ganzes bisheriges Bemühen in Frage gestellt. Wahrheit und Bildung — hat das Streben nach ihnen einen Sinn, wenn Handeln besser ist als Wissen?

Damals, und im Zusammenhang mit dieser Enthüllung, muß Kleist Kant gelesen haben. Wenn einer, so konnte Kant die Frage beantworten, die ihn quälte. Denn Kant war der Philosoph des Tages. Wenn er Wilhelmine am 22. März 1801 schreibt, er sei vor kurzem „mit der neueren sogenannten Kantischen Philosophie" bekannt geworden, so hätte man daraus nicht schließen sollen, Kleist habe ein Werk des Kantianers Fichte, statt Kant selber, gelesen. Das „sogenannt" schreibt er, weil er, bei Wilhelmines Bildungsstand, nicht voraussetzen kann, daß sie weiß, wer Kant ist. Er hat am 23. März in einem stellenweise fast gleichlautenden Brief seiner gebildeteren Schwester von seinem Kant-Studium berichtet, aber hier einfach den Ausdruck „die Kantische Philosophie" gebraucht. Wichtiger ist, was er aus Kant herausgelesen hat: „Wenn alle Menschen statt der Augen grüne Gläser hätten, so würden sie urteilen müssen, die Gegenstände, welche sie dadurch erblicken, sind grün — und nie würden sie entscheiden können, ob ihr Auge ihnen die Dinge zeigt, wie sie sind, oder ob es nicht etwas zu ihnen hinzutut, was nicht ihnen, sondern dem Auge gehört. So ist es mit dem Verstande. Wir können nicht entscheiden, ob das, was wir Wahrheit nennen, wahrhaft Wahrheit ist, oder ob es uns nur so scheint. Ist das letzte, so ist die Wahrheit, die wir hier sammeln, nach dem Tode nicht mehr — und alles Bestreben, ein Eigentum sich zu erwerben, das uns auch in das Grab folgt, ist vergeblich." Wenn man sich klar macht, wie er bisher sein ganzes Leben auf den Besitz von Wahrheit und Bildung gesetzt hat, so versteht man seinen Verzweiflungsausbruch: „Mein einziges, mein höchstes Ziel ist gesunken, und ich habe nun keines mehr." Kant hat in der Tat sowohl die Erkenntnistheorie wie die Moralphilosophie der Aufklärung zerstört, und Kleist ist bis jetzt ein Aufklärer gewesen.

Aber hat er Kant verstanden? Man kann die Frage nicht mit einem einfachen Ja oder Nein beantworten. Zunächst hat er mit dem Bild von den grünen Gläsern Kant genial ins Volkstümliche übersetzt, indem er das Menschlich-Bedingte seines Wahrheitsbegriffes damit hervorhob. Nach der Kritik der reinen Vernunft gab es wirklich für den Menschen keinen Schatz von Wahrheiten mehr, den man auf der Erde gesammelt hatte, um ihn einst auf einem andern Sterne brauchen zu können. Aber wenn Kleist so den Kantischen Gedanken der Relativität der menschlichen Erkenntnis erfaßt hatte, so hatte er sich in der Überstürzung seines Temperamentes zu wenig um die Kantischen Bemühungen gekümmert, auf der Ebene der menschlichen Erkenntnismöglichkeit eine neue Grundlegung des wissenschaftlichen Wahrheitsbegriffes zu schaffen. Er blieb auf halbem Wege stehen und zog aus Kant nur den einen Schluß: Es gibt keine Erkenntnis der Dinge an sich, keinen das menschliche Leben überdauernden Wahrheitsbesitz. Das Entweder-Oder seiner auf letzte Entscheidungen gestellten Natur zwang ihn, damit überhaupt das Ideal der Wissenschaft über Bord zu werfen und sich einer Geistesrichtung zu verschreiben, die das Gegenteil des Wissenschaftsverstandes war: dem Gefühl als dem unmittelbaren Verhältnis zur Welt. An die Stelle von Kant trat Rousseau. Es liegt ganz in der radikalen Richtung seines Geistes, daß das Bekenntnis zum Gefühl zunächst mit einem dumpfen Fatalismus als dem Verzicht auf jeglichen Verstandesanspruch, auch der Ordnung der Welt gegenüber, verbunden war.

In seinem äußern Leben wirkt sich die Verzweiflung durch das Kant-Erlebnis in einer unbeherrschbaren Unruhe aus. Es trieb ihn irgend etwas in die Welt hinaus. Er mußte sie in unmittelbarem Erleben erfassen, nachdem die Hoffnung auf die Besitzergreifung durch die Wissenschaft gescheitert war. Er reiste mit seiner Schwester im April 1801 nach Paris, das damals der Mittelpunkt der Weltbewegung war. Es entbehrt nicht der Tragikomik, daß man ihm in Berlin wissenschaftliche Aufträge für Pariser Gelehrte mitgab. Denn in Paris erlebte er die Erkenntnis seiner geistigen Sendung. Es war die des Dichters, nicht des Gelehrten. Das war im Oktober 1801. Er hüllt sich in seinen Briefen auch jetzt wieder in dunkle Andeutungen. Er wagt nicht, das Zarte, was sich in ihm bildet, an das Licht zu zerren. Wilhelmine wird kaum verstanden haben, was er meinte, wenn er ihr schrieb, es sei ein großes Bedürfnis in ihm, etwas Gutes zu tun. Er wolle eine Ehrenschuld abtragen. Er habe ein Ideal ausgearbeitet. Aber sie hat aufgeatmet, als seine Briefe ihr zeigten, daß eine Aufhellung in ihm eingetreten, daß er glücklich war, und daß er jetzt auch ihr Freude machen wollte: „Andere beglücken, ist das reinste Glück auf dieser Erde."

Das „Ideal" war das Szenarium seines ersten Dramas, der „Familie Thierrez", der späteren „Familie Schroffenstein". Damit ist jene Unruhe gestillt, die ihn nach Paris getrieben. Er hat sich selber gefunden. Wieder einmal hatte Kants scharfe und unbestechliche Wissenschaftskritik einem Strebenden die Augen geöffnet. Nicht indem sie Kleist für die Wissenschaft gewann, sondern indem sie ihm zeigte, daß er bei seiner Veranlagung gar nicht für die Wissenschaft taugte. Es war ein niederschmetterndes Erlebnis gewesen, aber eine heilsame Kur. Kant letzten Endes hatte es Kleist zu danken, daß er seine dichterische Sendung erkannte.

Was sollte er nun noch in Paris? Was er bedurfte, war die Ruhe zur Arbeit. Ein „grünes Häuschen" braucht er, ein Häuschen im Grünen, in stiller ländlicher Gegend. Er hat aus Rousseau die Vorstellung erhalten, daß er in der Schweiz diesen stillen Ort finden könne. So entflammt ist er von seiner Pflicht, etwas Gutes zu tun, daß er auch jetzt nur an sich denkt. Daß er auch Wilhelmine dieser Pflicht untertänig machen will. Sie soll mit ihm gehen. Sie wollen zusammen einen Bauernhof in der Schweiz kaufen, im Kanton Bern, in der schönsten Bauerngegend der Schweiz. Man darf Wilhelmine nicht zürnen, daß sie den abenteuerlichen Plan ablehnte. Für ihn aber hieß das, daß sie ihn in der entscheidenden Stunde seines Lebens im Stiche ließ. So kam es zur Trennung. Man findet in seinen Briefen keine Anzeichen, daß der Verlust der Braut ihn sehr tief getroffen hätte. Er hatte ja in ihr nur sich selber und ein unbestimmtes Ideal geliebt. Nun es sich in seinem dichterischen Werke zu erfüllen begann, mochte er das wenig bedeutende Mädchen wohl ohne allzu schwere Enttäuschung preisgeben.

Er war, als er im Dezember 1801 in Basel den Boden der Schweiz betrat, immer noch von der Idylle des Hirtenlandes geblendet. Aber die Schweiz, in die Parteikämpfe der Helvetik verflochten, war damals alles andere als ein stilles Hirtenland. Eine zweite Enttäuschung war, daß der ihm von Frankfurt her bekannte Heinrich Zschokke, der bis dahin Regierungsstatthalter in Basel gewesen, nach Bern übergesiedelt war. Kleist reiste ihm nach. Er traf ihn hier und lernte durch ihn Pestalozzi und zwei Dichtersöhne, Heinrich Geßner und Ludwig Wieland, kennen. Den Winter hindurch sah er sich nach Bauerngütern um und las Bücher über Landwirtschaft. Aber schließlich begnügte er sich damit, auf der Delosea-Insel bei Thun im Frühjahr 1801 sich bei einer Pächtersfamilie einzumieten. Da schrieb er, in erstem mächtigem Ausbruch seines Dichtergeistes, die „Familie Schroffenstein", „Robert Guiskard", begann den „Zerbrochenen Krug" und andere Dramen. Es war, wie bei jenem kühnen Erklettern des hohen Burgfelsens. Er überschätzte seine Kräfte und wurde krank vor lauter Schaffenswut. Man mußte ihn im Sommer ins Spital nach Bern bringen, von wo ihn die Schwester im September nach Deutschland zurückholte.

Den Winter verbrachte er da und dort: in Weimar, bei Wieland auf seinem Gute Osmanstedt, in Leipzig und Dresden. Wieland war es, der damals den immer wieder sinkenden Mut des Dichters hob. Er spendete ihm Worte höchsten Lobes über seinen „Robert Guiskard", den Kleist ihm vorgelesen, und schrieb ihm im Sommer 1803: „Sie müssen Ihren Guiskard vollenden, und wenn der ganze Kaukasus und alles auf Sie drückte." Damals hatte sich in Kleist der Glaube festgesetzt, daß eine neue Reise nach dem Süden den stockenden Fluß seiner Phantasie wieder in Bewegung bringen müsse. Mit seinem Freunde Ernst von Pfuel wanderte er nach Bern, Thun, besuchte die Delosea-Insel, ging dann nach dem Tessin, nach Mailand und zurück nach Bern und Thun. Von Genf aus schrieb er am 5. Oktober 1803 der Schwester einen von Todesahnungen umschatteten Abschiedsbrief. Er hat das Schicksal nicht meistern können. Sein „Robert Guiskard" ist nicht fertig. Er will seine Kräfte nicht länger an ein Werk setzen, das für ihn zu schwer ist. „Ich trete vor einem zurück, der noch nicht da ist, und beuge mich, ein Jahrtausend im voraus, vor seinem Geiste."

Aber bereits hat er sich wieder aufgerafft. Im Nachwort des Briefes bittet er Ulrike, ihm Wielands Brief zu senden, den er ihr im Juli zugestellt hat. Wielands Glaube an seine Sendung soll sein Talismann sein. „Du mußt poste restante nach Paris schreiben." Die französische Hauptstadt also ist sein nächstes Ziel. Dort ist ihm die Erkenntnis seines Dichtertums aufgegangen. Dort hofft er die Kraft zu finden, seinen „Guiskard" zu vollenden. Dorthin reist er, „wie von der Furie getrieben". In Paris wirft er, durch rasendes Kopfweh in Wahnsinn versetzt, seinen „Guiskard" ins Feuer. Er macht Pfuel den Vorschlag, mit ihm zu sterben. Plötzlich verschwindet er. Pfuel, in der Meinung, er habe sich ein Leid angetan, sucht ihn unter den Leichen der Morgue. Inzwischen irrt Kleist im Lande umher. Bonaparte plant den Einfall in England. In seiner Umnachtung will Kleist sich dem französischen Heer anschließen. Von St. Omer aus schreibt er Ulrike einen Abschiedsbrief: „Was ich dir schreiben werde, kann dir vielleicht das Leben kosten; aber ich muß, ich muß, ich muß es vollbringen. Ich habe in Paris mein Werk, soweit es fertig war, durchlesen, verworfen und verbrannt: und nun ist es aus. Der Himmel versagt mir den Ruhm, das größte der Güter der Erde; ich werfe ihm, wie ein eigensinniges Kind, alle übrigen hin ... Ich stürze mich in den Tod. Sei ruhig, du Erhabene, ich werde den schönen Tod der Schlachten sterben ... Unser aller Verderben lauert über den Meeren." Es ist nicht der ehemalige Offizier und Student Heinrich von Kleist, der diesen Brief schreibt, sondern der Held einer Tragödie, und nicht an Ulrike seine Schwester ist er gerichtet, sondern an die Göttin des Ruhmes oder die Muse der Dichtkunst.

Seine beiden Erstlinge, „Die Familie Schroffenstein" und das rätselhafterweise erhaltene Bruchstück „Robert Guiskard", geben ein Bild davon, wie es damals in Kleist aussah. Robert Guiskard, der Normannenherzog, der Beschützer zweier Päpste, der Gegner Heinrichs IV., der auszieht, Byzanz, die Hauptstadt des oströmischen Reiches, zu erobern, und der, durch Seuche bezwungen, mitten auf seinem Siegeszuge haltmachen muß und, wie die Angst der Seinen raunt, selber der Krankheit erliegen wird: das ist Heinrich von Kleist, der hemmungslos Vorwärtsstürmende, der erst die Hand nach dem Besitz von Wahrheit und Bildung ausstreckt, dann nach dem Ruhme einer Tragödie, wie sie — nach Wielands übertreibendem Wort — die Geister des Äschylus, Sophokles und Shakespeare nur vereinigt hätten schaffen können, und der nun, zusammengebrochen, einem ungewissen Schicksal gegenübersteht — wie es den Anschein hat, dem Untergang.

Tiefer noch erschließen uns die Schroffensteiner Kleists Inneres. Schon der Name ist ein Angstschrei. Oft genug muß es Kleist, dem in den

Kerkern seines Ich eingesperrten, umsonst nach dem verständnisvoll liebenden Du Ausschauenden, zumute gewesen sein, als ob die Menschen wie schroffe Steine einander gegenüberstünden — erst recht nachdem Kant, wie Kleist ihn auffaßte, ihn gelehrt, daß jene Hoffnung, eine über das Grab hinaus dauernde Erkenntnis zu erlangen, ein leerer Wahn sei. So tappen die Menschen des Dramas im Dunkeln. Ein verhängnisvoller Erbvertrag hat ihre Sinne verblendet. Sie vermögen die Dinge nicht mehr zu sehen, wie sie sind. Der eine, Rupert von Schroffenstein-Rossitz, soll den Sohn des andern, Sylvius von Schroffenstein-Warwand, im Walde haben erstechen lassen, der andere soll den Sohn des einen vergiftet haben. Tödliche Feindschaft und irrtümliche Ermordung der eigenen Kinder durch die Väter ist die Auswirkung des Wahnes. Und warum? Sie haben sich nur auf den Schein der Sinnenwelt verlassen. Sie haben unter der trügenden Hülle vertauschter Kleider nicht die wahren Wesen erkannt. Einzig die liebenden Kinder der blinden Väter, Ottokar und Agnes, dringen in den Kern der Wahrheit ein, weil das Gefühl ihres Einsseins sie unbeirrbar leitet. So genießen sie höchstes Glück in ihrer Vereinigung. Die Welt aber rast in ihrem Taumel des Scheinwissens weiter. Das letzte Wort hat der wahnsinnige natürliche Sohn Ruperts, Johann:

> „Bringt Wein her! Lustig! Wein! Das ist ein Spaß zum
> Totlachen! Wein! Der Teufel hatt' im Schlaf den beiden
> Mit Kohlen die Gesichter angeschmiert."

Das Gelächter, in das die Freunde Kleists in Bern beim ersten Vorlesen des Stückes am Schluß ausgebrochen sein sollen, quittierte diesen tollen Ausgang eines sehr ernsten Trauerspiels. Es bestätigt aber auch die Verzweiflung, in die Kleist sein Ringen um die Wahrheit gestürzt hat.

Es kam nicht zum Schlimmsten. Kleist kehrte nach Paris zurück, erhielt von dem preußischen Gesandten einen Paß nach Deutschland und brach in Mainz an einem Nervenfieber zusammen. Ein Arzt betreute ihn. Nachher wurde er bei einem Tischler in Koblenz, später bei einem Landpfarrer bei Wiesbaden untergebracht. So beruhigten sich allmählich die erregten Nerven. Im Juni 1804 war er wieder in Berlin. Er hatte nun alle ausschweifenden Dichterhoffnungen begraben und war willens, im Staatsdienste bescheidene Pflichten zu tun. Er mußte erfahren, daß man ihm mit tiefem Mißtrauen begegnete. Der preußische Gesandte Lucchesini hatte einen Brief von ähnlicher Geistesverwirrung erhalten wie Ulrike, den er dem König vorgelegt hatte. Die erste Frage, die der Generaladjutant des Königs, General Köckeritz, an ihn richtete, war, ob er von allen Ideen und Schwindeln, die vor kurzem im Schwange gewesen, völlig hergestellt sei. Er denke sehr ungünstig von ihm. Er habe das Militär verlassen, dem Zivil den Rücken gekehrt, das Ausland durchstreift, sich in der Schweiz ankaufen wollen, Versche gemacht, die Landung mitmachen wollen. Der König habe eine vorgefaßte Meinung gegen ihn. Er könne nichts für ihn tun.

Wochenlang hielt man ihn hin. Dann gestattete man ihm, im Büro des

Oberfinanzrats vom Stein zu arbeiten. Er stürzte sich mit dem ganzen Ungestüm seiner Natur auf die Geschäfte. Es gelang ihm, die Anerkennung Steins und des Ministers Hardenberg zu gewinnen. Im Mai 1805 wurde er als Diätar an der Domänenkammer nach Königsberg geschickt. Er blieb hier bis Ende 1806, und es scheint, daß die Regelmäßigkeit der Arbeit eine klärende und stärkende Wirkung auf ihn ausgeübt hat. So regte sich auch die Dichtung aufs neue. „Amphitryon", „Der zerbrochene Krug", „Penthesilea", Novellen entstanden. Ein Aufsatz über die allmähliche Verfertigung der Gedanken beim Reden zeigt, daß er sich auch mit theoretischer Besinnung Rechenschaft gab über Fragen des schriftstellerischen Schaffens.

Etwas Merkwürdiges begegnete ihm in Königsberg. Er traf hier seine einstige Braut als Gattin des Philosophieprofessors Krug, des kleinen Nachfolgers des großen Kant. Was für Erinnerungen müssen ihn beim Wiedersehen durchstürmt haben! Kant dankte er das schmerzvollste aber auch das fruchtbarste Erlebnis seines geistigen Ringens. Kant war mittelbar auch schuld, daß er Wilhelmine verloren. Ein abenteuerliches Leben voll Schöpferstolz, Demütigung und Umnachtung, weite Wanderungen in der Schweiz, Italien und Frankreich waren die Folge gewesen. Er war nahe daran gewesen, in den Stürmen dieses Herumschweifens unterzugehen. All das spiegelt sich in einer Umdichtung von Lafontaines Fabel „Les deux pigeons". Ein Tauber verläßt die Geliebte und fliegt in die Welt hinaus. Gefahren bedrohen ihn. Halb tot kehrt er wieder zu ihr zurück. Lafontaine hatte von zwei Tauben geschrieben. Man erkennt in Kleists Gedicht die Beziehung auf Wilhelmine.

Von hier führt der Zugang zu „Amphitryon". Kleist, Wilhelmine, Krug — das Verhältnis wiederholt sich in Jupiter, Alkmene, Amphitryon. Wie ein Gott kommt er sich vor, wie er, der Dichter, in den Lebenskreis des bescheidenen Ehepaars tritt. Nirgends hat er so ergreifend dem Einsamkeitsgefühl seines versperrten Ich Wort geliehen wie in den Reden des Götterkönigs. Die ganze Schöpfung ist voll von ihm. Der Abendröte Schimmer, das Gesäusel der Gewässer, der Berg, der Wasserfall, die Sonne: alle zeugen von ihm. Aber er ist unendlich einsam: „Auch der Olymp ist öde ohne Liebe." So wirbt er in der menschlichen Gestalt des Amphitryon um die Liebe von dessen Gattin Alkmene und verwirrt als Doppelgänger ihre Gefühle. Aber nur für einen Augenblick. Sofort entscheidet sie: der Mann in Amphitryons Gestalt, den sie in Armen hält, ist nicht Amphitryon. Aber etwas Großes hat die Liebe des Gottes ihr gegeben, eine Innigkeit und Tiefe des Gefühls, wie sie sie in den Armen des wirklichen Amphitryon nie empfunden. Jupiter wird wieder in seine Einsamkeit zurückkehren. Aber aus der Umarmung des Gottes wird Alkmene die Mutter des Herkules, des griechischen Erlösermenschen: die an die biblische Verkündigung anklingenden Worte des Jupiter weisen auf die Helfersendung des Herkules hin. Das ist das Geschenk, das die Begnadigung durch die Himmlischen dem Menschen gibt. Man denkt an Kleist, der neben dem Taubenglück des Krugschen Ehepaares in seiner Einsamkeit verharrt, aber das Göttergeschenk des Genius in sich trägt. So ist der „Amphitryon" keineswegs, wie der Untertitel irreführend aussagt, ein „Lustspiel nach Molière", sondern in seinen ernsten Teilen eine Tragödie Kleistischer Prägung.

Während Kleist in Königsberg weilte, ereignete sich im Oktober 1806 der Zusammenbruch Preußens. Kleist empfand ihn wie ein persönliches Schicksal, nicht ohne das Gefühl eigener Schuld, wenn er an den wahnwitzigen Plan zurückdachte, sich für das Heer Bonapartes anwerben zu lassen. Hatte er, seitdem er den Soldatenstand verlassen, nur sich selber gelebt, so regte sich jetzt sein politisches Gewissen. „Warum sich nur nicht einer findet," fragte er, „der diesem bösen Geist der Welt die Kugel durch den Kopf jagt?" Im Januar 1807 reiste er mit ein paar Kameraden von Königsberg nach dem von den Franzosen besetzten Berlin. Hier wurde er als Spion gefangengenommen und nach Fort Joux bei Besançon, später nach Chalons-sur-Marne gebracht. Erst im Juli erreichte Ulrike seine Freilasung. Nun ging er nach Dresden, das damals ein Sammelpunkt politisch-literarischer Geister war: der Publizist Adam Müller, der Naturwissenschafter Gotthilf Heinrich von Schubert regten durch Vorträge das geistige Leben an, Tieck und auch Wilhelm Schlegel erschienen. Kleist, gesellig und geistig belebt, fühlte sich wohl. Er arbeitete fleißig an seinen Werken, zu denen sich „Käthchen von Heilbronn" und weitere Novellen gesellten. Mit Adam Müller begründete er eine Zeitschrift, „Phoebus", die ein Stück aus der „Penthesilea" brachte.

Alle diese Werke kreisen um jenes Problem, das durch das Kanterlebnis in ihm brennend geworden war: Wesen und Gestalt oder Sein und Schein in der Erforschung der Wahrheit. Im „Zerbrochenen Krug" spielt der Dorfrichter Adam mit der Lüge, um sich persönliche Vorteile zu verschaffen. In der „Penthesilea" schlägt die Amazonenkönigin in der Wahnsinnshitze ihrer Liebesbrunst die Zähne in den Körper des Achilles, um ihn ganz zu besitzen, und zerstört damit sein Leben. Im „Käthchen von Heilbronn" verliert Kunigunde von Thurneck, die erklärte Braut, den Ritter vom Strahl, weil sie es nur auf seine Güter abgesehen hat, während ihn Käthchen mit der Innigkeit ihrer selbstlosen Liebe gewinnt. In der Novelle „Der Findling" benützt Nicolo seine Ähnlichkeit mit dem von Elvira geliebten Ritter Colino, um die junge Frau für sich zu gewinnen. Überall lassen die Menschen sich durch den Anblick der äußeren Gestalt blenden, und Unglück entsteht, indem sie nicht mit unmittelbarem Gefühl in das innere Sein der Dinge eindringen. Denn stets gesellt sich zu der Irreführung des Wissens auch die Mißleitung des sittlichen Handelns, und der vom äußeren Schein Geblendete ist zugleich der Bösewicht, indes der Besitz der Wahrheit auch den Besitz der sittlichen Bildung verbürgt. Immer wieder taucht aus der vorkantischen Zeit das alte Leibnizische Begriffspaar Wahrheit und Bildung in Kleists Werken auf. Besonders großartig im „Michael Kohlhaas", wo die Verschleierung der Wahrheit durch die mißleiteten Gerichte zu einer furchbaren Erschütterung der ganzen sittlichen Welt, zu Mord und Plünderung großer Volksteile wird.

Von den politischen Verwicklungen des 16. Jahrhunderts wendet sich Kleist der Gegenwart zu. In Dresden hat er 1808 sein erstes politisches Drama geschrieben: „Die Hermannsschlacht". Er hatte die Hoffnung aufgegeben, daß Friedrich Wilhelm III. Napoleon machtvoll entgegentreten werde. Sein Blick richtete sich auf Österreich. Am 1. Januar 1809 sandte er das Drama an den österreichischen Dichter Josef von Kollin, damit dieser es dem Kaiser vorlege. In flammenden Gedichten beschwor er Franz I., „der Welt ein Retter, dem Mordgeist in die Bahn zu treten". Er ließ Germania ihren Kindern zurufen:

> „Zu den Waffen! Zu den Waffen!
> Was die Hände blindlings raffen!
> Mit dem Spieße, mit dem Stab,
> Strömt ins Tal der Schlacht hinab!...
> Schlagt ihn tot! Das Weltgericht
> Fragt euch nach den Gründen nicht!"

Im Jahre 1807 hat Fichte einen Aufsatz über Machiavell veröffentlicht. Scharf hat er darin zwischen dem politischen Handeln eines Staates nach innen und dem nach außen geschieden. Innerhalb des Staates wird das Leben durch Recht und Gesetz geregelt. Außerhalb der Grenzen steht Nation gegen Nation. Jedem Volk ist von Gott die Pflicht eingepflanzt, seinen politischen Willen mit allen Mitteln zum Durchbruch zu bringen. „Hier gibt es weder Gesetz noch Recht, außer dem Rechte des Stärkern. Hier wird die Moral, die das Leben der Bürger im Innern leitet, durch die höhere sittliche Ordnung der Selbstbehauptung abgelöst, und der Fürst ist nur der Vollstrecker des höchsten Gesetzes, der Souveränität des Volkes: Salus et deces populi suprema lex esto — Wohl und Ehre der Nation soll das oberste Gesetz sein." So hat Kleist Hermann gezeichnet. Er ist, ganz anders als Schillers Wilhelm Tell, der politische Charakter, dem das Schicksal des Volkes höchstes Gesetz seines Handelns ist. Wahrheit und Sittlichkeit des Einzelmenschen sind dieser obersten Forderung unterstellt. Hermann betrügt die Römer, er täuscht seine Volksgenossen, er ist rücksichtslos grausam, alles um des höheren Zweckes willen, die Uneinigkeit unter den Germanen zu überwinden, die Römer aus dem Lande zu treiben. Er übt diese höchste Pflicht aber auch gegen sich selber; er ist bereit, sich unter seinem Nebenbuhler Marbod unterzuordnen um der Einheit der Germanen willen.

Im März 1809 erklärte Österreich Napoleon den Krieg. Mit einem Freunde reiste Kleist sofort nach Prag. Am 21. Mai besiegte Erzherzog Karl Napoleon bei Aspern. Am Tage nach der Schlacht durchstreiften die beiden Freunde das Schlachtfeld. Österreichische Soldaten nehmen sie als Spione gefangen. Kleist liest ihnen von seinen Kriegsliedern vor. Als er seinen Namen nennt, schöpfen sie erst recht Verdacht: ein General von Kleist hat Magdeburg an die Franzosen verraten. Aber die Gefangenen erlangen die Freiheit wieder. Kleist stellt seine Feder in den Dienst Österreichs. Er plant die Herausgabe einer politischen Zeitschrift „Germania".

Die Einleitung beginnt mit den Worten: „Diese Zeitschrift soll der erste Atemzug der deutschen Freiheit sein. Sie soll alles aussprechen, was, während der drei letzten, unter dem Druck der Franzosen verseufzten Jahre, in den Brüsten wackerer Deutschen hat verschwiegen bleiben müssen: alle Besorgnis, alle Hoffnung, alles Elend und alles Glück." Es war ein anderes Programm, als es, ein Jahrzehnt früher, Schillers „Horen" verkündet hatten. Die Zeiten hatten sich geändert. Die Artikel, die Kleist für die „Germania" verfaßte, sind Meisterstücke politischer Journalistik in gefährdeter Zeit, voll Geist, Feuer, Ironie, Satire, Hohn. Aber die Niederlage Österreichs bei Wagram im Juli, der Friede von Schönbrunn machten alle Hoffnungen zunichte. „Noch niemals, meine teuerste Ulrike, bin ich so erschüttert gewesen, wie jetzt", schrieb Kleist von Prag aus an die Schwester. „Solange ich lebe, vereinigte sich noch nicht soviel, um mir eine frohe Zukunft hoffen zu lassen; und nun vernichten die letzten Vorfälle nicht nur diese Unternehmung [die „Germania"] — sie vernichten meine ganze Tätigkeit überhaupt... Ich bin gänzlich außerstande zu sagen, wie ich mich jetzt fassen werde." Wieder einmal hatte der kühne Aufschwung mit dem Sturz in die Tiefe geendet. Aus dem Munde eines Griechen aus der Zeit Philipps von Mazedonien sang Kleist sein „Letztes Lied":

> „Er singt die Lust, fürs Vaterland zu streiten,
> Und machtlos schlägt sein Ruf an jedes Ohr.
> Und wie er flatternd das Panier der Zeiten
> Sich weiterpflanzen sieht, von Tor zu Tor,
> Schließt er sein Lied; er wünscht mit ihm zu enden,
> Und legt die Leier tränend aus den Händen."

Der Schlag erschütterte ihn so sehr, daß er in Krankheit fiel. Im Kloster der barmherzigen Brüder in Prag soll er gelegen haben. Es ging auch das Gerücht, daß er tot sei.

Ende November tauchte er wieder in Frankfurt auf. Er hoffte auf die Hilfe seiner Schwester. Sie war verreist. Um sich Geld zu verschaffen, verkaufte er seinen Anteil an einem Hause, das durch Erbschaft an ihn und seine Geschwister gefallen war. Aber was bedeutete die Armut gegen die geistige Not? Als er eines Tages Luise von Zenge, der Schwester Wilhelmines, eine Strophe aus einem seiner Kriegslieder hersagte, fragte sie, der das Lied gefiel, ihn, wer es verfaßt habe. Da schlug er sich mit beiden Händen vor die Stirne und rief: „Auch Sie kennen es nicht? O mein Gott, warum mache ich denn Gedichte?" Von Frankfurt ging er nach Berlin. Dort verkehrte er in den literarischen und politischen Kreisen, besuchte den Salon der Rahel Varnhagen, lernte Achim und Bettine von Arnim und Clemens Brentano kennen und gewann die Freundschaft des Ministers Altenstein. Auch am Hofe erschien er wieder und überreichte der Königin Luise huldigende Verse. Arnim schildert ihn als eine sehr eigentümliche, ein wenig verdrehte Natur. „Er ist der unbefangenste, fast zynische Mensch, der mir lange begegnet, hat eine gewisse Unbestimmtheit in der Rede, die sich dem Stammern nähert... Er lebt sehr wunderlich, oft ganze Tage im Bett, um da ungestörter bei der Tabakspfeife zu arbeiten." Brentano berichtet von seiner Armut. Als er Cotta das „Käthchen von Heilbronn" anbot, ersuchte er ihn, ihm das Honorar, „irgend was es auch sei", gleich zu überschicken. Zwar erlebte er die Freude, daß das „Käthchen" in Wien aufgeführt wurde, aber in Berlin lehnte es Iffland, der Leiter des Hoftheaters, ab. „Es tut mir leid, die Wahrheit zu sagen, daß es ein Mädchen ist; wenn es ein Junge gewesen wäre, so würde es Euer Wohlgeboren wahrscheinlich besser gefallen haben", schrieb ihm Kleist zurück. Cotta hatte den Verlag des „Käthchen" abgelehnt. Als der Berliner Reimer sich bereit erklärte, es zu drucken, schrieb ihm Kleist am 13. August 1810: „Die Zeiten sind schlecht, ich weiß, daß Sie nicht viel geben können, geben Sie, was Sie wollen, ich bin mit allem zufrieden, nur geben Sie es gleich."

Schließlich suchte er sein Heil wieder bei der Journalistik. Mit Adam Müller gründete er die „Berliner Abendblätter". Sie sollten das erfüllen, was die Ungunst der Zeit der „Germania" versagt hatte, nicht nur die Leser unterhalten, sondern zugleich mit geistvollem Versteckspiel den Haß gegen Napoleon schüren. Sie waren anfangs ein großer Erfolg. Aber als Hardenberg wegen Müllers Angriffen auf seine Finanzreformpläne und aus politischen Rücksichten die Zeitung mehr und mehr einschnürte, erlahmte auch das Interesse des Publikums, und im Frühjahre 1811 gingen die „Abendblätter" ein. „Das Leben, das ich führe, ... ist gar zu öde und traurig", schrieb Kleist im August 1811. „Ich bin fast täglich zu Hause, vom Morgen bis auf den Abend, ohne auch nur einen Menschen zu sehen, der mir sagte, wie es in der Welt steht." Es zeigte sich eine Aussicht, daß er wieder im Heer angestellt werden sollte. Er war so arm, daß er Hardenberg um einen Vorschuß von 20 Louisdor für die Anschaffung seiner Ausrüstung bitten mußte. Aber was sollte er im Heere? Im August erwartete man Napoleon in Berlin zu Besuch. „Wie diese Aussicht auf mich wirkt, können Sie sich leicht denken; es ist mir ganz stumpf und dumpf vor der Seele, und es ist auch nicht ein einziger Lichtpunkt in der Zukunft, auf den ich mit einiger Freudigkeit und Hoffnung hinaussähe... Wirklich ist es sonderbar, wie mir in dieser Zeit alles, was ich unternehme, zugrunde geht, wie sich mir immer, wenn ich mich einmal entschließen kann, einen festen Schritt zu tun, der Boden unter meinen Füßen wegzieht." Im Oktober erschien er noch einmal in Frankfurt. Sein Aussehen verursachte der Schwester einen tödlichen Schrecken. Inzwischen hatte Friedrich Wilhelm III. mit Napoleon ein Bündnis gegen Rußland abgeschlossen. Auch die Hoffnung, im Heere zu dienen, war Kleist damit zerbrochen. Damals muß der Gedanke des Todes, der ihm immer nahegestanden, sich endgültig in seiner Seele festgesetzt haben. Sich selber aufzuopfern, mitten in der Not des Vaterlandes, schien ihm jetzt der höchste Sieg. „Mitten im Triumphgesang, den meine Seele in diesem Augenblick des Todes anstimmt", schrieb er seiner Kusine Marie von Kleist am 9. November, „muß ich noch einmal deiner gedenken." Und einen Tag später: „Ich schwöre dir, es ist mir ganz unmöglich, länger zu

*Kleists Abschiedsbrief vom 21. November 1811
an seine Stiefschwester Ulrike.*

leben; meine Seele ist so wund, daß mir, ich möchte fast sagen, wenn ich
die Nase aus dem Fenster stecke, das Tageslicht wehe tut, das mir darauf
schimmert."

Er hatte in Frau Henriette Vogel, der Gattin eines Rendanten, eine
Freundin gefunden, die bereit war, mit ihm in den Tod zu gehen, um
den Qualen einer unheilbaren Krankheit ein Ende zu machen. Es war
nicht etwa Liebe, was ihn an sie band, sondern lediglich der Wunsch zu
sterben. Sie führten ihn am 21. November aus. Am 20. fuhren sie nach
Wannsee und nahmen beim Wirt Stimming zum Neuen Kruge zwei Zimmer. Die Nacht verbrachten sie mit Briefeschreiben. Am folgenden
Nachmittag gingen sie, durch die Nähe des Todes zu höchster Exaltation
erregt, auf einen Hügel am See und ließen sich von der Aufwärterin den
Kaffee dorthin bringen. Kaum hatte sie sich entfernt, hörte sie das
Knallen zweier Schüsse. Als sie nach einiger Zeit zurückkam, sah sie beide
entseelt am Boden liegen. Kleist hatte erst die Freundin ins Herz, dann
sich durch den Mund geschossen. Das Furchtbarste an diesem Ausgang ist,
daß Kleist auch noch im Angesicht des Todes so gründlich einsam war, daß

die Frau, die mit ihm starb, ihm nicht eine Geliebte des Lebens, sondern nur eine Gefährtin des Todes war.

In der schweren und dunkeln Zeit vor dem Ende hat Kleist sein größtes Werk geschrieben, das Schauspiel „Prinz Friedrich von Homburg". Er hat es am 21. Juni 1811 Reimer zum Verlage angetragen.

Nicht ein geschichtliches Drama, denn Kleists Prinz von Homburg hat mit dem wirklichen Landgrafen von Hessen-Homburg und dem Geschehen des Jahres 1675 nicht viel zu tun, sondern die Summe von Kleists Leben. Diesmal ist das Du, um das sein einsames Ich ringt, nicht die philosophische Erkenntnis der Wahrheit und nicht ein geliebter Mensch, sondern das Höchste, was es jetzt für ihn auf Erden gab, der Staat. Er hatte einst, angeekelt von der starren Pedanterie und dem hohlen Schablonentum des alte friderizianischen Preußen, dem König den Degen vor die Füße geworfen: „Wenn der König mich nicht braucht", hatte er ausgerufen, „so brauche ich ihn noch viel weniger. Denn es möchte mir leichter sein, einen andern König, als ihm, andere Untertanen zu finden." Jetzt hatte er den Weg zum König wieder gefunden. Aber es war ein anderer Herrscher als Friedrich Wilhelm III. Wenn das Drama „Prinz Friedrich von Homburg" heißt, so mit Recht; denn es wird darin dargestellt, wie der junge Reiteroberst aus einem unbesonnenen Träumer zum beherrschten Manne heranreift, der sich der Tragweite seines Handelns verantwortlich fühlt und weiß, daß, wer befehlen will, zuerst muß gehorchen können. Aber mit ebenso großem Rechte könnte das Stück nach dem Großen Kurfürsten genannt sein; denn es erhält sein Licht nicht nur von dem Prinzen, sondern ebensosehr von dem Kurfürsten. Es ist schlechthin meisterhaft, wie Kleist diesen großen Herrscher hingestellt hat: immer und überall überlegen und seine unbedingte Gewalt mit wunderbarer Weisheit gepaart. Er ist streng nach dem Buchstaben des Gesetzes, wie es gilt, den Prinzen für den Bruch der Zucht selbst mit dem Tode zu bestrafen. Aber er weiß auch die Ordnung Preußens so fest gemauert, daß er, als der Prinz zur Einsicht in die Gesetzwidrigkeit seines Tuns gekommen ist, nun den Buchstaben des Gesetzes beugen und ihn begnadigen kann.

Was für eine Tragik in der Geschichte Preußens, daß diesem Dichter, der wie kein anderer so tief in den Sinn und das Wesen des Staates hineinsah, von seinem Könige keine Stelle gewährt wurde, an der er für das geliebte Vaterland wirken konnte!

Kleists Lebensproblematik ist ursprünglich bestimmt durch das Verhältnis seiner persönlichen Bildung zu dem geistigen Zustande der Zeit. Sein äußeres Schicksal ist daran zunächst nicht beteiligt. Erst im Laufe der Entwicklung zwingt ihn die politische Lage, eine neue Fragestellung in seine Bildung hereinzuziehen. Anders E. T. A. H o f f m a n n. Das seelisch-geistige Bild seiner Persönlichkeit ist von Anfang an durch die Lebenswirklichkeit bestimmt. Er hat selber einmal als Neunzehnjähriger in einem Briefe an seinen Freund Hippel auf die für ihn notwendige Wechselbeziehung hingewiesen: „Frei zu sein, soviel wie möglich, von den wirksamen Eindrücken unserer Ereignisse — bestimmt den Begriff des Philosophen, doch dahin zu kommen, zu dieser hohen Stufe gänzlichen Apathie, wäre für mich wenigstens nicht Glück ... Solange wir uns nicht entkörpern, und unsere Sinne nicht scheiden können von unserm Geist, müssen wir die Schwärmerei nicht von uns verscheuchen — sie ist uns das, was einem Gemälde das Kolorit ist."

Schon die Beziehungen seiner Eltern zueinander, die in dem Sohne weiterwirkten, und die Eindrücke, die er in seiner Kindheit von seiner Umgebung empfing, fesselten ihn an die Wirklichkeit. Ernst Theodor Amadeus Hoffmann wurde in Königsberg am 24. Januar 1776 geboren. Sein dritter Vorname war ursprünglich Wilhelm. Er hat ihn aus Liebe zu Mozart später mit Amadeus vertauscht. Die Gegensätze der Eltern waren die denkbar größten, die Ehe die unglücklichste. Der Vater, seines Zeichens Jurist, war eine genialische Künstlernatur, exzentrisch und unbürgerlich in seiner Lebensführung; die Mutter, Luise Albertine Dörffer, stammte aus einer Beamtenfamilie, die auf eine peinliche Ordnungsliebe und die höchste Dezenz in allen äußern Formen hielt und Wissenschaft und Kunst nur als eine Annehmlichkeit des Lebens, zur Zerstreuung und Ergötzlichkeit nach den Mühen des Tages, betrachtete. Als der Knabe drei Jahre alt war, trennten sich die Eltern. Der Vater zog als Kriminalrat nach Insterburg; die Mutter kehrte in das elterliche Haus zurück. Zarter Veranlagung, war sie durch ihre Eheerlebnisse völlig gebrochen. Sie „vegetierte nur in krankhaftem Zustande, ein Bild der Schwäche und des Gemütskummers, der sie tief zu beugen schien." So fiel die Erziehung des Knaben vor allem ihren Geschwistern zu, ihrem Bruder, dem Justizrat Dörffer, und ihrer Schwester. Der Onkel, Otto Wilhelm, von Hoffmann als der „Oweh-Onkel", „Sir Ott", der „dicke Sir" und dergleichen bezeichnet, war ein Pedant und Ordnungsfanatiker, der die Einteilung des Tages nach den Erfordernissen einer diätetisch-geordneten Vegetation bestimmte, die Tante, Sophie, war eine Frau von geistreicher Heiterkeit, die den Knaben mit großer Liebe hegte. In ihm selber war der ungebunden geniale Geist des Vaters. Er stand stets im Gegensatze zu der peinlichen Ordnung der bürgerlichen Welt, in der er aufwuchs. Wenn sie ihn bedrückte, flüchtete er sich in die Spiele seiner Phantasie, in die Musik und die Karikatur. Mit fünf Jahren schickte man ihn in die reformierte Burgschule, deren trefflicher Leiter, Wannowski, ein Freund Kants und Hamanns, seine Künstlerbegabung entdeckte. Auf dieser Schule fand er den Freund, der ihm in seiner Jugend am nächsten stand und ihn einen großen Teil seines Lebensweges begleitet hat: Theodor Gottlieb von Hippel, den Neffen des Schriftstellers, des Verfassers der „Lebensläufe nach aufsteigender Linie" und anderer humoristisch-ironischer Romane. Er war geistig nicht bedeutend, aber er diente mit seiner Freundschaft Hoffmann als Gefäß, in das dieser alle Nöte seiner leidenschaftlichen und reizbaren Natur ausgießen konnte.

Mit sechzehn Jahren bezog Hoffmann als Jurist die Universität. Die Rechtswissenschaft sollte einmal den Brotkorb liefern; seine Liebe aber gehörte den Künsten: der Musik, der Dichtung, dem Zeichnen. Noch wirkte Kant in Königsberg als die Leuchte der Universität; jeder Student hatte ihn zu hören. Aber seine Vorlesungen blieben ohne Einfluß auf Hoffmann, der sie nicht zu verstehen unverhohlen zugab. Sein tiefstes Erlebnis spielte sich denn auch jenseits der Universität ab. Er war der Musiklehrer einer jungen reizvollen Frau, Cora Hatt, welche als junges Mädchen einem fast dreimal so alten Kaufmann verheiratet worden war, der nur dadurch der Bestrafung wegen betrügerischen Bankerotts entging, daß seine Frau ihr Vermögen opferte. 1794 lernte Hoffmann sie kennen, und bald entflammte er in glühender Leidenschaft zu ihr. Wieder wie im Dörfferschen Hause erlebte er den Druck einer feindlichen und häßlichen Wirklichkeit, und wieder mußte diese dazu dienen, sein Phantasieleben zu entzünden. Erst meinte er, sich seiner Leidenschaft erwehren zu können. „Daß ich meine Inamorata so ganz mit dem Gefühle liebe, dessen mein Herz fähig ware", schrieb er Hippel am 12. September 1794, „daran zweifle ich sehr, nichts wünsche ich aber weniger, als einen Gegenstand zu finden, der diese schlummernden Gefühle weckt — das würde meine behagliche Ruhe stören, würd' mich aus meiner vielleicht imaginären Glückseligkeit herausreißen, und ich erschrecke schon, wenn ich nur an den Tod denke, der solch einem Gefühl auf den Fersen folgt — da kommen — Seufzer — bange Sorgen — Unruhe — melancholische Träume — Verzweiflung pp. — ich meide daher alles, was so etwas involvieren könnte — zu jeder Empfindung für Cora z. B. hab' ich gleich irgend eine komische Posse zur Surdine, und die Saiten des Gefühls werden so gedämpft, daß man ihren Klang gar nicht hört." Aber er war nicht der Mann, seine Gefühle diätetisch zu lenken, die gerade in seiner reizbaren, zu allen Ausschweifungen bereiten Phantasie immer wieder neue Nahrung fanden. Er schloß sich damals von seiner Umgebung ab — er spricht von einem Klausnerleben, das er führe. Um so verzehrender wütet die Leidenschaft im Innern. „Bester Freund", schreibt er Hippel am 11. Januar 1796, „ich fühl' es, nur du allein in der Welt verstehst mich, und lohnst mir meine innige Freundschaft mit gleichem Gefühl. Um mich her ist Eiskälte, wie in Nova Zembla, und ich brenne und werde von meiner innern Glut verzehrt." Er verfällt in „schwarze Gallhypochondrie". „Der moralischen Gründe gibt's viele! — Aber meine Empfindung, meine Phantasie ist stärker als alles — sie wirft alles über den Haufen, und blickt stolz auf die Kinder des Sentiments ... Heilige Bande müssen in Trümmer zerfallen — entzweigerissen müssen in zerstörter Ohnmacht die verjährten Vereinigungen heterogener Wesen daliegen, und der Geist der ewig wahren Harmonie muß den Palmzweig über die Gräber des Hasses und der Zwietracht schwingen, wenn ich glücklich werden soll." Ähnliche Aussprüche gibt es auch bei Kleist. Und doch, was für ein Gegensatz gegen Kleist! Dieser verzehrt sich in Verzweiflung um seine geistige Bildung, um seinen Lebensplan; Hoffmann in hoffnungsloser Liebe zu einer Frau.

Am 22. Juli 1795 hatte er sein Auskultatorexamen bestanden, und nun übte er sich in juristischer Praxis. Im März des folgenden Jahres starb die Mutter, und im Sommer wurde er nach Glogau versetzt. Immer noch wütete die Leidenschaft zu Cora in ihm. „Ich bin in einer Art Betäubung oder Rausch meiner Vaterstadt entflohn — der Abschied von ihr hatte mich so butterweich gemacht, daß ich mich bald vor mir selber sehr prostituiert und geweint hätte — nachher war ich verzweifelt lustig und zog mir die Überhosen richtig dreimal verkehrt an, dann aß ich sehr viel und trank noch mehr." Es gelang ihm, sich in Glogau allmählich von Cora zu lösen. Ein Onkel, den er in Glogau traf, half mit „eiskaltem Rat" zur Trennung. Aber er fühlte sich unglücklich. Die Familie der Verwandten stieß ihn „durch kindische Torheiten, Firlefanzen und Possenreißen mit Empfindsamkeit" ab. „Es gibt Augenblicke, wo ich an allem Guten verzweifle", bekannte er Hippel. In Wahrheit war das Bild der Geliebten in ihm immer noch nicht verblaßt. Und als er im Frühling 1797 einen Besuch in Königsberg machte, flammte die Glut aufs neue auf. Er beschloß, für sie die Scheidung von ihrem Manne zu betreiben und sich dann mit ihr zu verbinden. Aber gerade ihre Nähe brachte ihn zur Besinnung. „Die Stunden der schönsten Schwärmerei, die ich bei ihr verlebte, erhoben mich in ein Elysium, ich atmete nichts als Wollust — ein Blütenmeer der Wonne schlug seine Welle über mich! — Der Rausch verflog, und ich stieß da an scharfe Ecken, wo ich auf Rosen zu treten glaubte." So schied er sich endgültig von ihr.

Im Juli 1798 machte er das Referendarexamen und ließ sich nun nach Berlin versetzen. Kunstausstellungen, Theater und Konzerte wurden genossen. Dazwischen komponierte und malte er selber. Auch die juristische Arbeit wurde nicht vernachlässigt. Er hatte sich in Glogau mit einer Base, Minna Dörffer, verlobt und dachte an die Heirat. Aber es kam anders. Im März 1800 wurde er als Assessor nach Posen versetzt, wo er 1802 zum Rat am Obergericht ernannt wurde. Nun hätte er heiraten können. Aber mehr und mehr geriet er in eine wilde Gärung. Es scheint, als ob gerade die Aussicht auf die Verbindung mit seiner Braut das Blut des Vaters in ihm aufgeregt habe. Immer wieder stritt sich der Künstler mit dem Beamten, und eine übermütige Genialität lebte sich in tollen Streichen und Ausschweifungen aus. „Ein Kampf von Gefühlen, Vorsätzen pp., die sich geradezu widersprachen, tobte schon seit ein paar Monaten in meinem Innern — ich wollte mich betäuben, und wurde das, was Schulrektoren, Prediger, Onkels und Tanten liederlich nennen. — Du weißt, daß Ausschweifungen allemal ihr höchstes Ziel erreichen, wenn man sie aus Grundsatz begeht, und das war denn bei mir der Fall. — Ich lebte in einer überaus lustigen Verbrüderung, wenn ich so sagen darf — die letzten leuchtenden Blitze, welche wir schleuderten, waren aber solche Geniestreiche, die empfindlichen Leuten, die wir nur für zu unschädlich hielten, Haare und Bart versengten." (An Hippel 25. Januar 1803.) Je mehr dieses wilde Treiben über ihn Herrschaft gewann, um so klarer muß ihm damals der Gegensatz zu der klugen und maßvollen Braut und ihrer Familie bewußt geworden sein. Er fürchtete, es würde, wenn er sich mit ihr verheiratete, sich die Ehetragödie seiner Eltern für ihn wiederholen, und hob die Verlobung auf. Ein paar Monate nach der Trennung von Minna Dörffer heiratete er ein einfaches Mädchen, Maria Thekla Micheline Rorer, die, anschmiegsam und mit weiblichem Takte, seine Launen verstand, seinem ewig rastlosen Geist immer wieder Beruhigung bot, ohne ihn mit nüchternem Urteil einzuengen.

Inzwischen aber hatte einer seiner Geniestreiche eine üble Wirkung gezeitigt. Der Kommandant von Posen, General von Zastrow, hatte den Versuch gemacht, die jüngeren Juristen von den gesellschaftlichen Veranstaltungen auszuschließen. Die Ausgeschlossenen rächten sich, indem sie auf einem Maskenball Karikaturen auf die Teilnehmer verteilen ließen, die Hoffmann gezeichnet hatte. Zastrow beschwerte sich in Berlin und erreichte die Strafversetzung des übermütigen Zeichners nach dem damals preußischen Plozk — einem Ort, „wo jede Freude erstirbt, wo ich lebendig begraben bin". Es gelang ihm, durch Fleiß und Geschick das Mißtrauen zu zerstreuen, mit dem man ihm anfangs begegnete, und die Achtung des Regierungspräsidenten zu erwerben. Er lebe wie ein Heiliger, der Buße tue, schrieb er Hippel. An geistigen Anregungen fehlte es völlig. „Ich müßte verzweifeln, oder vielmehr, ich würde längst meinen Posten aufgegeben haben, wenn nicht ein sehr liebes, liebes Weib mir alle Bitterkeiten, die man mir hier bis auf die Neige auskosten läßt, versüßte und meinen Geist stärkte, daß er die Zentnerlast der Gegenwart tragen und noch Kräfte für die Zukunft behalten kann." Und neben seiner Frau half ihm seine Kunst die Einsamkeit ertragen: er zeichnete Karikaturen, komponierte und versuchte sich in dichterischen Arbeiten.

Anderthalb Jahre, vom Herbst 1802 bis zum Frühjahr 1804, hat er in Plozk zubringen müssen. Dann gelang es seinen Freunden, seine Versetzung nach Warschau zu erreichen. Stand in Plozk der Beamte im Vordergrund, so in Warschau der Künstler. Hier wurde Julius Eduard Hitzig (eigentlich Itzig) sein Freund. Er brachte den werdenden Dichter in Beziehung zu der romantischen Literatur, führte ihn zu Tieck, Wackenroder, Novalis, den Brüdern Schlegel und half so seine eigentliche Natur erschließen. In Warschau lebte damals auch, den Romantikern nahestehend, der Dramatiker Zacharias Werner, mit dem sich Hoffmann befreundete. Vor allem aber stand jetzt die Musik im Mittelpunkte seiner geistigen Tätigkeit, so komponierte er Brentanos Singspiel „Die lustigen Musikanten" und schrieb nach einem Stücke Calderons eine komische Oper „Liebe und Eifersucht". Er half eine musikalische Gesellschaft gründen, in deren Konzerthaus er die Räume ausmalte. So fühlte er sich, von allen Seiten, menschlich und geistig angeregt, in Warschau überaus wohl, bis am 28. November 1806 die Franzosen einrückten, die Stadt besetzten und die Regierung auflösten. Wohl brachte ihm das neue Regiment Befreiung von seinen Amtsgeschäften; er konnte sich nun ausschließlich der Kunst widmen. Aber auch die Not hielt ihren Einzug. Seine schöne Wohnung wurde ihm von den Franzosen genommen. Die Musik trug nichts ein. Es blieb ihm nichts anderes übrig, als Warschau zu verlassen. Im Juli 1807 wandte er sich nach Berlin. Auch hier verfolgte ihn das Unglück. Im Gasthof wurde ihm seine letzte Barschaft gestohlen. Seine Frau erkrankte auf den Tod. Das Töchterchen, das sie ihm geschenkt, starb. Er selber war seelisch aufs tiefste erschüttert. „Ist es dir möglich", schrieb er Hippel, „so hilf mir mit Rat und Tat, denn ohne weiter in das Detail meiner jetzigen Existenz zu gehen, kann ich dich versichern, daß ein standhaftes Gemüt dazu gehört, nicht zu verzweifeln!" Die Regierung hatte vorderhand keine Verwendung für die entlassenen Beamten. Andere Pläne, ein Unterkommen zu finden, scheiterten. Schließlich übernahm er auf den 1. Dezember 1808 die Kapellmeisterstelle am Theater in Bamberg.

Auch sie war eine Enttäuschung. Das Orchester war so erbärmlich, daß Hoffmann bald die Leitung aufgab, sich auf die Kompositionen fürs Theater beschränkte und sich mit einer Gage von dreißig Gulden begnügte. Nach wenigen Monaten machte das Unternehmen bankrott. Nun versuchte er durch den Handel mit Musikalien etwas zu verdienen. Er gab Musikstunden und schrieb Rezensionen für die Allgemeine Musikalische Zeitung. Als dann 1810 ein Berliner Freund Hoffmanns, Holbein, das Theater übernahm, stellte er Hoffmann als künstlerischen und technischen Beirat, vor allem als Komponist und Theatermaler an. In dieser Stellung brachte er u. a. Stücke Calderons, den „Hamlet" und das „Käthchen von Heilbronn" auf die Bühne. Im Zeichen dieser lieblichsten Gestalt, die Kleist geschaffen, steht ein neues Liebeserlebnis Hoffmanns: sein Verhältnis zu Julia Marc. Sie war die Tochter der verwitweten Konsulin Marc, äußerlich ein blühendes Mädchen mit großen, geistvollen Augen. Sie nahm bei Hoffmann Gesangunterricht. Sein Verhältnis zu ihr ist zwiespältiger Art. Sicher ist, daß es sein Inneres in eine Erregung versetzte, die sich „bis zum höchsten Wahnsinn" steigern konnte. Er war zuerst der Meinung, daß er seine Leidenschaft auf eine geistige Zuneigung eindämmen könne. Er wollte von Kätchen — so nennt er Julia in seinem Tagebuch — abstrahieren und schrieb: „Ich habe Ursache, mit mir zufrieden zu sein, indem ich planmäßig und mit Überlegung gegen eine Stimmung ankämpfe, die nichts als Verderbliches herbeiführen kann." Aber er hätte nicht der nervöse Stimmungs- und Phantasiemensch sein müssen, wenn er die Leidenschaft, die ihn ergriffen, hätte bewußt lenken können. Sie überfiel ihn vielmehr mit der Gewalt eines Dämons. Am 19. Januar 1812 verzeichnet das Tagebuch: „Kätchen — Kätchen — Kätchen. O Satanas — Satanas — Ich glaube, daß irgend etwas Hochpoetisches hinter diesem Dämon spukt, und insofern wäre Kätchen nur als Maske anzusehen — démasquez-vous donc, mon petit Monsieur!" Er nimmt in solchen Anfällen seine Zuflucht zum Alkohol. Immer wieder begegnet man im Tagebuch der Zeichnung eines Bechers. Am 24. Januar „sauft er sich" in der „Rose", wo er seine Freunde traf, „toll und voll". Zwei Tage darauf zeichnet er eine Pistole, die eben losgeschossen wird, ein, und am 31. Januar liest man: „Ärgerlich — galligt bis zum [es folgt wieder die Zeichnung der Pistole]. Schon zum zweitenmal das verhängnisvolle Zeichen!!!" Aber immer wieder kämpft er sich durch diese exaltierten und romantischen Stimmungen durch. Ironie und Humor müssen ihm helfen, sie zu überwinden. „Göttliche Ironie!" ruft er einmal aus, „herrlichstes Mittel, Verrücktheiten zu bemänteln und zu vertreiben, stehe mir bei!"

Schließlich machte der Fortgang des bürgerlichen Lebens Hoffmanns Leidenschaft ein Ende. Julia ließ sich von ihrer Mutter mit einem reichen, aber sittlich heruntergekommenen Hamburger Kaufmann verheiraten. Daß sie in diese unwürdige Ehe eingewilligt, war ihm der Beweis, daß die Geliebte doch nicht die gewesen war, als die er sie verehrt hatte. Er sah ein, daß bei seiner Liebe „die Einbildung das meiste getan" und „ein großes Phantasma" ihm getäuscht habe. So rasch freilich vermochte er nicht zu überwinden. Als Anfang März 1813 Julia Mutter werden sollte, traf ihn die Nachricht wie ein Schlag. Aber diese Stimmungen wurden der Keimgrund für seine Dichtung. In Bamberg entstanden aus dem Erlebnis mit Julia Marc seine ersten Werke, die „Nachricht von den neuesten Schicksalen des Hundes Berganza" und die „Phantasiestücke in Callots Manier", die mit einer Vorrede von Jean Paul 1814 erschienen.

Wenn Hoffmann später auf die Jahre in Bamberg zurückschaute, so konnte er sie wohl „die bösesten aller bösen Zeiten" nennen. Not und Armut hatten zuletzt sein Leben fast unerträglich gemacht. Da bot sich ihm im Frühjahr 1813 eine neue Kapellmeisterstelle bei dem Theaterdirektor Seconda in Leipzig. Die Reise, die über Dresden ging, führte Hoffmann und seine Frau mitten in das Getümmel des Krieges. Herumstreifende Scharen von Russen und Preußen bedrängten die Reisenden. Auf der Fahrt von Dresden nach Leipzig wurde ein Pferd scheu und brachte den Wagen zu Fall, wobei die Frau eine tiefe Wunde an der Stirne erhielt. Auch in Leipzig und Dresden, wo die Secondasche Truppe zeitweilig spielte, erlebte Hoffmann die Schrecken des Krieges. Dazu erwies sich die Stelle bei Seconda als höchst unsicher, da die Not und die Nähe des Krieges die Leute vom Besuche des Theaters fernhielt. Seconda selber war ein ungebildeter und grobschlächtiger Mensch, der von der künstlerischen Bedeutung seines Kapellmeisters keine Ahnung hatte. So kam es im Februar 1814 zum Bruch. Es ist ein Zeichen für die beispiellose innere Kraft Hoffmanns, daß er gerade in jener trübsten Zeit eines seiner größten Werke, die „Elixiere des Teufels", schrieb.

In Leipzig war er zufällig wieder mit seinem Jugendfreund Hippel zusammengetroffen, und dieser war es, der nun dafür sorgte, daß Hoffmann wieder in Berlin im preußischen Justizdienste angestellt wurde. Im September 1814 langte er in Berlin an. Nach einer Probezeit wurde er Mitglied des Kammergerichtes. Er fühlte sich bald heimisch in Berlin. Hier hatten sich einige Schriftsteller der späteren Romantik zusammengefunden: Fouqué, Chamisso, der Erzähler Contessa, Koreff. Auch seinen Warschauer Freund Hitzig traf Hoffmann wieder, und in dem Schauspieler Devrient, der 1815 an das königliche Schauspielhaus kam, gewann er einen neuen Gefährten. In der Weinstube von Lutter und Wegner fand man sich regelmäßig zusammen und würzte bei erlesenem Wein die Abende mit ernstem Gespräch über künstlerische Fragen, aber auch mit skurrilen Anekdoten und derben Späßen voll genialen Übermutes. Oft auch traf man sich in Hoffmanns Wohnung oder in einer Gartenwirtschaft. Das sind die „Serapionsversammlungen", so genannt nach dem Heiligen des Tages, an dem die Freunde regelmäßig zusammenzukommen beschlossen. Aus diesen Zusammenkünften ist die Novellensammlung „Die Serapionsbrüder" entstanden. Die Musik war nun gänzlich zurückgetreten. Die „Phantasiestücke in Callots Manier" hatten ihn als Dichter berühmt gemacht. In Berlin entstanden u. a. die „Prinzessin Brambilla", „Meister Floh" und „Der Kater Murr".

Er war aber nicht nur der phantasiemächtige Dichter, dessen Schaffenskraft unerschöpflich schien, sondern auch ein tüchtiger Beamter, der mit Lust und Scharfsinn Akten studierte und Urteile ausarbeitete. Da traf ihn gerade aus dem Kreis seiner amtlichen Obliegenheiten eine Reihe von Schlägen, die ihm die letzten Jahre seines Lebens verbitterten und sein Ende beschleunigen halfen. Seit dem Wartburgfest der deutschen Burschenschaften (1817) war bei den deutschen Regierungen, vor allem in Österreich und Preußen, das Mißtrauen gegen den Freiheitssinn der studierenden Jugend gestärkt worden, und man hatte begonnen, gegen alle seine Regungen mit unnachsichtiger Strenge einzuschreiten. Als gar am 23. März 1819 der Jenaer Burschenschafter Karl Ludwig Sand den russischen Staatsrat Kotzebue in Mannheim erstach, setzte man in Preußen eine „Immediatkommission zur Ermittlung hochverräterischer Verbindungen und anderer gefährlicher Umtriebe" ein. Auch Hoffmann wurde zum Mitglied der Kommission ernannt. Er war mit dem Treiben der jungen Revolutionäre keineswegs einverstanden. „Dir darf ich nicht erst versichern", schrieb er am 24. Juni 1820 an Hippel, „daß ich ebenso wie jeder rechtliche, vom wahren Patriotismus beseelte Mann überzeugt war und bin, daß dem hirngespenstischen Treiben einiger junger Strudelköpfe Schranken gesetzt werden mußten, um so mehr, als jenes Treiben auf die entsetzlichste Weise ins Leben zu treten begann." Aber er war auch nicht davon erbaut, als sich nun vor seinen Augen „ein ganzes Gewebe heilloser Willkür, frecher Nichtachtung aller Gesetze, persönlicher Animosität entwickelte". So führte er gegen den reaktionären und gewalttätigen Berliner Polizeidirektor von Kamptz in der freimütigsten und unerschrockensten Weise einen jahrelangen Kampf. U. a. hat er sich bemüht, die Verdächtigung des Turnvaters Jahn wegen Hochverrats zu entkräften. Er scheute sich als Mitglied des Kammergerichts nicht, Kamptz selber wegen Verbreitung einer falschen Nachricht über die Schuld Jahns in den Berliner Zeitungen vor Gericht zu laden, so daß schließlich Friedrich Wilhelm III. selber sich des Polizeidirektors annehmen und die Unterdrückung der Klage anbefehlen mußte.

Im Sommer 1821 gelang es Hoffmann, seine Entlassung aus der Kommission zu erreichen. Der Streit gegen Kamptz war damit aber noch nicht beendet. Sein Groll gegen den Demagogenverfolger machte sich in einer satirischen Episode des Märchens „Meister Floh" Luft, wo Kamptz als ein niederträchtiger und boshafter Mensch namens Knarrpanti lächerlich gemacht ist. Jeder Eingeweihte merkte, wer unter Knarrpanti gemeint war, und auch Kamptz erfuhr von seiner Verhöhnung. Er beantragte eine strenge Bestrafung Hoffmanns in Form einer Strafversetzung nach Insterburg. Es kam nicht mehr dazu. Im Januar 1822 erkrankte Hoffmann an einer Nervenentzündung, die die Aufregungen des Prozesses steigerten, und am 25. Juni starb er.

Überblickt man dieses Leben, so bietet es an sich des Spannenden nicht gar viel. Ein Mann ringt sich mit redlicher Mühe durch die Wechselfälle des Alltags durch, leistet gewissenhaft seine Arbeit und schreibt seine Werke. Wo Kämpfe entstehen, entstammen sie nicht dem Gegensatz zwischen den Ansprüchen einer geistigen Welt und der mangelhaften Wirklichkeit, sondern eben dieser Wirklichkeit selber: der Not, den Mißhelligkeiten im beruflichen Leben, dem angeborenen Charakter mit dem Überschwang von Phantasie und Temperament. Es ist ein anderes Leben, als das wesentlich von innen, von der Idee her bestimmte Leben Heinrichs von Kleist. Aber Hoffmanns Persönlichkeit war wieder so beschaffen, daß, so gewissenhaft er sich einerseits durch dieses Leben durchkämpfte, er anderseits die wahre Erfüllung seines Geistes nur in der Überleuchtung der Kleinlichkeit und Misere des Alltags durch die Traumgebilde seiner Phantasie, ihre Vernichtung durch Witz und Satire fand. Es war eine Flucht, aber nicht eine Flucht im Sinne der Auslöschung der Wirklichkeit, wie etwa in Tiecks Märchen, sondern eine Visierung der Wirklichkeit von einem anderen Sehpunkte aus. Er steigt nicht ins Mittelalter hinunter als in eine gegenwartsfremde Welt. Er bleibt auch als Dichter in der bürgerlichen Wohnung des Kapellmeisters und des Beamten. Er sitzt an dem Tische des modernen Wirtshauses und wandert durch die Gassen der heutigen Stadt. Aber immer so, daß er Wohnung, Wirtshaus, Gassen und Menschen nicht in ihrem gewöhnlichen Aussehen und Sinn erlebt, sondern je nachdem, vergrößert oder verkleinert, erhellt oder verdunkelt, aus anderer Bedeutung und mit anderen Dimensionen gesehen. Sie blieben, was sie waren, und waren doch andere geworden. Es ging alles nach bürgerlichen Begriffen und gewöhnlichen Maßstäben vor sich, und alles schien doch zugleich in eine Wunderwelt versetzt, in der seltsame Geister, Feen, Riesen und Zwerge hausten und die Bürger des Alltags bald narrten, bald in herrliche Zaubergärten führten.

Denn seine magische Verwandlung der Wirklichkeit geschieht mit zwei verschiedenen Zauberstäben. Mit Ironie, Witz, Satire, Humor einerseits, mit der Leuchtkraft der Phantasie anderseits. Man könnte sagen: verneinend und erhöhend.

In den „Phantasiestücken in Callots Manier" ist eine Erzählung, „Der Musikfeind". Darin schildert Hoffmann die Leiden seiner Musikererfahrungen in dem großmütterlichen Hause. Der Oweh-Onkel hämmert Emanuel Bach auf dem Klaviere. Ein anderer, ein Musikfanatiker, greift aus lauter Begeisterung falsch und kann den Takt nicht halten. Der Knabe sitzt auf einem Stühlchen dabei, leidet Qualen, wenn er die Mißtöne hört, und findet zugleich sein Vergnügen darin, wenn er die Grimassen und kindischen Bewegungen der Spielenden beobachtet. Hoffmann

521

hatte einen kleinen, schmächtigen Körper. Sein Gesicht, das die geschweift
gegen die Mundwinkel sich ausspitzenden Backenbärtchen in zwei Hälften
teilten, bot an sich einen wunderlichen Anblick und ähnelt auf gewissen
Bildern selber einer Grimasse. Nur die Augen, tief, lebhaft, überleuchten
es. Das Gesicht zeigt, daß dieses komische, bewegliche Männchen geradezu
dafür bestimmt war, die Menschen, die in ihrer Größe auf es herunter-
sahen, dadurch erträglich zu machen — oder sich an ihnen für ihren
Hochmut zu rächen —, daß es sie lächerlich machte. Hippel berichtet, wie
Hoffmann, als er mit ihm in der Posener Zeit in Elbing und Danzig zusammen war, eine ungewöhnliche Lustigkeit, die fast in possenreißende
Skurrilität ausartete, gezeigt habe. Die Ursache dieser Lustigkeit, die auch
das Obszöne nicht mied, war das unglückliche Verhältnis zu Cora Hatt.
In Bamberg überschüttete er die Gesellschaft, in der er weilte, oft mit
einem Regen der geistreichsten und tollsten Einfälle, so daß einmal eine
seiner Schülerinnen von ihm sagte: Er verdiene, daß man ihm neben dem
Honorar für seine Lektionen noch ebensoviel für seine Unterhaltung
zahle. Seine Verbannung nach Plozk war durch seinen satirischen Übermut verschuldet.

Hoffmann hat diese innere Lustigkeit, die sich über alle Einengungen
und Demütigungen durch die Außenwelt hinwegsetzte, um sich innerlich zu behaupten, als Humor bezeichnet. In den „Lebensansichten des
Katers Murr" besitzt der kleine lustige Orgelbauer Liscow solchen Humor,
„nicht jene seltene wunderbare Stimmung des Gemüts, die aus der tieferen
Anschauung des Lebens in all seinen Bedingnissen, aus dem Kampf der
feindlichsten Prinzipe sich erzeugt, sondern nur das entschiedene Gefühl
des Ungehörigen, gepaart mit dem Talent, es ins Leben zu schaffen, und
der Notwendigkeit der eigenen bizarren Erscheinung. Dies war die
Grundlage des verhöhnenden Spottes, den Liscow überall ausströmen ließ,
der Schadenfreude, mit der er alles als ungehörig Erkannte rastlos verfolgte bis in die geheimsten Winkel." Es ist ein rein geistiges Spiel, das
Hoffmann so mit der Wirklichkeit treibt. Er weiß, daß er auch mit dem
schneidendsten Spott die Menschen nicht ändern kann. In dem Märchen
„Klein Zaches" erzählt er die Geschichte eines mißgestalteten Zwerges, dem
eine barmherzige Fee das Geschenk gibt, daß die Leute meinen, alles
Gute und Große, was in seiner Gegenwart geschieht, habe er getan. Sie
hofft dabei, es werde dann in ihm die Sehnsucht erwachen, auch innerlich
so gut und vortrefflich zu werden, wie die Menschen ihn glauben. Es ist
eine falsche Hoffnung. Er bleibt innerlich und äußerlich der mißgestalte
Zwerg.

Aber was die Wirklichkeit versagte, bot die Phantasie. Es kam nur
darauf an, daß man die Palette besaß, mit ihren bunten Farben den grauen
Alltag zu übermalen. Die Neigung der Zeit zum Wunderbaren war Dichtern und Forschern gemeinsam. Philosophie und Wissenschaft taten tiefe
Blicke in ein Reich, das mit magischen Dämmergründen hinter dem
Alltag des gewöhnlichen Menschen lag. Der Arzt Mesmer hatte in der
magnetischen Beeinflussung des Körpers ein Heilverfahren entdeckt, das

von andern weiter ausgebaut worden war. Neben dieser physischen Affektion des Körpers erschienen Hypnotismus und Somnambulismus als seelische Formen des Magnetismus. Schon Schelling in seinen „Ideen zu einer Philosophie der Natur" hatte die Einheit der physischen und psychischen Erscheinungen nachgewiesen, indem er die Natur als den sichtbaren Geist, den Geist als die unsichtbare Natur erklärt hatte. In seiner „Weltseele" hatte er alle Erscheinungen, die sichtbaren wie die unsichtbaren, auf den einen Weltgrund zurückgeführt. 1808 gab der Arzt Gotthilf Heinrich von Schubert in seinen „Ansichten von der Nachtseite der Naturwissenschaft" eine Zusammenfassung all dieser neuen Einblicke, die die Seelenforschung in das Reich des Unbewußten gewonnen hatte. Die Menschheit, so führt Schubert aus, besaß im Anfange höhere Einsichten in die Geheimnisse der Natur als der Offenbarung Gottes. Sie sind durch den Abfall der Vernunft im Zeitalter der Zivilisation verlorengegangen. Sie können durch die Kräfte des Magnetismus, Somnambulismus und Hypnotismus wiedergewonnen werden. Auch der Traum ist, wie Schubert in seiner „Symbolik des Traumes" (1814) darlegte, eine solche Offenbarung der göttlichen Hieroglyphenschrift in der Natur.

Hoffmann wurde vor allem in Bamberg durch einen Arzt, Dr. Marcus, den Onkel seiner Geliebten Julia Marc, in diese Geheimwissenschaften eingeführt. Marcus war ein Freund Schellings. Als Direktor der Krankenanstalten in den fränkischen Fürstentümern hatte er u. a. die Errichtung einer Irrenanstalt in Bamberg veranlaßt. Durch ihn erhielt Hoffmann Gelegenheit, hypnotische Zustände aus eigener Anschauung kennenzulernen. Am 21. Dezember 1812 sah er, wie er im Tagebuch berichtet, im Hospital zum erstenmal eine Somnambule. Marcus veranlaßte ihn, Schellings „Weltseele" und Schuberts „Nachtseite" und „Traumsymbolik" zu lesen. Es war, was er hier erfuhr, nicht das Hineingießen eines neuen Inhaltes in seinen Geist. Es war vielmehr die wissenschaftliche oder scheinwissenschaftliche Deutung dessen, was als Naturbegabung längst in ihm vorhanden war. Oder es war die Bewußtmachung von Ideen, die in seiner Seele unbewußt von Anfang an geschlummert hatten. Durch diese Erfahrungen befruchtet, konnten sich seine ersten Werke, die „Nachtstücke in Callots Manier", aus seiner Seele lösen. Eines von ihnen, „Das öde Haus", beginnt mit der Feststellung: „Man war darüber einig, daß die wirklichen Erscheinungen im Leben oft viel wunderbarer sich gestalteten, als alles, was die regste Phantasie zu erfinden trachtet." Der Erzähler der Geschichte berichtet über ein Gespräch, das er mit einem Arzt führte. Da hören wir von der Offenbarungskraft von Traumbildern. Unserem bewußten Willen entzogene Kräfte sind in ihnen wirksam. Sie können uns Personen, an die wir seit Jahren nicht mehr dachten, plötzlich entgegenführen. Diese Traumbilder können aber auch in die Wirklichkeit hineinspielen. Manchmal, wenn uns plötzlich etwas bekannt vorkommt, ist es eine dunkle Erinnerung an ein solches Traumbild. „Wie, wenn dies plötzliche Hineinspringen fremder Bilder in unsere Ideenreihe, die uns gleich mit besonderer Kraft zu ergreifen pflegen, eben durch ein fremdes psychisches Prinzip veranlaßt würde? Wie, wenn es dem fremden Geiste unter gewissen Umständen möglich wäre, den magnetischen Rapport auch ohne Vorbereitung so herbeizuführen, daß wir uns willenlos ihm fügen müßten?"

Ein Reich unendlicher Weiten und geheimnisvoller Tiefen war so dem begabten Geiste erschlossen, ein Zauberland von unbegrenzten Möglichkeiten. Es war reicher und fruchtbarer als die Welt des Grauens, in der sich Tiecks Märchengestalten bewegten, weil es nicht nur ein Vorrat an dichterischen Stoffen war, sondern ein geistiges Neuland, das seinen Sitz in den jenseits des Bewußtseins liegenden Bereichen der Seele hatte. In den Tagebucheintragungen der Bamberger Zeit begegnet man neben den Zeichnungen eines Bechers und einer Pistole auch den Bildern eines Schmetterlings oder eines Bechers mit Flügeln. Sie weisen auf die Flüge in dieses Wunderreich hin. In der „Prinzessin Brambilla" erzählt Giacinta der alten Beatrice, wie, wenn der Prinz sie auf beide Schultern küsse, ihr dann augenblicklich die schönsten, buntesten, gleißendsten Schmetterlingsflügel herauswachsen und sie sich emporschwingt hoch in die Lüfte: „Ha! Das ist erst die rechte Lust, wenn ich mit dem Prinzen so durch den Azur des Himmels segle. Alles, was Erd' und Himmel Herrliches hat, aller Reichtum, alle Schätze, die, verborgen im tiefsten Schacht der Schöpfung, nur geahnt wurden, gehen dann auf vor meinem trunk'nen Blick, und alles, alles ist mein!"

Aber Hoffmann weiß auch, daß solche Flüge in das Reich der Wunder und Geheimnisse dem sogenannten gesunden Menschenverstande versagt sind. Seine Begnadeten sind gerade die Nichtnormalen, Künstler, Phantastiker, Wahnsinnige, arme Teufel und Pechvögel wie er. In dem Märchen „Der goldene Topf" ist der Student Anselmus ein solcher Begnadeter. Er hat sich ein paar Kreuzer zusammengespart, um sich am Himmelfahrtstage an einem ländlichen Vergnügungsort einen guten Tag zu machen. Da hat er das Pech, daß er in seiner blinden Sehnsucht nach dem Glück, das er erwartet, einem Hökerweib ihren Korb mit Äpfeln und Kuchen umwirft. Er muß den Inhalt des Korbes ersetzen, und das kostet ihm seinen ganzen Reichtum. Statt in den Wirtsgarten zu gehen und sich an Kaffee, Bier, Musik und dem Anblick der geputzten Mädchen zu ergötzen, muß er sich an einer lauschigen Stelle im Gebüsch verstecken und seinen Gedanken nachhängen. Da hebt ihn ein wunderbares Erlebnis über die armselige Wirklichkeit empor. Über ihm flüstert es seltsam in den Zweigen. Es ertönt ein Dreiklang heller Kristallglocken, und er sieht drei grüngolden erglänzende Schlänglein. Plötzlich zuckt es ihm wie ein elektrischer Schlag durch seine Glieder. Er erbebt im Innersten, starrt in die Höhe, und ein Paar herrlicher dunkelblauer Augen blickt ihn mit unaussprechlicher Sehnsucht an, so daß ein nie gekanntes Gefühl der höchsten Seligkeit und des tiefsten Schmerzes seine Brust zu zersprengen droht. Nun fangen der Holunderbusch und die Sonnenstrahlen an zu sprechen. Eine große Liebe, die unbewußt bisher in Anselmus schlummerte, wird ihm offenbar. Die armselige Alltagswelt versinkt vor ihm. Ein hoher Geisterfürst wird ihm der Führer ins Reich Atlantis, wo alle seine Wünsche erfüllt werden sollen. Prüfungen harren seiner. Immer wieder kämpft die Alltagswelt um seine Seele. Eine anmutige Bügerstochter wirbt um ihn. Er erliegt ihren Lockungen. Aber schließlich trägt doch der Glaube an die übersinnliche Wunderwelt den Sieg davon, und Serpentina, die Tochter des Zauberers, wird seine Braut.

Auch in den „Lebensansichten des Katers Murr" ist die Welt geschieden in ein höheres geistiges Reich und den niederen Alltag. Im Alltag lebt der Kater Murr, das Tier mit seiner Sippe und seinen gewöhnlichen Freuden und Leiden. Die höhere Welt ist die des Künstlers, des Kapellmeisters Kreisler, der in seiner Berührung mit der Wirklichkeit in schwere Schicksale verstrickt wird, aber als Phantasiemensch auch Seligkeiten genießt, die dem Alltagsmenschen versagt sind. Dagegen ist dem Einsiedler Serapion die gewöhnliche Wirklichkeit völlig aus dem Bewußtsein geschwunden. Er ist ganz in der Traumwelt des Wahnsinns aufgegangen. Er war einst ein Graf und Diplomat. Dann aber hat er sich aus der Welt in die Einöde zurückgezogen, nennt sich Serapion und bildet sich ein, der heilige Märtyrer dieses Namens zu sein, der unter dem Kaiser Decius in der Thebaischen Wüste lebte. Innerhalb dieser Wahnwelt lebt er völlig geordnet. Er hat sich ein hübsches Häuschen gebaut, bestellt seinen Acker, verkehrt freundlich mit den Leuten, empfängt und unterhält sich vernünftig mit ihnen. Nur wenn man ihm sagt, er sei ja eigentlich der Graf P*, so schüttelt er den Kopf und flieht in seinen Serapionsglauben.

Wenn so einerseits in den Satiren und Karikaturen der boshafte Hohn über die Unzulänglichkeit der wirklichen Welt triumphiert, anderseits in den Märchenerzählungen die Phantasie des Besessenen über ihr ein höheres Reich errichtet, so vereinigen sich beide Arten der Erhebung über die Gewöhnlichkeit in der Gestalt des Doppelgängers in den „Elixieren des Teufels". Schon das Spiel des Bewußten und des Unbewußten in der Seele des Menschen bedingt eine Zweiheit seiner Gestalt, nicht nur im Sinne der verschiedenen Wertung des Geistigen, sondern auch im moralischen Sinne als Gegensatz zwischen Gut und Böse. In seiner Traumsymbolik unterscheidet Schubert einen guten und einen bösen Dämon im Menschen, und in seinen „Philosophischen Untersuchungen über das Wesen der menschlichen Freiheit" (1809) behandelt Schelling die Frage der Notwendigkeit des Bösen in der Welt. Im Anschluß an Gedanken Jakob Böhmes faßt er alles Leben als Wirkung des Widerspruches auf. Ohne Widerspruch würde es stillstehen. Das Böse ist notwendig zur Offenbarung der Liebe Gottes. „Denn jedes Wesen kann nur in seinem Gegensatz offenbar werden, Liebe nur in Haß, Einheit nur in Streit."

Die „Elixiere des Teufels" sind auf diesem Grunde gewachsen. Hoffmann selber weist im Vorwort darauf hin, daß die Geschichte des Mönches Medardus mehr sei als das regellose Spiel der erhitzten Einbildungskraft, und daß das, was wir insgeheim Traum und Einbildung nennen, wohl die symbolische Erkenntnis des geheimen Fadens sein könne, der sich durch unser Leben zieht, es festknüpfend in allen seinen Beziehungen. „Mit meinem Ich mehr als jemals entzweit, wurde ich mir selbst zweideutig, und ein inneres Grausen umfing mein eigenes Wesen mit zerstörender Kraft", läßt Hoffmann seinen Mönch sprechen.

Nirgends ist der beständige Streit zwischen dem Guten und dem Bösen im Menschen mit solch verwirrender Leidenschaft dargestellt, wie in den „Elixieren des Teufels". Wenn bei Hölderlin die Individuation des Hen Kai Pan im Lichte reiner Tragik erscheint, so bei Hoffmanns als grauenhaftes Irrsal der Seele. Über seinen Gestalten steht das Gesicht des Dichters, in dem aus einem wunderlichen Gewirr von verzerrten Zügen die großen Augen mit unergründlicher Tiefe den Beschauer anblicken.

Eine ganz andere Antwort fand die Frage Innenwelt und Außenwelt, Denken und Wirklichkeit bei A d a l b e r t   v o n   C h a m i s s o. Er ist als geborener Franzose in die metaphysische Ideenwelt des damaligen Deutschland eingetreten, und er hat den Bildungsproblemen, die er darin fand, mit dem klaren Rationalismus des Franzosen eine Wendung gegeben, die ihn schließlich weit weg von aller Philosophie in die rein menschliche Ethik des bürgerlichen Realismus führte.

In der Champagne stand das Stammschloß der Familie, Boncourt. Es wurde im zweiten Jahre der Revolution niedergebrannt. Die reichen Güter wurden zum Staatseigentum erklärt, die Familie, die ins Ausland floh, rettete nichts als das nackte Leben. Der Vater trat als Oberstleutnant in ein Emigrantenkorps, die Mutter hielt sich mit den Kindern zuerst in Lüttich, dann im Haag auf. In Düsseldorf vereinigte man sich wieder und zog von da nach Würzburg, dann nach Bayreuth und später nach Berlin, wo die beiden ältesten Söhne als Miniaturmaler die Familie über Wasser zu halten suchten.

Louis Charles Adelaide war am 30. Januar 1781 auf Schloß Boncourt geboren worden, war also zur Zeit der Flucht neun Jahre alt. Die Familie war so arm, daß, als sie sich in Würzburg aufhielt, man allen Ernstes den Plan erwog, ihn einem Tischler in die Lehre zu geben. Statt dessen wurde er Blumenverfertiger und -verkäufer zu Bayreuth. Dann brachte man ihn als Porzellanmaler nach Berlin. Hier tat sich ihm eine glänzende Laufbahn auf. Er wurde Page bei der Königin Luise und erhielt eine sorgfältige Ausbildung. Er durfte Privatunterricht und Stunden im französischen Gymnasium nehmen. Aber der Pagendienst war wenig nach seinem Sinn. Als die Königinmutter auf einem Hofballe bemerkte, daß er nicht tanzte, und ihn dazu aufforderte, antwortete er, er tanze nicht und habe auch keine Lust dazu: „Man muß sein Talent zu nichts zwingen, wozu man kein Geschick hat."

1798 trat er als Fähnrich ins Heer ein, und 1801 wurde er Leutnant. War er mit Lust Soldat geworden, so wurde er bald enttäuscht. Der öde Drill und die äußerliche Properté stießen ihn ebenso ab wie Heinrich von Kleist. Er fühlte sich, von Geburt Franzose, als bloßer Söldner. So vernachlässigte er seinen Dienst und war unordentlich in seiner Uniform. Er las die großen Dichter und begann selber zu dichten. Die Folge waren Zurechtweisungen und Scherereien mancher Art. Noch auf seiner Weltreise plagten ihn Erinnerungen an diese Zeit als quälende Träume: „Der

Wirbel schlug, ich kam herbeigelaufen, und zwischen mich und meine Kompagnie stellte sich mein alter Oberst und rief: Aber Herr Leutnant, in drei Teufels Namen! — O dieser Oberst! Er hat mich, ein schreckender Popanz, durch die Meere aller fünf Weltteile, wann ich meine Kompagnie nicht finden konnte, wann ich ohne Degen auf die Parade kam — wann was weiß ich, unablässig verfolgt; und immer der fürchterliche Ruf: Aber Herr Leutnant, aber Herr Leutnant!" 1801 durfte seine Familie nach Frankreich zurückkehren. Er mußte aus finanziellen Gründen in dem verhaßten Soldatendienst bei magerster Gage aushalten. Es fehlte ihm an allem. „Ich habe keine Hemden", klagte er den Eltern, „keinen Mantel, nur ein Paar Stiefel, und sie schreien mich mit offenem Munde an; meine Gamaschen fehlen, meine Kleider werden zu kurz, löcherig, verschwinden... Ich habe weder einen Korb, meine Sachen zu tragen, noch Vorrat, ihn zu essen, überhaupt nichts, was man braucht."

Schon jetzt bekennt er, daß ihn einzig ein privater Beruf und ein stilles Leben im Schoße der Familie und inmitten der Natur beglücken würden. Immer lockender kehrten in solchen Stimmungen die Erinnerungen an die Kinderheimat zurück. 1802 besuchte er die Eltern in Frankreich, aber schon 1803 war er wieder in Berlin, im alten Elend, ja sein Mißbehagen steigerte sich. Zu der Qual des Berufes trat das demütigende Gefühl, „der Ausländer, der Franzose, der Mischling von zwei Nationen zu sein, von denen die eine ihn der andern zuschiebt". Die Bücher waren seine Erholung, sein Trost. Er vertiefte sich in die Philosophen, Kant, Rousseau, die französischen und deutschen Dichter: vor allem Schiller stand ihm damals nahe. Und mit gewaltigem Eifer bemühte er sich um die deutsche Sprache. Varnhagen von Ense, der zu jener Zeit sein Freund geworden war, berichtet von ihm, er habe den Franzosen in keinem Zuge verleugnen können, „Sprache, Bewußtsein, Sinnesart, Manieren und Wendungen, alles erinnerte an seine Herkunft". Zu dieser französischen Bildung stand freilich seine Ungelenkigkeit in einem wunderlichen Widerspruche. „Seine langen Beine, die knappe Uniform, der Hut und Degen, der Zopf, der Stock und die Handschuhe, alles konnte ihm unvermutet Ärgernis machen. Am meisten aber und am sichtbarsten kämpfte er mit der Sprache, die er nur unter gewaltigen Anstrengungen mit einer Art von Meisterschaft und Geläufigkeit radebrechte."

Inzwischen steigerte sich die Spannung zwischen Napoleon und Preußen von Jahr zu Jahr. Chamissos Stellung als Franzose in dem preußischen Heere wurde immer bedenklicher, sein Unbehagen größer, seine Stimmung dunkler. Am 1. Dezember 1805 schrieb er an Varnhagen: „Kein Volk, kein Vaterland, einzeln müssen wir es treiben! Siehe, das hast du mir aus dem Herzen in das Ohr geschrien, daß ich erschrak und mir die Tränen, die rollenden, von den Wangen wischte." Und am 26. Februar 1806: „Meine Seele ist betrübt bis in den Tod. Die Zeit vergehet und rinnet fort und fort. Ich aber mühsamen Schlafes schlafe in bangen Träumen und fühle mich gebunden und gehalten." In diesem Mißmut forderte er seinen Abschied, und erhielt nach vier Monaten den Bescheid, daß sein Gesuch erst nach der allgemeinen Demobilisierung bewilligt werden könne. Als im Herbst 1806 der Krieg ausbrach, erließ Napoleon am 6. Oktober von Bamberg aus ein Dekret, wonach jeder Franzose, der im feindlichen Heere stehe, im Falle der Gefangennahme vor ein Kriegs-

121. Maximiliane Brentano (1756—179..),
die Mutter von Clemens und Bettina Brentano, Goethes Freundin
Tuschzeichnung von unbekannter Hand

122. Clemens Maria Brentano (1778—1842)
Kreidezeichnung

Der Sohn des Frankfurter Kaufmanns Brentano eignete sich wenig zu dem Beruf seines Vaters. Er hatte vielmehr von dem schöngeistigen Erbe seiner Mutter Maximiliane, geb. La Roche, der Tochter von Sophie La Roche. Die Erinnerung an sie öffnete Brentano während seines Studiums in Jena bei Wieland, Goethe und Herder die Türen. Aber er fand auch Aufnahme im Kreis der in Jena lebenden frühen Romantiker: die Brüder Schlegel und Tieck. 1801 traf Clemens Brentano Achim von Arnim, und es entwickelte sich die fruchtbarste Dichterfreundschaft der jüngeren Romantik. Man fuhr gemeinsam den Rhein hinab und lebte zusammen in Heidelberg. Der empfindungsreichere Dichter von beiden war zweifellos Brentano. Kindlicher Sehnsucht, grenzenloser Hingabe und schwermütigem Leid entspringt die unverwechselbare Stimmung seiner Dichtungen. Brentano war eine poetische Existenz. Aber gerade deswegen bedurfte er eines Haltes, den er an dem bei aller Romantik in sich gesicherten Arnim fand.

123. Clemens und Bettinas Elternhaus
„Der Goldene Kopf" in der Großen Sandgasse in Frankfurt am Main
Tuschzeichnung von unbekannter Hand

124. Sophie Mereau, verh. Brentano (1770—1806)
Bleistiftzeichnung von unbekannter Hand

Während seines Studiums in Jena 1798 faßte Clemens Brentano eine stürmische Liebe zu der acht Jahre älteren Sophie, der Frau des Professors Mereau, die er nach ihrer Scheidung 1803 heiraten konnte. Sie vermochte Brentano zu geben, wonach er sich in seinen schutzlos der Welt ausgesetzten Gefühlen sehnte: Mütterliche Geborgenheit und Halt im poetischen Dasein. „O Mutter, halte dein Kindlein warm, / Die Welt ist kalt und helle" dichtete er 1804 in der Erwartung ihres ersten Kindes. Um so bodenlosere Verzweiflung überfiel Brentano, als Sophie am 31. Oktober 1806 bei der Geburt des dritten Kindes starb.

125. Clemens Brentano, 1837
Zeichnung von Ludwig Emil Grimm

Nach dem Verlust seines Haltes an Sophie wurde Brentano das Leben abermals zur Irrfahrt. Eine zweite Ehe mußte nach dreijährigen Höllenqualen wieder geschieden werden. Im Hause seines Freundes Arnim, der inzwischen Clemens' Schwester Bettina geheiratet hatte, fand der Unruhige keine dauernde Aufnahme. so suchte er letzte Geborgenheit im Schoß der katholischen Kirche. Er zeichnete die Visionen der Katharina Emmerich auf und reiste nach ihrem Tode als Helfer der Armen durch die Lande.

21   Maximiliane Brentano (1756 - 1793)

123   Clemens und Bettinas Elternhaus

125   Clemens Brentano, 1837

124
phie Mereau, verh. Brentano (1770 - 1805)

126
*Ludwig Achim
von Arnim
(1781 - 1831)*

1.
*Betti
von Arn
geb. Brenta
(1785 - 185*

128
*Quartettabend
bei der alten
Bettina v. Arnim*

129
*Bettina v. Arnims
Wohnhaus
in Berlin,
In den Zelten*

gericht gestellt und erschossen werden solle. Aufs neue forderte jetzt Chamisso seinen Abschied. Er wurde ihm wiederum verweigert. Zähneknirschend fügte er sich: „Ich bleibe getrost in Reih und Glied gegen mich selber, muß es nach begehrtem Ausspruch; und bei dem allen werd' ich nicht verstanden, und vielleicht wohl gar hegt man Mißtrauen gegen mich."

Da erfüllte der Gang der Kriegsereignisse selber seinen Wunsch. Chamissos Regiment stand damals in Hameln in Garnison. Im November übergab der Kommandierende General die Stadt ohne Schwertstreich den Franzosen. Chamisso war aufs tiefste empört. Aber eines hatte er nun erreicht: seine Freiheit vom preußischen Heeresdienste. Man hatte ihm einen Paß nach Frankreich gegeben. Er reiste in die Heimat und erlebte hier Enttäuschung über Enttäuschung. Er war im Herzen „ein freier Deutscher" und fühlte sich in Frankreich fremd und vereinsamt. Die Eltern waren gestorben, die Verhältnisse waren alle anders geworden. „Frankreich ist mir verhaßt, und Deutschland ist nicht mehr und noch

126. Ludwig Achim von Arnim (1781—1831)
Gemalt von Peter Eduard Ströhling, 1804

Arnim wurde 1801 während seiner Göttinger Studienzeit von Brentanos Romantik mitgerissen. In Heidelberg sammelte man gemeinsam Stoff zum „Wunderhorn" (1806—1808), und an Arnims romantischer „Zeitung für Einsiedler" (1808) hatte Brentano entscheidenden Anteil. Aber Arnims ausgeprägtes Sittlichkeits- und Vaterlandsbewußtsein ließen eine ganz andere Art Dichtung als Brentanos poetische Existenz entstehen: Voll Glauben an die sittliche Kraft alter Sagen und Märchen pfropfte Arnim sie in seinen Erzählungen und Romanen auf historische Ereignisse und Zeitfragen, um auf diese Weise seiner durch die französische Revolution und den preußischen Zusammenbruch verstörten Generation zu neuem Lebensverständnis zu verhelfen.

127. Bettina von Arnim, geb. Brentano (1785—1859)
Bleistiftzeichnung von Ludwig Emil Grimm, 1809

Die Schwester Clemens Brentanos heiratete 1811 Brentanos Freund Ludwig Achim von Arnim.

128. Quartettabend bei der alten Bettina von Arnim
Aquarell von Johann Carl Arnold, 1854

129. Bettina von Arnims Wohnhaus in Berlin, In den Zelten
Tuschzeichnung

Nach dem Tode Achim von Arnims zog Bettina vom Gut Wiepersdorf nach Berlin, wo sie einen regen geselligen Verkehr pflegte. Hatte sie sich früher in recht frei gestalteten biographischen Berichten, wie „Clemens Brentanos Frühlingskranz" (1801/1803), „Goethes Briefwechsel mit einem Kinde" (1835) und schließlich „Die Günderode" (1840) gefallen, so begann sie in den vierziger Jahren ihre sozialen und politischen Ideen zu entfalten. Ihr koboldhaft rumorender Geist hatte in den revolutionären Bestrebungen dieser Zeit eine einheitliche Richtung gefunden. Ihr an Friedrich Wilhelm IV. gerichtetes Werk „Dies Buch gehört dem König" (1843) ist daraus hervorgegangen.

nicht wieder ... Wo auch ich sei, entbehr' ich des Vaterlands. Dort ist der Boden mir und dort die Menschen fremd." So kehrte er im Herbst 1807 wieder nach Berlin zurück. Aber auch Berlin war nicht mehr das alte. Nach dem Zusammenbruch Preußens hatte eine geistige und politische Erneuerung eingesetzt. Das neu erwachende Vaterlandsgefühl begegnete dem Franzosen mit verletzendem Mißtrauen. Als ihm seine Verwandten mitteilten, daß er am Lycée in Napoléonville eine Lehrstelle für alte Sprachen erhalten könne, ergriff er Ende 1809 die Gelegenheit, wieder nach Frankreich zurückzukehren. Die Nachricht erwies sich als eine Täuschung. Aber er blieb in Paris und verkehrte hier, wiederum ein Beweis seiner politischen Zwitterstellung. vor allem in den Kreisen der deutschen Kolonie. Die Schriftstellerin Helmina von Chézy, mit der ihn eine intime Freundschaft verband, brachte ihn in Verbindung mit August Wilhelm Schlegel, und durch diesen lernte er Frau von Staël kennen. Die folgenden Jahre brachte er meist im Gefolge der Staël zu, in Chaumont, Fossé, in Genf und Coppet. Die laute Lebhaftigkeit der Gesellschaft, in der er sich befand, trieb ihn nur immer tiefer in sich hinein. „Mangel an Talent für die Welt", schrieb er am 17. November 1810 an Fouqué, „und Abneigung gegen dieselbe ... sind mein Einsiedlerberuf; ich habe keine Lust am Spiele der Welt." Er sehnte sich nach „einem Dach, einem Herd und reinen Verhältnissen."

Aber eines brachte ihm der Aufenthalt in der schönen Natur von Coppet: die Erkenntnis seines Berufes. Wenn er alle die Jahre her in der düstersten Stimmung war, wenn er „alles sehr schwer, sehr ernst" nahm, wenn ihn die laute und lockere Geselligkeit um ihn herum abstieß, so deswegen, weil er seiner selbst nicht klar war und seine Lage seinem tiefsten Bedürfnis nicht genügte. Es drängte ihn nach einer Tätigkeit, die ihn ausfüllte, die ihm, abseits seiner politischen Zwitterstellung, Befriedigung gewährte. Er fand sie im Studium der Natur. Die Landschaft der Schweiz zog „seinen Sinn gewaltiger an, denn alle Kunst und Wissenschaft". Er las mit Feuereifer Reisebeschreibungen. Er begann Botanik zu treiben. So beschloß er, nach Berlin zu gehen und Medizin und Naturwissenschaft zu studieren. Am 17. Oktober 1812 ließ er sich immatrikulieren. Mit Begeisterung widmete er sich den Studien, vor allem der Botanik. „Ich will", erklärte er, „alle Naturwissenschaften mehr oder weniger umfassen und in einigen Jahren als gemachter Mann und ein rechter Kerl vor mir stehen, der zu einer gelehrten Reise im allgemeinen und zu einem bestimmten Zweig insbesondere in einer größeren Untersuchung derart als tauglich sich darstellen könne." Er fühlte: die Jahre des Suchens und Irrens waren zu Ende. Er hatte sich selber gefunden. Er war glücklich.

Da brach, nach der Niederlage der Franzosen in Rußland, der Krieg in Deutschland aus. Alles eilte voll Begeisterung zu den Waffen. Nur er, der Deutschfranzose, mußte tatlos abseits stehen. Er hatte sich als Freiwilliger melden wollen; die Freunde hatten abgeraten. Er war in der düstersten Stimmung.

Mit dunklem Gemüte sah er mitten im Siegesjubel in die Zukunft

Deutschlands. Er fragte sich, ob „die Völker nicht den Zwist der Könige, sondern die Könige den Zwist der Völker" führten. Ein Freund bot ihm einen Zufluchtsort in Kunersdorf an. Da schrieb er 1813 den größten Teil von „Peter Schlemihls wundersamer Geschichte". Es war das Bekenntnis, daß die entscheidende Wendung seines Lebens eingetreten war, daß er nicht nur aus der politischen Wirrnis, sondern auch aus den geistigen Kämpfen den Weg zu sich selber gefunden, die ehrliche Hingabe an die Aufgaben der Wirklichkeit über die metaphysischen Träume der Romantik gesiegt hatte.

Man kann die Entwicklung in Chamissos menschlichem, wie in seinem geistigen Verhalten verfolgen. Schon als Neunzehnjähriger hatte er seiner Schwester Lise bekannt, daß ihm eine gute Ehe das Meisterstück der Schöpfung zu sein scheine, daß aber die Verdorbenheit der Zeit, die Sitten und Vorurteile das Glück einer Ehe erschwerten. Sein Frauenideal war ein einfaches Mädchen, das wahr und offen suche, das Glück eines braven Mannes zu machen. Es war sein Schicksal, daß er als junger Offizier in Berlin in eine heftige Leidenschaft zu einer anmutigen und geistreichen Frau verstrickt wurde, Cérès Duvernay, die ihn lange hinhielt, ohne den Werbenden zu erhören. Auch in seinem Verhältnis zu Helmina von Chézy, in seinen Erlebnissen als Begleiter der Frau von Staël lernte er die Liebe in einer Form kennen, die alles andere eher war als die Erfüllung seines Ideals einer wirklichen Ehe.

Zur gleichen Zeit, da er so das lockere Liebesleben der Romantik erfuhr, mühte er sich auch als geistig Suchender auf den Wegen ab, die die Philosophie der Zeit bot. Er studierte Kant und die Systeme seiner Schüler. Wie ernst er um die letzten Fragen rang, zeigen seine Dichtungen vor dem „Schlemihl". Ein Faustversuch, der 1803 entstand, ist das Ergebnis seiner Kantstudien. Faust schließt seinen Bund mit dem Teufel, weil er den Glauben aufgegeben hat, durch die Bildung Erkenntnis der Welt zu finden. Im Frühjahr 1806 entstand eine Allegorie, „Adelberts Fabel". Sie schildert jene Erlösung, die Chamisso empfand, als er den Soldatenrock ausziehen konnte. Adelbert ist am Boden festgefroren und in einem Eisgefängnis eingeschlossen. Da erscheint ihm eine Frauengestalt, die ihm eine Locke vom Kopf schneidet und ihm eine der ihrigen samt einem Ring gibt, in dem das Wort: „Thelein, Wollen", eingeritzt ist. Nun schmilzt das Eis und wird zu einem gewaltigen Strome, der ihm die Locke raubt. Adelbert schwimmt ihr nach. Er kommt in eine unterirdische Halle, wo Gestalten an unzähligen Webstühlen arbeiten. Über allen sitzt ein Greis, eingehüllt in einen Sternenmantel, eine Harfe schlagend. Auf seiner Stirne steht: „Ananke, Notwendigkeit". Auf einem Altar findet Adelbert seine Locke vereint mit der der Frauengestalt. Wie er den Ring genauer betrachtet, liest er darauf das Wort: „Synthelein, Mitwollen". Das Leben, so sagt die Allegorie aus, ist ein Kampf zwischen persönlichem Wollen und Weltnotwendigkeit. Der Gegensatz wird überwunden, indem der Mensch sein Wollen in Mitwollen wandelt, es in den Dienst der Allgemeinheit stellt. Einige Monate nach „Adelberts Fabel" schrieb Chamisso ein Märchen: „Fortunati Glücksäckel und Wunschhütlein". Der Gegensatz zwischen Wollen und Notwendigkeit wiederholt sich hier in den beiden Söhnen des Fortunat. Der eine, Andolosia, der des Vaters Glücksäckel geerbt hat, zieht in die Welt hinaus, um Abenteuer zu erleben; der andere, Ampedo, dem der Vater das Wunschhütlein hinterlassen hat, genießt zu Hause in Weisheit sein geruhsames Glück. Der eine jagt dem Ruhme kühner Taten nach, der andere bescheidet sich im täglichen Bewahren dessen, was er erworben und ererbt hat. Zu einer Entscheidung der beiden Lebensideale ist Chamisso damals nicht gekommen. Das Märchen ist ein Bruchstück geblieben. Alle möglichen Lösungen des Lebensrätsels wirbelten durch seinen Geist. „Ich bin wie ein unbeholfenes Kind auf dem Felde", schrieb er an Varnhagen, „wann die schneetragenden Winde unter dem Himmel gehen und es nicht sein Haus sehen kann, wohin es eingehen will."

Man kann den Gegensatz zwischen Andolosia und Ampedo auch im geistigen Sinne deuten. Die Abenteuerlust des einen würde dann auf das Herumschweifen in der Metaphysik der klassisch-romantischen Philosophie hinweisen, die Lebensweisheit des andern auf das schlichte Bekenntnis zur Wirklichkeit. Denn dies war im Grunde der Kampf, der sich in Chamissos Seele abspielte. Um 1810 entschied er sich allmählich zugunsten des klaren und ehrlichen Realismus. 1811 schrieb er: „Die Tage wollt' ich einmal gern wissen, was ich von mir und der Welt und Gott und sonst dergleichen dachte und glaubte — da erfand ich denn, daß ich eigentlich von alledem nichts Bestimmtes dachte und glaubte." Und noch deutlicher nach dem Erscheinen des „Schlemihl": Das Erste, was er hasse und verachte, sei die Philosophie. „Mir ist das müßige Konstruieren a priori und Deduzieren und Wissenschaft Aufstellen von jedem Quark und Haarspalten zum Ekel geworden; leben will ich meiner Ethik ... Der Wissenschaft will ich durch Beobachtung und Erfahrung, Sammlung und Vergleichen mich nähern." Und 1814: „Vor mir steht eine enorme Vogelscheuche, die zehn Mal des Tages mich ausrufen heißt: Verflucht sei und hol' der Teufel das bißchen Philosophie, Moral, Religion, das ich haben sollte, ohne daß es unmittelbar in mein Leben überginge ... Wie mir die Nase gewachsen ist ..., folge ich ihr, frage nicht wie und warum; will von Gott, der Welt und meiner armen Seele weiter nichts wissen, sondern in meinem kleinen Kreise tüchtig, praktisch, brauchbar und gut sein." Das sind deutliche Absagen an die Romantik und ihre metaphysischen Spekulationen. Wenn er schon in seiner menschlichen Existenz sich zugunsten Deutschlands entschieden hatte, in seiner geistigen hatte der klare und nüchterne Franzose über den in der Abstraktion gefangenen und weltfremden Deutschen seiner Zeit gesiegt. Er hat mit seiner Entscheidung auch den Deutschen einer späteren Zeit den Weg gewiesen.

In einer der angeführten Briefstellen hat er selber die beiden Mächte genannt, die ihn zur Klärung geführt haben. Die eine war die beobachtende und sammelnde Naturwissenschaft. Die andere war die Ethik, d. h. die Stoa. Gerade in der Zeit, da der „Schlemihl" in ihm entstand,

Titelblatt zu Chaminos „Peter Schlemihl", 4. Aufl., 1842

hatte er sich in die praktische Lebenslehre der Stoiker vertieft. Sie bedeutete für das Altertum etwas Ähnliches, wie es das 19. Jahrhundert nach dem Zusammenbruch des romantischen Idealismus bedurfte: die Begründung einer rein menschlichen Sittenlehre nach der Entkräftung des platonischen Idealismus. In Epiktets „Handbüchlein" fand Chamisso seine beglückende und erlösende Lebensweisheit. Wohl bekannte sich auch Epiktet wie die Stoiker überhaupt zu dem Pantheismus der früheren griechischen Philosophen. Aber es war ein praktischer und ethischer Pantheismus. Der Mensch sollte einsehen, daß er in die umfassende und vernünftige Ordnung der Welt eingestellt war, und sollte an seinem Orte diese Ordnung erfüllen helfen. Schon 1806 hatte Chamisso bekannt, daß der wahrhaft religiöse Mensch in die Saiten der Ananke einstimmen, nicht sie umstimmen solle. Die wahre Freiheit sei ein Ausfluß der Notwendigkeit und mit ihr absolut eins, und Platons Spruch, der Freiheit verkündende, lasse sich mit dem absoluten Fatalismus paaren.

Hölderlin hat den Gegensatz zwischen dem Einen und dem All als tragischen Widerspruch erlebt, Hoffmann ihn durch Ironie und Phantasie zu überwinden getrachtet. Chamisso gewährte die freiwillige Einordnung des Individuums in die vorbestimmte Stelle die beruhigende

Möglichkeit, an dieser Stelle tätig zum Wohle des Ganzen mitzuwirken. Was er in Epiktet las, bestätigte ihm die geheimsten Regungen und Bedürfnisse seiner Seele, etwa: „Deine Aufgabe ist es, die erhaltene Rolle gut durchzuführen; die Rolle auszuwählen, kommt einem andern zu." Den Spruch: „Du mußt nicht scheinen wollen, etwas Rechtes zu verstehen", konnte er geradezu als Rechtfertigung der oft an ihm getadelten Nachlässigkeit in seiner äußern Erscheinung auffassen.

Hier setzt der „Schlemihl" ein. Von hier aus erhellt sich der Sinn des Märchens, im besonderen das Motiv des Verkaufs des Schattens. In einer Gesellschaft des reichen Herrn John trifft der arme Peter einen „stillen, dünnen, hagern, länglichen, ältlichen" Mann in einem grauen Kleide, der alle möglichen Dinge, sogar Pferde aus seiner Tasche zu ziehen vermag. Der Mann verkauft ihm Fortunati Glücksäckel um seinen Schatten. Peter wird dadurch unermeßlich reich, muß aber die Erfahrung machen, daß ihn alle Leute wegen seiner Schattenlosigkeit meiden. Er geht in fremde Länder, wird zuerst wegen seines Reichtums wie ein Fürst geehrt, eine Försterstochter liebt ihn. Aber auch dieses Glück nimmt ein Ende, wie ihr Vater entdeckt, daß er keinen Schatten hat. Peter gerät in Verzweiflung. In dieser Stimmung trifft er wieder mit dem Grauen zusammen. Dieser ist bereit, ihm den Schatten wiederzugeben, wenn er ihm seine Seele verschreibt. Peter weigert sich. Er muß es erleben, daß seine Geliebte die Braut seines Dieners Rascal wird. Da geht ihm die Einsicht in den Gang seines Schicksals auf. Er lernt sein Erleben als Notwendigkeit und diese als eine weise Fügung verehren. „Was sein soll, muß geschehen, was sein sollte, geschah, und nicht ohne jede Fügung, die ich endlich noch in meinem Schicksale und dem Schicksale derer, die das meine mit angriff, verehren lernte." Er erkennt, daß der Graue der Teufel ist, wirft den Beutel in einen Abgrund und trennt sich von dem Versucher. Nun hat er alles verloren: seinen Schatten, das Geld, die Geliebte. Aber eine große Heiterkeit ist in ihm. Gerade der Verlust alles dessen, was die Welt schätzt, erfüllt ihn mit großer Zufriedenheit. Auf einem Jahrmarkt kauft er sich mit seinem letzten Geld ein paar alte Stiefel. Es sind die Siebenmeilenstiefel. Mit ihrer Hilfe durchwandert er die Länder, sammelt Pflanzen und entdeckt und beschreibt neue. Sein Standquartier ist eine Höhle in der Thebaischen Wüste, wo er als Einsiedler mit einem treuen Pudel lebt.

Hält man sich Chamissos geistige Entwicklung und seine Äußerungen über Religion, Philosophie und Wissenschaft vor Augen, so ist es nicht allzu schwer, den Schatten und seinen Verkauf zu verstehen. Er bedeutet offenbar alles, was die Zeit Chamissos wert hielt: Glauben, Philosophie, Freigeistigkeit in der Liebe, Wunderbares in der Dichtung, mit einem Wort: den Inhalt der romantischen Weltanschauung und Kunst. All das ist ein Schatten: etwas sichtbar Vorhandenes und dennoch Unwirkliches; Illusion. Demgegenüber ist der graubekleidete Mann die nüchterne Wirklichkeit — schon Mephistopheles bei Goethe tritt dem abenteuernden Faust als der illusionslose Verstand gegenüber. Er stellt den Schlemihl, indem er ihm seinen Schatten abkauft, außerhalb dieser Welt der Illusionen und macht ihn damit zuerst tief unglücklich. Erst als er alles verloren und gelernt hat, stoische Entsagung zu üben, wird ihm die Erkenntnis der Welt zuteil. Er fügt sich in die notwendige Ordnung und gewinnt damit, jenseits der romantischen Spekulationen über Gott und Welt, den weltanschaulichen Standpunkt des Naturwissenschaftlers. Jetzt findet er in der Beobachtung der Pflanzen seinen Beruf. An bescheidener Stelle dient er praktisch dem Ganzen.

Chamissos Schicksal erfüllte sich — man kann auch sagen: er erfüllte sein Schicksal — nach dem „Schlemihl" in dieser Richtung. Schon früher war es sein Wunsch gewesen, an einer wissenschaftlichen Forschungsreise teilzunehmen. Als der Prinz Max von Wied-Neuwied eine Expedition in Brasilien plante, meldete er sich als Teilnehmer. Die Verhandlungen zerschlugen sich, weil ihm das Geld fehlte, die Kosten für sich aus eigenen Mitteln zu bestreiten. Dafür bot sich ihm 1815 die Möglichkeit, als Naturforscher die Weltumseglung der Romanzoffischen Entdeckungsexpedition auf dem Schiff „Rurik" mitzumachen. Sie ging von Plymouth über Teneriffa, Brasilien, um die Südspitze Amerikas herum nach Chile, dann nach Norden an Salas y Gomez und den andern Inseln der Südsee vorbei nach Kamtschatka. Im Sommer 1816 galt es einen Hafen ausfindig zu machen, von dem aus im nächsten Jahr die eigentliche Aufgabe der Expedition, die Auffindung einer nordöstlichen Durchfahrt durch die arktische Inselwelt Nordamerikas, bewerkstelligt werden konnte. Nach einer Fahrt zu der Aleuten-Insel Unalaschka und nach Kalifornien sollte im April 1817 die Nordpolexpedition beginnen. Aber Krankheit zwang den Kapitän, sie aufzugeben und um das Kap der Guten Hoffnung und an St. Helena vorbei nach Hause zu segeln. Am 3. August 1818 lief die „Rurik" wieder in den Hafen von St. Petersburg ein. Man suchte Chamisso mit lockenden Versprechungen in Rußland festzuhalten. Er aber eilte nach Berlin zurück.

Hier fand er, was er nun als das Ziel seines Lebens erkannt hatte, eine praktische Tätigkeit und einen eigenen Herd. Die Universität schenkte ihm den Doktortitel ehrenhalber, und er erhielt eine Anstellung als Adjunkt am Botanischen Garten. Sie ermöglichte ihm, um die Hand der achtzehnjährigen Antonie Piaste, einer Pflegetochter seines Freundes Hitzig, zu werben. Sie wurde im September 1819 seine Gattin. „Sie ist jung, blühend und stark, wolkenlos und heiter, ruhig, verständig und froh und so liebevoll." So schilderte er Varnhagen seine Geliebte. Er lebte mit ihr achtzehn Jahre größten Glückes im Kreise der heranwachsenden Kinder. Als sie ihm am 21. Mai 1837 durch einen Blutsturz entrissen wurde, fügte er sich mit dem stoisch-christlichen: „Herr, Dein Wille geschehe!" in die Notwendigkeit und dachte an sein eigenes Ende. Am 21. August 1838 wurde es ihm zuteil.

Chamissos geistige und menschliche Irrfahrt war mit Amt und Ehe zur Ruhe gekommen. Es ist bedeutungsvoll, daß, wenn man vom „Schlemihl" absieht, erst jetzt sein eigentliches Schaffen als Dichter einsetzt. Er ist auch darin kein Romantiker mehr. Friedrich Schlegel, Novalis, Wackenroder,

Hölderlin — sie alle haben aus der Sehnsucht nach Unendlichkeit ihr Wertvollstes als Jünglinge geleistet. Chamisso, der Realist, mußte erst seinen gesicherten Platz im wirklichen Leben in der festen Ordnung der bürgerlichen Gesellschaft gefunden haben, ehe er sein Eigenstes geben konnte. Er hat 1831 seine erste und einzige Gedichtsammlung herausgegeben. Merkwürdig scheint, daß in ihr die Natur, das Stoffgebiet, das Goethe, den Haindichtern, Eichendorff und den Schwaben die herrlichsten Gedichte geschenkt hat, fast völlig fehlt. Chamisso war auch darin ein Bürger des 19. Jahrhunderts, daß ihm die Natur ein Reich der wissenschaftlichen Forschung, nicht mehr des seligen Träumens und dichterischen Deutens geworden war.

Dafür bewegte er sich im Kreise des bürgerlichen Lebens. In seinem Zyklus „Salas y Comez" schildert er einen Menschen, den Tatenlust und die Begierde nach Reichtum aus den Armen der Geliebten in die weite Welt getrieben haben. Er leidet Schiffbruch auf der einsamen Felseninsel und verzehrt sich nun in Reue und Verzweiflung bis zur Schwelle der Selbstvernichtung. Schließlich lernt auch er sich in die Notwendigkeit fügen. Was dieses Gedicht verneinend darstellt, schildert der Zyklus „Frauenliebe und Leben" bejahend: Glück und Leid des Ehelebens von dem ersten Aufblühen des Gefühls bis zum Tode des Gatten.

Neben diesen lyrischen Schilderungen des Familienlebens stellt Chamisso als einer der ersten politische und soziale Fragen dar. Liebevoll neigt er sich zu einer Zeit, wo es in Deutschland noch keinen Sozialismus gab, zu den Armen und Rechtlosen nieder. Der „Bettler und sein Hund" klagt die Ungerechtigkeit der Bürokratie an: Der Bettler, der die Hundesteuer für seinen Köter nicht zahlen kann, ertränkt sich, und das Tier „verreckt" auf seinem Grabe. Die „Alte Waschfrau" weckt Mitgefühl für die arbeitsame Treue einer Tagelöhnerin. Das Gedicht „Das Dampfroß" besingt mit geistreichem Humor die Schnelligkeit des modernen Verkehrsmittels. Wenn er neben solchen Gedichten auch außerdeutsche Stoffe darstellt, etwa aus dem Leben der Korsen oder der Griechen, so entspricht auch dies dem Wesen des Realisten, der aus der Wirklichkeit der Geschichte Motive aufgreift, die ihn rein gegenständlich zur Darstellung locken, ohne aus einer ideebedingten Weltanschauung ihre Seele zu erhalten.

9. POLITISCHE GEGENWART
UND POETISCHE VERGANGENHEIT

Arndt / Körner / Brentano / Arnim / Fouqué

> „Ich fühle jetzt inniger als je, daß ich den Teutschen
> angehöre und keinem andern Volke angehören
> konnte noch mochte."
>
> E. M. Arndt

Das tragische Verhängnis der deutschen Geschichte ist die jahrhundertelange, bald aufgezwungene, bald freiwillige politische Zurückhaltung des Bürgertums. Es gab Zeiten politischer Gärung. Sie wurden durch die Fürsten und ihre Regierungen immer wieder unterdrückt. Man könnte sagen, daß der Absolutismus in Deutschland bis zum ersten Weltkrieg herrschte. Dem stark ausgeprägten Individualismus der Einzelnen und der politischen Gruppen stellte sich kaum je aus den Kreisen des Volkes die Erkenntnis der Notwendigkeit des Gemeinschaftswirkens entgegen, das die revolutionären Ansprüche der Einzelnen hätte unterdrücken oder in ein einheitliches Bett hätte lenken können. Es wirkte niemals aus dem Empfinden und Bedürfnis des Volkes heraus in der breiten Masse der entschlossene Wille zum Staat. So mußten die auseinanderstrebenden, sich gegenseitig befehdenden Sonderkräfte von oben zusammengehalten und gelenkt werden. Die Monarchie herrschte allgewaltig. Sogar in ihr setzte sich der deutsche Individualismus durch. Es kam zur Bildung einer einheitlichen Monarchie. Auch in den Glanzzeiten des mittelalterlichen Kaisertums hatte sich das Oberhaupt des Reiches immer wieder gegen die Herrschgelüste mächtiger Reichsfürsten zu wehren. Im gleichen Maße, wie am Ende des Mittelalters das Kaisertum zerfiel, wuchs der Einfluß der Fürsten. Schließlich herrschten ein paar Dutzend Souveräne über das politisch unmündige Volk. Arndt spricht in dem „Geist der Zeit" von dem Unglück, „daß wir alles Gefühl und allen Stolz und Mut eines großen Volkes verloren hatten und unter so vielen kleinen Fürsten und Herren von dem großen und hohen Leben auf das kleine und niedrige gerichtet wurden". Als in der zweiten Hälfte des 19. Jahrhunderts das Kaiserreich wiedererstand, wurde es nicht durch die politischen Bestrebungen des doch geistig so hochstehenden Volkes, sondern durch den Führer des mächtigsten deutschen Staates, Bismarck, und den Entschluß der Fürsten geschaffen.

Um 1800 erreichte die deutsche Bildung in Philosophie, Kunst, Wissenschaft eine Höhe, die die Deutschen den andern Völkern des Abendlandes gleichstellte. Sie hatten den geistigen Vorsprung eingeholt, den die glücklicheren Nationen, England und Frankreich, vor ihnen voraus hatten. Politisch verharrten sie nach wie vor in untertäniger Unmündigkeit. Sie ging so weit, daß Goethe, der Minister eines der freiesten deutschen

Staaten, sie geradezu als Kennzeichen des deutschen Volkes betrachtete und nicht in der Selbständigkeit des staatlichen Denkens und Handelns, sondern in den Leistungen von Kunst und Wissenschaft das Wesen und die Aufgabe der Deutschen sah; sie sollten Weltbürger, nicht Bürger einer Nation sein. Das war auch Schillers Ansicht, der 1795 an Fritz Jacobi schrieb, es sei das Vorrecht und die Pflicht des Philosophen wie des Dichters, zu keinem Volk und zu keiner Zeit zu gehören, sondern der Zeitgenosse aller Zeiten zu sein.

Und doch regten sich immer wieder in den Kreisen des denkenden Bürgertums politische Ideen. Aber die Fürsten hatten nicht die Einsicht und den Willen, was fruchtbar an ihnen war, aufzunehmen und zur lebendigen Entwicklung des Ganzen auszunützen. Sie konnten, ängstlich auf die Erhaltung ihrer Macht bedacht, sie meist nur unterdrücken. Es zeigte sich, daß die gewaltige Gestalt des Großen Kurfürsten im „Prinzen von Homburg", der aus dem Bewußtsein seiner Herrschergröße eine Rebellion mißachten, Leben wecken und Unrecht verzeihen kann, als Ideal nur im Kopfe Kleists lebte. Die wirklichen deutschen Herrscher lernten nichts von ihr. Auf die gewaltige und opferreiche Erhebung des Volkes in den Freiheitskriegen folgte die Zeit Metternichs und des Polizeistaates.

In den drei Jahrzehnten des Friedenszustandes, dessen sich der größte Teil Deutschlands nach dem Siebenjährigen Kriege erfreute, wich das politische Interesse, das sich um 1760 geregt hatte, einer immer ausschließlicheren Pflege geistiger Güter. Werke wie Lessings „Emilia Galotti" oder Schillers „Kabale und Liebe" sind einzelne Wellen in einem sonst ruhigen Meer, und auch sie greifen den Despotismus nicht vom politischen, sondern vom sittlichen Standpunkte an. Zielbewußter und willensstärker kämpfte der Schwabe Schubart; er mußte auch für seine Kühnheit büßen. Erst die Französische Revolution brachte das politische Ideenleben wieder in Fluß.

Im Jahre 1792 hat Wilhelm von Humboldt seine „Ideen zu einem Versuch, die Grenzen der Wirksamkeit des Staates zu bestimmen" verfaßt. Man kann das Werk als die Staatslehre des durch Kant geschulten Geschlechts bezeichnen. Humboldts Ziel ist die Überwindung des Wohlfahrtsstaates des aufgeklärten Despotismus und die Einführung des kategorischen Imperativs ins politische Handeln. Der Staat hat nicht die Aufgabe, die Bürger zum Glücke zu gängeln. Er ist einfach eine Anstalt zur äußern und innern Sicherheit, zur Rechtspflege und zur Verwaltung der für diese Zwecke notwendigen Gelder. Humboldts Schrift ist von der Art, daß sie weniger praktische Vorschläge zur Umwandlung des bestehenden Staates gibt, als die Änderung der Staatsgesinnung bewirken will. Der Geist der politischen Tatkraft, der sie beseelt, hat sich in den Jahren nach dem Zusammenbruch des friderizianischen Preußen rege erwiesen. Humboldts Vorstellung des wirklichen Staates aber als einer Sicherungs-, Rechts- und Finanzanstalt war doch allzu dürftig und rational und entsprach den mystischen Neigungen der romantischen Zeitgenossen keineswegs.

Daher blieben solche rein philosophischen Erörterungen für die tatsächliche Gestaltung des Staatswillens ebenso unfruchtbar wie Novalis' wirklichkeitsferner Aufsatz über „Glauben und Liebe" oder die Klagen Hölderlins über die Zerrissenheit des deutschen Volkes. Auch Fichtes Ausführungen über den Vernunftsstaat als Ziel des wirklichen Staates in seiner Schrift über den „Geschlossenen Handelsstaat" (1800) sind eine reine rationale Konstruktion und ohne Beziehung zu den Aufgaben des wirklichen Staatslebens. Arndt hatte völlig recht, wenn er in dem „Geist der Zeit" klagte: „Die jetzige Generation ist faul und ohne Phantasie, die sich als Schwärmerei ins Leben wagen darf, sie will nicht durch Arbeit zur Erleuchtung; so wirft sie den weiten mystischen Dunstmantel um, worum auch Nebel von stinkenden Pfützen sich sammeln, und lallt auf dem abgegrasten Boden den Sonnenfliegern nach." Es bedurfte der gewaltsamen Erschütterung der politischen Gestalt Deutschlands durch den Siegeslauf Napoleons, um die Geister aus dem Jenseits der philosophischen Dialektik in die Wirklichkeit der staatlichen Kämpfe herunterzuholen. Als erster hat Fichte die neue Aufgabe begriffen. Er hat schon im Sommer 1806, noch vor Jena, die „Dialoge über den Patriotismus" herausgegeben und darin die weltbürgerliche Bildung des 18. Jahrhunderts zugunsten der patriotischen preisgegeben: Wahre Bildung ist nur innerhalb der Grenzen des nationalen Lebens möglich. Sein Machiavellaufsatz, der 1807 erschien, war die unmittelbare Folge der Katastrophe von Jena. 1807/08 hielt er in Berlin die „Reden an die deutsche Nation". Sie sind weniger eine leidenschaftliche Kampfansage an die Franzosen, als ein Aufruf an die Deutschen zur Selbstbesinnung auf die Wurzeln ihres Volkstums. Der Philosoph hat die dünne Luft der Abstraktion verlassen und ist in die Tiefen des geschichtlichen Lebens niedergestiegen. Dem Fürstenstaat des Absolutismus wird der Volksstaat entgegengestellt, nicht im Sinne der Forderung einer republikanischen Verfassung, sondern in ethisch-bildungsgeschichtlicher Betrachtung. Es wird Ernst gemacht mit dem Begriff der natio, des aus der Natur geborenen Volkes. Die Deutschen sind, im Gegensatz gegen die romanischen Nachfolgevölker der Römer, ein Urvolk. Schon ihre Sprache kennzeichnet sie als solches. Sie ist Volkssprache, untrennbar verbunden mit dem politischen Wesen des Volkes, lebendig nur, solange das Volk politisch selbständig ist. Der Schriftsteller, erklärt Fichte, will ursprünglich und aus der Wurzel des geistigen Lebens heraus denken für diejenigen, die ebenso ursprünglich wirken, d. i. regieren. Er kann deswegen nur in einer solchen Sprache schreiben, in der auch die Regierenden denken, in einer Sprache, in der regiert wird, in der eines Volkes, das einen selbständigen Staat ausmacht." Auch jede wissenschaftliche Bestrebung dient, wenn auch erst in später Zukunft, dem Staate. „Gibt sie diesen Zweck auf, so ist auch ihre Würde und Selbständigkeit verloren. Wer aber diesen Zweck hat, der muß schreiben in der Sprache des herrschenden Volkes."

Zur gleichen Zeit, wo man damals in Preußen begann, durch Abschaffung alter Knechtschaften und Unfreiheiten die Selbständigkeit des Volkes sozial und wirtschaftlich zu heben und es zur Mitarbeit am Schicksal des Ganzen aufzurufen, wo die unbestimmte Idee von einem Weltbürgertum durch das Gefühl volkhafter Zusammengehörigkeit abgelöst wurde, wurde so von Fichte auch die Einheit von Dichtung und Volksnatur und Volksschicksal verkündet. Nun handelte es sich aber darum, das Wesen und den Umfang des Staatsbegriffes zu umschreiben, wie er sich auf Grund der neuen Zeit und ihrer Forderung ergab. Dies unternahm Kleists Freund Adam Müller in seinen 1808/09 in Dresden gehaltenen Vorlesungen über die „Elemente der Staatskunst". Man spürt in ihnen sofort den Einfluß von Burkes irrationaler Staatsauffassung, wenn Müller feststellt: Der Staat ist keine bloß künstliche Veranstaltung, keine von den tausend Erfindungen zum Nutzen und Vergnügen des bürgerlichen Lebens, sondern er ist das Ganze dieses bürgerlichen Lebens selbst, notwendig, sobald es nur Menschen gibt, unvermeidlich, in der Natur des Menschen begründet. Der Mensch ist nicht zu denken außerhalb des Staates. Der Staat ist keine bloße Manufaktur oder Meierei oder Assekuranzanstalt oder merkantilische Sozietät; er ist die innige Verbindung der gesamten physischen und geistigen Bedürfnisse, des gesamten physischen und geistigen Reichtums, des gesamten innern und äußern Lebens einer Nation zu einem großen, energischen, unendlich bewegten und lebenden Ganzen. Der Staat ist die Totalität der menschlichen Angelegenheiten, ihre Verbindung zu einem lebendigen Ganzen.

Ernst Moritz Arndt ist ein Beweis dafür, daß sich die staatsphilosophischen und politischen Erörterungen der Schriftsteller in jenen Jahren der napoleonischen Herrschaft im politischen Handeln auswirkten. Er hätte nach dem Jahr seiner Geburt ein Romantiker sein können, aber er war kein Romantiker, sondern ein Mann der Tat. Er stammte aus einem jener Randgebiete des deutschen Landes, in denen das Bewußtsein des Deutschtums je und je gerade deswegen um so wacher ist, weil es durch die fremde Nachbarschaft gefährdet erscheint. Auf der damals noch schwedischen Insel Rügen war er am 26. Dezember 1769 geboren. Der Vater, der selber der Sohn eines untertänigen Schäfers war, verwaltete zur Zeit der Geburt des Sohnes als Inspektor die Güter des Grafen Putpus in Schoritz. Mitte der siebziger Jahre wurde er Pächter von Dumsewitz und Ubechel. 1780 übernahm er die Pacht von zwei Gütern in der nordwestlichen Ecke der Insel. Er war ein wohlgebildeter und gescheiter Mann, der es im Laufe der Jahre zu erklecklichem Wohlstand brachte. Die Mutter, die Tochter eines kleinen Ackerbesitzers, war eine ernste, fromme und mutige Frau. Arndt erzählt: „Mein Vater war freilich eines Schäfers Sohn und der Freigelassene eines Grafen. Aber ich hatte von Kind auf nichts von diesen Verhältnissen gefühlt. Als ich ins Knabenalter trat, war er ein unabhängiger und angesehener Stralsundischer Gutspächter; als ich Jüngling ward, wohnte er auf dem schönen ehemaligen Grafensitz Löbnitz und hatte Macht und Patrimonialgerichtsbarkeit wenigstens über dreihundert Seelen." So wuchs der Sohn in den einfachen und klaren Verhältnissen eines natürlich-bäuerlichen Lebens auf, erhielt die erste Ausbildung durch die Eltern, und dann durch Privatlehrer, tollte sich mit Geschwistern und Altersgenossen in kindlichen Spielen aus, wurde aber

auch zur Mitarbeit auf den Gütern angehalten. Der Vater „mutete uns
mit Recht die Übungen und Arbeiten zu, welche er hatte durchgehen
müssen; er sah es überhaupt gern, wenn wir aus eignem Triebe oder im
wackern Wettkampf uns Strengen und Härten auflegten, die er eben nicht
befohlen hatte. In der Erntezeit, wo viele Hände, und diese oft recht
geschwind, gebraucht werden mußten, wurden auch die Jungen oft einige
Stunden vor der Sonne aus dem Bette getrieben und mußten oft lange
vor der Schulstunde Ochsen und Rosse herbeitreiben oder herbeireiten,
oft auch den ganzen Tag in diesen oder ähnlichen jugendlichen und hirt-
lichen Geschäften ausharren." Man erzählte sich in der Familie, daß das
Geschlecht des Vaters von einem schwedischen Unteroffizier herstamme,
der sich auf Rügen niedergelassen, und Arndt selber leitet das „starke
heiße Arndtsblut" von diesem Ahn her. Wichtiger war, daß dieses Blut
durch Zucht und Beispiel in die rechte Bahn gelenkt wurde. Ein Geist der
Tatkraft und des sich Emporarbeitens prägte sich in dem Vater aus und
vererbte sich auf den Sohn. Er übertrug ihn später auf die Mitwirkung am
politischen Emporkommen des ganzen Volkes.

Die tüchtige Selbstzucht und der ernste Tatsachensinn zeigten sich schon
bei dem Jüngling. Als er mit siebzehn Jahren auf die gelehrte Schule in
Stralsund gebracht wurde, hielt er sich den Genüssen des fröhlichen, sinnlichen Lebens fern und unterwarf seinen Körper freiwillig allerlei Mühen
und Strapazen. Auf einmal verleidete ihm die Schulbank. Er lief von
Stralsund fort, um sich irgendwo als Schreiber zu verdingen. Die Eltern
erlaubten ihm darauf, für sich zu Hause zu studieren. Auch da setzte er
seine Strapazen und Abhärtungen fort. „Soldatische Lager auf harten
Brettern oder Reisig, Übernachtungen unter freiem Himmel, wo ich mich,
in meinen Mantel gehüllt, unter irgend einen Baum oder hinter einem
Heuhaufen hinstreckte, Wanderungen oft meilenweit nach allen Seiten
hin, besonders nächtliche Wanderungen, die ich begann, wann die andern
schlafen gingen, alles um den in üppiger Jugendkraft schwellenden Leib
Tapferkeit und Gehorsam zu lehren."

1791 begann er in Greifswald das Studium der Theologie. 1793 und
1794 war er in Jena, wo Fichtes tapfere Persönlichkeit ihm mehr zusagte
als seine Philosophie. Darauf lebte er wieder 1796 auf dem elterlichen
Gute Löbnitz, war dann Hauslehrer bei dem Rektor Kosegarten in
Wolgast. In dieser Zeit beschloß er, die Theologie aufzugeben. 1798 ging
er auf Reisen, die ihn durch Deutschland, Österreich, Italien und Frankreich
führten. Nach der Rückkehr habilitierte er sich in Greifswald, las zunächst
über allerlei, dem er „kaum gewachsen war", und beschränkte sich in der
Folge auf geschichtliche Vorlesungen. 1805 wurde er außerordentlicher
Professor. Der Einbruch der Franzosen in Deutschland rief ihn auf den
politischen Kampfplatz. Schon als Knabe hatte er von den Angriffen
Ludwigs XIV. auf Westdeutschland gelesen und sich daraus eine tiefe
Abneigung gegen das französische Volk gebildet. Zugleich war er zu sehr
an nüchternes Denken gewöhnt, als daß er sich, als die Revolution kam,
wie Klopstock in eine nebelhafte Begeisterung hätte hineinreißen lassen.

Auf der Rückkehr von seiner Bildungsreise war er bei Höchst mitten in die Kampfhandlungen geraten und von den Franzosen mehrere Tage in Frankfurt eingesperrt worden. Was er erlebte, steigerte seinen Zorn und Haß. Der Aufstieg Bonapartes nach der Schlacht bei Marengo erfüllte ihn mit „Grauen vor dem Jammer der nächsten zehn Jahre". Der Frieden von Lunéville steigerte seinen Zorn aufs höchste. „Die Jahre 1805 und 1806", berichtete er, „rissen endlich die beiden letzten Stützen nieder, woran sich ein bißchen Deutsches geschienen hatte halten und erhalten zu können. Jetzt war das Letzte geschehen, alles einzelne Deutsche, das Kleinste wie das Größte, das Ruhmvollste wie das Dunkelste, lag nun in einem großen gemeinsamen Jammer über- und untereinandergeworfen, und der übermütige welsche Hahn krähte sein Viktoria! über den Trümmern der geschändeten Herrlichkeit." Er war, obgleich deutschen Blutes, doch als schwedischer Untertan aufgewachsen. Aber in der Zeit der Not Deutschlands fing sein Herz erst an, „Deutschland mit rechter Liebe zu lieben und die Welschen mit rechtem Zorn zu hassen". In dieser Zeit veröffentlichte er zwei politische Flugschriften: „Germanien und Europa" und die „Geschichte der Leibeigenschaft in Pommern und Rügen". Man ließ ihn unbehelligt. Da gab er 1806 den ersten Teil seines Buches „Der Geist der Zeit" heraus. Es war eine leidenschaftliche und geistvolle Abrechnung mit der Kultur und Politik seiner Zeit, eine Anklage aus heißem und wildem Herzen. Nichts ist aufschlußreicher, als diesen „Geist der Zeit" zu vergleichen mit Herders „Ideen". Hier wie dort ein kulturgeschichtlicher Gang durch die Zeiten. Aber während Herder in der Geschichte die Spuren Gottes zu entdecken sucht und die Dinge nach ihrem Woher und Wie betrachtet, hat Arndt bei seiner Beleuchtung stets das Wozu im Auge und bezieht das Geschehen überall auf das Gedeihen der politischen Gemeinschaft. Immer wieder haben in seinen Augen die Führer versagt: die Philosophen, durch die die erhabene Beständigkeit und Sicherheit der Idee keine Beständigkeit des Lebens wird; die Mathematiker und Astronomen, die nicht in das gewöhnliche Leben eingreifen können; die Theologen, die, trotz der Reformation, nicht mehr glauben, nur den Glauben lehren; die Geschichtsschreiber, deren Weisheit wie Spreu über die Köpfe fliegt und die schuld sind, daß die Geschichte, die große Lehrerin und Ermahnerin der Menschheit, zu einem Gassenmärchen geworden ist; die Dichter, die nur noch durch alte Erinnerungen an das, was das Volk einst war, mit der Zeit zusammenhängen; die Rezensenten und Journalisten: sie haben alle die lebendige Beziehung zum Volke verloren. Mit diesem Verdammungsurteil über die geistigen Taten der Zeit durchwandert Arndt die Jahrhunderte und die Geschichte der europäischen Völker.

Als der „Geist der Zeit" erschien, fand er es selber geraten, Greifswald zu verlassen und sich in Stockholm in Sicherheit zu bringen. Er blieb in Schweden bis 1809. Schills Aufruf zum Freiheitskampf und sein Tod vor Stralsund (am 31. Mai) riefen ihn wieder nach Deutschland zurück. 1810 nahm er seine Vorlesungen in Greifswald wieder auf. Aber schon im folgenden Jahre flüchtete er sich nach Berlin, und als Friedrich Wilhelm III.

sich zum Bündnis mit Napoleon bestimmen ließ, ging er nach Breslau, wo er mit Blücher und Scharnhorst zusammentraf, und von da als Sekretär des in russischen Dienst getretenen Freiherrn vom Stein nach Rußland. Der Ausgang des russischen Feldzuges erlöste ihn aus der Verbannung. Im Januar 1813 kam er wieder nach Deutschland. Als der preußische König im Februar den Aufruf zur Bildung freiwilliger Jägerabteilungen erließ und sich die Landwehr bildete, verfaßte er seine Kampfschrift über „Landwehr und Landsturm". Damals entstanden seine flammenden Kriegs- und Vaterlandslieder. Vor allem jenes bekannte:

> „Der Gott, der Eisen wachsen ließ,
> Der wollte keine Knechte,
> Drum gab er Säbel, Schwert und Spieß
> Dem Mann in seine Rechte,
> Drum gab er ihm den kühnen Mut,
> Den Zorn der freien Rede,
> Daß er bestände bis aufs Blut,
> Bis in den Tod die Fehde."

Gleim hatte vor einem halben Jahrhundert in seinen Kriegsliedern eines preußischen Grenadiers die Taten Friedrichs des Großen und seiner Generale besungen. Aber wie kindlich und treuherzig klingen diese Kriegslieder gegenüber den zornigen, wie Trompetenstöße und Schwertersausen rauschenden Liedern von Arndt! In tüchtigem Bauernstamme herangewachsen, abgehärtet von früher Jugend an, lebte er ganz anders tief und wurzelhaft im Volke, als der weichlich tändelnde Gleim; was er sang, klang anders aus dem Herzen des Volkes und schlug in die Herzen der Tausende als die Kriegslieder des Anakreontikers. Das Jahr 1813 hat die meisten dieser kraftvollen politischen Volkslieder gezeitigt. Damals sandte er auch die Flugschrift: „Der Rhein, Deutschlands Strom, aber nicht Deutschlands Grenze" aus. Die Ereignisse der folgenden Jahre mit dem Schwanken von Siegen und Rückfällen erfüllten ihn bald mit stolzem Glück, bald mit zorniger Trauer. Er war, immer für den Freiherrn von Stein tätig, bald in Berlin, bald in Frankfurt, bald in Köln.

1818 wurde er Professor für neuere Geschichte an der neu gegründeten Universität Bonn. Er hatte sich, nachdem er seine erste Frau in jungen Jahren verloren, zum zweitenmal mit einer Schwester Schleimachers verheiratet. Der tapfere Freiheitskämpfer taugte nicht in die lahme Zeit der Restauration. Er war königstreu bis ins innerste Mark. Aber er war auch ein Sohn des Volkes, für dessen Freiheit er gestritten. Er konnte es nicht begreifen, daß nur die Fürsten die Früchte der Besiegung Napoleons genießen und das Volk leer ausgehen sollte. Am 18. Oktober 1817 feierten die deutschen Burschenschafter auf der Wartburg die Reformation und den Sieg über Napoleon, und 1819 erdolchte in Mannheim der Burschenschafter Sand den russischen Spitzel Kotzebue. Solche Geschehnisse schienen den Beweis zu erbringen, daß eine staatsverräterische Verschwörung unter der studierenden Jugend Deutschlands bestand, darauf gerichtet, die Throne der Fürsten zu erschüttern oder umzustoßen. Arndt hatte nie ein

Hehl aus seiner freiheitlichen Gesinnung gemacht. Nun beschuldigte man ihn der Mitgliedschaft geheimer Gesellschaften, der Verführung der Jugend, der demagogischen Teilnahme an den burschenschaftlichen Umtrieben zur Einführung der Republik und zur Einigung Deutschlands. Im Herbst 1819 durchsuchte man sein Haus und beschlagnahmte und versiegelte seine Papiere. Zugleich wurde er seines Amtes entsetzt.

Als Friedrich Wilhelm IV. den preußischen Thron bestieg, setzte er Arndt wieder in seine Professur ein. Damals gab er seine „Erinnerungen aus dem äußeren Leben" heraus. Er war einer der Deutschen, die vom Volke gewählt, 1848 das Deutsche Parlament in Frankfurt a. M. bildeten. Da trat er für ein deutsches Erbkaisertum unter Preußens Führung ein. In Bonn starb er am 29. Januar 1860, mehr als neunzig Jahre alt.

130. Friedrich Baron de la Motte Fouqué (1777—1843)
Stich von Friedrich Fleischmann nach dem Gemälde von Wilhelm Heusel, 1818

Der Sproß einer Hugenottenfamilie wurde in Preußen geboren. Sein alter französischer Adel, den er bis auf die Normannen zurückführte, und sein Leben als preußischer Offizier verbanden sich in seinen Werken zu nordischer und mittelalterlicher Heldendichtung wie zu vaterländischen Schauspielen. Doch während all diese Dramen und Romane ihren Schöpfer im Bewußtsein der Zeitgenossen kaum überlebten, verschaffte ihm seine romantische Erzählung „Undine" (1811) einen Platz in der Literaturgeschichte. Dieses „allerliebste Märchen", wie Goethe es nannte, regte E. Th. A. Hoffmann und Albert Lorzing zu Vertonungen an.

131. Illustration zu „Undine", 1811
Stich von Carl Mayer nach einer Zeichnung von Johann Baptist Zwecker
Undine, ihr Ritter Huldbrand und ihr Oheim, der Wassergeist Kühleborn.

132. Josef Karl Benedikt Freiherr von Eichendorff (1788—1857)
Gezeichnet und radiert von Eduard Eichens

Der Regierungsbeamte von Eichendorff, dessen Weg bis ins preußische Kultusministerium führte, war der jüngste und letzte Romantiker. Die Heidelberger Romantik Arnims und Brentanos beeindruckte ihn als neunzehnjährigen Studenten tief. Sein Altersunterschied zu den Hauptvertretern der romantischen Zeit bewirkte, daß sein Verhältnis zur Romantik fast selbst schon wieder romantisch wurde. Seine Dichtung entspringt nicht Sehnsucht nach der Dürer-Zeit, wie bei Wackenroder und Tieck, sondern sie ist Sehnsucht nach dem romantischen Leben selbst. Diese romantische Sehnsucht nach der Romantik gibt Eichendorffs Dichtung ihren eigentümlichen Ton.

133. Eichendorffs Geburtsstätte
Aquarell von Karl Straub, 1790

Schloß Lubowitz in Oberschlesien vor dem Umbau. Hier wuchs Eichendorff bis zu seinem dreizehnten Lebensjahr auf: inmitten eines großen Parkes mit altem Baumbestand nahe der Oder und einem weiten Panorama der umgebenden Landschaft.

134. Die Grabstätte Eichendorffs in Neiße (Oberschlesien)

130   *Friedrich Baron de la Motte Fouqué*
(1777 - 1843)

131   *Illustration zu „Undine", 1811*

133   *Eichendorffs Geburtsstätte*

4   *Die Grabstätte Eichendorffs in Neiße (Oberschlesien)*

132   *Josef Karl Benedikt*
Freiherr von Eichendorff (1788 - 1857)

135 *Uhlands Geburtshaus in Tübingen* 136 *Ludwig Uhland (1787 - 1862)*

137 *Die Kapelle von Wurmlingen*

Als Schillers Freund, dem Appellationsrat Christian Gottfried Körner und seiner Frau Minna in Dresden am 23. September 1791 nach sechsjähriger Ehe endlich ein Stammhalter geboren wurde, hofften die glücklichen Eltern, daß der Sohn — Theodor Körner — dereinst das fortsetzen und vollenden würde, was der Vater nur geplant und in seiner Vielgeschäftigkeit und Bedächtigkeit nie zum Abschluß gebracht hatte. „Wohl mir, wenn du ausführst, was ich gewollt hatte", schrieb er dem Sohne wenige Monate vor dessen Tod. Er selber war der Auffassung, daß der Dichter sich aller Teilnahme am politischen Leben zu enthalten habe und ihm jedenfalls nicht Eingang in sein Schaffen gewähren dürfe. Er hatte selber, ein Dilettant im schönsten Sinne des Wortes, ein reiches geistiges Leben in sich aufgebaut, das er fortwährend zu mehren bestrebt war, ohne es in schöpferischer Arbeit fruchtbar machen zu wollen. Von Hause aus mit reichen Mitteln ausgestattet, wurde er materiell der hilfreiche Freund Schillers, geistig sein bedeutsamer Förderer. In diesem Sinne einer weiten, philosophisch unterbauten, verständnisvollen und gütigen Bildung erzog er seinen Sohn. Schiller hatte ihm, als er geboren wurde, seinen besten Segen zugerufen. In dem Briefwechsel des Vaters mit Schiller ist von dem Sohne oft die Rede. Wir hören, wie er den ersten Zahn bekommt; wie der Vater ihn in seiner Freude verzieht; wie er die ersten Hosen erhält: man hatte ihm gesagt, daß zu den Hosen ein Bart gehöre; wie ihm also der Schneider die Hosen bringt, fragt er: „Wo Bart is". Im Frühling 1797 mußte Schiller für den Sohn eine Guitarre besorgen. In der ersten Ausgabe der zwischen dem Vater und Schiller gewechselten Briefe war dem Briefe vom 28. April 1797 die Bemerkung beigefügt: Die Guitarre sei die

135. Uhlands Geburtshaus in Tübingen

136. Ludwig Uhland (1787—1862)
Ölgemälde von Wilhelm Morff, 1818

Der Sohn eines Tübinger Universitätssekretärs studierte Rechte und Sprachen. Seit 1804 veröffentlichte er in Zeitschriften und Almanachen Gedichte. Später folgten Dramen aus Sage und Geschichte. Er gehörte wie die Brüder Grimm, mit denen er in Verbindung trat, zu jenem Kreis, der während juristischer Handschriftenstudien zum Studium deutscher Sprache und Dichtung fand. Von 1830 bis 1833 war Uhland der erste Professor für deutsche Literatur in Tübingen. Seine aus der literarwissenschaftlichen Beschäftigung erwachsene Kenntnis deutschen Geistes und seine juristischen Fähigkeiten ließen ihn genau wie Jacob Grimm geeignet erscheinen, 1848/49 als Abgeordneter in das „Deutsche Parlament" einzuziehen.

137. Die Kapelle von Wurmlingen
im oberen Neckartal bei Tübingen

„Droben stehet die Kapelle . . ." besang Uhland sie. Seine lyrischen Gedichte entsprangen dem engen Verhältnis zur Landschaft seiner schwäbischen Heimat. Deshalb sprechen sie weniger persönliches Erleben aus, als daß sie ein allgemeines Empfinden in volksliedhaftem Ton wiedergeben.

Leier Theodor Körners geworden; sie sei die stete Begleiterin des dichterischen Jünglings gewesen und sei ihm auch in den Feldzug von 1813 gefolgt. Einmal, wie die Eltern den Sechzehnjährigen ins Theater mitnehmen, werden sie durch einen Anfall von Konvulsionen bei dem Sohne erschreckt. Später nennt ihn der Vater sehr leidenschaftlich und ungraziös. Von dem Achtzehnjährigen schreibt er, er sei ein wilder aber gutartiger Junge, nicht ohne Fähigkeiten, aber zu leichtsinnig und unstet, sie zu gebrauchen. „Sein Körper bildet sich gut aus, und er hat ziemliche Gewandtheit und Kraft." Um Weihnachten 1802 spielt er den Schnaps in Anton Walls „Beiden Billets" „nicht übel".

Man bekommt aus diesen von Vatersorge eingegebenen Mitteilungen ein aufschlußreiches Bild von dem jungen Körner. Und wie sie an Schiller gerichtet sind, so ist Schiller der Stern, von dem die Bildungsfahrt des Jünglings Ziel und Richtung erhält. Man könnte sich denken, daß gerade die große Verehrung, welche die Eltern Körner dem Dichter entgegenbrachten, in dem Sohne eine tiefe Abneigung gegen den Gefeierten gezeitigt hätte. Es war nicht der Fall. Die Freundschaft der Eltern steigerte sich in dem Sohne zur bewußten und unbewußten Nachahmung des Dichters Schiller. Er war nicht die kraftvolle Persönlichkeit, eigene Wege zu gehen. Er war im Gegenteil ein weicher, liebenswürdiger, leicht entflammbarer Jüngling, dessen gutem Willen und angeborenem Adel nicht eine entsprechende männliche Besonnenheit die Waage hielt. Er war überall wohl gelitten, und wenn er mit seiner Guitarre den Troubadour spielte, waren die jungen Mädchen begeistert und machten ihm den Hof.

Nach dem Willen des Vaters studierte er zuerst an der Bergakademie in Freiburg, hernach in Leipzig. Er war ein flotter Student, und als die Landsmannschaften aufkamen, wurde er Mitglied der „Thuringia" und focht mit Mut und Eifer manche Mensur aus. Diese Raufereien zogen ihm schließlich die Relegation zu. Er ging nach Berlin. Aber der Vater, der auch jetzt für den Sohn nur liebendes Verständnis hatte, fand es geraten, ihn eine Zeitlang dem akademischen Treiben zu entziehen. Eine Kur in Karlsbad stärkte seine Gesundheit. Dann ging er auf den Rat des Vaters nach Wien. Begreiflich, daß er sich in der glänzenden und festefrohen Kaiserstadt sehr wohlfühlte. Der Vater hatte genügend Verbindungen, um ihm die ersten Häuser aufzuschließen. Wilhelm von Humboldt, Friedrich Schlegel, die damals ebenfalls in Wien lebten, nahmen ihn freundlich auf. Die Frauen schwärmten für den hübschen und wohlgesitteten jungen Mann. Er besaß eine gefällige und leichte dichterische Begabung. Es war nicht seine Art, in schwerem Ringen sich eine eigene geistige Welt, eine eigene Dichtung als deren Ausdruck zu erwerben. Der philosophisch hochgebildete Vater hatte sein Denken geleitet. Schiller bot das Vorbild des Dichters. So warf er, fleißig und gewandt, eine Reihe von dramatischen Stücken aufs Papier, possenhafte Lustspiele: „Der grüne Domino", „Die Braut", „Der Nachtwächter", „Der Vetter aus Bremen", und wagte sich sogar an Trauerspiele: „Zriny", „Rosamunde". Das Wiener Publikum jubelte diesen Werken zu. Man nannte ihn einen zweiten Schiller. Er wurde zum kaiserlichen Theaterdichter ernannt. Nun wurde er erst recht der verhätschelte Liebling der Gesellschaft, und ganz in der Theaterwelt aufgehend, verlobte er sich mit der liebreizenden Schauspielerin Antonie Adamberger. Die Eltern, die ihrem Liebling nichts abschlagen konnten, gaben gerührt die Zustimmung. Das war 1812.

In diesem Jahre hatte er, dem Abschiedsmonolog der Jungfrau von Orleans nachgedichtet, seinen „Zriny", bevor er in den Kampf eilt, feurige Stanzen sprechen lassen:

> „Ich folgte unbewußt dem dunkeln Drange,
> Der mit des Jünglings frühster Tat erwacht! —
> Von edlem Feuer lodert mir die Wange,
> Der Sturm der Weihe hat es angefacht.
>
> So waffn' ich mich zu meinem letzten Gange,
> Und was mein kühnster Traum sich nicht gedacht:
> Um aller Kronen schönste darf ich werben,
> Darf für mein Volk und meinen Glauben sterben!"

Es war wie eine Vorahnung eigenen Schicksals. Als Friedrich Wilhelms Aufruf erschien, eilte Körner unter die Fahnen. „Soll ich in feiger Begeisterung meinen siegenden Brüdern meinen Jubel nachleiern?" rief er aus. „Soll ich Komödien schreiben auf dem Spottheater, wenn ich den Mut und die Kraft mir zutraue, auf dem Theater des Ernstes mitzusprechen?" Sachsen, seine Heimat, hatte sich von Napoleon an seinen Triumphwagen schirren lassen. So flog sein Blick nach Preußen. „Ja, liebster Vater, ich will Soldat werden, will das hier gewonnene, glückliche und sorgenfreie Leben mit Freuden hinwerfen, um, sei's auch mit meinem Blute, mir ein Vaterland zu erkämpfen."

Am 15. März 1813 verließ er Wien. Zwei Tage darauf war er Lützowscher Jäger. Nach vier Wochen wurde er zum Leutnant ernannt und wurde dann Lützows Adjutant. Er hatte 1810 eine Sammlung tändelnder Gedichte, „Knospen", herausgegeben. Jetzt dichte er Kampflieder. Sie stampfen nicht in unbeugsamen Manneszorn auf den Boden, wie die von Arndt. Sie fliegen federnd in die Luft:

> „Frisch auf, mein Volk! — Die Flammenzeichen rauchen,
> Hell aus dem Norden bricht der Freiheit Licht.
> Du sollst den Stahl in Feindesherzen tauchen;
> Frisch auf, mein Volk! — Die Flammenzeichen rauchen,
> Die Saat ist reif; ihr Schnitter, zaudert nicht!"

Es ist Schillersches Pathos, was in ihnen auflodert. Schillers Kampflieder wären gedankenvoller, härter gewesen. Aber es ist doch echtes Gefühl und keine Phrase, was in Körners Liedern singt.

Denn er war auch bereit, mit dem „dulce et decorum est pro patria mori" ernst zu machen. Am 26. August 1813 fand er den Tod bei Gadebusch Er hatte sich, in seinem Feuereifer das Sammlungssignal überhörend, mit einer Handvoll Reiter in ein Gehölz vorgewagt, als er sich plötzlich einer Überzahl Franzosen gegenüber sah, umzingelt und niedergemacht wurde. Man kann sagen, es war ein Heldentod aus Unbesonnenheit. Aber es war doch ein Heldentod. 1814 gab der Vater seine Gedichte heraus unter dem Titel „Leyer und Schwert". Der Soldatentod ihres Verfassers ließ die Deutschen über das hinwegsehen, was ihnen an Gehalt und Ursprünglichkeit abging.

Neben der Erstarkung des politischen Volksbewußseins durch die napoleonischen Kriege ging eine Verinnerlichung des nationalen Gefühls durch die Vertiefung in die deutsche Vergangenheit einher. Sie war — wenigstens in den Anfängen — nicht eine wissenschaftliche Erforschung alten Bildungsgutes und einstiger Lebensformen, wie etwa Justus Möser alte Rechtsformen ausgegraben hatte, sondern eine — im besten Sinne — dilettantische Beschäftigung mit alter Kunst- und Volksdichtung. Die andächtige Liebe zum Deutschtum verband sich bei diesem Sammeln und Bearbeiten mit der romantischen Neigung zum Merkwürdigen und Absonderlichen, zum Abenteuerlichen und Wunderbaren. Man wollte damit, im Sinne der Tieckschen Märchendichtung, die eigene Phantasie mit ungewöhnlichen Gestalten und Vorgängen bereichern.

Eine Gruppe jüngerer Dichter, meist zwischen 1780 und 1790 geboren, hatte sich im ersten Jahrzehnt des neuen Jahrhunderts zu längerem oder kürzerem Aufenthalt in Heidelberg zusammengefunden. Diese süddeutsche Stadt, die durch den Reichsdeputationshauptschluß von Regensburg dem Kurfürsten Karl Friedrich von Baden zugesprochen worden war, schien recht eigentlich die Verkörperung aller romantischen Sehnsucht und Schwärmerei zu sein. Sie lag in einer lieblichen, vom Neckar durchflossenen, mit grünen Bergen und dunklen Wäldern bestandenen Landschaft. Die Ruine des prachtvollen Schlosses, einer der schönsten Bauten deutscher Renaissance, konnten die Sehnsucht wecken nach vergangener herrlicher Zeit, da deutsche Baukunst dergleichen Wunderwerke zu schaffen vermochte. In der Nähe war der Odenwald, wo nach der Sage Hagen den Siegfried erschlagen hatte. Es war herrlich, hier im Sommer zu wandern, sich von den alten Mären umrauschen zu lassen und

Titel der Erstausgabe von Th. Körners
„Leyer und Schwerdt", 1814

neue Lieder zu singen, die der Reiz der Landschaft aus der empfänglichen Brust sprossen ließ. Hier haben Brentano und Arnim „Des Knaben Wunderhorn" und Görres die „Teutschen Volksbücher" herausgegeben. Hier hat Eichendorff studiert und haben sich Uhland und die Brüder Grimm anregen lassen. Hier wurde, wie der Freiherr vom Stein sich ausdrückte, ein gut Teil des Feuers entzündet, das nachher die Franzosen verzehrte.

Clemens Brentano hat einmal an seine Schwester Bettine, die einen Brief von ihm erwartete, geschrieben, er sitze zu sehr auf der Schaukel, als daß er ihr hätte schreiben können. „Auch habe ich täglich abreisen wollen, aber es hat sich mir Abenteuer an Abenteuer gereiht, und ich bin mit allerlei künstlichen Spinnweben umflochten worden, die ich im Anfang leicht hätte zerreißen können, aber ich sah mit künstlerischer Lust den Geweben zu und habe aus kindlicher Tollheit mir selbst Stricke daraus gflochten." An Sophie Mereau, die Geliebte Brentanos, hat ihre Verwandte Julie Reichenbach am 31. Mai 1799 über Brentano geschrieben: „Er ist ein höchst sonderbarer Mensch, sehr geistreich, auf seinem Gesicht ist das vollkommen ausgeprägt. Er spricht viel, oft gut, widerspricht sich aber oft auch selbst. Er reizt immer durch seine Meinung zum Widerspruch und wird dann sehr leicht bitter. Er kömmt mir vor wie ein Buch, an dem die Blätter verbunden (d. h. unrichtig gebunden) sind, wo man doch Stellen ganz zusammenhängend lesen kann und wieder keinen Zusammenhang findet." Er war voll zartester Empfindung, jedem Gefühl wehrlos ausgeliefert: „Mich fesselt jede Liebe, und ich kann nichts in mir niederreißen, ohne mich selbst niederzureißen", bekannte er einmal Arnim. Aber er war unfähig, sein Inneres zu ordnen. „Die Planmäßigkeit ist mir selbst leider sehr gegen die Natur, da meine Natur sehr unordentlich ist", sagte er. Er war die Unruhe und Sprunghaftigkeit selber, mit einer übermächtigen Phantasie in einem poetischen Traumreiche lebend und handumkehrt den Hauch seines Gefühls und die Gebilde seiner Phantasie mit spielendem Witze zerblasend. Einmal, mitten in seiner leidenschaftlichen Liebe zu Sophie Mereau, tobte er in Leid und Zorn, weil sie geritten war, trotzdem sie wußte, daß er das Reiten von Frauen nicht mochte. „Sie ist eine Lügnerin, eine Kokette, eine Sirene, die mich bestrickt, aber nicht verdient", schrie er. Er klagte über heftiges Kopfweh, ließ sich ein Tuch um seine schwarzen Locken binden und legte sich aufs Sofa, um ein wenig zu schlafen. Nach ein paar Stunden öffnete er in größter Heiterkeit die Türe und trat in einem Kostüm heraus, in dem er lächerlich hübsch aussah. Er hatte einen Frauenmantel umgenommen und aus einer Kommode eine Haube mit Rosaband hervorgerissen, die ihm so komisch zu seinem südlichen Teint stand, daß die Freundin Sophies, die die Episode berichtet, ihn mit lautem Lachen empfing. Beständig verzehrt ihn eine unendliche und unbestimmte Sehnsucht. Kann er es nicht mehr aushalten, so geht er spazieren. „Ich sehe dann im Gehen immer an die Erde, und oft drehe ich mich um und sehe traurig zurück. Wenn ich an den Himmel sehe, kommen mir Tränen in die Augen; im Himmel und im eilenden Wasser wohnt eine Sehnsucht, die alles mit sich hinabzieht, wie eine Sirene. Darum sehe ich, möchte ich sagen, immer in mich hinein und spreche mir allerlei Wiegenlieder vor, damit das weinende Kind in meinem Herzen endlich schweige." 1804 zog ihn seine Unruhe nach Berlin zu Achim von Arnim, indes Sophie in Heidelberg zurückblieb. Kaum war er fort, so verzehrte ihn die Sehnsucht nach ihr. „Soll ich weinend oder lachend antworten", schrieb sie ihm. „Einen größeren Don Quixote wie dich trug gewiß nie die prosaische Erde! Zu Hause sitzt sein treues Weib, liebt ihn, lebt eingezogen, arbeitsam, trägt ihn in und unter dem Herzen und ist ganz zufrieden — er reist ganz lustig durch die Welt zu einem geliebten, wunderholden, einzigen Freund, er könnte ganz ruhig glücklich sein, aber weil er nun gar nichts weiß, ihm gar nichts fehlt, so kämpft er gegen Windmühlen und trägt sich mit den unwesentlichsten Grillen." Er war ein Flugzeug ohne Steuermann. Auch seine Dichtungen sind luftige Spiele einer überreichen Phantasie, ohne die innere Notwendigkeit des aus der Natur gewachsenen, durch ihre Gesetzmäßigkeit bedingten Werkes.

Wer will entscheiden, ob Clemens Brentano diesen wenig glückbringenden Charakter von dem Vater oder der Mutter erhalten hat? Vergleicht man die Briefe seiner Schwester Sophie und die Werke Bettines mit den seinigen, so gewahrt man in allen den gleichen geistreich spielenden Stil. Der Vater, aus Tremezzo am Comersee stammend, war nicht nur ein tüchtiger Kaufmann, sondern hatte auch Sinn für Poesie und machte italienische Gedichte. Die Mutter, Maximiliane, zweiundzwanzig Jahre jünger als er und seine zweite Gattin, war die Tochter der Sophie La Roche — Goethe hat sie als junge Frau geliebt und ihr Bild in den „Werther" aufgenommen. In Frankfurt a. M. wurde Clemens den 8. September 1778 als das dritte von acht Kindern seiner Mutter geboren; aus der ersten Ehe des Vaters blieben vier Kinder am Leben.

Er war ein Sorgenkind. Frau Rat Goethe sagte einst zu ihm: „Dein Reich ist in den Wolken und nicht von dieser Erde, und so oft es sich mit derselben berührt, wird es Tränen regnen. Ich wünsche einen gesegneten Regenbogen." Sein Verhältnis zum Vater war nie herzlich. Um so zärtlicher das zur Mutter. Von seinen Schwestern liebte er vor allem die zwei Jahre ältere Sophie und die zehn Jahre jüngere Bettine. Damit er in eine geordnete Bahn kam, wurde er zum Teil außerhalb des Elternhauses, bei einer Tante in Koblenz und in einer Pension in Mannheim erzogen. Es nützte nichts. Er führte, als er wieder in Frankfurt war, ein ausgelassenes Leben. Es kam vor, daß der Vater ihn betrunken auf dem Boden seines Zimmers liegend fand. 1793 starb die Mutter. Der Vater hatte ihn zum Kaufmann bestimmt. Aber auch er starb im März 1797, und nun ging Clemens für das Sommersemester nach Halle, um Berg- und Kameralwissenschaften und auch Medizin zu studieren. Im nächsten Jahr begab er sich nach Jena. Hier nahmen ihn, in Erinnerung an seine Mutter, Wieland, Goethe und Herder freundlich auf, und Tieck und Friedrich Schlegel zogen ihn in ihren Kreis. Friedrich Schlegel dürfte es gewesen sein, der ihn mit Sophie Mereau bekannt machte, der Gattin eines Jenaer Professors. Sie war hübsch, geistig lebendig, kokett und suchte sich für die lieblose Behandlung, die sie von ihrem Manne erfuhr, durch anderweitige Verhältnisse schadlos zu halten. Clemens war, als er sie kennenlernte, noch nicht zwanzig, sie achtundzwanzig. Sofort faßte er eine glühende Liebe zu ihr. Friedrich Schlegel machte den Vermittler. Brentano mußte dem ewig Geldbedürftigen als Preis dafür ein Darlehen bei seinem Bruder Franz vermitteln, nachdem seine eigenen Mittel erschöpft waren. Später, als er das Geld erhalten und die Quelle weiterer Zuschüsse verstopft war, beredete Schlegel die Mereau, sich von Brentano zu trennen. Als sie sich von ihm zurückgezogen, tröstete sich Brentano mit verschiedenen andern Verhältnissen. „Mich fesselt jede Liebe", erklärte er damals. Einer seiner Geliebten — er nennt sie Arnim und sich selber Sophie — schrieb er einmal vom Ufer der Lahn: „Ich finde eine tiefe Ähnlichkeit zwischen meiner jetzigen Lage und dem Schicksal der ganzen Welt. Sieh, hier sitze ich, und meine Sehnsucht liegt jenseits, zwischendurch braust der Fluß, der sich um Diesseits und Jenseits nicht kümmert und doch beide bildet. So ist der Mensch durch ein fremdes Element von allem Göttlichen getrennt, und es scheint und tönt ihm nur aus der Ferne her ein Abklang des Vortrefflichen entgegen. Da drüben über dem Flusse, da liegt ein Garten, da stehen viele Blumen drin, und unter Blumen geht ein Mädchen herum, das sie verpflegt." In dem Briefroman „Godwi" hat Brentano alles niedergelegt, was ihn damals bewegte. Weiche Stimmungsromantik, Wunderbares, Humor, Satire und Ironie wechseln in bunter Folge in ihm. Die Komposition, vor allem im ersten Teile, wetteifert an willkürlicher Unordnung mit der in der „Lucinde". Godwi selber ist ein junger Feuergeist, der die Mittelstraße haßt, ein romantischer Freigeist, der in einer Traumwelt lebt. „Glück und Genuß", erklärt er, „ist der Zweck unseres Lebens — Leben ist eine Freikunst, ich treibe sie, wo und wie ich will. — Auf einem unbändigen Rosse ein mächtiger Reiter, will ich meine Bahn durcheilen."

Inzwischen hatte sich Sophie Mereau von ihrem Manne scheiden lassen. Clemens hatte sie, in all seinen andern Liebeleien, nicht vergessen. Und als sie sich ihm wieder näherte, schrieb er ihr die längste Liebesbeichte, die ein Mann jemals seiner Angebeteten geschrieben hat. „Ich war unendlich glücklich", heißt es darin, „als ich nachts weinend an Ihrer Haustür saß, ich habe noch ein Stückchen Brot, von dem Sie einen Bissen gegessen haben, und können Sie es glauben, es ist mein Abendmahl an dem Jahrtage, da ich Sie zum ersten Male sah, da ich Sie zum ersten Male küßte; und da Sie mir sagten: Ich liebe Sie nicht mehr, überdenke ich immer mein Leben und meine Erlösung, und dann esse ich einige Brosamen dieses Abendmahles zu deiner Gedächtnis." Bald darauf wurde sie seine Geliebte, und im November 1803 heirateten sie.

Damals war Achim von Arnim bereits sein Freund. In Göttingen, wo Brentano seinen Roman „Godwi" vollendete, hatten sie sich im Sommer 1801 kennengelernt und Freundschaft geschlossen. Sie waren eins in der Liebe zur Dichtung, aber sonst die größten Gegensätze, die sich denken lassen. Schon nach dem Aussehen. Brentano war klein und zierlich gebaut,

Arnim von hohem Wuchs und auffallender Schönheit. Er sehe königlich aus, urteilte Bettine. Ebenso nach der Herkunft. Ludwig Achim von Arnim war im 26. Januar 1781 in Berlin geboren und stammte aus einer alten märkischen Familie. Er war lutherisch, wie Brentano vom Vater her katholisch war. Seine Mutter war an den Folgen seiner Geburt gestorben, und er war mit seinem Bruder von der Großmutter erzogen worden. Er besuchte das Joachimstalsche Gymnasium, wo er mit Friedrich von Raumer, dem späteren Geschichtsschreiber, um das Lob wetteiferte, der Erste der Klasse zu sein. „Man muß sich“, urteilte der Direktor, „fast hüten, durch Lob seines Fleißes und Durstes nach Kenntnissen ihm nicht einen neuen Antrieb zu geben, der seiner Gesundheit und so dem Erfolg seines Studierens nachteilig werden müßte.“ Sein erster Wunsch war, als er die Schule verließ, Soldat zu werden. Aber er fügte sich dem Entscheid der Großmutter und wurde Jurist. In Halle studierte er von 1798 bis 1800. Aber seine eigentliche Liebe galt der Mathematik und den mächtig aufstrebenden Naturwissenschaften, Chemie und Physik, und schon als Student veröffentlichte er physikalische Aufsätze. Vor allem zu naturwissenschaftlichen Studien ging er auf den Sommer 1800 nach Göttingen. Hier gewann die Dichtung seine Liebe. Er lernte Goethe kennen, als er diesem auf der Durchreise als Führer einer Studentenschar ein Lebehoch brachte, und freundete sich mit einem Neffen von Leisewitz und August Kestner, dem Sohne von Goethes Lotte, an. Ein Briefroman, „Hollins Liebeleben“, entstand, der den Verfasser als Nachahmer des „Werther“, des „Lovell“ und der „Lucinde“ zeigt.

Ein Semester waren Arnim und Brentano zusammen. Dann beendete Arnim sein Studium und ging mit seinem Bruder auf Reisen nach Süddeutschland und Österreich, nach der Schweiz, Frankreich und England. Ein wunderlicher „Roman“ wurde während dieser Zeit verfaßt, „Ariels Offenbarungen“, eine Mischung von Drama, Epik, Lyrik und Memoiren. Die Liebe zur deutschen Vorzeit, die auch in „Hollins Liebeleben“ zutage tritt, mischt sich darin mit der Schwärmerei für die Poesie. Ein „Heldenlied von Hermann und seinen Kindern“ und eine Art Lehrgedicht über die Dichtung, „Heymars Dichterschule“, bilden ihren wichtigsten Inhalt. Formal spürt man vor allem den Einfluß von Tiecks Reimklingeleien.

Ein eifriger Briefwechsel verband ihn mit Brentano. In dieser Zeit wuchsen die beiden Freunde immer mehr ineinander hinein. Für Brentano war Armin Stab und Zufluchtsort geworden, je mehr seine Ehe mit Sophie an Glück verlor. „Deine Briefe, lieber Arnim“, schrieb er ihm einmal, „wenn. du wüßtest, wie glücklich sie mich machen! Und so von selbst hast du es getan, du Goldjunge. Schreibe mir daher, sooft du kannst, alle Privatnarrheit, alle Privatbosheit, den eigentümlichen Fluch und Segen lassen an mich aus, auf Erden sei dir kein teuer Herz als ich.“ Was sie verband, war die Liebe zur ältern deutschen Dichtung, vor allem zu den namenlosen Liedern und Sagen, die im Volke umliefen und in Jahrmarktschriften und Kalendern gedruckt, auf vergilbten Blättern aufgezeichnet waren. Von Zürich aus sandte Arnim im Sommer 1802 dem Freunde u. a. ein Tellenlied, das er selbst umgedichtet hatte. „Ich schwelge in dem Dufte der Alpenkräuter", schrieb er dazu. Er sah damals alles mit Dichteraugen: „Alles geschieht in der Welt der Poesie wegen, die Geschichte ist der allgemeinste Ausdruck dafür, das Schicksal führt das große Schauspiel auf." Brentano trieb sich damals am Rheine herum. „Ich bin fünf bare Wochen in Coblenz gewesen", schrieb er Arnim im August 1802, „und habe unter andern viele seltene alte Bücher und einige Manuskripte spottwohlfeil gekauft... Sammle viel Volkssagen und Lieder und alte Bücher in der Schweiz, auf das Dichten an Ort und Stelle halte ich weniger." Schon hier tut sich ein Gegensatz auf zwischen den Freunden. Arnim in seiner herrischen und selbstbewußten Art schaltete willkürlich mit dem aufgefundenen Liedergut; Brentano, weiblich anschmiegsam, ehrte in der Volksdichtung den Ausdruck des Naturgenies selber, an den er nicht zu rühren wagte. Darum suchte er selber sich das Volksleben völlig zu eigen zu machen. Er fuhr auf Marktschiffen auf dem Rhein, lauschte dem Gesang der Schiffer, zog mit Schauspielern und in Prozessionen mit und hörte Bänkelsängern zu. „Ich möchte wohl gut dichten und gut singen können, um mein Leben auf dem Marktschiff zwischen Frankfurt und Mainz zu versingen."

Aus der innigen Freundschaft und der beiderseitigen Liebe zur Dichtung tauchte der Plan einer gemeinsamen Liedersammlung auf. „Ich habe eine Idee, die dir vielleicht auch nicht unangenehm wäre", schrieb Brentano am 20. April 1803. „Ich habe viele einzelne ungedruckte Lieder von mir, du hast auch vielleicht vieles. Wenn wir sie zusammen drucken ließen mit unsern beiderseitigen Namen, sollte uns das Büchlein nicht immer eine freudige Umarmung unserer Jugend sein?" Arnim antwortete am 5. Mai aus Paris: „Gestern erhielt ich deinen Brief wie eine Himmelsbotschaft... Du bist Moses; an welchen Felsen dein Stab schlägt, da entspringt eine Quelle... Und so quelle ich zu dir mit allen meinen wasserreichen Bächen, ich meine mit meinen Gedichten... ‚Lieder der Liederbrüder' — diese Aufschrift gefällt mir am besten." Aber neben der eigenen Dichtung war die Liebe der beiden zu alten Liedern so groß, ihre eigenen Gedichte so mit alter Poesie getränkt, daß der Plan einer gemeinsamen Sammlung eigener Gedichte bald von dem andern einer Sammlung älterer deutscher Lieder verdrängt wurde: er lag ohnehin in der Luft. Unter anderm sprach August Wilhelm Schlegel in den Berliner Vorlesungen es aus, daß den Deutschen noch eine Sammlung einheimischen Volksgesangs nach der Art der Percyschen fehle; und als Arnim auf seiner Bildungsreise in England weilte, lernte er Scotts „Minstrelsy of the Scottish Border", eine Sammlung alter Balladen, kennen.

Zu Anfang 1805 hatte der neue Plan bestimmte Gestalt angenommen. Im Januar schrieb Arnim seinen Aufsatz „Von Volksliedern", der nachmals dem ersten Bande des „Wunderhorns" beigegeben wurde. Mitte Februar machte Brentano den Vorschlag, ein wohlfeiles Volksliederbuch zu unternehmen. Es sollte zum Anfang nur hundert Lieder enthalten, „die den gewöhnlichen Bedingungen des jetzigen Volksliedes entsprechen... Es muß sehr zwischen dem Romantischen und Alltäglichen schweben, es muß geistliche, Handwerks-, Tagewerks-, Tagezeits-, Jahrzeits- und Scherzlieder ohne Zweck enthalten ... Es könnten die bessern Volkslieder drinne befestigt und neue hinzugedichtet werden." Am 27. Februar stimmte Arnim zu. Nun hob ein planmäßiges Sammeln an. Freunde wurden in Kontribution gesetzt. Alte Liederbücher, Chroniken, Zeitschriften durchstöbert, Manuskripte und fliegende Blätter beigebracht und aus dem Volksmunde alte Weisen aufgezeichnet. Im Frühling 1805 trafen sich die beiden Freunde in Heidelberg. „Um Gotteswillen, eile", hatte Brentano gedrängt, „eile, ehe alle die Bäume hier abblühen ... Hier ist es unendlich schön." In wochenlanger Arbeit wurde das Gesammelte gesichtet, im Juli war das Werk fertig, und zur Michaelismesse erschien „Des Knaben Wunderhorn. Alte deutsche Lieder" mit einer Widmung an Goethe. Ein Einleitungsgedicht, von Arnim bearbeitet, erklärte den Titel: Ein Knabe reitet mit einem Wunderhorn auf der Kaiserin Schoß. Hundert Glocken hängen daran, berührt man sie, so klingen sie süßer als Harfenklang, Frauengesang und Vogellied.

Von Anfang an hatten die Freunde an eine Fortsetzung gedacht, und wirklich betrieben sie das Sammeln weiter. Ein Rundschreiben Brentanos vom Sommer 1806 forderte alle auf, zu dem Werke beizutragen: „Wir wollen literarisch zu befestigen suchen, was wir moralisch als beinahe untergegangen voraussetzen dürfen, jene frische Morgenluft altdeutschen Wandels, die noch in diesen Liedern weht." Aber das Kriegsgeschehen erwies sich mächtiger denn die Literatur. Arnim stellte sich dem König zur Verfügung, dichtete Kriegslieder und plante die Herausgabe einer politischen Zeitung: „Der Preuße". „Wer des Vaterlandes Not vergißt", ruft er aus, „den wird Gott auch vergessen in seiner Not." Er sah den innern Zusammenhang zwischen dem politischen Geschehen und dem Sammeln alter deutscher Lieder tiefer als Brentano, der ihm schrieb: „Du weißt nicht, wie es mich erschreckte, wärst du Soldat; o, sei keiner, der untergeht, keiner, der siegt: sei ein Mensch hoch über der Zeit und falle nicht in diesem elenden Streit um Hufen Landes." Hier schieden sich die Freunde. Arnim erfüllte der Untergang Preußens, die Ratlosigkeit und Verwirrung, die überall herrschte, mit Scham und Schmerz. Er eilte nach Berlin, nach Danzig, nach Königsberg. Brentano, als sollte er dafür bestraft werden, daß er über seinem eigenen Leben das Schicksal der andern mißachtete, erfuhr in Heidelberg das Unglück, daß ihm am 31. Oktober Sophie an der Geburt des dritten Kindes starb.

Nicht ein Jahr darauf wurde er zu einer neuen Heirat gezwungen. Ein siebzehnjähriges Mädchen, Auguste Bußmann, eine Nichte des Bankiers Bethmann in Frankfurt, „entschlossen wie ein Mann, jungfräulich schüchtern wie eine Nonne", warf sich ihm „mit erschrecklicher Gewalt, nach einigen poetischen Galanterien", die er ihr gemacht, im Taxischen Hofe auf der Treppe, „da Napoleon und die andern Fürsten auf- und ablaufen", vor den Augen aller Frankfurter buchstäblich an den Hals. „Ohne zu lieben", erzählte er Arnim, „falle ich in eine Art von Fieber, das mich wie eine feurige Wolke umgibt." Er sucht bei ihrem Oheim und Vormund Rat. Abends um zehn Uhr bittet sie ihn, zu ihr zu kommen. Wie er erscheint, steht sie mit einem Bündelchen unter dem Arm da. Dann läuft sie mit ihm, dem es „ganz ordinär zu Mute", zum Tor hinaus. In einer schnell bestellten Postchaise fahren sie nach Kassel. Da entdeckt er, daß das Mädchen, das ihn entführt hat, ein ganz anderes Geschöpf ist, als er sich gedacht, „ein Wesen ohne alle ideale Natur, verwöhnt, plump und heftig, mit einer an Blödsinn grenzenden Entschlossenheit, ohne Reiz des Leibes und der Seele". Aber sie ist durch die Entführung bloßgestellt. Von Frankfurt aus fordern ihre Verwandten die Heirat. Ein katholischer Priester traut sie am 20. August 1807. „Die ganze Handlung war so läppisch, so elend, die Kirche schien über mir einzustürzen, und eine innere Trauer vernichtete mich, daß ich ohne Würde, ohne Rührung, drei Sakramente empfing; Gott verzeihe mir meine Schuld." Er hatte die Hölle mit ihr. Sie brachte ihn mit ihrem Wesen zur Verzweiflung. „Zweimal hat sie mich geschlagen und mich endlich dahin gebracht, daß ich sie auch einmal gewalkt." Das wirkte auf einige Tage wunderbar. Dann setzte die alte Komödie wieder ein. Einmal täuschte sie ihm Selbstmord vor, indem sie sich mit einem Federmesser und einer Schere zwei Stiche versetzte. Man entfernte sie für einige Zeit von ihm und brachte sie bei einem Pfarrer unter, während Brentano nach Landshut ging, wo der mit seiner Schwester Gundel verheiratete Savigny an der Universität wirkte. Sie reiste ihm nach. „Ich möchte verzweifeln über mein verfluchtes Weib", schreibt er am 10. Oktober 1808 an Arnim, „das mir einen Jammerkübel über den andern übergießt. Wohin ich flüchten soll, weiß ich nicht." Er will, daß sie in verschiedenen Häusern wohnen. Sie lehnt es ab. Er flüchtet sich nach München. Savigny ruft ihn zurück: sie hat verkündet, sie wolle sich in seiner Gegenwart vergiften. Wie er erscheint, zieht sie wirklich eine Flasche hervor, aus der sie angeblich Gift trinkt; in Wahrheit ist es Malaga. „Es ist hier nicht mehr die Rede von ehelicher Uneinigkeit, sondern von einem tollen Weibe, das gezähmt werden soll", schrieb Savigny. Endlich wurde 1811 die Ehe geschieden. 1832 endete Auguste durch Selbstmord.

Inzwischen hatte die nationale Erneuerung, die nach Jena eingesetzt hatte, die Fortführung des „Wunderhorns" nicht nur möglich, sondern dringlich gemacht. Jedes politische Geschehen, das nicht aus geistigen Gründen wächst, ist zuletzt zum Mißerfolg verurteilt. Auch die Freiheitsbewegung konnte nur gelingen, wenn das, was befreit werden sollte, der Befreiung wert war. Den Wert aber gab nicht sowohl die Forderung der Gegenwart als der geistige Reichtum der Vergangenheit. Ihn den Zeitgenossen ins Bewußtsein zu rufen, war das „Wunderhorn" vor allem bestimmt. Im November 1807 trafen sich Arnim und Brentano in Weimar, wo Goethe sie zur Weiterarbeit aufmunterte. Es zeigte sich, daß des Gesammelten so viel war, daß es für zwei weitere Bände reichte. In Kassel bearbeiteten sie im Dezember den zweiten und dritten Teil. Im Februar begann der Druck, den Arnim in Heidelberg selber leitete. Im April erschien auch Brentano, und noch einmal wiederholte sich das romantische

Zusammenleben im Zauber der stimmungsvollen Landschaft. In einem „herrlichen kleinen Haus am Schloßberge" wohnten sie zusammen, „mitten im Grünen, über uns Apfelblüte, unter uns die lustige Bürgerschaft beim Biere". Es waren höchst anregende, aber auch aufregende Monate. Auf engstem Raume wurde damals ein Stück des Kampfes zwischen Klassik und Romantik ausgekämpft. Um Arnim und Brentano hatte sich ein Kreis geistsprühender junger Männer gesammelt: Josef Görres, der eben seine „Teutschen Volksbücher" herausgegeben hatte, Friedrich Creuzer, der klassische Philologe, der Schellingschen Geist in die Deutung der griechischen Mythen hineintrug, der Maler Ludwig Grimm, der Bruder von Jacob und Wilhelm Grimm, und andere. Die „Zeitung für Einsiedler" und die „Heidelberger Jahrbücher" verkündeten ihren romantischen Geist der Welt. Friedrich und August Wilhelm Schlegel und Ludwig Tieck, Jacob Grimm und Görres, Uhland und Zacharias Werner, Justinus Kerner gesellen sich hier zu Arnim und Brentano, und aus älteren Mystikern, wie Jakob Böhme und Johannes Tauler, werden Stücke neu gedruckt.

Das war ein Geist, der dem alten Kämpen Johann Heinrich Voss keineswegs gefallen konnte, welcher 1805 nach Heidelberg berufen worden war. Er vermochte nicht, wie sein Kollege Creuzer, die Literatur der Griechen mit alter und neuer Mystik zu verbinden. Der Geist strengen Luthertums, den er schon gegen Fritz Stolberg ausgespielt, wehte auch durch sein Bekenntnis zu den Griechen, und Clemens Brentano mochte er, den Menschen wie den Dichter, schon gar nicht leiden. Als Brentano und Görres 1807 eine gemeinsame Satire von „Bogs [der Name ist gebildet aus den Anfangs- und Schlußbuchstaben der Namen der beiden] dem Uhrmacher" herausgaben und darin, es war nicht gerade ein neues Thema, sich über Aufklärung und Philisterwelt, Nicolai und Kotzebue lustig machten, deutete Voß das Pamphlet auf sich, richtete am 14. Januar 1808 im Cottaischen Morgenblatt einen Angriff gegen den „Schwarm junger Kräftlinge", die vom Veitstanz fortgerafft würden, und wetterte gegen die „unförmigen Erneuerungen des dumpfen, von Hierarchen und Damen abhängigen Rittergeistes". Das reimreiche Sonett, das die Romantiker so gerne pflegten, war seinem, der reimlosen Metrik der Alten ergebenen Sinn ein Greuel. Er mahnte Goethe ab, diese „Unform alter Truyaduren" zu pflegen, und höhnte, den Reimreichtum des „klingenden Sonetto" übertrumpfend, die Romantiker mit einem eigenen Sonett aus, das nur aus Reimen bestand:

> „Mit / Prall - / Hall / Sprüht
> Süd / Trall - / Lall - / Lied.
> Kling- / Klang / Singt,
> Sing- / Sang / Klingt."

Aber auch zwischen den Liederbrüdern selber brach Uneinigkeit aus. Arnim gebärdete sich gegenüber den alten Texten als selbstherrlicher preußischer Junker, der ohne Ehrfurcht vor der Überlieferung wegschnitt, hinzudichtete und änderte, wie es ihm der Geist der Poesie eingab. Brentano führte schon seine weiblich anschmiegsame Natur zu philologischer Treue. „Du hast an den Pfalzgraf Stücke aus andern Gedichten geknüpft, die ihn ganz verderben", schrieb er Arnim 1809. „Arnim, lieber Arnim, wenn du nur ein wenig streng arbeiten wolltest und nicht so aneinander binden ... Du läßt die Poesie zu sehr als Wildfleisch wachsen und wärst imstand, einen Scheiterhaufen von grünen Zweigen und antiken und lebendigen Menschen durcheinander zu bauen und oben drauf dich mit einer satirisch-episch-lyrischen Anrede ans Publikum im feierlichsten Ernste als Herkules zu verbrennen."

Im Sommer 1808 erschienen der zweite und der dritte Band des „Wunderhorns". Im November verließ Arnim Heidelberg und siedelte sich in Berlin an, und dorthin folgte ihm Brentano im Herbst 1809. Tür an Tür hausten sie hier, aus einer Kasse lebend. „Wer Geld hat, borgt es dem andern, aber wir haben meistens beide keins", berichtet Brentano Görres. In dieser Zeit schrieb Arnim sein Doppeldrama „Halle und Jerusalem" und den Zeitroman „Armut, Reichtum, Schuld und Buße der Gräfin Dolores", jenes eine unerträgliche Aufschwemmung von Gryphius' schlankem Schauspiel „Cardenio und Celinde" durch Einbeziehung von allen möglichen mittelalterlichen Motiven, dieser eine Anhäufung von Personen und Geschehnissen der Gegenwart, wobei der Verfasser alle möglichen Fabeln, Märchen und literarischen Reminiszenzen als moralische Beispiele in epischer, lyrischer und dramatischer Form in die Handlung einflicht, und auch seinen jugendlichen Briefroman „Hollins Liebeleben" wieder aufleben läßt, wie die „Zeitung für Einsiedler", die er als „Tröst Einsamkeit" wieder herausgab, ausplündert. „Er ist wie ein Faß, wo der Bötticher vergessen hat, die Reifen festzuschlagen, da läuft's denn auf allen Seiten heraus", sagte Goethe von dem Roman.

1802 hatte Arnim Brentanos Schwester Bettine in Frankfurt kennengelernt. Seither hatten bald Brentanos Mitteilungen, bald gegenseitige Briefe die Bekanntschaft lebendig erhalten. Sie sahen sich da und dort, in Frankfurt 1805, als Arnim den Druck des ersten Bandes des „Wunderhorns" überwachte, im Herbst 1807 in Weimar, Kassel und wiederum Frankfurt, 1808 in Frankfurt. In ihren Briefen an Goethe erzählt Bettine von dem Freunde, mit dem sie bald das trauliche Du wechselte. Als Arnim 1810 das Vermögen seiner Großmutter erbte, konnten sie heiraten. Am 11. März 1811 ließen sie sich heimlich trauen. Eine reiche literarische Tätigkeit wurde durch Arnims Dienst im Landsturm 1813 kurz unterbrochen. Ein Jahr später siedelte er mit seiner Familie nach seinem Gute Wiepersdorf über. Hier entstand u. a. sein bekanntestes Werk, der Roman „Die Kronenwächter", deren ersten Teil er 1817 herausgab — den zweiten veröffentlichte Bettine erst 1854 aus dem Nachlaß. Am 21. Januar 1831 ist er in Wiepersdorf an einem Nervenschlage gestorben. „Er ist so schön gestorben", erzählte Bettine Leopold von Ranke. „Er schien kerngesund und wollte in wenigen Tagen nach Berlin kommen. Von einer Gesellschaft seiner ländlichen Bekannten in seinem Hause hinweg war er in sein Zimmer gegangen und hatte den „Sternbald" zur Hand genommen. Ich

weiß nicht, welches Lied von Sehnsucht nach der Seligkeit er eben auf-
geschlagen, als ihn Gott zu sich emporhob, er stehend niedersank ... Er
tat noch einen Atemzug und war hin." Wie bezeichnend, daß gerade der
„Sternbald" das Buch war, das er zuletzt in der Hand hielt! Denn was
er geschrieben hat, setzt die Linie der Tieckschen Romantik fort; und wie
sich der alte Tieck dem anbrechenden Realismus zuwandte, so lassen auch
Arnims nachgelassene Werke solchen Zug erkennen.

Das Leben Clemens Brentanos gestaltete sich nicht so gradlinig. Nach
wie vor schwankte er steuerlos hin und her. Er hatte in Berlin mit Arnim
zusammengelebt und an ihm einen Halt gefunden. Als Arnim heiratete,
hoffte er, daß das junge Paar ihn bei sich aufnehmen würde. „Ich will
mich eurem Willen ganz unterziehen", schrieb er am 11. Dezember 1811,
„ich will euch nicht stören, ich will euch Freude machen auf alle Weise;
alles was euch Unrecht scheint, will ich vermeiden. Ich will fleißig sein
und euch meine Arbeiten wie ein Pensum mitteilen. Nur laßt mich bei
euch leben, damit ich mich wieder sammle und auf die Bahn des Rechten
komme." Allein weder Arnim noch Bettine mochten den Ruhelosen und
Ungeordneten als ständigen Gast in ihrer Wohnung haben. Die Lebensgewohnheiten waren allzu verschieden. Arnim mit seiner Frau liebte ein
ruhiges und arbeitsames Leben, Brentano Betrieb und Herumschweifen.
Er würde, schrieb ihm der Freund am 28. Dezember 1811, bald einen
Überdruß an der Art Lebenseinförmigkeit empfinden, die sein Glück aus-
mache. „Du bist uns willkommen, so oft du uns besuchst ... Daß du ein
paar Mal meine Frau deiner Laune aufgeopfert, das war eine Art Fühl-
losigkeit, die wir dir gern überhört haben; sie kam nicht von deinem
Genius, sondern von deinem Dämon, der dich damals besetzt hielt."

So war Brentano erst recht in sein chaotisches Dasein zurückgeworfen.
Er trieb sich in der Welt umher. Er warf sich in seiner Sehnsucht nach
Liebe an Unwürdige weg. Er hatte im „Godwi" geschrieben, Religion
sei nichts als unbestimmte Sinnlichkeit, das Gebet ihre Äußerung. Wer
nicht sinnlich sei, habe keine Religion, und eine Religion, die nicht sinnlich
sei, habe keine Menschen. Er war eine Art Schlimmheiliger Vitalis (in
Gottfried Kellers Legende). Er erlag immer wieder dem Drange seiner
sinnlichen Natur, und er tobte sich mit Dirnen aus. Plötzlich erwachte
dann wieder sein Trieb nach Reinheit, und er begann nun denen Tugend
zu predigen, deren Reize er eben noch genossen. Schon vor der Jenaer
Zeit haben ihm Mädchen in Briefen gedankt, daß er sie zur Ehrbarkeit
zurückgeführt habe. Aber es kam auch vor, daß, wenn er eine Dirne dazu
gebracht hatte, sich die Haare und Schleppen abzuschneiden, damit ihre
Tugend wachsen solle, sie ihm bald so langweilig und häßlich erschien, daß
er ihr riet, die Bußtränen in Reuetränen über die verlorene Sünde zu
verwandeln, und sie veranlaßte, ihre Haare wieder wachsen und ihre
Röcke wieder schleppen zu lassen. Arnim meinte einmal, er staffiere ein
solches Mädchen, das er zu lieben glaube, mit dem Besseren, Schöneren in
sich aus, um auch dies in den Mist zu ziehen. In diesen Jahren sind seine
„Romanzen vom Rosenkranz" entstanden.

Er blieb, ob auch von Arnim nicht in seinem Haus aufgenommen, doch in Berlin wohnen, und da traf er 1816 bei dem dichtenden Staatsrat Staegemann mit der schönen Pfarrerstochter Luise Hensel zusammen, die, obgleich protestantisch, schon lange katholische Neigungen hatte. Sofort verliebte er sich in sie, da sie, wie er erklärte, seiner verstorbenen Schwester Sophie gliche. Als er ihr klagte, wie sehr er innerlich zerrissen sei, soll sie ihm geantwortet haben: „Was sagen Sie das einem jungen Mädchen? Sie sind so glücklich, die Beichte zu haben. Sie sind Katholik; sagen Sie Ihrem Beichtvater, was Sie drückt." Er war, als er mit ihr zusammentraf, bereits auf dem Wege, in der Kirche seinen Halt zu suchen. Ihre Worte bestärkten ihn in seinem Entschlusse. Sie selbst wurde zwei Jahre später katholisch. Aber sie konnte, obgleich sie Brentanos Neigung erwiderte, sich wegen seines üblen Rufes nicht entschließen, ihn zu heiraten.

Da hörte er 1815 von der wundertätigen Augustinernonne Anna Katharina Emmerich in dem westfälischen Dülmen. Seine katholischen Freunde rieten ihm, sich zu ihr zu begeben und seine Frömmigkeit in ihrer Nähe zu stärken. Im September 1818 suchte er sie auf. In der Aufzeichnung ihres Lebens und ihrer Äußerungen beschloß er, sich einen neuen Lebenszweck zu schaffen. Er kehrte nochmals nach Berlin zurück, verkaufte, was er an Bildern und Büchern besaß, und kehrte nach Dülmen zurück. Der sündige Weltmann war nun, wie Arnim sagte, ganz ein katholischer Eiferer geworden. Fünf Jahre lebte er in Dülmen und zeichnete die Visionen der Nonne auf. Als sie gestorben war, reiste er in der Welt umher, ein unermüdlicher Helfer der Armen. Mit Arnim und Bettine war er innerlich jetzt völlig zerfallen. Am 28. Juli 1842 starb er im Hause seines Bruders Christian in Aschaffenburg. Seine Märchen hat 1846 Guido Görres, der Sohn seines Freundes Josef, herausgegeben.

Gegenüber Arnim und Brentano, denen die Vertiefung in die deutsche Vergangenheit inneres Bedürfnis war, schwärmte Friedrich de la Motte-Fouqué für das Mittelalter, wie man an einem Maskenfeste eine Rolle spielt. Er leitete sein Geschlecht bis in die Zeit der Normannen zurück und ließ in seinen Werken auch Vorfahren aus jenen Jahrhunderten auftreten. Dadurch gewann er einerseits Berechtigung und Eifer, als Dichter ganz in der Welt des Mittelalters aufzugehen, anderseits, da es damals noch keinen Gegensatz zwischen Deutschland und Frankreich gab, litt er auch nicht wie Chamisso an dem Zwiespalt, als ursprünglicher Franzose im deutschen Heere dienen zu müssen. Die Familie gehörte zu den Hugenotten. Einer seiner Vorfahren hatte nach der Aufhebung des Edikts von Nantes Frankreich verlassen und hatte sich in Holland angesiedelt. Nach seinem frühen Tode hatte sich seine Witwe mit ihren Knaben in Hannover niedergelassen. Ihr zweiter Sohn trat in preußische Dienste und war mit Friedrich II. eng befreundet. Als dessen Enkel wurde der Dichter am 12. Februar 1777 in Brandenburg geboren. Friedrich der Große war sein Pate, und nach ihm erhielt er seinen Hauptrufnamen. Umgeben von mittelalterlichen Überbleibseln und Erinnerungen wuchs er auf. Die gewaltige Rolandsäule in Brandenburg machte ihm solchen Eindruck, daß sie ihm in Träumen erschien. Im Museum des Hallischen Waisenhauses sah er als fünfjähriger Junge einen Ritterharnisch und einen Zweihänder. Die Burg Giebichenstein, aus deren Fensterbogen sich der gefangene Graf Ludwig von Thüringen durch einen Sprung in die Saale befreit hatte, regte mit ihrem Turm und ihren Gewölben seine Phantasie mächtig an. Von 1781 an wohnte die Familie auf dem Schlosse Sacrow bei Potsdam. Hier erschienen oft Offiziere aus der nahen Garnison und erzählten von ihren Erlebnissen im Siebenjährigen Kriege. Auch Friedrich den Großen sah er vornübergeneigt auf dem Rosse. So füllte sich seine Phantasie mit Bildern von Waffenglanz und Mittelalter. Er war aber im Grunde ein weicher Mensch, und der frühe Tod der Mutter schreckte seine Träume mit angstvollen Vorstellungen des Todes.

Einer seiner Privatlehrer, August Hülsen, ein Freund Fichtes und Schleiermachers, führte ihn in die Welt des Altertums ein, machte ihn aber auch mit der Edda und Ossian, mit Shakespeare und deutschen Sagen bekannt. Auf der Universität zogen ihn die gelehrten Studien nicht an. Er fühlte sich als Enkel ritterlicher Vorfahren und entschied sich für den Soldatenberuf. 1794 trat er als Kornett in das Kürassierregiment des Herzogs von Weimar ein. Im Frühjahr zog er mit seiner Truppe in die Pfalz. Mächtig entzündete das Kriegsleben sein Kriegerblut. Er erlebte den Soldatenberuf als ein romantisches Abenteuer: Trompetengeschmetter, Satteln, Marschieren, Kriegslieder, die alten Burgen auf den Höhen, an denen man vorbeizog, das war alles wie ein Stück Vorzeit. „So ein Nachtmarsch trägt den Charakter einer gar edlen Feier. Das Rasseln der Geschütze, der Huftritt der Rosse, das stille Einherziehen des Fußvolks, das gibt eine ernste Begleitung.“ Man denkt an den Widerwillen des gleichaltrigen Kleist gegen das militärische Treiben und den Soldatenstand. Aber Kleist lebte auch anders in der Wirklichkeit als Fouqué. Denn diesem genügte es, den Krieger zu spielen. Zu einem eigentlichen Angriff kam seine Truppe nicht. Der Rückzug der Preußen riß sie mit. Man schleppte die Zeit in Quartieren hin. Fouqué, statt kriegerische Taten zu vollbringen, vertiefte sich in einen Ritterroman und erfreute sich im Frankfurter Theater an Ritterstücken „schon ihrer in der Tat vortrefflichen Kostüme willen“.

Nach der Beendigung des Feldzuges kehrte er in seine Garnison Aschersleben zurück. Er heiratete und wurde wieder geschieden. Er las viel und begeisterte sich für die Kriegstaten der alten Schweizer, die Johannes von Müller pathetisch ausgemalt hatte. Er diente unter den preußischen Fahnen, aber seine Liebe zu Preußen ging so wenig tief, daß er sich allen Ernstes mit dem Gedanken beschäftigte, sich Napoleon anzuschließen. Er hatte zahlreiche Gedichte gemacht und wollte nun, daß Goethe über sie das Urteil spreche. 1802 wurde er „dem apollinischen Sängerkönig“ an einem Maskenfeste in Weimar vorgestellt. Goethe war freundlich, aber zurückhaltend. Mehr Anerkennung zollten die Brüder Schlegel, denen Hülsen Dichtungen von Fouqué mitgeteilt hatte. Dadurch kam er in den Kreis der Romantiker hinein. Sein leichtes Blut entflammte sich jetzt sogar, seinen hugenottischen Ahnen zum Trotz, für die katholisierenden Neigungen Friedrich Schlegels. Mit seiner zweiten Gattin Caroline von Rochow führte er fortan auf dem Schlosse Nennhausen ein der Schwärmerei für das Mittelalter gewidmetes Leben. Er kleidete sich altdeutsch. Er übte sich mit seinen Freunden im altdeutschen Gerwerfen. Er dichtete Märchen und Romane über mittelalterliche Stoffe: „Undine", eine Nachdichtung der Sage von der schönen Melusine, „Der Held des Nordens", ein Versuch, die nordische Sigurd-Sage zu erneuern, „Der Zauberring" und anderes. Unter dem Decknamen Pellegrin gab er 1804 eine Sammlung „Dramatische Spiele" heraus. Damals schloß er Freundschaft mit Chamisso, der noch als Leutnant in Hameln stand. Das Bild, das Chamisso von ihm entwirft, ist schillernd. Er bezeichnet ihn als einen „ehrenfesten edlen Degen, einen Kernmenschen", aber er nennt ihn auch eine „merkwürdige Erscheinung; ich müßte mich über sie entsetzen; es ist ein ätherisch entsendetes Feuer über dem Moor hinwallend... Er ist der erste tatkräftige Soldat aus Preußen, dem ich jetzt begegnete. Er glaubt fest an Preußen, stand auch früher bei den Kürassieren im Felde; nun hat er das schwere freiwillige Opfer dargebracht, die Zeichen abzulegen, weint aber entsetzliche Tränen, wenn er dessen gedenkt; denn nur nach Waffentaten steht sein Sinn, und sein Sehnen nach ihnen verzehrt ihn, ohne daß ihn retteten die Liedestöne; fallen aber Kugeln, stellt er sich gewißlich ein." Chamisso, damals seiner selbst noch nicht sicher, täuschte sich: Fouqué blieb, als Preußens Schicksal sich 1806 entschied, ruhig zu Hause sitzen und trauerte tatlos über den Tod des doch von ihm so hoch verehrten Prinzen Louis Ferdinand.

So darf man auch seine „Bekehrung" durch die Lektüre von Jakob Böhme nicht allzu ernst nehmen. Sein protestantisches Christentum hat durch sie eine Stärkung erfahren; aber die beständige Schaustellung seines Gottesglaubens wirkt unecht und zeigt, daß seine Wurzeln in seinem Gemüte nicht tief hinunter wachsen konnten. Als Jean Paul seinen Roman „Alwin" (1808) besprach, worin er die religiösen Kämpfe eines jungen Menschen aus der Zeit des Dreißigjährigen Krieges schilderte, rühmte er darin vor allem die lebhaft geschilderten Schlachtstücke. Es bedurfte der vom romantischen Schwarmgeiste angesteckten Leser, um ihn zu einem der meist gelesenen Schriftsteller seiner Zeit zu machen.

Aber die Freiheitskriege riefen ihn nun doch wieder unter die Fahnen. Er erhielt den Auftrag, die Freiwilligen des Havellandes nach Breslau zu führen. Auch jetzt ging's freilich nicht ganz ohne Theater ab, und es mutet wie eine Szene aus einem seiner Romane an, wenn der Abschied so geschildert wird: „Es war ein ernster, aber auch schöner Moment, als Fouqué in der Februar-Morgenfrühe von dem heimischen Herde schied, von seiner Gattin gesegnet, mühsam sich loswindend aus den Armen seines bitterlich weinenden Töchterleins, und nun aufgesessen, den paar Jägern, die sich schon in Nennhausen vorläufig zu ihm gefunden hatten, mit freudiger Stimme und feuchten Augen zurief: Hoch lebe der König! In Gottes Namen. Vorwärts, Marsch!" Er nahm an den Schlachten bei

Großgörschen und Bautzen, bei Dresden, Kulm und Leipzig teil. Aber seine Gesundheit war durch einen Sturz vom Pferde in eiskaltes Wasser geschwächt, und er mußte vor der Zeit seinen Abschied nehmen. In einer übereifrigen Fruchtbarkeit den literarischen Markt mit immer neuen Werken überschwemmend, lebte er noch bis zum 23. Januar 1843 — am Beginn einer neuen Zeit, die ihn rasch vergaß. Josef von Eichendorff hat ihn in seiner „Geschichte der poetischen Literatur Deutschlands" hübsch den Don Quixotte der Romantik genannt: „Kein Wunder, wenn die Welt über sein absonderliches Heldentum allmählich ein Lächeln überkam und endlich ein rohes Lachen über alle Romantik ausbrach, für dessen Hauptrepräsentanten er bei der Menge gegolten."

In der Tat trägt er, mit Tieck, den größten Teil der Schuld daran, daß die Romantik etwas völlig anderes geworden war, und als etwas völlig anderes in der Erinnerung der Deutschen fortlebte, als sie in ihren Anfängen gewesen war: fade Schwärmerei für eine Scheinwelt, wo es sich ursprünglich um die Eroberung des eigentlich Wesenhaften des Geistes gehandelt hatte.

10. DAS GEHEIMNIS DES GEMÜTS

Eichendorff / Hebel / Uhland / Kerner / Mörike

> „Zum rechten lebendigen Leben gehört ein Herz,
> das von tiefer Liebe glüht."
>
> Ludwig Uhland

Zu Anfang des 19. Jahrhunderts, bis gegen 1850, erlebte die deutsche Lyrik eine reiche Blüte. Goethe, der im zweiten Jahrzehnt den „Divan" herausgab, Hölderlin, Eichendorff, Hebel, Uhland, Mörike, der junge Keller — es genügt, diese Namen zu nennen, um sich bewußt zu sein, daß keine Zeit des neueren deutschen Schrifttums so fruchtbar war an ursprünglich lyrischen Begabungen wie jene Jahrzehnte. Eine verpflichtende Erklärung dafür zu leisten, ist unmöglich, da die letzten Geheimnisse des seelischen Lebens sich niemals erschließen lassen. Nur Mutmaßungen und Andeutungen können gegeben werden, die der geschichtlichen Erscheinung wenigstens bis zu einem gewissen Grade den Charakter des Unfaßbar-Überraschenden nehmen.

Einer dieser Beweggründe dürfte die Psychologisierung des weltanschaulichen Idealismus sein. Sofern dieser sich auf Begriffe stützt und in Begriffen auswirkt, ist der rechnende Verstand und nicht das sinnende Gemüt sein Werkmeister; der Verstand aber, das lehrte die Lage des 18. Jahrhunderts, ist nicht der Nährboden der Lyrik. Nach dem Beginn des 19. Jahrhunderts aber nimmt die Neigung zu der verstandesmäßigen Weltkonstruktion ab — von dem Einfluß Hegels und seiner Schule wird noch zu reden sein. Individuelle Seelenkräfte entziehen sich, ohne die idealistische Grundrichtung des Denkens zu verneinen, der Herrschaft des philosophischen Gedankens und wirken auf eigenen Wegen. Es entsteht so eine Weltdeutung eigner Art, die ursprünglicher und schöpferischer ist als die der schulmäßigen Spekulation. Sie wirkt einerseits innerlicher, persönlicher, anderseits nährt sie sich stärker mit Stoffen der Wirklichkeit und steht dem Leben näher. Dies scheidet diese neue Lyrik auch von der Brentanos, dessen Dichtungen aus luftigen romantischen Phantasiespielen geboren sind. Wichtig aber ist der Einfluß des „Wunderhorns". Sowohl die Lyrik wie auch die Epik erhalten von hier aus neue Antriebe. Der Einfluß der neuen Seelenhaltung auf die Epik zeigt sich bei E. T. A. Hoffmann und Chamisso. Hier soll die Rede von der Lyrik sein.

Sie ist eine Lyrik nicht der Gesellschaft, wie sie das Rokoko hervorbrachte, und auch nicht eine Lyrik der geistbeschwerten Betrachtung, wie sie in Schillers und Goethes Gedankengedichten erscheint, sondern eine Lyrik des Gemütes, des rein persönlichen Erlebens, ein unmittelbares Ausströmen der Seele. Es ist, als ob die geistigen Kräfte, vor allem Wille und Verstand, noch in einem Zustande des ersten Entstehens begriffen wären, noch zart, kindhaft und nebelhaft, noch nicht voll und rund ausgebildet, noch nicht voneinander geschieden, noch nicht imstande, entschieden die Wirklichkeit zu umfassen und in ihr sich zu betätigen, sondern erst fähig, sich tastend in sie vorzuwagen. Das seelisch-geistige Leben bleibt so ganz im Innerlichen, Dämmernden. Es scheut das Licht und die Klarheit der durch das Licht geschaffenen Gestalten. Es ist etwas Zages, Weltfremdes, ja Weltablehnendes um den lyrischen Gemütsmenschen, und die dichterischen Gebilde, die er hervorbringt, indem sie einerseits voll innerlicher Geheimnisse sind, sind anderseits unbestimmt in ihren Umrissen, verschwebend in ihrem Anschauungsgehalt und regen gerade durch dieses Verschwebende und Unbestimmte gleichgestimmte Gemüter zum Sinnen an.

Joseph Karl Benedikt von Eichendorff stellt diesen Typus des Gemütsdichters vielleicht am reinsten dar. Äußerlich-geschichtlich mag man ihn in die Heidelberger Romantik stellen, weil er in Heidelberg studiert hat, mit Brentano und Arnim befreundet war und seine Lieder durch das „Wunderhorn" beeinflußt erscheinen. Aber innerlich ist er anderer Art als Arnim und Brentano. Er war am 10. März 1788 auf Schloß Lubowitz, zwei Stunden von dem schlesischen Ratibor entfernt, geboren und wuchs hier bis zu seinem dreizehnten Jahre auf. Das Rauschen unendlicher Wälder umhegte seine Jugend. Die weißen Segel auf der Oder weckten die Sehnsucht nach der Ferne. Die Naturnähe des Landlebens erfüllte die Seele des Heranwachsenden mit starken, gesunden und dauerhaften Vorstellungen, indes die Märchen einer alten Wärterin, später die Erzählungen der Volksbücher das junge Gemüt mit poesievollen Bildern nährten. Natur und Dichtung vereinigten sich in ihrer Wirkung, wenn der Knabe sich mit einem Volksbuche, dem Gehörnten Siegfried, der Schönen Magelone, den Haimonskindern oder der Heiligen Genoveva, in den Wipfel eines hohen Birnbaums setzte, der am Abhang des Gartens stand, „von wo ich dann über das Blütenmeer der niederen Bäume weit ins Land schauen konnte, oder an schwülen Nachmittagen die dunklen Wetterwolken über den Rand des Waldes langsam auf mich zukommen sah. Ich weiß nicht, ob der Frühling mit seinen Zauberlichtern in diese Geschichten hineinspielte, oder ob sie den Lenz mit ihren rührenden Wunderscheinen überglänzten, aber Blumen, Wald und Wiesen erschienen mir damals anders und schöner. Es war, als hätten mir diese Bücher die goldenen Schlüssel zu den Wunderschätzen und der verborgenen Pracht der Natur gegeben. Mir war nie so fromm und fröhlich zu Mute gewesen."

Die Erziehung leitete der Vater mit Hilfe von Hofmeistern. In der ländlichen Umgebung wuchs der Knabe völlig gesund heran. Immer wieder bot die rauhe Wirklichkeit das wohltätige Gegengewicht gegen die wuchernde Phantasie, und wenn er beim Lesen der Passionsgeschichte aus Herzensgrunde schluchzte, so waren zugleich seine Augen offen für alles, was ringsum geschah, und sein Verstand kritisch rege für die Schwäche und Torheiten der Menschen und die Merkwürdigkeiten des Zufalls. Ein Tagebuch, das er 1800 begann und bis 1812 führte, zeigt eine ungrüblerische Aufgeschlossenheit für alles Tatsächliche. Der Knabe verzeichnet nicht nur, daß Feuer im Schloß gewesen, sondern auch, daß die Nanette ein Knäblein „gebärt" hat. Ihn interessiert, daß ein Schwan auf der Oder geschossen, der Pfau erbissen worden ist, die erste Lerche gesungen hat und der Kaplan „im Hasengarten in Teich gefallen" ist.

Mit dreizehn Jahren kam Joseph mit seinem Bruder Wilhelm in das katholische Gymnasium in Breslau. Das Tagebuch verzeichnet nur vielsagend für den 5. Oktober 1801: „War die Trennung von Lubowitz." Am 25.: „Die ersten Briefe nach Hause geschrieben." Am 26.: „Die ersten Briefe von Hause erhalten." Man mag zwischen den Zeilen lesen, wie ihm zu Mute war. Aber die große Stadt mit ihren Theateraufführungen und Konzerten übertäubte das Heimweh bald. In einer Aufführung von Schröders „Fähndrich" spielte er auch selber mit. Dazwischen wurden größere und kleinere Reisen gemacht, nach Ratibor, Schleinitz, Sibyllenort. Im August 1804 war das Schlußexamen. Vorlesungen an der Universität mußten, neben einigen Stunden am Gymnasium, noch für die Weiterbildung sorgen. Dann ging es im Frühjahr 1805 nach Halle. Eichendorff hat in seiner Altersschrift „Halle und Heidelberg" über seine Studentenjahre und die Verhältnisse in beiden Universitätsstädten selber berichtet. Noch herrschte eine gewisse mittelalterliche Ritterlichkeit. In Halle bestimmte der Gegensatz von Ritter und Philister das Leben der Studenten. Zwischen diesen und den Handwerksburschen herrschte grimmigste Feindschaft. Den Geist der Vorlesungen bestimmte der Vernunftglaube des Jahrhunderts. „Die Religion mußte Vernunft annehmen und beim Rationalismus in die Schule gehen. Die Natur wurde atomistisch wie ein toter Leichnam zerlegt, die Philologie vergnügte sich gleich einem kindisch gewordenen Greise mit Silbenstechen ..., die bildende Kunst endlich brüstete sich mit einer sklavischen Nachahmung der sogenannten Natur." Aber die Kraftgenies, sodann die Romantiker hatten eine Bresche in die Burg dieses Rationalismus geschlagen. Aber in Halle trennten sich die Geister in zwei Hauptlager. Naturphilosophie zog die Fortschrittlichen an. Henrik Steffens, ein Schüler Schellings, ließ in seinen feurigen Vorträgen die in allen Erscheinungen des Lebens verhüllte Poesie mehr ahnen, als daß er sie wirklich nachwies. Aber auch die Mediziner Reil und Froriep deuteten überall auf das geheimnisvolle Walten höherer Naturkräfte hin. Die Theologen scharten sich um Schleiermacher, die Philologen um F. A. Wolff, der es verstand, durch divinatorischen Geist das klassische Altertum wieder lebendig zu machen. In dem nahen Lauchstädt spielten die Weimarer Schauspieler und eroberten, „mitten in der allgemeinen Misere der Kotzebueaden und Iffländerei", durch klassische Werke und romantische Experimente, wie Schlegels „Alarcos", neue Provinzen. Geist der Romantik verbreitete die Burgruine auf dem Giebichenstein, der „in seiner verwilderten Einsamkeit eine ganze artige Werkstatt für ein junges Dichterherz" bot. Hier hatte der Musiker Reichardt einen Garten, darin seine geistreichen und schönen Töchter hausten. „Dort aus den geheimnisvollen Bosketts schallten oft in lauen Sommernächten, wie von einer unnahbaren Zauberinsel, Gesang und Guitarrenklänge herüber;

und wie mancher junge Poet blickte da vergeblich durch das Gittertor, oder saß auf der Gartenmauer zwischen den blühenden Zweigen die halbe Nacht, künftige Romane vorausträumend." Das Erlebnis klingt nach in dem Gedicht „Die Spielleute":

> „Tief unten da ist ein Garten,
> Da wohnt eine schöne Frau,
> Wir können nicht lange warten,
> Durchs Gittertor wir schaun,
> Wo die weißen Statuen stehen,
> Da ist's so still und kühl,
> Die Wasserkünste gehen,
> Der Flieder duftet schwül."

So war Eichendorff schon tief in den Stimmungszauber der Romantik eingetaucht, als er am 17. Mai 1807 nach Heidelberg kam. Sofort wurde der Schloßberg, der „Heilige Berg" bestiegen, und obschon, erzählt er im Tagebuch, „ich mich so verirrte, daß ich durchaus den Gipfel nicht erreichen konnte, so genoß ich doch die himmlichste Aussicht ganz unten auf die ganze Stadt, vor mir auf eine unendliche schimmernde Ebene, die sich bis Frankreich hin erstreckt, in der sich die Türme von Mannheim erheben, und die vom Rhein wie von einem Silberfaden durchschnitten und rechts von den blauen Rheingebirgen begrenzt wird. Gen Abend die Wirtstöchter in dem Gärtchen unter unserem Fenster kokettierend zur Guitarre bekannte Lieder gesungen, die in mir alte Erinnerungen erweckten." Von den romantischen Schriftstellern sagte ihm vor allem Görres zu, der eine geheimnisvolle Gewalt über alle Jugend ausübte durch die Großartigkeit seines Charakters, die wahrhaft brennende Liebe zur Wahrheit und ein unverwüstliches Freiheitsgefühl. In seinem Jugendroman „Ahnung und Gegenwart" hat Eichendorff später das Heidelberger Leben geschildert. Völlig lebte er in romantischer Gegenwart und deutscher Vergangenheit. Einmal besuchte er mit seinem Bruder das Wolfsbrunner „Feental, wo der Gehörnte Siegfried auf der Jagd von einer Prinzessin erschossen und andere altdeutsche Märchen ruhen". Mit wahrer Rührung verließen sie den „merkwürdigen Ort wieder, dessen tiefste Einsamkeit mit einer ganz eignen großen Bangsamkeit fast das Herz erdrückt. Es war ein trüber Tag, und der Himmel lag schwer und dunkel auf den Bergen."

Er war von tiefem Gemüte, aber gänzlich ohne Sentimentalität. So verzeichnet er im Tagebuch neben stimmungsvollen Wanderungen durch die romantische Natur und geistvollen Schilderungen romantischer Menschen mit demselben Interesse und ohne Wehleidigkeit die rohen Holzereien der Heidelberger Studenten oder etwa eine grausame Exekution, bei der Männer Spießruten laufen mußten und Frauen und Kinder mit Ochsenziemern gepeitscht wurden, so daß ein Kutscher und eine alte Frau an der Mißhandlung starben. Nicht als ob er damals von den krankhaften Ausartungen des romantischen Geistes völlig bewahrt geblieben wäre. In Heidelberg hatte sich damals ein Mitläufer der Romantik eingefunden,

Graf Otto Heinrich von Loeben, der sich als Dichter den schwülen Namen Isidorus Orientalis gegeben hatte. Er besaß, so charakterisiert ihn Eichendorff in „Halle und Heidelberg", „eine ganz unglaubliche Formengewandtheit und alles äußere Rüstzeug des Dichters, aber nicht die Kraft, es gehörig zu brauchen und zu schwingen. Er hatte ein durchaus weibliches Gemüt mit unendlich feinem Gefühl für den salonmäßigen Anstand der Poesie, eine überzarte empfängliche Weichheit, die nichts Schönes selbständig gestaltete, sondern von allem Schönen wechselnd umgestalt wurde. So durchwandelte er in seiner kurzen Lebenszeit ziemlich fast alle Zonen und Regionen der Romantik, — bald erschien er als begeisterungswütiger Seher, bald als arkadischer Schäfer, dann plötzlich wieder als aszetischer Mönch, ohne sich jemals ein eigentümliches Revier schaffen zu können. In Heidelberg... novalisierte er, nur leider ohne den Tiefsinn und den dichterischen Verstand von Novalis." Auf Eichendorff übte der Vielgewandte, Überschwengliche eine starke Wirkung aus, weil damals in ihm selber die Neigung zum Überzarten, Gefühlvoll-Verschwimmenden war. Aber gerade an der Persönlichkeit Loebens lernte er das Echte vom Unechten, das kräftige Gefühl von der empfindsamen Weichlichkeit, das wahrhaft Dichterische von der ästhetischen Spielerei unterscheiden.

Ein Jahr hielten sich die Brüder in Heidelberg auf. Dann reisten sie nach Frankreich. Aber der Aufenthalt in Heidelberg, vor allem das Beispiel von Arnim, Brentano und Görres, wirkte lebendig nach. In Paris forschte Joseph für Görres auf der kaiserlichen Bibliothek nach alten deutschen Handschriften und Drucken. Das Ergebnis war, daß ihn bald „ein Heißhunger nach Deutschland und den alten treuen Klängen der Muttersprache" packte. Schon im Mai waren die Brüder wieder in Heidelberg. Dann ging in Begleitung Loebens die Reise weiter über Nürnberg und Regensburg nach Wien und von da nach Lubowitz. Es galt, dem alternden Vater in der Bewirtschaftung der Güter zu helfen. Zugleich aber war dem werdenden Dichter der Aufenthalt in dem stillen Waldschlosse eine Zeit der Besinnung auf sich selber, der Rechenschaftsablegung über alles, was er auf seinen Wanderungen erlebt; „unzählige Lieder" wuchsen „aus tiefster Herzenslust", und der Roman „Ahnung und Gegenwart" begann zu entstehen. „Alles Durchlebte und Vergangene", so schildert Eichendorff in dem Roman sein inneres Erleben in dieser Zeit, „geht noch einmal ernster und würdiger an uns vorüber, eine überschwengliche Zukunft legt sich wie ein Morgenrot blühend über die Bilder, und so entsteht aus Ahnung und Erinnerung eine neue Welt in uns, und wir erkennen wohl die Gegenden und Gestalten wieder, aber sie sind größer, schöner und gewaltiger und wandeln in einem andern wunderbaren Lichte."

Aber noch war die Zeit ländlicher Ruhe für ihn nicht gekommen. Er hatte sich in Lubowitz verlobt und ging dann Anfang Winter 1809 nach Berlin, wo er mit Loeben zusammentraf. Auch Arnim und Brentano sah er wieder. Adam Müller und Heinrich von Kleist lernte er kennen. Der Aufenthalt in Berlin dauerte bis zum Frühjahr 1810. Dann zogen die Brüder nach Wien. Hier nahm Friedrich Schlegel mit Dorothea Joseph freundlich auf, und ihr kritischer Einfluß half mit, ihm vollends die Augen zu öffnen über die unwahre Tändelei Loebens, von dem er sich jetzt innerlich zurückzog. So kam das Jahr 1813 heran. Auch Eichendorff stellte sich unter die Fahnen und trat in ein Lützowsches Freibataillon ein, das der Turnvater Jahn befehligte. Aber den großen Auseinandersetzungen blieb er fern; und nach dem ersten Pariser Frieden kehrte er 1814 wieder nach Lubowitz zurück, um da seine Braut heimzuführen. Dann ließ sich das junge Paar in Berlin nieder. Er war Preuße und hoffte auf eine Stelle im preußischen Staatsdienst. Aber Berlin behagte ihm nicht. Die weiche Luft Wiens hatte ihm mehr zugesagt. „Es ist und bleibt mir hier alles fremd: Religion, politische Gesinnung, ja selbst die allgemeine Fertigkeit über Kunst und Wissenschaft abzusprechen erschreckt und stört mich mehr, als es mich erfreut, denn es scheint mir wenig Liebe darin zu sein."

Wieder rief ihn der erneute Kriegsausbruch unter die Waffen. Ohne zu kämpfen, machte er den Feldzug nach Frankreich mit. Nach der Rückkehr erhielt er eine Stelle als Referendar in Breslau. Die Herrschaft Lubowitz war durch die Abgaben und Steuern der Kriegszeit so verschuldet worden, daß sie nach dem Tode des Vaters verkauft werden mußte. Nun war, was einst lebendige Gegenwart gewesen, völlig und im eigentlichen Sinne für ihn Erinnerung geworden. Er war nicht der Mann, sich tatlos darüber zu grämen. Sein Innenleben strömte er in seinen Liedern und Erzählungen aus, deren köstlichste „Aus dem Leben eines Taugenichts" ist; seine äußere Tatkraft gehörte seiner amtlichen Tätigkeit. Im Herbst 1819 machte er die Assessorprüfung in Berlin. 1820 wurde er Hilfsarbeiter im Kultusministerium. 1821 wurde er als Regierungsrat zum Oberpräsidialrat bei der ostpreußischen Regierung in Königsberg ernannt. Er hatte Mühe, sich an die herbe Atmosphäre des deutschen Ostens zu gewöhnen. Aber an der Wiederherstellung des Deutschordensschlosses zu Marienburg nahm er innern Anteil. Bis 1831 wirkte er in Königsberg. Dann erhielt er eine Stelle im Berliner Kultusministerium, wo er in der Abteilung für katholisches Kirchen- und Schulwesen tätig war. Als infolge des Kölner Bischofsstreites und der Austellung des Heiligen Rockes in Trier die Spannung zwischen Regierung und katholische Kirche sich zu Anfang der vierziger Jahre verschärfte, stellte er sich mit Entschiedenheit auf die Seite der Kirche. Der Gegensatz zwischen seiner Überzeugung und seiner amtlichen Stellung führte schließlich zu seinem Austritt aus dem Staatsdienst. Das war 1844. Er lebte fortan in Danzig, in Wien, schließlich in Neiße, wo er am 26. November 1857 starb. In diesen letzten Jahren sind seine literaturgeschichtlichen Werke entstanden: Über die ethische und religiöse Bedeutung der neueren romantischen Poesie in Deutschland (1847), Der deutsche Roman des 18. Jahrhunderts in seinem Verhältnis zum Christentum (1851), Zur Geschichte des Dramas (1854). Es sind nicht Werke wissenschaftlicher Darstellung, sondern persönlicher Auseinandersetzung mit dem Geiste der Zeit. Wenn Eichendorff sah, wie sich der Liberalismus in Entfernung von den alten Gütern der Religion und Sittlichkeit mehr und mehr des Gemütes des Volkes bemächtigte, so betonte er nur um so schroffer das Unvergängliche des katholischen Glaubens. Der Grund zu der verhängnisvollen Entwicklung schien ihm schon durch die Reformation gelegt. Protestantischer Geist schien sich ihm immer zerstörender in der deutschen Dichtung durchzusetzen. Zweifellos hat er, wie die Folgezeit zeigte, manches richtig gesehen; aber die vorwärtstreibenden Mächte der Geschichte sind stärker auch als die tiefste Einsicht des Weisen. Manches freilich war bei ihm auch dogmatische Voreingenommenheit, so wenn er in völliger Verkennung meint, daß Goethes Faust „nur durch ein poetisches Kunststück scheinbar dem Teufel entgeht," und den „Wundertätigen Magus" Calderons über das Goethesche Werk stellt, weil in ihm „ein durchgehendes Hereinragen der Höllenmacht mit all ihren Schrecken" ist, während dieselbe bei Goethe nur als ein Spiel der dämonischen Mächte im Menschen erscheint. Stofflich sind Eichendorffs literarhistorische Werke meist völlig unselbständig, und vieles, worüber er spricht, kennt er nicht aus eigener Lektüre. Aber der tiefe Sinn für das dichterisch und geistig Wesentliche läßt ihn oft Urteile prägen, die ahnungsvoll durch geistreiche Bildlichkeit ersetzen, was dem Verfasser an Kenntnis des Stoffes abgeht.

Seine Stellung zu der philosophisch-weltanschaulichen Bewegung seiner Zeit hat Eichendorff in „Halle und Heidelberg" klar umschrieben. Kant habe die philosophische Arbeit seiner Vorgänger streng geordnet, und da er dieselbe in seiner großartigen Wahrheitsliebe für das Ganze als unzureichend erkannte, die Welt lieber sogleich in zwei Provinzen geteilt: in die durch menschliche Erfahrung wahrnehmbare, die er sich glorreich erobert habe, und in die terra incognita des Unsichtbaren, die er mit der nur dem Genie eigenen heiligen Scheu auf sich beruhen ließ. „Seine Schüler aber wollten klüger sein als der Meister und alles aufklären; eine Art chinesischer Schönmalerei, ohne allen Schatten, der doch das Bild erst wahrhaft lebendig macht. Sie setzten daher nun ihren lichtseligen Verstand ganz allgemein als alleinigen Weltbeherrscher ein; es sollte fortan nur noch einen Vernunftstaat, nur Vernunftreligion, Vernunftpoesie usw. geben." Das Geheimnisvolle und Unerforschliche, daß sich durch das ganze menschliche Dasein hindurchzieht, negierten sie ohne weiteres als störend und überflüssig. „Die Philosophen setzten in ihrer Logik, wie wenn man beim Lesen erst wieder buchstabieren sollte, umständlich auseinander, was sich von selbst verstand; die Theologen lehrten eine elegante Aufklärungsreligion; die Juristen ein sogenanntes Naturrecht, das nirgends galt und niemals gelten konnte." Diesen „halbinvaliden und philosophischen Handwerkern" entgegen arbeiteten die Anhänger der historischen Schule, die Romantiker. Sie wollten, daß das deutsche Leben aus seinen verschütteten geheimnisvollen Wurzeln wieder frisch ausschlagen, das ewig Alte und Neue wieder zu Bewußtsein und Ehren kommen sollte. Aber was nun aus dem Widerstreit der beiden Parteien entstand, war eine „wunderlich komponierte moderne Vaterländerei; ein imaginäres Deutschland, das weder recht vernünftig, noch recht historisch war."

Das ist ein Bekenntnis wider alle Theorie und alle Herrschaft des begrifflichen Verstandes nicht nur seiner eigenen Zeit, sondern aller Zeiten. Der Widerspruch des tief im Urschoße der Natur Wurzelnden, für den zugleich die wenigen tiefen Wahrheiten des Christentums die sittlich-religiöse Grundlage des Lebens bildeten. Man wird an Eichendorffs Glaubensgenossen Stifter erinnert, der in gleicher Weise aus der Beobachtung der Natur und des Menschenlebens die stille Weisheit Gottes verehren lernt, und zugleich an Jeremias Gotthelf mit seinem leidenschaftlichen Widerspruch gegen alle abstrakte Wissenschaft und gelehrte Spiegelfechterei. Sie alle wissen, daß jenes Vernunftgebäude, das die Menschen forschend errichten, ein künstliches Kartenhaus ist, das die Aussicht auf Gott und Natur mit seinen papierenen Wänden verdeckt. Was Goethe durch seine naturwissenschaftlichen Studien zu schaffen unternahm, den tiefen Einblick in die geheimnisvoll waltenden Gesetze der Gottnatur, das gewann Eichendorff in einfacherer Weise durch Ahnung und Glaube. Wo aber Goethe das Ewige und Unendliche im Bilde des Vergänglichen und Endlichen erblickte und so aus seinem Pantheismus heraus zur symbolischen Deutung und Darstellung der Welt kam, da war für Eichendorff die vergängliche Gestalt von vorneherein entwertet. Je mehr seine aufgeklärten Zeitgenossen sich an die geschichtlich-natürlichen Gebilde anklammerten und bald in ihnen den einzigen Sinn und Inhalt der Welt erkannten, um so mehr zog er sich in die unsichtbaren Hintergründe der Welt zurück, das Sichtbare erhielt für ihn nur Wert, wenn er ihm aus dem Unsichtbaren gegeben ward, und alle Helle des Diesseits strömte ihm aus dem Dunkel des Jenseits — er war wirklich in einem tiefen Sinne des Glaubens, daß erst „der Schatten das Bild wahrhaft lebendig mache".

Es entspringt aus diesem Ewigkeitsgefühl einerseits eine große Ruhe und Sicherheit im äußeren und inneren Leben, die man mit einem einfachen Ausdruck als Gottvertrauen bezeichnen kann. Er weiß, er ist in der Welt daheim und geboren, weil sie Gottes Haus ist:

> „Wohin mein Weg mich führen mag,
> Der Himmel ist mein Dach,
> Die Sonne kommt mit jedem Tag,
> Die Sterne halten Wach'.

> Und komm ich spät und komm ich früh
> Ans Ziel, das mir gestellt:
> Verlieren kann ich mich doch nie,
> O Gott, aus deiner Welt."

Anderseits hat die äußere Welt, das Reich des Zeitlichen und Räumlichen, für ihn ihre Bedeutung eingebüßt, und gegenüber dem Körperlichen und Sinnlichen, das die Begierde der Zeitgenossen immer eifriger sich einzuverleiben strebt, ist er von einem unergründlichen Mißtrauen beseelt. Sicherlich liegt der Quell alles geistigen Lebens für ihn in seiner Jugend, in jenen glückerfüllten Jahren in Lubowitz. Wie das Leben ihn in seinen

Strudel fortriß und hinter ihm das Schloß im Walde versank, gar der Familie durch den Gang der Ereignisse entfremdet wurde, da konnte er die Hinfälligkeit alles irdisch-äußerlichen Besitzes erfahren. Das, was als festes Eigentum dem Einzelnen blieb, war sein eigenes inneres Leben, der Schatz der Erinnerungen und der um diese webenden Träume. Das war es, was Eichendorff mit seinen romantischen Zeitgenossen verband, was ihn selber zum Romantiker machte: die Flucht aus der Vergänglichkeit in die Ewigkeit. Es war sicherlich noch ein Hauch von jener ursprünglichen Sehnsucht der Romantiker nach dem Unendlichen darin, aber die Eichendorffsche Sehnsucht nährte sich nicht aus der philosophischen Spekulation über das Transzendente, sondern sie blieb lyrisches Gefühl und christlicher Glaube — das unmittelbare Wissen um das Ewige und Bleibende in dem Strome der Vergänglichkeit. Er hat so in einem tiefen Sinne die alte christliche Vorstellung von der irdischen Pilgerfahrt neu erlebt. Alles Leben ist ihm ein verschwebender Traum, der Mensch ein Wanderer, der durch den Garten Gottes dahinzieht. Was ihm von all den Erlebnissen in Leid und Glück, ist der innere Besitz der Erinnerung. Dem Abschnitt „Frühling und Liebe" in seinen Gedichten geht, an die Freunde gerichtet, der Spruch voraus:

> „Der Jugend Glanz, der Sehnsucht irre Weisen,
> Die tausend Ströme durch das duft'ge Land,
> Es zieht uns all zu seinen Zauberkreisen. —
> Wem Gottesdienst in tiefster Brust entbrannt,
> Der sieht mit Wehmut ein unendlich Reisen
> Zu ferner Heimat, die er fromm erkannt;
> Und was sich spielend wob als ird'sche Blume,
> Wölbt still den Kelch zum ernsten Heiligtume."

Ein „Wanderspruch" stellt fest:

> „Was willst auf dieser Station
> So breit dich niederlassen?
> Wie bald nicht bläst der Postillon,
> Du mußt doch alles lassen."

Über alles Geschehen „rauscht verwüstend die Zeit". Denn Zeit ist Vergänglichkeit. Das Gedicht „Weltlauf" führt auf:

> „Was du gestern frisch gesungen,
> Ist doch heute schon verklungen,
> Und beim letzten Klange schreit
> Alle Welt nach Neuigkeit...
>
> Soviel Gipfel als da funkeln,
> Sahn wir abendlich verdunkeln,
> Und es hat die alte Nacht
> Alles wieder gleich gemacht.

> Wie im Turm der Uhr Gewichte
> Rücket vor die Weltgeschichte,
> Und der Zeiger schweigend kreist,
> Keiner rät, wohin er weist.
>
> Aber wenn die eh'rnen Zungen
> Nun zum letzten Mal erklungen,
> Auf den Turm der Herr sich stellt,
> Um zu richten diese Welt.

> Und der Herr hat nichts vergessen,
> Was geschehen, wird er messen
> Nach dem Maß der Ewigkeit —
> O wie klein ist doch die Zeit!"

Erst diese gläubige Gewißheit, daß über dem rauschenden Strom der Zeit ein ewiges Reich blaut, gibt Eichendorff die Lust, sich dem vorüberziehenden Leben hinzugeben, es als ein Wanderdasein zu genießen, weil es „ein ewig Ziehn in wunderbare Ferne" ist. Kein deutscher Dichter hat so viele Wandergedichte gesungen, keiner ist mit solcher Lust gewandert:

> „Wem Gott will rechte Gunst erweisen,
> Den schickt er in die weite Welt;
> Dem will er seine Wunder weisen
> In Berg und Wald und Strom und Feld."

Auch für Eichendorff gilt, daß der Genuß irdischer Schönheit um so inniger ist, je mehr sie vom Glanz des Überirdischen überstrahlt ist. Erst das gibt seinen Liedern den rätselhaften Stimmungszauber, daß er sich nirgends verweilend der Gegenstände bemächtigt, sondern nur an ihnen flüchtig vorbeistreift, so daß die Sehnsucht stets wach bleibt; denn so wird ihm nur der zarte Flaum und nicht der bittere Kern zuteil. Die Spielleute, die früh morgens durch die Lüfte Viktoria blasen, steigen wohl ins Tal hinab, wo in einem Garten eine schöne Frau wohnt, aber sie können nicht lange warten. Sie können nur durchs Gittertor hineinschauen, wo die weißen Statuen stehen und Wasserkünste spielen und der Flieder schwül duftet; das ist alles: Genuß der Sehnsucht:

> „Wir ziehn vorbei und singen
> In der stillen Morgenzeit,
> Sie hört's im Traume klingen,
> Wir aber sind schon weit."

Wie fern steht der protestantische Alemanne Johann Peter Hebel in der äußeren Lebensgestalt und dem Wirklichkeitsgehalt seiner Dichtung dem katholischen Schlesier Eichendorff! Aber wie enge berühren sie einander in dem Wesentlichen ihrer Lebensstimmung und dem geistigen Gehalt ihres Werkes! Auch für Hebel ist das Tiefste, was er vom Leben erfahren und auszusagen hat, das Bewußtsein der Vergänglichkeit, das seine Kraft aus der Erinnerung an die in der Jugend erlebte heimatliche Landschaft zieht. Der Vater, aus Simmern im Hunsrück stammend, stand im Dienst des Basler Patriziers J. J. Iselin und begleitete diesen auf seinen mannigfachen Fahrten im französischen Kriegsdienste; so hielt er sich 1758 während des Befreiungskampfes der Korsen unter Pasquale Paoli in Korsika auf. Er war ein geistig reger, durch Reisen gebildeter und humorvoller Mann. Nach seiner Rückkehr aus Korsika heiratete er 1759 Ursula Örtlin aus Hausen im badischen Wiesental, die ebenfalls im Dienste der Familie Iselin stand, und ließ sich als Leineweber in Hausen nieder. Die beiden pflegten alljährlich für den Sommer wieder zu ihrer alten Herrschaft nach Basel zu ziehen, und da ist am 10. Mai 1760 Johann Peter Hebel geboren worden. Wenig später als ein Jahr starb der Vater, und nun lag die Erziehung des Knaben ganz der Mutter ob. Sie vererbte ihm die schlichte und sinnig-beschauliche Alemannenart und legte den

Keim eines tiefen Gottesglaubens in ihn. Sie habe ihn beten gelehrt, sagte er von ihr. „Sie hat mich gelehrt an Gott glauben, auf Gott vertrauen, an seine Allgegenwart denken."

Die Witwe setzte die regelmäßigen Besuche in Basel fort, und so wuchs der Knabe bald im stillen Dorf, bald in dem vornehmen Hause in der Stadt auf. In Basel besuchte er die Gemeindeschule von St. Peter und im Sommer 1772 die dritte Klasse des Gymnasiums. Meist aber ging er in Hausen zur Schule, und hier lebte er sich ein in die Landschaft des Wiesentales und die Art seiner Bewohner. Hier bildete sich in ihm jene tiefe Verbundenheit mit Wasser und Tier und Pflanze, mit Berg und Tal und jene reiche Kenntnis des Sagenschatzes des Volkes. Von Hausen aus besuchte er die Lateinschule in dem nahen Schopfheim. Aber schon 1773 starb auch die Mutter, und nun trat der Dreizehnjährige ins Gymnasium in Karlsruhe ein, um sich hier auf das Theologiestudium vorzubereiten. In Erlangen studierte er von 1778 bis 1780 und wurde dann nach bestandenem Examen in die Zahl der Kandidaten der Theologie aufgenommen. Aber sein Wunsch, eine Pfarrei im heimatlichen Wiesentale zu erhalten, wurde nicht erfüllt. Er wurde zuerst Hauslehrer in Hertingen und dann 1783 Präzeptoratsvikar an dem Pädagogium in Lörrach. Es war eine Zeit reichen inneren Reifens. Seine Neigung gehörte der Literatur und der allgemeinen Bildung, vor allem aber der Theologie. Seine religiöse Überzeugung bewegte sich zwischen dem Buchstabenglauben der Orthodoxie und der Verstiegenheit des Zinzendorfischen Pietismus auf dem Geleise der aufgeklärten und sittlich geläuterten Frömmigkeit Lessings. „Der Christ", so zeichnet er sich einmal für eine Predigt auf, „ist ein Mensch, der nach der Ähnlichkeit mit Gott strebt, sein Zweck also Vollkommenheit, Bild Gottes, Erneuerung der Seele. Der Zweck ist groß, unsere Natur schwach. Wir müssen also stufenweise uns zu erneuern suchen."

Aber sein geistiges Bedürfnis war durch diesen aufklärerischen Moralismus keineswegs befriedigt. Er hatte damals in einigen jungen Lehrern und Pfarrern von Lörrach und der Umgebung Freunde gefunden, die ihn fortan durchs Leben begleiteten. Friedrich Wilhelm Hitzig, Vikar in Rötteln, Prorektor Tobias Günttert in Lörrach, der Lateinschullehrer Wilhelm Engelhard Sonntag, gehörten zu dem Kreise. Sie bildeten eine Art Geheimbund, eine fröhliche „Tafelrunde des Humors" mit einer eigenen spaßhaften Ausdrucksweise auf mythologisch-mystischem Grunde. Sie nannten sich Proteuser und ihr Wesen und Treiben Belchismus: Proteus, der Gott der ewigen Verwandlung, war ihr Schutzgeist, und der Belchen, der zweithöchste Berg des Schwarzwaldes, der Altar, auf dem sie den Ewigen verehrten. Hebels Briefe an seine Freunde, vor allem an Hitzig, sind gespickt mit dem skurrilen Kauderwelsch, das die Proteuser sich in ihren Zusammenkünften angewöhnt und ausgebildet hatten. So war in der Sprache des Belchismus der Dengelesgeist oder, mit Versetzung der Buchstaben, der Desegelisgeinet, ein böses Wesen und Gegenspieler des Proteus. ᴨ eine Steigerung des griechischen π oder Pi, als Anlaut des Wortes Proteus, war das magische Bundeszeichen. So übermütig das Treiben war, es stak in seinem Kern von Tiefsinn und Galgenhumor. Eine in der Jenaischen Allgemeinen Literaturzeitung vom 19. Oktober 1790 erschienene Arbeit über den eleatischen Philosophen Parmenides und seinen Begriff des Nichts oder Nichtseienden als Ursprung und Prinzip der Welt gab den Anstoß, das Nichtseiende oder den Geist in den Verwandlungen der Materie als das Ewig-Proteische zu verehren im Gegensatz gegen die Anhänger des Materialismus. So nannte sich Hebel selber Parmenideus oder Sohn des Parmenides, während Hitzig Zenoides hieß nach Zeno, dem Schüler des Parmenides.

Es war nicht nur geistiges Spiel, was die Freunde mit ihrem Proteusertum trieben, es war, wenigstens für Hebel, Offenbarung rätselhafter Naturveranlagung. Sie wurde zum tragischen Schicksal in seinem Verhältnis zu Gustave Fecht, der schönen 1768 geborenen Schwägerin und Hausgenossin seines Freundes Günttert. Keine Frau hat ihm je näher gestanden als sie. An keine hat er reichere und tiefere Briefe geschrieben als an die „teuerste Jungfer Gustave". Er umrankt ihre Gestalt mit den Rosenzweigen gemütvoller Poesie und treuester Freundschaft. Sie war ledig und er war ledig, sie paßten nach dem Alter, den Lebensumständen zusammen, und beide liebten sich. In jedem seiner Briefe erwartete man das Geständnis seiner Liebe zu lesen. Aber er spricht es niemals aus. Eine rätselhafte Unentschlossenheit hindert ihn daran, das erlösende Wort zu sagen. Und so erkaltet die Liebe allmählich zur Freundschaft, und er begnügt sich, um Gustaves Existenz zu wissen, sich ihrer zu versichern, ohne den Wunsch zu hegen, sie mit der seinigen zu verbinden. Er blieb auch darin dem Bekenntnis des Proteusischen Parmenidesjüngers zum Nichtseienden getreu, dem ewig sich Wandelnden, das sich niemals zum dauerhaften Sein festigt.

Äußerlich war die Lehrerstelle in Lörrach nichts weniger als befriedigend. So sehnte er sich nach einer Verbesserung. Sie wurde ihm nach elf Jahren zuteil. 1791 wurde er zum Lehrer am Gymnasium in Karlsruhe ernannt. Er hatte hier Latein, Griechisch und Hebräisch zu unterrichten und die Verpflichtung, von Zeit zu Zeit in der Hofkirche zu predigen. Er erhielt 1805 den Titel eines Kirchenrates und wurde 1808 Direktor des Lyzeums. Er hatte die Stelle inne bis 1814, wo er zum Mitglied der evangelischen Ministerial- und Kirchensektion, der obersten Kirchen- und Schulbehörde, ernannt wurde. Vier Jahre darauf wurde er badischer Prälat oder Vorsteher der evangelischen Landeskirche und als solcher Mitglied des badischen Landtages. Auf einer amtlichen Reise starb er am 22. September 1826 in Schwetzingen.

Bald nach Hebels Anstellung in Karlsruhe näherte sich der Krieg den Grenzen Badens. Der Hof floh nach dem preußischen Fürstentum Ansbach. 1799 bis 1803 drangen die Truppen beider feindlichen Heere in der Markgrafschaft ein, die neutral geblieben war. Durch den Reichsdeputationshauptschluß wurde Karl Friedrich, der seine linksrheinischen Besitzungen an Frankreich hatte abtreten müssen, mit den rechtsrheinischen Gebieten der säkularisierten Bistümer und des Kurfürstentums Pfalz entschädigt und selber zum Kurfürsten erhoben. Damit war Baden an den Triumphwagen Napoleons angeschirrt. Es mußte im dritten Koalitionskriege 1805 dem Sieger Truppen stellen. Zur Belohnung erhielt es im Frieden von Preßburg vom 26. Dezember den Breisgau und wurde zum Großherzogtum erhoben. Hebel erlebte die Kriegsvorgänge als innerlich wenig beteiligter Zuschauer. Im Herbst 1796 mußte er bei einem Aufenthalt im Oberland mitansehen, wie die Höhen um sein geliebtes Wiesental beim Zurückfluten der französischen Armee von mehr als zweihundert Wachtfeuern besetzt waren: „Das ganze Gebirg schien zu brennen." Am 29. Oktober erlebte er im kaiserlichen Hauptquartier in Haltingen den Angriff der Franzosen auf die kaiserlichen Schanzen. Überall hörte er im Breisgau das Klagen und Jammern der Ausgeplünderten und Mißhandelten, und der Kanonendonner verfolgte ihn noch auf der Rückreise nach Karlsruhe.

Die Berichte, die er von all diesen Vorgängen seinen Freunden sandte, sind durch eine seltene Sachlichkeit gekennzeichnet. Die Leiden der Menschen berührten ihn tief, aber er dachte zu wenig politisch, als daß das Kriegsgeschehen in ihm hätte patriotische Leidenschaft entflammen können. Er war ein Mensch des 18., nicht des 19. Jahrhunderts. Und wie hätte eine nationale Leidenschaft in ihm entstehen können, wo doch Baden, zu dem er gehörte, seine Sonderpolitik trieb und in dem Kriege mit den Franzosen gar keine schlechten Geschäfte machte? So hatte das Kriegsgeschehen um 1800 auf ihn gerade die entgegengesetzte Wirkung als etwa auf einen Arndt oder Kleist. Er bangte, als Dichter, nicht um das Schicksal der Bevölkerung oder des Volkes, sondern um das der Landschaft und das der Menschen nur, sofern sie aus dem Boden der Landschaft gewachsen waren und auf ihm Leid und Freud erlebten. Die Unruhe und Not der Zeit ließ die Erinnerung und Liebe zu der Heimat mächtiger in ihm aufglühen. In den Kriegsjahren um 1800 entstanden seine „Alemannischen Gedichte", und im Frühjahr 1803 erschien ihre erste Ausgabe als unscheinbares Büchlein von 232 Seiten. Das war sein Beitrag zum Geschehen der Zeit: zu zeigen, wie herrlich das Land war, um das gekämpft wurde. Er konnte dies nicht anders als in der alemannischen Sprache sagen; denn in ihr allein konnte sich die innerste Seele der Heimat offenbaren.

In seinen amtlichen und beruflichen Kundgebungen und seinen hochdeutschen Gedichten gibt sich Hebel als der aufgeklärte Protestant seiner Zeit, dem das Christentum vor allem Erziehung zu einem sittlichen Leben bedeutet. Er hat dazu sich mit der Theologie und Philosophie bekannt gemacht, die die Schule ihm zutrug. Die Neigung dafür aber ging, wie bei Eichendorff, nicht tief. Zu Anfang 1797 schreibt er Hitzig: „Ich habe angefangen die Kantische Philosophie zu studieren, auf Anraten eines sehr gelehrten Ungarn, der sich hier aufhält, und laß' es nun wieder bleiben auf Anraten Meiner. Sie sei dem Desegelisgeinet im Augenblick seiner schlimmsten Laune preisgegeben mit allen Kategorien. Es gibt nur ein System, nur eine Philosophie — unsere! die sich von allen andern wesentlich darin unterscheidet, daß sie auf einem Grunde ruht, indem jene auf nichts, die unsere aber doch wenigstens auf das Nichts gegründet ist." Das Parmenideische Meon oder Nichts als Prinzip der Welt in Verbindung mit der Proteischen Verwandlung des Nichts in die Reihe der Gestalten bildet, jenseits der konventionellen Moralphilosophie, den Grund seiner eigentlichen Weltanschauung. Er hat aus seiner seelischen Veranlagung, die mit ihrer Unentschlossenheit es ihm unmöglich machte, seinen innigsten Wunsch, die Verbindung mit Gustave Fecht, zu verwirklichen, und aus der Gestalt seines Lebens, das ihn immer weiter von dem entfernte, was ihm das Teuerste war, seiner Jugendheimat, den gleichen Schluß auf die Unwirklichkeit und Vergänglichkeit alles Seins gezogen, wie ihn einem Eichendorff sein christlicher Glaube nahelegte. Der Parmenideisch-Proteische Begriff des sich beständig wandelnden Nichtseins gibt ihm für seine persönliche Lebensstimmung die gedankliche Begründung. So wird die Vergänglichkeit die Grundidee seiner „Alemannischen Gedichte". Zweckvoll hat er darum das Gedicht auf das heimatliche Flüßchen, die Wiese, an die Spitze gestellt; denn hier ist seine Idee am eindrücklichsten und zugleich am anmutigsten veranschaulicht. In der Schilderung des Wasserlaufes von seinem Ursprung in dem verschwiegenen Schloß der Felsen des Feldberges bis zu seinem Ende im Rhein gibt er ein Bild des Menschenlebens überhaupt, das nirgends verweilt, das weder Freude noch Leid in der eiligen Flucht ins Nichts aufhalten kann. So wandeln auch die Gestirne unaufhaltsam ihres Weges. Der Mond „steht" bei Hebel nicht wie bei Claudius still, er „steht auf und schaut ins Tal":

> „Jetzt stoht er uf, er luegt ins Tal",

und auch die Sonne wandert:

„Dört chunnt si scho ...	„Hörsch nit, wie's Wasser rauscht,
O lueg doch, wi isch d'Sunn so müed,	Un sihsch am Himmel obe Stern an Stern?
Lueg, wie si d'Heimet abezieht!	Me meint, vo alle rüehr si kein, un doch
Und d'unten isch si! Bhüet di Gott!"	Ruckt alles wyters, alles chunnt un goht."

sagt der Vater zu dem Sohne in der „Vergänglichkeit". In der „Sonntagsfrühe" wandeln so die Wochentage an uns vorbei:

> „Der Samschtig het zuem Sunntig gsait:
> Jetz han i alli schloofe glait ...
> So sait er un wo's zwölfi schlacht,
> Se sinkt er aben in d'Mitternacht."

So wandert alles Leben in der Natur. Es ist aufschlußreich, Gottfried Kellers Gedicht „Winternacht" mit Hebels „Winter" zu vergleichen. Keller erlebt den Winter als die starre Ruhe der in Eis und Schnee gebannten Natur:

> „Nicht ein Flügelschlag ging durch die Welt,
> Still und blendend lag der weiße Schnee.
> Nicht ein Wölklein hing am Sternenzelt,
> Keine Welle schlug im starren See."

Hebel aber erlebt im Flockentreiben des Schnees auch den Winter als das
Vorübergehende:

> „Isch echt do obe Bauwele fail?
> Si schütten aim e redli Tail
> In d'Gärten aben un ufs Huus;
> Es schneit doch au, es isch e Gruus."

Bei Keller tastet die unter dem Eise gefangene Nixe mit ersticktem Jammer an der harten Decke her und hin. Hebel aber hält sich nicht beim
Bilde der winterlichen Schneelandschaft auf. Er sieht unterm Schnee
bereits den neuen Frühling warten:

> „Mengg Somechörnli, chlai un zart,
> Lyt unterm Bode wohl verwahrt;
> Un schnei's, so lang es schneie mag,
> Es wartet uf sy Ostertag."

Auch die Sommervögel und die Schwalben und die Spätzlein freuen sich
dann des neuen Frühlings, und so endet das Gedicht, das mit dem wirbelnden Schnee begann, mit einem fröhlichen Bilde der neu erwachten Natur.

Ähnlich gibt das Habermusessen der Mutter Gelegenheit, den Kindern
das Keimen und Wachsen des Hafersamens zu schildern.

Aber noch ein Zweites entspringt der Parmenideisch-Proteischen Idee.
Wenn das Prinzip des Seins das Nichtsein ist und der Sinn des Lebens
Wandlung und Vergänglichkeit, dann sind auch die Gestalten, durch die
das Vergängliche hinwandelt, nicht wirklich das, was sie scheinen, sie sind
nur flüchtige Bilder und Gleichnisse des Nichtseienden. Damit ist die
Symbolisierung oder Mythologisierung der Natur und ihrer Erscheinungen gegeben. Wenn es schneit, so ist es, als ob droben Baumwolle feil wäre.
Die Sommervögel und Schwalben und Spatzen sind vermenschlicht, und
auch der Hafersamen ist ins Menschliche übersetzt.

So ist für Hebel das Leben ein ewiges Vorüberwandeln von Bildern und
Gestalten, in dem „alles Vergängliche nur ein Gleichnis" ist. Das ist der
Ort, wo seine gedankliche und dichterische Welt sich mit der Goetheschen
berührt; das dürfte denn auch letzten Endes das Gefühl der Verwandtschaft in Goethe hervorgerufen und ihn veranlaßt haben, jene schöne und
große Anzeige der „Alemannischen Gedichte" zu verfassen. Auch Hebel
hätte mit dem jungen Goethe die Natur bestimmen können als „Kraft,
die Kraft verschlingt; nichts gegenwärtig, alles vorübergehend, tausend
Keime zertreten, jeden Augenblick tausend neue geboren". Auch Hebel
hätte jene Strophe schreiben können in „Dauer im Wechsel":

> „Willst du nach den Früchten greifen,   Gleich mit jedem Regengusse
> Eilig nimm dein Teil davon!   Ändert sich dein holdes Tal,
> Diese fangen an zu reifen,   Ach, und in demselben Flusse
> Und die andern keimen schon;   Schwimmst du nicht zum zweiten Mal."

Was für Goethe als Dauerndes im Wechsel des Irdischen bleibt, ist „der
Gehalt in seinem Busen und die Form in deinem Geist". Hebel hat den

vorüberwandelnden Strom ähnlich in zwei feste Ufer eingefaßt: Erinnerung als Vergeistigung gelebter Vergangenheit und Ausblick aufs Jenseits als Verklärung des irdischen Lebens. In seiner Erinnerung hat er sein Wiesental in die Dauer geistiger Schönheit erhoben. Am 1. Juni 1812 schreibt er Hitzig: „O wie schön muß es jetzt bei euch sein, Zenoides, wo es immer so schön ist, und wie ahndungs- und koseselig für den auswendigen und innewendigen Menschen in dem schönen einzigen Tal voll Schmehlen und Chettenblumen, lustigen Bächlein und Sommervögel, wo es immer duftet wie aus einem unsichtbaren Tempel herausgeweht, und immer tönt, wie letzte Klänge ausgelütteter Festtagsglocken mit beginnenden Präludien mengeliert und verschmolzen, und wo jeder Vogel oberländisch pfeift, und jeder, selbst der schlechteste Spatz, ein Pfarrer und heiliger Evangelist ist, und jeder Sommervogel ein gemutztes [aufgeputztes] Chorbüblein und das Weihwasser träufelt unaufhörlich und glitzert an jedem Halm. Da schwelgt ihr Tag für Tag und kennt vor lauter Genuß den Genuß nicht mehr."

Das andere Ufer, das den Strom säumt, ist der Ausblick auf das Nachher, die Ewigkeit des Jenseits. In dem Gespräch zwischen Vater und Sohn in der „Vergänglichkeit" entwirft er davon ein Gemälde von apokalyptischer Erhabenheit. Der Vater sagt: Alles nimmt ein Ende und jeder geht dem Kirchhof zu. Dann gibt er ein gemütvolles Bild von Basel, der schönen, tollen Stadt. Aber einmal wird man sagen:

> „Lueg, dört isch Basel g'stande!"

Es wird die Zeit kommen, wo die ganze Welt verbrennt. Ein Fremder erscheint und ruft: „Wacht auf, es kommt der Tag!"

Aber nach dem Jüngsten Tag kommt die ewige Ruhe, wo die Guten auf anderen Sternen wohnen und auf die Trümmer der Erde niederschauen:

> „Der Belche stoht verchohlt,
> Der Blauen au, as wie zwee alti Türn,
> Un zwische drin isch alles usebrännt
> Bis tief in Boden abe... Das sihsch
> Un saisch dym Kamerad, wo mit der goht:
> Lueg, dört isch d'Erde gsi, un selle Berg
> Het Belche ghaisse...!"

Wenn Hebel dem großen Kriegsgeschehen und den politischen Vorgängen seiner Zeit ohne inneren Anteil zugeschaut hat, so hat er in seinen Schilderungen von der Vergänglichkeit alles Irdischen doch den tiefsten Sinn seiner Zeit dichterisch gestaltet. Indem er das tat, hat auch ihm die Gunst der Musen Unvergängliches verheißen: den Gehalt in seinem Busen und die Form in seinem Geist.

Hebel ist der einzige namhafte Dichter, den das Land Baden am Anfang des 19. Jahrhunderts hervorgebracht hat. Etwas später rückt das benachbarte Schwaben mit einer ganzen Gruppe von Poeten auf. Noch um 1780 hatte Stäudlin, als er seinen „Schwäbischen Musenalmanach" herausgab, sein Unternehmen vor den Zeitgenossen rechtfertigen zu müssen geglaubt. Seine Begabung war zu bescheiden, als daß er den literarischen Ruhm der Schwaben über die Landesgrenzen zu tragen vermocht hätte. Das war Schillers Sendung, und in seine Fußstapfen trat eine Schar Jüngerer, wenn auch anderen Geistes als Schiller: Uhland, Kerner, Schwab, Mayer und, der größte, Mörike.

Das Leben L u d w i g U h l a n d s bietet eher das Bild eines Gelehrten, der, wie oft in der ersten Hälfte des Jahrhunderts, auch zeitweise politisch tätig war, als das eines Dichters. Es ist etwas Sachlich-Verständiges darin, und der Wellenschlag der Leidenschaft fehlt. Will man ihn als einen Romantiker bezeichnen, so ist jedenfalls das romantische Blut erheblich in ihm verdünnt. Er wurde als Sohn des Universitätssekretärs in Tübingen am 26. April 1787 geboren und war durch seine Großmutter mit Gotthold Stäudlin verwandt. In Tübingen besuchte er die Lateinschule, die damals von dem tüchtigen und lebendigen Rektor Kauffmann geleitet wurde, und bezog darauf, da er nicht in einer der Klosterschulen sich zum künftigen Theologen ausbilden wollte, mit vierzehn Jahren die Universität. Auf einer Ferienreise, die er vor dem Eintritt in die Hochschule unternahm, entschloß er sich zum Studium der Rechte: der Vater hatte ihm vorgestellt, daß ein Familienstipendium für eine Reise ihm nur zufallen werde, wenn er Jurist werde. Zunächst aber eignete er sich an der Artistenfakultät noch die geschichtlichen, philosophischen, naturwissenschaftlichen und mathematischen Kenntnisse an, die die Lateinschule ihm vorenthalten hatte, und von diesen Nebenfächern wurde ihm bald die deutsche Literatur das Hauptstudium. „Des Knaben Wunderhorn" weckte seinen Sinn für die Volksdichtung. Herders Volkslieder und Percys „Relics" kamen dazu. Kulturgeschichtliche Werke, ältere Dichtungen nährten den Sinn für die deutsche Vorzeit. Ein Bild des Mittelalters erstand in dem Gemüte des Jünglings mit Rittern und schönen Frauen, ragenden Burgen unter nordischem Himmel und wurde in Romanzen besungen. Er war noch nicht zwanzig Jahre alt, als er, die deutsche Philologie an der klassischen Altertumswissenschaft messend, den Mangel an vaterländischer Mythologie beklagte. Die altkluge Periode, die zwischen der Neuzeit und der Zeit der romantischen Mären liegt, hat diese in Vergessenheit geraten lassen. „Man sollte in unsern Tagen darauf denken, zu retten, was noch zu retten ist." Nicht nur deutsche Dichtungen, auch die der andern Völker. „Ein Geist des gotischen Rittertums hatte sich über die meisten Völker Europas verbreitet... Sollte nicht der Literator, dem ein reicher Vorrat alter Schriften zu Gebote steht, und der nicht selbst die Absicht hat, Kunden dieser Art poetisch zu bearbeiten, solche wenigstens, wo er sie antrifft, sammeln und den Dichtern seines Volkes anbieten?" Uhland gehörte zu denen, die die alten Mären selber poetisch zu bearbeiten vermochten. 1804 entstanden u. a. „Die sterbenden Helden" und „Der blinde König". 1805 „Der König auf dem Turme" und „Das Schloß am Meere". 1808 „Klein Roland". 1809 Volkslieder, wie „Der

Wirtin Töchterlein" und „Der gute Kamerad", und so brachte jedes der folgenden Jahre seine Gedichte hervor, bis nach 1816 der Quell stockte und nur noch spärlich floß und nach abermals zwei Jahrzehnten fast gänzlich aufhörte.

Anfang April 1810 bestand Uhland, nachdem er seine Dissertation über ein Thema des römischen Rechtes abgegeben, die Doktordisputation, und einen Monat später ging er nach Paris. Seine Absicht war weniger die Ausbildung im französischen Recht und Prozeßverfahren, als das Studium alter deutscher und französischer Literaturwerke in der Kaiserlichen Bibliothek. Vor allem der Erforschung der Sagen um Karl den Großen widmete er seinen Fleiß. Daneben wurden mit großer Gründlichkeit die Kunstschätze und andere Sehenswürdigkeiten betrachtet, die Paris bot, und die Theater besucht. Durch Varnhagen von Ense, den er von Tübingen her kannte, lernte er Chamisso kennen. Der Aufenthalt in Paris war reich an literarischem Ertrag.

Am 14. Februar 1811 war er wieder in Tübingen. Als Mensch wie als Dichter innerlich gereift, kehrte er zurück. Seine Studien hatten ihm eine Fülle von Stoffen geschenkt. Seine Gabe, sie künstlerisch zu gestalten, war erstarkt. Und neben der eigenen Dichtung ging die Forschung weiter. Seine Liebe zur mittelalterlichen Welt war durch die Pariser Studien so gewachsen, daß er den Wunsch hegte, sich völlig der Philologie zu widmen. Einige Jahrzehnte später hätte er sich einfach dafür habilitiert und wäre darauf Professor geworden. Aber die damalige Universität hatte noch keine Stelle für mittelalterliche Literaturgeschichte zu vergeben. So mußte er sich entschließen, einen juristischen Brotkorb zu nehmen, und trat als zweiter Sekretär ins Justizministerium in Stuttgart ein. Es war eine strenge Schule. Das Verhältnis zu dem Minister war wenig angenehm, da Uhland sich nicht auf die Kunst verstand, die Gerichtsentscheide zum Vortrag für den König mit diplomatischer Gelenkigkeit so zu bearbeiten, daß der König sie annahm. Die Arbeitszeit dauerte den ganzen Tag bis abends um sieben Uhr. Erst von neun bis zehn konnte er sich seinen literarischen Studien widmen. „Es kommen mir wohl manchmal Ideen zu Gedichten", schrieb er der Mutter am 10. Oktober 1813, „aber zur Ausführung habe ich weder Zeit noch Ruhe." Und zu der Amtslast kam die politisch-kriegerische Unruhe der Zeit. Württemberg war mit Napoleon verbündet und hatte ihm für den Feldzug nach Rußland ein Heer von vierzehntausend Mann gestellt. Noch dreihundert kamen von ihnen zurück. Es gelang, auf das Frühjahr 1813 wieder ein Heer von zehntausend Mann aufzustellen. Auch Uhland drohte die gewaltsame Aushebung. Er war froh, daß es nicht dazu kam. Aber als in der Schlacht bei Leipzig die Württemberger zu den Verbündeten übergingen, regte sich auch in ihm das deutsche Blut. Die Mutter bangte um sein Leben. Man plante, die Honoratiorensöhne einzuberufen. Da schrieb er am 31. Dezember: „So wenig ich mich mutwilligerweise aussetzen werde, so kann ich doch nicht verhehlen, daß, wenn mit der Zeit auch bei uns eine Landwehr, d. h. eine allgemeine Volksbewaffnung und Dienstleistung während dieses Krieges eingerichtet werden sollte, wie solche bereits bei allen, von den größten bis zu den kleinsten Staaten Deutschlands, stattfindet, und wogegen unser König allein sich bisher verwahrt hat, ich mich einem solchen, der guten Sache zu leistenden Dienste auf keine Weise entziehen möchte, und darin eine wahre Beruhigung für mein ganzes künftiges Leben finden würde." So weit es seine der fliegenden Begeisterung unfähige Natur zuließ, beteiligte auch er sich an der Kriegsdichtung der Zeit. Sein Gemüt war gespalten. Er war stolz auf die deutschen Siege, aber er sah, wie ihnen, in Württemberg früher als in andern deutschen Ländern, die lähmende Reaktion folgte. Als 1814 der Jahrestag der Schlacht bei Leipzig begangen werden und ein Festfeuer vor der Stadt angezündet werden sollte, verhinderte die Polizei die politische Feier. Die große Zeit ward ihm so, wie er an Kerner schrieb, eine stolze Freude, in anderer Hinsicht sein Schmerz.

Die Ahnung der kommenden Reaktion bestimmte ihn, der seiner Amtsarbeit schon lange satt war, seinen Austritt zu nehmen und fortan als Anwalt sein Brot zu verdienen. Die Freiheit vom Amt gab ihm die Muße, seine Gedichte zu sammeln und 1815 herauszugeben. Zugleich trat er nun als freier Mann in den württembergischen Verfassungskampf ein. König Friedrich I., klug, tatkräftig, aber gewissenlos und herrisch, kam dem neuen politischen Geist entgegen, indem er eine Versammlung von Vertretern des mediatisierenden Adels und der Gemeinden einberief und ihr am 15. März 1815 einen Verfassungsentwurf zur Annahme vorlegte. Die Versammlung aber forderte die Wiedereinsetzung der alten Verfassung, die der König 1806 selbstherrlich aufgehoben hatte. Auch Uhland verfocht mit unbeugsamer Leidenschaft das „alte gute Recht". Er verzichtete auf eine einflußreiche Stellung und große Einnahmen als Anwalt, um den Kampf dafür durchzuführen. Er stellte sein dichterisches Wort in den Dienst dessen, was er als das alte gute Recht betrachtete, und ermahnte am 18. Oktober 1816, dem Jahrestag der Leipziger Schlacht, die Fürsten, zu leisten, was sie am Tage der Schlacht gelobt. Kurz darauf starb Friedrich I., und als sein Sohn Wilhelm I. im März 1817 den Landesvertretern einen neuen Verfassungsentwurf vorlegte, wurde auch dieser verworfen, weil er die vertragsmäßig gesicherte Gleichberechtigung von Fürst und Volk nicht anerkannte. Das war es auch, was Uhland dem Entwurf vorwarf: das Fehlen des Vertragsgrundsatzes. Das Volk sollte kraft seiner Souveränität frei über die Verfassung abstimmen können, sie nicht als königliches Gnadengeschenk annehmen müssen. Eindringlich spricht sein „Nachruf" diesen Gedanken aus:

„Noch ist kein Fürst so hoch gefürstet,
So auserwählt kein ird'scher Mann,
Daß, wenn die Welt nach Freiheit dürstet,
Er sie mit Freiheit tränken kann,
Daß er allein in seinen Händen
Den Reichtum alles Rechtes hält,
Um an die Völker auszuspenden
So viel, so wenig ihm gefällt.

Die Gnade fließet aus vom Throne,
Das Recht ist ein gemeines Gut,
Es liegt in jedem Erdensohne,
Es quillt in uns wie Herzensblut;
Und wenn sich Männer frei erheben,
Und treulich schlagen Hand in Hand,
Dann tritt das inn're Recht ins Leben
Und der Vertrag gibt ihm Bestand."

Die Kämpfe dauerten noch bis 1819. Damals kam durch Vertrag, d. h. durch eine Vereinbarung zwischen dem Ständischen Ausschuß und einer königlichen Abordnung die Verfassungsfrage zum Abschluß, und im September wurde die Verfassung von den Ständen angenommen und vom König genehmigt. In jenen Jahren hatte Uhland zwei große Kämpfe der mittelalterlichen deutschen Geschichte dramatisch gestaltet: „Ernst Herzog von Schwaben" (1817) und „Ludwig der Bayer" (1818). Auch in der Folgezeit bestimmte die Politik neben der Dichtung und der Wissenschaft sein Leben. 1830 war ihm endlich die Möglichkeit gegeben, seine Liebe zur älteren Dichtung nicht nur in kargen Nebenstunden zu betätigen. Damals wurde er,

Ludwig Uhland, Kupferstich, 1832

nachdem Germanistik in Tübingen als selbständiges Lehrfach eingeführt worden war, als dessen erster Vertreter angestellt. Berthold Auerbach, der seine stilistischen Übungen mitmachte, hat den akademischen Lehrer geschildert: „Die Bemerkungen Uhlands [zu dem Vortrage des Studenten] waren scharf und bestimmt, oft auch mit einem milden Scherz, der viel Heiterkeit in der Versammlung hervorbrachte... Der Ton Uhlands war hell und klar, aber eher hart als weich, und beim Sprechen lehnte er den Kopf etwas zurück, und sein scharfgeschnittenes Profil wurde deutlich." Er las über altdeutsche Literatur und germanische Sagengeschichte, wobei der Dichter in der Ausdeutung der Quellen dem Forscher wirksam zur Hand ging.

Aber die akademische Tätigkeit dauerte nur drei Jahre. Die Pariser Juli-Revolution brachte auch in Württemberg das politische Leben in Schwung. 1831 veröffentlichte Paul Pfizer seinen „Briefwechsel zweier Deutschen", worin er scharf die geistigen und politischen Forderungen der neuen Zeit umschrieb. Ende jenes Jahres wurde ein neuer Landtag gewählt. Die Opposition erhielt in ihm das Übergewicht. Auch Uhland, der sich wieder wählen ließ, gehörte ihr an. Bald kam es zum Kampf gegen die Regierung, und diese löste am 22. März 1833 den Landtag auf. Als die Neuwahlen stattfanden und Uhland wiederum gewählt wurde, verweigerte die Regierung dem Professor den Urlaub, um an den Versammlungen des Landtages teilzunehmen. Nun mußte er sich zwischen Lehramt und Politik entscheiden. So schmerzvoll es für ihn war, die ihm ans Herz gewachsene

Lehrtätigkeit aufzugeben, er folgte dem Rufe der Freiheit und des Volkswillens und verzichtete auf seine Professur.

Noch ein letztes Mal griff die Politik in sein Leben ein im Jahre 1848. Diesmal kämpfte er auf einer größeren Walstatt. Es galt nicht mehr nur das staatliche Schicksal Württembergs, sondern ganz Deutschlands. Aus seinen Studien über das deutsche Mittelalter war ihm die Idee der nationalen Einheit der Deutschen längst vertraut. Aus dieser Überzeugung heraus ließ er sich zum Mitglied des Frankfurter Parlaments ernennen. Er gehörte zu den volkstümlichsten Mitgliedern der Versammlung. Er war kein geborener Redner. Es fehlte ihm die Gabe der schlagfertigen Improvisation und des lebendigen geistigen Verkehrs mit seinen Hörern. Heinrich Laube berichtet von ihm: „Das ganze lichte Auge unter lichter Braue sieht über die Menge hinweg ins Leere, es haftet an keines Menschen Blicke, es erwidert keinen, und wie ein Einsiedler spricht der Mann mit herber, schwäbisch akzentuierter Stimme da oben, als ob ihn niemand hörte. Langsam, in kleinen Pausen, aber sicher klimmt ein Satz nach dem andern hervor." Seiner politischen Überzeugung nach trat er gegen Preußen für ein großdeutsches Wahlkaisertum demokratischen Gepräges ein — er hatte in den Kämpfen in Württemberg eine zu gründliche Abneigung gegen die Erbmonarchie in sich ausgebildet. In seiner berühmten Rede vom 22. Januar 1848 pries er die alten deutschen Kaiser als Stimmführer deutschen Freiheitswillens: „Es waren in langer Reihe Männer von Fleisch und Bein, kernhafte Gestalten mit leuchtenden Augen, tatkräftig im Guten und Schlimmen." Wenn man ihm entgegenhielt, daß sein Wahlkaiser nur eine Art von Präsident sein würde, so verschloß er sich auch dieser demokratischen Folgerung nicht: „Es wird kein Haupt über Deutschland leuchten, das nicht mit einem vollen Tropfen demokratischen Öles gesalbt ist", lautete das Schlußwort seiner Rede. Als er überstimmt wurde und die Mehrheit des Parlaments die deutsche Kaiserkrone Friedrich Wilhelm IV. anbot und dieser sie ablehnte, rückte Uhland noch schärfer von den deutschen Fürsten ab. Nun richtete er einen Aufruf an das Volk, wehrhaft und waffengeübt dazustehen zum Schutze von Parlament und Reichsverfassung. Als sich die Hoffnung zeigte, daß der württembergische König dem Parlament am meisten Verständnis entgegenbringen würde, gehörte er zu den Abgeordneten, die nach Stuttgart übersiedelten und dort als „Rumpfparlament" weitertagten. Am 18. Juni 1849 wurde diese Versammlung, die mehr und mehr revolutionären Charakter annahm, mit Waffengewalt aufgelöst. Bis zuletzt verteidigte Uhland die Freiheitsrechte des Volkes, bis auch er dem Militär weichen mußte. Die Hoffnung, das deutsche Volk zur politischen Selbständigkeit mündig zu machen, war nach 1848 begraben, zerschellt an der starren Gewalt der Fürsten und der Uneinigkeit der Bürger. Auch Uhland beugte sich. Fortan gehörte sein Wirken der Wissenschaft. Am 13. November 1862 starb er in Tübingen.

Schon dieser Lebenslauf zeigt: Uhland ist kein Romantiker mehr. Was ihn mit den Romantikern verbindet, ist die Liebe zu der Dichtung der deutschen Vorzeit. Aber sie ist bei ihm von einer dilettantischen Schwärmerei zu ernster wissenschaftlicher Arbeit und zur stofflichen Befruchtung seiner Phantasie geworden. Er trat dem Mittelalter durchaus als Realist gegenüber. Und das war er auch in seiner politischen Haltung. Wo die Romantiker sich mit dem Staate befaßten, ging ihr Bemühen nicht über allgemeine staatsphilosophische oder staatsschwärmerische Gedanken hinaus; Uhland aber wirkte als Handelnder an der politischen Gestaltung von Volk und Zeit mit. Alles Schwärmen, alles bloße Reden, alles Sichverlieren in schöne Stimmungen und Phantasien war ihm aufs äußerste verhaßt. Seine Verwandten und Freunde hatten sich immer wieder über seine Trockenheit und Schweigsamkeit zu beklagen. „Du bist und bleibst auch in Paris immer noch der alte trockene Vetter", schrieb ihm seine vierzehnjährige Schwester nach Paris, „schreibst nur immer von Bibliotheken, Museen usw., Sachen, die mich ganz und gar nicht interessieren." Er war auch als Mitglied der württembergischen Kammer keineswegs beredt. Er hatte mit dem Ausdrucke zu ringen bis zu gelegentlichem Stammeln, und diejenigen, die von seinen Reden dichterischen Schwung erwartet hatten, fanden, er sei ein ganz besonders prosaischer Redner, und als er einmal eine Viertelstunde lang über das Landesgestütswesen sprach, lief sogar sein Freund Notter davon. Auch seine Briefe leiden unter seiner Trockenheit. Sie sind selten, was man interessant nennt, und dann nicht durch den leidenschaftlichen Fluß innern Lebens oder durch persönlichen Geist, sondern durch Mitteilungen persönlicher und sachlicher Art. Es sind die Briefe eines Wissenschaftlers, man möchte sagen: eines wissenschaftlichen Handwerkers, jedenfalls nicht eines Dichters.

Zu dieser sachlichen Nüchternheit gehörte auch seine peinliche Ordnung. Als er nach Paris fuhr, traf er vor Trier einen alten Mann, der sich rühmte, den Menschen am Gesicht und an der Haltung ihren Stand und ihr Gewerbe absehen zu können. Als Uhland ihn aufforderte, über ihn auszusagen, erklärte er, er werde weder ein Gelehrter noch ein Kaufmann, wohl aber ein ehrsamer Handwerker, etwa ein Uhrmacher sein. Und Uhland ließ ihm diesen Glauben. Die Äußerung des Reisegenossen bezeichnete seine Art nicht schlecht. Es war etwas Pünktliches und Geregeltes in seinem ganzen Wesen. Er hatte Ordnung im großen und kleinen. In seinem Tagebuch von 1810 bis 1820 verzeichnete er pünktlich Tag für Tag sein Tun und Lassen und vergaß auch nicht, von Essen und Trinken, Gesundheit, Wetter und Wochentag zu schreiben. Alles nur mit trockenen Merkwörtern, ohne gedankliche Betrachtung, Gefühlserguß oder epische Ausmalung, nur das Wesentliche als Knochengerüst zur Stützung des Gedächtnisses. Als er 1824 einem Komitee für Wassergeschädigte angehörte, führte er mit großer Pünktlichkeit die Verzeichnisse selber, und als Mitglied der Finanzkommission im Landtag scheute er die Mühe nicht, einmal nach einem Rechnungsfehler zu suchen.

Das war nicht seelische Armut oder Pedanterie, sondern eine sittliche Haltung, die für den Menschen seiner Zeit notwendig war. Das Schattenlose des Chamisso'schen Peter Schlemihl. Die Spätromantik gefiel sich allzusehr in haltlosem Schwärmen über die Dinge zwischen Himmel und Erde, in Hamletischer Selbstzergliederung, wundersüchtigem Aberglauben, metaphysischen Träumereien, und gerade die Dichter gingen einher, umbauscht von einem weiten Nebelmantel, der mit allen möglichen geheimnisvollen Sternenbildern bestickt war. Hier tat Sachlichkeit und Nüchternheit not, weil nur sie verhüten konnten, daß man nicht im Schlamm der Phrase erstickte. Daher trat Uhland der Geisterseherei und dem Magnetismus seines Freundes Justinus Kerner mit den entschiedensten Worten entgegen. Ende 1812 schrieb er ihm: „Tod ist die innigste Vereinigung mit dem Geiste der Natur, Krankheit ist Hinstreben nach dieser Vereinigung. Unter dem Geist der Natur verstehst du doch wohl Gott. Die innigste Vereinigung mit diesem wird allerdings erst mittelst des Todes bewirkt, aber nicht durch den Tod an sich, durch das bloße Sterben. Sonst wäre eine Kugel vor den Kopf die schnellste, innigste Vereinigung mit dem Naturgeist. Nur durch das vorhergegangene Leben kann der Tod Vereinigung mit dem Naturgeist werden. Deiner Theorie zufolge wäre das Leben nichts, weder Selbstzweck noch Mittel, sondern schlimmer als nichts. Dies aber wäre Gotteslästerung. Der Geist muß jener Vereinigung erst würdig, durch Leben dazu gereift sein ... Wenn du also fortfährst: Tod ist die höchste Verherrlichung, zu der der Mensch im Leben kommt etc., so hat dies für mich keinen Sinn, und wenn du weiter sagts: magnetischer Schlaf, Epilepsie (die scheußliche fallende Sucht), Katalepsie, Verzückung, Wahnsinn, Siderismus, dann die organische Zerstörung in einzelnen Teilen des Körpers etc., all dies sind Zustände, durch die der Mensch dem Geist der Natur, einem Allgemeinleben, dem Leben der Geister und Gestirne näherkömmt, befreundeter wird, so ist mir dies ein Abscheu!" Für ihn waren Epileptische ganz einfach Geistesschwache, und wenn von Allgemeinleben gesprochen werden sollte, so gab es für ihn nur ein solches auf Erden. Eine keusche Liebe, eine lichte Weisheit stand ihm höher als Metallschmecken und bewußtloses Prophezeien, die angeblich eine Vereinigung mit Gott zustande brachten. „Da ich", schloß er, „nicht annehme, daß du einen Teil jener Sätze niedergeschrieben, bloß um mir zu imponieren, so haben wir so entgegengesetzte Richtungen genommen, daß ein wahrhafter Geistesverein zwischen uns nicht mehr möglich ist."

Diese Forderung nach ehrlicher Wahrhaftigkeit machte er aber auch geltend gegenüber dem ganzen veräußerlichten Literaturbetrieb der Spätromantik. Als Fouqué die Idee einer poetischen Sonntagszeitung hegte, nannte er sie ein Luftschloß. „Man scheint in Deutschland nicht nur die reflektierende Poesie über die produktive, sondern sogar das Sprechen von Poesie über die Poesie selbst, die Rezension über das Gedicht zu setzen, und es würde mich nicht wundern, wenn jemand behauptete, Goethe habe seine poetischen Werke nur geschrieben, um schließlich als Beilagen zu seiner Lebensbeschreibung zu dienen." So lehnte er auch den hohlen Schwulst des Grafen Loeben ab.

All das erscheint ihm als sittliche Notwendigkeit, und nichts wäre verkehrter, als diesem Menschen, der äußerlich sich trocken und nüchtern gab, den innern Schwung, die Gefühlskraft und den Sinn für das echte Leben der Dichtung abzusprechen. Als Kerner ihm einmal traurig von seiner Niedergeschlagenheit schrieb, antwortete er ihm am 8. Februar 1812: „Glaube ja nicht, daß du allein der Traurige bist und daß jene Schmerzen dir allein zugehören. Welches edlere Gemüt kennt sie nicht? Es ist die himmlische Flamme, die ihr inneres Leben zu Asche gebrannt hat und ängstlich nach Brennstoff umherflackert und ihn aus den Höhen saugen will. Aber sie soll und wird nicht erlöschen; wie die Kirchenlampen in der Legende wird sie nächtlicherweile von den Engeln genährt. Warum sind die beschränktesten Menschen die zufriedensten und lächeln die Simpel immer? Weil die Erkenntnis des höheren Lebens, die Poesie, fehlt, die das schale, niedere Leben vernichtet; nein! nicht vernichten soll sie es, läutern, erheben; und kann sie es nicht immer, so läßt sie es fallen, wie der Adler die Schildkröte, und fliegt allein der Sonne zu ... Die Poesie gebiert den Schmerz und der Schmerz die Poesie. Nein! Laß uns nicht sterben! Wenn uns kein Handeln vergönnt ist, so laß' uns leiden und dichten!"

Wenn er sich darüber Rechenschaft gab, was den innersten Grund und die tiefste Richtung seiner Dichtung ausmachte, so kam er auf den Begriff Gemüt. Es war das, was nicht einseitig Sinnlichkeit und nicht Verstand, nicht Gefühl und nicht Sittlichkeit war, sondern alles miteinander zur Einheit verbunden als die schlichte Wahrhaftigkeit und tiefe Innerlichkeit eines rechten Menschen, und er war der Auffassung, daß das Gemüt im besonderen das Naturgeschenk des Deutschen sei und das Element der deutschen Dichtung im Sinne des alten Spruches:

> „Schlicht Wort und gut Gemüt
> Ist das echte deutsche Lied."

Gerade die hohle Üppigkeit des Grafen Loeben bestimmte ihn, seine eigene deutsche Dichtung ihr scharf gegenüberzustellen: „Mein Streben geht dahin, mich immer fester in ursprüngliche deutsche Art und Kunst einzuwurzeln ... Mir kam es diesemnach zu, in Bild, Form und Wort mich der größten Einfachheit zu befleißigen, sollte sie mir auch den Vorwurf der Trockenheit zuziehen, die einheimischen Weisen zu gebrauchen, vaterländischer Natur und Sitte anzuhangen, mir unsre ältere Poesie, und zwar unter dieser wieder die wahrhaft deutsche, zum Vorbild zu nehmen."

Er war nicht der erste, der so in der ältern deutschen Art und Dichtung den Quell für die neuere Dichtung fand und erschloß. Aber er tat es mit einer Folgerichtigkeit, Beharrlichkeit und Tiefe, wie vor ihm kein anderer, weil in seinem Gemüt jene deutsche Art von selber vorhanden war; denn es war kein Zufall, daß er gerade ein Schwabe war: Bodmer hatte, als er den Minnesang des deutschen Mittelalters herausgab, von der Dichtung des „Schwäbischen Zeitalters" gesprochen, weil sie in Schwaben, mit Einschluß der deutschen Schweiz, vornehmlich blühte. Dieses gemütvolle und — was das gleiche heißt — charaktervolle Deutschtum ist es, was Uhlands Gedichten ihren einzigen Wert und ihre Größe gibt, wie es sich

586

auch in seinem Leben ausprägt. Dessen Bild zeigt, wie alles, was er handelnd und forschend leistete, nur der Erschließung und Förderung deutschen Geistes diente. Er hat als Forscher über deutsche Dichtung und Sage geschrieben und eine Sammlung von Volksliedern herausgegeben. Er hat als Politiker für die Würde des deutschen Geistes gekämpft und gelitten. Er hatte aus der Geschichte die Vorstellung gewonnen, daß der deutsche König des Mittelalters der Erwählte des Volkes, sozusagen der Primus inter pares, war. Dieser Vorstellung wollte er in den Kämpfen der Zeit, innerhalb der Einzelstaaten, wie innerhalb des Reiches, gegenüber dem Absolutismus der Restauration zum Siege verhelfen. In diesem Sinne war er ein Demokrat, der bereit war, seiner Idee von der deutschen Volksherrschaft alles zum Opfer zu bringen, nicht nur seine Professur und die Gunst der Großen, wenn es nötig war, auch das Leben, sondern auch vielbegehrte fürstliche Gnadenbeweise, die ihm seine Verdienste als Dichter und Forscher eintrugen: als ihm Preußen den Pour le mérite und Bayern einen andern hohen Orden anbot, wies er beide zurück.

Deutschen Geist, deutsches Gemüt tragen auch seine Dichtungen als Seele in sich. Er hat selber einmal den Stoffbereich seiner Dichtung umschrieben in „Des Sängers Fluch":

> „Sie singen von Lenz und Liebe, von sel'ger goldner Zeit
> Von Freiheit, Männerwürde, von Treu und Heiligkeit;
> Sie singen von allem Süßen, was Menschenbrust durchbebt,
> Sie singen von allem Hohen, was Menschenherz erhebt."

So hat er den deutschen Frühling besungen, vor allem in dem wundersamen: „Die linden Lüfte sind erwacht", worin das Frühlingsahnen selber Sprache geworden zu sein scheint, und nicht weniger deutsch sind seine Liebeslieder in ihrer herben Innigkeit. Aus seinen Balladen vollends steigt, schlicht und kräftig und gemütvoll, die deutsche Vorzeit vor uns auf. Dabei ist ihm das Größte gelungen: er, der als Handelnder nur im Dienste des Volkes stand, ist auch als Dichter völlig die Verkörperung des Denkens und Fühlens des Volkes, und es ist kein Zufall, daß sein Lied: „Ich hatt' einen Kameraden", das Volkslied geworden ist, das wie kein anderes zu allen Zeiten und an allen Orten gesungen wird, weil es das Geheimnis in sich birgt dessen, was ihm das tiefste, lauterste und kraftvollste Wesen des deutschen Volkes auszudrücken schien: Mut, Treue, Aufopferung, Innigkeit, mit einem Wort: Gemüt.

Kommt man von Uhland zu Justinus Kerner, so tritt einem nur der große Unterschied vors Auge. Schon äußerlich. Kerner war, gegenüber dem kleinen, magern Uhland, mächtig und aufgeschwemmt. Wo Uhland schlicht, verständig bis zur Nüchternheit war, ist Kerner gefühlvoll, phantastisch. Wo Uhland als Dichter sorgsam feilte und besonnen abrundete, wirft Kerner seine Einfälle hin und ist oft unfähig, sie abzuwägen und zum Ganzen abzuschließen. Wo Uhland als Forscher einen phantasievollen Stoff zum wissenschaftlichen Werke umformte, macht Kerner aus einer exakten Wissenschaft einen Tummelplatz des Aberglaubens.

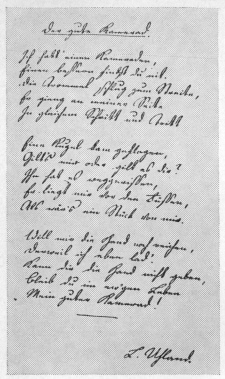

Uhlands eigenhändige Aufzeichnung seines Gedichts „Der gute Kamerad", 1809

Ohne Frage ist das Reizvollste, was er geschrieben hat, sein „Bilderbuch aus meiner Knabenzeit" vom Jahre 1849. Hier konnte seine reiche und phantasievolle Persönlichkeit sich an einem Stoffe und in einer Darstellungsart ausleben, die zwischen Wissenschaft und Dichtung die Mitte hielten. Es ist so die anmutigste Jugendgeschichte entstanden, die es in der deutschen Literatur gibt. Nicht die Erzählung einer inneren Entwicklung, sondern wirklich ein Bilderbuch. Der Erzähler sucht immer das Einzelne auf, weiß ihm einen wunderlichen Reiz abzugewinnen, verweilt mit einer behaglichen Lust dabei, so daß ein eigentliches Kuriositätenkabinett entstanden ist, bei dem man nicht immer weiß, ob es diese Kuriositäten damals in Ludwigsburg wirklich gegeben hat, oder ob sie nur aus dem phantasievollen Gemüt des Verfassers entsprungen sind.

Ludwigsburg war zur Zeit der Geburt Kerners am 18. September 1786 noch die Residenz Karl Eugens mit dem prachtvollen und weitläufigen Schlosse inmitten eines herrlichen Parkes, mit den schnurgeraden Straßen und weiten Plätzen. Der Herzog war längst über seine Sturm- und Drangjahre hinaus; er bemühte sich damals als Alternder an der Seite seiner sorgenden Franziska, dem Volke ein guter Hausvater zu sein. Aber die Kunde von den Willkürtaten und Ausschweifungen seiner früheren Jahre war noch lebendig; Kerners Vater, Oberamtmann und Regierungsrat, war mit Schubart und Schiller befreundet. Als Ludwigsburg nach dem Tode des Herzogs verödete, übernahm er die einträgliche Oberamtei Maulbronn, und jetzt regte die neue Wohnung, ein früheres Zisterzienserkloster, die Phantasie des Knaben nicht weniger an. Die Schulausbildung geschah unregelmäßig und war durch Krankheit unterbrochen. 1799 machte der Tod des Vaters dem bisherigen Wohlstand ein Ende, und die Witwe zog mit den Kindern wieder nach Ludwigsburg. Der Knabe, der, wie es schien, nicht zum Studium taugte, sollte nun eine Handwerkslehre durchmachen: erst als Schreiner, dann als Maler, zuletzt als Kaufmann in einer Tuchfabrik. Endlich setzte er es 1804 durch, daß er in Tübingen das Studium der Medizin beginnen durfte. Da wurde er Uhlands Freund; denn er hatte seit seiner Kindheit Verse gemacht und kam durch Uhland nun in einen literarischen Kreis, dem u. a. der Lyriker Karl Mayer und August Varnhagen von Ense angehörten. In dieser Zeit lernte er auch seine spätere Frau, sein geliebtes Rickele, kennen. Varnhagen hat seine damalige Wohnung beschrieben: „In seiner Stube lebt er mit Katzen Hühnern, Gänsen, Eulen, Eichhörnchen, Kröten, Eidechsen, Mäusen und wer weiß was sonst noch für Getier ganz freundschaftlich zusammen, und hat nur seine Not, Türen und Fenster zu verwahren, daß ihm die Gäste nicht entschlüpfen; ob seine Bücher oder Kleider in Gefahr sind, ob ihn ein Tier im Schlaf anschnopert oder unversehens aufgeschreckt nach ihm beißt, das kümmert ihn nicht, und er sucht alle Quälerei zu vermeiden."

1808 machte er sein Examen, und nun reiste er einige Zeit in Deutschland umher, war u. a. in Hamburg, wo er in Varnhagens Kreis weilte, in Berlin, wo er mit Chamisso und Fouqué verkehrte, und in Wien, wo er die Bekanntschaft von Friedrich Schlegel und seiner Frau machte. Seine Erzählung „Die Reiseschatten" sind das Ergebnis dieser Wanderungen. Nach der Rückkehr ließ er sich 1811 in Wildbad als Arzt nieder, wurde 1815 Oberamtsarzt in Gaildorf und fand vier Jahre später als Oberamtsarzt in Weinsberg seine dauernde Wirkungsstätte. Hier wurde sein Haus bald der Sammelpunkt aller möglichen berühmten und bedeutenden Männer der Zeit. Außer Uhland, Mayer und Gustav Schwab erschienen der Graf von Loeben, Tieck und Arnim, Matthisson, Varnhagen, Wilhelm Müller, berühmt durch seine Griechenlieder, Mörike, David Friedrich Strauß, König Ludwig I. von Bayern und andere. In Weinsberg starb er in der Nacht vom 21. zum 22. Februar 1862.

Als Kerner 1809 durch Deutschland reiste, schrieb er einmal Uhland: „Dann habe ich noch solche Dinge erlebt, die ich dir aus Äger, weil du sie für erdichtet halten würdest, nicht schreibe..., so sonderbar, daß ich mich oft, bei Gott! recht mit Anstrengung besinne, ob nicht alles ein Traum ist." Wirklich scheinen in seinem Erleben die für andere Menschen peinlich gezogenen Grenzen zwischen Sein und Schein, Wahrheit und Wunder, Wachen und Traum verwischt und jene Gesetzmäßigkeit aufgehoben, die eine besonnen beobachtende Verstandeswissenschaft in der Natur wahrgenommen hat. Es ist, wie wenn er noch beständig durch eine unsichtbare Nabelschnur mit dem Schoße der Natur verbunden wäre, ihren Herzschlag verspürte, und ihre Kräfte in sich hineinströmen fühlte.

Zum erstenmal trat diese Begabung sichtbar hervor in seiner Knabenzeit. Als er in die Entwicklungsjahre kam, erlitt er eine schwere Erkrankung der Magennerven. Er vermochte die Speisen nicht mehr bei sich zu behalten und magerte zusehends ab. Die Kuren, die die Ärzte verschrieben, schienen das Übel nur zu steigern. Da geriet er durch Zufall dem Heilbronner Magnetiseur Gmelin in die Hände, und dieser wandte sein magnetisches Verfahren an: er schaute ihm mit seinen schwarzen Augen fest ins Auge, bestrich ihm mit ausgereckten Händen vom Kopf bis in die

Magengegend und behauchte ihm mehrmals die Herzgrube. Der Kranke wurde darauf ganz schläfrig und wußte endlich nichts mehr von sich. Aber jene magnetische Behandlung leitete die Genesung ein. Zugleich hatte sie ein „magnetisches Leben" in ihm erweckt, das, so erzählt Kerner, „mir von dort an jene voraussagenden Träume und Ahnungen gab und in mir später selbst eine Vorliebe für die Erscheinungen des Nachtlebens der Natur, für Magnetismus und Pneumatologie schuf." In der Tat erlebte Kerner von da an immer wieder Wahrträume und prophetische Ahnungen, die oft von Angstgefühlen begleitet waren. So hatte er 1808 einmal beim Guitarrespiel die Empfindung, als ob von oben eine schwere Masse sich auf ihn niedersenke, und im selben Augenblick sah Varnhagen, der bei ihm war, wie sich über seinem Kopfe eine Gestalt undeutlich abbildete und längst der Wand hin verschwand. Kerner hatte darauf eine Lichthalluzination und fiel besinnungslos hin.

Wenn er, nach Varnhagens Bericht, damals selber noch die ganze Geschichte nur als Krankheit ansah und jede geistergläubige Deutung verwarf, so war er schon wenige Jahre später der Ansicht, daß dergleichen Erscheinungen in Wirklichkeit den Verkehr der Seele mit einem höheren Reich, der Geisterwelt, bedeuteten. Ein eifriges Studium der okkulten Literatur der Romantik von Schelling bis zu seinen Schülern G. H. von Schubert, dem Tübinger Professor Carl Adam von Eschenmayer, dem Münchener Professor J. W. Ritter und andern, setzte ein. Nun suchte er Uhland zu überzeugen, daß „Tod die innigste Vereinigung mit dem Geiste der Natur; Krankheit ein Hinsterben nach dieser Vereinigung" sei. Magnetischer Schlaf, Epilepsie, Katalepsie, Verzückung, Wahnsinn der Pythia, Metallfühlen (Siderismus) — all das, meint er, seien Zustände, durch die der menschliche Geist dem Geist der Natur — der Schellingschen Weltseele —, dem Leben der Geister und Gestirne, näherkomme. In Prevorst, einem Dorfe im Oberamt Marbach, lebte eine Kaufmannsfrau, Friederike Hauffe, die an schweren nervösen Störungen litt und Halluzinationen hatte. Er ließ sie nach Weinsberg kommen, behandelte sie von 1826 bis 1829 und zeichnete ihre Visionen auf. So entstand sein Buch „Die Seherin von Prevorst", ein Gegenstück zu den Aufzeichnungen des Clemens Brentano über die Visionen der Nonne von Dülmen.

Kerner bekundete mit diesen Forschungen über die „Nachtseite der Natur" folgerichtiger als jeder andere Spätromantiker, wie nach dem Beginn des Jahrhunderts der ursprüngliche romantische Idealismus sich in einen psychologischen Materialismus gewandelt hatte. Was Glaube an den immateriellen Geist als Schöpfer und Ordner des Lebens gewesen war, der sich dem Denkenden in einem Akte hoher Willenskraft offenbarte, war nun der Glaube an Geister oder Gespenster geworden, die in Krankheitszuständen mit der leidenden Seele in Verkehr treten und trübe Wahngebilde in ihr erzeugen. Die Aufzeichnungen, die er in der „Seherin von Prevorst" über die Träume seiner Patientin gibt, sind das Abstruseste, was man sich denken kann.

Gelangt man von Uhland und Kerner zu Eduard Mörike, so mag

er in gewissem Sinne als eine Mischung beider erscheinen. Er besitzt die klare Besonnenheit und den erlesenen Kunstsinn Uhlands, ohne daß sie je als Nüchternheit wirken, und Kerner gleicht er in der Passivität seines Wesens und dem Sinn für die geheimnisvollen Abgründe des seelischen Lebens. An genialer Begabung übertrifft er beide. Sie ist auf lyrischem Gebiete so groß, daß sie nur mit der Goethes verglichen werden kann; denn wie Goethes, scheint seine bildende Kraft unmittelbar aus dem Innern der Natur zu fließen.

Er liebt es, im Dunkeln seine Träume zu spinnen. Er flieht aus dem lichten Tage in dämmernde Kämmerchen und Höhlen und läßt bei künstlichem Lichte die Kristallgewebe seiner Phantasie aufblitzen. Als Kind sitzt er gern in einem dunkeln Verschlag unter dem Dache. Da sind zwei Astlöcher, das eine dunkel, das andere von der Sonne rötlich durchleuchtet, das sind die Wohnsitze böser und guter Geister. Als Seminarist in Urach baut er sich ein Hüttchen in den Berg hinein, weil eine gewisse Einsamkeit dem Gedeihen der höheren Sinne notwendig sei. „Lieber", bekennt er Wilhelm Waiblinger, „in dieser abgeschiedenen Zelle, bei diesem brennenden freundlichen Lichte — da, ich kann dir's nicht nennen, wie ich mich da fühle." Wie er in Tübingen studiert, verkriecht er sich mit gleichgestimmten Freunden in eine alte Brunnenstube, da wird bei flakkernder Kerze aus Homer, Shakespeare und Goethe vorgelesen. Aber nicht nur das Dunkel der Natur im physikalischen Sinne bedarf er zur Nährung seiner Phantasie; auch das seelische und geistig Geheimnisvolle zieht ihn an. Wenn er als Pfarrer in Cleversulzbach das Spuken des Pfarrhausgeistes Rabausch belauscht und Buch führt über seine Beobachtungen, so mag er von Kerner zu solchem Tun verleitet worden sein, und es geschieht nicht ohne schalkhafte Ironie, daß er davon erzählt. Aber die Wahrheit ist, daß sein Gemüt selber voll dunkler Rätsel war, und daß drohende Geister ihn umschwebten, deren er zu Zeiten nicht Herr werden konnte. Sein Erlebnis mit der „heiligen Sünderin" Maria Meyer, die ihn lange verwirrend umspann und in der Zigeunerin Elisabeth im „Maler Nolten" auferstand; der ganze Gang seines Lebens ist dessen Zeugnis genug. Es wird von dunkeln Mächten geführt, und es ist alles andere eher als die saubere und gerade Verstandesbahn eines Uhland.

Aber er hat das Dunkle schließlich doch immer wieder zu bannen vermocht. Denn er besaß nicht nur ein Ohr, die Töne des Innern aufzunehmen, sondern auch ein Auge für die Farben und Konturen der äußeren Welt und einen Beobachtungssinn, der ihm gestattete, alle Gestalten der Natur in ruhevoller Betrachtung zu erfassen. Er erzählt von seinem Nolten, daß er als Kind auf dem Turme Spinnen gefüttert habe. Das hat er selber auch getan. Aber sie dabei zugleich beobachtet. Man denke daran, wie er in der „Waldplage" das Gebaren und Aussehen der „zierlich langgebeineten, jungfräulichen" Stechmücken schildert:

> „Geflügelt kommt es, säuselnd, fast unhörbarlich;
> Auf Füßen, zweimal dreien, ist es hoch gestellt ...
> Und wie es anfliegt, augenblicklich lässet es
> Den langen Rüssel senkrecht in die zarte Haut."

Er war nicht ein Forscher, der wie Goethe in alle Reiche der Natur wissenschaftlich Ausschau hielt; aber er hat in seinem ländlichen Pfarrhaus doch alles mögliche Getier gehegt; er hat in seinem Garten die Gräser und Blumen beobachtet und sich in den Versteinerungen eine wissenschaftliche Kenntnis erworben. Schulung des Auges und der Hand ermöglichte ihm, bei natürlicher Veranlagung, als Zeichner Personen verblüffend zu zeichnen und mit liebenswürdigem Spott sie zu Karikaturen zu verzerren. In einem Brief an Waiblinger von Mitte August 1824 hat er einmal sein Belauschen und Beobachten der Natur aus der Geborgenheit seines „Waldhäusle" heraus geschildert. Es ist früh morgens. Alle Fenster sind offen, und er hört dem Regen, der auf die Bäume tröpfelt, fein behaglich zu. „Wenn so der Tag recht früh mit Flößerstiefeln naß und melancholisch angerückt kommt", so „scheint dadurch gewissermaßen unser eigenes Wesen einen bestimmten, geruhigen Charakter zu bekommen, das Leben selber scheint, wie das Grün von Bergen und Bäumen, auf diesem sanften aschgrauen Grund erst recht beachtenswert und innig. Unser Innerliches fühlt sich sonderbar geborgen und guckt wie ein Kind, das sich mit verhaltenem Jauchzen vor dem nassen Ungestüm draußen versteckt, mit hellen Augen durchs Vorhängel, bald aus jenem, bald aus diesem vergnügten Winkelchen. O lieber Wilhelm ... wenn du jetzt hier bei mir auf dem Sofa meines Gartenhäuschen säßest und sähest die freundliche Dämmerung drin, die leeren Stühle so etwas geistermäßig umherstehen und den Regen draußen hart neben uns — überall Ruhe und fast Wehmut! dann, denke ich, müßt' es dir auch so sein wie mir, wohl nämlich, halb weinerlich und lustig."

Bei aller seelischen und geistigen Verwandtschaft mit Goethe ist Mörike viel weicher, empfindlicher, wehleidiger als jener, der doch immer der Empfindlichkeit eine kühle Rücksichtslosigkeit entgegen zu setzen hatte. Mörike ist zeitweise eine kaum geheilte Wunde. „Es ist überhaupt", schreibt er Waiblinger in dem gleichen Briefe, „in meinem wirklichen Zustand ein besonderer peinlicher Zug, daß alles, auch das Kleinste, Unbedeutendste, was von außen Neues an mich kommt, irgendeine mir nur einigermaßen fremde Person, wenn sie sich mir auch nur flüchtig nähert, mich in das entsetzlichste, bangste Unbehagen versetzt und ängstigt, weswegen ich entweder allein oder unter den Meinigen bleibe, wo mich nichts verletzt, mich nichts aus dem unglaublich verzärtelten Gang meines innern Wesens heraus stört und zwingt." Unmöglich kann das Leben eines solchen Menschen das werden, was man im äußeren Sinne glücklich und erfoglreich nennt. Allzu sehr ziehen unberechenbare Mächte die Kräfte der Seele an sich und verhindern die leichte Eingewöhnung in die nun einmal gegebenen Zustände und Aufgaben des wirklichen Lebens.

Am 8. September 1804 ist Mörike als das dritte von sieben Kindern in Ludwigsburg geboren. Der Vater, ein hochgebildeter und geschätzter Arzt, machte sich, Philosoph im Sinne des Cartesius und Leibniz, wie der Sohn berichtet, mit den Späteren, von Kant bis Schelling, kritisch zu schaffen, und zwar in einem groß angelegten unvollendeten Werk, das die Medizin nach philosophischen Grundsätzen entwickeln sollte. Die Mutter war eine Frau von Humor und Phantasie. In der Obhut der Eltern verlebte Mörike eine sonnige Kindheit bis zum elften Jahre. Damals erlitt der Vater, der sich während einer Seuche in seinem Beruf übertan hatte, einen Schlaganfall, von dessen Leiden ihn 1817 der Tod erlöste. Er ließ die Seinen in bescheidenen Verhältnissen zurück, und die Mutter siedelte mit den Kindern nach Stuttgart über. Eduard nahm der Oheim, der Obertribunalpräsident von Georgii, für ein Jahr ins Haus auf. Er war noch ein Mann der alten Zeit, befreundet mit dem Bildhauer Dannecker und dem Verleger Cotta. Ein Stück zierliches Rokoko spielte sich vor des Knaben empfänglichem Gemüte ab. Er war schon damals in sich gekehrt und taugte darum offenbar am besten zum Theologen, zumal der Staat der Witwe dessen Ausbildung zum größten Teil abnahm. So trat er mit vierzehn Jahren in die Klosterschule, das theologische Seminar in Urach, ein. Er setzte hier ein Träumer- und Poetenleben fort, fügte sich widerwillig in die Anstaltsordnung, unterhielt die Mitschüler mit lustigen Geschichten und war im übrigen ein mäßiger Schüler — unter einundvierzig der dreiunddreißigste.

Hier trat ihm Wilhelm Waiblinger nahe, der, gleichaltrig wie Mörike, aber vor der Zeit gereift, damals als Inzipient auf der Kanzlei des Oberamts in Urach arbeitete, und daneben noch einige Stunden das Seminar besuchte. Mörike ließ sich durch das magische Licht blenden, das Waiblinger ausstrahlte. Harmloser als die Freundschaft mit Waiblinger, war Mörikes Uracher Liebe zu Klärchen Neuffer.

Auf den Winter 1822 begann er als Stiftler das Studium in Tübingen. An der schwäbischen Landesuniversität glänzten damals keine wissenschaftlichen Sterne. Auf Mörike hatte keiner seiner Lehrer einen nachhaltigeren Einfluß. Auch das Studentenleben mit dem rohen Treiben und der teutschtümelnden Theatralik der Burschenschaft zog ihn nicht an. Er hielt sich mit seinen Freunden Wilhelm Hartlaub, Johannes Mährlen und Ludwig Bauer abseits, las die großen Dichter und führte ein halb von kindlichem Spiel, halb von mystischem Tiefsinn erfülltes Phantasieleben. Von Waiblinger sagte er sich damals los, nachdem er den Irrstern in ihm erkannt. Aber von einer anderen Seite streckte die Nachtseite des Lebens verführerische Arme nach ihm aus. Im Frühjahr 1823 lernte er in Ludwigsburg ein Schenkmädchen kennen, Maria Meyer. Sie war in Schaffhausen in verwahrlosten Verhältnissen aufgewachsen, war, als die Frau von Krüdener mit ihren pietistischen Konventikeln das Volk der Nordschweiz verwirrte, in ihr Gefolge geraten, war mit ihr umhergezogen und, als jene aus der Schweiz ausgewiesen wurde, nach Schwaben gekommen. Da hatte das Mädchen, das an Epilepsie litt, ein Wirt auf einem Steinhaufen vor Ludwigsburg gefunden und zu sich ins Haus genommen. Sie war von großer Schönheit, nicht ungebildet, und das Geheimnis, das das Mädchen umhüllte, steigerte die dämonische Gewalt nur um so mehr, die sie auf Mörike ausübte. Sie wurde für ihn eine Heilige. Bis das Schillernde und Unklare ihrer Persönlichkeit ihn verwirrte. Aber gab es nicht auch heilige Sünderinnen? Immer wieder zog sie ihn durch ihre Schönheit, ihr Leiden, ihr Geheimnis an und stieß ihn doch wieder ab. Zum erstenmal erfuhr er die gefährliche Gewalt geheimnisvoller Mächte, die jenseits der sittlichen Vernunft wirksam schienen. Es dauerte länger als ein Jahr, bis er der Verwirrung Herr wurde, in die sie ihn gestürzt, und bis sie aufhörte, in sein Leben „weiter einzugreifen als einen Traum, den ich gehabt, und der mir viel genützt". Am 16. Juli 1824 verließ er Tübingen, und bald darauf verschwand Maria Meyer. Sie kam schließlich in Winterthur als Frau eines ehrsamen Schreiners zur Ruhe.

1826 schloß Mörike seine Studien ab und trat nun als Vikar das Wanderleben von Pfarrei zu Pfarrei an. Es war nicht nur äußerlich ein praktisches Sicheinleben in den Beruf, sondern ebensosehr ein innerliches Kämpfen um die Berufung. Noch kein Jahr war er Vikar, als ihm bereits das „theologische Bratenwenden" gründlich verleidet war. „Geht's nicht, so bricht's; ich lass' es darauf ankommen, wenn ich schon den Zweig noch nicht sehe, auf den ich mich setzen will", schrieb er im Februar 1828 an Mährlen, den damals ähnliche Skrupeln plagten. Er wäre zufrieden, die geistloseste Sekretärstelle, etwa beim Konsistorium, oder gar ein Kanzlistenpult zugeschanzt zu erhalten. Alles, nur kein Geistlicher ... Schaffe nur einen Ausweg vor dem Konsistorium und seiner Stickluft, so will ich mich regen und umtun und Tinte aus allen Poren spritzen. Alter, schau! dies sag' ich dir weder im Rausche noch in der Laune eines Renommisten, sondern im Gefühl eines Kerls, dem der Steiß brennt, sich auf eine größere Bahn zu stürzen, und der, ohne eben sublimi vertici an die höchsten Sterne prallen zu wollen, doch weiß, was er sich zutrauen darf." Das zeigt, es waren nicht Zweifel an der Lehre, was ihn aus dem Pfarrerberuf hinaustrieb, vielmehr poetische Pläne. Und dazu mochte auch die Abneigung seines zarten Gemütes gegen den regelmäßigen Ablauf der geistlichen Pflichten mitwirken. Gerade weil er innerlich so durch und durch fromm war, vermochte er sich nur schwer, wenn der Dienst es verlangte, zur theologischen Leistung zu zwingen.

Schließlich wurde die innere Unlust so groß, daß er sich vom Konsistorium dispensieren ließ und die Redaktion von Franckhs Damenzeitung übernahm. Aber das journalistische Häckselschneiden bekam ihm noch schlimmer als das theologische, und noch ehe das Jahr 1828 zu Ende war, hatte er auch diese Tätigkeit satt. „Ich machte", schrieb er an Ludwig Bauer, „die Präliminarien schon so halb und halb mit Bangen, wie die Katze, die im Regen ihre Pfote nicht naß machen will. Ich sah — oder vielmehr der Kerl in mir, der sich auf den E. Mörike besser versteht, als ich selber, sah voraus, ich würde von dem Erzählungenschreiben bald Bauchweh bekommen, ärger als je vom Predigtmachen ... Die erste Wurst, so ich von dem Geld aß, schmeckte mir schon nicht recht, und eh' vierzehn Tage vergingen, hatt' ich das Grimmen, als läge mir Gift im Leibe." So ging er „mit zehnmal mehr Lust und Willen aufs Vikariat" zurück, als er es verlassen hatte. Denn wenn er sich auch mit Unlust zur Arbeit zwingen mußte, sie war für den Pfarrer auf dem Lande nicht allzu mühsam, und dazwischen hatte er Muße genug, durch Feld und Wald zu schlendern, Pflanzen und Tiere zu hegen und, nicht am letzten, die Gebilde seiner eigenen Phantasie. In diesen Jahren ist der Roman „Maler Nolten" entstanden. Als er 1829 in Plattenhardt Vikar war, gewann er sich in der Tochter des Pfarrers, Luise Rau, eine Braut. Sie war voll Anmut und Gefühl, aber beschränkter Sehweite. „Ein einfaches, heilig unschuldiges Wesen, das, weil andere es verkannten, lange im unklaren über seinen eigenen, tief verborgenen Wert war; seitdem ich sie kenne, erhob sich ihr Gefühl und Geist mit schöner Zuversicht, doch bildet ihre Schüchternheit noch immer ein reizendes Gemisch mit diesem neuen Leben." Es gelang ihm doch nicht, ihren „unschuldigen, keuschen Mädchenhorizont" zu erweitern, und es hätte ja auch eines Weibes von reiferer Erfahrung und weiserem Geiste bedurft, als sie dieses einfache Pfarrerstöchterchen besaß, um einen so verwickelten und reizbaren Geist wie den Mörikes zu verstehen und zu ertragen. Luise Rau sehnte sich vor allem nach rascher Versorgung, und wie sich ein Jahr des Wartens an das andere reihte und Unglück in der Familie Mörikes Gemüt verdüsterte, verlor sie den Glauben an ihn, und die Verlobung wurde 1833 gelöst.

Wenige Monate darauf, im Mai 1834, wurde er als Pfarrer in Cleversulzbuch in der Nähe von Heilbronn angestellt. Es war eine bescheidene Stelle, das Pfarrhaus groß, aber düster, der Pflichten nicht allzu viele — ein Ort des idyllischen Insichhineinträumens. Es war ebensosehr das Leben eines Ästheten und Poeten, das er führte, wie das eines Landpfarrers. Ein Leben nicht ohne Gefahr. Das Wohnen im Pfarrhaus mochte nicht durchaus gesund sein. Aber wenn er bald seine Gesundheit gefährdet glaubte, so war daran die eigene Verzärtelung seines Innern, seine Indolenz, seine Hypochondrie, sein Versinken in sich selber schuld. Er suchte sich durch Badekuren zu heilen und verlangte Vikare. Und als man ihn vor die Wahl stellte, entweder sein Amt zu versehen oder sich pensionieren zu lassen, entschloß er sich für das zweite. Das war 1843. Er war noch nicht vierzig Jahre alt. Das Ruhegehalt war klein. Er mußte mit seiner Schwester, die ihm die Haushaltung führte, an bescheidenen Orten wohnen: Schwäbisch Hall, Mergentheim. Hier verlobte er sich mit der Oberstleutnantstochter Gretchen von Speeth. Daß sie katholisch war, focht ihn nicht an. Ernster war die Sorge um das tägliche Brot. Aber auch diese wurde gehoben, als er nach Stuttgart übersiedelte und dort am Katharinenstift den Deutschunterricht erhielt. Ende 1851 wurde geheiratet.

So anregend die Übersiedlung nach Stuttgart war, die Ehe erwies sich je länger je mehr als ein Unglück. Die Gatten waren schon bei der Hochzeit nicht mehr jung. Er siebenundvierzig, sie dreiunddreißig. Er war indolent, empfindlich, sie eigensinnig und nervös. Für die letzten Jahre mußten sie getrennt leben. Dazu kam die Knappheit der Mittel. Es hätte nur eines Winkes an Geibel bedurft, und Mörike wäre mit einem entsprechenden Ehrengehalt als Glied der königlichen Tafelrunde nach München berufen worden. Er konnte sich nicht dazu entschließen. „Wenn Sie wüßten," sagte er zu Geibel, als dieser ihn besuchte, „welchen Entschluß es mich schon kostet, einer Gesellschaft zuliebe in einen andern Rock zu schlüpfen!" In fast dürftigen Verhältnissen brachte er mit seiner Schwester zusammen die letzten Jahre hin. Kenner ehrten ihn. Hebbel suchte ihn auf. Mit Storm und Moritz von Schwind wechselte er freundschaftliche Briefe. Aber der großen Menge blieb er fast unbekannt. Den siebzigsten Geburtstag beging er in Krankheit, Gram und Kummer mit seiner Schwester und seiner zweiten Tochter in der Stille. Als der traurige Tag zu Ende gegangen war und der Dichter schon im Bett lag, drangen plötzlich von draußen sanfte, harfenähnliche Töne ins Zimmer. „Wo ist die Musik," rief Mörike. Aber vergebens schaute man nach den Musikanten aus. Der Ursprung der Töne blieb rätselhaft. Da sagte Mörike: „Es bedeutet mich! Das ist mein letzter Geburtstag." Er behielt recht. Am 4. Juni 1875 starb er.

David Friedrich Strauß hatte ihm einmal „derbere poetische Freß- und Verdauungswerkzeuge" gewünscht. Er hatte sich dagegen gewehrt und für sich das stille Leben auf einer württembergischen Pfarrei als das angemessene bezeichnet. Und sicherlich wäre das Leben in der großen Welt mit Reisen und viel Umtrieb seiner Begabung nicht wohl bekommen. Aber er hatte nun auch die Folge seiner Neigung und Begabung zu tragen, er verzehrte sich in seiner schutzlosen Innerlichkeit.

Wenn Mörike mit der Zweipoligkeit seines Blickes nach innen und außen an Goethe erinnert, so ist er, so seltsam es klingt, ausschließlicher Dichter als Goethe. Die Zweipoligkeit gilt nur für sein künstlerisches Schaffen, nicht auch für sein Leben. Hier ist das Gleichgewicht durchaus verschoben zum Schaden des Äußeren. Er ist sozusagen ein umgekehrter Lessing. Er hat es nie verstanden, aus etwas Schlimmem etwas Gutes zu machen. Seine Weltanschauung stellt ihn so jenen Denkern nahe, die den Goetheschen Pantheismus ins Innerliche verdunkelten, vor allem Schelling und dessen Schüler Eschenmayer. Auch wenn wir es nicht wüßten, könnten wir voraussetzen, daß Mörike als Theologe in Tübingen beide kennenlernte. Von Eschenmayer las er 1829 die „Psychologie in drei Teilen", und er schreibt Luise Rau, daß das Buch auf jeden Fall ungemein interessant und lesenswürdig sei, daß es ihn übrigens ebensosehr abstoße als anziehe. „So viel herrliche weite Aussichten und doch wieder so viel unerträglich Enges!"

Man mag in dem Gedicht „Die Elemente" einen Nachhall Schellingisch-Eschenmayerscher Natur- und Seelenmusik erkennen. Ein Riese, der Herr der Elemente, kämpft in der Erde Schlund gegen die Reinheit Gottes, bis einst die Zeit kommt, da auch die elementaren Gewalten sich mit Gott versöhnen — Schelling hat, in Erinnerung an die Kantische Hypothese von den drei Weltaltern, von einem Abfall der Welt von Gott phantasiert. Aber wie wenig steckt von dem wirklichen Mörike in dem naturphilosophischen Gedicht! Er hat später die Vorstellung von den durch die Schöpfung tobenden Urgewalten in dem Märchen „Vom sichern Mann", dem Riesen Suckelborst, wieder aufgenommen und diesmal aus eigenstem Geist mit köstlichem Humor ausgestattet.

Die Philosophie beschenkt die Dichter in der Zeit Hegels nicht mehr

mit Ideen. Am allerwenigsten Mörike mit seinem eigenwilligen Innenleben. So hat auch Kerners Geisterspuk und Seelenmystik ihn nicht viel
mehr als gelegentlich unterhalten. Sie konnten alle die aus seiner eigenen
Seele stammende Naturvorstellung nur bestärken, indem sie sie noch
etwas tiefer ins Dunkle und Rätselhafte hinunterrückten. Wenn Goethe
es sich hat angelegen sein lassen, die Gestaltgebung in der Natur zu erforschen und in klare Gesetze zu formen, so begnügte sich Mörikes innerlich sinnende Art mit der Ahnung des geheimen Lebens der Naturkräfte;
ihr Wesen wird der Mensch nie erfassen.

Er selber hat die „Nachtseite der Natur", die ihn immer wieder beschäftigte, nicht wie Kerner wissenschaftlich zu erforschen versucht. Er
blieb ein echter Romantiker, indem er sich der ursprünglichen Sprache
des Geistes bediente, und den Geist nicht psychologisierte und damit ver-
stofflichte. Daher schuf er, wo er in Bildern sprach, nicht Allegorien,
sondern Symbole, d. h. Mythen. Es bleibt stets wunderbar, wie seine
Phantasie spielend in die wehenden Schleier des Nichts greift und aus
ihnen die herrlichsten und tiefsinnigsten Gebilde zaubert. Eine eigene
Mythologie erfand er als Student in Tübingen, eine Kosmogonie und
Kosmologie geheimnisvollster Art: die Insel Orplid, behütet von der
Göttin Weyla, darauf der Niwrissee und die Felsenorgel und Feen und
Zwerge, beherrscht von dem König Ulmon, der die Elfenfürstin Thereile
umwirbt:

> „Du bist Orplid, mein Land!
> Das ferne leuchtet;
> Vom Meere dampfet dein besonnter Strand
> Den Nebel, so der Götter Wange feuchtet.
>
> Uralte Wasser steigen
> Verjüngt um deine Hüften, Kind!
> Vor deiner Gottheit beugen
> Sich Könige, die deine Wärter sind."

In Mörikes Dichtung glänzt das Wunder des deutschen Gemütes noch
einmal wie ein leuchtender Schatz von Edelsteinen auf, ehe es in dem
dunkeln Erdengrund des Materialismus unterging.

11. FORCIERTE TALENTE

Immermann / Grabbe / Rückert / Platen / Lenau / Heine

„Durch die Mitwelt geht
Einsam mit flammender Stirne der Poet;
Das Mal der Dichtung ist ein Kainsstempel."

Freiligrath

Der Ausgang der Romantik verläuft in zwei Formen. Entweder bleibt die Dichtung im Zusammenhang mit dem wirklichen Leben, nährt sich von ihm, nimmt stoffliche und gedankliche Elemente aus ihm auf, überwindet damit den transzendenten Idealismus und gleitet allmählich in den Realismus hinein — es ist die Art Hebels, Hoffmanns, Uhlands, Mörikes, um nur diese zu nennen. Oder aber sie verharrt vergangenheitsgebunden in der Gedanken- und Stoffwelt des Idealismus und bildet, auch wo sie etwa neue Stoffe aufnimmt, sie doch im Sinne des Idealismus und in seinen Formen aus. Sie geht so schließlich an Entkräftung zu Grunde und stirbt an sich selber. Das ist die Art einer Anzahl von Dichtern, die man mit einem Goetheschen Ausdruck als „Forcierte Talente" bezeichnen kann.

Georg Friedrich Wilhelm Hegel war es, der den deutschen Idealismus schließlich zu einem dialektischen Denkprozeß ausbaute und ihn somit in eine lehr- und lernbare Schulphilosophie und damit in eine begriffliche Wissenschaft verwandelte. Er war der Systematiker des Idealismus, wie Christian Wolff hundert Jahre früher der Systematiker des Rationalismus gewesen war. Man kann ihn in gewissem Sinne geradezu den Erneuerer des Rationalismus nennen; als solcher hat er auf das geistigwissenschaftliche Leben seiner Zeit einen ähnlich großen Einfluß ausgeübt wie Wolff auf das des 18. Jahrhunderts. Seine Philosophie beherrschte etwa von 1810 an für mehr als zwei Jahrzehnte die deutschen Hochschulen. Seine „Phänomenologie des Geistes" erschien 1807, die „Logik" 1812 und 1816, die „Encyclopädie" 1817, die „Philosophie des Rechts" 1821. Daneben las er über die Philosophie der Geschichte. So spannte er sozusagen den gesamten Stoff des menschlichen Wissens in sein Begriffssystem ein, in dem er, weniger ein genialer als ein konsequenter Denker, die Grundgedanken der klassisch-romantischen Zeit in eine logische Ordnung gebracht hatte. Jenes Grundgesetz des menschlichen Geistes, das bei Goethe, Schelling und anderen als Polarität, als Hin- und Herspielen entgegengesetzter Kräfte erscheint, rationalisierte er zum mathematischen Widerspruch der Geschichte und machte so den natürlichen Gegensatz des Lebens zum künstlichen Ja und Nein der Logik. Tatsächliche Wahrheit schließt potentiell die Unwahrheit in sich ein, das Häßliche das Schöne usw. Diesen Denkwiderspruch überträgt Hegel nun auf den Lebensvorgang. Als Pantheist betrachtet er als die Substanz der Welt die Vernunft oder den absoluten Geist. Das wirkliche Leben ist die in relativen Erschei-

598

nungen sich darstellende Selbstoffenbarung des absoluten Geistes oder der
absoluten Idee. Das Gesetz, nach dem sie sich vollzieht, ist der Widerspruch der in dem Absoluten wirkenden Ideen. Ist eine Idee in einem
Weltzustand verwirklicht, so ist damit zugleich als Möglichkeit die
Gegenidee auf den Plan gerufen, und vermöge der aktiven Kraft, die im
Geiste ist, ruht sie nicht, bis sie sich gegen die Idee durchgesetzt und einen
Gegenzustand in der Welt geschaffen hat. Ist dieses Ziel erreicht, so regt
sich gegen den Gegenzustand und die in ihm wirkende Idee wiederum
eine Gegenidee und strebt nach der Setzung des Gegenzustandes, der
seinerseits die Idee des ersten Zustandes wieder aufnimmt, aber zugleich
darüber hinausführt. So besteht das Wirken des in der Erscheinungswelt
sich offenbarenden Absoluten in einem unablässigen Spiel von Idee und
Gegenidee, oder von Zustand (Thesis), Gegenzustand (Antithesis) und Verbindung von Zustand und Gegenstand (Synthesis). Er schien damit, indem
der gesamte Stoff des menschlichen Wissens auf diese dreigliedrige Formel
gespannt war, die Deutung des Weltgeheimnisses gegeben; die Vernunft
schien als Welt erkannt, die Welt als Vernunft erklärt und das Bewegungs-
gesetz des Lebens als ein im Zickzackweg des Widerspruches sich voll-
ziehendes Fortschreiten begriffen. Ob man das Weltgeschehen nun von
der Seite der Vernunft oder der Welt betrachtete, es galt in jedem Betracht
der Satz: „Alles, was ist, ist vernünftig." Ein zweideutiger Satz: Man
konnte aus ihm gerade so gut die Billigung des Bestehenden als vernünftig
herauslesen, wie die Forderung, daß das Bestehende aufgehoben werden
müsse, wenn es die Bedingung des Vernünftigseins nicht erfüllte.

Das Hegelsche System ist fraglos eine großartige, aber auch eine gefährliche Konzeption. Gefährlich nämlich für die Gesamtheit und Allgemeinheit der Bildung. Denn die Logisierung der Welt, das heißt des Wissens,
bedeutete nichts anderes als die Reduktion des sinnlich-natürlichen Lebens
in ein Heer von Begriffen. Hegel setzte den hungrigen Zeitgenossen nicht
mehr Körbe mit Früchten vor, sondern er gab ihnen Destillate von Früchten, statt Korn und Kirschen Korn- und Kirschbranntwein. Der Geist,
den er ausschenkte, war wohl stark und anfeuernd, aber er nährte nicht,
er berauschte. Bedenklich im besonderen war der Einfluß auf die Dichter.
Sie erhielten durch die Hegelsche Philosophie eine Schulung des Denkens,
eine Fülle von Ideeen. Aber es war eine einseitig-logische Schulung, und
die Ideen stammten nicht aus dem eigenen Erleben. Es war Schullehre,
was sie erhielten, nicht Weltanschauung; sie konnte dialektisch angenommen, verfochten und wieder verworfen werden. Sie war nicht organisch
notwendig mit dem Leben verwachsen und zerstörbar nur mit dem
Untergang des Lebens. Goethe hat als erster die Gefahr erkannt und sie
1812 in dem Aufsatzentwurf „Epoche der Forcierten Talente" ausgesprochen. Darin heißt es: „Entsprang aus der philosophischen. Höhere theoretische Ansichten wurden klar und allgemeiner. Die Notwendigkeit eines
entschiedenen Gehaltes, man nenne ihn Idee oder Begriff, ward allgemein
anerkannt; daher konnte der Verstand sich in die Erfindung mischen und,
wenn er den Gegenstand klug entwickelte, sich dünken, er dichte wirklich."

Und noch auf ein zweites hat Goethe hingewiesen: die Leichtigkeit des Schaffens infolge der Bemühungen der Früheren um die theoretische Erkenntnis und die praktische Ausübung der dichterischen Formen. Es war nach 1800 nicht mehr wie in der Mitte oder gegen das Ende des 18. Jahrhunderts. Man mußte dichterische Formen, zum Beispiel Verse und Strophen, nicht mehr aus Eigenem schaffen, man fand geschaffene in reicher Fülle vor. Voß hatte den deutschen Hexameter gebildet, die Romantiker romanische Strophen und Gedichtformen, das Sonett, die Oktave, die Terzinen ins Deutsche eingeführt. Man konnte nur wählen unter dem Reichtum des Vorhandenen. Das Schaffen geschah mühelos. Es war überhaupt nicht mehr ein Schaffen im Sinne eines um den Stoff ringenden Neubildens, es war nur ein Anwenden des bereits Ausgebildeten, ein technisches Verfahren. „Wir sind Epigonen", so kennzeichnet Immermann in seinen „Epigonen" 1836 seine Generation, „und tragen an der Last, die jeder Erb- und Nachgeborenschaft anzukleben pflegt. Die große Bewegung im Reiche des Geistes, welche unsere Väter von ihren Hütten und Hüttchen aus unternahmen, hat uns eine Menge von Schätzen zugeführt, welche nun auf allen Markttischen ausliegen. Ohne sonderliche Anstrengung vermag auch die geringe Fähigkeit wenigstens die Scheidemünze jeder Kunst und Wissenschaft zu erwerben. Aber es geht mit geborgten Ideen wie mit geborgtem Gelde: wer mit fremdem Gute leichtfertig wirtschaftet, wird immer ärmer."

Dem aus dem Ernst und der Not des Erlebens geschaffenen Werke eignet, auch wenn es unvollkommen ist, die Wahrheit des Ringens. Dem mit leicht erworbener technischer Fertigkeit geleisteten Werke fehlt, bei oft großem äußerm Glanze, die innere Kraft der Überzeugung, die Wahrheit des selbsterworbenen, sich selbst darstellenden Gehaltes. Immermann spricht an jener Stelle der „Epigonen" von einer „ganz eigentümlichen Verderbnis des Wortes", die so entstanden sei. „Man hat dieses Palladium der Menschheit, dieses Taufzeugnis unseres göttlichen Ursprunges, zur Lüge gemacht, man hat seine Jungfräulichkeit entehrt. Für den windigsten Schein, für die hohlsten Meinungen, für das leerste Herz findet man überall mit leichter Mühe die geistreichsten, gehaltvollsten, kräftigsten Redensarten. Die alte schlichte Überzeugung ist deshalb auch aus der Mode gekommen, und man beliebt von Ansichten zu reden." Wer die Prosa und die Verse der epigonen Forcierten Talente etwa mit den Werken Goethes oder Mörikes vergleicht, gewahrt in ihnen einen erstaunlichen Mangel an Ursprünglichkeit und Unmittelbarkeit der Sprache. Es sind — oft phantastische — Blumen aus Blech oder Papier, was sie geben, nicht natürliche Blumen, und wo sie duften, duften sie nach künstlichen Parfums, sie strömen nicht den Atem natürlicher Blüten aus. Es ist etwas seltsam Unwirkliches und Dünnes in dieser Sprache. Geist und Wissen, nicht Erlebnis, hat sie geformt. Sie gibt nicht Anschauungen, sondern Begriffe. Sie regt den Verstand, vielleicht auch die Phantasie an, aber niemals das Gemüt. Sie kann geistreich, interessant, witzig sein, aber sie läßt keine Gefühle aufblühen.

Und wie es immer ist, wo die Technik leicht beherrscht wird, die Fertigkeit wird übertrieben, die Kunst wird Virtuosität. Das Können, in höchster Steigerung, wird die Hauptsache. Das Was tritt vor dem Wie zurück. Jeder Virtuos ist eitel. Auch das Forcierte Talent krankt an Selbstüberhebung. Heine hat seinen Namen immer gern mit dem Goethes zusammen genannt und es als selbstverständlich quittiert, als der Dekan ihn bei der Doktorpromotion mit Goethe verglich. Grabbe gar stellte sich über Shakespeare und Goethe. Wie er seinem Verleger ein Stück aus seinem Drama „Heinrich VI." mitteilt, setzt er hinzu: „Bin ich nicht ein bißchen ein Sappermenter? Den Sir Shakespeare wollen wir doch noch wohl unterkriegen. Für sein bestes historisches Stück gebe ich nicht einmal den „Barbarossa". Und über Goethe: „Was ist das für ein Gewäsch über den ‚Faust‘! Alles erbärmlich. Gebt mir jedes Jahr 3000 Taler und ich will euch in drei Jahren einen ‚Faust‘ schreiben, daß ihr die Petsilenz kriegt." Auch Lenau, der sich in seinem „Faust" mit Goethe maß, machte sich anheischig, „den profanen Schmutz wieder abzuwaschen, den Goethe der Poesie durch fünfzig Jahre gründlich einzureiben bemüht war". Goethe hat am 20. April 1825 mit Eckermann über diese dichtenden jungen Zeitgenossen gesprochen: „Es ist kein Ernst da, der ins Ganze geht, kein Sinn dem Ganzen etwas zuliebe zu tun, sondern man trachtet nur, wie man sein eigenes Selbst bemerklich mache und es vor der Welt zu möglichster Evidenz bringe ... Überall ist es nur das Individuum, das sich herrlich zeigen will, und nirgends trifft man auf ein redliches Streben, das dem Ganzen und der Sache zuliebe sein eigenes Selbst zurücksetzte."

Diese Selbstüberspannung weist auf eine verhängnisvolle seelische Gleichgewichtsstörung hin, und wenn das eine Mal nach oben, so senkt sich die Waagschale das andere Mal nach unten. Der Selbstverherrlichung entspricht keineswegs eine ebenso große Daseinsfreude und Zuversicht. Im Gegenteil, die allgemeine Lebensstimmung der Forcierten Talente ist ein dunkler Pessimismus, eine quälende Selbstverzehrung — Katzenjammer. Gerade die technische Leichtigkeit des Hervorbringens versagt jene innere Genugtuung und Kraft, die nur den ehrlich und mühsam um das Große Ringenden belohnt. Am 24. September 1827 machte Goethe, als er das Stammbuch eines bekannten deutschen Dichters, der durch Weimar reiste, durchgesehen hatte, zu Eckermann die Bemerkung: „Was darin für schwaches Zeug steht, glauben Sie nicht. Die Poeten schreiben alle, als wären sie krank und die ganze Welt ein Lazarett. Alle sprechen sie von dem Leiden und dem Jammer der Erde und von den Freuden des Jenseits, und unzufrieden, wie schon alle sind, hetzt einer den andern in noch größere Unzufriedenheit hinein." Ähnlich stellt Immermann zehn Jahre später fest: „Der Fluch des gegenwärtigen Geschlechts ist, sich auch ohne alles besondere Leid unselig zu fühlen. Ein ödes Wanken und Schwanken, ein lächerliches Sichernststellen und Zerstreutsein, ein Haschen, man weiß nicht wonach, eine Furcht vor Schrecknissen, die um so unheimlicher sind, als sie keine Gestalt haben! Es ist, als ob die Menschheit, in ihrem Schifflein auf einem übergewaltigen Meere umhergeworfen, an einer moralischen

Seekrankheit leide, deren Ende kaum abzusehen ist." Und wieder muß an ein Goethisches Wort erinnert werden: das von den problematischen Naturen, die keiner Lage gewachsen sind, denen keine genug tut und die in dem ungeheuren Widerstreit, der daraus entsteht, das Leben ohne Genuß verzehren. Es war eine allgemein europäische Stimmung. In England sind Byron und Shelley, in Frankreich Alfred de Vigny, in Italien Leopardi voll dieses Pessimismus und dieser Zerrissenheit. In Deutschland trug sicherlich der politische Druck der Restaurationszeit sein Teil der Schuld. Die Tatkraft, der ein Sichentfalten nach außen versagt war, wandte sich nach innen und konnte sich, von aller Wirklichkeit zurückgezogen, hier nur in Selbstverzehrung des Geistes betätigen, der seinerseits durch die Werke der Klassiker und Romantiker bereits erschöpft war.

Es blieb, um dem Weltleid und der Verzweiflung zu entrinnen, nichts als die Flucht. Sei es als Reise aus der unseligen Heimat oder von dem noch unseligeren Ich in fremde Länder: Platen ging nach Italien, Heine nach Paris, Fürst Hermann von Pückler-Muskau nach England, Afrika, Asien, Sealsfield (Karl Postl) nach Amerika. Oder aber — the best of life is but intoxication, sagt Byron — man betäubte sich in Alkohol, wie es Grabbe tat; bei Heine trat an die Stelle des Alkohols der Liebesgenuß.

Am wenigsten ausgeprägt stellt K a r l L e b r e c h t I m m e r m a n n den Typus des Forcierten Talentes dar. Sein Gesicht mit dem zugekniffenen Munde und dem festen Blick zeigt, daß er vor allem ein Mann des klaren Willens und der sichern Überlegung ist. Auch er war ein Epigone. Ein großer Teil seines Lebenswerkes besteht aus Nachahmungen von Goethe, Schiller, Tieck, Shakespeare und andern. Auch sein Schaffen fließt aus der Begriffszucht des Verstandes und benützt die Technik der Früheren; er spielt mit seinem Können bis zur Virtuosität. Vor allem in der Jugend arbeitet er so leicht, daß er einzig im Jahre 1821 sechs Dramen schreibt. Und so erlebt er auch die Kehrseite der Überspannung und Kraft, den Trübsinn. Im „Schwanengesang" singt er:

> „Ich sterb' am Elend der Welt,
> Kein geringer Gram bricht dieses stolze Herz.
> Ich habe geschaut
> In die uralte Wunde
> Zu kühnen Blicks.
> Aus des gespaltenen Abgrunds Kluft
> Dräut empor der Medusa Gesicht,
> Schlangenumrauscht.
> Was nützt dem Geschlechte die heilige Glut,
> Die Prometheische Flamme?
> Des Himmels Geheimnis klingt
> Vor tauben Ohren."

Das verrät: die andern sind schuld, nicht der Dichter selber. Er ist sich keiner Ohnmacht bewußt. Das weist auf den Willen und die Fähigkeit, das Nein durch ein Ja zu ersetzen. Er ist auch wirklich derjenige gewesen, der, wie sein Roman „Die Epigonen" zeigt, nicht nur selber ein Epigone war, sondern es auch wußte und aus dem Wissen die Kraft schöpfte, das Epigonentum zu überwinden, das Neuland der Wirklichkeitsbejahung zu betreten und daraus neue Zuversicht zu gewinnen.

Er war am 24. April 1796 in Magdeburg als Sohn eines Kriegsrates aus der altpreußischen Schule geboren. In dem strengen, ordnungliebenden Vater, der erst mit fünfundvierzig Jahren heiratete, der gemütvollen und sinnenfreudigen Mutter, die bei der Heirat erst achtzehn Jahre zählte, schienen sich dem Dichter selber die Charaktere und das Verhältnis von Goethes Eltern zu wiederholen. In der pflichtvollen preußisch-monarchischen Überlieferung, über der der Heldenruhm Friedrichs des Großen schwebte, wuchs der Knabe auf. Das eindrücklichste Ereignis seiner Kindheit war der Einzug Friedrich Wilhelms III. in Magdeburg nach dem Schlag bei Jena. Als das Volk Vivat rief, hielt der König das Taschentuch vor die Augen. Als Jurist zog Immermann 1813 nach Halle, wo einst die Romantiker geschwärmt hatten. Aber das Kriegsjahr 1813 duldete kein Schwärmen mehr, auch wenn Immermanns Veranlagung ihm zugeneigt gewesen wäre. Die Studenten eilten auf den Aufruf des Königs zu den Fahnen. Immermann, nachdem er anfänglich seine Studien für sich fortgesetzt, stellte sich nachträglich ebenfalls. Aber er wurde krank, und als er genesen, war auch der Feldzug vorüber. Er kehrte nach Halle zurück. Napoleons Flucht von Elba ließ den Krieg wieder aufflammen. Diesmal machte Immermann den Zug nach Frankreich mit, kam aber nicht ins Feuer. In Halle herrschte, als er wieder zurückkam, die Burschenschaft Teutonia und hielt mit Roheit und Übermut das akademische Leben in Bann. Immermanns maßvolle Nüchternheit stand abseits von dem Treiben, und als ein Student, der ein Duell mit dem Senior der Teutonen abgelehnt hatte, von diesem auf offener Straße gepeitscht wurde, legte er dagegen bei den akademischen Behörden Protest ein; wie diese die Teutonia schützten, wandte er sich an den König und erreichte, daß die Teutonen gemaßregelt wurden, während er selber von dem König wegen seines guten Sinnes für Ordnung und Gerechtigkeit belobt wurde.

Seine Amtslaufbahn begann Immermann 1819 als Referendar in Münster. Hier fand der Goethejünger seine Frau von Stein. Es war die Gräfin Ahlefeldt, damals die Gattin des Freischarenführers von Lützow. Sie war eine Frau von starken schöngeistigen Neigungen, ihr Mann ein Krieger ohne Sinn für Kunst und Wissenschaft. Begreiflich, daß ihr Herz für den jungen Dichter entflammte, wie auch er bereit war, sich mit ihr zu vermählen, trotzdem sie acht Jahre älter war als er. Aber sie lehnte die Scheidung von ihrem Manne ab und war klug genug, Immermanns Leben nur als Freundin zu teilen, bis einst, wenn sie in die Jahre kam, ihre Wege sich trennen würden. 1823 wurde Immermann Kriminalrichter in Magdeburg, 1827 Landgerichtsrat in Düsseldorf. Ein heftiger Streit zwischen Immermann und Heine einerseits und Platen andererseits mit häßlichen Verunglimpfungen von beiden Seiten füllte diese Jahre. Erspießlicher war Immermanns Tätigkeit zur Erneuerung der Düsseldorfer Bühne. Ein Theaterverein wurde gegründet, dessen Seele Immermann war. Klassische

Stücke hoben die Aufführungen. Dann erreichte er, daß die Stadt das Theater übernahm, wurde zum Intendanten ernannt und ließ sich dazu Urlaub geben von seinem Amte. Wie Goethe in Weimar, unternahm er es nun, einen einheitlichen Schauspielstil zu schaffen, der, der Wandlung der Zeit entsprechend, realistischer war als der klassische Stil Weimars. Aber es ging, wie es immer mit derart großgemeinten Theaterplänen geht: das Publikum, das unterhalten, nicht gebildet werden wollte, versagte die Gefolgschaft. Immermann selber wurde die Verlängerung des Amtsurlaubs verweigert. 1837 brach das Theaterunternehmen zusammen.

In jenen Jahren aber hatte Immermann auch als Dichter seinen Weg aus der Nachahmung in eigenes Schaffen gefunden. Das komische Gedicht „Tulifäntchen" (1829) war sein Abschied von der Romantik. Das Drama „Merlin" (1831) gab den Versuch einer großen Auseinandersetzung mit den weltanschaulichen Fragen der Zeit. Dann folgte in dem Roman „Die Epigonen" (1836) die Darstellung der wichtigsten Strömungen der Gegenwart. Das letzte Werk, „Münchhausen" (1839), tat kräftig den Schritt aus der geistreichelnden Spätromantik in die ehrliche Wirklichkeitsdarstellung. Damals löste er auch das romantisch-freigeistige Verhältnis zu Elisa von Ahlefeldt und vermählte sich mit der neunzehnjährigen Marianne Niemeyer. Er genoß sein Glück kaum ein Jahr. Am 25. August 1840 starb er.

Immermann ist, wie er über seine ganze Zeit ein erstaunlich sicheres Urteil hatte, sich auch über seine eigene Persönlichkeit sehr klar gewesen. Als ihren Grund hat er selber den Widerspruch bezeichnet. „Ich bin kalt und warm, gerecht und ungerecht, aufopfernd und egoistisch, offen bis zum Exzeß und geheimnisvoll versteckt, hart und weich, sehr klug und sehr dumm." Er führt dieses Widersprüchliche seines Wesens auf den großen Gegensatz in Alter und Charakter der Eltern zurück: „Der Kontrast von Frost und Glut, vom Starren und Flüssigen war schon das Gesetz, unter welches die Stunde meiner Empfängnis fiel. In mir erscheint nun dieser Kontrast als strenger, kalter, unbestechlicher Verstand neben schwärmender Phantasie, und das Gefühl ist etwas von diesem Widerspruche bedeckt." In diesen Bestimmungen ist nicht sowohl ihr Sinn wichtig, als die dialektisch-rationale Form, in die sie gefaßt werden. Auch wenn Immermann es ablehnt, ein Schüler Hegels zu sein, so trägt er als sein Zeitgenosse Hegelschen Geist in sich. Seine „Memorabilien" zeigen, daß er sich mit den philosophischen Denkmöglichkeiten seiner Zeit wohl befaßt hat. Ausführlich setzte er sich vor allem mit Fichte auseinander, dessen Wissenschaftslehre er ablehnt, während er die politischen Schriften und Reden lobt. Die Auseinandersetzung geschieht durchaus auf rationalem Boden und in dialektischer Form.

Daher hat weltanschaulich keine Philosophie so tief auf ihn gewirkt wie die Gnosis, jene griechisch-orientalische Lehre der frühchristlichen Zeit, die darauf ausging, den christlichen Glauben in die Sprache der Philosophie zu übersetzen und ihn damit den Gebildeten mundgerecht zu machen. Die Sendung, das Leben und Leiden Christi wird aufgefaßt als der Kampf zwischen dem guten und dem bösen Prinzip, sei es, daß der Gegensatz logisch als der Widerstreit zwischen Geist und Materie gedeutet wird, sei es mythologisch als Gegensatz zwischen einem heidnischen Dämon und dem christlichen Gott. Der heidnische Dämon wird, nach dem Weltschöpfer in Platons Timaios, Demiurgos genannt als Verkörperung der Welt der mannigfachen materiellen Gestalten, die er geschaffen, im Gegensatz zu der Einheit des göttlichen Seins. Demiurgos wird so zugleich dem christlichen Satan gleichgesetzt, und dessen Abfall von Gott wird mit der Schaffung der sinnlichen Gestaltenwelt erklärt.

Von hier aus gewinnt Immermann die philosophische Deutung der Gestalt des mittelalterlichen Zauberers und Naturgeistes Merlin. Er will, auch darin ein Schüler Goethes, bewußt mit seinem Merlindrama seiner Zeit ihren „Faust" geben, wie auch Grabbe und Lenau in ihrer Selbstüberspannung nach dem großen Stoffe auslangten. Von allen Faustdramen der Hegelzeit greift Immermanns „Merlin" am tiefsten; er wäre ein wirklich bedeutendes Werk, wenn Immermann nicht, statt Poesie, auf weiten Strecken rhetorisch aufgeputzte Philosophie gäbe. Wo es Goethe gelingt, auch das Tiefsinnigste und Schwierigste mit dem dichterischen Wort zu veranschaulichen — man denke etwa an den Gang zu den Müttern —, da breitet Immermann ein Drahtgeflecht von abstrakten Begriffen und philosophischen Erörterungen vor uns aus. So hat man sich, will man sich das Werk zu eigen machen, an die Größe seiner geistigen Konzeption zu halten.

In einem Briefe an Tieck vom 27. Januar 1832 hat Immermann selber seinen Plan entwickelt: „Mir war Satan, Lucifer, Beelzebub oder wie man sonst das Wesen nennen will, welches uns auf jedem Schritt und Tritt fühlbar wird, nie das Ungeheuer mit Klauen und Schweif, oder der listige Kammerdiener, der seinem Herrn die Dirne schafft. Es ging mir vielmehr mit Notwendigkeit aus Gottes Wesen hervor, und um die Ketzerei mit einem Worte auszusprechen: der Teufel war mir der in der Mannigfaltigkeit geoffenbarte Gott, der durch diesen Akt sich selbst in seiner Einheit verloren hatte. Weil aber dieser Zustand eodem momento, wo er geboren war, sich in Gott wieder aufheben mußte, so war mit der Manifestation als Satan zugleich die als Logos verbunden, oder vielmehr beide fielen zusammen. Die Funktion des letzteren war mir nun, das Vielfache, Vergängliche in den Abgrund des Einen und Unvergänglichen hinunter zu stürzen; Gott pulsierte für mich in jedem Augenblicke nach beiden Richtungen durch das Weltall. Hierdurch war mir Sünde und Tod, der Satz des Widerspruchs und das Werk der Erlösung erst verständlich. Ich wurde mit den Geheimlehren der Kirche (der Gnosis) bekannt, Spinoza kam hinzu, und so rann aus Fremdem und Eigenem der Demiurgos zusammen, der im ‚Merlin' auftritt."

In seinem letzten Werk aber, dem Zeitroman „Münchhausen", distanziert sich Immermann schließlich von der rationalen Spekulation und wendet sich dem Realismus zu: Der spielerischen Luftakrobatik der Spätromantik und der kindischen Geistreichelei der Zeit stellt er in der

Romaneinlage „Oberhof" die nüchterne Arbeit und das geschichtlich begründete Dasein des Bauerntums gegenüber.

Wie weit hebt sich von der verstandesbeherrschten und festen Persönlichkeit Immermanns die haltlose und sinnliche Natur Christian Dietrich Grabbes ab! Wenn sich in Immermanns Schaffen die bejahenden Kräfte des Forcierten Talentes auswirken, so sind bei Grabbe fast nur die zerstörenden tätig. Die Zerrissenheit seines Wesens soll sich schon in seinem Gesichte gezeigt haben, das Immermann so beschreibt: „Eine Stirn, hoch, oval, gewölbt, wie ich sie nur in Shakespeares Bildnis von ähnlicher Pracht gesehen habe, darunter große, geisterhaft weite Augenhöhlen und Augen von tiefer, seelenvoller Bläue, eine zierlich gebildete Nase; bis dahin — das dünne fahle Haar, welches nur einzelne Stellen des Schädels spärlich bedeckte, abgerechnet — alles schön. Und von da hinunter alles häßlich, verworren, ungereimt! Ein schlaffer Mund, verdrossen über dem Kinn hängend, das Kinn kaum vom Halse sich lösend, der ganze untere Teil des Gesichts überhaupt so scheu zurückkriechend, wie der obere sich frei und stolz vorbaute." Er war eine Epigone wie die andern Forcierten Talente; aber hemmungsloser als die andern, blähte er sich in der Anmaßung seiner Schwäche auf. Wenn Mozart und Byron einen „Don Juan", Goethe einen „Faust" geschaffen hatten, so spannte er in „Don Juan und Faust" beide Helden zusammen, wie der spätmittelalterliche Dichter des „Großen Rosengartens" die beiden glänzendsten Helden der deutschen Sage, Dietrich und Siegfried, sich miteinander messen ließ. Er besaß eine geradezu herostratische Ruhmbegier, die nur damit befriedigt werden konnte, daß sie die ruhmvollen Schöpfungen Früherer zerstörte, weil sie nichts Ebenbürtiges an ihre Stelle setzen konnte. Aber diese Selbstüberspannung war nur Maske. Dahinter grinste der Totenschädel einer grauenhaften Selbstverwüstung. Der Sechsundzwanzigjährige gestand von sich: „Ich glaube, hoffe, wünsche, liebe, achte, hasse nichts, sondern verachte nur noch immer das Gemeine; ich bin mir selbst so gleichgültig, wie es mir ein Dritter ist; ich lese tausend Bücher, aber keines zieht mich an; Ruhm und Ehre sind Sterne, derenthalben ich nicht einmal aufblicke; ich bin überzeugt, alles zu können, was ich will, aber auch der Wille erscheint mir so erbärmlich, daß ich ihn nicht bemühe; ich glaube, ich habe so ziemlich die Tiefen des Lebens, der Wissenschaft und der Kunst genossen; ich bin satt von dem Hefen... Meine jahrelange Operation, den Verstand als Scheidewasser auf mein Gefühl zu gießen, scheint ihrem Ende zu nahen: der Verstand ist ausgegossen und das Gefühl zertrümmert... Meine Seele ist tot, was jetzt noch unter meinem Namen auf der Erde sich hinschleift, ist ein Grabstein, an welchem Tag für Tag weiter an der Grabschrift gehauen wird."

Auch wenn man die Übertreibungen abzieht, was für ein grauenhaftes Bekenntnis! Man begreift, daß dieser Mensch nur noch leben kann, indem er die nüchterne Wirklichkeit seines Daseins, die ihn mit tödlicher Langeweile angähnt, durch die Flucht aufhebt. Entweder geistig oder physisch. Aber die geistige Flucht ist nicht Schwärmerei, holdes Phantasieleben in

606

einem höheren Reiche des reinen Glückes wie bei Jean Paul oder E. T. A. Hoffmann. Auch diese andere Welt trägt, nur noch vertieft, die weltschmerzliche Falte der Wirklichkeit. Sie wird Grimasse, tolle Maskerade, Originalitätssucht eines Clowns, zynischer Hohn über die Philister und ihre Meinungen und Lebensgebräuche. Als er in Berlin einmal sich von einem Bekannten verabschiedete, neigte er sich zu ihm, als ob er ihn küssen wolle, und biß ihn in die Wange, um ihm „ein Zeichen seiner Hochachtung zu geben". Die tollste Szene führte er als Militärrichter in Detmold auf. Als 1831 in Belgien eine Revolution ausbrach und das Lippesche Bataillon nach Luxemburg zu marschieren hatte, mußte er zwei ihm bekannte Offiziere, nach ihrem bürgerlichen Berufe Juristen, vereidigen. Er empfing sie morgens um elf Uhr in seiner Amtsstube, in Unterhosen, kattunener, rotgestreifter Nachtjacke am Arbeitstische sitzend, auf dem die Rumflasche stand. „Sui, sui!" sagte er. „Wi jui schweren!" Dann forderte er sie auf zu trinken, um Courage zu kriegen. Wie er merkte, daß sie nicht wollten, schnitt er ein finsteres Gesicht und sagte: „Nun, so wollen wir es kurz machen." Er müsse sich aber erst anziehen. Dann ging er in die Nebenstube. Als er wieder zum Vorschein kam, hatte er über die weißen Unterhosen schwarzseidene Strümpfe gezogen und über die Nachtjacke einen schwarzen Frack. Um den nackten Hals hatte er eine Krawatte geschlungen, und an den Füßen trug er Pantoffeln. Er stellte sich in Positur und begann die Kriegsartikel und die Landesverordnung zu lesen. Dazwischen sah er immer über das Buch, und wie er merkte, daß die Offiziere lachten, sagte er: „Lacht nicht! Das ist eine feierliche Handlung. Denkt an Gott! Ihr müßt nicht nach meinen Unterhosen sehen. Ich will mich anders stellen." Nun machte er sich so klein, daß der Saum seines Frackes den Rand der Strümpfe berührte. Plötzlich verlor er die Geduld: „Ach, et is olle dumme Tuig", sagte er. „Ihr werdet ja wohl wissen, was darin steht, oder ihr könnt's selber lesen. Was soll ich euch das alles vorpredigen! Nun, nur schnell die Hand auf! Schwatzt nicht mehr! Ich gelobe und schwöre ... So, nun sind wir fertig! Nun müßt ihr aber erst trinken, eher kommt ihr nicht weg!"

Die Flucht ins andere Reich ist hier schon angedeutet. Es ist der Alkohol. Es ist wohl ein Märchen, daß die Mutter dem Kinde Alkohol gegeben habe, wenn es schrie. Aber der Gymnasiast gefiel sich darin, als ein Lehrer ihn in der verbotenen Konditorei ertappte, vor seinen Augen sechs Liköre hinunter zu stürzen. Später gewöhnte er sich, zu allen Tages- und Nachtzeiten Spirituosen zu sich zu nehmen. Er hatte auf seinem Büro immer ein Glas Bier neben sich stehen zur Betäubung und Anregung. Zuletzt mußte ihm der Schnaps den Dienst tun.

Für die Mischung von Großem und Kleinem in Grabbes Person ist schon sein Geburtsort Detmold einer Art Symbol. Er war die Hauptstadt des kleinsten deutschen Staates und lag in der Nähe des Teutoburger Waldes, wo eine der größten Taten der deutschen Geschichte geschah. Menschen, die mit einer gewissen geistigen Begabung an kleinen Orten und in einem ungebildeten Hause aufwachsen, kommen leicht dazu, aus

Mangel an Vergleichsmöglichkeiten und Kritik in ihrer Nähe, ihre Bedeutung zu überschätzen. So war es auch bei Grabbe. Er wurde am 11. Dezember 1801 als spätes und einziges Kind des Zuchtmeisters, das heißt des Zuchthausverwalters, geboren. Der Vater war ungebildet, die Mutter ebenso, dazu phantastisch und eigensinnig. Die Eltern verzogen ihn. Nicht weniger bedenklich müssen die Eindrücke gewesen sein, die ihm das nahe Zuchthaus mit seinen Insassen vermittelte. Er besuchte das Gymasium, war fleißig, lerneifrig, frühreif und schon als Knabe von hochgesteigertem Selbstbewußtsein. Ein törichter Lehrer schürte es. Als Grabbe ihm einmal ein selbstverfertigtes Märchen einlieferte, sagte er: „Wo haben Sie das her? Es ist ja, als ob man etwas von Shakespeare oder Calderon läse!" Schon der Fünfzehnjährige hatte ein Drama, „Theodora", gemacht, für das er Göschen als Verleger in Aussicht nahm.

1820 ging er nach Leipzig, um die Rechte zu studieren. Damals arbeitete er an seinem Trauerspiel „Herzog Theodor von Gotland". Er sei nun in seinem Studium bald so weit, erklärte er den Eltern, daß er sich um alle Lippeschen Räte und Assessoren nicht mehr zu kümmern brauche. So ging er 1822 als Literat nach Berlin. Da trieb er sich in den spätromantischen Kreisen herum, fand Zugang bei Bettine von Arnim, Varnhagen und seiner Frau Rahel, freundete sich mit Heine an und fand seine Freude daran, den Philistern durch seine Exzentrizitäten eine Nase zu drehen. Zum Lebensunterhalt hatten die Eltern ihm je ein halbes Dutzend silberne Eß- und Kaffeelöffel und einen silbernen Schöpflöffel mitgegeben, und wenn man ihn fragte, wie es ihm gehe, sagte er: „Ich bin jetzt an meinem dritten, vierten . . . Löffel." Damals trug er sich mit dem Plan, Schauspieler zu werden. Er hatte durch seinen „Gotland" die Bekanntschaft Tiecks gemacht und bat ihn um Anstellung in Dresden. Tieck ließ ihn kommen. Aber als er ihn sah und Grabbe ihm durch seine Unarten lästig wurde, schüttelte er ihn ab. Aller Mittel entblößt, wußte Grabbe keinen andern Ausweg, als nach Detmold zurückzukehren. Die Eltern, als er im August 1823 nachts um 11 Uhr ins Vaterhaus trat, nahmen ihn mit Freudentränen auf. Aber was sollte er in dem abgelegenen und lang-

138. Mörikes Geburtshaus in Ludwigsburg

139. Eduard Mörike (1804—1875)
Lithographie von Bonaventura Weiß, 1851
Wie so viele schwäbische Dichter studierte auch Mörike Theologie. Während sein Leben zur Zeit seiner Pfarrtätigkeit äußerlich einer Idylle glich, war Mörike doch mancher seelischen Spannung ausgesetzt, die er nur mit Dichten, Zeichnen und Musizieren auszugleichen vermochte. Denn allein im Reich der Kunst war es ihm möglich, den Leiden des Lebens eine sanfte Wendung zum Liebenswerten und Humoristischen zu geben.

140. Das Pfarrhaus in Kleversulzbach,
Mörikes langjährige Wirkstätte, wie sie Moritz von Schwind nach Motiven aus Mörikes Gedichten zeichnete.

139 *Eduard Mörike (1804 - 1875)*

8 *Mörikes Geburtshaus in Ludwigsburg*

140 *Das Pfarrhaus in Kleversulzbach*

141 *Karl Lebrecht Immermann (1796 - 1840)*

142 *Illustration zu Immermanns Doppe*
roman „Münchhausen"

143
Christian Dietrich Grabbe (1801 - 1836)

144 *Grabbes Sterbehaus in Detmold*

weiligen Detmold? Seine Hoffnung, die einzige, war immer noch Tieck: „O Herr! jedes Wort von Ihnen gilt viel; wenn Sie mir in Dresden, Berlin oder Leipzig irgendwo ein schmales Unterkommen bei einem Buchhändler oder Theater usw. schaffen könnten, so hätten Sie mich und zwei alte Leute glücklich gemacht. Bis jetzt noch erliegt meine Seele nicht, und sie hat die hereinstürmenden Unglücksfälle mit blutigen Köpfen zurückgeworfen; bei Gott, sie verdient es, daß jemand ihr hilft!" (22. September 1823.) Tieck beantwortete keinen der Hilferufe. Er wollte mit Grabbe nichts mehr zu tun haben. Da nahm dieser seine Zuflucht zum Alkohol und suchte Betäubung in einem wilden Leben.

Und plötzlich raffte er sich auf, nahm seine juristischen Bücher wieder vor, machte im Juni 1824 sein Anwaltsexamen und eröffnete eine Praxis in Detmold. Man gab ihm die einträgliche Stelle des Militärauditors. Natürlich befriedigte sie ihn nicht. Aber er hatte ja seine Dichtung. Nacheinander schrieb er seine Dramen: „Marius und Sulla", „Don Juan und Faust", einen Zyklus Hohenstaufenstücke und „Napoleon oder die hundert Tage". 1833 verheiratete er sich, nachdem eine frühere Verlobung wieder hatte gelöst werden müssen, mit Luise Clostermeyer. Sie war zwar zehn Jahre älter als er; aber als die Tochter eines Archivrats gehörte sie zu den Honoratioren der Stadt und besaß etwas Vermögen. Das zog ihn an. Sie war ein Blaustrumpf, und der Dichterruhm Grabbes hatte sie bewogen, ihm ihre Hand zu reichen. Es war von beiden Seiten ein törichter Schritt, und was beide einander heiratswert gemacht, hielt nicht an. Kaum

141. Karl Lebrecht Immermann (1796—1840)
Stich von Joseph Keller nach dem Gemälde von Theodor Hildebrandt
Der Düsseldorfer Landgerichtsrat leitete von 1833 bis 1837 die Düsseldorfer Bühne, nachdem er sich zunächst selbst im Dramenschreiben versucht hatte. Seine größeren Möglichkeiten lagen jedoch zweifellos auf dem Gebiet der Epik. Seine Romane „Die Epigonen" (1823/35) und „Münchhausen" (1837/39) sind bedeutende Denkmäler der Zeitkritik.

142. Illustration zu Immermanns Doppelroman „Münchhausen"
Stich von Carl Mayer nach der Zeichnung von Johann Baptist Zwecker

143. Christian Dietrich Grabbe (1801—1836)
Nach einer Zeichnung von Theodor Hildebrandt
Der Sohn des Zuchthausverwalters in Detmold studierte Rechtswissenschaft, wurde Militäranwalt und trug sich mit der vergeblichen Absicht, Schauspieler zu werden. Sein Interesse an der Bühne ließ ihn Dramen schreiben, die in scharfem Gegensatz zur Ästhetik der deutschen Klassik standen und ein realistisches Vorspiel zum Naturalismus lieferten.

144. Grabbes Sterbehaus in Detmold
Durch Rückenmarkschwindsucht auf den Tod erkrankt, erzwang sich Grabbe 1836 nach zweijährigem Aufenthalt in Frankfurt und Düsseldorf den ihm verwehrten Eintritt in sein Haus und starb wenige Monate darauf in der Kammer des Erdgeschosses.

609

war die Ehe geschlossen, so begannen die Streitigkeiten. Er warf Lucie, wie er sie statt des wenig poetischen Luise nannte, vor, sie habe Geld beiseite geschafft – was man ihr bei seinem liederlichen Leben nicht verargen kann – und sie behandle seine Mutter von oben herab. Er seinerseits führte den Zwist mit Roheit und Gewalt. Zu diesem Eheunglück gesellten sich Schwierigkeiten in seinem Amt. Er hatte sich Unregelmäßigkeiten zuschulden kommen lassen, ließ sich beurlauben und erhielt seine Entlassung.

1834 verließ er, gänzlich mit seiner Frau zerfallen, Detmold und begab sich zu seinem Verleger Kettembeil nach Frankfurt. Dann bot ihm Immermann in Düsseldorf ein Asyl. Er hatte ihn in seinen Theaterplänen durch Besprechung der Aufführungen zu unterstützen. Sein Leben schien sich aufzuhellen. Er vermochte „Hannibal" und die „Hermannsschlacht" zu schaffen. Aber nach anderthalb Jahren kam es auch hier zum Bruch. Als Grabbe die Stücke, statt ihre Aufführung zu rechtfertigen, boßhaft zerriß und überdies mehr und mehr in Trunksucht verfiel, sagte sich auch Immermann von ihm los. Jetzt war er, in seiner Gesundheit zerrüttet, innerlich verwüstet, ohne Mittel, am Ende seiner Kraft. Seine letzte Zuflucht war die Heimat, wo immer noch seine Mutter und in seinem Hause seine Frau lebte. Am 29. April 1836 bat er seinen Freund Petri in Detmold, ihm eine Anleihe von 30 Talern zu vermitteln, ein kleines Logis mit einem Tisch, zwei Stühlen und einem Bett und bei Juristen und Advokaten Arbeiten zum Abschreiben. Zwei Monate später rückte er in Detmold ein. Zuerst lebte er in einem Wirtshaus, krank, seine Tage verdämmernd. Als er spürte, daß es zu Ende ging, verlangte er in sein Haus zu ziehen. Seine Frau sträubte sich. Es kam zu einem häßlichen Auftritt, als er sich gewaltsam den Eintritt erzwingen wollte. Die Polizei hatte sich seiner anzunehmen, indem sie der Frau vorstellte, daß ihr Mann ja nicht mehr lange zu leben habe. Am 24. Juli schrieb er ihr: „Frau! Deinen Brief, der wahrscheinlich von heute und vermutlich, nach der Handschrift, von dir ist, hab' ich gelesen ... Ich werde ihn aufbewahren und vielleicht zu seiner Zeit drucken lassen. Stehst du unter dem Schutz der Obrigkeit, steh' auch ich darunter. Ich zieh' nun nicht übermorgen, sondern morgen in meine alte Stube und Kammer, beide Paterre, ein." Hier lag er, indem die Rückenmarkschwindsucht langsam seinen durch den Alkohol entkräfteten Körper verzehrte. An seinem Lager stritten sich seine Mutter, die zur Pflege herbeikam, und seine Frau, die der Mutter den Eintritt ins Haus verwehrte. In den Armen der Mutter starb er am 12. September 1836.

Als Grabbe Tieck seinen Erstling „Herzog Theodor von Gotland" geschickt hatte und Tieck ihm dafür Lob spendete, schrieb ihm Grabbe am 16. Dezember 1822: „Die Vermutung, daß ich noch jung bin, ist begründet; ich zähle erst einundzwanzig Jahre, habe aber leider schon seit dem siebzehnten fast alle Höhen und Tiefen des Lebens durchgemacht und stehe seitdem still." Was für ein grauenhaftes Bekenntnis! Am grauenhaftesten, daß es buchstäblich wahr ist. Und der „Gotland" ist wirklich das Zeugnis dieser satanischen Selbstverwüstung eines jungen Menschen. Keine Tragödie, wenn eine Tragödie neben dem Grauen über die Vernichtung menschlicher Größe, oder die Offenbarung menschlicher Bosheit, auch noch ein Erschauern vor der Heiligkeit und Weisheit höherer Mächte in uns weckt. Vielmehr eine bloße Anhäufung des Schauerlichsten, Scheußlichsten, Schmutzigsten, was je ein verwüstetes Gehirn ausgebrütet, und zugleich des Tollsten was je ein Wahnsinniger ersonnen hat. Der Neger Berdoa, eine Mischung von Othello und Muley Hassan (in Schillers „Fiesco"), ist als Sklave von den Weißen mißhandelt worden und hat fortan nur den einen Lebenszweck, sich an ihnen zu rächen. Herzog Theodor von Gotland, der Feldherr des Königs Olaf von Schweden, hat ihn einmal peitschen lassen. Dafür muß er büßen. Er flüstert ihm ein, sein Bruder Friedrich der Kanzler habe seinen andern Bruder Manfred töten lassen, und wie Theodor, allzu leichtgläubig, den Bruder vor dem König verklagt und der König sich weigert, die Klage anzunehmen, tritt er selber als Rächer des Gemordeten auf, tötet den Kanzler und flieht, von Olaf abgesetzt und geächtet, mit seinem Sohn Gustav zu den Finnen. Jetzt hört er, daß Manfred eines natürlichen Todes gestorben ist und Berdoa ihn betrogen hat. Seiner Natur nach ist er ein schwacher Mensch, aber kein Bösewicht. Trotzdem gibt es für ihn keine Reue und keine Umkehr. Er muß auf der Bahn der Schlechtigkeit immer toller rasen bis zur Selbstvernichtung. Und der Grund? Das Schicksal will es:

> „Ja, jetzt seh' ich's ein: beschränkt
> An Geist und Sinn, beherrscht durchs kranke Herz,
> Nicht einmal klug genug, um Tugend von
> Dem Laster klar zu unterscheiden, scheint
> Der Mensch gemacht zu sein,
>
> Daß über ihn die Hölle triumphiere. —
> Drum, wie sich auch der Edele wehrt, um nicht
> Zu fallen — fehlen, fallen muß er doch,
> Denn selbst die Taten seiner Tugend werden
> Zu Freveltaten durch des Schicksals Fügung!"

Gerade weil er edel war, sein Herz leidenschaftlich für Freundschaft und Bruderliebe und Gerechtigkeit schlug, umstrickte ihn das Schicksal und trieb ihn zum Brudermorde:

> „Und häufte seine Bosheit auf das Höchste,
> Indem es mit dem Trost der Reue mir
> Die Hoffnung auf die Umkehr und
> Die Bess'rung nahm; denn nimmer kann
> Ich eine Tat bereun, die durch
> Mein feindliches Geschick und nicht durch mich vollbracht ist!"

Das Schlußergebnis dieser ebenso bequemen wie kindischen Überlegung ist:

> „Allmächt'ge Bosheit also ist es, die
> Den Weltkreis lenkt und ihn zerstört! — Ja, Gott
> Ist boshaft, und Verzweiflung ist
> Der wahre Gottesdienst."

Nach dieser Weltanschauung des Satanismus geht die Handlung durch eine Kette von Scheußlichkeiten dem Ende zu. Gotland rächt sich an Berdoa, wird Feldherr und König der Finnen, besiegt Olaf, wird an seiner Stelle auch König von Schweden. Aber Berdoa verführt ihm seinen Sohn. Schließlich tötet Gotland nach einer wilden Verfolgung den Berdoa und wird selber von dem Feldherrn Arboga erschlagen, worauf nach Besiegung der Finnen Olaf wieder rechtmäßiger König wird.

Wenn Grabbe Tieck erklärte, er stehe still, so kennzeichnet diese Aussage in Wahrheit sein geistig-sittliches Leben wie sein dichterisches Schaffen nach der Vollendung des „Gotland". Sein erstes Drama gibt — und darin liegt sein wenigstens zeitgeschichtlicher und psychologischer Wert — noch den Abschluß eines Erlebnisses: des Erlebnisses des Satanismus. Von hier gibt es kein Weiterschreiten mehr. Seine folgenden Stücke sind effektvolle Dramatisierungen bekannter Personen und Geschehnisse der Geschichte, wobei er jeweils den fadenscheinigen Mantel der Handlung durch Wiederholung der sattsam bekannten Anekdoten und Aussprüche der Helden aufschmückt.

In Grabbes Charakter und Leben wirkt sich vor allem das Zerstörende des Forcierten Talentes aus, bei F r i e d r i c h R ü c k e r t vor allem die technische Leichtigkeit der sprachlichen Begabung. Es gibt darum auch in seinem Leben nicht jene Abgründe, wie sie unbeherrschte Sinnlichkeit in Grabbes Leben eingerissen hat. Im Grunde war er eine Mischung vom Gelehrten und Dichter, und wenn man unter dem Dichter den originalen Darsteller von eigenen Erlebnissen versteht, so muß man Rückert überhaupt den Titel vorenthalten; er war Dichter vor allem als Beherrscher des Verses oder besser der Verse, den Stoff trug ihm meist seine Gelehrsamkeit zu. Er gehört denn auch zu jenen Nachfahren der Romantik, die so ausschließlich im Geiste leben, daß sie auch das Verhältnis zur Natur eingebüßt haben — wobei Geist für sie nicht mehr die ursprünglich schöpferische Kraft bedeutet, sondern die gelehrte und philosophische Überlieferung, ein Allbekanntes und Allverstandenes, das von Jahrhundert zu Jahrhundert und von Volk zu Volk schwebt. Einen großen Raum in seinem Werke nehmen seine Übersetzungen ein. Man könnte sagen: er war überhaupt ein Übersetzer, ein Vermittler poetischen und geistigen Gemeingutes, auch da, wo er Eigenes schuf. Seine Zeit, durch die Formspielereien der Romantiker verbildet, schätzte dies so sehr, daß man kein Bedenken trug, ihn mit Goethe zu vergleichen. Man übersah dabei nur, daß Goethe seine Weisheit selber erlebt, seine Kunst selber erschaffen, Rückert aber sie sich mit müheloser Fertigkeit angeeignet hatte.

Johann Michael Friedrich Rückert war am 16. Mai 1788 in Schweinfurt als Nachkomme einer alten Beamtenfamilie geboren und wuchs vom vierten Jahre an in dem unterfränkischen Dorfe Oberlauringen auf, wo sein Vater Amtmann geworden war. Er hat in den „Erinnerungen aus den Kinderjahren eines Dorfamtmannssohnes" über seine Jugend berichtet: Von den Sagen des Volkes, die in ihn einströmten, von seiner Abscheu gegen getrocknete Pflanzen, die so weit ging, daß er den Muhmen aus der Stadt ihre künstlichen Strohblumen auf den Hüten durch frische ersetzte, von dem Topfschlagen der Mädchen, von seinen Streifzügen durch Wald und Feld. So sehr er die Natur liebte, es war nicht die Liebe zu ihrem aus dem Unergründlichen quellenden Leben, sondern die Freude am Bildhaften: die Idyllen Geßners haben sein Naturgefühl damals vor allem gebildet, daneben die arrangierten Landschaftsgemälde Matthissons, auch die Anakreontiker, Ewald von Kleist, Hagedorn, Gleim, sprachen ihn an. Von 1802 bis 1805 besuchte er als fleißiger und gewissenhafter Schüler das Gymnasium in Schweinfurt. Dann begann er in Würzburg das Studium der Rechte. Aber die Liebe zu Sprache und Literatur überwog; und als er 1808 nach Heidelberg zog, war er Student der Philologie. Die kriegerischen Ereignisse rissen ihn aus der Beschaulichkeit seiner Wissenschaft heraus. Er wollte sich 1809 in das Heer des Erzherzogs Karl einreihen lassen; der Fall Österreichs vereitelte sein Vorhaben. Er kehrte in die Heimat zurück und schwärmte in dem Städtchen Ebern, wo sein Vater Rentamtmann geworden war, für die idyllische Landschaft und in dem nahen Rentweinsdorf für das tanzlustige Töchterchen des dortigen Justizamtmanns Müller. 1811 habilitierte er sich in Jena mit einer Schrift über die Idee der Philologie. Er soll in der Disputation seinem Gegner, dem Professor Eichstädt, in seinem Eifer zugerufen haben: „Evolvas lexica!" („Schlage die Wörterbücher auf!") Er hat es selber reichlich getan. Die Tätigkeit in Jena dauerte gerade zwei Semester. Die Bescheidenheit, die der Dekan ihm bei der Disputation anempfahl, mag ihm von Anfang an gezeigt haben, daß es sich für einen Privatdozenten schicke, sich an unterer Stelle in die geheiligte Ordnung des akademischen Lebens einzugliedern. Und das war nicht nach seinem Sinne. So zog er sich zunächst von der Wissenschaft zurück, ging ins Elternhaus und dichtete Dramen im Stile Calderons, den A. W. Schlegel damals seinen Landsleuten begeistert pries. Eine Lehrstelle in Hanau, die ihm angetragen wurde, trat er nicht an. Dafür dichtete er 1813 seine „Geharnischten Sonette"; er hatte die kunstvolle romanische Form, in der Petrarca seine Liebe besungen, zum Gefäß für Kriegsgedichte gemacht.

Kurze Zeit lebte er in Stuttgart als Redaktor am Cottaischen Morgenblatt. Dann begab er sich 1817 über die Schweiz nach Italien und Österreich. In Wien vertiefte er sich, unter der Leitung von Josef von Hammer-Purgstall, in die orientalischen Sprachen. Die Übersetzung der Ghaselen des Dschelaleddin Rumi (1821) und die Gedichtsammlung „Östliche Rosen" (1822) waren die ersten Früchte dieser Studien. Von 1820—1826 lebte er in Koburg, wo aus seinem Verhältnis zu seiner späteren Frau Anna Luise Wiethaus der „Liebesfrühling" entstand. Dann wurde er 1826 Professor für orientalische Sprachen in Erlangen, 1841 in Berlin. Er hatte die Professur inne bis 1848. Aber regelmäßig vertauschte er immer wieder die Stadt mit dem Dorfe und der ländlichen Beschaulichkeit. In Berlin las er nur im Winter. Im Sommer lebte er auf seinem Gute in Neuseß, einem Dorfe bei Koburg. Als er zurückgetreten war, hielt er sich beständig auf dem Lande auf. Hier in Neuseß starb er am 31. Januar 1866. Er bedurfte des

Landlebens als Ergänzung und Gegensatz zu seiner gelehrten Tätigkeit. Es gab ihm die Erholung und Frische, die er für seine Arbeit bedurfte. Die Arbeit ihrerseits hinderte, daß er, etwa wie Mörike, die Seele der Natur in sich wirken lassen konnte und dichterisch darstellte. Er trat auch der Natur nicht als Schöpfer, sondern als Übersetzer gegenüber. Sie konnte ihm daher auch nicht ihr Eigenstes geben.

Äußerlich lebte er wie ein Bauer. Sein Sohn Heinrich, der Germanist, erzählt: Die einfachen Zimmer des Amtshauses in Lauringen mit ihren schlichten kiefernen und birnbaumenen Möbeln waren die naturgemäße Umgebung, in der er sich am behaglichsten fühlte. Wo in der Fremde eine Reminiszenz an die Gewohnheit der Jugend ihn berührte, da war er hocherfreut. Der einfache Schnitt, wie die Mutter ihn dem Knaben anpaßte, blieb ihm der liebste bis in sein Alter. „In dem langen Rocke des fränkischen Bauern von schlichter dunkler Farbe, der braunen Mütze — so steht uns Kindern und Tausenden das Bild des Dichters vor Augen, im Hause, auf Spaziergängen, in der Kirche."

Aber er war kein Bauer, sondern ein Gelehrter. Er trug das langwallende Haar des Dichters und hatte das Gehaben eines Priesters und Propheten der Urzeit. Indes seine Füße in groben Schuhen über die ländlichen Wege schritten, schweiften seine Gedanken nach den Sternen abend- und morgenländischen Geistes. Was hat er damals nicht alles in rastloser Arbeit übersetzt: Nal und Damajanti (1828) aus dem Indischen; Hebräische Propheten (1831); Schi-King (1833) aus dem Chinesischen; Rostem und Suhrab (1838) aus dem Persischen; Stücke des Korans; das Drama „König Oesali" aus dem Armenischen; die Vögel des Aristophanes... Dazu kam eine Menge gelehrter Studien und Abhandlungen. So war es nicht die Seele der heimischen Landschaft, die sich ihm erschloß, wenn er durch ihre Fluren wandelte; eine bunt gemischte Schar fremder Geister schwebte um ihn, hüllte seine Augen mit flimmernden Schleiern ein, und zwang ihn, statt in die ihn umgebende Natur in sein eigenes Innere zu schauen, das voll war von der tiefsinnigen Weisheit der Weltliteratur. Er hatte so viel gelesen, ganze Bibliotheken gewälzt, ganze Stöße von arabischen und persischen Schriftstellern abgeschrieben, in Tausenden von Zetteln die Früchte seines gelehrten Fleißes gesammelt, daß er schließlich selber ein lebendes Kompendium der Weltweisheit geworden war. Trotzdem er auf dem Lande lebte, hatte er, stets nach innen gerichtet, den beobachtenden Sinn nicht so stark ausgebildet, daß er das Besondere der Einzelwesen zu erfassen vermochte. Was an Einzelanschauung in ihm war, wurde durch sein ausgebreitetes Allwissen überschwemmt. Er sah aus der Weisheit des Orientes immer wieder die gleiche Erkenntnis in ihn einströmen: die geistige Einheit des äußerlich Verschiedenen. Schelling sprach in seiner Zeit von der Identität von Geist und Natur und nannte die Natur den sichtbaren Geist, den Geist die unsichtbare Natur, und Hegel gar lenkte den Blick von der ungeheuren Mannigfaltigkeit des geschichtlichen Lebens ab und spannte seine immer neuen Wandlungen und Gegensätze auf die eintönige Formel seines logischen Dreistufengesetzes. Das schien Rückert die Erkenntnis der tiefsten Denker aller Völker und Zeiten zu sein, und so verkündete er in einer vielbändigen Spruchsammlung, der „Weisheit des Brahmanen", einen etwas verschwommenen pantheistischen Idealismus.

Es ist schwer zu sagen, ob diese Vereinheitlichung des Mannigfaltigen in der Vergeistigung der Natur und der Geschichte die Voraussetzung ist für seine Übersetzertätigkeit oder seine Übersetzertätigkeit die Voraussetzung für die Gleichsetzung des Verschiedenen. Jedenfalls war er auch als Sprachbildner und Übersetzer der Ansicht, daß die Weltliteratur, im besonderen die Literatur des Orients, nur ein Labyrinth von Spiegeln sei, die immer wieder das gleiche Bild wiedergäben.

Im Grunde eine wunderliche Vorstellung eines Sprachgelehrten. Die Sprachwissenschaft seiner Zeit entdeckte und untersuchte die Verwandtschaft der indokeltischen Sprachen und ihre Abstammung von einer einheitlichen Ursprache. Sie war aber, bei aller Betonung des Gemeinsamen, zugleich bestrebt, die Sonderart der einzelnen Sprachen scharf herauszuarbeiten. Rückert aber, die naive Vorstellung des Paradieses heraufbeschwörend, sprach von Verwilderung. Der Ausdruck weist zum mindesten nicht auf ein tiefes Verstehen des organischen Lebens und natürlichen Wachstums der Sprache hin, und vielleicht erklärt sich seine erstaunliche Meisterschaft über die äußere Form gerade daraus, daß ihm das organische Leben in der Sprache abging, daß er ihre zur Eigengestalt gewachsenen Sondergebilde ebenso übersah, wie er über die Pflanzen und Tiere und die Bodengestaltung hinwegsah, wenn er auf dem Lande spazierte. So war ihm — und er zeigte sich darin als Erbe einer jahrhundertlangen Entwicklung — auch das Dichten wie das Übersetzen nicht das organische Gestalten und Herausstellen des Erlebnisses durch die Sprache, sondern ein Hineingreifen in einen reichen und mannigfachen Vorrat bereitliegender Wörter und fertiger Wendungen. Die Sprache war ihm ein Klavier, in dem die Töne schon vorgebildet waren, so daß er sie nur anzuschlagen und zu Melodien zusammenzustellen brauchte, und er tat das mit einer Kenntnis und Gelenkigkeit der Finger, daß die Sprachkünste aller Romantiker, von Tieck bis Brentano, vor seiner Virtuosität verblassen. Wer aber ein feineres Gehör für die Sprache hat, wird auch in seinen leidenschaftlichsten Liebesgedichten, in seinen kühnsten und kunstvollsten Akrobatenschwüngen eines vermissen: den Stil als den Ausdruck des Sprache gewordenen Lebens. Die Wirklichkeit, über die ihn sein Idealismus hinweghob, rächte sich an ihm, indem sie sich ihm als Nährgrund auch der künstlerischen Form versagte.

Auch bei dem Grafen A u g u s t v o n P l a t e n ist diese Wurzellosigkeit des Literaten oder diese Scheidung von Leben und Kunst. Man darf sicherlich nicht sagen, daß seine Dichtung des Gehaltes entbehre und sich bloß durch den kalten Glanz formaler Meisterschaft auszeichne. Aber der Gehalt stammt, im allgemeinen, nicht aus seiner eigenen erlebenden Seele, die er im Gegenteil meist peinlich verdeckt, sondern aus der literarischen Überlieferung, aus einer nun zur Allgemeinvorstellung gewordenen Auffassung des Dichterseins und Dichterlebens, wie sie die Klassiker und Romantiker ausgebildet hatten. Er spielte einen Dichter, der für ihn nicht Wirklichkeit, sondern Ideal war.

Denn in Wirklichkeit war er ein ganz anderer, als seine Werke vermuten lassen. Keineswegs kühl, vornehm, voll Haltung und Distanz und stets in Form, vielmehr schwach, zerrissen, aufgewühlt und haltlos. Man hat diesen Platen lange nicht gekannt, weil jahrzehntelang seine Tagebücher nur in einem sorgfältig frisierten und ausgekämmten Auszug bekannt waren, bis sie 1896 und 1900 in vollem Umfange zutage traten. Da las man auf einmal von wilden Sehnsuchtsrufen, ergreifenden Klagen, leidenschaftlichen Ausbrüchen der Verzweiflung und erfuhr, daß der unnahbare Edelmann, der kühle Ästhet, der hochmütige und giftige Satiriker ein schwacher, tief unglücklicher Mensch war, und daß er sich die Maske der Unnahbarkeit nur aufgesetzt hatte, weil er es war.

Am 10. Dezember 1818 liest man: „O Schmerz ohne Ziel und Maß! O unerschöpflicher Jammer! Nie liebte ich, wie in diesem Augenblicke, nie liebte ich so grenzenlos unglückselig. Ich kenne mich selbst nicht mehr. Wo sind meine Vorsätze, meine Pläne? Wo ist die Riesenkraft eines festen Willens? Träumer! Elender Tor! — Ich komme aus einem Konzerte zurück; o wäre ich nie dort gewesen. Ich sah dich; ja, mein Gewand berührte das deine, aber du sahst mich nicht. Du hast mich nicht betrachtet. Mit welcher Gleichgültigkeit, mit welcher Verächtlichkeit flogen deine Blicke an mir vorbei! Du fliehst mich. Fliehen? Was sollt' ich dafür geben, wenn du mich flöhst, wenn du mich haßtest? Kennst du, o Tartarus, schärfere Qualen als diese schneidende Geringschätzung?" Man ahnt, daß es sich um die Liebe zu einem Gleichgeschlechtigen handelt. Denn nur sie läßt das Verhalten des geliebten und so heiß umworbenen Gegenstandes verstehen: die Gleichgültigkeit, die Verächtlichkeit. Ein Mädchen hätte sich anders benommen. Wo es nicht wieder liebte, hätte es doch Verständnis, vielleicht Teilnahme und Mitgefühl empfunden. Der Knabe und Jüngling, wenn er gesund und männlich sich fühlte, konnte nicht anders, als erkältet, angewidert sich zurückziehen. Platen aber, wenn er so zurückgestoßen wurde, flüchtete dann in das Ideal: der Geliebte war nicht der, für den er ihn gehalten. Als er so von einem seiner Freunde, dem Kürassierleutnant Friedrich von Brandenstein, enttäuscht wurde, tröstete er sich am 10. Juni 1816 im Tagebuch: „Übrigens war mir dieser lebende Federigo niemals, was er wirklich ist, sondern ich trug seine Züge nur auf mein Ideal über."

In dieser krankhaften Neigung zeigt sich bei Platen der Zerfall der romantischen Geistigkeit. Durch die ganze Geschichte der Romantik zieht sich die Verehrung für Platon und für die platonische Männer- und Jünglingsfreundschaft. Man darf sicherlich annehmen, daß sie bei Platon ursprünglich ein geistiger Bund war, gegründet auf die Liebe zum Ideal; aber sie wurde in der Folge zu der in Komödie und Satire genugsam verspotteten Knabenliebe. Auch Platen hat sich immer wieder darauf berufen, daß seine Liebe eine geistige sei. Er meinte, in dem Bilde des Geliebten „des eigenen Wesens edlere Selbstheit" zu schauen, und von seiner Leidenschaft für den Hauptmann Wilhelm von Hornstein bekannte er: „Ich fühle, daß diese Neigung etwas Edles ist und sich auf eine edle Weise in mir gestaltet. Ihr Bestreben ist, ihres Gegenstands so würdig als möglich zu werden und, womöglich, die Fehler und Schwachheiten des Gegenstandes selbst zu wandeln und zu bessern. Es wäre mein höchster Triumph, meinen Wilhelm zum besten Menschen zu machen. Es ist keine blinde, keine vernunftlose Neigung, denn sie gründet sich ja auf das tiefste und beste Gefühl im Menschen."

Indes, auch das tiefste und beste Gefühl kann entarten oder in „abnormaler" Form sich äußern, und das war bei Platen der Fall. Er selber war sich der Krankhaftigkeit seiner Veranlagung durchaus bewußt, und er litt darunter. Am 26. Juli 1819 schreibt er im Tagebuch: „Je souffre cruellement et plus que je n'ai mérité. Oh pourquoi, pourquoi la Providence m'a ainsi formé! Pourquoi m'est-il impossible d'aimer les femmes, pourquoi faut-il nourrir des inclinations funestes qui ne seront jamais permises, pui ne seront jamais mutuelles? Quelle impossibilité terrible, et quel sort qui m'attend!" Er litt um so mehr darunter, als er ein sehr stark entwickeltes Gefühl für sittliche Haltung und gesellschaftlichen Anstand besaß. Er las Knigges „Umgang mit Menschen" „mit Nutzen und Vergnügen" und nannte das Buch eine treffliche Schrift, die ihren Wert niemals verlieren könne. Er selber plante in seiner Jugend ein moralphilosophisches Lehrgedicht, dessen Grund „Vertrautheit mit Gott — strenge Sittlichkeit — Wißbegierde — Liebe der Freunde" bilden würden.

Durch seine Fehlveranlagung, die nicht nur das körperliche, sondern auch das seelisch-geistige Verhalten bedingte, ward der Gang seines Lebens geformt. Er wurde am 24. Oktober 1796 in Ansbach geboren. Die Familie war wenig bemittelt. Zum Soldatenberuf bestimmt, wurde er von 1806 bis 1810 im Kadettenkorps in München erzogen und war darauf vier Jahre Page am königlichen Hofe. 1814 wurde er Leutnant. Er machte als solcher den Feldzug nach Frankreich mit. Aber er liebte den Soldatenberuf so wenig wie Kleist oder Chamisso. Er füllte die Leere seiner Tage mit wissenschaftlichen Studien und dichterischen Versuchen aus und kümmerte sich so wenig um die militärische Disziplin, daß er einmal bei einer Revue in gelben Sommerbeinkleidern statt in blautuchenen erschien. Als er für seine Nachlässigkeit mit acht Tagen Arrest bestraft wurde, klagte er, das sei der Fluch des Militärstandes, daß Versehen hart bestraft würden und moralische Fehler ganz und gar nicht.

Nun beschloß er, den Soldatenrock auszuziehen und die diplomatische Laufbahn einzuschlagen. Er nahm Urlaub und studierte in Würzburg und Erlangen die Rechte, daneben alle möglichen Sprachen. Dazwischen reiste er in Deutschland, in der Schweiz und Italien. 1826 gab er das Studium und die Absicht, Diplomat zu werden, auf und lebte von da an meist und später ausschließlich in Italien. Er hielt sich in Rom, Neapel, Sorrent, Sizilien und Kalabrien auf. In Syrakus starb er am 5. Dezember 1835. Er hatte sich vor der Cholera dorthin geflüchtet, und als er im November von einer Kolik befallen worden war, hatte er geglaubt, es sei die Cholera und die Abwehrmittel im Übermaß eingenommen; sie führten in Verbindung mit der Kolik seinen Tod herbei.

Platen war in Erlangen der Schüler von Schelling gewesen und auch in ein freundschaftliches Verhältnis zu ihm getreten. Aber wenn man auch in seinen Ghaselen Spuren von Schellings Philosophie finden mag, sie haben nicht künstlerisch-formale, sondern nur stoffliche Bedeutung. Denn es gehört zur Veranlagung und geschichtlichen Stellung Platens, daß er im fruchtbaren und wirklichen Leben nirgends eingewurzelt war. Er war dazu bestimmt, in einem Reiche reiner Literatur über der Wirklichkeit zu schweben. Wie er als Mensch in der innigsten Beziehung, dem Liebesleben, von Gegenstand zu Gegenstand getrieben wurde, wie er von Ort zu Ort reiste, so war er auch als Dichter ein Wanderer. Wo er bodenständiges Volksleben fand, war es ihm zuwider. So haßte er die Mundart. „Wann wird die Zeit kommen", klagte er, „wo zum wenigsten alle gebildeten Stände der Deutschen ein menschliches Deutsch sprechen?" In seiner eigenen Aussprache war er ängstlich bemüht, alle Merkmale seiner bayrischen Herkunft zu vertilgen. Er betete eine Bildung an, die ihre Herkunft aus gelebtem Leben verleugnete, eine Bildung an und für sich. Er war darum auch nicht imstande, in den breiten Schilderungen, die er in seinen Tagebüchern von den fremden Ländern, die er durchwandert, den Menschen, die er trifft, das Wesen zu erfassen, innere Beziehungen zwischen sich und ihnen herzustellen. Er wanderte über sie hin, an ihnen vorbei, wie man durch eine Ausstellung hindurchgeht.

Es ist erstaunlich, wieviel Bücher er gelesen, wieviel fremde Sprachen er gelernt hat. Er las, außer Deutsch, Französisch, Englisch, Italienisch, Spanisch, Portugiesisch, Lateinisch, Griechisch, Dänisch, Schwedisch, Holländisch, Persisch. Er machte Ernst mit dem Goetheschen Begriff der Weltliteratur. Man wird kaum einen Dichter treffen, der überall so sehr zu Hause ist wie Platen. Aber auch keinen, der überall so wenig zu Hause ist wie er. Denn sein Wissen um die fremden Werke, gerade weil es so viele sind, war nur ein äußerliches, verstandes- und gedächtnismäßiges. Er hat sie in seinen Tagebüchern jeweils charakterisiert und verzeichnet. Aber gerade an diesen Eintragungen merkt man, daß er auch den Werken sich nicht hingeben kann; nirgends stößt man auf einen Standpunkt, ein Urteil, das nicht ein anderer, ähnlich gebildeter und belesener Mensch hätte geschrieben haben können. So hat er auch keine Lieblinge unter den gelesenen Dichtern. Er ist in einem beängstigenden Grade allverstehend. Er wandert, wie Tiecks Prinz Zerbino, durch die Gärten der Poesie. Er wirft sich nirgends ins Gras und betrachtet die Gräser und Blumen in seiner Nähe mit zärtlichem Blick und träumt sich, von ihnen umkost, in den offenen Himmel hinein. Es ist buchstäblich wahr, was er einmal sagt:

> „Es sehnt sich ewig dieser Geist ins Weite,
> Und möchte fürder, immer fürder streben:
> Nie könnt' ich lang an einer Scholle kleben,
> Und hätt' ein Eden ich an jeder Seite."

Aus einer uferlosen Lektüre hatte er sich ein Idealbild des Dichters geschaffen, den es immer und überall und noch nie und nirgends gegeben hat; denn jeder echte Dichter wächst aus der Natur und den Kräften seiner Zeit und seines Volkes heraus, lebt in ihnen, wird durch sie bestimmt und bemüht sich, ihren Gehalt in das geistige Reich der Schönheit zu heben. Jeder ist ein Berg, der in seiner Grundfeste mit den Pflanzen und Tieren des betreffenden Erdstriches bekleidet ist und erst den Gipfel in das allgemeine Reich des Schnees und Eises emporhebt. Platen aber will nur eisiger Gipfel sein. Die Spuren des Erdgewachsenen tilgt er aus. An Schelling schrieb er 1828 von der Insel Palmaria aus: „Die Welt ist so gestellt, daß ein Dichter eigentlich gar nirgends mehr hinpaßt, am wenigsten in sein Vaterland." Er hat so auch als Dichter nicht die ursprüngliche Form des deutschen Verses gepflegt und weiterentwickelt, sondern er gefiel sich in der Nachbildung von Formen der Weltliteratur, hierin Rückert gleichend, Klopstockischen Strophen antikisierender Art, Hexametern und Distichen, romanischen Sonetten, orientalischen Ghaselen. So wurde seine Dichtung l'art pour l'art, Kunstfertigkeit, nicht Offenbarung des Lebens. Denn er durfte ja nicht, oder doch nur in verhüllter Art, sagen, was er litt. Die Kunstform wurde ihm so Mantel, Abschließung und Verhüllung des Innern. Er mußte um so mehr ihre äußere Schönheit, „Harmonie" erstreben, je mehr er sich innerlich in heillosen Sehnsüchten und Qualen wand. Je schwieriger eine Form war, je ausschließlicher sie als Form erschien und durch die Kunst, die sie beanspruchte, den Blick des Lesers von dem Inhalt ablenkte, um so reiner erfüllte sie den Zweck, den er von ihr verlangte. Darum liebte er und meisterte er so vorzüglich künstliche Formen, wie Sonett, Ghasel, Ode und Distichon.

Und doch gibt es einen Punkt in seinem Schaffen, wo er selber ist, von dem man sagen kann, daß er von ihm aus das Leben betrachtet und seine Dichtung geistig bestimmt. Es ist das Erlebnis der Vergänglichkeit, die Flucht alles Irdischen. Es ist ein anderes Vergänglichkeitsgefühl als bei Eichendorff oder Hebel. Bei diesen steckt als bejahender Kern in allen Aussagen über die Flucht des Erdenlebens die sehnsüchtige Erinnerung an die Heimat der Jugend und der Glauben an die Ewigkeit des Jenseits: etwas, was gewesen ist und sein wird. Bei Platen gibt es überhaupt nichts, was einmal in seinem persönlichen Leben dagewesen ist oder sein wird. Was an wirklichen Werten für ihn da ist, besitzt nur das literarische Scheinleben der Geschichte. Es ist ein gespensterhaftes Nichts. So kann er den „Gesang der Toten" anstimmen, das heißt der andern, die vor ihm gestorben sind und jetzt dem großen Nichts angehören:

> „Dich, Wandersmann, dort oben   Wir sind zu Staub verwandelt
> Beneiden wir so sehr,   In dumpfer Grüfte Schoß:
> Du gehts von Luft umwoben,   O selig, wer noch wandelt;
> Du hauchst im Äthermeer.   Wie preisen wir sein Los!"

Hebel hat aus seinem Vergänglichkeitsgefühl die herrlichsten Erzählungen menschlichen Lebens und natürlichen Werdens geschöpft. Platen, für den die Vergänglichkeit das Ergebnis des Nichterlebens bedeutet, vermag in seinen eigensten Gedichten, den Balladen, überhaupt nicht mehr ein Geschehen, ein Handeln und Wachsen zu schildern. Sie stellen einen bloßen Augenblickszustand dar, von dem aus der Dichter oder ein Mensch der Geschichte auf Vergangenes zurückblickt. In „Luca Signorelli" läßt er den Vater die Leiche seines einzigen Sohnes malen. So stellt er sich selber immer wieder hin und „konterfeit den schönen Leib des vielgeliebten Kindes". In dem „Pilgrim vor St. Just" wirft Karl V. die Herrlichkeit von mehr als der halben Welt hin, um in die Nacht des Mönchslebens unterzutauchen:

> „Nun bin ich vor dem Tod den Toten gleich
> Und fall' in Trümmer, wie das alte Reich."

So begraben die Goten ihren toten König im Bette des Busento. So klagt Kaiser Otto III.:

> „O Erde nimm den Müden,   Schon steh' ich an der Grenze,
> Den Lebensmüden auf,   Die Leib und Seele teilt,
> Der hier im fernen Süden   Und meine zwanzig Lenze
> Beschließt den Pilgerlauf!   Sind rasch dahingeeilt."

So hat er in den ergreifenden Sonetten aus Venedig die verschollene Herrlichkeit der alten Dogenstadt gepriesen — Goethe hat in Venedig 1790 die Innigkeit seiner Liebe zu Christiane und das Wachstum seiner Ehe in seinem Söhnchen erlebt. Es ist wörtlich wahr, was Platen einmal bekennt:

> „O süßer Tod, der alle Menschen schrecket,
> Von mir empfingst du lauter Huldigungen:
> Wie hab' ich brünstig oft nach dir gerungen,
> Nach deinem Schlummer, welchen nichts erwecket."

Auch L e n a u bekundet seine Zugehörigkeit zu dem Geschlecht der Forcierten Talente durch seine entwurzelte Heimatlosigkeit. Schon sein äußeres Leben ist eine beständige Flucht vor dem wirklichen Sein. Gehört doch schon der Name, den er im Reiche der Dichtung trägt, ihm im bürgerlichen Sinne nicht zu eigen. Als Nikolaus Franz Niembsch von Strehlenau wurde er am 13. August 1802 in Csatàd, einem kleinen Dorfe im Banat, geboren als Nachkomme von Slawen, Deutschen und Ungarn. Der Vater ging früh in Spiel und Leichtsinn zugrunde. Die Mutter verheiratete sich später wieder mit einem Arzt. Sie war eine leidenschaftliche Person, die immer wieder den Wohnort wechselte: von Csatàd ging es nach Altofen, von da nach Tokai, von hier nach Pest. Ihren Liebling Niki, „dieses Meisterstück der Natur", verwöhnte sie mit bedrängender Zärtlichkeit. Endlich gelang es den Schwiegereltern nach jahrelangem Kampfe, 1818 den Enkel zu sich nach Stockerau zu nehmen. Von hier aus besuchte Lenau die Schule in Wien. Die Großeltern, durch die ihnen unerwünschte Heirat ihres Sohnes ohnehin über die Schwiegertochter und ihre Mißerziehung erbittert, suchten durch Strenge wieder zurechtzurücken, was die Mutter verbogen hatte. Natürlich strebte der Jüngling nun immer in

620

die zärtliche Obhut der Mutter zurück, und als ihn einmal die etwas heftige Großmutter wegen einer Unart hart ausschalt, flüchtete er sich zu der Mutter, die damals in Preßburg lebte. Das war 1821.

Er war ein begabter Schüler, der spielend die Schwierigkeiten des Lernens überwand. Aber in seinen Studien war keine Stetigkeit und kein fester Plan. In Wien hatte er zuerst anderthalb Jahre ein philosophisches Vorstudium durchzumachen. Dann studierte er in Preßburg ein Jahr lang ungarisches Recht. Darauf wechselte er zur Philosophie hinüber, vertauschte sie aber bald mit der Landwirtschaft in Ungarisch-Altenburg. Und wieder kehrte er zur Philosophie zurück, studierte darauf in Wien österreichisches Recht und vertauschte dieses nach zwei Jahren mit der Medizin. Er hat auch dieses Studium nicht zum Abschluß gebracht.

Denn inzwischen hatte er zu dichten angefangen. Sein erregtes Innenleben verlangte nach Ausdruck, und eine reichliche Lektüre der Dichter, Klopstocks, der Göttinger, Bürger, Jacobis, bot die Versformen. Ein leidenschaftliches Liebeserlebnis mit einem schönen, aber ungebildeten Mädchen, Berta Hauer, erschütterte sein Gemüt aufs tiefste. Als er Grund hatte, die Geliebte der Untreue zu bezichtigen, verfiel er mehr und mehr einem schwermütigen Pessimismus. Nun kam in seine Gedichte ein dunkler Ton. Schließlich trieb ihn seine Unrast, dazu der Wunsch, seinen Gedichten Freunde und Verbreitung zu sichern, von Österreich fort. Im Sommer 1831 erschien er auf einmal in Württemberg. Er muß ein seltsam phantastischer Vogel in der Schar der gemütlichen Sänger Schwabens gewesen sein. Sie, wenig welterfahren, bescheiden und kleinbürgerlich, waren sofort von dem interessanten Ungar hingerissen. Gustav Schwab begönnerte ihn und sandte ihn mit Empfehlungsbriefen an Kerner, Uhland und Karl Mayer. Seine Reise durch Württemberg war ein Triumphzug. „In drei Monaten ist man hier mehr bekannt als zu Wien in drei Jahren", schrieb Lenau an seinen Schwager Schurz. Überall jubelte man ihm zu. Einzig Uhland hielt sich mißtrauisch zurück und zweifelte im Innern, ob die sich so laut gebärdende Leidenschaft dieses Dichters echte Kunst sei. Aber durch den allgemeinen Jubel ließ sich Cotta bewegen, 1832 Lenaus Gedichte herauszugeben, und eine Nichte Schwabs, Charlotte Gmelin, schenkte ihm ihre Liebe.

Ihn aber fesselte weder die Begeisterung der wackeren Schwabendichter noch die Liebe eines Schwabenmädchens. „Ich kann diese himmlische Rose nicht an mein nächtliches Herz heften", rief er aus als ein rechter Theaterheld und zeitigte dadurch in Frau Schwab die Einsicht, daß ihm nicht zu trauen sei. Er hatte vergeblich versucht, in Heidelberg sein Medizinstudium zu beendigen. Auch der Arzt Kerner in Weinsberg vermochte ihm nicht zu helfen. Seine innere Aufgeregtheit und Hilflosigkeit steigerte sich zum Unerträglichen. Nur etwas ganz Großes konnte helfen: eine Reise nach Amerika, dem Lande der Freiheit, dem Eden aller Europamüden. Der Urwald, der Mississippi, der Niagara, die ganze weite, unberührte Natur sollte sein Herz beruhigen und seine Phantasie befruchten. Es war ein Wunschtraum, der verflog, kaum daß Lenau sich angeschickt hatte, ihn zu verwirklichen. Als er Mitte Oktober 1832 in Baltimore ans Land stieg, war er entschlossen, statt fünf Jahre in dem Wunschlande zu bleiben, so rasch als möglich wieder zurückzufahren. Amerika war ganz anders, als er es sich in seiner ausschweifenden Phantasie vorgestellt hatte. „Der Amerikaner hat keinen Wein, keine Nachtigall", schrieb er seinem Schwager am 16. Oktober. „Diese Amerikaner sind himmelan stinkende Krämerseelen. Tot für alles geistige Leben. Mausetot. Die Nachtigall hat recht, daß sie bei diesen Wichten nicht einkehrt. Das scheint mir von ernster, tiefer Bedeutung zu sein, daß Amerika gar keine Nachtigall hat. Es kommt mir vor, wie ein poetischer Fluch. Eine Niagarastimme gehört dazu, um diesen Schuften zu predigen, daß es noch höhere Götter gebe, als die im Münzhause geschlagen werden." Man sieht, er bürdet den Amerikanern als Mangel auf, was seine eigene Unfähigkeit ist, die Wirklichkeit so zu nehmen, wie sie ist. Im Juni 1833 war er wieder in Deutschland.

Aber seine Unrast war durch die große Amerikafahrt nicht gestillt. Sie steigerte sich und trieb ihn von Ort zu Ort. Bald war er in Schwaben, bald in Wien, bald wanderte er in den Alpen. Dazwischen entstanden seine Werke: Gedichte. Ein „Faust". Romanzenreihen: „Savonarola", „Die Albigenser". Sie sollten seine hin- und herwogenden Gedanken zur Ruhe bringen, indem sie sie klärten. Aber da er sie nicht künstlerisch zu gestalten, sondern nur in Verse zu bringen vermochte, so erfüllten sie ihm diesen Wunsch nicht, und die innere Zersetzung ging ihren Gang. Im Frühling 1844 kündigten heftige Kopfschmerzen, Schlaf- und Appetitlosigkeit den Ausbruch einer schweren Nervenkrankheit an. Im Oktober machten Selbstmordversuche und Tobsuchtsanfälle seine Unterbringung in einer Heilanstalt nötig. 1847 wurde er nach Döbling bei Wien geführt. Hier starb er, völlig verblödet, am 22. August 1850.

Lenau gilt als ein tief leidenschaftlicher Dichter. Er selber hat einmal von sich gesagt, daß der Affekt sein Leben verzehre, und immer wieder spricht er von seinem „wilden" Sehnen, seinem

Lenaus eigenhändige Niederschrift seines Gedichts „Der Postillon"

622

„wilden" Schmerz, seinem „wilden" Lied. Aber es gibt zwei Arten von Leidenschaft, die eine, innerliche, wurzelt im Gemüte. Sie ist die Kraft, sich für etwas mit ganzer Seele einzusetzen. Sie ist die schöpferische. Die andere ist durch die Schwäche der Nerven bedingt. Sie ist bloße Aufgeregtheit, Unbeherrschtheit, etwas Zittriges, Gebrochenes, und ohne die Fähigkeit schöpferischen Hervorbringens. Lenaus Leidenschaft war von der zweiten Art, ein Erbteil der Eltern. Niembsch sei ein Dämon, schrieb Kerner einmal an Mayer, er verändere sein Gesicht zwanzigmal in einer Viertelstunde. Er selber stellte fest, daß der plötzliche Wechsel seiner Stimmungen von der höchsten Freude zur tiefsten Düsterkeit eine krankhafte Spannung seiner Seele verrate. Aus diesem neurotischen Grundzug seines Wesens entstammt sein Pessimismus. Schon das Kind litt an Lebensangst, und der Sechsjährige konnte halbe Tage lang darüber weinen, daß er sterben müsse. So sieht er auch am Leben nur das Verneinende, die Vergänglichkeit.

Zur Depression aber gehört die Exaltation wie das Plus zum Minus, und auch dazu half die Erziehung durch die Mutter mit, die ihn verweichlicht und vergöttert hatte. Er machte auf seine Zeit durch seine „wilden", dunkeln Gedichte Eindruck, und nun gefiel er sich in der Pose, der „wilde Niembsch" zu sein. Die Schwaben trugen ein gut Teil der Schuld, indem sie ihn anstaunten, wie die Kleinstädter einen Bären anstaunen, den ein wandernder Tierhalter in ihre stillen Gassen führt. Hatte er die Vergötterung genossen, so kam der Rückschlag, der Absturz in die Bitterkeit und Verzweiflung. Das rastlose Auf und Ab dieser nervösen Überschwänge nach unten und oben war das, was er seine wilde Leidenschaft nannte und was bloß eine Krankheit war.

Auch der Liebe war er nicht fähig. Sie verlangte Hingebung; er aber war viel zu sehr von sich selber besessen, als daß er sich einer Frau hätte vertrauen können. Das Verhältnis zu Berta Hauer ging in die Brüche, weil er ihr vorwarf, das Kind, das sie geboren, stamme von einem andern. Lotte Gmelin verließ er, weil er sich nicht die Kraft zutraute, sie glücklich zu machen. Die Frau, die er am stärksten geliebt hat, war Sophie Löwenthal; aber sie war die Gattin eines andern und nicht geneigt, ihren Mann um Lenaus willen zu verlassen. So war seine Liebe zu ihr von vornherein zur Aussichtslosigkeit verdammt und statt eine Quelle des Glückes ein Brunnen der Trübsal und ein Stachel immer neuer Erregung. Am 26. Oktober 1837 schreibt er ihr: „Mir zittert die Hand und mein Herz klopft noch von deinen letzten Küssen. Ich habe dein Bett geküßt, während du fortwarst, und gerne wäre ich davor knien geblieben. Die Stätte, wo du schläfst, hat etwas so schmerzlich Süßes. Sie erscheint mir wie das Grab unserer Nächte, unserer lieben Nächte, der unwiederbringlichen. O Sophie! Das was wir uns erlauben, unsere Küsse verrauschen auch; aber wir hatten sie doch, und sie haben sich unseren Seelen eingeprägt für immer. Jene Nächte aber sind vorüber und auch verloren. O laß uns doch wenigstens alles zusammenfassen in diese Küsse!" Um Sophies willen verließ er 1839 die Sängerin Karoline Unger, mit der ihn eine gegenseitige Neigung verband. Als er sich endlich 1844 mit Marie Behrends verlobte, hatte die Geisteskrankheit bereits Macht über ihn.

Die Natur sollte dem von den Menschen Enttäuschten Ruhe und Trost schenken. Aber wie konnte sie das? Er war viel zu ichbezogen, als daß er die Natur als ein Anderssein zu erleben vermochte. Was er an ihr wahrnimmt, ist immer nur er selber und sein eigenes friedeloses Herz. In der Unendlichkeit des Himmels, der Höhe der Alpen, der Undurchdringlichkeit des Urwaldes, der Weite der Steppe und der Öde des Meeres erblickt er die Wüstheit seines eigenen Innern. Und wie er die Rastlosigkeit selber ist, so läßt er durch die Pußta die Zigeuner schweifen, die Pferde sprengen, die Soldaten marschieren und den ewigen Juden Ahasver wandern.

Er hat von der Vergänglichkeit, der in Eichendorff und Hebel das Bewußtsein des himmlischen Vaterlands und der Jugend gegenüberstehen, die in Platen die Erinnerung an den Glanz einstiger Kultur weckt, nichts als das Gefühl der Zerstörung. Im „Postillon" heißt es:

> „Wald und Flur im schnellen Zug
> Kaum gegrüßt — gemieden;
> Und vorbei, wie Traumesflug,
> Schwand der Dörfer Frieden."

145. August Graf von Platen Hallermünde (1796—1835)
Stich von Johann Lindner, nach dem Woltreckschen Gipsmedaillon
Platen zeigte in der Zeit allgemeiner künstlerischer Formlosigkeit einen ausgeprägten Formwillen. Er bewältigte die schwierigsten Vers- und Gedichtformen auf meisterhafte Weise. Nach der Form beurteilt, sind seine Gedichte nicht zu übertreffen.

146. Friedrich Rückert (1788—1866)
Lithographie von Georg Nehrlich, nach einer Zeichnung von Julius Schnorr von Karolsfeld, 1818 in Rom
Rückert genoß in seiner Zeit vor allem als Übersetzer orientalischer Dichtung, deren Formen er vermittelte, großes Ansehen. Seine eigenen Werke, die mehr Zeugnisse eines leichten als eines originellen Schaffens sind, wurden nicht zum Allgemeinbesitz.

147. Sophie von Löwenthal (1810—1889)
An die Gattin des in den erblichen Ritterstand erhobenen obersten Postdirektors von Österreich band Lenau eine unselige Liebe, die ihn sich seiner Tragik nur umsomehr bewußt werden ließ.

148. Nikolaus Lenau (1802—1850)
Stich von Karl Mahlknecht nach dem Gemälde von Andreas Staub
Nikolaus Nimbsch Edler von Strehlenau hatte die Schwermut seiner Dichtung von seinen aus Schlesien und Ungarn stammenden Eltern ererbt. Auch sein Leben, das im Wahnsinn endete, bot wenig Anlaß zu heiterem Ton.

145   *August Graf von Platen Hallermünde*
(1796 - 1835)

146   *Friedrich Rückert (1788 - 1866)*

147   *Sophie von Löwenthal (1810 - 1889)*

148   *Nikolaus Lenau (1802 - 1850)*

149
Heinrich Heine
(1797 - 1856)

15
Heines Geburtsha
in Düsseldor

151
Heine, 1851

Der erkrankte Heine
mit seiner Frau
„Mathilde"
(Eugenie Murat)
152

Der einzige feste Punkt in dem Gedicht ist der Halt am Friedhof, wo der Kamerad des Postillons ruht.

Seine wurzellose Unruhe ist der Grund seines Weltschmerzes. Auch die Natur übermalt er mit einer schwarzen oder grauen Farbe. In seinen Naturliedern schließt sich der Herbst unmittelbar an den Frühling — die Jahreszeit der farbigen Weltlust fehlt. Lenaus Natur ist immer von einer Wolkendecke verhängt. Sogar in der lieblichen Mainacht müssen Silberwölklein fliegen, und wenn die Gewitterwolken rollen und der Donner grollt, so ist es der Sturm seiner eigenen Verzweiflung, der durch die Natur heult. Aber da er in seiner Ichbefangenheit immer nur von außen an die Natur herantritt und in seiner Gehetztheit sich gar nicht die Zeit nimmt, ihr inneres Leben zu belauschen, so bleibt auch alles, was er von ihr aussagt, äußerlich; und seine stärksten Ausdrücke, mit denen er nicht kargt, wie „Sturmeswut", „hastig bange", „Tränenguß", „Wundenriß", „Todestrunken", bleiben aufgemalte Farbenkleckse, strömen keine wirkliche Anschauung aus. Auch er gehört zu den Dichtern, deren Sprache nicht in gefühlerfüllten Sinnesbildern, sondern in abstrakten Begriffen besteht.

Auch geistig war er nirgends zu Hause. Wie er alle möglichen Wissenschaften durchwandert hat, so wechselt er auch die weltanschaulichen Möglichkeiten, weil sie nicht durch Glaubensnotwendigkeit persönlich in ihm bedingt, sondern nur dialektische Denkwege waren. Von Hause aus Katholik mit stoischem Einschlag, wurde er 1826 nach dem unglücklichen ersten Liebeserlebnis ein Gottesleugner. Schelling führte ihn zum spinozistischen Pantheismus, dem das gleichzeitige Studium Susos und des Natur-

149. Heinrich Heine (1797—1856)
Bleistiftzeichnung von Samuel Diez, 1842

Der Kaufmannssohn aus Düsseldorf besaß einen scharfen Blick für die Krise seiner Zeit. Literarische Schwächen und politische Unzulänglichkeiten waren das Ziel seiner Satiren. Seine Lyrik endete in der Regel mit einer ironischen Wendung, die Heines eigener zwiespältigen Situation entsprach.

150. Heines Geburtshaus in Düsseldorf

151. Heine
Zeichnung von Ernst Benedikt Kietz, 1851

Seit 1831 lebte Heine in Paris. Dort genoß er außerordentliches Ansehen, was dazu führte, daß er zeitweilig auch im übrigen Ausland vor Goethe gestellt wurde. Bereits in den vierziger Jahren plagte ihn als Zeichen seiner unaufhaltsam fortschreitenden Rückenmarkserkrankung ein Augenleiden. Kietz zeichnete ihn in der für ihn damals charakteristischen Haltung mit gesenkten Augenlidern.

152. Der erkrankte Heine mit seiner Frau „Mathilde" (Eugenie Murat)
Gemälde von Ernst Benedikt Kietz

Nach wenigen Jahren hatte das Rückenmarksleiden Heines Leib völlig zerrüttet. Doch sein Geist widersetzte sich der Krankheit und blieb bis zum Tode schöpferisch.

philosophen Schubert einen Zug ins Mystische gab. In seinem „Faust"
(1836) haben diese Gedankenkämpfe ihren Ausdruck gefunden. Faust, der
sich „mit Gott festinniglich verbunden" wähnt, erfährt in dem Pakt mit
Mephist die Abtrennung von Gott. Nun ersticht er sich, um von dem
Bösen befreit und zu Gott zurückgeführt zu werden. Aber Mephist hat
das letzte Wort:

> „Du warst von der Versöhnung nie so weit,
> Als da du wolltest mit der fieberheißen
> Verzweiflungsglut vertilgen allen Streit,
> Dich, Welt und Gott in Eins zusammenschweißen.
> Da bist du in die Arme mir gesprungen,
> Nun hab' ich dich und halte dich umschlungen."

Er war auch in seinem Gedankenleben so sehr seinen wilden Gefühlen
verpflichtet, daß er, als er kurz darauf Sophie Löwenthal liebte, sofort
wieder zum Glauben an den persönlichen Gott zurückkehrte. „Wenn ich
dich liebe", bekannte er, „stehe ich bei Gott, denn er ist in dir." Sie war
eine Persönlichkeit, und nur ein persönlicher Gott konnte sie geschaffen
haben. „Die starren und herzlosen Naturkräfte und Naturgesetze konnten
unmöglich ein Wesen zustande bringen, wie du bist. Du bist ein Lieblings-
geschöpf eines persönlichen, liebenden Gottes... Ich habe in deinem
Umgang mehr Bürgschaft eines ewigen Lebens gefunden, als in allem
Forschen und Betrachten der Welt."

Natürlich blieb er dabei nicht stehen. Zu gleicher Zeit, wie er Sophie
liebte, lernte er in Wien den dänischen Theologen Hans Lassen Martensen
kennen, und unter seiner Führung durchwanderte er nun aufs neue die
Denkformen der Philosophie und Theologie: Theismus, Pantheismus,
Atheismus, Mystik, Spinoza, Hegel, Baader. Martensen selber hatte aus
dem Studium der philosophischen Systeme den Schluß auf den Glauben
gezogen. „Der Glaube", erklärte er, ist das Erste, die Erkenntnis das
Zweite und Nachfolgende... Der Glaube selbst trägt schon die Erkenntnis als etwas noch Verhülltes in sich... Gott ist es, welcher sich durch
sein Wort und seine Werke mir offenbart... Aus dieser Gotteserkenntnis
geht uns auch eine neue Welterkenntnis auf." Lenau ließ sich das gesagt
sein und schrieb seinen „Savonarola" (1837), in dem er, aus dem Doppel-
erlebnis von Sophiens Liebe und Martensens Theologie, für Gott und
Christus Zeugnis ablegte und gegen Hegel und die Hegelschüler D. Fr.
Strauß eiferte. Aber in den „Albigensern" (1841) hatte er wieder eine
Wendung gemacht. Nun pries er die „kolossale Denkkraft" Hegels und
seiner Dialektik. Hegels Weltdialektik war ihm nun die Offenbarung und
Rechtfertigung seines eigenen labyrinthischen Irrens durch die Reiche des
Denkens; die ganze Geschichte ist das Bild dieses ewigen Zickzackganges,
den der Satz des Widerspruches bestimmt:

> „Den Albigensern folgen die Hussiten
> Und zahlen blutig heim, was jene litten;
> Nach Huß und Ziska kommen Luther, Hutten,
> Die Dreißig Jahre, die Cevennenstreiter,
> Die Stürmer der Bastille und so weiter."

Auch die Geschichte des menschlichen Geistes rast nun in dem Expreßtempo seines wilden Geistes an uns vorbei, und ihr reiches Leben schwindet zur eilenden Flucht bloßer Augenblickseindrücke dahin.

Lenau litt unter seiner wilden Rastlosigkeit. Sie offenbarte ihm, so sehr er sich immer wieder in Augenblicken der Exaltation in Pose und Positur setzte, doch stets aufs neue seine Ohnmacht und war so die Quelle seines Weltschmerzes. H e i n r i c h   H e i n e aber war die Wurzellosigkeit im Gegenteil ein immer neuer Anlaß zum Vergnügen an der Welt. Denn sie bedeutete ihm die völlige Freiheit des Ich, die Gelöstheit von allen verpflichtenden und einengenden Beziehungen, die Bestätigung der triumphalen Herrschaft über die andern. Seine ungeheure Ichbezogenheit äußerte sich bald als Sinnlichkeit, Genußsucht und Bequemlichkeit, bald als Ehrgeiz und Eitelkeit, und er hatte eine gefährliche Waffe, ihr gegenüber allen Anfechtungen und Verkleinerungen zum Siege zu verhelfen: die Ironie, den Witz. Lenau litt, weil er eine pathetische Natur war — Pathos heißt Leiden; wo Heine sich pathetisch gibt, wirkt er lächerlich; er tut es darum auch so selten als möglich und schwingt sich lieber zur intellektuellen Überlegenheit über Menschen und Dinge auf. Er ist der geborene Ironiker. Sicherlich hängt, geschichtlich betrachtet, seine Ironie noch durch einen Faden mit der romantischen Ironie Schlegels zusammen. Aber wenn Schlegel durch die Ironie über die einengende bürgerliche Sinnenwirklichkeit hinweg die Beziehung des Menschen zum geistigen Kosmos herstellen will, so hat Heine mit seiner Ironie sein eigenes Ich zum Kosmos aufgebläht. Er hat die Ironie psychologisiert, wie man in seiner Zeit, wenn man nicht Hegelianer war, sich angewöhnt hatte, alles Geistige zum Psychologischen zu materialisieren. Mit diesem stets bereiten, stets beweglichen, stets geschliffenen Dolch der Ironie wußte er sich gegen alle und jeden zu behaupten. Wehe dem Feind, den er traf — Platen und Börne haben es gespürt. Aber auch seine Freunde hatten nicht immer zu lachen; denn Heine schonte auch sie nicht, wenn es ihm einfiel, einen Witz zu machen. Als er im Januar 1821 in Göttingen relegiert worden war und zur gleichen Zeit erfuhr, daß seine Cousine Amalie, um deren Liebe er sich heiß bemühte, sich mit einem andern verlobt hatte, schrieb er an seinen Freund Straube: „Hat der göttliche Autor (des Buches meines Lebens) eine Tragödie oder ein Lustspiel schreiben wollen? Dieu merci, ich habe auch noch ein Wort mitzusprechen, von meinem Willen hängt die Katastrophe ab, und es kostet mich nur ein Lot Pulver, um dem Helden des Stücks die Narrenkappe vom Kopfe zu donnern. Was liegt mir dran, ob die Galerie pfeift oder klatscht? Auch das Paterre mag zischen. Ich lache . . ."

> „Ich lache ob den Gimpeln und den Laffen,
>   Die mich anglotzen starr und lauwarm nüchtern,
> Ich lache ob den kalten Bocksgesichtern,
>   Die hämisch mich beschnüffeln und begaffen . . .
>   Und wenn das Herz im Leibe ist zerrissen,
>   Zerschnitten und zerschnitten und zerstochen,
>   So bleibt uns doch das hübsche gelle Lachen!"

Er konnte lachen, weil er, wie die maßlose Übertreibung des ihm widerfahrenden Ungemachs zeigt, schon an sich nicht fähig war, Schmerz und Leid anders denn als eine Beleidigung seines geblähten Ich, also intellektuell zu nehmen. So wird seine Wurzellosigkeit, indem der bewußte Wille sie lenkt, zur Beweglichkeit. Er selber nennt seine Seele einmal Gummi elasticum: „Sie zieht sich oft ins Unendliche und verschrumpft oft ins Winzige." Es verschlug ihm nichts, diese Elastizität, wenn es seinem Vorteil diente, zu dem zu steigern, was die bürgerliche Moral Charakterlosigkeit nennt.

Heinrich oder Harry Heine wurde am 13. Dezember 1797 in Düsseldorf geboren in Verhältnissen, die einen Schein der Vornehmheit hatten: der Vater war während des ersten Koalitionskrieges Proviantmeister im Dienste des Herzogs von Cumberland, des spätern Königs von Hannover, gewesen und zog, als er sich in Düsseldorf niederließ, mit zwölf Pferden in die Stadt ein. Er verkörperte das behaglich-genießerische Element der Familie. Die Mutter war eine geborene van Geldern — der Sohn hat aus dem bürgerlichen „van" das adelige „von" gemacht — und war sehr ehrgeizig. Düsseldorf war zur Zeit von Heines Geburt französisch. 1801 kam die Stadt zur bayrischen Pfalz, dann 1806 mit dem Herzogtum Berg an Murat. So genossen die Juden in Heines Jugend alle Freiheiten, die ihnen Napoleon in Frankreich gegeben hatte: sie verehrten ihn darum geradezu als eine Art von Messias. Dies war auch der Grund, weshalb Heines Mutter den Sohn in das Lyzeum schickte. Als 1813 Napoleons Stern unterging, sah sie ein, daß nun auch am Rheine die Juden wieder unter die deutschen Gesetze kommen und ihr Sohn nicht mehr die Möglichkeit haben würde, einen gelehrten Beruf nach Gutdünken zu wählen. So wurde das Lyzeum mit der Handelsschule vertauscht, und 1815 trat Heine bei dem Bankier Rindskopff in die Lehre. Der angesehene und schwerreiche Onkel Salomon Heine in Hamburg schwebte der Mutter offenbar als Vorbild vor Augen. Aber das Söhnchen taugte weder bei dem Bankier noch bei einem Spezereihändler, bei dem er später untergebracht wurde, zum Anwärter auf einen ersten Platz in der Großmacht des Geldes, und so nahm ihn Salomon Heine selber in sein Geschäft. Wirklich scheint die Nähe des Millionärs den Erwerbstrieb des Neffen angespornt zu haben. 1818 gab ihm der Oheim die Mittel, eine eigene Firma, Harry Heine & Co., zu gründen; er muß ihm also zugetraut haben, daß er nicht bankrott gehen werde. Wahrscheinlich aber wirkte auf den Neffen, wenn er als Kaufmann sich damals Mühe gab, die Person von Salomons Tochter Amalie als Ansporn, um deren Liebe er damals mit heißem Bemühen rang. Sie aber durchschaute ihn und liebte zudem einen andern. Jetzt ließ der junge Kaufmann die Flügel wieder hängen. Und der Oheim sah endgültig ein, daß es dem Neffen nicht bestimmt war, als Geschäftsmann Reichtümer zu sammeln, und gab ihm die Mittel zum Studium.

Auf den Herbst 1819 ging Heine nach Bonn. Hier hörte er, neben den juristischen Vorlesungen, auch bei Arndt und A. W. Schlegel. In der freiheitlich-nationalen Luft der rheinischen Universitätsstadt trat er der Burschenschaft bei und wurde sogar in einen politischen Prozeß verwikkelt. Nach zwei Semestern setzte er seine Studien in Göttingen fort. Er war damals in übelster Stimmung: seine Cousine hatte sich verlobt. Wegen eines Pistolenduells mußte er Göttingen verlassen. Im Februar 1821 ging er nach Berlin. Die vor kaum zehn Jahren gegründete Universität zählte eine Reihe bedeutendster Lehrer: Savigny, den Schwager Bettines von Arnim, Franz Bopp den Sprachforscher, Fr. A. Wolff den klassischen Philologen, vor allem Hegel. Auch das literarische Leben blühte: E. T. A. Hoffmann, Chamisso, eine Zeitlang Grabbe, lebten in Berlin. Das Haus von August Varnhagen und seiner Gattin Rahel Levin, wo vor allem Goethe verehrt wurde, erschloß sich Heine. Zwei Jahre hielt er sich in Berlin auf. Dann mußte er sich von den Strapazen durch eine Badekur erholen, für die ihm der Oheim das Geld bewilligte. Zu dem hartnäckigen Kopfweh, das ihn als Folge eines nicht allzu enthaltsamen Lebens plagte, kam neuer Liebesschmerz. Er hatte, nachdem ihm Amalie ein anderer weggeschnappt hatte, sein Auge auf die zweite Cousine, Therese, geworfen. Aber auch sie verschmähte ihn. Dafür durfte er sich der Gunst der Muse erfreuen: 1821 erschien ein erstes Bändchen Gedichte. Im Frühjahr 1825 machte er in Göttingen das Doktorexamen, nicht allzu glänzend. Aber Professor Hugo, als er ihm das Ergebnis verkündigte, verglich ihn zu seiner Genugtuung mit Goethe, der auch ein besserer Dichter als Jurist gewesen sei. Zu gleicher Zeit trat er zum Christentum über.

Von Hamburg aus, wo er sich umsonst um Therese bemühte, ging er 1827 nach London. Sein Oheim, der es vorzog, ihm Geld zu geben statt seine Tochter, hatte ihn mit reichlichen Mitteln versehen. Ein Kreditbrief von 400 Pfund sollte nur dazu dienen, ihn bei Rothschild einzuführen. Heine löste ihn zu Salomons Ärger ein, sobald er nach London gekommen war. Nach der Rückkehr war er kurze Zeit Redaktor an Cottas Politischen Annalen. Damals hoffte er auf eine Professur in München. Inzwischen erlustierte er sich in Italien, in Genua, Livorno, den Bädern von Lucca. Die Hoffnung auf die Professur ging nicht in Erfüllung. Der plötzliche Tod des Vaters rief ihn nach Deutschland zurück. Den Ausbruch der Julirevolution erlebte er auf Helgoland. Sie kündigte ihm Morgenluft an. Deutschland, das Land der Reaktion, war ihm verleidet. So ging er im Mai 1831 nach Paris.

Die französische Hauptstadt war damals für einen Literaten kein übler Ort. Die Revolution hatte die Luft gereinigt und, wie es schien, ein Regiment demokratischer Freiheit und Gleichheit begründet, das der Bürgerkönig Louis Philipp aufrechtzuerhalten bemüht war. Auch das geistige Leben gewann neue Anregungen. Die Saint-Simonistischen Ideen der Volksbeglückung schwirrten durch die Luft, und der Sozialismus, damals noch ein rosenrotes Ideal, beherrschte die Unterhaltung in den Salons und den Cafés der Künstler und Schriftsteller. Es sei ihm so wohl wie dem Fisch im Wasser, meinte Heine. Oder vielmehr, wenn ein Fisch den andern frage, wie er sich befinde, so könne er sagen: Wie Heine in Paris. Die anderthalb Jahrzehnte von 1831 bis 1845 sind wohl seine glücklichste Zeit gewesen. Er konnte herrlich und in Freuden leben. Er hatte reichliche Einnahmen aus seinen Schriften. Er schrieb unter anderm für Cottas Allgemeine Zeitung Berichte über „Französische Zustände" und gab von 1834 bis 1840 unter dem Titel „Der Salon" eine Reihe von kritischen und kulturhistorischen Essais heraus. Dazu gewährte ihm sein Oheim eine Apanage, und die französische Regierung zahlte ihm ein Jahresgehalt. Für sein Leibliches sorgte seine Geliebte Créscence Eugenie Mirat („Mathilde"). Er war nun einer der berümtesten deutschen Schriftsteller, und was Rang, Geld oder einen Namen hatte, suchte ihn auf. Bilder aus jener Zeit zeigen ihn als einen wohlbeleibten, strahlenden, selbstbewußten Lebemann.

Aber im Hintergrunde lauerte immer das fatale Kopfweh. 1837 trat ein Augenleiden auf. 1844 erkrankte er plötzlich an einer Lähmung des linken Augenlides und einer Trübung des rechten Auges. Es waren die Zeichen eines begonnenen Rückenmarksleidens. 1843 war er wieder einmal in Deutschland gewesen. Nach der Rückkehr hatte er seine Eindrücke in der Satire „Deutschland, ein Wintermärchen" niedergelegt. Bald darauf erfuhr er den Tod seines Oheims. Dieser hatte ihm versprochen, daß auch nach seinem Tode ihm und Mathilde die Rente weiter ausbezahlt werden solle. Jetzt kündigte ihm sein Vetter Karl eine einmalige Abfindungssumme von 8000 Franken an. Die Wut über diesen Wortbruch zog Heine einen Schlaganfall zu, der ihm den Oberkörper, vor allem das Gesicht, die Sprach- und die Eßorgane lähmte. Es kam später zu einer Verständigung, und Heine versprach, in seinen Schriften keinen Spott mehr über Angehörige der Familie auszugießen. Aber die Krankheit wurde dadurch nicht behoben, machte unaufhaltsame Fortschritte und bannte ihn dauernd in seine „Matratzengruft". 1847 besuchte ihn Heinrich Laube. Sieben Jahre früher hatte Heine lebensprühend und lachend von ihm Abschied genommen; jetzt traf ihn Laube als ein mageres Männchen, dessen Gesicht ein grauer Bart umrahmte und dem das Haar in verwilderten Strähnen über die Stirne hing. Er mußte sein Haupt gewaltsam in die Höhe richten, um der Pupille des rechten Auges zu ermöglichen, durch die dünne Spalte der gelähmten Lider den Besucher zu sehen.

Langsam breitete sich die Lähmung über den Körper aus. Die Beine wurden weich wie Baumwolle, die Hände starben ab. Im Nachwort zum „Romanzero" hat er 1851 seinen Zustand geschildert: „Existiere ich wirklich noch? Mein Leib ist so sehr in die Krümpe gegangen, daß schier nichts übriggeblieben als die Stimme; und mein Bett mahnt mich an das tönende Grab des Zauberers Merlinus, welches sich im Walde Brozeland in der Bretagne befindet, unter hohen Eichen, deren Wipfel wie grüne Flammen zum Himmel lodern. Ach, um diese Bäume und ihr frisches Wehen beneide ich dich, Kollege Merlinus, denn kein grünes Blatt rauscht herein in meine Matratzengruft zu Paris, wo ich früh und spät nur Wagengerassel, Gehämmer, Gekeife und Klaviergeklimper vernehme. Ein Grab ohne Ruhe, der Tod ohne die Privilegien der Verstorbenen, die kein Geld auszugeben und keine Briefe oder gar Bücher zu schreiben brauchen —

das ist ein trauriger Zustand. Man hat mir längst das Maß genommen zum Sarg, auch zum Nekrolog, aber ich sterbe so langsam, daß solches nachgerade langweilig wird für mich, wie für meine Freunde."

In den körperlichen Hindernissen und Qualen dieser letzten Jahre legte sein Geist den erstaunlichsten Beweis seiner Beweglichkeit und Spannkraft ab: er schrieb die Gedichte des „Romanzero". Die Krankheit hat all sein Empfinden ausgelöscht. Sein Körper scheint abgestorben. Er scheint nur Geist geworden zu sein. In den Gedichten des „Romanzero" schwingt er sich auf leichten Flügeln durch alle Räume der Geschichte und tanzt auf menschlichen Leibern, die sich in entsetzlichsten Leiden winden. Eine letzte zarte, rein geistige Neigung verklärt diese Zeit. Eine junge Deutsche, Elise von Krinitz, hatte sich mit empfindsamer Verehrung dem sterbenden Dichter genaht und umsäuselte als „Mouche" sein Lager, bis er am 17. Februar 1856 von seinen Qualen erlöst wurde.

Die seelische Beweglichkeit, die in Heines Leben immer wieder über die träge Materie triumphiert, wirkt sich auch in seiner gedanklichen Entwicklung aus. Was darin gleich bleibt, ist der Anspruch des Ich an die beste, bequemste oder — am Schlusse — wenigstens erträglichste Lebensart. Das geistige Gewand wird gewechselt je nach der Wetterlage. Als Jude geboren, hat er die Bräuche des Judentums geachtet oder umgangen, wie es ihm paßte. Er weigert sich als junger Mensch, bei einer Feuersbrunst mitzuhelfen die Wassereimer weiterzureichen, weil es Schabbes sei; aber er verletzt das Schabbesverbot, Trauben zu pflücken, indem er die Beeren mit dem Munde abreißt. 1822 gehörte er in Berlin dem Verein für Kultur und Wissenschaft der Juden an, der sich, selbst um den Preis des Märtyrertums, die innere Stärkung des Judentums zum Ziele setzte; aber zur gleichen Zeit gestand er, er habe nicht die Kraft, einen Bart zu tragen und sich Judenmauschel nachrufen zu lassen und zu fasten; er habe nicht einmal die Kraft, ordentlich Mazzes zu essen. Der Übertritt zum Christentum bedeutete ihm nur das „Entréebillet" zur europäischen Kultur.

In Berlin war er Hegels Schüler und trat Hegel selber nahe. Was ihn an seiner Philosophie anzog, war zweierlei. Einmal die Idee des selbstherrlichen Geistes, der dialektisch die Welt schafft, sodann die Befreiung des Urteils von der konventionellen Sittlichkeit. Beides rechtfertigte und steigerte seinen Subjektivismus. Er soll einmal abends Hegel besucht haben. Als dieser noch beschäftigt war, stellte er sich ans Fenster und phantasierte über den Sternenhimmel, die göttliche Liebe und Allmacht. Da soll Hegel zu ihm getreten sein und gesagt haben: „Die Sterne sind's nicht, doch was der Mensch in sie hineinlegt, das eben ist's." Im Winter 1822/23 las Hegel über die Philosophie der Weltgeschichte. Da macht er, nach dem späteren Druck, einen Unterschied zwischen dem sittlichen Urteil der Weltvernunft und den menschlichen Sittenbegriffen: „Die Weltgeschichte", heißt es da, „bewegt sich auf einem höhern Boden, als der ist, auf dem die Moralität ihre eigentliche Stätte hat, welche die Privatgesinnung, das Gewissen der Individuen, ihr eigentümlicher Wille und ihre Handlungsweise ist; diese haben ihren Wert, Imputation, Lohn oder

Bestrafung für sich. Was der an und für sich seiende Endzweck des Geistes fordert und vollbringt, was die Vorsehung tut, liegt über den Verpflichtungen und der Imputationsfähigkeit und Zumutung, welche auf die Individualität in Rücksicht ihrer Sittlichkeit fällt... Gegen welthistorische Taten und deren Vollbringer dürfen sie nicht moralische Ansprüche erheben... Die Litanei von Privattugenden der Bescheidenheit, Demut, Menschenliebe und Mildtätigkeit muß nicht gegen die welthistorischen Menschen erhoben werden." Man darf annehmen, daß Heine die Vorlesung gehört und sich diese Erklärung hinter die Ohren geschrieben hat. Denn er machte den Anspruch, ein welthistorischer Mensch zu sein. In den „Geständnissen" erklärt er: „Ich war jung und stolz, und es tat meinem Hochmut wohl, daß nicht, wie meine Großmutter meinte, der liebe Gott im Himmel residiert, sondern ich selber hier auf Erden der liebe Gott sei." Er betrachtete sich selber als das lebende Gesetz der Moral und den Quell alles Rechtes und aller Befugnis. „Ich war die Unsittlichkeit, ich war unsündbar, ich war die inkarnierte Reinheit." Aber er lehnte es ab, mit Hegel das Geistige als den Wesensinhalt der Welt zu nehmen. Im Mai 1823 erzählt er seinem Freunde Moses Moser einen anscheinend spaßhaften, in Wahrheit ernst gemeinten Traum: Die Menschen lachen ihn aus. Moser tröstet ihn: Er sei ja nur eine Idee. Da springt Heine wütend im Zimmer herum und schreit: „Ich bin keine Idee, und weiß nichts von einer Idee, und habe mein Lebtag keine Idee gehabt."

So konnte Heine in Paris ohne Bedenken sich der Saint-Simonistischen Bewegung anschließen, jener Gruppe von Sozialisten, die die Gesellschaft auf dem Grundsatz der Arbeit neu ordnen und die Masse beglücken wollte. Ihre Idee der materiellen Wohlfahrt, der „Réhabilitation de la chair", der „Emanzipation des Fleisches", sagte seinem sinnlichen Bedürfnis durchaus zu. „Diese Fragen", schrieb er am 10. Juli 1833 an Laube, „betreffen weder Formen noch Personen, weder die Einführung einer Republik noch die Beschränkung einer Monarchie, sondern sie betreffen das materielle Wohlsein des Volkes. Die bisherige spiritualistische Religion war heilsam und notwendig, solange der größte Teil der Menschen im Elend lebte und sich mit der himmlischen Religion vertrösten mußte. Seit aber durch die Fortschritte der Industrie und der Ökonomie es möglich geworden, die Menschen aus ihrem materiellen Elende herauszuziehen und auf Erden zu beseligen, seitdem — Sie verstehen mich. Und die Leute werden uns schon verstehen, wenn wir ihnen sagen, daß sie in der Folge alle Tage Rindfleisch statt Kartoffeln essen sollen und weniger arbeiten und mehr tanzen werden. — Verlassen Sie sich darauf, die Menschen sind keine Esel." Jene glücklichen anderthalb Jahrzehnte nach der Übersiedlung nach Paris waren durch diese genußfreudige Weltanschauung bestimmt. Er hatte schon in dem Reisebild über die Stadt Lucca über den Spiritualismus des Nazarenertums gespottet; nun führte er in seiner dem Saint-Simonisten Enfantin gewidmeten Essay-Reihe „Zur Geschichte der Religion und Philosophie in Deutschland" den Gedanken durch, daß der Gegensatz von Fleisch und Geist die Verteilung von Licht und Schatten in der Geschichte der Kultur bedinge. So unterscheidet er, nach der Hegelschen Methode, drei Perioden der Entwicklung: 1. Das sinnliche Heidentum; 2. Das geistige Christentum; 3. Den Pantheismus mit Saint-Simonistischer Betonung des Fleisches, das heißt der Natur: „Die Menschheit", erklärt er, „ist aller Hostie überdrüssig und lechzt nach nahrhafterer Speise, nach echtem Brot und schönem Fleisch ... Der nächste Zweck aller unserer neuen Institutionen ist solchermaßen die Rehabilition der Materie, die Wiedereinsetzung derselben in ihre Würde, ihre moralische Anerkennung, ihre religiöse Heiligung, ihre Versöhnung mit dem Geiste."

Er konnte sich zu diesem Evangelium der Sinnlichkeit bekennen, solange er genußfähig war. Aber als die Krankheit seine Kräfte verzehrte und ihn ans Bett fesselte, richtete er den haltsuchenden Blick aufs neue auf die Segnungen der geistigen Religion: „Ja, ich bin zurückgekehrt zu Gott wie der verlorene Sohn, nachdem ich lange Zeit bei den Hegelianern die Schweine gehütet", erklärt er im Nachwort zum „Romanzero". Aber er blieb auch jetzt der Hegelianische Dialektiker. Schon anfangs 1850 hatte er Laube, als er ihm seine Rückkehr zum Dogma von dem wirklichen, persönlichen Gotte gemeldet hatte, erklärt: Dieses Dogma lasse sich ebenso gut durchführen wie die Hegelianische Synthese, und als ihn sein alter Freund, François Wille, in dieser Zeit einmal besuchte und ihm erzählte, nach dem Nachwort zum „Romanzero" habe seine Frau den Eindruck gewonnen, er sei gläubig geworden, versetzte Heine rasch: „Ich muß doch an Gott glauben, wenn ich ihn lästern will."

Auch Heines Lyrik ist voll von dieser Ironie, mit der er immer wieder seine intellektuelle Freiheit herstellt, dem schrillen Lachen, mit dem er über die eigene Gefühlsweichheit und die der andern triumphiert. Das ist es, was ihr jenen zugleich anziehenden und abstoßenden Zwiegeschmack gibt. Heine ist, nach Goethe, sicherlich der meistgelesene und -geliebte deutsche Lyriker des neunzehnten Jahrhunderts gewesen. Daß er das war, ist mit ein Zeichen für den langsamen seelischen Zerfall jener Zeit. Von allen Forcierten Talenten spiegelt er den Verrat am Idealismus, seine Psychologisierung und Aufweichung zum Lebensgenuß am schärfsten in sich. Er hat in dem Schlußgedicht des „Atta Troll" von der alten romantischen Freiheit geschwärmt und in der „Harzreise" sich als einen „Ritter von dem heiligen Geist" bezeichnet, der die Zwingherrnburgen zerbreche und die Gleichheit aller Menschen herstelle und böse Nebel und Hirngespinste verscheuche. Aber die Freiheit, für die er kämpfte, war im Grunde nur seine eigene.

12. GRILLPARZER UND HEBBEL

„Nur ein Mensch mit ungeheuren Leidenschaften kann
meiner Meinung nach dramatischer Dichter sein.

Grillparzer

Gegen ein Menschenalter lebten Grillparzer und Hebbel in der gleichen
Stadt Wien, jeder den andern als Dichter achtend, ohne sich doch als
Menschen nahe zu kommen. Hebbel trat mehrfach für Grillparzer ein, wo
man ihn verkannte. Grillparzer soll von Hebbel, nachdem dieser ihm
nach seiner Ankunft in Wien einen Besuch gemacht hatte, gesagt haben:
„Auf diesen Mann kann niemand auf Erden wirken." Der schroffe, stark
verstandesmäßige Dithmarse und der empfindliche, sinnliche Wiener konnten sich unmöglich anziehen. Aber als Grillparzer Hebbels Drama „Gyges
und sein Ring" kennenlernte, spendete er ihm das Lob, es sei filtriert.
Auch das dramatische Schaffen stammte bei beiden aus verschiedenen
Bezirken. Grillparzer ist ohne das Wiener Volksstück und die Beziehungen Habsburgs zu Spanien nicht zu denken. Weltanschaulich ist er ohne
engeren Zusammenhang mit der philosophischen Bewegung in Deutschland. Hebbel gestaltete aus seiner eigenen kämpfenden Persönlichkeit
heraus, weltanschaulich mit Schelling und Hegel verbunden. Nur eines
eint sie: beide waren Dichter deutscher Randgebiete, Hebbel des nörd-
lichen, Grillparzer des südöstlichen. Beide vermochten das große Drama
noch zu pflegen, als es in den Mittelgebieten, die früher den Ton angegeben hatten, bereits abgestorben war.

Franz Grillparzer hat „le malheur d'être poète", von dem er einmal an Adolf Müllner schrieb, selber aufs tiefste ausgeschöpft. Er stammte
aus angesehener Wiener Familie, die aber von Seite der Mutter schwer
belastet war. In einem Anfall religiösen Wahnsinns machte diese ihrem
Leben selber ein Ende, und auch bei Grillparzers Brüdern zeigten sich
Merkmale geistiger Erkrankung: Adolf ertränkte sich mit siebzehn Jahren
in der Donau. Camillo verdüsterte sich die Jugend durch Selbstquälerei,
und Karl klagte sich eines Mordes an, den er gar nicht begangen hatte.
Liest man des Dichters Tagebücher, so stößt man auf Bekenntnisse voll
erschütterndster Selbstanklagen. „Wenn ich je dazu kommen sollte",
schreibt er 1827, „die Geschichte der Folge meiner innern Zustände nieder-
zuschreiben, so würde man glauben, die Krankheitsgeschichte eines
Wahnsinnigen zu lesen. Das Unzusammenhängende, Widersprechende,
Launenhafte, Stoßweise darin übersteigt alle Vorstellung. Heute Eis,
morgen Feuer und Flammen. Jetzt geistig und physisch ohnmächtig, gleich
darauf überfließend, unbegrenzt." Früh findet er in Selbstanalysen das
Heilmittel, sich von dem Alpdruck seelischer Beklemmungen und Selbstvorwürfe zu erleichtern. Als Siebzehnjähriger stellt er sich die Frage, ob
er ein guter Mensch sei oder nicht, und wagt sie nicht zu entscheiden.

„Manchmal bilde ich mir zwar ein, gut zu sein, aber in der nächsten Minute belehrt meine Erfahrung mich des Gegenteils." Und dann läßt er ein ganzes Register schlechter Eigenschaften folgen: „Ich bin nicht wohltätig... Ich bin nicht freigebig... Ich bin nicht aufrichtig. Mir mangeln aber nicht nur die meisten guten Eigenschaften, nein, die bösen, die lasterhaften, haben bei mir ein so großes Übergewicht, daß ich oft vor mir selbst zurückschaudere. Ich lüge... Ich habe einen beinahe unüberwindlichen Hang zum Diebstahle... Ich bin rachgierig." Er ist eifersüchtig. Er hat ein Hang zu Liebe und Wollust. Einer seiner Hauptfehler ist der Neid. Seine Begierde, sich alle möglichen Laster aufzubürden, ist so groß, daß er in einem helleren Augenblick sich gegen sich selber verteidigen muß. Zu der Bemerkung über seinen Hang zum Diebstahl schreibt er an den Rand: „Das ist erlogen."

Auch seine dichterische Begabung wird in Zweifel gezogen. Sie ist Eitelkeit, Nachahmungssucht. Wird er je ein mehr als mittelmäßiger Dichter werden? Er hat eine lebhafte, glühende Einbildungskraft, heftige Leidenschaften, alles was ein Mensch besitzen muß, der Anspruch auf den Namen eines Dichters machen will. Aber der furor poeticus fehlt ihm. „Andere Dichter macht das Dichten warm, mich macht es kalt." 1826, nachdem er als Dichter sich schon einen Namen gemacht, glaubt er plötzlich eine „Verhärtung der Phantasie" wahrzunehmen. Am 17. Juli bekennt er: „In diesen letzten Monaten war mein Zustand wirklich fürchterlich. Eine solche durch nichts zu beschwichtigende Überzeugung, daß es mit aller geistigen Hervorbringung zu Ende sei, ein solches Versiegen aller inneren Quellen, war mir noch nie vorgekommen... Ein unüberwindlicher Ekel ergreift mich bei allem, was mir vorkommt, selbst die Lektüre ergreift mich nicht. Das Theater erregt mir Abscheu, und kommt jemand auf das zu sprechen, was ich geschrieben, oder daß ich wieder etwas schreiben soll, so reißt sich ein so ungeheures Gefühl in meinem Innern los, ich sehe einen so ungeheuren Abgrund vor mir, einen so dunkel leeren Abgrund, daß ich schaudern muß, und der Gedanke, mich selbst zu töten, war mir schon oft nahe." Die Schriftzüge in solchen Bekenntnissen sind von einer erschreckenden Zerfahrenheit. Die Feder muß in einer wahnsinnigen Hast über das Papier hingerast sein, ohne die Kraft und den Willen, die Buchstaben und Wörter sauber abzusetzen, nur getrieben von ungeheuren inneren Spannungen, die sich entladen wollen. Den tiefsten Punkt dieser Selbstverdunkelung erreicht er, wenn er sich sogar seines Namens schämt oder ihn als „Fixlmüllner" verspottet. Er hat unter diesem komischen Namen 1827 eine ironische Selbstcharakteristik entworfen und darin unter anderem von dem Widerwillen gegen den Klang seines Namens gesprochen: Er habe in die größte Verlegenheit geraten können, wenn ihn jemand bei demselben nannte, oder wohl gar nach seinem Namen fragte. „Gedruckt hat er ihn noch lange nachher nicht sehen und lesen können."

Und doch erfaßt man nur die eine Seite seiner Natur, wenn man einzig diese Bekenntnisse einer bis zum Wahnsinn zerfallenden Selbstvernichtung kennt. Wenn er einmal erklärt, die Hypochondrie sei seine Muse, so steht dem die andere Äußerung entgegen, daß Begeisterung der einzige Hebel seiner Natur sei. In Wahrheit war er ein Mensch von größter seelischer Beweglichkeit; der Waagebalken seines Gemütes war in ständiger Bewegung, wobei die Tief- oder die Hochlage der Schalen oft jahrelang anhalten konnte. Immer wieder folgten die Zustände der Niedergeschlagenheit Perioden der Erhebung. Das waren die Zeiten der Stimmung und Fähigkeit zur dichterischen Arbeit, wo nicht die Blätter des Tagebuches, sondern die Dramen die Gefäße seiner Stimmung und Gedanken wurden, nicht die seelische Last ihm die schauerlichen Bekenntnisse der Ohnmacht abpreßte, sondern der Schwung der Phantasie ihn auf leichten Flügeln hinriß. Er selber wußte um dieses Schwanken seiner Stimmungen. In dem Lebensbild Fixlmüllners sagt er: „Der Schlüssel seines Wesens war: Passivität nach außen, ja nach innen, durch Fieberanfälle der Begeisterung unterbrochen. Gab er seiner Anlage nach, so blieb er untätig, suchte er sie zu bezwingen, so ward er kalt, trocken, unwahr, hart, gemein." Es war die Tragik seines Lebens, daß er bei seiner angeborenen Empfindlichkeit den Stößen der Außenwelt zu wenig Widerstand zu leisten vermochte und den Anfällen der Hypochondrie mehr und mehr erlag, bis sie in einen Dauerzustand der mürrischen Vergrämtheit und des Haderns mit Menschen und Schicksal überging.

Aber nicht zum kleinsten Teil ist Grillparzers Leben auch durch seine Heimatstadt Wien und die Geschichte Österreichs bestimmt. Er war ein echtes Kind der aufgeschlossenen, beweglichen, sinnlich-heitern Bevölkerung der anmutvollen, breitgelagerten Landschaft von Wien. Die Geschichte Österreichs spiegelt sich in seinen Dramen, und die Willkürherrschaft der Restaurationszeit schlug immer wieder störend und schädigend die Entfaltung seines Geistes nieder. Josef II. hatte, ein echter Sohn der Aufklärung, der Donaumonarchie mit gewaltsamer Güte überschnell die Segnungen der Freiheit, Toleranz, Aufhebung der Leibeigenschaft, Beseitigung der Vorrechte des Adels und der Geistlichkeit, Gewerbefreiheit, geschenkt. Sie waren ohne Rücksicht auf die natürlichen Bedürfnisse des Landes gegeben, und seine Nachfolger hoben sie wieder auf. Vor allem sein zweiter, Franz I., der von 1792 bis 1835 regierte, wurde der unerschütterliche Stützpfeiler der Reaktion. Er war, nach der Auflösung des europäischen Staatengefüges durch die Revolution und die Napoleonischen Kriege, die vollkommenste Verkörperung des absoluten Herrschers, dessen Einsicht die ganze Monarchie durchleuchten, dessen Willen sie leiten sollte. Er wollte, wie einer seiner Diener es ausdrückte, „nicht bloß der alleinige Schlußstein, sondern auch der einzige Wächter des Staatsgebäudes sein". Er betrachtete sich auch als den obersten Hüter des geistigen Lebens. „Wer mir dient, muß lehren, was ich befehle", erklärte er bei einer Visitation des Lyzeums von Laibach. Um diese seine Staatsauffassung zur Wirkung zu bringen, hatte er sich in dem Fürsten Clemens Metternich einen Staatskanzler zugesellt, der mit Gewalt und Klugheit die Politik in seinem Sinne leitete, weil er die Revolution und alle Neuerungen haßte wie sein Herr. Er war ehrgeizig, verschlagen, gewissenlos, eitel und genußfreudig und, trotzdem er der Kirche ergeben war, keineswegs fromm, daneben aufs feinste gebildet und ein Freund der Künste und Wissenschaften. Er war es, der, im Einverständnis mit dem Kaiser, das Polizeiregiment gegründet hatte, das seine Späh- und Fangorgane über ganz Österreich ausgebreitet hatte und die Erzeugnisse des schaffenden Geistes unter die Aufsicht der Polizei stellte.

In Wien wurde Grillparzer am 15. Januar 1791 geboren. Er wuchs in behaglichen Verhältnissen auf, und groteske Hauslehrer förderten eher seinen Sinn für die Spiele der Phantasie, als daß sie ihm eine geordnete Bildung beibrachten. Er besaß eine gewaltige Wißbegierde, aber nicht für begriffliche Erkenntnis, sondern für die Welt romantischer Ritter-, Räuber- und Gespensterromane und für Reisebeschreibungen; und die Zauberstücke des Wiener Volkstheaters, in denen er aufwuchs, nährten den Hang für das Sinnlich-Bunte der Kunst. An den Hausunterricht schloß sich der Besuch des Gymnasiums an, der philosophischen Fächer der Universität, die die Bildung des Obergymnasiums vermittelten, und dann wurde das juristische Fachstudium begonnen. Früh setzte das dichterische Schaffen ein. Ein Drama, „Blanka von Castilien", entstand in der Studentenzeit.

Da brach 1809 der Krieg mit Frankreich aus und endete mit der Niederlage Österreichs, der Besetzung Wiens, der Auflage ungeheurer Steuern und dem Niedergang des geschäftlichen Lebens. Grillparzers Vater hatte bis dahin als vielgesuchter Advokat beträchtliche Einnahmen gehabt. Sie fielen dahin. Das Vermögen schwand. Die Familie verarmte, und der Vater starb aus Gram. Nun mußte Franz das Studium aufgeben. Er erteilte einige Zeit Stunden in adeligen Häusern und flüchtete sich dann, der Demütigungen überdrüssig, die er als Privatlehrer erfahren, 1813 in den Staatsdienst. Zuerst war er unbesoldeter Praktikant an der Hofbibliothek, dann Konzeptpraktikant bei der Niederösterreichischen Bankalgefällsadministration. Langsam rückte er in bessere Stellungen und ließ sich schließlich, bei Beförderungen mehrfach übergangen, zum Archivdirektor ernennen. 1856 wurde er pensioniert.

Was für ein dürftiges Bild bietet dieser äußere Lebensabriß des größten Dichters Österreichs! Grillparzer selber hat sich immer wieder darüber beklagt, daß man ihn in seiner amtlichen Laufbahn gehemmt, in seinem dichterischen Schaffen gehindert habe. Das Amt legte ihm nicht zu schwere Pflichten auf. Er hatte Vorgesetzte, die für sein dichterisches Schaffen Verständnis zeigten. Öfter wurde ihm Urlaub gewährt, manchmal, wenn er ihn überschritt, die Überschreitung nachgesehen. Aber das Amt an sich, ohne Gefühl und Lust der Eignung übernommen, war ihm von Anfang an eine Quelle des Verdrusses und wurde es immer mehr, je mehr er als Dichter sich der Anerkennung des In- und Auslandes zu erfreuen hatte. Man mag sich fragen, ob es in dem ganzen großen Österreich des Vormärz nicht möglich gewesen wäre, seine Stellung zu verbessern, oder ihm einen Rang anzuweisen, der seiner Bedeutung entsprochen hätte. Die Antwort, die die Geschichte seines Lebens gibt, ist durch das Mißtrauen in dem Polizeistaat Österreich bedingt, durch Schlamperei in den Wiener Amtsstellen, Neid und nicht zum wenigsten durch den eigenen Unstern Grillparzers. Äußeres und Inneres, Politisches und Persönliches wirkte so zusammen bei der Gestaltung seines menschlichen Schicksals.

Einmal war er nahe daran, die angenehme Stelle des Privatsekretärs der Kaiserin zu erhalten. Es war sein Unstern, der sie ihm schließlich vorenthielt. 1819 reiste er in Italien und besuchte Venedig, Rom, Neapel. Zu gleicher Zeit befand sich das Kaiserpaar in Italien, in seinem Gefolge unter andern Metternich und der Obersthofmeister der Kaiserin, Graf Wurmbrand. Mehrfach traf Grillparzer mit der Hofgesellschaft zusammen. Er war damals bereits als der Dichter der „Ahnfrau" und der „Sappho" berühmt. Metternich lud ihn zur Tafel, und Graf Wurmbrand, der ihm wohlwollte, stellte ihm die Stelle bei der Kaiserin in Aussicht. Eine freundlichere Zukunft, ein leichteres Schaffen schien ihm gesichert. Da setzte sein Unstern ein. Ein Knochenbruch, der den Grafen Wurmbrand für einige Zeit ins Krankenzimmer bannte, veranlaßte ihn, sich Grillparzers Gesellschaft zu erbitten. Der Urlaub, den der Dichter so überschreiten mußte, wurde ihm durch eine Verfügung des Kaisers selber verlängert. Eine Beförderung war fällig. Bereits aber hatte sich das Gerücht auch in Wien verbreitet, daß Grillparzer Sekretär der Kaiserin werden solle; so unterblieb die Beförderung in seiner amtlichen Stellung. Aber auch — und das war sein Unstern — die Stelle bei der Kaiserin wurde ihm nicht zuteil. In dem Wiener Jahrbuch „Aglaja" veröffentlichte er 1820 ein in Rom entstandenes Gedicht: „Die Ruinen des Campo Vaccino in Rom." Aus der Liebe zum Altertum entstanden, beklagte es im Trümmerfelde des Colosseums den Untergang der Antike. Im Colosseum stand damals ein Kreuz. Grillparzer empfand dies als einen Hohn auf die Welt des Altertums:

> „Colosseum, Riesenschatten   Tut es weg, dies heil'ge Zeichen,
> Von der Vorwelt Machtkoloß!   Alle Welt gehört ja dir;
> Liegst du da in Todsermatten,   Üb'rall, nur bei diesen Leichen,
> Selber noch im Sterben groß.   Üb'rall stehe — nur nicht hier!
> Und damit verhöhnt, zerschlagen,   Wenn ein Stamm sich losgerissen
> Du den Martyrtod erwarbst,   Und den Vater mir erschlug,
> Mußtest du das Kreuz noch tragen,   Soll ich wohl das Werkzeug küssen —
> An dem, Herrlicher, du starbst.   Wenn's auch Gottes Zeichen trug?"

Der Protest eines klassisch Gesinnten. Aber Grillparzer rechnete nicht mit der muckerischen Einstellung gewisser Hofkreise. Der Band der „Aglaja" war der bayrischen Kronprinzessin gewidmet. Als sie darin das Gedicht und jene ketzerischen Strophen las, war sie entsetzt über die Gotteslästerung, wie sie meinte. Eine diplomatische Aktion zwischen München und Wien setzte ein. Eine wahre Pandorabüchse von Anschuldigungen und Verdächtigungen gegen Grillparzer tat sich auf. Am eifrigsten war die Staatskanzlei. Fürst Metternich, berichtet der Dichter in seiner Selbstbiographie, der den vierten Gesang von Byrons „Childe Harold", „in dem doch ganz andere Dinge vorkamen", auswendig wußte und mit Begeisterung rezitierte, stand an der Spitze der Verfolgung. Umsonst, daß Grillparzer sich

638

gegenüber dem Wiener Polizeipräsidenten Grafen Sedlnitzky am 1. Dezember 1819 rechtfertigte: „Mein Gedicht ist eine Klage über den Untergang der herrlichen klassischen Zeit. Die Ruinen sind darin personifiziert; sie werden wie übrig gebliebene, halb sterbende Helden jener kräftigen Zeit angesprochen, die unwillig sind über das Neue, das ihnen den Untergang bereitete. Ich lieh ihnen mein Organ, sie mir ihre Gesinnung. Es ist nicht mein Glaubensbekenntnis, was ich da schrieb."

Was für eine unwürdige Rolle, die man hier die Muse in dem Amtszimmer eines Polizeigewaltigen spielen ließ! Natürlich war Grillparzers Verteidigung zwecklos. Er war bei dem Kaiser für alle Zeiten gebrandmarkt. Nicht nur entging ihm die erhoffte Stelle, sondern für alle Gunstbeweise war der Kaiser fortan verschlossen. Sein Urteil über den Dichter war zu der wunderlichen Formel erstarrt: „Wenn er die Geschichte mit dem Papst nicht gehabt hätte!"

Noch rücksichtsloser machte sich die Willkürherrschaft des Kaisers bei der ersten Aufführung von „Ein treuer Diener seines Herrn" geltend. Das Stück, das einen Konflikt der ungarischen Geschichte behandelt, war am 28. Februar 1828 mit stürmischem Beifall im Burgtheater aufgeführt worden. Grillparzer hatte vernommen, daß der Kaiser, der der Aufführung beigewohnt, sich höchst günstig über das Stück ausgesprochen hatte. Er machte sich, als der Polizeipräsident ihn am 4. März zu sich kommen ließ, auf eine Belobung von höchster Stelle gefaßt. Und wirklich erfuhr er, daß Seine Majestät das Stück mit großem Wohlgefallen gesehen und dem Präsidenten befohlen habe, Grillparzer Dero volle Zufriedenheit auszudrücken. Nur — setzte er hinzu — hege der Kaiser in bezug auf dasselbe noch den Wunsch, es ausschließlich zu besitzen. Grillparzer möge angeben, welche Vorteile er von der Aufführung in und außer Wien, welches Honorar er für den Druck erwarte; der Kaiser werde ihm diese Beträge vergüten; die Handschrift werde in der kaiserlichen Privatbibliothek aufgestellt werden; es sollten keine Abschriften davon gemacht werden; das Stück solle nirgends außerhalb Wien aufgeführt, der Druck untersagt werden. Auch in Wien solle es in immer längern Zwischenräumen gespielt werden und allmählich völlig von der Bühne verschwinden. — Einzig Grillparzers Erklärung, daß er gar nicht mehr Herr über sein Stück sei, daß es bereits beim Theater wiederholt kopiert worden sei und die mit der Kopiatur betrauten Souffleure, wie jedermann wisse, einen heimlichen Handel mit widerrechtlich genommenen Abschriften trieben, verhinderte das Gelingen des diabolischen Planes. Aber man versteht, daß Grillparzer auf Grund derartiger Vorkommnisse seufzte: „Die unsichtbaren Ketten klirren an Hand und Fuß. Ich muß meinem Vaterlande Lebewohl sagen oder die Hoffnung auf immer aufgeben, einen Platz unter den Dichtern meiner Zeit einzunehmen. Gott, Gott! ward es denn jedem so schwer gemacht, das zu sein, was er könnte und sollte!" Und: „Ich hätte dieses Land, halb ein Capua und halb eine Fronfeste der Seelen, zeitig verlassen müssen, wenn ich ein Dichter hätte bleiben wollen."

Im Sommer 1826, nachdem „Das Goldene Vlies" und „König Ottokars

Glück und Ende" erschienen waren, machte er eine Reise nach Deutschland. Sie gipfelte in Weimar. Vom ersten Besuch bei Goethe schied er mit unangenehmen Empfindungen: der angebetete Dichter des „Faust", „Egmont", „Clavigo" hatte sich ihm als der steife Minister gezeigt. Der Kanzler von Müller beruhigte ihn: Die angebliche Steifheit Goethes sei nur Verlegenheit, wenn er mit einem Fremden zum erstenmal zusammentreffe. Darauf erhielt Grillparzer eine Einladung zum Essen in größerer Gesellschaft. Goethe war liebenswürdig und warm. „Als es zu Tische ging", erzählt Grillparzer, „und der Mann, der mir die Verkörperung der deutschen Poesie, der mir in der Entfernung und dem unermeßlichen Abstande beinahe zu einer mythischen Person geworden war, meine Hand ergriff, um mich ins Speisezimmer zu führen, da kam einmal wieder der Knabe in mir zum Vorschein, und ich brach in Tränen aus." Goethe gab sich alle Mühe, die „Albernheit" seines Gastes zu maskieren. Am Tische saß Grillparzer an seiner Seite. Goethe war heiter und gesprächig und forderte beim Abschied Grillparzer auf, morgen wiederzukommen und sich zeichnen zu lassen. Wiederum empfing ihn Goethe, als er am folgenden Tag kam, gütig und teilnehmend. Im Laufe des Tages forderte der Kanzler von Müller ihn auf, Goethe gegen Abend nochmals zu besuchen; er werde ihn allein treffen. Grillparzer mußte annehmen, daß der Kanzler dies nicht ohne einen Wink Goethes gesagt hatte. Er hatte nicht den Mut hinzugehen. Als er später Goethe einen förmlichen Abschiedsbesuch machte, zeigte sich der Dichter abgekühlt und verstimmt.

Man mag sich vorstellen, was aus Grillparzer geworden wäre, wenn er, von Goethe angezogen, sich in irgendeiner Form an Weimar hätte binden lassen. Er hätte, im politischen Sinne, seine Freiheit gewonnen, aber er hätte den Boden verloren, auf dem er geboren war, und auf dem er einzig zu schaffen vermochte. Es war sein Verhängnis, daß er um

153. Franz Grillparzer (1791—1872)
Stich von Friedrich Stöber nach der Zeichnung von Dannhauser, 1840
Der österreichische Staatsbeamte Grillparzer war eine sensible Natur, deren Unausgeglichenheit und Reizbarkeit auf dem Mißverhältnis seines dichterischen Vermögens zum Staatsdienst beruhte. Grillparzers Gesamtwerk, Dramen, Erzählungen und Gedichte, trägt sichtbare Zeichen dieses Konfliktes.

154. Kathi Fröhlich (1800—1879)
Miniatur von Moritz Michael Daffinger
Kathi Fröhlich war Grillparzers „ewige Braut". Obgleich Grillparzer innige Zuneigung an sie band, konnte er sich nicht zur Heirat entschließen. Er verbrachte sein Leben in ihrer und ihrer Schwestern häuslichen Pflege.

155. Grillparzer in seinem Arbeitszimmer
Stich nach einer Zeichnung von Felix Kanitz

156. Entwurf zu Grillparzers Lustspiel „Weh' dem, der lügt", 1834
Zeichnung von Moritz von Schwind

153
Franz Grillparzer (1791 - 1872)

154
Kathi Fröhlich (1800 - 1879)

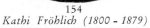

155
Grillparzer
in seinem Arbeitszimmer

156
Entwurf zu Grillparzers Lustspiel
„Weh' dem, der lügt",
1834

157   Friedrich Hebbel (1813 - 1863)

158
Hebbels Geburtshaus in Wesselburen

160
Christine Hebbel, geb. Enghaus (1817 - 1910

159
Elise Lensings Stickerei
auf Hebbels Brieftasche

161
Hebbels Schreibtisch
und Sessel in Wien

diesen tragischen Konflikt seiner Person wußte. Am 14. Mai 1822 schrieb er, nach dem Vorfall wegen des Gedichtes auf das Colosseum, ins Tagebuch: „Hier Landes scheint kein Platz für mich zu sein, und doch wollte ich lieber alles tun und leiden, als es verlassen. Mir widert das übrige Deutschland in seiner gegenwärtigen kraftlosen Überspannung unaussprechlich an, und Österreich, oder vielmehr dessen Bewohner, sind mir so unendlich wert!"

Den tiefsten Einblick in Grillparzers Wesen gewährt sein Verhältnis zu seiner „ewigen Braut" Kathi Fröhlich. Er hatte sie im Winter 1820/21 kennengelernt. Die damals Zwanzigjährige galt als das schönste Mädchen Wiens. Sie war die dritte von vier künstlerisch hochbegabten Schwestern, von denen die zweite Malerin, die erste und vierte Sängerinnen und mit Schubert befreundet waren. Alsobald hatte Grillparzer sich in heftiger Leidenschaft zu Kathi hingezogen gefühlt. Es kam zur Verlobung. Aber nie zur Heirat. Denn immer wieder schrak Grillparzer vor dem entscheidenden Schritt zurück, und was den schönsten Inhalt seines Lebens hätte bilden können, wurde so zur unsagbaren Qual für beide Liebende. „Ich bin", erklärte er schon im Frühjahr 1821 seinem Freunde Georg Altmütter, „der Liebe nicht fähig. So sehr mich ein wertes Wesen anziehen mag, so steht doch immer noch etwas höher, und die Bewegungen dieses Etwas verschlingen alle anderen so ganz, daß nach einem Heute voll der

157. Friedrich Hebbel (1813—1863)
Lithographie von Josef Kriehuber
Das harte Leben des Maurersohns bewirkte eine herbe, jeder Rhetorik entsagende Lyrik. Seine Erzählungen zeigen in ihrer düsteren Stimmung und ihrer straffen, ganz auf die „interessante Begebenheit" ausgerichteten Form bereits die vorwiegend dramatische Begabung. Aus dem Studium der Musterdramen antiker Dichter, Shakespeares und Kleists wie dem Einfluß von Hegels tragischer Geschichtsauffassung gestaltete Hebbel seine Tragödien, die einen neuen Höhepunkt in der Geschichte des deutschen Dramas bedeuten.

158. Hebbels Geburtshaus in Wesselburen

159. Elise Lensings Stickerei auf Hebbels Brieftasche
Mehrere Jahre hindurch hatte die Hamburgerin Elise Lensing in opfervoller und schließlich tragischer Liebe den jungen Hebbel gefördert. Sie stickte ihm eine Brieftasche mit dem beziehungsreichen Bild des Glücksschiffes. In einem zweiten Bild hatte sie Hebbel prophetisch zu Goethe und Kleist gesellt.

160. Christine Hebbel, geb. Enghaus (1817—1910)
1846 heiratete Hebbel die Hofschauspielerin, die er am Wiener Burgtheater kennen gelernt hatte.

161. Hebbels Schreibtisch und Sessel in Wien.
Seit 1845 lebte Hebbel vorwiegend in Wien. Hier entstand die Mehrzahl seiner großen Tragödien.

glühendsten Zärtlichkeit leicht — ohne Zwischenraum, ohne besondere Ursache — ein Morgen denkbar ist der fremdesten Kälte, des Vergessens, der Feindseligkeit möchte ich sagen. Ich glaube bemerkt zu haben, daß ich in der Geliebten nur das Bild liebe, das sich meine Phantasie von ihr gemacht hat, so daß mir das wirkliche zu einem Kunstgebilde wird, das mich durch seine Übereinstimmung mit meinen Gedanken entzückt, bei der kleinsten Abweichung aber nur um so heftiger zurückstößt."

Demnach gehörte Grillparzer, wie Jean Paul und E. T. A. Hoffmann, zu jenem romantischen Geschlecht, das den Widerspruch zwischen Ideal und Wirklichkeit als sein bestimmendes Schicksal erlebte. Aber der Grund seines Versagens lag tiefer und war sozusagen menschlicher. Es mag, nach dem Familienunglück, das er als junger Mensch erfuhr, eine gewisse Lebensangst, die Scheu, das Schicksal des geliebten Weibes mit seinem eigenen unsicheren Leben zu verbinden, mitgewirkt haben. Das erste Hemmnis aber war seine Unfähigkeit, sich einem andern Menschen völlig hinzugeben, seine Überempfindlichkeit vor seelischer Enthüllung. „Wie es Leute gibt", erklärte er, „die ein übertriebenes körperliches Schamgefühl haben, so wohnt mir ein gewisses seelisches Schamgefühl bei. Ich mag den innern Menschen nicht nackt zeigen." Das ist auch der Kern jenes großen Gedichtes „Jugenderinnerungen im Grünen" (1824), worin er sich über sein Verhältnis zu Kathi Fröhlich Rechenschaft gibt:

„Im Glutumfassen stürzten wir zusammen,
Ein jeder Schlag gab Funken und gab Licht;
Doch unzerstörbar fanden uns die Flammen,
Wir glühten — aber, ach, wir schmolzen nicht.

Denn Hälften kann man aneinanderpassen,
Ich war ein Ganzes und auch sie war ganz,
Sie wollte gern ihr tiefstes Wesen lassen,
Doch allzu fest geschlungen war der Kranz.

So standen beide, suchten sich zu einen,
Das andre aufzunehmen ganz in sich;
Doch all umsonst, trotz Ringen, Stürmen, Weinen,
Sie blieb ein Weib, und ich war immer ich!

Ja, bis zum Grimme ward erhöht das Mühen,
Gesucht im Einzeln, was im Ganzen lag,
Kein Fehler ward, kein Wort ward mehr verziehen,
Und neues Quälen brachte jeder Tag.

Da ward ich hart. Im ew'gen Spiel der Winde,
Im Wettersturm, von Sonne nie durchblickt,
Umzog das stärk're Bäumchen sich mit Rinde,
Das schwäch're neigte sich, und war zerknickt."

Wie Byrons Manfred konnte Grillparzer von sich sagen: „I loved her and destroyed her." In Liebe, die sich zur Qual verzehrte, in Feindschaft, hinter der doch die leidenschaftlichste Liebe glühte, lebten sie jahrzehntelang nebeneinander, rieben sich aneinander, bedurften einander, verbanden sich nicht zum gültigen Lebensbunde und konnten sich doch nicht voneinander lösen. Wenn ein anderer um Kathis Hand warb, verfolgte ihn Grillparzer mit glühender Eifersucht. Er raffte sich zu einem Abschiedsbriefe auf, und gab sie doch nicht frei. Schließlich, als beide in die höheren Jahre kamen, fand Grillparzer bei den Schwestern Fröhlich eine Unterkunft, und in den Armen Kathis ist er gestorben.

So von innen und außen, durch sein persönliches Nichtanderskönnen und durch die politischen Zustände Österreichs langsam zermürbt, wurde er im Laufe der Jahre aus dem glückbereiten und weichherzigen Jüngling der vergrämte und verfinsterte Greis. Als die Julirevolution 1830 in den unter dem Zwange der Reaktion seufzenden Völkern Europas neue Hoffnungen entzündete, schrieb Grillparzer die Kassandraworte in sein Tagebuch: „Die ganze Welt wird durch den neuen Aufschwung sich kräftigen, nur Österreich wird daran zerfallen. Der schändliche Machiavellismus der Leiter, die damit die Herrscherfamilie das einzige Staatsverband ausmacht, die wechselseitige nationale Abneigung der einzelnen Provinzen hegten und nährten, hat des die Schuld." Die Revolution von 1848 schien, mit dem Sturze Metternichs und der Thronbesteigung Franz Josefs, auch Österreich die Freiheit zu bringen. Grillparzer aber sah tiefer. Er trat auch jetzt nicht öffentlich hervor. Er begnügte sich, seinen Gefühlen in Epigrammen Luft zu machen. Die Ausschreitungen in Wien quittierte er mit den Sprüchen:

> „Die Knechtschaft hat meine Jugend zerstört,
> Des Geisterdruckes Erhalter,
> Nun kommt die Freiheit sinnbetört
> Und lähmt mir auch mein Alter."

> „Freiheit wär' eben das Rechte
> Für euch und euer Geschrei:
> Ihr seid die geborenen Knechte
> Der Dummheit und Schurkerei."

Oder er stellte das Verhalten der Österreicher und der Deutschen in der Revolution gegenüber:

> „Die Dummheit in verschiedenem Kleid
> Wird in Deutschland und Österreich frei;
> Bei uns die Dummheit aus Unwissenheit,
> Dort die Dummheit aus Vielwisserei."

So gänzlich hoffnungslos sah er dem Schicksal Österreichs entgegen, daß er damals sein Testament schrieb. Er empfahl darin sein teures, durch eigne Schuld unglücklich gewordenes Vaterland dem Schutze Gottes und hoffte für sich einen baldigen Tod. Über die in seinem Nachlaß vorhandenen Stücke: „Ein Bruderzwist in Habsburg" und „Libussa" verfügte er die Vernichtung, „weil sie, mehr um sich zu beschäftigen, ohne eigentliche Hingebung und Begeisterung geschrieben" worden seien.

Und doch brachte der Umschwung in Österreich auch in sein literarisches Schicksal eine Aufhellung. 1849 übernahm der Jungdeutsche Heinrich Laube die Leitung des Burgtheaters, und er gewann, nachdem Grillparzer selber nach der lauen und verständnislosen Aufnahme von „Weh dem, der lügt" im Jahre 1838 seine weiteren Stücke der Bühne vorenthalten hatte, des Dichters dramatisches Schaffen dem Theater zurück und steigerte mächtig sein Ansehen. Ehrungen fielen ihm zu. Schon 1846 war er Mitglied der Wiener Akademie geworden. 1860 wurde er ins Herrenhaus berufen. Orden wurden ihm zuteil. Er empfing alles mit verdrießlichen Abwehrgebärden und spottete über diese späte öffentliche Anerkennung:

> „Wie strahl' ich nicht im Ehrenglanz,
> Das Höchste sollte mich kaum überraschen.
> Sie vergolden mich am Ende ganz,
> Nichts ausgenommen als die Taschen."

Als man ihm bei seiner Pensionierung den Hofratstitel gab, merkte er sich:

> „Dichter zu belohnen,
> Sind Orden und Titel
> Die besten Mittel:
> Für Fiktionen —
> Illusionen!"

> „Die Titel meiner Stücke
> Hat man mir reichlich bezahlt;
> Man gibt mir Titel für Titel,
> Als hätten sie keinen Gehalt."

Der achtzigste Geburtstag war ein Festtag für die literarischen Kreise Österreichs und wurde auch in Deutschland mit der Aufführung seiner Stücke gefeiert. In Wien ehrten ihn alle Schichten der Bevölkerung. Der Kaiser zeichnete den Dichter durch einen hohen Orden und eine persönliche Pension von dreitausend Gulden aus. Eine Grillparzer-Stiftung, nach dem Muster der deutschen Schiller-Stiftung, wurde ins Leben gerufen. Im Theater an der Wien fand eine Gedächtnisaufführung der „Ahnfrau", im Burgtheater eine Aufführung der „Sappho" statt. Der Schriftstellerverein Konkordia veranstaltete eine große Huldigungsfeier. Er selber hielt sich von allem zurück. Als Laube nach der Feier zu ihm kam, um ihm über ihren Verlauf zu berichten, wehrte er ab: „Die Huldigungen, die mir dargebracht werden, betäuben mich. Mir ist, als ob ein Wolkenbruch auf mich niederginge. Es ist viel zu spät. Der hundertste Teil von dem, was die Menschen mir jetzt so wohlwollend antun, hätte mich in jüngeren Jahren vollauf erquickt und mich zu dichterischer Arbeit aufgemuntert. Es sind nur die letzten Gnadenstöße, die man mir versetzt." Ein Jahr darauf, am 21. Januar 1872, starb er.

Jener Wechsel von Begeisterung und Erinnerung, der Grillparzers seelisches Leben kennzeichnet, bestimmt auch den Rhythmus seines Schaffens. Perioden der Fruchtbarkeit werden von Perioden der Öde abgelöst. Aber es handelt sich hier nicht, wie bei Goethe, um die Polarität von Systole und Diastole, von kraftvoller Ausstoßung von Lebensgehalt und Aufnahme neuen Stoffes; der Wechsel ist bei Grillparzer nicht ein künstlerischschöpferischer Prozeß, sondern ein psychologischer Übergang von Erschöpfung zu Kraft und von Kraft zu Erschöpfung. Er selber sagte von sich, er sei ein Mann der Begeisterung. „Damit will ich leider nicht sagen, daß ich immer begeistert, sondern vielmehr: Ich bin nur dann ein Mann, ja ein Mensch, wenn ich begeistert bin. In dieser glücklichen Erhöhung der Seelenkräfte strömen die Gedanken und Worte. Alles fügt sich, alles paßt; das Wort, das kömmt, ist das rechte; keine Korrektur; kein pentimento; selige Zeit. Aber fehlt dieser Zustand, so scheint die Natur durch Kargheit wieder hereinbringen zu wollen, was sie vorher durch Übermaß verschwendet. Das Wort, das ich suche, ist immer ein ungehöriges; der Gedanke, dem ich nachgehe, stellt sich zwar vielleicht ein, aber nackt, ohne Herrscherschmuck und ohne Gefolge. Meine Ideen sind vereinzelte, sumpfgetrennte Inseln, wenn nicht die Flut der vergegenwärtigenden Anschauung sie umgibt und verbindet." Daher erklärt er, nur diejenigen Arbeiten gelängen ihm, die sich rasch in einem Zuge vollenden lassen, hingegen andere, von größerer Ausdehnung, zu deren Zustandekommen ein längerer Zeitverlauf erforderlich ist, so leicht mißraten. Den Grund dafür findet er in dem ewigen Wechsel der Empfindungen, dem ihn sein reizbares und unstetes Wesen aussetzt.

Man kann so geradezu den zeitlichen Gang seines Schaffens nach dem Rhythmus von Erhebung und Entmutigung in sechs Perioden gliedern, die abwechselnd mit einem positiven und einem negativen Vorzeichen zu versehen sind. In einer ersten im ganzen glücklichen Periode, die bis 1810 reicht, betrieb er „mit Leidenschaft die Dichtkunst" und fand mit seinen Versuchen den Beifall seiner Freunde. Damals entstand das Drama „Blanka von Castilien" 1808 bis 1810. Eine zweite, unfruchtbare Periode, die bis 1816 dauerte, wurde eingeleitet durch den Krieg und das Unglück in der Familie: er habe die Zeit vom achtzehnten bis zum fünfundzwanzigsten Jahre ohne die geringste poetische Tätigkeit zugebracht, bekannte er. Eine Aufhellung erfolgte um 1816. Die darauffolgenden zehn Jahre sind seine reichste Schaffenszeit. Damals entstanden: „Die Ahnfrau" (1816); „Sappho" (1817); „Das Goldene Vlies" (1818/19); „König Ottokars Glück und Ende" (1823); „Ein treuer Diener seines Herrn" (1826). Nach diesem größten Aufschwung folgte wieder eine Zeit der Niedergeschlagenheit und Erschöpfung, in der sich das Tagebuch mit Bekenntnissen der Verzweiflung bis zum Entschluß des Selbstmordes füllt. Die Gedichte „Tristia ex Ponto" halten diese Stimmung fest, etwa „Polarszene":

„Auf blinkenden Gefilden
Ringsum nur Eis und Schnee,
Verstummt der Trieb zu bilden,
Kein Sänger in der Höh'!
Kein Strauch, der Labung böte,
Kein Sonnenstrahl, der frei,
Und nur des Nordlichts Röte
Zeigt wüst die Wüstenei.

So sieht's in einem Innern,
So steht's in einer Brust,
Erstorben die Gefühle,
Des Grünens frische Lust.
Nur schimmernde Ideen,
Im Kalten angefacht,
Erheben sich, entstehen,
Und schwinden in die Nacht."

In diesen Jahren entstanden mühsam, unter Stockungen, „Des Meeres und der Liebe Wellen" (1825—1829) und „Der Traum ein Leben" (1831 beendet).

Eine kurze Aufhellung brachte der Tod des Kaisers Franz 1836. Sie dauerte bis 1838. Das Lustspiel „Weh dem, der lügt" entstand in dieser Zeit. Seine Ablehnung durch das Publikum am 6. März 1838 drückte Grillparzer tief nieder, und er beschloß, fortan seine Stücke der Öffentlichkeit vorzuenthalten. So gehört der nun folgende sechste Abschnitt seines Schaffens bis zu seinem Tode zu denen mit negativem Vorzeichen. In dem mehr als ein Menschenalter umfassenden Zeitraum entstanden in langsamer Arbeit: „Der Bruderzwist in Habsburg", „Die Jüdin von Toledo" und „Libussa".

Aus dem Innersten seiner seelischen Veranlagung, dem Wechsel von Erhebung und Entmutigung, entspringt bei Grillparzer auch das, was als gedankliche Stellung zum Weltgeschehen in seinen Dramen zutage tritt. Wie Österreich an der philosophischen Bewegung in Deutschland keinen wesentlichen Anteil genommen hat, so widerstand auch Grillparzers phantasievoll-sinnlicher Natur das logisch-begriffliche Denken seiner deutschen Zeitgenossen. Er ließ (1816) die Philosophie nur als eine Brille für das geistige Auge gelten: „Personen von schwachem Gesichte können sich ihrer mit gutem Erfolg bedienen. Für ganz Gesunde und für ganz Blinde ist sie ganz überflüssig. Man hat sogar Fälle, daß bei ersteren durch unvorsichtigen Gebrauch dieser Brille das Augenlicht etwas geschwächt wurde." Als Alternder hat er, lediglich aus literarischem Interesse, Hegel und andere Philosophen seiner Zeit gelesen, ohne daß sie in seinem Schaffen eine Wirkung zeitigten. Nur Kant schätzte er. „Jeder", meinte er 1819, „der sich der Literatur, wenn auch bloß der schönen, widmen will, sollte Kants Werke studieren, und zwar, abgesehen vom Inhalt, schon bloß wegen ihrer streng logischen Form. Nichts ist mehr geeignet, an Deutlichkeit, Sonderung und Präzision der Begriffe zu gewöhnen, als dieses Studium, und wie notwendig diese Eigenschaften selbst dem Dichter sind, leuchtet wohl ein." Es wird sich zeigen, wie vor allem ethisch-politische Ideen Kants in Grillparzers geschichts- und staatsphilosophischen Dramen nachwirken.

Aber die Grundidee stammt aus seiner eigenen Seele und dem eigenen Lebenskampfe. Jener Wechsel von Begeisterung und Entmutigung wirkt sich in seinem Verhältnis zu den Menschen aus. Die Begeisterung zieht ihn zu ihnen hin, läßt ihn sich aufschließen, sich hingeben, und sofort macht

sich die Furcht geltend, sich an die andern zu verlieren, sein Ich preis-
zugeben. Immer streitet in ihm der Hang zur Zerstreuung mit dem Bedürfnis nach Einsamkeit. 1830 schreibt er: „Das Bedürfnis der Einsamkeit
ist bei mir so vorherrschend, daß ich wie wahnsinnig werde, wenn ich
einen ganzen Tag unter Menschen zubringen muß, ohne mich von Zeit
zu Zeit zurückziehen zu können." Aber ein Jahr später stellt er fest, wie
eine Masse von Zerstreuungen seiner üblen Laune ein Ende gemacht habe:
„Ich sollte mehr Takt, d. h. Rhythmus haben in der abwechselnden Wahl
der Gesellschaft und Einsamkeit, jedes für die Zeit, wo es nottut, es ginge
offenbar besser."

Dieser Kampf zwischen Selbstbewahrung und Selbstentfremdung,
Sammlung und Zerstreuung ist aber nun bei Grillparzer nicht nur eine
psychologische und soziale Haltung, sondern vor allem ein geistiges und
sittliches Erleben. Der Mensch bedarf der Welt, um sein Ich auszubilden
und es zu genießen; aber er läuft Gefahr, indem er sich der Welt hingibt,
sich zu verlieren. 1826 bezeichnet er als einen seiner Hauptfehler, daß er
nicht den Mut habe, seine Individualität durchzusetzen. „Über dem Bestreben, es allen recht zu machen und mich ja im Äußerlichen nicht zu
sehr von den andern zu unterscheiden, werde ich endlich wie die andern,
und die Gewohnheit macht gewöhnlich." Diese Angst, sich zu verlieren,
ist die tiefste Wurzel seines unseligen Verhältnisses zu Kathi Fröhlich wie
seiner Zurückhaltung gegen Goethe in Weimar. Man kann die Gesamtheit
seiner Dramen in Persönlichkeitsdramen und politisch-staatsphilosophische
Dramen einteilen. Die Tragik in den Persönlichkeitsdramen beruht immer
auf der Idee, daß der Mensch sich gegenüber den Versuchungen der Welt,
im Kampfe mit eigenen Wünschen und Leidenschaften und den Möglichkeiten der Wirklichkeit nicht rein bewahren kann. Sich behaupten und
sich ein Glück erkämpfen kann nur der, der verzichtet, d. h. der sich
selber treu bleibt. Sappho geht zugrunde, weil sie mit dem Ruhm der
Dichterin nicht zufrieden ist, sondern noch die Freuden der Gattin genießen will. Hero, in „Des Meeres und der Liebe Wellen", stürzt, weil sie
die heilige Verpflichtung der Priesterin zur Ehelosigkeit durchbricht und
sich Leander in Liebe hingibt. Im „Goldenen Vlies" spricht Jason, nachdem er das Vlies gewonnen, aber zugleich sich an die dämonische Zauberin Medea gekettet hat, es aus:

> „Es ist des Unglücks eigentlichstes Unglück,
> Daß selten drin der Mensch sich rein bewahrt."

Aber nicht genug an diesem Verlust der sittlichen Reinheit, es gesellt sich
dazu die späte Einsicht, daß der Gewinn an Macht und Ruhm, den man
mit ihm erkaufte, den Preis nicht wert war. Zu dem gestrandeten Jason
sagt Medea:

> „Was ist der Erde Glück? — Ein Schatten!
> Was ist der Erde Ruhm? — Ein Traum!
> Du Armer! Der von Schatten du geträumt!
> Der Traum ist aus, allein die Nacht noch nicht."

In dem „Traum ein Leben" entgeht der junge Rustan nur dadurch einem ähnlichen Schicksal, daß vor seiner Fahrt in die Welt ein Traum ihm die sittliche Verschuldung offenbart, die mit der ersehnten Heldenlaufbahn verbunden ist, und so den Entschluß in ihm zeitigt, zu Hause zu bleiben und als Gatte seiner Base Mirza das bescheidene Glück eines Landmanns zu genießen.

In den geschichtlich-politischen und staatsphilosophischen Dramen verwickelt sich das Problem des Sich-rein-Bewahrens deswegen, weil es hier die Sendung des Helden ist, in der Welt zu wirken und die Geschicke des Volkes zu lenken. Das Lustspiel „Weh dem, der lügt" als eine Art Übergang von den Persönlichkeitsdramen zu den politischen Stücken, gibt mit geistreicher Heiterkeit die äußere Reinheit in der Gestalt der unbeirrten Wahrhaftigkeit preis. Fein ist hier zwischen innerer Wahrhaftigkeit und äußerer Lüge unterschieden.

Das mag in der leichten Welt des Lustspiels als angemessene Lösung gelten. In den großen Schicksalen der Herrscher und Völker kann der Konflikt zwischen sittlicher Verpflichtung und Ausübung der Macht nicht anders als zu tragischem Ausgang führen. In dem Jugendstück „König Ottokars Glück und Ende" glaubte Grillparzer noch an die Möglichkeit eines harmonischen und gedeihlichen Herrscherdaseins, sofern der Herrscher nur auf eigenes Glücklichsein verzichtet und als Stellvertreter Gottes einzig für das Wohl der Gesamtheit sorgt. Er stellt Rudolf von Habsburg als den selbstlosen Volksbeglücker dem egoistischen Machtmenschen Ottokar gegenüber. Ähnlich hat er in der „Jüdin von Toledo" es als die Pflicht des Fürsten gefordert, auf persönliches Glück zu verzichten und nur für die Aufgabe des Herrschers zu leben. Aber je länger er das politische Geschehen seiner Zeit verfolgte, um so tiefer mußte er sich von der tragischen Unvereinbarkeit von Sittlichkeit und Machtausübung überzeugen, und er sah, daß der menschliche Rechtsbegriff als der stets aufs neue unternommene und niemals völlig gelingende Versuch, Sittlichkeit und Macht zur Einheit zu bringen, die eigentliche Walstatt war, auf der sich beide bekämpften.

Im Jahre 1839 hat er folgende Betrachtung aufgezeichnet: „Es ist schon darum Unsinn, von einem göttlichen Rechte zu sprechen, weil der Begriff von Recht die Idee von Unvollkommenheit mit sich führt. Das Recht widerstreitet der moralischen Gesetzgebung, indem es das Prinzip des Egoismus über das der Liebe setzt; indes wir doch alle übereinstimmen, daß Gottes Wille gerade das Gegenteil sei. Das Recht ist eine Ausgeburt des Bedürfnisses und der Verschlechterung, daher menschlichen Ursprunges. Gottes Wort sagt: Liebe deinen Feind; das Recht sagt: Schlag ihn tot, wenn er dich beschädigt. Gott befiehlt: Sei deinem Bruder hilfreich; das Recht erlaubt mir, meine Forderung einzuklagen, wenn der Schuldner darüber auch verhungern sollte." Zum eigentlich tragischen Widerspruch spitzt sich dieser Unterschied zwischen göttlichem Sittengebot und menschlichem Recht in der Gestalt des Herrschers zu; denn der Herrscher ist einerseits, als Stellvertreter Gottes auf Erden, Verwalter der göttlichen

Sittlichkeit, anderseits aber kann er, als der mit irdischer Macht Ausgestattete, diese Sittlichkeit nur zu verwirklichen suchen mit dem Werkzeug des menschlichen Rechts.

Diese Überlegungen werfen Licht auf die tiefe und rätselhafte Gestalt Kaiser Rudolfs II. in dem „Bruderzwist in Habsburg“. Rudolf, der zum Herrscher über das durch wilde nationale und kirchliche Parteiung zerrissene Reich berufen ist, ist nach Veranlagung und Neigung nicht ein Mensch der Macht, sondern des Geistes: ein Gelehrter und Sammler, ein Denker und Astrolog, ein Vertreter der vita contemplativa, nicht der vita activa, wie es doch sein Amt von ihm verlangt. In der Beobachtung der Bewegung der Himmelskörper hat er gelernt, daß alles in der Welt sich still nach der göttlichen Ordnung von selber bewegt, und als Stellvertreter Gottes auf Erden faßt er sein Amt entsprechend auf und ist bemüht, ohne Betonung und gewaltsame Ausübung der Macht auch auf Erden alles an seiner Stelle gewähren zu lassen, überzeugt, daß es von selber zum Guten komme. Aber er muß erleben, daß die Sittlichkeit an sich nicht die Kraft hat, auf Erden zu wirken, wenn nicht das Schwert das Recht schafft. Aus seiner Scheu vor der Gewalttat, aus seinem Glauben an die Hilfe Gottes entspringt der große Krieg, der dreißig Jahre lang Deutschland verheeren wird.

Der gleiche Widerspruch zwischen der göttlichen Ordnung der Liebe und der menschlichen Rechtsprechung durch das Schwert bestimmt das Geschehen in dem kulturphilosophischen Drama „Libussa“. Noch einmal taucht, aus der Zeit des klassisch-romantischen Denkens, jener Dreiklang der menschlichen Kulturentwicklung auf, den Kant gegen Rousseau begründet und Fichte, Hegel, Hölderlin ausgebaut haben. Auch in der „Libussa“ lebt die Menschheit zuerst glücklich und friedlich im Naturzustande unter der Herrschaft des Herzogs Krokus. Wie dieser stirbt, soll eine seiner drei Töchter die Herrschaft übernehmen. Aber Kascha und Tetka, die beiden ältesten, weigern sich. So bleibt als letzte die jüngste Schwester Libussa. In ihr ist, während die beiden andern in der Unbedingtheit ihrer jenseitigen astralen und ethischen Ordnung verharren, göttliches Sein mit menschlichem Fühlen verbunden. Sie ist ein Mischwesen und erlebt als solches ein tragisches Schicksal. Erst leitet sie die Menschen mit Liebe in einem friedlichen und glücklichen Naturzustande. Aber wie Streit unter ihnen entsteht, kann nur der richtende Verstand des Mannes ihn schlichten. Sie läßt sich bestimmen, den Bauern Primislaus zu heiraten. Zufall und Neigung leiten ihre Wahl und drohen zur Willkür auszuarten. Um so fester muß Primislaus mit klug abwägendem Verstande die Zügel der Herrschaft führen. Mit ihm beginnt die zweite Stufe, das Reich des Abfalls, der menschlichen Zivilisation. Der Nutzen bestimmt das Tun der Menschen. Ihr Leben ist abgetrennt von der Gott-Natur. Sie stellen sich auf sich selber, ihren eigenen Verstand. Libussa muß sie verlassen. Sie hinterläßt der menschlichen Gründung ihren Segen. In einer letzten Weiherede offenbart sie den Gang der Geschichte über die drei Zeitalter: Nachdem die Menschen in das zweite Stadium getreten sind, wird sich ihnen der Himmel verschließen, bis in den verödeten Herzen die Sehnsucht nach dem dritten Stadium der göttlichen Wiedervereinigung, erwacht.

Das ist der Punkt, wo Grillparzer sich am engsten mit Goethe berührt. Wie dieser in den „Wanderjahren" einem dem Materialismus zugleitenden Geschlechte Ehrfurcht einprägt, so verkündet Grillparzer Demut, und wie Goethe im „Faust" den Immoralismus des technischen Zeitalters enthüllt, so stellt Grillparzer den rücksichtslosen Utilitarismus seiner Zeit an den Pranger. Nirgends reicht Grillparzer auch so nahe an die kulturphilosophische Tragik Hebbels heran wie in seiner „Libussa". Denn in ihren Persönlichkeiten wie in ihrem Schaffen bilden die beiden Dichter sonst die denkbar größten Gegensätze.

Schon in ihrem Verhältnis zur Stadt Wien. Während Grillparzer aufs innigste mit dem Wiener Leben verwachsen ist, verdankt H e b b e l seinen Aufenthalt in Wien einem bloßen Zufall. Er fand dort in der Burgschauspielerin Christine Enghaus seine Gattin. Wäre sie in Berlin oder Dresden angestellt gewesen, so hätte er die zweite Hälfte seines Lebens gerade so gut dort zubringen können wie in Wien, zu dessen Atmosphäre er gar kein inneres Verhältnis hatte.

Aber gerade dieser Gegensatz wiederum bezeichnet die echt Hebbelsche Art des Seins und Lebens. Er ist, wie kaum ein anderer Dramatiker, in seiner ganzen Entwicklung durch den Gegensatz zu Menschen und Umwelt bestimmt. Alle seelischen und geistigen Kräfte in ihm, Verstand, Willen, Phantasie, Gefühl, waren zu einer solch letzten Wirkungsform zugespitzt, das Bewußtsein seines Wertes infolgedessen so ins Höchste gesteigert, daß er sich selber nur genießen, bilden und aussprechen konnte, wenn er sich zu allem andern in Widerspruch stellte. Kennzeichnend für diese seine Art des Sichgebens ist eine Anekdote, die Rudolf Jhering, der große Jurist, erzählt. Hebbel besuchte den einstigen Kommilitonen auf seiner Wanderung von München nach Hamburg. Er war abgerissen und halb verhungert. Jhering mußte ihm die durchlaufenen Schuhe neu besohlen lassen. Inzwischen redete Hebbel in einem fort. Als Jhering sich beim Abschied für die anregende Unterhaltung bedankte, wehrte Hebbel den Dank ab: Jhering sei nur die Wand gewesen, an die er hinangeredet habe. So diente ihm in der Tat alles, Menschen und Gegenstände und geschichtliche Stoffe, als Wand, auf die seine Stimme aufprallen und den Widerhall wecken mußte. Er war kein bequemer und duldsamer, im Gegenteil ein ausgeprägt streitsüchtiger Mensch, und sein Leben war so eine ununterbrochene Kette von Zusammenstößen mit seiner Umgebung. Die gereizte Stimmung, die diese Zusammenstöße in ihm erzeugten, wirkt stets in seinen Äußerungen über Zeitgenossen nach; man tut gut, seine Berichte über seine Bekannten mit Vorsicht aufzunehmen. Er war sich dessen selber völlig bewußt. Er habe, sagt er einmal, sich seit seinem vierundzwanzigsten Jahr der edlen Gifteinsammlungskunst, von der Lichtenberg spreche, befleißigt. Er könne das Gift auch recht geschickt wieder von sich geben, nicht sowohl, um andern ihre Stunden zu verderben, als um sich selber manche durch das süße Gefühl, einmal des Stricks und Schandpfahls zugleich würdig gewesen zu sein, recht zu würzen.

Es ist die Art des Erlebens wesentlicher Menschen, daß die Gelegenheiten, die von außen an sie herankommen, auf ihren eigenen Charakter so genau abgestimmt scheinen, daß die Persönlichkeit in der Übereinstimmung von innen und außen sich aufs reinste entwickeln kann. Das trifft auch bei Hebbel zu. Das äußere Leben sorgte durch Not und Drangsal, vor allem in der Jugend, unablässig für die Schärfung des angeborenen Kampfwillens. Er war am 18. März 1813 in dem Häuschen eines armen Maurers in dem norddithmarschen Marktflecken Wesselburen geboren. Der Vater, durch die Not verbittert, quälte Frau und Kinder durch Mißtrauen und Kleinlichkeit. Als das Häuschen verkauft werden mußte, sank die Familie vollends in den Stand der Besitzlosen hinab. Der Tod des Vaters befreite den Sohn von der Aussicht, ebenfalls Maurer zu werden. Er erhielt bei dem Kirchspielvogt Mohr die Stelle eines Laufburschen und rückte später durch Intelligenz und Fleiß zum Schreiber vor. Nun kam er in bessere Gesellschaft, wurde Mitglied eines literarischen Kränzchens, las die Bücher von Mohrs Bibliothek und begann selber zu dichten, erst nach dem Vorbild von Schiller, dann von Uhland. Sein Selbstbewußtsein wuchs. Um so quälender wurde ihm seine Stelle im Mohrschen Hause, die ihn zum Dienstboten erniedrigte, und die Aussichtslosigkeit seiner ganzen Lage. Er wandte sich am 9. August 1832 an Uhland: „Nehmen Sie sich meiner an! Tun Sie für mich, was Sie tun können! Mein erster und nächster Wunsch geht dahin, diesen Ort, obgleich mich manch wertes Freundschaftsband und kindliche Liebe an ihn fesselt, so bald als möglich zu verlassen: ich fühle gräßlich, daß ich hier, wenn nicht am Leib, so doch an der Seele zur Mumie eintrocknen muß." Uhland riet ihm, in seinem engeren Kreise an seiner Entwicklung fortzuarbeiten, bis sich einmal eine Veränderung in den äußeren Verhältnissen zeige. Einer seiner Freunde, Schacht, war als Apotheker nach Kopenhagen gegangen. Ihn bat er am 18. Januar 1834, sich bei Adam Öhlenschläger, dem einflußreichen dänischen Dichter — Holstein mit Wesselburen gehörte damals zu Dänemark —, für ihn zu verwenden: „Denke dir einmal: ich bin einundzwanzig Jahre alt, und für die Aufgabe meines Lebens ist nichts geschehen. Dieses Nichts ist hinreichend, mich zu einem Nichts zu machen ... Nur noch ein Jahr, und meine Kraft ist gebrochen. Meine Seele verliert ihre Spannkraft; die Lage zerstört den Menschen, wenn der Mensch die Lage nicht zerstören kann."

Endlich kam die Hilfe aus dem nahen Hamburg. Da gab die Schriftstellerin Amalie Schoppe die „Neuen Pariser Modeblätter" heraus, in denen sie das eine und andere Gedicht von Hebbel veröffentlicht hatte. Sie war eine gutmütige Frau, und das Schicksal ihres jungen Mitarbeiters ging ihr zur Herzen. Sie gewann ihm Gönner, die für ihn zu sorgen versprachen. Vor allem eine reiche junge Dame, Fräulein Jenisch, hatte ihr Geld zur Verfügung gestellt. 150 Taler waren so zusammengekommen. Hebbels Wunsch zu studieren sollte in Erfüllung gehen. Das war im Juli

1834. Der erfahrene Mohr warnte: Studieren koste Geld, und das Fräulein Jenisch werde heiraten. Aber Hebbel schien der bescheidene Betrag groß genug, um sein Lebensglück darauf zu gründen. So reiste er im März 1835 nach Hamburg.

Amalie Schoppe hatte dafür gesorgt, daß er durch ältere Gymnasiasten Unterricht erhielt, da der Besuch eines Gymnasiums bei seinem Alter und seiner ungleichmäßigen Vorbildung ausgeschlossen war. Sie sorgte auch für Freitische und war bemüht, ihn menschlich ein wenig zurechtzuhobeln. Er aber war von Natur so beschaffen, daß er all ihre Sorge und all ihre wohlgemeinten Ermahnungen als Demütigung empfand. Wie konnte sie ihm zumuten, Lebensmittel von ihr anzunehmen, die sie ihm vor den Augen anderer zusteckte, oder, wenn er von fremden Leuten zum Essen eingeladen wurde, nur zu sprechen, wenn er gefragt wurde, wo es ihn doch übermächtig drängte, dem Schwall seiner Gedanken Ausdruck zu verleihen? So durch das, was sein Selbstbewußtsein als kleinliche Schulmeisterei auffaßte, in sich selber zurückgestoßen, erschloß er sich damals einem einzigen Menschen, der Teilnahme und Verständnis für ihn zeigte: Elise Lensing. Sie war achteinhalb Jahre älter als er, hatte eine gewisse Bildung erhalten und besaß ein kleines Vermögen. Hebbel hatte sie kennengelernt, als er bei ihrem Stiefvater, einem Schiffszimmermann, sein Zimmer hatte. Sie war einsam wie er. Das mütterliche Gefühl, das sie ihm entgegenbrachte, wandelte sich allmählich zur leidenschaftlichen Liebe, die er sich gefallen ließ, ohne sie zu erwidern. Er betrachtete es für das größte Glück seines Lebens, daß er mit ihr zusammengekommen, erklärte er später. In Hamburg, wo ihn niemand verstanden, habe sie ihm Teilnahme, Anregung, Trost gewährt; sie habe ihm in seinen schlimmsten Stunden zur Seite gestanden und seine schönsten hervorgerufen. Er nahm alles von ihr an, was sie ihm zu bieten hatte: ihre Arbeitskraft, ihre Mittel, ihre Person, und wußte doch, daß er sie in einem tieferen Sinn nicht liebte und niemals heiraten werde.

Ein Jahr mußte zur Vorbereitung auf das Studium genügen. Im März 1836 begab er sich nach Heidelberg, weil einer seiner Gymnasiastenfreunde dorthin ging, und begann das Studium der Rechte. Sein „Vermögen" betrug noch 80 Taler. Der Aufenthalt in der stillen Universitätsstadt diente nur dazu, ihm klarzumachen, daß er nicht für ein Fachstudium taugte. Er hatte das Bedürfnis, ein umfassendes Wissen in sich zu sammeln, aber nicht, sich für einen Brotberuf vorzubereiten. So ging er im Herbst nach dem größeren und regeren München, wo er neben gelegentlichem Besuch von Vorlesungen — er hat u. a. bei Schelling gehört — vor allem als Erzähler und Journalist sich durchzubringen hoffte. Hoffte, aber nicht vermochte. Denn seine Erzählungen verrieten eine gequälte Verstandesmache, und zur leichten und flüssigen Arbeit des Reporters war er zu schwerfällig. Man kann sich nicht denken, wie er hätte durchhalten können, wäre Elise nicht gewesen. Sie sandte ihm Geld. Sie verpfändete Stücke ihres Haushaltes, um ihm zu helfen. Sie führte zeitweise einen Tabakladen, um für ihn zu verdienen. Sie hörte, als „Wand", seine Klagen und

Betrachtungen in endlosen Briefen an. Aber auch so war seine Lage verzweifelt genug. Am 27. November 1838 schrieb er ins Tagebuch: „So ohne alle Anregung, ohne alle Aufforderung zur Tätigkeit bin ich noch nie gewesen. Ich sehe die ganze Woche keinen einzigen Menschen, ich habe keine Gelegenheit zum Sprechen, was mir doch ein Bedürfnis ist; an Mitteilung dessen, was ich etwa arbeiten könnte, ist gar nicht zu denken, ich erblicke nicht einmal ein Zeitungsblatt. Meine Korrespondenz ist auf den Briefwechsel mit Elise beschränkt; diesen führe ich zwar gern, aber pekuniäre Rücksichten verbieten mir das häufige Schreiben ... Ich muß auch diesen Zustand aushalten, aber was das mich kosten wird, fühle ich, und ich habe wenig oder nichts mehr zuzusetzen. Ich fürchte diese geistigen Entbehrungen weit mehr als die physischen, obwohl es auch etwas sagen will, daß ich schon seit zweieinhalb Jahren, einen Sommer ausgenommen, nicht mehr warm gegessen habe."

Endlich waren die drei Jahre vergangen, die sein Studium dauern sollte. Im März 1839 kehrte er, zu einem großen Teil zu Fuß, nach Hamburg zurück. Es war eine Gewaltwanderung durch zum Teil noch verschneite Gegenden, und ständig war der Hunger sein Gefährte. Aber als er in Hamburg war, jetzt in zwei schönen Zimmern, die Elise ihm bereitet hatte, fühlte er, wie er an Reife und Ansehen in den drei Jahren gewachsen war. „Ich kenne keine Vergangenheit mehr, mag ich gegenüberstehen, wem ich will; ich kann mich in alle Wege auf meinen Geist verlassen und darf mich getrost herauswagen, auch ins fremdeste Gebiet hinein, er läßt mich nie im Stich." Literarische Aufträge kommen: einer will eine Geschichte und Kritik deutscher Lyrik; Gutzkow wünscht einen Bericht über München, Kritiken über Laube; Campe, der Verleger, einen historischen Roman. „Arbeit genug, ich darf nicht länger klagen, die Pforte ist mir geöffnet." Aber zunächst rächt sich der Körper für die Entbehrungen, die er ihm aufgezwungen. Eine schwere Krankheit wirft ihn nieder. Eine Woche lang schwebt er zwischen Tod und Leben. Aber es ist zugleich eine Krise seines Talents. Aus den Phantasien des Fiebernden steigt die Handlung seines ersten Dramas auf, der „Judith". Sie wurde im Herbst und Winter 1839/40 niedergeschrieben. Ein Jahr später folgte „Genoveva."

Aber immer noch hing sein äußeres Leben an dem Faden der Not. Da erinnert er sich, daß er dänischer Untertan ist, und daß Glieder des dänischen Königshauses zweimal deutschen Dichtern geholfen: Klopstock, Schiller. Im November 1842 reist er nach Kopenhagen, um sich Hilfe von dem König zu erbitten. Oehlenschläger nimmt sich seiner an. Einen bangen Winter des Wartens verbringt er in der dänischen Hauptstadt, indes Elise ihm in Hamburg einen Sohn gebiert. Im April 1843 endlich wird ihm ein Reisestipendium zugesprochen. Für zwei Jahre je 600 Taler. Es war ihm zu Mute wie in einem Märchen. „Friedrich Hebbel und 1200 Taler. Wer hätte gedacht, daß die je zusammenkommen würden. Es ist ein größeres Wunder als Mahomet und der Berg."

Paris war damals Ziel und Treffpunkt deutscher Schriftsteller; Börne hatte dort gelebt, und Heine wohnte dort. Die Jungdeutschen suchten in der Stadt des Fortschritts die Vollendung ihrer geistigen und politischen Bildung. Auch Hebbel reiste im Herbst 1843 nach Paris. Aber ihm fehlte die Wendigkeit der Jungdeutschen. Schon die Wahl der Wohnung in St. Germain erschwerte den Verkehr im Pariser Leben. Er war steif im Umgang und ungelenk in der Erlernung der französischen Sprache. Dazu mußte er sich einschränken. Einen Teil seines Stipendiums hatte er Elise abzugeben. Und nun meldete sie ihm, daß ihr Söhnlein gestorben sei. Er suchte sie durch philosophische Betrachtungen zu trösten: „Lies die großen Dichter", schrieb er ihr am 5. Dezember 1843, und sieh, was in den Abgründen des Geistes vorgeht, erinnere dich an mich selbst, an die zwischen Wahnsinn und Vernichtung schwankenden Zustände, in denen ich mich so oft befinde, dann wirst du erkennen, daß der Tod eines geliebten Kindes noch nicht das Schrecklichste ist, was sich auf Erden ereignet... Dein Kind lebt und ist mehr, als es war; du wirst es nicht um den Weihnachtsbaum tanzen sehen, aber dafür tanzt es vielleicht um einen Baum, auf dem jedes Licht ein Stern ist, um den Baum der Welt, und nichts fehlt, als daß du seine Freude nicht siehst, es ist also nicht sein, nur dein Entzücken weggefallen, und das kannst du doch am Ende wohl ertragen." Ihm mochten dergleichen Spitzfindigkeiten den Halt einer Religion geben; aber was konnte die zum Tode verwundete Mutter damit anfangen? Ihre Briefe überströmten von Klagen und Vorwürfen. Da ließ er sich hinreißen, ihr, um sie zu trösten, von einer Heirat zu sprechen. Aber seine eigene Stimmung war die düsterste. Sie floß in die „Maria Magdalene", die er in Paris vollendete.

Im Herbst 1844 ging er nach Italien. Rom sollte ihm das klassische Erlebnis bringen. Aber ihm fehlten die Organe, die Schönheit der Natur und den Reichtum der Kunst sich zum innersten Erlebnis zu machen. Er konnte sich nicht naiv genießend den neuen Eindrücken hingeben. Er mußte sie sich zuerst zum Begriff verflüchtigen. Er mußte — in dem Sonett „Schönheitsprobe" — sich zuerst Rechenschaft davon geben, worin die Wirkung echter Schönheit besteht:

> „Wie läßt die echte Schönheit sich erproben?
> Wohl einzig an dem selbstbewußten Frieden,
> Der sie umfließt, weil sie sich wie geschieden
> Von allen Kämpfen fühlt, die sie umtoben."

Auch die Kunstwelt Roms war ihm nicht als Anschauung, sondern nur als Begriff bedeutsam. Die Momente, gestand er, wo er sich mit Gewalt zur bildenden Kunst hingezogen fühle, seien selten. Er habe keinen Sinn für die Entwicklung der Schulen. Die antiquarische Seite von Rom biete ihm keinen Reiz. Er könne nicht einen Göttertempel aus dem Steinhaufen zusammensetzen. Rom sei nur als Ganzes etwas für ihn, und die höchste Poesie, die er daraus mit wegnehmen werde, sei der Gedanke: dagewesen zu sein.

Und jetzt kam, um ihm die Sonne des Südens vollends zu verdüstern, die endgültige Auseinandersetzung mit Elise. Sie war in schwersten Zeiten sein hilfreicher Engel gewesen und hatte ihm mehr als einmal das Leben gerettet. Sie hatte ihm alles gegeben, was sie ihm zu geben hatte. Aber jetzt waren sie auseinandergewachsen. Schon äußerlich. Sie war mit ihren einundvierzig Jahren eine in Kummer gealterte Frau; er stand mit seinen zweiunddreißig in der Blüte der Manneskraft. Wer will ihr verargen, wenn sie sich an den Strohhalm seines Heiratsversprechens anklammerte und, der ewigen Vertröstung auf die Zukunft müde, nur eine bürgerliche Versorgung für die Gegenwart verlangte! Sie hatte ihm ein zweites Kind geboren und wünschte, ihm und sich einen ehrlichen Namen zu geben. Wenn er ihr seine Armut vorhielt, tröstete sie ihn mit der Hilfe des lieben Gottes. Aber Gott, hielt er ihr entgegen, sei wie die Luft: man könne keine Würste und keinen Speck daraus schneiden. Am 30. März 1845 schrieb er von Rom aus: „Du hast mir durch diesen Brief das Herz zerrissen. Und das, weil ich natürlich und menschlich empfinde, weil ich vor Verhältnissen zittre, die mich nur vernichten können! ... Ist es möglich, zu heiraten ohne Geld, ohne Aussicht auf Geld, ohne alles? Würde die heftigste Leidenschaft einen solchen Schritt unter solchen Umständen wagen? Wenn ich dir die Frage vorlegte, so geschah es, weil ich dachte, auch dir müsse die Unmöglichkeit einleuchten; auf die Äußerung, daß deine Mutter die Trauungskosten hergeben werde, wenn sie mir fehlen sollten, war ich freilich nicht gefaßt; denn, allmächtiger Gott, wenn man nicht einmal die hätte, woher das Übrige nehmen? ... Deine Gefühle für mich kann ich nicht erwidern, das hast du immer wissen müssen und immer gewußt, und es ist doch wohl so wenig bei mir eine Sünde wie bei dir, daß ich über mein Herz nicht gebieten kann. Aber des ungeachtet bist du mir das Teuerste auf der Welt, und wenn das entsetzliche Schicksal mich treffen sollte, dich zu überleben, so würde mir die Brust zerspringen und das Gehirn bersten ... Du bist eins der herrlichsten Weiber, die je über die Erde geschritten sind, und es ist mein höchster Schmerz, dich nicht so lieben zu können, wie du es verdienst. Alles dies solltest du wissen, und wenn du es weißt, wie kannst du irre werden an dir und mir? Naturnotwendigkeiten können wir alle beide nicht ändern, man kann sich so wenig ein anderes Herz geben als ein anderes Gesicht ... Manchen anderen mag der Kampf mit der Not stählen; bei mir ist das Gegenteil der Fall. Der Dichter muß eine behagliche Existenz haben, ehe er arbeiten kann."

Was für ein entsetzlicher Brief! Jedes Wort ein scharfer Kristall, dazu bestimmt, das Herz zu zerschneiden. So groß ist die Härte der verwundenden Kanten, daß auch die Beteuerung der Hochschätzung wie blutiger Hohn klingt. Aber man irrte, würde man meinen, daß diese Sätze voll schneidender Logik nur dazu bestimmt seien, Elises Herz zu verwunden; auch Hebbel fühlte sein Herz zerschnitten von dem Kampfe, vor den ihn sein Schicksal gestellt. Sollte er ehrlich handeln als bürgerlicher Mann? Mußte er der Verpflichtung folgen, die seine dichterische Sendung ihm auferlegte? Das sah er als sicher ein: Wenn er Elise heiratete, war das in jeder Beziehung unerfreulichste Leben sein Los, seine Zukunft als Dichter in Frage gestellt. Bedeutete das nicht endloses Unglück für beide? War es nicht, auch vom bürgerlichen Standpunkt aus, das kleinere Übel, sie zu verlassen, um wenigstens sich — und vielleicht auch sie — zu retten?

Er konnte nach seiner Natur nicht anders als den zweiten Weg wählen. Damals schied er sich von Elise.

> „Fromm verlangt ihr mich, Götter — so macht mich glücklich. Ich werd' euch
> Niemals fürchten, ihr wißt's, aber ich liebte euch gern."

Das Wort erfüllte sich ihm in Wien, wo er im Herbst 1845 eintraf. Hier lernte er die vier Jahre jüngere Schauspielerin am Burgtheater Christine Enghaus kennen. Sie stammte aus Braunschweig, hatte wie Hebbel eine harte Jugend gehabt und war schon in früher Kindheit zur Bühne gekommen. Seit 1840 wirkte sie am Burgtheater. Von Hebbel hatte sie die Judith und die Klara in „Maria Magdalene" gespielt. Sie hatte selber erfahren, was Hebbel die Klara erleben ließ. So trat sie ihm mit Scheu und Bewunderung entgegen, und bald vereinigten sie ihre Schicksale. Sie bot ihm Jugend, Liebe, Schönheit, Verständnis für sein Schaffen und — nicht das Geringste — Unabhängigkeit. Ihre Charaktergröße bewies sie, als sie einwilligte, Elise für die letzte Zeit ihres Lebens nach Wien kommen zu lassen. Es wäre ein Irrtum zu denken, daß die Ehe Hebbel fortan ungetrübtes Glück geschenkt hätte. Er hatte die Härte und Bitterkeit seiner Natur auch jetzt nicht verloren und duldete keine andern Götter neben sich. Und auch Christine war keine weiche Frau: sie vermochte Heldenweiber besser zu spielen als hingebende Liebende. Aber im Laufe

162. Georg Büchner (1813—1837)
Miniatur von A. Hoffmann
Als Medizinersohn studierte Büchner gleichfalls Medizin und Naturwissenschaften. Wegen der sozialpolitisch drückenden Verhältnisse in seiner hessischen Heimat wiegelte er zum Widerstand gegen die Landesregierung auf und mußte deshalb schließlich in die Schweiz fliehen.

163. Büchners Steckbrief
Als Büchner seiner Verhaftung entgehen konnte, wurde dieser Steckbrief versandt. Lange vorher schon war Büchner von der Polizei beobachtet worden. Gewissermaßen unter ihren Augen entstand sein Drama „Danton". Auch das Fragment „Woyzek" erwuchs aus Büchners revolutionärem Verhältnis zu den politischen Gegebenheiten in Hessen.

164. August Heinrich Hoffmann von Fallersleben (1798—1874)
Lithographie von J. O. Stückenberg nach dem Gemälde von Ernst Resch
Der Kaufmannssohn aus Fallersleben lernte durch Jacob Grimm die volkstümliche Literatur schätzen und begann selbst in ihrem Ton zu dichten. Vor allem aber diente ihm die Dichtung, seine patriotische Anschauungen zu vertreten und zu verbreiten.

165. Hoffmanns Wohnhaus auf Helgoland,
wo er 1841 das Deutschland-Lied dichtete.

2493. **Steckbrief.**

Der hierunter signalisirte Georg Büchner, Student der Medizin aus Darmstadt, hat sich der gerichtlichen Untersuchung seiner indicirten Theilnahme an staatsverrätherischen Handlungen durch die Entfernung aus dem Vaterlande entzogen. Man ersucht deßhalb die öffentlichen Behörden des In- und Auslandes, denselben im Betretungsfalle festnehmen und wohlverwahrt an die unterzeichnete Stelle abliefern zu lassen.

Darmstadt, den 13. Juni 1835.

Der von Großh. Heß. Hofgericht der Provinz Oberhessen bestellte Untersuchungs-Richter, Hofgerichtsrath

Georgi.

Personal-Beschreibung.

Alter: 21 Jahre,
Größe: 6 Schuh, 9 Zoll neuen Hessischen Maases,
Haare: blond,
Stirne: sehr gewölbt,
Augenbraunen: blond,
Augen: grau,
Nase: stark,
Mund: klein,
Bart: blond,
Kinn: rund,
Angesicht: oval,
Gesichtsfarbe: frisch,
Statur: kräftig, schlank,
Besondere Kennzeichen: Kurzsichtigkeit.

163 *Büchners Steckbrief* 162 *Georg Büchner (1813 - 1837)*

165
Hoffmanns Wohnhaus auf Helgoland

164
*August Heinrich Hoffmann von Fallersleben
(1798 - 1874)*

166
Ferdinand Freiligrath (1810—1876)

167   *Freiligraths Geburtshaus in Detmold*

168
*Freiligraths Braut,
Ida Melos*

der Jahre, als Christine ihm ein Töchterchen schenkte, bildete sich in Hebbel doch das Gefühl, einer der glücklichsten Menschen zu sein, die auf der Erde lebten, und sein innerer Friede wuchs von Tag zu Tag. „Wenn ich", schrieb er am 11. März 1858 an seinen jungen Freund Emil Kuh, „des Morgens erwache und den ersten Laut meiner Frau und meines Kindes vernehme, so kann ich mich freuen, daß mir die Tränen ins Auge treten; wenn ich meine Schale Kaffee trinke, so habe ich einen großen Genuß; wenn ich meinen Spaziergang mache, so hab' ich ein Gefühl, als ob ich allein Beine hätte; ja, wenn ich des Mittags nach dem Essen das kleine Hündchen nach der Küche herüberhole und es mit fröhlichem Gebell um mich herum springt, weil es nun auch seinen Teil erwartet, so ergötze ich mich so, daß ich mich jedesmal ärgere, wenn das Tierchen von selbst kommt, weil eine der Mägde die Tür' offen gelassen hat. Dabei komm' ich mir gar nicht genügsam und demütig vor, sondern ich fühle mich überschwenglich mit allem, was ich als Mensch verlangen kann, gesegnet, und ich habe auch alle Ursache dazu; denn ich habe eine Frau, in der Gemüt und Seele fast verleiblicht sind, ich habe ein Kind, das sich aufs liebenswürdigste entwickelt, ich habe Freunde in allen Kreisen, und ich brauche nicht ängstlich mehr für die Zukunft zu sorgen."

Das war der Boden, auf dem seine reifsten Werke wuchsen: Die Dramen „Herodes und Mariamne" (1847/48); „Agnes Bernauer" (1851), „Gyges und sein Ring" (1853/54); die Nibelungentrilogie (1855—1860); die Verserzählung „Mutter und Kind" (1856/57). Über der Arbeit an einem Demetrius-Drama starb er am 13. Dezember 1863.

Überblickt man Hebbels Leben, so lautet der gemeinsame Nenner für alle seine Ereignisse: Kampf. Als Kampf zwischen den Eltern, den Eltern und Kindern, den Schulgenossen erscheint in seiner Erinnerung seine früheste Jugend. Kampf gegen eine, wie ihm scheint, feindliche Umwelt ist sein Erleben in Mohrs Hause, in Hamburg, Heidelberg und München. Ein Kampf ist sein Verhältnis zu Elise Lensing. Die Atmosphäre um

166. Ferdinand Freiligrath (1810—1876)
Stich von Carl August Schwerdgeburth nach einer Zeichnung von Johann Heinrich Schramm

Neben seiner Vorliebe für exotische Motive scheute sich Freiligrath nicht, seine Gedichte politischen Zeitfragen zu widmen. Seine charaktervolle Haltung, die er dabei stets wahrte, nötigte ihn wiederholt, außer Landes zu gehen.

167. Freiligraths Geburtshaus in Detmold
Stich

Bis zu seinem sechzehnten Lebensjahr lebte der Lehrerssohn im Hause seines Vaters in Detmold.

168. Freiligraths Braut Ida Melos
Zeichnung von Johann Heinrich Schramm, 1840

Als Freiligrath 1842 vom preußischen König ein Ehrengehalt ausgesetzt worden war, konnte er Ida Melos heiraten.

Hebbel ist beständig mit Explosivstoff geladen, sein Leben ist eine unaufhörliche Krise. Man begreift, daß sich schon früh in ihm die Überzeugung bilden mußte, daß das Leben des Schöpferischen an sich ein Kampf ist, weil er mit übermächtigen Kräften und Forderungen seiner Umwelt entgegentritt, sie aber ihn in seinem hohen Anspruch nicht gelten lassen will, sondern darauf bedacht ist, ihn zu unterdrücken oder zu stürzen, wenn sie sich nicht von ihm vernichten lassen will. Mit diesem Kampf ist der Schmerz verbunden; Kampf und Schmerz sind um so heftiger, je größer der schöpferische Mensch ist, der der Gesamtheit gegenübersteht. Hebbel hat auf diese Weise sein persönliches Kämpfen und Leiden zu einem allgemeinen Weltkampf und -leiden ausgeweitet. Er hat es dadurch für sich erträglich gemacht. Es hat so den Wert einer religiösen Tröstung für ihn erhalten.

Wir wissen nicht, woher und auf welchem Wege diese Idee in Hebbel Eingang fand. Sie war schon sehr früh in ihm. So führt ein Gedicht aus der Wesselburener Zeit, „Die Perle" (1831) aus, daß, wie die Schnecke erst eine Wunde empfangen müsse, wenn sich die Perle aus ihr losringen solle, so „aus dem Dornenschoße des bleichen Jammers und der Not" alles Herrliche und Große hervorsteige. Der Grund dieser Auffassung ist der Individuationsgedanke der Romantik. Der allgemeine Geist ist in der Einzelgestalt gesondert. „Wie die Vernunft", sagt er einmal, „das Ich, oder wie man's nennen will, Sprache werden muß, also in Worte auseinanderfallen, so die Gottheit Welt, individuelle Mannigfaltigkeit". Es ist schon eine Überzeugung der Romantik, daß die Individuation für den einzelnen ein Leiden bedeutet — man mag an Hölderlins „Empedokles" denken. Aber niemand vor Hebbel hat dieses Leiden so scharf empfunden und es in all seinen Folgen so peinlich durchgedacht wie er. Ihm ist alles Leben als Individuation an sich Schmerz; ja, erst der Schmerz macht uns des Lebens bewußt. „Es wäre", sagt er. „so unmöglich nicht, daß unser ganzes individuelles Lebensgefühl, unser Bewußtsein, in demselben Sinne ein Schmerzgefühl ist, wie zum Beispiel das individuelle Lebensgefühl des Fingers oder eines sonstigen Gliedes am Körper, der erst dann für sich zu leben und sich individuell zu empfinden anfängt, wenn er nicht mehr das richtige Verhältnis zum Ganzen hat, zum Organismus, dem er als Teil angehört."

Am tiefsten empfindet der große schöpferische Mensch diesen Schmerz. Denn in ihm ist am meisten von dem göttlichen Geiste, der sich in der Welt, sich vereinzelnd, offenbart. Es ist ein eigentümlich Hebbel'scher Gedanke, daß dieser Schmerz aus der Einengung fließt, die das nach schrankenloser Entfaltung drängende Göttliche in der menschlichen Existenz des Schöpferischen erfährt. Wer diesen Widerstand der Welt empfindet, trägt das Zeichen des Göttlichen auf der Stirne, das um so heller leuchtet, je größer das Leiden ist, das ihm die Welt bereitet: Hebbel hat damit geradezu seine rücksichtslose Art glorifiziert. Es ist ein „heiliger Krieg", den der Genius mit der Welt führt. Ein Gedichtzyklus aus der Pariser Zeit trägt den Titel: „Dem Schmerz sein Recht."

Der Prozeß der Geschichte ist ein unaufhörlicher Wechsel zwischen der Gottheit als unendlichem Geist und der einzelnen Gestalt, in die sie eingeengt ist. Hebbel hat ihn etwa in dem Bilde des Wassers veranschaulicht. Das Wasser ballt sich zum Tropfen. Der Tropfen verhärtet sich und gefriert und schließt sich damit gegen die Welt ab. Diese ruht nicht, bis sie ihn wieder aufgetaut und den Stoff von der einengenden Gestalt befreit hat. Auch die geschichtliche Welt muß sich so, wenn das Individuum seine göttliche Kraft bis zur Maßlosigkeit ausbildet, seiner erwehren, indem sie die Gestalt zerbricht. Sicherlich hat diese Vorstellung Hebbels irgendwie eine Klärung erhalten durch Hegels Idee von Thesis, Antithesis und Synthesis in der Geschichte. Auch bei Hebbel ist es die absolute Idee, die einen Weltzustand schafft, ihn bis zum Übermaß ausbildet, damit den Gegenzustand weckt, der, heranreifend, den Zustand stürzt und, in gleicher Weise, wiederum durch einen neuen Gegenzustand zu Fall gebracht wird.

Diese Weltanschauung ist tragisch. Der schöpferische Mensch der Geschichte, den Gott mit der Sendung betraut hat, einen alten, morsch gewordenen Weltzustand zu stürzen und einen neuen zu begründen, ist ein tragischer Held; denn so groß sein Verdienst ist und so notwendig sein Wirken, die Welt muß sich schließlich doch gegen ihn auflehnen, weil er in der Unersättlichkeit seines Wollens sie zerstören würde. Damit ist zugleich gesagt, daß die Schuld des Helden nicht eine moralische im bürgerlichen Sinne ist, sondern eine metaphysische und kosmische. Sein Schaffen kann ein Aufbauen oder ein Zerstören, er kann ein Wohltäter oder ein Verbrecher sein: auch Christus und Sokrates waren tragische Helden. In allen Fällen ist das Handeln des Helden durch den göttlichen Willen bestimmt. Aber ob auch der Grund des großen Schattens immer tragisch ist, es muß den Helden nicht immer zum Untergang führen. Dann nämlich nicht, wenn ihn die Einsicht in das Sosein des Weltprozesses zum Selbstverzicht bringt — wie Hebbel am 1. Mai 1848 an Amalie Schoppe schrieb: „Wenn der Mensch sein individuelles Verhältnis zum Universum in seiner Notwendigkeit begreift, so hat er seine Bildung vollendet und eigentlich auch schon aufgehört, Individuum zu sein; denn der Begriff der Notwendigkeit, die Fähigkeit, sich bis zu ihm durchzuarbeiten, und die Kraft, ihn festzuhalten, ist eben das Universelle im Individuellen, löscht allen unberechtigten Egoismus aus und befreit den Geist vom Tode, indem es diesen im Wesentlichen antizipiert." Man kann sagen, daß diese Lehre des Verzichtes — „Wirf weg, damit du nicht verlierst", hat sie Hebbel einmal formuliert — die praktische Lebensregel des sich im bürgerlichen Dasein erhaltenden Menschen ist. Wo aber die geschichtliche Sendung notwendig die gegebene bürgerliche Ordnung überschreitet, weil sie eine neue schaffen muß, hat der Held den Weg des Leidens bis zum bittern Ende zu gehen.

Am tiefsten und reinsten hat Hebbel seine tragische Vorstellung von dem geschichtlichen Prozesse in „Gyges und sein Ring" zum Mythos zu gestalten vermocht. Der Ring ist in der Ruhelage das Symbol des Kosmos,

659

der in sich geschlossenen und gesetzmäßig geordneten Welt. Gyges findet ihn und übergibt ihn dem König Kandaules. Der dreht ihn in kindischem Spiel und aus eitler Neugier, wodurch die Welt in Unordnung gerät und erst wieder zur Ruhe kommt, nachdem der Störenfried beseitigt ist.

Der Wechsel der historischen Perioden dient Hebbel immer wieder zur Darstellung seiner tragischen Geschichtsauffassung, verkörpert in großen Persönlichkeiten. In der „Judith" tritt so Holofernes als der wilde Eroberer und Zerstörer dem in seiner Gottesverehrung begründeten Judentum entgegen und wird von der jungfräulichen Witwe zu Fall gebracht. In „Genoveva" stehen sich so Golo und Genoveva gegenüber. Während noch in „Judith" in beiden Gegenspielern, Holofernes und Judith, Individuelles und Göttliches sich bestreiten, Holofernes sich als den Abgesandten Gottes betrachtet und auch in Judith die Liebe des Weibes mit der Hingegebenheit an Jahve an der Tötung des Feindes beteiligt ist, sind in „Genoveva" die beiden Haltungen klar geschieden. Golo ist ausschließlich der wild Begehrende, egoistisch Liebende, Genoveva die reine Verkörperung der christlichen Hingebung und Selbstüberwindung. Mit dem Tode des Golo ist die Welt von dem Störenfried erlöst, die Ordnung wiederhergestellt. Auch in „Maria Magdalena" steht ein alter Weltzustand einem neuen gegenüber. Die starre und enge Sittlichkeit des vormärzlichen Bürgertums wird — schon durch den Titel — gemessen an der reinen und freien Liebe Christi, der der „großen Sünderin" Maria Magdalena ihre Sünden vergab, weil sie viel geliebt hat: Meister Anton aber treibt seine Tochter in den Tod, seinen Sohn in die Fremde. Die neue Welt, die er „nicht mehr versteht", wird über ihn hinweggehen.

Die ungeheure Ichbesessenheit, die Hebbel immer wieder in Zusammenstöße mit der Umwelt geführt hat, läßt ihn die Grundidee des Christentums in immer reinerer Form erkennen. In „Genoveva" siegt das schuldlose Leiden der Pfalzgräfin über die wilde Begehrlichkeit des Golo, und Genoveva wird geradezu als ein weiblicher Christus bezeichnet, ihre geschichtliche Aufgabe ist, die Welt zu entsühnen. In „Maria Magdalena" wird das ursprüngliche Christentum der Liebe und Duldung der erstarrten Moralität des Bürgertums entgegengestellt. Auch die Handlung von „Herodes und Mariamne" gipfelt in dem Siege des Christentums über orientalische Gewaltherrschaft. Auch in den „Nibelungen" steht das Christentum dem Heidentum gegenüber. Aber, im Unterschied gegen „Herodes und Mariamne", nicht als die Religion der Menschenfreiheit, sondern der sittlichen Unterwerfung, sofern Dietrich von Bern, nachdem sich die heidnische Welt durch Blutrache vernichtet hat, Etzel freiwillig dient im Sinne der Religion der Liebe, des Leidens und der Entsagung.

Überall ist hier das Individuum der Störenfried, der im Übermut seiner Ichsucht die bestehende Welt erschüttert und nur insoweit schöpferisch wirkt, als durch die Störung eine veräußerlichte Ordnung gestürzt, der Sinn für die Ordnung an sich vertieft und damit eine neue Ordnung der Welt vorbereitet wird. Eigenes Erleben in seiner Ehe, aber vor allem auch die Erfahrung der Revolution in Wien haben in Hebbel diese Weisheit des Alters gezeitigt. Am leidenschaftlichsten und unerbittlichsten spricht sie sich in „Agnes Bernauer" aus. Wie in den „Nibelungen" Siegfried, in „Gyges" Kandaules, so ist hier der junge Bayernherzog Albrecht der Aufrührer. Er vermählt sich, ohne auf den Einspruch seines Vaters Ernst, die Pflicht gegen das Herrscherhaus und die Ständeordnung der Zeit zu achten, mit der Baderstochter Agnes Bernauer, bloß weil er sie liebt. So muß sein Vater ihm im Namen des Rechtes und der Ordnung entgegentreten, und als das unschuldige Opfer der Willkür ihres Gatten, der Gerechtigkeit der Staatsordnung, muß Agnes fallen.

Wenn in dem in Italien entstandenen Sonett „Schönheitsprobe" Hebbel die Schönheit darstellt als den Zustand des selbstbewußten Friedens, der jenseits aller Kämpfe steht, so erscheint sie auch in seinen Dramen als sichtbarer Ausdruck der Harmonie der Welt. Dreimal, in „Genoveva", in „Agnes Bernauer" und in „Gyges und sein Ring", steht die Schönheit einer Frau im Mittelpunkt der Handlung als die höchste sinnliche Form der still in sich ruhenden Ordnung der Welt. Gerade dadurch aber entzündet sie die leidenschaftliche Begierde, die der Grundzug des Mannes ist. Die Schönheit der Genoveva reizt die Begierde des Golo, die Schönheit der Agnes Bernauer läßt den jungen Bayernherzog die Verantwortung seiner Stellung vergessen, die Schönheit der Rhodope veranlaßt ihren Gatten Kandaules zum frevelhaften Eingriff in die sittliche Ordnung der Welt, indem er seinen Diener Gyges zwingt, Rhodope unverhüllt im Schlafgemach zu sehen. Und jedesmal, am nachdrücklichsten in „Gyges", verursacht das begehrliche Streben nach der Schönheit eine tiefe Erschütterung des ganzen Weltzustandes: Golo findet den Tod; Herzog Ernst von Bayern weicht seinem Sohne, und Kandaules fällt im Zweikampf mit Gyges, der König von Lydien wird.

Hebbel ist eine leidenschaftlich-sinnliche Natur gewesen: so hat er in München mit der Tochter seiner Wirtsleute ein Verhältnis gehabt zu gleicher Zeit, wo Elise in hingebungsvoller Weise für ihn sorgte. Die Schönheit der Frau riß ihn zu höchster Leidenschaft hin. Aber zu gleicher Zeit lernte er auch die Güte und Selbstlosigkeit der Frau kennen. Im Sommer 1840, nachdem er die „Judith" geschrieben, verliebte er sich in Hamburg leidenschaftlich in eine junge Dame der Gesellschaft, Emma Schröder. Zu gleicher Zeit weilte Elise, die sich durch ihn Mutter fühlte, zu ihrer Erholung auf Rügen. Er schwärmte ihr von Emma vor. Sie habe ihm gefallen, wie selten ein Mädchen. Seit dem Tag, daß er dies liebliche Wesen gesehen, sei er wie im Rausch. Elise ertrug diese Bekenntnisse so, daß er selber von ihr sagte, er habe nie ihresgleichen gesehen, sie sei „ein Brunnen unerschöpflicher Liebe".

Man kann nicht ohne Schmerz an das Unrecht denken, das Hebbel Elise Lensing angetan hat. Aber wenn er in seinen tiefsten Dichtungen die Handlung aus dem Kampf der Geschlechter hervorwachsen läßt und den Mann als den ewig Schaffend-Störenden, die Frau als die Ruhe und Harmonie darstellt, so hat er, was er menschlich verschuldet, als Dichter in das Reich ewiger Werte gehoben und damit verklärt.

VIERTES BUCH

DER REALISMUS

1. DAS ZEITALTER DES MATERIALISMUS

„Was soll uns noch die bunte Wunderzeit?
Wir fußen jetzt in harter Wirklichkeit."

Conrad Ferdinand Meyer

Realität, Wirklichkeit, deren Ausdruck der Realismus sein will, ist nicht ein unbestrittener Wert, sondern eine Frage: ihr Inhalt hängt davon ab, was man unter den res, dem schlechthin Wirklichen oder Wesenhaften versteht. Zwei Auffassungen stehen sich entgegen: Das Wirkliche ist der Geist oder die Welt der Ideen; das Wirkliche ist das sinnlich Wahrnehmbare, Materielle oder Stoffliche. Es hat im Mittelalter Denker gegeben, die sich zu der ersten Ansicht bekannten.

Aus der Entwicklung des philosophischen Denkens der neueren Zeit erklärt sich der Inhalt des heutigen Begriffes Realismus. Der Idealismus der Klassik und der Romantik hatte von dem Rationalismus die Auffassung übernommen, daß der Grund der Welt ein geistiger, die Vernunft, sei. Unter seinem Gegensatz, dem Realismus, konnte mithin nur eine Denkrichtung verstanden werden, die die Auffassung des geistigen Weltgrundes aufgab und sich damit begnügte, auf Grund der Sinnenwahrnehmung die Welt als eine Mannigfaltigkeit materieller Erscheinungen zu betrachten, ohne hinter der einzelnen Erscheinung eine Idee, im Ganzen der Welt ein Absolutes oder eine geistige Kraft zu suchen. Die Weltanschauung, die diesem Begriff des Realismus seinen Inhalt gab, ist daher der Materialismus oder die Lehre von dem ausgedehnten Stoff als Wesen der Dinge.

Das gesamte deutsche Schrifttum — Goethe ausgenommen — bis über das erste Drittel des 19. Jahrhunderts hinaus steht im Zeichen des Idealismus: es sind Ideen der Dinge, nicht die Dinge selber, von denen die Dichter ausgehen, und die sie gestaltend darstellen.

Den mangelnden Lebensgehalt vermag die kühnste und virtuoseste Formakrobatik nicht zu ersetzen. So war schließlich ein Mißverhältnis entstanden zwischen der in leeren Lüften fliegenden Dichtung und dem kräftig in die Aufgaben der Wirklichkeit ausschreitenden Leben, ein Mißverhältnis, das in seiner Unfruchtbarkeit lebendigen Menschen ebenso unerträglich war, wie das zwischen dem politischen Absolutismus der Restaurationszeit und der Bildung des längst zu sittlicher und geistiger Freiheit herangewachsenen, national denkenden Bürgers.

Die Julirevolution offenbarte 1830 zum erstenmal allen sichtbar die Kluft. Sie bedeutete nicht nur einen Vorstoß des demokratischen Konstitutionalismus gegenüber der Restauration, sondern einen allgemeinen Angriff materialistischer Massengesinnung. Die Saint-Simonisten verbreiteten die Ideen einer sozialistischen Wirtschaftsordnung und einer antichristlichen Lebensführung zum Genusse der materiellen Lebensgüter. Ein Jahr nach dem Ausbruch der Revolution gab der schwäbische Publizist Paul Achatius Pfizer eine bedeutende Flugschrift heraus, den „Briefwechsel zweier Deutschen". Er stellt darin die Aufgaben der Zukunft den Schöpfungen der Vergangenheit gegenüber. Friedrich, der eine der beiden Briefschreiber, ist ein Deutscher des 18. Jahrhunderts, er preist das Weltbürgertum, die ästhetische Humanität und die Philosophie. Wilhelm, der andere, ist ein Mensch der neuen Zeit. Auch er bekennt sich zur geistigen Art der Deutschen. Wir müßten aufhören, meint er, Deutsche zu sein, wenn wir zu unserer Wiedergeburt der Idee entraten wollten. „Die Deutschen sollen fortfahren, das geistige Prinzip der Weltgeschichte zu repräsentieren." Aber die Ideen, mit denen man aufbauen soll, müssen aus dem Bedürfnis des Lebens stammen, nicht aus der Philosophie; denn die Philosophie hat sich vom Leben abgesondert. Sie kann nicht helfen. „Sie führt nur in jene starren Regionen des ewigen Schnees, aus welchen der Rückweg zum Leben nicht mehr zu finden ist. Dort fließt uns keine Quelle der Erquickung, alle Philosophie ist am Ende nichts anderes als eine trockene Kritik des menschlichen Erkenntnisvermögens."

Ähnlich die Literatur. Es fehlt ihr, wie dem deutschen Volk, der rechte Lebensmittelpunkt; sie ist lauter Peripherie ohne Zentrum. „Die schöne Literatur insbesondere gleicht einer Tafel, die mit den feinsten Leckereien und den ausgesuchtesten Seltenheiten aller Art bedeckt ist, wo es aber an einem ehrlichen, soliden Hauptgerichte mangelt, so daß man zuletzt mit einem überfüllten, aber öden Magen ungesättigt davon aufsteht. Die deutsche poetische Literatur besteht aus lauter Arabesken und Verzierungen, und die echte Poesie verstummt mehr und mehr, denn es fehlt ihr an einem Gegenstand, an dem sie sich aufrichten könnte, an der Anschauung eines großartigen und erfüllten Lebens; die bloß innerlichen Stoffe und Motive sind verbraucht, alles zerfließt, stäubt durcheinander, verflüchtigt sich und läßt oft einen ekelhaften Niederschlag zurück: statt einer echten Mischung der Bestandteile, statt einer Durchdringung der realen und idealen Elemente hier ein nebliger Duft, in dem man die verschwimmenden Gestalten nicht mehr unterscheiden kann, dort im Gegensatz die nackte Plattheit und Gemeinheit, weil wir die wahrhafte Wirklichkeit, die reale Mitte des Lebens überhaupt verloren haben."

Bei einem solchen Zustande des geistigen Lebens muß auch der Staat aufhören, ein lebendiger Organismus oder das Gesamtleben des Volkes zu sein — „wenn eine Masse von gehorchenden Heloten, zusammengehalten durch Beamte, denen häufig selbst die Pflichten gegen ihre Untergebenen nur Pflichten gegen die Regenten sind, den Namen eines Staates verdienen soll... Der wahre Bürgerstand, der sich als berechtigter Teil eines freien Staatsganzen fühlt und den Kern des echten Staates bildet, ist unsern deutschen Staaten großenteils unbekannt." Die weltbürgerliche Humanität, die Friedrich als das geistig-politische Ideal der Deutschen verkündet, verwirft Wilhelm. Wenn es eine Humanität gibt, so nur eine nationale. Wie die echte Bildung des einzelnen nur auf der Grundlage der Individualität ruhen kann, so kann auch die Bildung des Volkes sich nur auf der Nationalität aufbauen. Nationalität ist die Persönlichkeit des Volkes: „Was nottut, ist Volksgesinnung; die Fürsten werden dann schon auf ihre Souveränität verzichten."

In keiner Schrift der Zeit ist der Gegensatz, der sie bewegte, geistige Bildung einerseits, Wirklichkeitshingabe anderseits, so klar und entschieden ausgesprochen wie in dem „Briefwechsel zweier Deutschen". Man erkennt leicht, bei welchem der beiden Briefschreiber Pfizers Sympathie weilt, und die deutsche Geschichte des 19. Jahrhunderts hat ihm recht gegeben, wenn auch nicht in der naiven Annahme, daß die Fürsten dann schon zugunsten des Volkes auf ihre Souveränität verzichten würden. Allerdings läßt er sich zu sehr durch die Wirklichkeit bestimmen, und die Richtung der Wirklichkeit geht in seiner Zeit auf den Materialismus. Er spricht es denn auch aus, daß nur „auf der Grundlage einer gesicherten physischen Existenz auch das höhere geistige Leben gedeihe". Man kann ihm glauben, daß er mit diesem Gedanken noch nicht an das entfesselte Streben nach Macht und Geld dachte, wie es schon zwei Menschenalter später das deutsche Leben beherrschte; aber das Wort bleibt dennoch bedenklich und fraglich.

Pfizers Büchlein ist im Todesjahr Hegels, des letzten großen Vertreters des philosophischen Idealismus, erschienen. Ein Jahr vorher schon hatte Hegels Schüler Ludwig Feuerbach seine „Gedanken über Tod und Unsterblichkeit" herausgegeben und damit die Abkehr von seinem Lehrer eingeleitet. Schon hier war der kosmische Idealismus oder der Pantheismus, der das Denken der Romantik beherrscht hatte, preisgegeben und die Ansicht entwickelt, daß auch das Leben des Geistes mit dem Tode völlig aufhöre, und daß eben diese Idee der Zerstörung des Geistes mit dem Körper die Voraussetzung für den Fortschritt auf Erden sei. Als Feuerbach infolge seiner kirchenfeindlichen Ansichten die akademische Laufbahn verschlossen blieb, löste er sich, in Mittelfranken auf dem Lande lebend, bald völlig von Hegel ab, gab 1839 eine Kritik der Hegelschen Philosophie, 1841 ein Buch über das Wesen des Christentums, 1845 ein weiteres über das Wesen der Religion heraus und veröffentlichte 1846 ein Werk über die Unsterblichkeitsfrage vom Standpunkt der Anthropologie aus.

Feuerbach verstand es, sie mit reichem Beweisstoff aus dem Gebiete der Anthropologie, Völkerkunde, Geschichte und Naturwissenschaft zu unterbauen und mit unermüdlicher Beredsamkeit zu verbreiten. Er hat so wie kaum ein zweiter Denker die Wendung weiter Volkskreise zum materialistischen Denken vorbereitet. Sein Ausgangspunkt ist die Preisgabe der Idee der Weltvernunft oder des sich in der Welt offenbarenden Absoluten.

Wenn Hegel von ihr aus denkend das geschichtliche Leben konstruierte, so tritt Feuerbach mit rein sinnlicher Beobachtung der Wirklichkeit gegenüber. Die Welt oder, wie er nun lieber sagt, die Natur ist „der Inbegriff aller sinnlichen Kräfte, Dinge und Wesen, welche der Mensch als nicht-menschliche von sich unterscheidet ... Natur ist alles, was dem Menschen ... unmittelbar, sinnlich als Grund und Gegenstand seines Lebens sich erweist. Natur ist Licht, ist Elektrizität, ist Magnetismus, ist Luft, ist Wasser, ist Feuer, ist Erde, ist Pflanze, ist Mensch, soweit er ein unwillkürlich und unbewußt wirkendes Wesen ... Ich appelliere bei diesem Wort an die Sinne." Damit ist auch ausgesagt, daß die Natur keineswegs vernünftig, vielmehr irrational ist, bestehend aus einer Mannigfaltigkeit von Einzelgestaltungen. „Das Wirkliche", erklärt er, „ist im Denken nicht in ganzen Zahlen, sondern nur in Brüchen darstellbar. Dies beruht auf der Natur des Denkens, dessen Wesen die Allgemeinheit ist, im Unterschied von der Wirklichkeit, deren Wesen die Individualität ist." Will man die Wirklichkeit erfassen, so hat man mit den Sinnen Eindrücke von ihr aufzunehmen und diese hernach mit dem Verstande zu klären, zu ordnen und zu vertiefen. Der „wahre, wirkliche, ganze" Mensch schaut nach Feuerbach nicht nach innen, wie Fichte gelehrt, sondern als der, der Augen und Ohren, Hände und Füße hat, nach außen.

Wenn bei Hegel wie schon in der früheren Philosophie die christliche Vorstellung der transzendenten Gottespersönlichkeit zur Idee der immanenten Weltvernunft oder des Absoluten abstrahiert ist, so schwindet bei Feuerbach nun auch der letzte Rest des Geistes aus der Welt. Die Natur, als Materie und Kraft, ist an sich geist-los. Wo frühere Denker von einer Weltseele sprachen, dachten sie ihren eigenen Geist in die Welt hinein. Wo Geist erscheint, in Philosophie, Wissenschaft, Kunst, ist es der menschliche Geist, als Produkt des materiellen Gehirns, was sich als Geist betätigt. Auch die Gottesvorstellung, unendlich verschieden bei den verschiedenen Völkern, ist eine Schöpfung des menschlichen Denkens. Nicht Gott schuf den Menschen nach seinem Bilde, sondern der Mensch schuf Gott nach dem seinigen. In der Wirklichkeit gibt es kein Wesen, das diesem menschlichen Bilde entspricht. Mithin, da die Seele, als die Vereinigung der geistigen Funktionen des Menschen, ein Produkt des Körpers ist und mit dem Körper dahingeht, so gibt es auch kein Jenseits, wo die Seelen sich der Unsterblichkeit freuen können. All das sind mythologische Vorstellungen verschollener Zeiten. Der Mensch ist nicht auf die Erde gesandt, damit er sich hier für die ewige Seligkeit vorbereite und dort an Glück nachholen könne, was ihm das irdische Jammertal vorenthalten. Die Ausgleichung muß vielmehr schon auf der Erde gesucht und ermöglicht werden. Die Erde soll darum aus einem Jammertal zu einem Paradies für möglichst viele Menschen geschaffen werden. Das kann geschehen, wenn die Menschen, im Gefühl ihrer Solidarität, alle einander helfen, füreinander einstehen. „Der Atheismus", so schließt Feuerbach seine 1848/49 in Heidelberg gehaltenen Vorlesungen über das Wesen der Religion, „ist daher positiv, bejahend; er gibt der Natur und Menschheit die Bedeutung, die Würde wieder, die ihr der Theismus genommen; er belebt die Natur und die Menschheit, welcher der Theismus die besten Kräfte ausgesogen ... die Verneinung des Jenseits hat die Bejahung des Diesseits zur Folge; die Aufhebung eines besseren Lebens im Himmel schließt die Forderung in sich: es soll, es muß besser werden auf der Erde; sie verwandelt die bessere Zukunft aus dem Gegenstand eines müßigen, tatlosen Glaubens in einen Gegenstand der Pflicht, der menschlichen Selbsttätigkeit ... Wir müssen an die Stelle der Gottesliebe die Menschenliebe als die einzige wahre Religion setzen."

Ein umfassendes Kulturprogramm, das, als es ausgesprochen wurde, schon auf den verschiedensten Gebieten in der Verwirklichung begriffen war. Das neue allgemeine Weltbild, das Feuerbach von seiten der Philosophie her aufgestellt, wurde durch die naturwissenschaftliche Forschung der Zeit im einzelnen ergänzt und unterbaut. So schien die künstliche Herstellung eines organischen Stoffes durch Friedrich Wöhler im Jahre 1828 die bisherige Trennung von toter und lebender Natur aufzuheben und eine ganz neue Aussicht auf das Wesen des Lebens zu eröffnen. Nicht minder bedeutsam war die Entdeckung des Satzes von der Erhaltung der Energie durch Robert Mayer im Jahre 1842, wodurch nicht nur ein neues Verständnis für das Wesen der Wärme angebahnt, sondern zugleich die Möglichkeit geschaffen wurde, die mannigfachen Erscheinungen der Natur auf ein einziges Prinzip zurückzuführen. Die Naturforscher-Versammlungen, die seit 1822 stattfanden, waren die Kampfplätze, wo die neue materialistische Weltanschauung sich mit der alten christlichen auseinandersetzte und immer mehr an Boden gewann. Die Entscheidung fiel 1854 in Göttingen, wo Karl Vogt dem Physiologen Rudolf Wagner, der sich in seinem Vortrag über Menschenschöpfung und Seelensubstanz für seine christliche Auffassung auf die Bibel gestützt hatte, den Vorwurf des Köhlerglaubens ins Gesicht warf. Ein Jahr darauf gab Ludwig Büchner, der jüngere Bruder des Dichters, sein Büchlein „Kraft und Stoff" heraus, worin er eine volkstümliche Darstellung der „Grundzüge der natürlichen Weltordnung nebst einer darauf aufgebauten Sittenlehre" bot. Leicht verständlich, klar und über alle ungelösten Rätsel kühn hinwegsetzend, erreichte es in den halbgebildeten Volkskreisen eine ungeheure Verbreitung und pflanzte in ungezählten Köpfen den Glauben an einen materialistischen Monismus. Die christliche Zweiteilung in Geist und Leib ist ersetzt durch die Begriffe Kraft und Stoff, wobei Kraft nur der Bewegungszustand des Stoffes ist und beide meßbar, also quantitativ bestimmbar sind. Gegenüber dem „Geist" des Christentums wird jetzt der Stoff für unsterblich erklärt. Die „Seele" ist eine Funktion des Gehirns, ihre Leistungsfähigkeit von dessen Größe, Form und Zusammensetzung abhängig. Das Denken ist eine natürliche Bewegung, Leben das verwickelte Zusammenwirken von chemischen und physikalischen Kräften. Der Wille des Menschen ist an die Naturgesetze gebunden. Die Moral ist auf natürliche Weise aus dem menschlichen Zusammenleben entstanden, ihr Grundgesetz der Satz: „Was du nicht willst, daß man dir tu, das füg' auch keinem andern zu." Der Zweck des Lebens ist die irdische Glückseligkeit.

Eine bedeutende Förderung erhielt die mechanistisch-materialistische Lebenslehre 1859 durch Darwins „Entstehung der Arten durch natürliche Zuchtwahl". Indem hier, wie es schien, einwandfrei durch Versuche der Nachweis geleistet war, daß Tierformen sich durch Anpassung an die natürlichen Lebensbedingungen im Kampfe ums Dasein bilden und wandeln, schien das Geheimnis der Enstehung des Lebens auf materiellem Wege gelöst zu sein. Nun konnte sich auch die christliche, im besondern die protestantische Theologie den neuen Einsichten nicht mehr verschließen. Einer ihrer kühnsten Vertreter, David Friedrich Strauß, der 1835 sein umstürzendes „Leben Jesu" herausgegeben hatte, unternahm es, 1872 in seinem „Alten und Neuen Glauben" den fortschrittlich gesinnten gebildeten Kreisen die Angleichung des religiösen Denkens an die neue Weltanschauung zu vermitteln.

Der Ausgang des Buches von Strauß weist auf Schopenhauer hin. Dessen Hauptwerk, „Die Welt als Wille und Vorstellung", erschien 1819, tat aber damals noch wenig Wirkung. 1844 erst kam die zweite Auflage, schon 1859 die dritte, 1891 bereits die achte. Die Beschleunigung der Ausgaben weist auf den wachsenden Einfluß des Werkes hin. Er stieg im gleichen Maße, wie das materialistische Denken sich in den Massen verbreitete. In dem Weltpessimismus, den Schopenhauer lehrte, prägte sich das Gefühl der Schwere aus, mit dem die Materie, der man sich zu eigen gegeben, auf das Gemüt wirkte. Denn es zeigte sich, daß das Massenglück, das der Materialismus schaffen sollte, in Wirklichkeit ein Massenunglück brachte. Der Idealismus hatte das deutsche Leben, trotz äußerer Not und Bedrängnis, im Innern mit Mut und Kraft erfüllt; der Materialismus machte, trotz wachsendem Reichtum, steigender Erleichterung der äußeren Lebensbedingungen und vermehrtem Genuß, die Menschen immer begehrlicher, aber auch immer unfroher und unzufriedener. Und für diesen Zustand seelischer Belastung gab Schopenhauer, wenn nicht ein Heilmittel, so doch ein Narkotikum. Er kam der Überzeugung der von dem Gang und der Einrichtung der Welt Enttäuschten entgegen, indem er den Glauben des Christentums und des Idealismus an eine vernünftig-sittliche Weltordnung preisgab und durch die Vorstellung einer immoralischen Weltmaschine ersetzte. Der „Wille", der sie treibt, wirkt jenseits von gut und böse, schön und häßlich, ist ein brutales, tierisches, physisches Vorwärtsschieben. Über dieser nackten Weltmaschine erbaut sich der Mensch ein Reich der Ideale des Wahren, Schönen, Guten, ein Reich der „Vorstellungen". Immer wieder gibt er sich dem Wahne hin, daß die Welt des Willens der Welt seiner Vorstellungen entsprechen müsse, und immer wieder erlebt er die grausamsten Enttäuschungen, die die Quelle unaufhörlicher Leiden sind. Nur einen Weg gibt es für den Wissenden, zwar nicht glücklich zu sein, aber doch das Unglück zu meiden: den Verzicht auf die Teilnahme am Weltwillen durch die Unterdrückung des eigenen Wünschens und Strebens, die Auslöschung von Sinnlichkeit und Gefühl durch Intellekt und Einsicht.

Was Philosophie und Wissenschaft lehrten, hatte das Leben zu verwirklichen. Sollte das Dasein des Menschen dem Anspruch an ein irdisches Wohlsein genügen, so mußte zuerst die politische Form, in der er sich befand, jenes Maß von bürgerlicher Freiheit und Selbständigkeit erhalten, das er zu fordern hatte, um glücklich zu sein. Das Polizeiregiment, mit dem der Absolutismus das bürgerliche Leben auch nach den Befreiungskriegen einengte, entsprach dieser Glücksforderung keineswegs. Denn ob auch den Deutschen in der Zeit der Freiheitskriege landständische Verfassungen verheißen worden waren, die Regierungen zögerten, das Versprechen zu erfüllen. Absolutismus und Gottesgnadentum, wie sie Karl Ludwig von Haller in seiner „Restauration der Staatswissenschaft" (1816 bis 1834) umschrieben, bestimmten die deutsche Politik. Neben der Forderung nach verfassungsmäßigen bürgerlichen Rechten hatten die Freiheitskriege auch das Verlangen nach einer festeren Reichseinheit gezeigt, als sie der Deutsche Bund darstellte. Aber die Vielstaaterei brachte es mit sich, daß sich die beiden Bestrebungen, die nach demokratischen Verfassungen und die nach der Einheit des Reiches, immer wieder kreuzten und gegenseitig hemmten. In den Einzelstaaten konnte die Einführung von Verfassungen der inneren Stärkung und Selbständigkeit gegenüber Gesamtdeutschland dienen; die Schaffung einer deutschen Einheit wiederum konnte die Souveränität der Einzelstaaten schwächen. Die Fürsten hatten alles Interesse daran, daß diese Hemmungen eines nationalen Lebens fortdauerten. Wie schwer in einzelnen Ländern dieser Kampf zwischen Fürst und Untertanen war, zeigt das Leben Ludwig Uhlands und wird das von Georg Büchner zeigen; man weiß, wie auch E. T. A. Hoffmann und Grillparzer unter den Eingriffen der Polizei zu leiden hatten.

Das Volk selber, das mit so großer Opferwilligkeit den Kampf der Fürsten gegen Napoleon geführt hatte, war, in den patriarchalischen Zuständen des 18. Jahrhunderts herangewachsen, politisch unerzogen, und die Fürsten taten alles, es in dieser Unbildung zu belassen. So machen die ersten Äußerungen eines politischen Volksbewußtseins einen kindlich-utopischen Eindruck. Am 27. Mai 1832 versammelten sich in Hambach in der bayerischen Pfalz 20 000 Menschen, proklamierten die Volkssouveränität und forderten Deutschlands Einheit und Freiheit. Sinnvoller und mutiger war 1837 der Protest der sieben Göttinger Professoren, darunter Gervinus und die Brüder Grimm, gegen den Verfassungsbruch des Herzogs Ernst August von Hannover: sie mußten den Schritt mit ihrer Entsetzung bezahlen.

Als 1840 Friedrich Wilhelm IV. den preußischen Thron bestieg, richteten sich die Hoffnungen der Freidenkenden auf ihn. Er war geistreich, beweglich und hatte verschiedentlich Zeichen liberaler Gesinnung geäußert. Aber ob er auch Arndt in seine Professur wieder einsetzte und den Freiheitssänger Herwegh in Audienz empfing, es war ein Spiel mit der Freiheit, was er trieb; er dachte keineswegs an Volksrechte und verharrte in einem romantischen Gottesgnadentum. So gewann aus der Enttäuschung in den vierziger Jahren die Volksbewegung an Boden, und als im Februar

1848 in Paris die Revolution ausbrach, fand schon am 27. Februar in Mannheim eine große Volksversammlung statt, die u. a. Pressefreiheit, Vereinsrecht, ein deutsches Parlament forderte. In Wien brach die Revolution am 13., in Berlin am 18. März aus. Schon am 5. März hatten sich in Heidelberg 51 Mitglieder deutscher Ständekammern versammelt, um die Einberufung einer konstituierenden Nationalversammlung vorzubereiten. Diese tagte als Deutsches Parlament vom 18. Mai an in der Paulskirche zu Frankfurt a. M. Ihre Mitglieder, durch Volkswahl in allen Teilen Deutschlands und Österreichs ernannt, bestanden aus den hervorragendsten deutschen Politikern, Gelehrten, Schriftstellern, Adel und Bürgertum. Man debattierte über die künftige Reichsverfassung. Die Verhandlungen bewegten sich auf geistig ansehnlicher Höhe. Aber welche Gegensätze standen sich gegenüber! Republik und Monarchie, Wahl- und Erbmonarchie. Großdeutschland und Kleindeutschland, Preußen und Österreich. Es zeigte sich auch hier, daß Körperschaften, je mehr hervorragende Köpfe sie zählen, um so weniger beschluß- und handlungsfähig sind. Man faßte nach endlosen Reden platonische Beschlüsse ohne Kompetenzen, ohne Anerkennung bei den Regierungen und ohne die Gewalt, sie in die Tat umzusetzen. Als man endlich im Frühjahr 1849 sich auf ein Erbkaisertum geeinigt hatte, und Friedrich Wilhelm IV. die deutsche Kaiserkrone antrug, lehnte er sie ab. Es hätte nicht in der derben Schroffheit zu geschehen brauchen, mit der er es getan haben soll; aber der Antrag bewies, wie das ganze Parlament, die politische Unerfahrenheit des deutschen Volkes.

So schien das politisch unerzogene Volk versagt zu haben, und die Fürstengewalt schritt, wie über die Revolution, so über den Willen des Volkes zur Schaffung eines deutschen Reiches hinweg. In Preußen übernahm Bismarck 1862 als Ministerpräsident die Leitung der Geschäfte, und statt durch Parlamentsreden wurde das Reich durch fürstliche Kabinettspolitik und die Waffe gegründet. In den Kriegen um Schleswig-Holstein 1848—1850 und 1864, in der Auseinandersetzung mit Österreich 1866 und im Kriege mit Frankreich 1870/71 stieg Preußen auf den Gipfel seiner Macht, und jetzt gründete Bismarck mit Hilfe der Fürsten das Deutsche Reich. Die Masse der Bürger, deren Schicksal letzten Endes auf dem Spiele stand, wurde nicht um ihren Willen befragt. Man nahm ohne weiteres an, daß sie nicht zu politischer Bildung und politischer Entscheidung tauge.

Aber war die Nation überhaupt in der Masse des deutschen Bürgertums gewillt, sich politisch zu bilden und die Verantwortung für den Staat zu übernehmen? Hatte sie sich in den Jahrhunderten deutscher Vielstaaterei nicht daran gewöhnt, sich von den Fürsten leiten zu lassen? Wie die Dichter des liberalen Bürgertums die politischen Bestrebungen des Volkes beurteilten, zeigen Fontane und Raabe. Fontane hat in „Von Zwanzig bis Dreißig" die Vorgänge des März in Berlin geschildert, wie er sie als junger Apotheker erlebte. Er hatte sich in der Requisitenkammer des Königstädter Theaters mit einem Karabiner versehen, im Glauben, daß „einer Heldenlaufbahn seinerseits nichts weiter im Wege stehe". In einem Laden am Alexanderplatz hatte der Trupp, mit dem er mitlief, sich mit Pulver versorgt, das Fontane in einen alten zitronengelben Handschuh stopfevoll einfüllte. An der Barrikade, für die riesige Theaterkulissen verwendet worden waren, begann er nun aus seinem Handschuh sehr ausgiebig Pulver in das Gewehr zu schütten. Als er den Lauf halbvoll haben mochte, sagte einer, der ihm zugesehen hatte: „Na, hören Sie ...!" Worte, die gut gemeint und ohne Spott gesprochen waren, „aber doch mit einem Mal meiner Heldenlaufbahn ein Ende machten". Plötzlich stand alles, was er bis dahin getan, „im Lichte einer traurigen Kinderei vor mir, und der ganze Winkelriedunsinn fiel mir schwer auf die Seele. Dieser Karabiner war verrostet; ob das Feuersteinschloß noch funktionierte, war die Frage, und wenn es funktionierte, so platzte vielleicht der Lauf, auch wenn ich eine richtige Patrone gehabt hätte. Statt dessen schüttete ich da Pulver ein, als ob eine Felswand abgesprengt werden sollte. Lächerlich! Und mit solchem Spielzeug ausgerüstet, nur gefährlich für mich selbst und für meine Umgebung, wollte ich gegen ein Gardebataillon anrücken!"

Wilhelm Raabe schildert in seiner Erzählung „Gutmanns Reisen" (1892) die erste Generalversammlung des 1859 gegründeten Deutschen Nationalvereins in Coburg. Hier treffen der Kaufmann Gutmann und sein Sohn Wilhelm mit dem Major a. D. Blume aus Wunsiedel, seinem Schwager und seiner Tochter Klotilde zusammen. Es entspinnt sich ein Liebesverhältnis zwischen Wilhelm und Klotilde. Daneben spielen sich im Hintergrund die Verhandlungen des Nationalvereins ab. Sie werden von Raabe durchaus ironisch geschildert. Die deutschen Bürger, die in Politik machen, sind gutmütige, aber politisch harmlose Köpfe. Ein innerer Zusammenhang zwischen der Liebesgeschichte und dem politischen Geschehen besteht nicht. Wilhelm wird von seinem politisch erregten Vater jeweils gezwungen, ihn in die Sitzungen des Nationalvereins zu begleiten; aber jedesmal verzieht er sich so rasch als möglich aus dem Saale und sucht seine Geliebte auf. Einmal, wie er wieder davongelaufen ist, sagt er zu Klotilde: „Was sie da unten von mir denken, das ist mir in diesem Augenblicke ganz — ganz — ganz einerlei! Auf der Rednerliste stehe ich nicht; die Gesichter der Alten — das Gesicht meines Alten hätte ich sehen mögen, wenn ich mich dazu angemeldet hätte!" Man denkt bei dieser Schilderung des unpolitischen jungen Deutschen an Gottfried Kellers „Fähnlein der sieben Aufrechten". Auch hier wird ein Liebesbund an einer politischen Versammlung — einem Schützenfeste — geschlossen. Aber der junge Schweizer Karl Hediger erobert seine Hermine nur, weil er sich als Schütze und als Redner in der Festhalle tüchtig erwiesen hat. Das Gedeihen des Vaterlandes und die politische Tüchtigkeit des Volkes sind der feste Grund, aus dem die Ehe der beiden jungen Leute herauswächst.

In Deutschland bildete sich diese natürliche und organische Verbindung zwischen Staat und Bürgertum nicht. Das Bürgertum gewöhnte sich nach dem Zusammenbruch der Bewegung der 40er Jahre, die Verwaltung und den Schutz des Reiches den Fürsten in Verbindung mit Heer und Beamten-

tum zu überlassen und sich selber im Geschäftsleben ein Feld der Betätigung zu sichern. Zur gleichen Zeit, wo der Sinn und der Wille für den
Staat im deutschen Bürgertum schwand, blühte, aus den Erfindungen der
Technik genährt, die Industrie empor. Mit dem Fleiß, der Gründlichkeit
und Tatkraft, die dem Deutschen eigen sind, schuf er sich eine wirtschaftliche Macht, die einzig in der Welt dastand, und das deutsche Volk, das
noch in der Mitte des Jahrhunderts sich eines sehr bescheidenen Wohlstandes erfreut hatte, stieg im Laufe weniger Jahrzehnte zu einem der
reichsten Völker empor. Der Erfolg war so berauschend, daß er das Bewußtsein der Kluft zwischen dem äußeren Wohlstand und dem Mangel an
politischem Verständnis betäubte.

Mit der Ausbreitung der Industrie entstand auch in Deutschland eine
Bewegung, die durch Zusammenschluß und Führung die Arbeitermassen
vor der rücksichtslosen Ausbeutung durch das Unternehmertum schützen
und auch ihnen ein menschenwürdiges Dasein schaffen wollte. Zuerst hat,
ausländischen, vor allem französischen Sozialisten, Saint-Simon, Fourier,
folgend, der aus Magdeburg stammende Schneidergeselle Wilhelm Weitling in seinen „Garantien der Harmonie und Freiheit" (1842) und dem
„Evangelium eines armen Sünders" (1845) Ideen eines atheistisch-materialistischen Kommunismus verkündet. Eine eigentliche Arbeiterbewegung
entstand erst mit dem Wachstum der Industrie, nach dem Zusammenbruch der politischen Hoffnungen des Bürgertums, zu Anfang der 60er
Jahre. Am 1. März 1863 fand in Leipzig ein Allgemeiner deutscher
Arbeiterkongreß statt, für den der 1825 in Breslau geborene Ferdinand
Lassalle seine drei agitatorischen Grundsätze entwarf. Sie forderten Gleichgewicht zwischen Arbeitslohn und Lebensunterhalt, Gründung einer Arbeiter-Produktivgenossenschaft und vom Staat die dazu nötigen Mittel.
Damals wurde, um diese Forderungen zu verwirklichen, der Allgemeine
Deutsche Arbeiterverein gegründet.

Während dieser die Sozialisierung auf nationalem Boden erstrebte, suchte
Karl Marx (1818 in Trier geboren) eine internationale Lösung der Arbeiterfrage. Er hatte 1848 mit Friedrich Engels als Beitrag zur Revolution
das Kommunistische Manifest herausgegeben, worin die beiden Verfasser
die gewaltsame Erhebung des Proletariates und den Umsturz aller bisherigen Gesellschaftsordnung forderten. 1864 wurde durch Marx die
Internationale Arbeiterassoziation gegründet, der die Deutsche Sozialdemokratische Arbeiterpartei als Sektion angehörte. Diese gab sich auf
einem Parteitag in Eisenach 1869 ihr Programm. Als nach der Gründerzeit
in der Mitte der 70er Jahre eine tiefe wirtschaftliche Depression entstand
und die Not der Arbeiter wuchs, schlossen sich 1875 der Arbeiterverein
und die Sozialdemokratische Arbeiterpartei in Gotha zusammen. Die Attentate Hödels und Nobilings auf Kaiser Wilhelm I. im Jahre 1878 wurden von Bismarck der Sozialdemokratie und ihren Umsturzbestrebungen
zur Last gelegt und ein Gesetz erlassen, das ihre Tätigkeit unterbinden
sollte. Das Gesetz war bis 1890 in Kraft. Die Folge der Unterdrückung
war, daß nun in den Arbeitermassen die schärfere revolutionäre Richtung

überhand nahm und die Internationale auf dem Parteitag in Erfurt 1891 den Sieg davontrug.

All das war Materialismus, wachsende Hingabe an eine Wirklichkeit, die man entgeistet hatte und lediglich als eine Anhäufung von bald ruhendem bald bewegtem Stoffe betrachtete. Auch die geschichtliche Gestalt des Dichters mußte sich in dieser Veräußerlichung aller Lebenswerte wandeln. Das gottgleich schaffende, über alle Ordnungen der bürgerlichen Gesellschaft sich erhebende Genie der Romantik, der mit dem Kainsmal gezeichnete Freigeist der Restauration wich einer Persönlichkeit, die sich bemühte, auf alle Sondermerkmale des Künstlertums zu verzichten und sich in geistiger Haltung und Lebensführung der Masse der Bürger anzugleichen. Gottfried Keller hat diesen Prozeß in seinem „Grünen Heinrich" dargestellt. Sein Maler Heinrich Lee, der in langen Jahren suchenden Irrens und abenteuerlichen Lebens das Glück und die Hoffnungen seiner Mutter dem Idol seiner Kunst geopfert hat, verzichtet auf die Kunst und entschließt sich, als einfacher Beamter dem demokratischen Volke zu dienen. Gustav Freytag beginnt seine Erinnerungen aus seinem Leben mit der Feststellung, daß, was in ihnen erzählt werde, in der Hauptsache dem Leben und Bildungsgang von vielen Tausenden seiner Zeitgenossen sehr ähnlich sehe. Keller wie Freytag haben in bürgerlichem Berufe gearbeitet. Ja, Keller hat erst, nachdem er nach einer Periode freier Schriftstellerei sich zu einem bürgerlichen Amte entschlossen, sich auch als Dichter in regelmäßiger Arbeit zurechtgefunden. Theodor Storm war so sehr als Bürger in der Familie verwurzelt, daß er geradezu das Leben der bürgerlichen Familie zum Thema all seiner Dichtungen machte. Es fehlen denn auch in den Lebensläufen dieser Dichter des Realismus meistens jene romantischen Arabesken und leidenschaftlichen Kämpfe, die noch die Daseinsform der Forcierten Talente weithin bestimmen.

Wird so das Leben schlichter, ehrlicher, wahrhafter, bürgerlicher, „moralischer", so büßt es auch bald mehr und mehr an geistigem Gehalt und dichterischer Spannweite ein. Man hat in den 30er Jahren den Gegensatz zwischen Ludwig Börne und Heinrich Heine unter dem Schlagwort: Charakter und Talent bezeichnet und damit ausgedrückt, daß sich das moralische und das ästhetische Element im Schriftsteller in dem Verhältnis einer entgegengesetzten Reziprozität bewegten bis zur gänzlichen Auslöschung des einen oder des andern. Die Gegenüberstellung war, wie jedes Schlagwort, einseitig und übertrieben. Aber daß ein Korn Wahrheit darin lag, bewies die Entwicklung der Dichtergestalt in der Zeit des wissenschaftlichen und bürgerlichen Materialismus: die Einengung des geistigen Horizontes. Was für eine Verarmung bedeutete es, als man die Problematik des Lebens aller Beziehungen zu einem höheren Sein beraubte und sich auf den Schauplatz der sinnlich-materialistisch gesehenen Erde zurückzog! Eine Zeitlang noch zog das Schicksal des Staates den Blick der Dichter in weitere Gefilde. Aber in Deutschland — nicht in der Schweiz — verlor auch das politische Thema nach 1848 das Interesse; nun zog man sich ausschließlich in das Leben der Familie und des einzelnen zurück, und

Liebe und Ehe mit all ihren Folgeerscheinungen wurde der fast ausschließlich behandelte Stoff. Man stelle Goethe, den Verfasser des „Faust", und Theodor Storm oder Fritz Reuter einander gegenüber, um den Abfall der Dichtung von der Höhe und Weite geistiger Gipfelkunst in die Enge bürgerlicher Stubenluft zu ermessen.

Zum Glück folgt die tatsächliche Verwirklichung einer neuen geistigen Welt ihrer programmatischen Verkündigung nicht so rasch. Ideen brauchen immer Zeit, bis sie aus dem Kopf in die Hand gelangen. So ging es auch in der Geschichte des Materialismus im 19. Jahrhundert. Seine Anfänge trugen noch viel von dem Ideengut des Idealismus in sich. Feuerbach war nicht umsonst ein Schüler Hegels gewesen; man spürt schon an seiner gewaltigen Leidenschaft und seiner strömenden Beredsamkeit, daß ein mächtiger Geist ihn trieb, auch wenn er ihn zum bloßen Erzeugnis des Gehirns materialisierte. Vollends seine Ethik der Verantwortung ist voll Idealismus. Ideen bestimmen das Schaffen von G. Keller, C. F. Meyer, Stifter, Raabe. Erst am Schlusse des Jahrhunderts, nach ein paar Jahrzehnten mechanistischer Forschung und Massenbelehrung, wird der Materialismus jene oberflächliche, öde und geistlose Lebensanschauung, die die Natur als einen materiellen Mechanismus ohne Geist und Willen betrachtet und sich zu dem Wort bekennt: „Der Mensch ist, was er ißt". Erst jetzt werden auch die Dichter geist- und gemütlose Techniker, die nicht mehr um geistige, nur noch um körperliche Nöte der Menschen wissen, und denen eine jeden Hauch der Wirklichkeit auffangende Darstellungsform das A und O ihrer Kunst ist.

Am Anfang des Jahrhunderts konnte E. M. Arndt noch ausrufen: „Ist das Zeitalter durch Geist verdorben, so werde ihm durch Geist geholfen." Jetzt, nachdem der Geist aus dem Körper ausgetrieben war, konnten Tieferblickende, ohne Hoffnung auf Heilung, nur noch den Tiefstand der Bildung und die wachsende Unfruchtbarkeit des geistigen Lebens feststellen. Als die Wende mag man das Schicksalsjahr 1870 bezeichnen. Liest man die Briefe Jakob Burckhardts aus dieser Zeit, so stößt man immer wieder auf erschütternde Zeugnisse einer prophetischen Einsicht und kassandrahafter Düsterkeit. So schreibt er am 21. April 1872 an Arnold von Salis: „Auf etwas Spezielles will ich Sie aber hinweisen: Auf die Mühe und Klemme, in welche das Geistige überhaupt binnen weniger Jahre geraten wird durch das in heftiger Progression zunehmende materielle Treiben, durch allgemeine irdische Veränderung, welche mit der bevorstehenden Verteuerung des Lebens auf das Eineinhalbfache eintreten muß, durch die Reihe von Kriegen, an deren Anfang wir stehen usw. Es ist schon jetzt an dem, daß Intelligenzen von Rang, welche noch vor zehn Jahren dem gelehrten, dem geistlichen, dem Beamtenstande usw. zugefallen wären, sichtbarlich zur Partei der Geschäfte übergegangen sind."

2. TENDENZ UND POLITIK

Büchner / Die Jungdeutschen
Hoffmann von Fallersleben / Herwegh / Freiligrath

Idee ist der geistige Mittelpunkt einer Persönlichkeit, die von ihm aus die Erscheinungen und Möglichkeiten des Lebens in ursprünglicher und neuer Weise beurteilt.

Die Idee ist dem handelnden Leben entsprungen und wirkt ihrerseits wieder auf das handelnde Leben zurück, nicht nur auf das geistig-literarische, sondern auch auf das tätig-wirkliche: man mache sich etwa klar, wie stark die Freiheitsidee in Schillers Dramen die Deutschen immer wieder zum Kampf für die Freiheit angefeuert hat. Hier entsteht die Frage nach dem Verhältnis von Idee und Tendenz. Wenn in der Idee eine Triebkraft ist und diese auch auf das wirkliche Leben übergreift, erfüllt die Idee dann nicht zugleich die Aufgabe der Tendenz und fällt also mit ihr zusammen?

Grundsätzlich scheiden sich die beiden Begriffe, ob auch in beiden ein aktiv-dynamischer Wert ist, doch wie Wirkung und Zweck. Der Dichter, der an einem Stoff eine erlebte Idee gestaltet, deckt damit seine persönliche Schau eines Lebenszusammenhanges auf. Damit begnügt er sich. Er verzichtet darauf, durch seine geistige Schau das wirkliche Leben irgendwie beeinflussen zu wollen, sei es durch Verneinung bestehender Mißstände, sei es durch Antrieb neuer Lebensformen. Wenn Goethe im „Faust" in der Philemon- und Baucis-Episode die sittliche Bedenklichkeit der übergreifenden Machtsucht des technischen Menschen darstellt, so tut er es nicht in der Erwartung, die Zeitgenossen zu einem friedlicheren und sittlicheren Leben zurückzuführen, sondern er stellt einfach das Wirken der Machtsucht als einen in der Notwendigkeit des Naturgesetzes gegebenen geschichtlichen Ablauf dar. Das Fehlen der Absicht hindert aber nicht, daß nachdenkliche Leser die Episode im Sinne einer Verurteilung des Machtstrebens auffassen und unter Umständen daraus Schlüsse auf das praktische Verhalten ziehen.

Dagegen wohnt der Tendenz die Absicht inne, die geistige Erkenntnis auf das wirkliche Leben zu übertragen und dieses zu beeinflussen. In diesem Sinne hat man Lessings „Nathan der Weise" als den zwölften antigoezischen Brief bezeichnet. Wie er in den elf vorangegangenen Antigoeze-Briefen seinen Kampf gegen den Hauptpastor Goeze für die Freiheit des Glaubens durchficht, so auch im „Nathan": die Zeitgenossen sollen daraus lernen, was wirkliche Toleranz ist, und sollen sie üben.

Wenn so der Unterschied zwischen Idee und Tendenz, grundsätzlich betrachtet, etwa dem Gegensatz zwischen Kants kategorischem Imperativ und dem teleologischen Moralbegriff der Aufklärung entspricht, so gibt es nun tasächlich doch Übergänge vom einen zum andern. Sie stehen in einem dynamischen, nicht einem statischen Verhältnis zueinander: bald nähern sie sich, bald entfernen sie sich voneinander. Die Tendenz in „Nathan der Weise" dringt um der hohen Kunst ihrer Gestaltung willen sehr tief in den Raum der Idee ein; anderseits ist die Idee in Schillers „Räubern" stark mit der Absicht der Tendenz beladen. In Goethes Dichtung ist der Unterschied viel reiner gewahrt als bei dramatisch gespannten Dichtern wie Lessing und Schiller. Wo bei ihm die Idee sich als Tendenz gibt, ist es künstlerisch begründet. Man kann so in den „Wanderjahren" die Mahnung zur Ehrfurcht als eine aus dem Rahmen des Dichtwerkes herausspringende Aufforderung an die Leser auffassen. Aber indem Goethe sie in der Schilderung der Pädagogischen Provinz als Erziehungsgrundsatz für die Zöglinge gibt, ist sie künstlerisch als Idee gestaltet. In der „Pandora" ist die Mahnung an die Deutschen, die Pflege von Wissenschaft und Kunst als ihre Aufgabe zu betrachten, durch die Form der Dichtung als Festspiel von vornherein gegeben.

Das labile Verhältnis der beiden Begriffe ist, wie durch die Verschiedenheit der Personen, so auch durch den seelischen Charakter der Zeiten bedingt. In einer Periode wie der Aufklärung mit ihren zahlreichen und starken Triebkräften und Spannungen kann sich die Idee — schon der Name Aufklärung sagt dies aus — nur als Tendenz geben. Alle Poetiken der Zeit von Gottsched und den Zürchern an bis zu Lessing sprechen es aus, daß die Dichtung den Zweck habe, zu belehren. Lehrgedicht, Fabel und Lustspiel sind die Lieblingsformen der Zeit gewesen — das Lustspiel nicht nur als Spiel angenehmer Unterhaltung, sondern zugleich als Mittel moralischer Erziehung. Der Schritt von der Aufklärungsästhetik zur klassischen Ästhetik ist die Preisgabe der Tendenz. Kant, in der „Urteilskraft", bezeichnet als das eigentliche ästhetische Gefühl das „interesselose Wohlgefallen"; Goethe ist von sich aus durch seine morphologischen Forschungen zu der gleichen Auffassung gelangt, und Schiller hat sie sich als Schüler von Kant angeeignet, nachdem er früher ganz im Sinne der Aufklärung die Schaubühne als eine „moralische Anstalt" betrachtet hatte.

Die Staatsauffassung und die Politik der Restaurationszeit waren nicht geneigt, die Tendenz in der Dichtung zu dulden. Das sechsbändige Werk des Schweizers Karl Ludwig von Haller, die „Restauration der Staatswissenschaft", gab schon im Untertitel zu erkennen, daß es die „künstlich-bürgerliche" d. h. demokratische Staatstheorie Rousseaus als eine „Chimäre" betrachtete und sie durch die „natürlich-gesellige" Theorie ersetzen wollte. Natürlich-gesellig aber bedeutet Haller ein patriarchalisches Regiment von entschieden reaktionärer Haltung und eine Staatsform, in der die im Fürsten von Gottesgnaden gipfelnde Ordnung womöglich alles ließ, wie es seit undenklichen Zeiten war, und die Organe des Staates dafür sorgten, daß alles in dem Zustande ewiger Ruhe blieb: nach der gewaltsamen Erschütterung des Lebens durch die Revolution und die napoleonischen Kriege war Ruhe nicht nur die erste Pflicht des Bürgers, sondern auch die allgemeine Sehnsucht der Obern und Untern. Die Erfahrungen Grillparzers zeigen, wie man in Österreich ängstlich darauf bedacht war, alles zu unterdrücken, was die Ruhe stören konnte, auch wenn die Störung noch so harmlos war. Der Literatur dieser Zeit fehlt bis in die dreißiger Jahre die Tendenz völlig, und wo sie Ideen darstellt, sind sie meist so harmlos, daß sie Erschütterungen höchstens im privaten Leben verursachen.

Aber in der Tiefe gärte es, seit 1815, im Gedanken an die Freiheitskriege, in Jena die Burschenschaft gegründet worden war als freie Vereinigung der „auf der Hochschule sich bildenden teutschen Jugend zur werdenden Einheit des teutschen Volkes". Man spürt den Geist, der die Burschenschaft beseelte, in der Kritik, die Wolfgang Menzel in seiner „Deutschen Literatur" — erstmals 1828 erschienen — an Goethe übte. Dessen ganze Erscheinung war ihm ein Reflex, ein eng zusammengedrängtes buntes Farbenbild seiner Zeit. „Aber diese war eine Zeit nationeller Entartung, politischer Schwäche und Schande, eines schadenfrohen Unglaubens und einer koketten, wollüstelnden Frömmelei, einer tiefen Demoralisation und ästhetischen Genußsucht unter der Maske eines feinen Anstandes, einer Verachtung aller öffentlichen Interessen und einer ängstlichen Pflege des Egoismus." Menzels Held war Lessing, der „deutschen Geist von französischem Einfluß emanzipierte" und „mit der ganzen Kraft und Grazie seiner Männlichkeit der Sentimentalität entgegentrat". Mit reicherem Wissen befrachtet, mit besonnenerem Urteil messend, aber aus verwandtem Geiste, ließ Georg Gottfried Gervinus 1835 den ersten Band seiner „Geschichte der poetischen Nationalliteratur der Deutschen" erscheinen. Statt einer chronikalischen Aufzählung des Geleisteten, wollte das Werk den Gang der dichterischen Entwicklung von den Anfängen an „aus dem Augenpunkt der Gegenwart" aufnehmen und auf die jüngste klassische Periode „unserer deutschen Dichtung als auf die Licht- und Glanzstelle" der ganzen Darstellung hinarbeiten. Gervinus war überzeugt, daß eine wahrhaft lebendige Geschichtsschreibung sich nicht vom Leben trennen durfte, Leben aber bedeutete ihm den Inbegriff der geistigen und politischen Aufgaben, die das deutsche Volk zu leisten hatte. Sein Zweck war, in seiner Behandlung der Geschichte „lebendige Belehrung für uns und unsere Zustände zu suchen, durch sie der Nation ihren gegenwärtigen Wert begreiflich zu machen und ihr neben dem Stolz auf ihre ältesten Zeiten Freudigkeit an dem jetzigen Augenblicke und den gewissesten Mut auf die Zukunft einzuflößen". So war seine Auffassung von der Aufgabe des Literarhistorikers eine politisch-nationale und als solche eine stoff- und ideengeschichtliche. Hier steht das männlich stolze Wort: „Ich habe mit der ästhetischen Beurteilung der Sachen nichts zu tun." Damit ist der Scheidestrich gezogen gegenüber der früheren Übung und Auffassung der Dichtung als eines rein artistischen Spiels. Der Tag als das Heute und das Morgen macht seine Forderung geltend. Etwa um 1830, dem Jahr der Julirevolution, beginnen auch in der deutschen Dichtung frischere Winde zu wehen. Nun wird Hegels Idee von der dialektischen Bewegung des Geistes im Sinne der Wandlung und des Fortschrittes gedeutet. Gerade das Jahr 1835, in dem das Werk von Gervinus an den Tag trat, war mit stärksten geistigen Energien geladen. In ihm erschienen auch David Friedrich Strauß' „Leben Jesu" mit seiner umwälzenden Darstellung des Gründers des Christentums, Georg Büchners Revolutionsdrama „Dantons Tod", Karl Gutzkows Roman „Wally die Zweiflerin" und Theodor Mundts Geschichte einer Weltheiligen „Madonna".

Der feurigste und entschiedenste Träger des neuen Geistes war Georg Büchner. Es war noch viel vom Forcierten Talent in ihm: die Überspannung und Glaubenslosigkeit und, als deren Folge, das Gefühl der inneren Leere, die Langeweile, die Zerrissenheit, der Trübsinn. Aber es gibt etwas in seiner Person, was ihn über die Forcierten Talente hinaushebt und zum Bürger einer neuen Zeit macht: seine glühende Hingabe an die Wirklichkeit, seine Abkehr von dem sich in unfruchtbarer Drehung um sich selber aufzehrenden Geiste, seine Erkenntnis von Masse, Wirtschaft und Politik. Mit einer erschreckenden Hellsichtigkeit hat er sich in dem Novellenfragment „Lenz" selber gezeichnet. Es ist an ihm nicht am wenigsten bedeutsam, daß es Fragment blieb: nachdem er den Charakter Lenzens in den ihm wesentlich scheinenden Gebärden gezeichnet, war sein Interesse am Schicksal des Sturm-und-Drang-Dichters befriedigt. Natürlich ist es nicht Lenz, der zarte, weiche, weibische und aus lauter Schwäche intrigierende, den er schildert, sondern Büchner selber, der stürmische, unbändige, männliche. Lenz hat sich in dem „Pandaemonium Germanicum" selber als Bergsteiger geschildert, wie er, mühsam, keuchend und ängstlich, Goethe nachklettert. Büchner läßt ihn im Vorfrühling durchs winterlich verschneite Gebirge wandern. „Müdigkeit spürte er keine, nur war es ihm manchmal unangenehm, daß er nicht auf dem Kopfe gehen konnte ... Es drängte in ihm, er suchte nach etwas, wie nach verlorenen Träumen. Aber er fand nichts. Es war ihm alles so klein, so nahe, so naß. Er hätte die Erde hinter den Ofen setzen mögen, er begriff nicht, daß er so viel Zeit brauchte, um einen Abhang hinunterzuklimmen, um einen fernen Punkt zu erreichen; er meinte, er müsse alles mit ein paar Schritten ausmessen können. Nur manchmal, wenn der Sturm das Gewölk in die Täler warf und es den Wald herauf dampfte, und die Stimmen an den Felsen wach wurden, bald wie fernverhallende Donner, und dann gewaltig heranbrausten, in Tönen, als wollten sie in ihrem wilden Jubel die Erde besingen, und die Wolken wie wilde, wiehernde Rosse heransprengten ..., riß es ihm in der Brust, er stand keuchend, den Leib vorwärtsgebogen, Augen und Mund weit offen, er meinte, er müsse den Sturm in sich ziehen, alles in sich fassen, er dehnte sich aus und lag über der Erde, er wühlte sich in das All hinein, es war eine Lust, die ihm wehe tat."

Es ist Büchner, in dem ungeheuren Antrieb seiner Persönlichkeit, so wenig wie seinem Lenz gegeben, die Süßigkeit des Lebens in der Ruhe des einzelnen Augenblicks zu kosten. Er ist ein Wanderer, der mit fliegendem Fuß die Blumen zerstampft, die auf seinem Wege blühen, die Menschen zur Seite stößt, die ihm freundliche Blicke spenden und die Hände reichen, weder die Schönheit der Nähe noch der Ferne sieht und den starren, wie vom Wahnsinn gebannten Blick nur auf das ferne Ziel gerichtet hält —

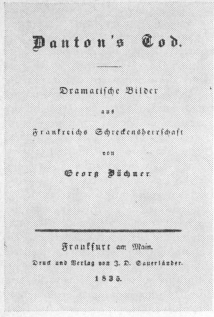

Titelblatt der ersten Buchausgabe von Büchners Drama „Dantons Tod"

das Ziel, das, wenn er es erreicht, ihm doch nicht mehr nahe ist, weil er den Blick inzwischen wieder auf ein ferneres gerichtet hat. So bietet das Leben ihm weder Genuß noch Glück. Er tritt ihm als ein der Sinne Beraubter gegenüber. Er starrt blind in seine Schönheit; sein Ohr ist dem Klang der Musik verschlossen; seine Seele stumpf gegen die weiche Lockung der Gefühle. Mitten im wimmelnden Leben wandelt er als ein Einsamer in der Wüste. Am Anfang von „Dantons Tod" sagt Danton zu seiner Geliebten Julie, die ihn fragt, ob er an sie glaube: „Was weiß ich! Wir wissen weniger voneinander. Wir sind Dickhäuter, wir strecken die Hände nacheinander aus, aber es ist vergebliche Mühe, wir reiben nur das grobe Leder aneinander ab — wir sind sehr einsam." Julie sagt: „Du kennst mich, Danton." Danton: „Ja, was man so kennen heißt. Du hast dunkle Augen und lockiges Haar und einen feinen Teint und sagst immer zu mir: Lieber Georg! Aber (er deutet ihr auf Stirn und Augen) da, was liegt hinter dem? Geh, wir haben grobe Sinne. Einander kennen? Wir müßten uns die Schädeldecken aufbrechen und die Gedanken einander aus den Hirnfasern zerren."

Wo einem Idylliker wie Mörike die bescheidenste Blume eine ganze Welt offenbart, bleibt dem Weltstürmer das ganze All leer. Was ihm das ausgehöhlte spendet, ist Langeweile. Immer wieder klagen Büchners Menschen über sie. Wie Pfarrer Oberlin einmal Lenz in seinem Zimmer aufsucht, liegt der Dichter ruhig und unbeweglich im Bett und gibt auf Oberlins Fragen keine Antwort. Endlich sagt er: „Ja, Herr Pfarrer, sehen Sie die Langeweile! Die Langeweile! O so langweilig! Ich weiß gar nicht mehr, was ich sagen soll." Langeweile ist ihm die Ursache alles Tuns: „Die meisten beten aus Langeweile, die anderen verlieben sich aus Langeweile, die dritten sind tugendhaft, die vierten lasterhaft, und ich gar nichts, gar nichts, ich mag mich nicht einmal umbringen: es ist zu langweilig." Zu Anfang des zweiten Aktes von „Dantons Tod" kommt Camille Desmoulins, um Danton abzuholen. Dieser kleidet sich um und sagt: „Das ist sehr langweilig, immer das Hemd zuerst und dann die Hosen darüberzuziehen und des Abends ins Bett und morgens wieder herauszukriechen und einen Fuß immer so vor den andern zu setzen, da ist gar kein Absehen, wie es anders werden soll. Das ist sehr traurig, und daß Millionen es schon so gemacht haben, und daß Millionen es wieder so machen werden, und daß wir noch obendrein aus zwei Hälften bestehen, die beide das nämliche tun, so daß alles doppelt geschieht — das ist sehr traurig."

Hier tönt der Widerhall von Büchners eigener Verzweiflung am Sinn des Lebens. Immer wieder sehen wir ihn in Lagen, wo ein ungeheurer Aufschwung in Nichts zusammensinkt. Sicherlich ist der sich ins Unendliche, Ungreifbare aufreckende Willensmut bei Büchner ein Erbe der Mutter, die, eine glühende Patriotin, begeistert für deutsche Freiheit und deutsche Dichtung, ihn in dem Schicksalsjahr 1813, als der preußische König das Volk zum Kriege aufrief, als im Mai die Schlachten bei Groß-Görschen und Bautzen, im August die bei Großbeeren, an der Katzbach, bei Dresden, bei Kulm und Nollendorf geschlagen wurden, unterm Herzen trug, und die ihn gebar am 17. Oktober zwischen der ersten und der zweiten Kampfhandlung der Leipziger Befreiungsschlacht. Aber was er vom Vater, einem Arzte in Goddelau bei Darmstadt, später in Darmstadt selber, überkam, Gescheitheit, Wissen um die Natur und Sinn für philosophisches Denken, hielt ihn an der Wirklichkeit und der Erde fest. Der Vater war, im 18. Jahrhundert herangewachsen, den politischen Träumen abhold, und wenn auch er, wie die Mutter und der Sohn, für Freiheit glühte, so war es die des Geistes, nicht die des Bürgers. Im übrigen, wenn man sich das Maß und die Richtung der elterlichen Erbstoffe in Georg Büchner überlegt, soll man nicht vergessen, daß der Verfasser von „Kraft und Stoff" sein Bruder war. Er hatte mit Georg den naturwissenschaftlich-materialistischen Aufklärungsgeist und den starken Wirkensdrang gemein.

Früh meldet sich bei dem Knaben die gewaltige Schwungkraft seines Willens. In einem Geburtstagsgedicht des Fünfzehnjährigen für die Mutter geht dem Glückwunsch das großgeschaute Bild eines Sonnenaufgangs voraus. In dem Siebzehnjährigen fachen die politischen Vorgänge in Hessen die Freiheitsglut zu hellen Flammen an. Als 1830 Ludwig II. die Regierung übernahm und sich alsbald zu den Forderungen der liberalen Vertreter im Landtag in Gegensatz stellte, dafür von dem verarmten Land die Bezahlung seiner Schulden forderte, kam es zu einem Aufstand der Bauern in Oberhessen, und der Hof flüchtete sich nach Frankfurt. Bald wurde die Bewegung mit Waffengewalt niedergeschlagen. Büchner aber verglich die Aufständischen den Freiheitshelden von Sparta und Rom und schrieb dreimal als Motto in seine Hefte den Bürgerschen Spruch:

> „Für Tugend, Menschenrecht und Menschenfreiheit sterben
> Ist höchst erhabner Mut, ist Welterlösers Tod!
> Denn nur die göttlichsten der Heldenmenschen färben
> Dafür den Panzerrock mit ihrem Herzblut rot."

Ein Jahr darauf pries er in der Abschiedsrede vom Gymnasium den Cäsarmörder Cato, der sich in Utica für die Sache der Freiheit den Tod gegeben: „Solche Männer waren es, welche, wenn die ganze Welt feige ihren Nacken dem mächtig über sie hinrollenden Zeitrade beugte, kühn in die Speichen desselben griffen und es entweder in seinem Umschwunge mit gewaltiger Hand zurückschnellten, oder, von seinem Gewichte zermalmt, einen rühmlichen Tod fanden, das heißt sich mit dem Reste des Lebens Unsterblichkeit erkauften."

Auf das Wintersemester 1831 ging er als Student der Medizin nach Straßburg. Die Wahl der elsässischen Universität war ein Zeichen seines glühenden Interesses für Freiheit und neues Leben in Geist und Politik. Sein Wunsch war, sich ganz den Naturwissenschaften zu widmen. Er wußte, daß von diesen, die eben ihren Siegeszug durch das Reich der Wissenschaften angetreten hatten, in seiner Zeit der reichste Gewinn an Erkenntnis zu hoffen war. Aber der nüchtern überlegende Vater beharrte auf dem aussichtsreicheren Brotstudium der Medizin. Was nicht hinderte, daß der Sohn daneben seine weiten Flüge unternahm in die Reiche, die ihn vor allem lockten: neben den Naturwissenschaften Philosophie und Politik.

Von dem Christentum hatte er schon früh erklärt, es gefalle ihm nicht, es sei ihm zu sanft, es mache lammfromm. Er verwarf die Wunder und zweifelte an der Existenz eines persönlichen Gottes. Die Lektüre der großen Dichter, Homer, Shakespeare, Calderon, Goethe, Jean Paul, und das Studium der großen Denker boten Ersatz. Gleich den Forcierten Talenten fand er keinen Halt mehr an dem Worte eines einzigen Denkers, sondern er durchpflügte die Lehren aller. Was er in ihnen suchte, waren nicht mehr Gemütswerte, sondern Erkenntnisse des Verstandes. Er hat während seines ganzen Studiums, vor allem später in Gießen und zu Hause in Darmstadt, systematisch Philosophie getrieben, sich in Zürich als Privatdozent für Philosophie habilitiert und für eine Vorlesung über die Entwicklung der deutschen Philosophie sei Cartesius umfangreiche Vorarbeiten gemacht. Auch eine Geschichte der griechischen Philosophie fand sich in seinem Nachlaß. Aber auch das Studium der Philosophie war der Flug in die Leere, der mit Überdruß und Langeweile endete. „Ich werde ganz dumm in dem Studium der Philosophie", schrieb er 1835 an Gutzkow. „Ich lerne die Armseligkeit des menschlichen Geistes wieder von einer neuen Seite kennen." Und in der Zürcher Probevorlesung über Schädelnerven sagte er: „Die Philosophie a priori sitzt noch in einer trostlosen Wüste; sie hat einen weiten Weg zwischen sich und dem frischen grünen Leben, und es ist eine große Frage, ob sie ihn je zurücklegen wird."

So war es die Naturwissenschaft, die seinen Faustischen Geist in das „frische grüne Leben" führen mußte. Vor allem sollten Anatomie und Physiologie die Schlüssel zu dem Geheimnis sein. In Zürich reichte er 1836 eine Dissertation ein, „Sur le système nerveaux du barbeau". Die Naturphilosophie stand damals noch in hohem Ansehen. Der Zürcher Professor Lorenz Oken war einer ihrer berühmtesten Vertreter. Büchner aber, trotzdem er sich für Philosophie habilitierte, wollte Naturforscher, nicht Naturphilosoph sein. Sein Ziel war die Erkenntnis des Naturgeschehens im Reiche des Lebendigen. Aber es sollte nicht durch Spekulation, sondern durch Erfahrung gewonnen werden. Er scheute auch die peinlichsten und abstoßendsten Untersuchungen nicht, um, beobachtend, Erkenntnis zu gewinnen. Er hatte für den Winter 1836/37, sein erstes Privatdozentensemester, eine Vorlesung über vergleichende Anatomie der Fische und Amphibien angekündigt und sezierte daraufhin Tag um Tag mit glühendem Eifer stinkende Fische und Batrachier, um ihr Kopfnervensystem bloßzulegen. Wem fällt da nicht jenes Wort Dantons zu Julie ein: „Wir müßten uns die Schädeldecken aufbrechen und die Gedanken einander aus den Hirnfasern zerren"?

Aber kann man sich diesen Feuergeist ein Lebenlang am Seziertische denken? Als er im Sommer 1836 über seinen Präparationen saß, war er für die Freunde lange Zeit stumm. Er selber sagte nachher: „Ich war wie ein Kranker, der eine ekelhafte Arznei so schnell als möglich mit einem Schluck nimmt, ich konnte nichts weiter, als mir die fatale Arbeit vom Hals schaffen." Die „ekelhafte Arznei" war nicht nur der Geruch der Tiere, sondern auch die Methode der Forschung. Die Arbeit des Naturforschers setzt sich aus unendlich vielen Einzelheiten und oft kleinsten Beobachtungen zusammen und beansprucht nie erlahmende Geduld und rastlosen Fleiß. Das alles ist so ziemlich das Gegenteil von Büchners Charakter und seinem Bedürfnis, alles im Fluge an sich zu reißen. Man darf sicherlich sagen: wenn Büchner so früh, mit dreiundzwanzigeinhalb Jahren, mitten in einer wie es schien erfolgreichen Tätigkeit einem Nervenfieber erlag, so waren an diesem vorzeitigen Versagen seiner Lebenskraft nicht nur die Aufregungen und Strapazen der vorangegangenen Jahre schuld, sondern mindestens ebensosehr der seelische Widerspruch zwischen seiner angeborenen Natur und dem, was er als seinen Lebensberuf gewählt hatte und als Arbeitsfeld vor sich sah.

Denn daß die stille Arbeit des Naturforschers ihn doch nicht ganz ausfüllte, zeigt am besten sein politischer Eifer. Dabei ist es für das Übergreifende seines stürmischen Temperamentes bedeutsam, daß ihn nicht, wie die überwiegende Mehrzahl seiner deutschen Zeitgenossen, die Verfassungsfrage — Monarchie oder Republik, Erb- oder Wahlkaisertum — vor allem kümmerte, sondern der Notstand der breiten Masse. In Straßburg lernte er die sozialistische Bewegung Frankreichs kennen, die ihn sofort mitriß. Damals wurde auch Büchner Sozialrevolutionär. Im Juni 1833 schrieb er nach Hause: „Ich werde zwar immer meinen Grundsätzen gemäß handeln, habe aber in neuerer Zeit gelernt, daß nur das notwendige Bedürfnis der großen Masse Umänderungen herbeiführen kann, daß alles Bewegen und Schreien der einzelnen vergebliches Torenwerk ist ... Ihr könnt voraussehen, daß ich mich in die Gießener Winkelpolitik und revolutionären Kinderstreiche nicht einlassen werde." Noch deutlicher zwei Jahre später an Gutzkow: „Die ganze Revolution muß von der ungebildeten und armen Klasse aufgefressen werden; das Verhältnis zwischen Armen und Reichen ist das einzige revolutionäre Element in der Welt; der Hunger allein kann die Freiheitsgöttin, und nur ein Moses, der uns die sieben ägyptischen Plagen auf den Hals schickt, könnte ein Messias werden. Mästen Sie die Bauern, und die Revolution bekommt die Apoplexie. Ein Huhn im Topfe jedes Bauern macht den gallischen Hahn verenden." Dabei war Büchner aber, bei all seiner Begeisterung für die soziale Revolution, Realist genug, um die phantastischen Auswüchse ihrer Propheten abzulehnen. Er hat sich einmal in einem Familienbrief über einen Saint-Simonisten lustig gemacht, der, ein rotes Barett auf dem Kopf, um den Hals einen Kaschmirschal, um den Kadaver einen kurzen deutschen Rock trug: „Auf der Weste war der Name „Rousseau" gestickt, an den Beinen enge Hosen mit Stegen, in der Hand ein modisches Stöckchen. Ihr seht, die Karikatur ist aus mehreren Jahrhunderten und Weltteilen zusammengesetzt: Asien um den Hals, Deutschland um den Leib, Frankreich an den Beinen, 1400 auf dem Kopf und 1833 in der Hand. Er ist ein Kosmopolit, nein, er ist mehr, er ist Saint-Simonist!"

Im Juli 1833 kehrte Büchner von Straßburg nach Hause zurück, dem Hessen waren nur vier Semester Auslandsstudium gestattet. Vom Herbst an hatte er an der heimischen Universität Gießen zu studieren; das hieß zugleich, daß er sich jetzt auf das medizinische Fach beschränken mußte. Er hatte das Gefühl, aus der Freiheit in einen Kerker eingesperrt zu sein. Hessen war einer der reaktionärsten deutschen Staaten. Das Leben an der Universität stand unter strenger Bewachung. In den Briefen an die Eltern hatte Büchner immer wieder von Gewalttaten der Polizei zu berichten. Am 1. November 1833: „Gestern wurden wieder zwei Studenten verhaftet." Im März 1834 meldet er von einer großen Untersuchung wegen verbotener Verbindungen. „Die Relegation steht wenigstens dreißig Studenten bevor." Er war in der entsetzlichsten Stimmung. Er mied die Menschen, und wenn er mit ihnen zusammenkam, stieß er jeden durch Hochmut und den Ausdruck der Verachtung ab. Karl Vogt, der Naturforscher und spätere Professor in Genf, sagte: „Er machte ständig ein Gesicht wie eine Katze, wenn's donnert, hielt sich gänzlich abseits, verkehrte nur mit einem etwas verlotterten und verlumpten Genie, August Becker." Als man ihm von zu Hause deswegen Vorwürfe machte, verteidigte er sich im Februar 1834: Er verachte niemand, kränke niemand, Aber man müsse es seinem Gutdünken überlassen, ob er die Menschen aufsuchen wolle. „Man nennt mich einen Spötter. Es ist wahr, ich lache oft; aber ich lache nicht darüber, wie jemand ein Mensch, sondern nur darüber, daß er ein Mensch ist, wofür er ohnehin nichts kann, und ich lache dabei über mich selbst, der ich sein Schicksal teile." Er wurde krank vor Verzweiflung über die Aussichtslosigkeit seines Strebens, über den Gegensatz zwischen sich und seiner Umgebung. Schon damals zeitigte die maßlose Aufregung, in der er war, ein schweres Nervenfieber. Er hatte sich in Straßburg mit der Tochter eines Pfarrers, Minna Jägle, verlobt. Ihr schrieb er im Frühjahr 1834 über seinen Zustand: „Ich studiere die Geschichte der Revolution. Ich fühle mich wie zernichtet unter dem gräßlichen Fatalismus der Geschichte. Ich finde in der menschlichen Natur eine entsetzliche Gleichheit, in den menschlichen Verhältnissen eine unabwendbare Gewalt, allen und keinem verliehen. Der einzelne nur Schaum auf der

Welle, die Größe ein bloßer Zufall, die Herrschaft des Genies ein Puppen-spiel, ein lächerliches Ringen gegen ein ehernes Gesetz, es zu erkennen das Höchste, es zu beherrschen unmöglich ... Das Muß ist eines von den Verdammungsworten, womit der Mensch getauft worden. Der Ausspruch: Es muß ja Ärgernis kommen, aber wehe dem, durch den es kommt — ist schauderhaft. Was ist das, was in uns lügt, mordet, stiehlt? Ich mag dem Gedanken nicht weiter nachgehen." Dann im März: „Der erste helle Augenblick seit acht Tagen. Unaufhörliches Kopfweh und Fieber, die Nacht kaum einige Stunden dürftige Ruhe. Vor zwei Uhr komme ich in kein Bett, und dann ein beständiges Auffahren aus dem Schlaf und ein Meer von Gedanken, in denen mir die Sinne vergehen ... Eben komme ich von draußen herein. Ein einziger, forthallender Ton aus tausend Lerchenkehlen schlägt durch die brütende Sommerluft [in seiner Un-geduld nimmt er im März den Sommer vorweg]. Ein schweres Gewölk wandelt über die Erde, der tiefbrausende Wind klingt wie sein melodischer Schritt. Die Frühlingsluft löste mich aus meinem Starrkrampf. Ich erschrak vor mir selbst. Das Gefühl des Gestorbenseins war immer über mir."

Er hatte sich dem revolutionären Bunde angeschlossen, den Pfarrer Weidig, Schulrektor in Butzbach, begründet hatte. Aber Weidig war ein ungefährlicher Romantiker. Er erwartete das Heil von der Wiederauf-richtung des christlichen Kaiserreiches des Mittelalters. Wie konnte sich Büchners himmelstürmender Radikalismus mit solchen Plänen vertragen! Er trennte sich von Weidig und gründete einen eigenen Bund, die Gesell-schaft der Menschenrechte. Ihr Ziel war ein politisches und ein soziales: die Befreiung der geknechteten und ausgesogenen Masse zu menschen-würdiger Existenz. Eine Flugschrift, „Der Hessische Landbote", sollte seine Ideen unters Volk tragen. Sie ist datiert: Darmstadt, im Juli 1834. Man spürt ihren Sätzen an, daß der Verfasser nicht umsonst die Geschichte der Französischen Revolution gelesen hat. Er lebt darin, als ob es die Geschichte seiner eigenen Zeit wäre. Niemals hat der Gedanke des sozialen Umsturzes geistvollere, aber auch niemals haßvollere Worte geprägt. Nicolas Chamforts Schlagwort: „Friede den Hütten, Krieg den Palästen!" eröffnet die Schrift. Dann heißt es: „Im Jahre 1834 siehet es aus, als würde die Bibel Lügen gestraft. Es sieht aus, als hätte Gott die Bauern und Handwerker am fünften Tage und die Fürsten und Vornehmen am sech-sten gemacht, und als hätte der Herr zu diesen gesagt: ‚Herrschet über alles Getier, das auf Erden kriecht', und hätten die Bauern und Bürger zum Gewürm gezählt. Das Leben der Vornehmen ist ein langer Sonntag, sie wohnen in schönen Häusern, sie tragen zierliche Kleider, sie haben feiste Gesichter und reden eine eigene Sprache; das Volk aber liegt vor ihnen wie Dünger auf dem Acker. Der Bauer geht hinter dem Pflug, der Vornehme aber geht hinter ihm und dem Pflug und treibt ihn mit dem Ochsen am Pflug, er nimmt das Korn und läßt ihm die Stoppeln. Das Leben des Bauern ist ein langer Werktag; Fremde verzehren seine Äcker vor seinen Augen, sein Leib ist eine Schwiele, sein Schweiß ist das Salz auf dem Tische des Vornehmen."

Noch war es ihm gelungen, den Verdacht der Polizei von sich abzulenken. „Der Landbote" wurde nicht der Post anvertraut, sondern durch Mitglieder des Bundes im Lande vertragen, den Bauern unter die Türschwellen und in die Fenster hineingeschoben. Da wurde beim Vertragen des Pamphletes einer der Genossen, ein gewisser Minnigerode, ertappt und verhaftet. Ein Butzbacher Landwirt hatte ihn verraten. Eine umfassende Aktion setzte ein. Auch bei Büchner wurde Haussuchung gemacht. Er war klug genug gewesen, die belastenden Schriftstücke vorher beiseite zu schaffen. Die Eltern aber fanden, es sei Zeit, seinem wilden Treiben Zügel anzulegen. Im September 1834 rief man ihn nach Hause. In Darmstadt verbrachte er den Winter. Seine Erregung war zu höchster Glut gesteigert.

Fieberhaft setzte er seine Tätigkeit fort. Er trieb Anatomie, las über die Französische Revolution, studierte Descartes und Spinoza und knüpfte überall politische Fäden an. In einem alten Gartenhäuschen versteckte er Waffen und sammelte die Mitglieder der Gesellschaft der Menschenrechte wöchentlich zweimal um sich. Er hielt Vorträge zur Ausbreitung der revolutionären Gedanken und schmuggelte den verhafteten Genossen durch Zettel in Zuckerstücken und Punktierung von Buchstaben in Bibeln Nachrichten zu. In dieser Atmosphäre entstand zu Anfang 1835 „Dantons Tod". Er arbeitete daran im Laboratorium des Vaters. Anatomische Tafeln wurden über das Manuskript gedeckt, wenn der Vater kam. Wilhelm, der Bruder, stand Wache. Er wollte sich mit dem Stück das Geld verdienen, sich das Leben und die Freiheit zu retten. Inzwischen dauern die gerichtlichen Untersuchungen fort. Zweimal wird er als Zeuge vorgeladen. Freunde werden verhaftet. Die Versammlungen der Gesellschaft müssen eingestellt werden. Wer Geld hat, flieht. Büchner ist verdächtig. Polizisten bewachen das Haus, folgen ihm auf seinen Gängen durch die Stadt. Er bereitet die Flucht vor, fertigt sich eine Strickleiter an. In dieser Gefahr beendet er den „Danton". „Für ‚Danton' sind die darmstädtischen Polizeidiener meine Musen gewesen", sagte er. Am 24. Februar 1835 konnte er das Manuskript an Gutzkow schicken, der damals in Frankfurt den „Telegraph" herausgab. Drei Tage später erhält er eine Vorladung vor den Untersuchungsrichter. Er weiß, was das bedeutet. Mit verzerrtem Gesicht tritt er zu dem Bruder ins Zimmer und sagt: „Das ist mein Todesurteil." Die Brüder verabreden sich, daß an Georgs Statt Wilhelm aufs Gericht gehen soll. Sie rechnen damit, daß ein Beamter dort ist, der Büchner nicht kennt. Aber es ist einer dort, der die Brüder kennt. Da stottert Wilhelm eine Entschuldigung: Georg sei krank. Der Richter sagt: „Wenn Georg krank ist, dann gönnt man ihm noch zwei Tage Ruh. Nachher aber muß er ins Arresthaus." Noch am gleichen Tage flüchtete sich Büchner nach Straßburg. Das Honorar von 100 Gulden, das er von dem Verleger Sauerländer für sein Stück bekam, hielt ihn über Wasser.

In Straßburg ist er bei den Freunden, bei seiner Braut, in der Freiheit. Die Brücke hinter ihm ist abgebrochen. Er ist allein auf sich gestellt. Aber er spürt in der Luft der Freiheit auch die Kraft in sich, sein Leben aus sich zu gestalten. Er gibt die Medizin auf und verlegt sich einzig auf die

Naturwissenschaft. Dichterische Arbeiten, das Lustspiel Leonce und Lena", das Trauerspiel „Woyzeck", die Novelle „Lenz" wirken als Auspuffrohre seiner Erregung und sollen ihm zugleich die Mittel zum Leben geben. Nach anderthalb Jahren fieberhaften Fleißes geht er im September 1836 nach Zürich, wo er im Sommer doktoriert hat, und beginnt als Privatdozent seine Vorlesungen. Sie waren ein Erfolg. Sie zogen durch die reizvolle Verbindung des Beobachteten mit dem philosophischen Gedanken auch Laien an. So schien der Weg in eine erfolgreiche Tätigkeit und eine glückliche Zukunft gebahnt. Aber kann man sich wirklich diesen stürmischen Geist als besonnenen Forscher und fleißigen Lehrer auf einem Katheder denken? Das Schicksal hatte das Wort Ruhe nicht in das Buch seines Lebens geschrieben. Jetzt, wo es sich von selber eingefunden hatte, löschte das Schicksal es mit dem Leben aus. Zuviel Aufregungen hatten in den letzten Jahren an der Seele Büchners gezehrt. Er hatte, solange die Erregung des Notstandes dauerte, nicht des Erregenden geachtet. Als die Ruhe sich um ihn ausbreitete, stieg der mißachtete Krankheitsstoff aus der Tiefe auf. Anfang Februar 1837 warf ihn ein typhöses Fieber nieder, dem er am 19. erlag. Karoline Schulz, die Gattin des ebenfalls aus Darmstadt stammenden Flüchtlings Wilhelm Schulz, die ihn aufs treulichste in ihrem Hause pflegte, hat über die Tage seines Krankseins berichtet. Seine Braut war auf die Nachricht seiner Erkrankung am 17. nach Zürich gekommen und noch am gleichen Tage zu dem Kranken geführt worden. Am letzten Tage, einem Sonntag, saßen die beiden Frauen allein in der Stube von Frau Schulz: „Wir wußten", erzählt diese, „daß wenige Schritte von uns ein Sterbender lag... Wir hatten uns aber in den Willen der Vorsehung ergeben, denn was ja in der Menschen Macht lag, den Teuren zu retten, war geschehen... Eine heilige Ruhe goß sich über uns. Wir lasen einige Gedichte, wir sprachen von ihm, bis Wilhelm eintrat, Minna zu rufen, damit sie dem Geliebten den letzten Liebesdienst erzeige."

In Wahrheit hatte der Tod nur physisch ein Leben vernichtet, das seelisch bereits alle Zeichen der Vernichtung in sich trug. Seine Dichtungen, genial als Kunstwerke, sind menschlich und geistig von einer erschreckenden Hoffnungslosigkeit. „Dantons Tod", die weitaus bedeutendste, ist nicht etwa, wie man sagt, das Gemälde einer Revolution, sondern das Bild eines Menschen, der nach stürmischem Erleben als Revolutionär endet — endet, weil er innerlich dem Nichts gegenübersteht. Ein Gespräch mit Robespierre deckt seinen zynischen Nihilismus auf. Robespierre: „Du leugnest die Tugend?" Danton: „Und das Laster. Es gibt nur Epikureer, und zwar grobe und feine; Christus war der feinste; das ist der einzige Unterschied, den ich zwischen den Menschen herausbringen kann. Jeder handelte seiner Natur gemäß, d. h. er tut, was ihm wohl tut." Diesem Materialismus entspricht ein ebenso erschreckender Fatalismus. Zu Julie, die ihn preist, weil er in den Septembermorden das Vaterland gerettet habe, sagt Danton: „Ja, das hab' ich, das war Notwehr, wir mußten. — Der Mann am Kreuze hat sich's bequem gemacht: es muß ja Ärgernis kommen, doch wehe dem, durch welchen Ärgernis kommt! — Es muß;

685

das war dies Muß! — Wer will der Hand fluchen, auf die der Fluch des Muß gefallen? — Wer hat das Muß gesprochen, wer? Was ist das, was in uns hurt, lügt, stiehlt und mordet? — Puppen sind wir, von unbekannten Gewalten am Draht gezogen; nichts, nichts wir selbst — die Schwerter, mit denen Geister kämpfen: man sieht nur die Hände nicht, wie im Märchen." Büchner hatte fast wörtlich das gleiche im Frühjahr 1834 an seine Braut geschrieben. Es ist sein eigenes Bekenntnis, was er Danton sagen läßt.

Die folgenden Werke bringen keine Aufhellung. Im Gegenteil, man fühlt, wie das Dunkel der Hoffnungslosigkeit wächst. „Leonce und Lena" könnte ein romantisches Märchenlustspiel sein, wenn nicht Satire und Lebensüberdruß immer wieder auch durch die anmutigsten Bilder grinsten. Prinz Leonce ist nur ein jüngerer Bruder von Danton und Lenz. „Mein Leben gähnt mich an", sagt er einmal, „wie ein großer weißer Bogen Papier, den ich vollschreiben soll, aber ich bringe keinen Buchstaben heraus. Mein Kopf ist ein leerer Tanzsaal, einige welke Rosen und zerknitterte Bänder auf dem Boden, geborstene Violinen in der Ecke, die letzten Tänzer haben die Masken abgenommen und sehen mit todmüden Augen einander an." König Peter langweilt sich beim Ankleiden. Sein Reich ist so klein, daß sein Blick vom Schloßfenster es umspannt. Seine Hofhaltung ist Automatentum und zeremonielle Leere. Das Volk aber seufzt unter dem Druck. Das Tanzmädchen Rosetta singt:

„O meine müden Füße, ihr müßt tanzen
In bunten Schuhen
Und möchtet lieber tief
Im Boden ruhen."

In „Woyzeck" gar, der Geschichte von dem Soldaten und Barbier, der seiner ungetreuen Marie das Messer in den Hals stößt und dafür hingerichtet wird, erzählt die Großmutter, die das Leben kennen muß, den Kindern ein Märchen von der Aufdeckung der Nichtigkeit alles Schönen: Ein armes Kind, das weder Vater noch Mutter mehr hat und hungern und weinen muß Tag und Nacht und niemand hat in der Welt, will in den Himmel gehen. Und der Mond guckt es so freundlich an; aber wie es zu ihm kommt, ist's ein Stück faul Holz. Und die Sonne ist ein verwelkt Sonnblümlein. Und die Sterne sind goldene Mücklein, die auf Schlehendörner aufgespießt sind und sterben. Und wie das Kind wieder zur Erde kommt, ist sie ein umgestürzt Häfchen. Und da setzt sich das Kind hin und weint und ist ganz allein.

Kann man sich denken, daß Büchner als Sozialpolitiker Erfolg und Befriedigung gefunden hätte? Sein „Lenz" gibt die Antwort. Da wird einmal folgender Vorgang geschildert: In einem nahen Dorfe ist ein Kind gestorben. Lenz geht hin, das Gesicht mit Asche beschmiert, in einen alten Sack gehüllt. Das Kind liegt in einer Kammer auf Stroh. Er wirft sich über die Leiche nieder. Er betet mit allem Jammer der Verzweiflung, daß Gott ein Zeichen an ihm tue und das Kind wieder beleben möge.

Dann sinkt er ganz in sich und wühlt all seinen Willen auf einen Punkt. Darauf erhebt er sich, faßt die Hände des Kindes und spricht laut und fest: „Stehe auf und wandle!" Aber die Wände hallen ihm nüchtern den Ton nach, daß es zu spotten scheint, und die Leiche bleibt kalt. Da stürzt er halb wahnsinnig nieder; dann jagt es ihn hinaus ins Gebirg.

So steht Büchner als Sozialpolitiker der Welt gegenüber. Er will sie in seinem Ungestüm mit dem Zauberstab des Magiers erlösen und muß erfahren, daß ihr innersten Gesetz die Schwere ist, die seinem stürmischen Willen trotzt. Nicht Lenz mit der großartigen Gebärde des Beschwörers, sondern Pfarrer Oberlin mit seinem treuen und geduldigen Wirken von Tag zu Tag ist der wahre Helfer der Armen im Steintale. Büchner kannte die Gesetze der Materie gut genug. Es ging dem Sozialpolitiker wie dem Naturforscher. Die träge Masse, mit der er es zu tun hatte, widerstand der Sturmgebärde seines Willens. An Ideale glaubte er nicht mehr. Er war den Dingen so nahe auf den Leib gerückt, daß ihr Glanz, der ihn aus der Ferne, wie das Licht der Gestirne das Kind im Märchen, bezaubert hatte, vor seinem unbestechlichen Blicke erblichen war. Und all diese furchtbare Erkenntnis war ihm schon mit dreiundzwanzig Jahren geworden. Es war eine Wohltat für ihn und ein Segen für sein Werk, daß ihn der Tod dahinraffte, als er so weit gekommen war. Was heißt Zeit und Reife und Alter in einem Menschenleben? Büchner hatte in zwei Jahrzehnten die Erkenntnis erlangt, zu der andere siebzig oder achtzig Jahre brauchen.

Mit K a r l G u t z k o w meinte es das Schicksal nicht so freundlich. Aber es waren auch andere Kräfte, die dieses Leben bestimmten: nicht Drang nach Erkenntnis und Lust zu helfen, sondern persönliches Geltungsbedürfnis. Er selber erzählt in seinen Lebenserinnerungen, wie er noch zwei Monate vor der Julirevolution keinen Begriff von europäischer Politik gehabt habe. Ein Franzose, St. Marc Girardin, Redaktor des Journal des Débats, der nach Berlin gekommen war, deutschen Geist zu studieren, las damals jeden Tag eine Stunde mit ihm Kotzebue. Einst, wie sie über die politische Lage sprachen, soll ihn Gutzkows Weltfremdheit zu dem Ausspruch veranlaßt haben: „Ja, ja, ich weiß, sie wollen die Welt durch das Sanskrit befreien!" Am 3. August 1830 wurde der Geburtstag des Königs in der Aula der Berliner Universität feierlich begangen. Der Kronprinz war da, Hunderte von Studenten drängten sich hinter der Schranke, vor welcher Professoren, hohe Beamte und Militärs saßen. Böckh, der klassische Philologe, hielt die Rede von den schönen Künsten. Der akademische Chor sang unter Zelters Leitung. Der Jurist Gans, erhitzt und ungeduldig, ließ Briefe aus Paris im Saal umlaufen. Dann verkündete Hegel als Rektor die Namen der Preisträger der einzelnen Fakultäten. In der philosophischen hatte Gutzkow sich um den Preis beworben. Mit dem einen Ohr hörte er, daß er über sechs Mitbewerber gesiegt, mit dem andern von dem Volke, das einen König entsetzt hatte, von Kanonendonner auf den Barrikaden von Paris. „Ich vernahm keinen der Glückwünsche, die man mir rechts und links dargebracht. Ich schlug das Etui nicht auf, welches die goldne Medaille mit dem Brustbilde des Königs enthielt; ich sah die

Hoffnung nicht mehr, die man mir in wenigen Jahren auf eine außerordentliche Professur machen konnte; ich stand betäubt an dem Portal des Universitätshofes und dachte über St. Marc Girardins Prophezeiung und die deutsche Burschenschaft nach. Ich lief dann, hier und dort von Glückwünschen angehalten, zu Stehely [der berühmten Konditorei] und nahm zum ersten Male eine Zeitung vors Gesicht... Ich wollte nur wissen, wieviel Tote und Verwundete es in Paris gegeben, ob die Barrikaden noch ständen... ob Lafayette eine Monarchie oder Republik machen würde. Die Wissenschaft lag hinter, die Geschichte vor mir!" Unter der Geschichte verstand er die Tagespolitik und den Journalismus.

Er war am 17. März 1811 in Berlin geboren. Der Vater war Bereiter im Dienst des Prinzen Wilhelm von Preußen. Die Familie wohnte in einem einzigen Raume über den prinzlichen Marställen; die Küche hatte man mit der Familie des Vorreiters gemeinsam. Man mag sich denken, wie einerseits die Enge und Dürftigkeit der eigenen Verhältnisse, anderseits die Nachbarschaft der fürstlichen Hofhaltung auf den Geist des Heranwachsenden gewirkt haben. Der Ehrgeiz regte sich schon früh. Als er mit sieben Jahren zur Schule gehen soll, weint er und sträubt sich mit aller Energie dagegen: Er wisse ja noch nichts! Er kann es nicht vertragen, daß er nicht von Anfang an den andern überlegen sein soll. Die Familie ist fromm. Am Sonntagnachmittag muß der Knabe endlos lange Predigten aus einer Postille vorlesen. Man besucht nicht nur die lutherische Kirche, sondern auch den Gottesdienst der Herrnhuter und der Katholiken. Aber ein älterer Bruder, der Soldat ist, zerstört das Gewebe der Bigotterie um die Seele des Knaben, und „Faust" und „Don Quixote" tun das übrige. Der Verkehr in einem wohlhabenden und gebildeten Hause, mit dessen Sohn er befreundet ist und unterrichtet wird, weckt den Wunsch zu studieren. Er besucht das Gymnasium und bestreitet die Kosten durch Privatstunden. Durch sie kommt er in vornehme Häuser. Eine Zeitlang unterrichtet er sogar den Sohn des Ministers von Kamptz, des berüchtigten Präsidenten der Untersuchungskommission gegen die Demagogen, und wird dessen Schützling. Immer tiefer gräbt sich in seinem Bewußtsein der Gegensatz ein zwischen der glänzenden Welt, in die sein Ehrgeiz hungernde Blicke tut, und der Ärmlichkeit und Unbildung des elterlichen Heims, in dem der Vater ihn einen dem Teufel Verfallenen nennt und die Mutter über das viele Öl seufzt, das er beim nächtlichen Studieren braucht. Aber das Studium wird ihm den Weg in die höhere Welt bahnen. Er bezieht die Universität. Natürlich als Theologe, weil es der Wunsch der Eltern ist und er so am meisten Hilfe erhält. Aber zugleich läßt er sich auch an der philosophischen Fakultät einschreiben und treibt Philosophie, Philologie und deutsche Literatur. Er ist Mitglied der Burschenschaft, in der man beim Bier von deutscher Einheit, von Pressefreiheit und dergleichen schwärmt, harmlos, ohne Blick und Verständnis für die Wirklichkeit.

Damals war Hegel der Lehrer, der am tiefsten auf ihn wirkte. Was er aus seinem Satze: „Alles was ist, ist vernünftig" herauslas, war nicht Bestätigung des Vorhandenen, sondern Bekenntnis zum vorwärtsdrän-

genden Geiste und Überwindung des engen kirchlichen Dogmatismus. Im
Frühwinter 1829 erlebte er auf einem Gang durch den Tiergarten das,
was er als sein Damaskuswunder bezeichnete. Er arbeitete damals an
seiner Preisarbeit über die antiken Schicksalsgötter. Der Gegensatz zwischen dem antiken Götterglauben und dem Christentum muß ihn, der
gleichzeitig das Herz eines Theologen und eines klassischen Philologen
in sich trug, geplagt haben. Da plötzlich fand er in dem Hegelschen Pan-
logismus die Lösung. Die antike Götterverehrung war so vernünftig wie
Spinoza und wie das Christentum. Die antike Welt, die die christliche
Theologie so sehr verurteilte, war „keine Abirrung vom Gottesbegriff,
sondern eine Entwicklung innerhalb desselben, ein notwendiges Stadium
seiner irdischen Darstellung. Gott darzustellen, Gott hervorzubringen,
ihn, den Schöpfer, als Resultat der Geschichte der Schöpfung sozusagen
sichtbar hervorzulocken, das schien mir der Zweck alles Lebens, der Zweck
aller Geschichte. Jeder Schritt vorwärts auf der Bahn des Lichtes und der
Tugend, jeder Sieg der heiligen Sache, der Vernunft und Aufklärung
erschien mir ein Schritt näher zum allmählichen Offenbarwerden der
Gottheit — Gott wird einst sichtbar werden aus uns selbst und aus der
Welt heraus."

Hegel hatte so vorbereitet, was im August 1830 gewaltsam hervor-
brach. Und nun warf er sich, der wissenschaftlichen Laufbahn entsagend,
dem stürmischen Meer des Tages hin, das seinen kampfbegierigen Kräften
mehr Aussicht auf raschen Erfolg verhieß. Schon 1831 gründete er eine
Zeitschrift, „Forum der Journalliteratur", eine Zeitschrift der Zeitschriften, eine Zensurstätte über die Tagesschriften der andern. Es war kein
neuer Gedanke, den er darin verbreitete. Arndt, Wolfgang Menzel, Ludwig
Börne hatten bereits in diesem Sinne gewirkt. Er wollte die Literatur
wieder dem Leben dienstbar machen, das Leben in die Literatur zurückführen. Im Programm verkündete er: „Der Geist der Zeit hat sich wunderbar genährt und gestärkt an all den Richtungen, die der brausende
Sturm vergangener Tage einer schwankenden und wogenden Flut gegeben
hat. Es frommt nicht mehr, in stiller Abenddämmerung hinter Holunder-
hecken seiner Flöte arkadisch-idyllische Klagen zu entlocken, nicht mehr,
in affektiertem Sehnsuchtsschmerz mit den lieben Sternlein zu liebäugeln.
Wer jetzt in die Saiten greifen will und angehört zu werden beabsichtigt,
muß die Vergangenheit in sich haben aufgehen lassen und mit prophe-
tischem Seherblick uns die Zukunft enträtseln."

Ein Artikel über Wolfgang Menzel im „Forum" erweckte dessen Wohlgefallen und trug ihm die Einladung ein, als sein Gehilfe nach Stuttgart
zu kommen, wo Menzel das Literaturblatt des Cottaschen Morgenblattes
herausgab. Gutzkow folgte dem Rufe und entfaltete eine ebenso fieber-
hafte als unreife Betriebsamkeit, deren Ergebnis u. a. eine Satire gegen das
Gottesgnadentum in Staat und Kirche, „Maha Guru", war. Er war so, wie
der Held seines Romans „Seraphine" (1837) von sich bekennt: „Alle
Ideen, welche die Zeit erfüllten, fanden in meiner Brust Widerhall. In
Liebe und Haß war ich leidenschaftlich. In der Politik tollkühn, in der

Religion Phantast, in der Philosophie Schattenspieler, in der Moral ein Narr, gärte und siedete ich und mordete meine nächste Vergangenheit immer für die nächstfolgende Zukunft... In den Sitten das Philisterhafte hassend, in den Gefühlen jede Weichheit, die ich Egoismus nannte, brachte ich alles, was mich auf meinen Wegen reizte, in Verbindung mit meinen idealen Sympathien. Ich sah in meinen Umgebungen nur falsche und lügnerische Manieren und fand darin Stoff für die Polemik gegen die Tendenzen der Zeit."

Als 1834 Schleiermacher starb und dessen orthodoxe Freunde ihn als einen der Ihrigen ausgaben, deckte Gutzkow in einem frechen Nekrolog den wahren Charakter des Verstorbenen auf. Er hatte sich noch in Berlin mit einem Mädchen aus frommer Familie, Rosalie Scheidemantel, verlobt. Sie wollte sich von ihm trennen, als sie den Aufsatz las. Sollte er die Wahrheit oder die Braut opfern? Er schrieb die Novelle: „Der Saduzäer von Amsterdam", die Geschichte des abtrünnigen Juden Uriel Acosta, der um seiner Braut willen seine Überzeugung verleugnet und dadurch zugrunde geht. Persönlicher Zorn über die Engstirnigkeit der Familie seiner Braut verband sich in ihm mit dem jugendlichen Eifer für die Freiheit der Überzeugung. Er fühlte sich als den Fortsetzer der Geisteskämpfe, die die Aufklärer geführt hatten. Er kannte in seiner leidenschaftlichen Verbitterung kein Maß. Er war wie ein Schlachtroß, das im Streitgemenge und Lärm dampfend vorwärtsstürmt. „Mir ist daran gelegen", schrieb er am 18. Mai 1835 an seinen Freund Gustav Schlesier, „die Kirche aufzulösen und nebenbei an der Verflüchtigung des Staates zu arbeiten." Der Name Schleiermachers war mit seinem Kampf innerlichst verbunden. Er war dessen Schüler gewesen. Die Welt sollte gründlich wissen, wer Schleiermacher in Wahrheit gewesen war. So gab er dessen „Vertraute Briefe über Friedrich Schlegels Lucinde" mit einer aufklärenden Einleitung heraus. Schleiermacher erschien darin geradezu als der Befürworter der freien Liebe. Mit maßlosem Haß werden die Geistlichen als „Vikare des Himmels", als „Wächter von Sittlichkeit und Religion" angegriffen. Er verkündete ihnen seine „ausdrückliche und positive Verachtung — mögen sie mir auch ihre Kirchtüren verschließen, die ich nicht suche, und Sakramente entziehen, deren Symbole ich im Herzen trage — hätte die Welt nie von Gott gewußt, sie würde glücklicher sein". Ja, so blind macht ihn die Leidenschaft, daß er nun auch sein Verhältnis zu Rosalie, mit Nennung ihres Namens, als eine freie Liebe darstellt.

Aber war er wirklich der unerschrockene Kämpfer für Freiheit und Wahrhaftigkeit, war er nicht eher ein weichlicher und haltloser Verhetzter, der im Innern keine Ruhe und kein Gleichgewicht hatte, einer, der mehr an der Zeit litt, als sie zu führen imstande war? Ein Brief an Gustav Schlesier vom 4. Oktober 1834 gibt ein ganz anderes Bild von ihm: „Ich spinne mich in der Art ein, wie Sie mich kennen, der Schlafrock zerrissen, ein Sofa, ein Talglicht, ein Buch, blöde Augen und roher Schinken... Mein Leben ist eine Resignation geworden. Ich suche etwas, was ich gar nicht finden mag. Ich gewöhne mich an alles, sogar an das Ungewöhnliche. Rom, Neapel, das ist alles so, als wenn ich gähne. Selbst mein Lieblingswunsch, als Muselmann einst in Konstantinopel einen eigenen Harem zu haben, ist mir gleichgültig geworden. Die elende Zeit ist schuld daran, die uns alles so nahe rückt und aus allem Prosa schafft."

Ein Vierteljahr später geschah etwas, was die nervösen und neusüchtigen Schöngeister der Zeit in höchste Aufregung versetzte: der Selbstmord der Charlotte Stieglitz. Sie war die Gattin des Lyrikers Heinrich Stieglitz, ein mäßiges Genie, das als Lehrer und Bibliothekar sein Brot verdiente und dieser Tagesfron wegen seinen Pegasus am kühnen Flug gehindert glaubte. Kam er verdrossen heim, teilte sich die Unlust seiner Gattin mit. Es hatte sich bereits in ihr die fixe Idee gebildet, daß die Last der Ehe ihren Mann am dichterischen Schaffen hindere, daß sie selber, für die er zu sorgen habe, schuld sei, wenn er nichts leisten könne. Und so wuchs der Entschluß in ihr, ihm ihr Leben zum Opfer zu bringen. Am 28. Dezember 1834 führte sie, nachdem ihr ein trauriges Weihnachtsfest die ganze Trostlosigkeit ihrer Lage enthüllt hatte, ihren Entschluß aus, indem sie sich einen Dolch, den sie ihrem Mann für die Hochzeitsreise gekauft hatte, mit aller Gewalt ins Herz stieß. In einem Briefe, den sie ihm hinterließ, forderte sie ihn auf, „mutig der Zukunft ins Auge zu schauen, sich herauszuleben und sich tüchtig in der Welt herumzutummeln".

Am 25. Februar 1835 eröffnete Gutzkow einen Artikel über Charlotte Stieglitz in dem Literaturblatt zum „Phönix" mit den Worten: „Seit dem Tode des jungen Jerusalem und dem Morde Sands ist in Deutschland nichts Ergreifenderes erschienen als der eigenhändige Tod der Gattin des Dichters Heinrich Stieglitz. Wer das Genie Goethes besäße und es aushalten könnte, daß man von Nachahmungen spräche, könnte hier ein Seitenstück zum ‚Werther' geben." Er traute sich schon damals das Genie Goethes und die Kraft zu, dem Vorwurf der Nachahmung standzuhalten. Das Seitenstück zum „Werther" ist sein Roman „Wally, die Zweiflerin", der 1835 erschien. Das schlechtgeschriebene Machwerk hat auf die Zeitgenossen als eine aufregende Sensation gewirkt. Auf uns macht es mit seinem Gemisch von sanfter Lüsternheit, freigeistigem Geschwätz, literarhistorischen Reminiszenzen und banaler Psychologie den Eindruck eines langweiligen Hintertreppenromans, dessen Handlung im übrigen mit der Geschichte der Charlotte Stieglitz wenig zu tun hat. Aber den Verfasser stellte das Buch mit einem Schlage in die vorderste Reihe der für neue Ideale kämpfenden Schriftsteller. Er wollte und wußte das und sah sich, auch darin dem Sturm und Drang nacheifernd, nach Genossen um. Schon 1833 hatte er einen gefunden: Heinrich Laube.

Am 18. September 1806 in dem kleinen schlesischen Sprottau als Sohn eines Maurers geboren, wächst er in einer gänzlich unliterarischen Welt auf, bildet dafür im Geschäft des Vaters helfend Beobachtungssinn und praktische Fertigkeit aus. Früh gehört seine Liebe dem Theater. In Glogau und Schweidnitz bereitet er sich für die Universität vor. In Halle beginnt er das Theologiestudium. Das heißt: er wird Burschenschafter und treibt sich in Kneipen und auf dem Fechtboden umher, so daß man ihm später in Breslau die Stelle des Universitätsfechtmeisters anbietet, die fast so viel einträgt, wie das Amt eines Superintendenten. Jetzt besinnt er sich. Er hat das Theater lange vernachlässigt. Der Besuch einer Aufführung des „Käthchens von Heilbronn" eröffnet ihm die Aussicht auf einen anderen Fechtboden: Literatur und Theater. Eine Zeitschrift wird gegründet: „Aurora". In zehn Tagen ein Stück geschrieben: „Gustav Adolf". Es wird aufgeführt. Aber all dieses literarische Treiben füllt den Geldbeutel nicht. Da bricht in Frankreich die Revolution aus. Er hat ein bißchen erspart. Er spürt, er muß nach Paris, dem Treffpunkt der fortschrittlichsten deutschen Schriftsteller. Aber in Leipzig bleibt er hangen. Ein Artikel über das Theater verschafft ihm die Stelle eines Redaktors an der „Zeitung für die elegante Welt". Er formt die langweilige Plaudertante zum Sprechsaal für alle die sprühenden Ideen der Zeit um. Sie soll das Blatt der Jungen werden, die er bewußt den Alten gegenüberstellt.

Damals hatte er als erster in einem Briefe vom 28. April 1833 den Ausdruck „notre jeune Allemagne" gebraucht und so den Namen des Jungen Deutschland geprägt. Zugleich veröffentlichte er den ersten Teil einer Romantrilogie: „Das junge Europa", „Die Poeten", ein gärendes Sammelsurium von langatmigen Reden unreifer Menschen über die Idee und Zustände der Zeit, vermischt mit ein paar Liebesabenteuern. Die Zensur verbot das harmlose Machwerk. Von Berlin aus, wo der Geheimrat Tzschoppe die Fäden der Demagogenverfolgung in der Hand hatte, sorgte man dafür, daß Laube aus Leipzig ausgewiesen wurde, und nun bewies er den Mut des alten Fechters und reiste spornstreichs in die Höhle des Löwen. Im Mai 1834 kam er in Berlin an. Im Juli wird er wegen Preßvergehen verhaftet und in die Stadtvogtei gebracht. Aber unter seinen Papieren ist die Exmatrikel von Halle, und darin findet man den Vermerk: „Der Burschenschaft verdächtig". Nun ist er ein Aufrührer und Staatsverräter und wird in das Untersuchungsgefängnis für Schwerverbrecher, die Hausvogtei, geschafft, wo man ihn zuerst zwei Monate lang ohne Bücher in fast dunkler Zelle eingesperrt hält. Er hat später im dritten Teil des „Jungen Europa", „Die Bürger", seine Erlebnisse in der Gefangenschaft geschildert: wie er alle Papierschnitzel vollkritzelt, die er bekommt, den Schemel auf den Tisch stellt, um durch die schmale Luke in der Mauer ein Stückchen Himmel zu erspähen, und am Fenster die Worte liest: „Lasset draußen die Hoffnung, die ihr hier eintretet." Im Februar 1835 wird er endlich aus der Untersuchungshaft entlassen. Man weist ihm Naumburg als Aufenthaltsort an. Im nahen Kösen darf er Salzbäder nehmen. Da beschäftigt er sich mit literarischen Arbeiten und hat daneben, wie Gutzkow, nur das eine Verlangen: Anschluß an Gleichstrebende zu finden. Mit Gutzkow, dem ihn die „Zeitung für die elegante Welt" nahegebracht, hatte er im Sommer 1833 eine Reise durch Böhmen, Bayern, Italien und nach Wien gemacht. Nun gesellten sich den beiden noch Theodor Mundt, und Ludolf Wienbarg zu.

Theodor Mundt (am 19. September 1808 in Potsdam geboren) gehört nur durch ein einziges Buch: „Madonna. Unterhaltungen mit einer

Heiligen" (1835) der Bewegung des Jungen Deutschland an. Es ist das frechste dieser Erzeugnisse einer brausenden Jugend. Das Werk erinnert in seiner gewollten Formlosigkeit und seinem dichterischen Unvermögen an die „Lucinde". Als „Buch der Bewegung" will es den Aufbruch und die Unruhe der neuen Zeit ausdrücken. Was der am 25. Dezember 1802 in Altona geborene Ludolf Wienbarg in das Brausen der Geister hineinwarf, war nicht ein dichterisches, sondern ein ästhetisches Werk: Die „Ästhetischen Feldzüge. Dem Jungen Deutschland gewidmet" (1834), ein Buch, an dem der Titel das beste ist, indem er zum erstenmal öffentlich von einem jungen Deutschland spricht. Der Inhalt ist eine ziemlich unklare Mischung von Goethescher Persönlichkeitsforderung in der Dichtung, Aktualisierung der Literatur und Verkündigung einer schönen Tat neben dem schönen Werk. Auch Gutzkow und Laube hatten, nachdem Menzel und Börne Goethe mit leidenschaftlichen Tiraden verunglimpft, in dem Jahre 1835, in dem Bettines Huldigung: „Goethe's Briefwechsel mit einem Kinde" erschien, den Weg nach Weimar zurückgefunden.

Im Sommer 1835 geschah der Zusammenschluß. Gutzkow war der Führer, weil er der Ehrgeizigste war. In dem Löwenthalschen Verlag in Mannheim sollte als Organ des Jungen Deutschland die „Deutsche Revue" erscheinen, als deren Mitarbeiter u. a. Gutzkow, Laube, Mundt, Wienbarg, Heine, der Fürst Pückler-Muskau und Rückert genannt wurden. Am 9. September erschien in der Allgemeinen Zeitung die Ankündigung. Zwei Tage darauf erließ Wolfgang Menzel im Literaturblatt des Morgenblattes unter dem Titel: „Unmoralische Literatur" den ersten einer Reihe Artikel, die sich gegen „Wally" und andere ähnliche Schriften wandten. Menzel hatte Gutzkow in die Literatur eingeführt und begönnert. Aber schon im Herbst 1834 war das unnatürliche Band zerrissen und hatte sich Gutzkow, der inzwischen in Frankfurt den „Phönix" gegründet hatte, von seinem Gönner in einem scharfen Artikel losgesagt. Engherzigkeit, Philisterhaftigkeit warf er ihm vor; er bekämpfe alle genialen neuen Ideen. „Die Poesie ist ihm ein Sonntagskleid, ein Bratenrock, Zukost zum Schwarzbrot des Lebens... bei uns aber ist sie das Leben."

Menzel war der Mann nicht, solche Beleidigungen auf sich sitzen zu lassen. Er schlug mit dem Dreschflegel drein. Er spielte sich als den Wächter von Tugend und Religion auf. „Nur im tiefsten Kote der Entsittlichung, nur im Bordell werden solche Gesinnungen geboren", ruft er angesichts von Gutzkows Einleitung zu den Briefen über die Lucinde aus. Gegen die „Neue Revue" droht er: „Ich will meinen Fuß hineinsetzen in euren Schlamm... Ich will den Kopf der Schlange zertreten, die im Miste der Wollust sich wärmt." Er eignet sich die Beschwörungssprache alttestamentlicher Propheten an, um die bösen Jungen zu züchtigen.

Das war Alarm. Am 24. September wurde in Preußen die „Wally" verboten, einen Monat später in Bayern und Baden. Am 13. November wurde der Vorrat der „Wally" beim Verlage konfisziert. Am 14. wies der preußische Justizminister die Oberpräsidenten an, die Produkte des Jungen Deutschland zu unterdrücken. Am 16. wurde eine Untersuchung gegen

Gutzkow und seinen Verleger Löwenthal eingeleitet. Am 24. Gutzkow aus Frankfurt ausgewiesen. Am 30. in Mannheim verhaftet. Am 10. Dezember beschloß der Bundestag in Frankfurt, auf den Antrag des österreichischen Präsidialgesandten, es sollten die sämtlichen Bundesregierungen gegen Verfasser, Verleger, Drucker und Verbreiter der Schriften des Jungen Deutschland, zu denen nun auch Heines Werke gerechnet wurden, die Straf- und Polizeigesetze ihres Landes in Anwendung bringen, d. h. diese Druckerzeugnisse verbieten.

Das war zweifellos ein schwerer Schlag für die Betroffenen. Laube, der inzwischen zu anderthalb Jahren Haft verurteilt worden war, ebenso Mundt, krochen sofort zu Kreuz. Gutzkow, der in Mannheim wegen seiner „Wally" einen Monat Gefängnis abzusitzen hatte, und Wienbarg trotzten. Aber auch über den Bundestagsbeschluß schritt die Zeit hinweg, und die Schriftstellerei der Jungdeutschen wurde durch ihn keineswegs lahmgelegt. Laube verfaßte später Erzählungen und Theaterstücke, z. B.: „Die Karlsschüler", und wirkte als erfolgreicher Bühnenleiter vor allem am Burgtheater. Mundt wurde Professor in Breslau. Gutzkow schrieb Dramen („Uriel Acosta", „Zopf und Schwert" u. a.) und Romane („Die Ritter vom Geiste", „Der Zauberer von Rom"), worin er gegen die Reaktion in Staat und Kirche die Tendenzen des Liberalismus verfocht. Wienbarg war bescheidener Zeitungsredaktor in Altona. Laube starb am 1. August 1884, Mundt am 30. November 1861, Wienbarg am 2. Januar 1872. Gutzkow, der sich in seiner Betriebsamkeit mehr und mehr selber verzehrte, mußte, nachdem er 1865 einen Selbstmordversuch gemacht, in einer Irrenanstalt untergebracht werden und vergiftete sich am 16. Dezember 1878 durch Kohlenoxyd. Keiner von ihnen hat die Literatur mit bleibenden Werken bereichert. Sie lebten vom Tage und für den Tag und wirkten, ohne Originalität, kurze Zeit nur durch die Kühnheit, mit der sie die allgemeinen Ideen des Liberalismus in die öffentliche Diskussion warfen. Der Geschichte gehören sie mehr durch ihr politisches Schicksal als durch ihre Werke an.

Die politischen Lyriker der vierziger Jahre dagegen ragen, vor allem Freiligrath dank seiner Meisterschaft über das dichterische Wort, mit einigen ihrer Gedichte über den Tag hinaus.

Den Anstoß gaben zwei politische Ereignisse. Erstens die Forderung des französischen Ministeriums Thiers auf den Besitz des linken Rheinufers. Sie erregte den Widerspruch deutscher Dichter, denen der Bonner Nikolaus Becker mit seinem Lied „Der deutsche Rhein" („Sie sollen ihn nicht haben Den freien deutschen Rhein") voranging. Wichtiger und folgenreicher war das zweite Ereignis: die Thronbesteigung Friedrich Wilhelms IV. Sie erweckte, nach der langen und matten Regierung seines Vorgängers, kühnste Erwartungen. Eine Zeit liberaler Reformen hoffte man anbrechend. Die Wirklichkeit enttäuschte alle. Der Blick des neuen Herrschers war rückwärts gewandt. Einen Romantiker auf dem preußischen Throne hat ihn D. Fr. Strauß genannt. So mußte das Volk versuchen, sich selber zu helfen, um die staatliche und soziale Erneuerung, wenn sie nicht von oben kam, von unten herbeizuführen. Eine mächtige Welle der Erregung ging über das Land, Flugschriften schwirrten durch die Luft, die die Fragen der Reichseinheit, der Verfassung, der Volksvertretung, der Hebung der arbeitenden Masse erörterten und Forderungen stellten. Auch die Dichter traten in die Reihen der Kämpfer. Ein politisches Volkslied entstand, bald gesungen, bald auch nur gesprochen, nicht mehr innige Einzelgefühle schildernd, sondern breite Massengefühle und -forderungen, wirkungsvoll, ja glänzend im Wort und als Erzeugnis der Redekunst unmittelbar den Tag beherrschend. Jetzt wurde der Dichter, der in romantischer und nachromantischer Zeit ein verträumtes Leben jenseits der politischen Tagesbewegung geführt hatte, mit einem Schlag zum Führer der Menge, in Versammlungen von Studenten, von Sänger- und Turnvereinen seine Lieder vortragend, oder sie vortragen lassend, gefeiert von den vielen, eine öffentliche Person. H e i n r i c h H o f f m a n n v o n F a l l e r s l e b e n , der Dichter des Deutschland-Liedes (1841), hat die Wandlung so geschildert:

> „Ich sang nach alter Sitt' und Brauch
> Von Mond und Sternen und Sonne,
> Von Wein und Nachtigallen auch,
> Von Liebeslust und Wonne.
> Da rief mir zu das Vaterland:
> Du sollst das Alte lassen,
> Den alten verbrauchten Leiertand.
> Du sollst die Zeit erfassen!"

Hoffmann selber, 1798 in Fallersleben geboren, nach unruhigem Leben 1874 gestorben, seinem Beruf nach Germanist, war wirklich eine Art politischer Bänkelsänger: ungebunden, keck, witzig, leichtblütig, treuherzig, Ehrlichkeit mit Pose leicht vermischend. Heinrich Laube, der ihn in Breslau kannte, schildert ihn als einen sehr langen Menschen mit einem kleinen Vogelkopfe und mit Augen, welche immer listig schimmerten. Seine Tracht bildete „ein mantelartiger Rock, der die Mitte hielt zwischen einem Bettelmönch und einem fahrenden Schüler"; auf dem Kopf trug er ein malerisches Zipfelmützchen. Er war 1830 Professor in Breslau geworden und erwarb sich als Gelehrter bedeutende Verdienste um die Erforschung der älteren Literatur. Aber als er 1840 und 1841 seine „Unpolitischen Lieder" herausgab, die in Wirklichkeit politische waren, nahm man ihm seine Professur weg, und nun führte er jahrelang das Leben eines fahrenden Sängers. Bald war er am Rhein, bald in Berlin, bald im Norden, bald im Süden. Es ging ihm oft schlecht. Sein Kindergemüt wußte nicht so recht Bescheid in den Sitten der Welt. Auch schadete ihm sein leicht entzündetes Temperament. Aber er trug, als ein poetischer Commis-Voyageur, wie kaum ein anderer in den vierziger Jahren den politischen Zündstoff von Ort zu Ort und entflammte mit seinen Liedern Studenten und Bürger für die Sache der Freiheit.

Auch F e r d i n a n d F r e i l i g r a t h hat für die Freiheit gekämpft. Aber er wußte, was er wollte. Er war ein Realist, wenn Realismus heißt, die

„Das Lied der Deutschen" in Hoffmanns von Fallersleben eigenhändiger Niederschrift, 1841

Bedingungen der Wirklichkeit erfassen und sein Leben nach ihnen gestalten. Es gab für ihn, abgesehen von der einen großen Freiheitsfrage, keine Problematik, die sein Leben verwirrt und seine Sicherheit untergraben hätte. Wo Fragen auftauchten, stammten sie nicht aus dem geistigen, sondern aus dem bürgerlichen und beruflichen Gebiete. Er war sich bewußt, daß sich die Sachen hart im Raume stoßen, und daß der Mensch nicht von der blauen Luft des Idealismus leben kann. Freiligrath lernte Bedrängnis und Sorge kennen, aber auch durch eigene Arbeit überwinden - die schlichte und prosaische Arbeit des Kaufmanns. Man denke, wie man seit Goethes „Wilhelm Meister" in den Kreisen der romantischen und nachromantischen Schöngeister über die nüchterne Tätigkeit des Kaufmanns urteilte! Er besaß die sittliche Kraft, seiner Überzeugung auch persönliche Annehmlichkeit und die Gnade eines Königs zu opfern. So hat auch sein Leben einen einfachen und großlinigen Zuschnitt. Wenn er, wie die Forcierten Talente, Deutschland verließ, so geschah es nicht aus Vergrämtheit und Abenteuersucht, d. h. aus Flucht vor sich selber, sondern weil die politischen Zustände in der Heimat ihn forttrieben, und weil er sich und seiner Familie in der Fremde eine Existenz schaffen mußte.

Am 17. Juni 1810 ist Ferdinand Freiligrath als Sohn eines Lehrers in Detmold geboren. Auch die Mutter war ein Lehrerskind, beide Eltern tüchtige, geistig frische und frohe Menschen, der Vater strebsam, fromm, die Mutter voll Phantasie und Beweglichkeit. Auch der Sohn hatte ein starkes Phantasiebedürfnis, aber nicht eine starke Phantasiekraft. Er mußte sie von früh auf mit buntem und abenteuerlichem Wirklichkeitsstoff nähren, indem er Schilderungen von Reisen in fernen, exotischen Ländern, Konquistadorenromane, geographische und naturbeschreibende

Werke las. Er ging durch das Detmolder Gymnasium bis zur Prima, wo u. a. der Archivrat Clostermeier, der Vater von Grabbes Frau, sein Lehrer war. Aber zum Studium reichten die Mittel nicht. Der Vater riet zu einer Kaufmannslehre, und der Sohn sträubte sich nicht und trat mit fünfzehn Jahren als Lehrling in das Geschäft eines Oheims in Soest ein. Es war eine Kolonialwarenhandlung mit Groß- und Kleinbetrieb. Nun traten die fernen Länder, in denen seine Phantasie so gerne schweifte, mit ihren Erzeugnissen greifbar, riechbar und schmeckbar in sein wirkliches Leben, und als ihm der Arzt bei einem Hustenanfall Tee von isländischem Moos verordnete, entstand in der aufgezwungenen Muße der Krankheit sein erstes Gedicht „Moostee": die Vorstellung der vom Nordlicht über-flammten nordischen Insel, wo Geiser ihre siedenden Dämpfe in die Luft schleudern und die Glutmassen des Hekla über das Land lodern, war aus dem bescheidenen Teekraut emporgesproßt. Andere Schilderungen fernen, vor allem südlichen Lebens folgten. Es war die Zeit, da auch die Dichter anderer Völker in farbigen Bildern des Orients schwelgten, Byron seinen „Childe Harold" und Victor Hugo seine Gedichtsammlung „Les Orien-tales" schrieb. Noch näher rückte die lockende Zauberwelt des Südens an die durstige Phantasie des Jünglings, als er nach beendeter Lehre 1832 in Amsterdam eine Stelle als Buchhalter in einer überseeischen Großhand-lung erhielt. Jetzt stand er mitten im Verkehr mit der umschwärmten Ferne, sah am Hafen die fremden Kauffahrteischiffe ankommen, erblickte dunkelfarbige Südländer, unterhielt sich mit Kapitänen, ja hatte mit ihnen beruflich zu tun. Mächtig wuchs seine Sehnsucht. Immer größer wurde das Gewimmel des fremden, bunten, glühenden Lebens in seiner Phantasie, und in brennende Gedichte entlud sich die bedrängende Fracht: „Wär' ich im Bann von Mekkas Toren"; „Leben des Negers"; „Der Mohrenfürst"; „Löwenritt"; „Gesicht des Reisenden" u. a., alle entstanden aus dem Protest gegen die graue Wirklichkeit, in die die Not des Berufes ihn einsperrte, und darum um so schreiender in ihrer Farbigkeit, um so greller in ihrer Leidenschaft, um so hemmungsloser in ihrer Rhetorik, je nüchterner und verhaltener das Leben im Kontor war. Die Gedichte erschienen gesammelt 1838 und tönten wie rauschende Janitscharenmusik mit Glockengebimmel, Beckenklirren und Paukenschlag in die Kleinstadt-gassen der Biedermeier hinein. Man griff nach ihnen. Man liebte sie. Man berauschte sich an dieser neuen, auf der Erde beheimateten Romantik. Die Deutschen, denen es nicht gelingen wollte, in ihrer Heimat einen bürgerlichen Staat zu bauen, übertäubten ihre hoffnungslose Sehnsucht mit den fremden Klängen. Nur zu begreiflich, daß auch der romantische preußische Kronprinz die Ohren spitzte und, als er König geworden war, Freiligrath ein Ehrengehalt von 300 Talern aussetzte.

1836 hatte er Amsterdam verlassen und hatte in Barmen eine neue Buchhalterstelle gefunden. Aber als seine Gedichte erschienen waren, drängten ihn alles und alle zum schriftstellerischen Berufe. Das Geschenk des preußischen Königs gab dazu die Möglichkeit. Er verheiratete sich mit Ida Melos, der Tochter eines weimarischen Gymnasiallehrers, und zog

1842 mit seiner jungen Frau an den Rhein nach St. Goar, wo er mit Geibel, Karl Simrock und anderen 1843 einen fröhlichen Poetensommer verlebte, in rheinischer Landschaft schwärmend und bei rheinischem Wein sich in die romantischen Sagen des Rheins versenkend, eine äußerlich reiche und angeregte, innerlich doch leere Zeit. Er war nun längst aus der Wüstenpoesie hinausgewachsen. Aber was bot sich ihm für ein neues Stoffgebiet an? Es mußte, nach seiner Art, aus dem wirklichen Leben kommen. Die Rheinsagen, die er in Verse brachte, waren ein dürftiger Ersatz. Die Liebeslieder, die seinem Bunde mit Ida Melos entsproßten, füllten seine Schaffenskraft nicht aus. Die Zeit drängte nach 1840 zu politischem Handeln, und auch die Gedichte der verheißungsvollsten Dichter widerhallten von Politik. Das war die große, brennende Wirklichkeit der Zeit. Wenn Freiligrath ein Mensch der Wirklichkeit war, so mußte die Politik auch von ihm Besitz ergreifen.

Schon der Verfassungsbruch des Königs von Hannover im Jahre 1837 und die Absetzung der sieben protestierenden Göttinger Professoren erregte seinen Unwillen. „Ob Hölty", schrieb er einem Freunde, „wohl auch Mailieder gemacht hätte, wenn anno 1773 sieben Professoren par ordre de Mufti exiliert worden wären?" Damals sah er zum ersten Mal die neue Aufgabe der Dichtung. Aber noch hielt ihn die Romantik in Bann. Das Reich der Poesie ist nicht von dieser Welt", erklärte er. „Sie soll im Himmel sein und nicht auf der Erde, und wenn sie auf der Erde ist, so soll sie mindestens zum Himmel deuten." Sein Freund Geibel hätte dieses Wort auch sprechen können. Noch entschiedener lehnte er in dem 1841 entstandenen Gedicht „Aus Spanien" die politische Lyrik ab mit den berühmten Versen:

> „Der Dichter steht auf einer höhern Warte
> Als auf den Zinnen der Partei."

Das Wort galt Herwegh, dessen „Gedichte eines Lebendigen" eben erschienen waren und alle Freidenkenden hinrissen. Nun machte Herwegh sich zum Wortführer derer, die Freiligrath auf die Seite der Revolution zu ziehen unternahmen. Nicht nur beantwortete er Freiligraths Ablehnung der Parteipolitik mit seinem Gedicht „Die Partei", er wandte sich auch am 4. März 1842 persönlich von Zürich aus an Freiligrath und beschwor ihn: „Die Zeit der Harmlosigkeit ist für den Poeten vorüber ... Sie haben die Wüste und ihre Ungeheuer nicht mehr jenseits des Ozeans zu suchen ... Sie haben dieselben vor Augen. Der Leviathan sitzt auf der Schwelle Ihres Hauses. Hic Rhodus, hic salta!" Aber stärker als der Brief Herweghs wirkten die Ereignisse des folgenden Jahres auf Freiligrath: die Aufhebung der freisinnigen Rheinischen Zeitung und der von dem Neuhegelianer Arnold Ruge herausgegebenen Deutschen Jahrbücher; die Entsetzung Hoffmanns von Fallersleben von seiner Professur; die Verschärfung der Zensurgesetze in Preußen. Schon im Februar 1843 erklärte Freiligrath, er erwarte nicht viel von der Zukunft des Vaterlandes: „Stickluft oben und unten — was kann aus dieser Misère Gutes kommen?"

Hatten die Taten der Reaktion ihm bisher nur gepreßte Klagen entlockt, so schlug seine Stimmung nun, wie sie sich häuften, in Zorn und
Kampftrotz um. Jetzt empfand er das königliche Ehrengehalt als hemmende Fessel. Er warf es dem König vor die Füße und schied sich auch
von Emanuel Geibel, der „in seiner konservativen Unschuld doch am
Ende nur dem rohesten Absolutismus in die Hände arbeite". Für sich
selber sprach er aus: „Ich will meiner Überzeugung gemäß die reine, un-
zweideutige Stellung einnehmen, nach der meine Ehrlichkeit lechzt, ich
schlage dem Fasse den Boden ein, mag daraus entstehen, was da will." Es
gärte in ihm wie in einem Vulkan und er warf Lied um Lied in die freie
Luft: „Ich sage Assah! spucke in die Hand, und ein Lied ist fertig." Im
Mai 1844 gab er unter dem Titel „Ein Glaubensbekenntnis" die neu entstandenen Gedichte heraus. Ein Wort Chamissos an de la Foye setzte er
an die Spitze der Sammlung: „Die Sachen sind, wie sie sind. Ich bin nicht
von den Tories zu den Whigs übergegangen, aber ich war, wie ich die
Augen über mich öffnete, ein Whig." Die Sammlung ist wirklich ein
Glaubensbekenntnis. Schritt für Schritt, Gedicht um Gedicht, jedes mit
dem Datum seiner Entstehung versehen, legt er darin den Werdegang
seiner Wandlung der Öffentlichkeit vor. Keines der Gedichte, versicherte
er in dem Vorwort, sei gemacht: „Jedes ist durch die Ereignisse geworden,
ein notwendiges und unabweisliches Resultat ihres Zusammenstoßes mit
meinem Rechtsgefühl und meiner Überzeugung". Er selber stellte fest,
daß hier nur von einem Fortschreiten und einer Entwicklung die Rede
sein könne, nicht aber von einem Übertritt, nicht von einem buhlerischen
Fahnentausch, nicht von einem leichtfertigen Haschen nach etwas so
Heiligem, wie die Liebe und die Achtung eines Volkes es sind. Er selber
hatte erkannt, „daß die ganze Schule, die ich soeben als Individuum vor
den Augen der Nation durchgemacht habe, doch am Ende nur die nämliche ist, welche die Nation, in ihrem Ringen nach politischem Bewußtsein
und nach politischer Durchbildung, als Gesamtheit selbst durchlaufen
mußte und zum Teil noch durchläuft". Die Sammlung selber beginnt mit
jenem Gedicht „Aus Spanien", das die Absage an die Parteidichtung enthält. Aber schon in den nächsten Gedichten spürt man den neuen Geist.
„Ein Flecken am Rheine" schildert ein romantisches Nest. Bereits hat sich
der Dichter innerlich von der „frommen Trunkenheit des Mittelalters"
abgewendet:

> „Dein Reich ist aus! — Ja, ich verhehl' es nicht:
> Ein andrer Geist regiert die Welt als deiner...
> Der frische Geist, der diese Zeit durchfuhr,
> Er hat mein Wort, ich gab ihm meinen Schwur,
> Noch muß mein Schwert in jungen Schlachten blitzen."

Ein Gedicht an Hoffmann von Fallersleben steht gegen den Schluß. Dazwischen sind ein paar Dutzend Gedichte, in denen Freiligrath leidenschaftlich und witzig und mit nie versagender Treffsicherheit das Geschehen der Zeit aus dem mannhaften Bekenntnis zur Freiheit glossiert.

Er wußte, daß er mit der mutigen Tat sich selber zur Flucht aus Deutschland verurteilte. Er suchte zuerst in Belgien ein Asyl; dann ging er am 12. März in die Schweiz, wo sich eben der Freisinn siegreich seinen Lebensraum erkämpfte. Zuerst ließ er sich mit seiner Frau in Rapperswil nieder, gegenüber der Ufenau, wo einst ein anderer Freiheitskämpfer, Ulrich von Hutten, den Rest seines Lebens verbracht hatte. Von da siedelte er im Herbst nach Hottingen bei Zürich über, wo er im Kreise Follens den jungen Gottfried Keller kennenlernte und mit ihm Freundschaft fürs Leben schloß. Eine neue kleine Sammlung von Freiheitsliedern: „Ça ira", flog 1846 von Zürich aus. Sie enthält das gewaltigste Revolutionsgedicht, das jemals von einem deutschen Dichter geschaffen worden ist: „Von unten auf." In der Schilderung einer Fahrt Friedrich Wilhelms IV. auf dem Rheine zum Besuch der durch ihn erneuerten Burg Stolzenfels wird dem König, der auf den glatten Dielen des Schiffes spaziert, der Proletariermaschinist entgegengestellt, der in der glühenden Esse die Dampfkraft erzeugt, welche das Schiff in Gang setzt — ein neuer St. Christophorus, der den Christ der neuen Zeit trägt.

Aber Freiligrath hatte für eine Familie zu sorgen, und so verließ er im Sommer 1846 die Schweiz und nahm in London in einem Handelshause eine kleine Stelle an. Die Freundschaft mit englischen Dichtern, so mit Tennyson, entschädigte ihn für die Nüchternheit seiner Arbeit und die Bescheidenheit seiner Lage. Der Ausbruch der Revolution rief ihn 1848 wieder nach Deutschland zurück. Er hoffte auf den Sieg der Freiheit und schürte als Poet mit leidenschaftlichen Gedichten die Bewegung. Sein Aufruf an die Barrikadenkämpfer: „Die Toten an die Lebenden", flatterte in 9000 Stücken über das Land. Da wurde er am 28. August wegen Aufreizung zum Aufruhr verhaftet und in Düsseldorf vor ein Geschworenengericht gestellt. Die Anklage auf Umsturzversuch bestand zu Recht. Trotzdem sprach ihn das Gericht einstimmig frei. Von der Bürgerwehr und einer zahllosen Menschenmenge geleitet, von Blumen überschüttet, kehrte der Dichter unter den Klängen der Musik nach seiner Wohnung zurück. Abends feierte ihn die Bürgerschaft durch einen Fackelzug. Nun ließ er sich als Schriftleiter der Neuen Rheinischen Zeitung in Köln nieder. Aber nur kurze Zeit dauerte der Freiheitstraum. Schon Ende 1848 lag die Revolution am Boden. Noch ließ ihn die Polizei unbehelligt. Aber er legte seine Stelle nieder und hielt sich in der Verborgenheit in der Nähe von Düsseldorf, wo er die „Neueren politischen und sozialen Gedichte" herausgab. Als er sah, daß die Reaktion gesiegt hatte, ging er 1851 aufs neue nach England. Zwei Steckbriefe flogen ihm nach, der eine wegen Herausgabe revolutionärer Lieder, der andere wegen Schmiedung eines Komplottes.

In London lebte er mehr als anderthalb Jahrzehnte, sein Brot als Kommis, später als Leiter einer Bankagentur und als Schriftsteller, vor allem durch Übersetzungen, verdienend. Als 1865 die Bankagentur einging und inzwischen in Deutschland die Verhältnisse sich beruhigt hatten, faßten seine Freunde in Barmen den Plan, dem Mittellosen die Rückkehr in die

Heimat zu ermöglichen. Ein Ehrengeschenk von 60 000 Talern, als Ergebnis einer öffentlichen Sammlung, war der Dank des Volkes für seinen Sänger. Es ermöglichte ihm einen sorgenfreien Lebensabend im Vaterlande. Am 24. Juni 1868 trat er mit den Seinen die Rückreise an. Rheinaufwärts fahrend, besuchte er die Stätten seines jugendlichen Schwärmens, In Cannstatt bei Stuttgart ließ er sich nieder. Da ist ist am 18. März 1876 gestorben.

3. DIE SCHWEIZER

Pestalozzi / Gotthelf / Keller / Meyer

> „Und dieses Schicksal nennen wir
> Mit Fug uns selbst die Schmiede;
> Wir feilen sechs Jahrhundert schon
> Am selben alten Liede,
> Bald sacht und leis, bald laut und rauh,
> Wie es der Zeiten Lauf,
> Und mehr als einmal sprüht' es heiß
> Von Feil' und Hammer auf!"

Gottfried Keller

Das Volk der deutschen Schweiz, durch Abstammung, Sprache und Bildung ein Teil der großen deutschen Völkerfamilie, ist durch seine geschichtliche Entwicklung zu einer Gestalt gelangt, die es nicht nur politisch als ein selbständiges Staatswesen außerhalb des Reiches stellte, sondern auch eine geistige Bildung in ihm entstehen ließ, die sich weitgehend von der der Bevölkerung Deutschlands unterscheidet. Diese Unterschiede können nicht zufällig und nicht nachträglich wirksam gewesen sein. Die schweizerische Sonderart muß vielmehr bei allem inneren Zusammenhang mit dem Gesamtvolke in gewissen Ureigenschaften begründet sein, die dem Volke des Reiches fehlten oder, wenn es sie ursprünglich besaß, in ihm nicht zur Entwicklung zu gelangen vermochten. Ihr Wachstum und ihre Wirksamkeit mögen in dem Schweizer zum Teil durch die Zusammensetzung des Volkes bedingt sein, in dem neben schwäbisch-alemannischen und burgundischen Bestandteilen auch keltische und römische, neben kleineren anderen Einsprengseln, kräftig sind, zum Teil durch die Bodenbeschaffenheit des Landes und die geographische Lage um die Steinwälle der Alpen herum und inmitten mächtiger Nachbarn.

Man spricht von der Freiheit der Schweizer, und in der Tat füllen einen großen Teil ihrer Geschichte immer erneute Kämpfe um die Freiheit aus, von den Kriegen gegen die Habsburger, gegen Karl den Kühnen von Burgund, gegen das Reich bis zu dem großen Ringen um demokratische Rechte und sozialwirtschaftliche Hebung in der neueren und neuesten Zeit. Die Schweiz ist ein Staat, in dem oder in dessen einzelnen Teilen der demokratische Gedanke am reinsten ausgebildet ist, und worin der einzelne Bürger das größtmögliche Maß von Selbständigkeit im Denken und Handeln besitzt. Gleichzeitig aber ist in dem Schweizer auch ein zähes Beharrungsvermögen. Er liebt seine Geschichte und lebt darin, wie kaum ein anderes Volk. Es ist durch und durch konservativ, und wenn er einerseits allem Neuen offen und zugänglich ist, so unterläßt er es nicht, seinen Wert am Altbesessenen zu messen, und wenn er in diesem noch lebendige und wesentliche Werte erkennt, es über oder jedenfalls neben dem Neuen gelten zu lassen, diesem eine Form zu geben, die der altbewährten Schweizerart entspricht. Dieses Widerspiel von Freiheitsdrang und Beharren am Alten kennzeichnet schon den ersten uns bekannten Bundesvertrag von 1291: indem die Eidgenossen einerseits sich zusammenschließen zur Abwehr fremder Herrschaftsrechte und fremder Richter, anerkennen sie anderseits zugleich die alten Rechte, die jeder über Menschen und Dinge hat.

Es geht so ein Zug großer Besonnenheit durch die ganze Geschichte der Schweiz. Man verliert in der Begeisterung für das Neue doch den Kopf nicht, und wenn ihn einzelne oder ganze Teile des Volkes verloren haben, so zwingt sie die überlegene Meinung und Macht der Mehrheit bald wieder in das altgewohnte Geleise zurück. Vielleicht ist diese Besonnenheit eine Eigenschaft, die sich, im Gefolge der politischen Neutralität und diese ihrerseits bedingend, erst in den Jahrhunderten nach 1500 zu voller Stärke herausgebildet hat und seither dem politischen Handeln der Schweizer sein Gepräge gibt; sie hat für das Waghalsige und Außerordentliche, für das Abenteuerliche keinen Raum, und hat spärliches Verständnis für politische Größe. Die Geschichte der Schweiz entbehrt daher, seit dem 16. Jahrhundert, der großen Spannungen zwischen Höhen und Tiefen. Alles in allem ist sie ausgesprochen die Geschichte eines kleinen Volkes, das den Drang nach einer Großmachtstellung, den es um 1500 gehabt, in sich bezwungen hat, nichts anderes wünscht, als in Ruhe und Frieden sicher, anständig und wohlständig zu leben, und bereit ist, diesem Lebensziel, wenn es sein muß, die größten Opfer an Gut und Blut zu bringen.

Spürt man den seelischen Wurzeln dieses politischen Verhaltens nach, so gelangt man zu der Bodenbeschaffenheit des Landes. Die Eidgenossenschaft ist eine Schöpfung der Gebirgsbewohner um den Vierwaldstätter See herum. Sie hat sich von hier aus in konzentrischen Kreisen über die andern Teile der Alpen und dann in das Hügelland und die ebeneren Gebiete an ihrem Fuße verbreitet, zugleich mit der Ausdehnung an Land und Leuten auch die politische Gesinnung in den neuen Gebieten beeinflussend. Und diese politische Gesinnung ist so, wie sie sich in einem Gebirgsland herausbilden muß. In dem von hohen Bergwänden durchzogenen, von tiefen Tälern durchschnittenen Lande lebt der einzelne oder eine Gruppe von einzelnen abgesondert für sich mit erschwerter Verbindung nach außen, im wesentlichen auf sich allein gestellt. Freiheitstrotz, Selbstbewußtsein, Unabhängigkeitssinn, Individualismus bilden sich in dieser Lebensform aus. Zugleich aber stellt die Wildnis, die ihn umgibt, dem einzelnen oft genug Aufgaben, die er nur im Verein mit andern bewältigen kann: Schutz gegen Naturgewalten, Abwehr fremder Begehrlichkeiten, bürgerliche Ordnung des Lebens u. dgl. So zwingt ihm gerade die Einsamkeit, in der er lebt, das Bedürfnis zum Gemeinschaftshandeln, zu der Gründung von Genossenschaften auf und läßt in ihm schließlich den starken Willen zum Staat entstehen. Man erkennt, daß die Freiheit des einzelnen nur dann gewährleistet und gesichert ist, wenn ein größerer

703

Staatsverband sie schützt. Diese beiden Gegensätze, einerseits der Individualismus, anderseits der Wille zum Staat, sind die Grundkräfte des demokratischen Bewußtseins und Handelns des Schweizers.

Mit solchen Eigenschaften haben die Bewohner der Länder und der Städte, die sich dem ursprünglichen Keime der Eidgenossenschaft anschlossen, schon früh die Ansprüche fremder Gewalthaber abgewiesen und ihr Gebiet von fürstlicher Macht befreit. Eine Kunst staatsmännischen Handelns bildete sich in den Bürgern der regierenden Orte aus. Das war eine ganz andere politische Schulung, als sie das Volk im Reiche empfing, wo der Bürger nur der Verwaltung seines Gemeinwesens teilhaftig wurde und über das Schicksal des Landes, und damit seinen eigenen Kopf, den Fürsten mit seinem Stabe von Beamten und seinem Heere entscheiden ließ.

Bei dieser Durchflutung des ganzen Lebens mit politischen Ideen und Aufgaben ist in der Schweiz auch die innere und äußere Stellung des Dichters eine wesentlich andere als in Deutschland. Auch der Dichter, der geistig Schaffende überhaupt, ist stark, oft leidenschaftlich, am öffentlichen Geschehen beteiligt. Als Zwingli in Zürich sein Reformationswerk durchführte, verzichtete er nicht, wie Luther, auf eine Erneuerung auch des politischen Lebens, sondern kämpfte mit Wort und Schrift für gereinigte Lebensformen, engere Bindung der eidgenössischen Stände, ja er hat, als der evangelische Glaube von den Altgläubigen angegriffen wurde, selber eine Kriegsordnung entworfen und ist mit der Waffe in den Kampf gezogen. Auf dem Schlachtfeld von Kappel hat er für seine Überzeugung den Tod erlitten. Calvin vollends hat in Genf eine Lebensordnung aufgebaut, in der Staat und Kirche in engem Bunde das äußere und innere Verhalten der Bürger regelten. Als die Aufklärung in die Schweiz eindrang, wurde sie hier nicht nur als eine philosophisch-geistige, sondern zugleich auch als eine praktisch-politische Erneuerung aufgefaßt. Eine der ersten Schriften der Schweizer Aufklärung sind B. L. von Muralts „Lettres sur les Anglais et les Français" (1725 herausgekommen), worin das englische Lebensideal dem französischen gegenübergestellt wurde. Johann Jakob Bodmer ist nicht nur Kritiker und Ästhetiker gewesen, sondern er hat sich auch mit Leidenschaft und fortschrittlichem Sinn für die Anerziehung demokratischen Denkens bei der heranwachsenden Jugend seiner Vaterstadt bemüht. Albrecht von Haller hat politische Romane geschrieben zur Klärung der von Rousseau aufgeworfenen Verfassungsfrage. Salomon Geßner hat nicht nur Hirten in Idyllen schwärmen lassen, sondern seiner Vaterstadt auch als Ratsherr und Forstverwalter gedient. Aus diesen Erneuerungsbestrebungen ist damals die Helvetische Gesellschaft hervorgegangen, die ihre Wirkung weit nach Deutschland ausstrahlte. Für sie hat der junge J. C. Lavater 1767 Schweizerlieder gedichtet, nachdem er mit dem Maler J. H. Füßli 1762 in kühner Auflehnung gegen die aristokratische Obrigkeit einen ungerechten Landvogt entlarvt und zu Fall gebracht hatte. Heinrich Pestalozzi ist der Sohn dieser Zeit. Im 19. Jahrhundert bekunden vor allem Gotthelf und Keller in ihren Werken die Leidenschaft für den Staat.

Damit ist zugleich ausgedrückt, daß in der Schweiz die Stellung des Dichters innerhalb der bürgerlichen Gemeinschaft eine andere ist als im Reich. Der Dichter steht hier mit ganz wenigen Ausnahmen als bürgerlich Berufstätiger unter seinen Volksgenossen. Niklaus Manuel war Maler und Baumeister, Haller Arzt und Professor, Geßner Buchhändler, Pestalozzi Erzieher, Gotthelf Pfarrer. Seine Landsleute achten ihn vor allem als Berufstätigen, als einen ihresgleichen, und als Dichter erst dann, wenn sie spüren, wie sein Werk lehrend, aufklärend, führend in das öffentliche und menschliche Leben eingreift. Die lehrhaft moralische Art, die man in Lob und Tadel an den Dichtern der Schweiz hervorhebt, hängt damit zusammen. Der wirkliche, stammhafte Schweizer Dichter ist niemals ein bloßer Ästhet gewesen und hat die Kunst niemals nur um der Kunst willen gepflegt. Daher sagt dem Schweizer Dichter vor allem die Art der Dichtung zu, in der viel Wirklichkeitsstoff in stark bildhafter, anschaulicher Form zur Darstellung gebracht werden kann, also die Erzählung. Er ist der geborene Epiker, und die Lyrik und das Drama sind, wo sie gepflegt werden, neben der Epik bloße Mitläufer neben dem Gewalthaufen ursprünglicher Volkskraft, ein durch Persönlichkeit und oft Nachahmung bestimmtes Können, selten ein naturbedingtes Müssen.

Man hat nach der Mitte des 19. Jahrhunderts aus der Erkenntnis dieser Eigenart schweizerischer Dichter und Dichtung geradezu von einer schweizerischen Nationalliteratur gesprochen. Schon deswegen zu Unrecht, weil, wenn man von einer Schweizer Nation sprechen will, dieser Begriff das ganze Volk umfaßt und nicht nur den deutschsprechenden Teil, also auch die Bezeichnung „schweizerische Nationalliteratur" die Literatur des gesamten Schweizervolkes in sich begreifen müßte. Wie weit, mit dieser Einschränkung, der deutschschweizerische Teil mit dem Namen einer Nationalliteratur bezeichnet werden kann, hängt davon ab, wie man die Grenzlinie zwischen dem Allgemein-Deutschen und dem Besonderen-Schweizerischen zieht — eine Aufgabe, die wissenschaftlich gar nicht zu lösen und letzten Endes ein Streit um Worte ist. Daß aber die schweizerische Literatur neben der des Reiches ein starkes, viel mehr als provinziales Eigenleben je und je geführt hat, zeigt, neben der oben skizzierten Art ihrer Dichter, auch ihre Geschichte neben der des Reiches. Das Verhältnis der beiden Literaturen, mehr als das, der beiden Bildungsbereiche, ist ein wechselndes und zwiespältiges. In der Schweiz ist die Blüte der Dichtung an die Lebendigkeit, Fruchtbarkeit und das Ansehen der politischen Macht geknüpft, wie Niklaus Manuel und Gotthelf, Keller und Meyer zeigen; Deutschland hat seine klassische Dichtung in einer Zeit politischer Schwäche hervorgebracht, und dem Wachstum der staatlichen Macht im 19. Jahrhundert ging der Niedergang der Dichtung parallel. Daher stimmen die Blütezeiten deutscher und schweizerischer Literatur zeitlich durchaus nicht überein. In der Zeit, als in Deutschland Goethe und Schiller wirkten, hatte die Schweiz als einzigen bedeutenden Schriftsteller nur Pestalozzi, und der war nicht in erster Linie Dichter. Dafür hatte Deutschland kurz nach 1860 kaum Dichter vom Rang Gotthelfs und Kellers aufzuweisen, vielleicht Raabe ausgenommen; Fontanes Romane erschienen später. Anderseits zeigt wiederum die untergründliche Verbundenheit der deutschen Schweiz mit dem Reiche die Tatsache, daß das geistig literarische Leben in der Schweiz jeweils dann am fruchtbarsten und bedeutendsten war, zugleich auch Werke von höchster Eigenart hervorbrachte, wenn das Reich stark und angesehen war — so in der Mitte des 19. Jahrhunderts, während Zeiten der Schwäche des Reiches, wie das 17. Jahrhundert, auch in der Schweiz von geistiger Unfruchtbarkeit begleitet waren. Bei aller Betonung der Lage der Schweiz zwischen drei großen Sprach- und Bildungsgebieten und der Weltoffenheit ihrer Bürger muß gesagt werden, daß die eigentliche Dichtung von dieser Verflochtenheit in das zwischenvölkische Bildungsleben niemals entscheidend befruchtet worden ist, weil ihr vornehmster Wachstumsgrund immer die Sprache ist.

Gerade die innere, man kann sagen organische Verbundenheit zwischen Dichtung und Staatsleben in der Schweiz gibt auch die Antwort auf die oft aufgeworfene Frage, warum auf ihrem Boden, nach den tiefen ästhetischen Erkenntnissen, die Bodmer und Breitinger begründet, und nach den bedeutenden Anfängen der Dichtung in dem Werk Hallers und Geßners, dieser Aufstieg damals nicht, wie in Deutschland, auf den Gipfel einer klassischen Dichtung geführt habe. Das Schaffen der ästhetischen Wegbereiter und der Dichter hing im 18. Jahrhundert in der Schweiz sozusagen in der Luft. Es ruhte nicht auf einem kräftigen und innerlich lebendigen politischen Boden. Es bekundete in sich einen neuen Geist und schaute in die Zukunft aus; die politische Wirklichkeit aber war noch von mittelalterlichen Begriffen und Formen getragen und innerlich brüchig, vielfach ein bloßes Gefäß ohne Inhalt. Die Verhandlungen und Vorträge der Helvetischen Gesellschaft suchten eine neue politische Gesinnung zu pflanzen, aus der eine neue Staatsform hervorgehen sollte. Aber wo ist jemals ein neuer Staat bloß durch Erkenntnis und Reden geschaffen worden? Alles wirklich und dauernd Neue muß durch die glühende Esse der Not hindurchgehen und auf dem harten Amboß des Kampfes geschmiedet werden. Im Gefolge der französischen Revolutionsstürme — Frankreich bestimmte damals das Schicksal der Schweiz — stürzte 1798 die alte Eidgenossenschaft zusammen und war nun ein halbes Menschenalter lang ein Satellitenstaat des napoleonischen Frankreich.

In dieser Notzeit fühlte Heinrich Pestalozzi sich zu einer Tätigkeit besonderer Art berufen. Der am 12. Januar 1746 in Zürich geborene war von Natur so geartet, daß er den Geschöpfen der Erde dienen mußte, nicht im Luftreich der Phantasie herumschwärmen durfte. Sein Verstand war groß, aber Herz und Gemüt waren größer. Er selber bekennt in dem „Schwanengesang" von sich: „Ich war von der Wiege an zart und schwächlich und zeichnete mich durch viele Lebendigkeit in der Entfaltung einiger meiner Kräfte und Neigungen sehr frühe aus. Aber sowie ich an einigen einzelnen Gegenständen und Gesichtspunkten warmes Interesse nahm, zeigte ich mich ebenso frühe und in eben dem Grad auf alles, was nicht

706

mit meinen Augenblicks-Lieblingsgegenständen auf irgendeine Art belebt zusammenhing, äußerst unaufmerksam und gleichgültig. Was mein Gefühl ansprach, schwächte den Eindruck dessen, was meinen Kopf erheitern und in bildender Tätigkeit beleben sollte, sehr oft und sehr schnell." Eine weiche Erziehung durch die Mutter und eine Magd förderte, nach dem frühen Tode des Vaters, diese Eigenschaften. Er kam jahraus, jahrein „nie hinter dem Ofen hervor". „Alle wesentlichen Mittel und Reize zur Entfaltung männlicher Kraft, männlicher Erfahrungen, männlicher Denkungsart und männlicher Übungen mangelten mir in dem Grade, als ich ihrer bei der Eigenheit und bei den Schwächen meiner Individualität vorzüglich bedurfte." Seine Mitschüler verspotteten ihn als einen Halbnarren, als den „Heiri Wunderli von Thorlikon". Er schien mit seiner Innerlichkeit zum Theologen bestimmt zu sein. Aber er erkannte bald, daß die Zeit der Theologen vorbei sei, und daß sie der ungeheuren Dinge, die die Not dem Helfenwollenden aufbürdete, nicht gewachsen waren. So wurde er Landwirt. Sein Landsmann J. C. Hirzel hatte durch seine Beschreibung der „Wirtschaft eines philosophischen Bauers" den Beruf des Landwirts geadelt. Er sollte Pestalozzi mit dem Volke zusammenbringen und ihm sein Herz öffnen. Aber als er, nach einer Lehrzeit im Bernischen, sich auf dem Neuhof bei Brugg selber als Landwirt versuchte, brach zum erstenmal der tragische Zwiespalt seines Wesens hervor: der Widerspruch zwischen Herz und Verstand, zwischen der Hingabe und Bildung des Menschlichen und dem Anspruch kluger Verwaltung der Wirtschaft. „Er konnte nicht Rechnung halten, wie er wollte, weil er sich nie mit den Kleinigkeiten des Rechnungswesens beladen wollte, sondern nur im Großen es durchdachte." So kam es zum Schiffbruch, aus dem der Schriftsteller auferstand. Damals schrieb er sein größtes Werk, den Erziehungsroman „Lienhard und Gertrud", dessen erster Teil 1781, die folgenden bis 1787 erschienen.

Er hatte damit seinen Weg gefunden. Als infolge des Überfalls der Franzosen in Nidwalden die Häuser niedergebrannt und die Familien aufgelöst wurden, ließ er sich von dem Minister Stapfer beauftragen, die Waisenkinder zu sammeln und zu erziehen. Das war am 1. Dezember 1798. Er war damals 53 Jahre alt. Als seine Aufgabe geleistet war, richtete er in Burgdorf eine Erziehungsanstalt ein. Darauf in Münchenbuchsee und zuletzt in Yverdon. Seine Art zu unterrichten wurde bald so berühmt, daß ihm aus aller Welt Lehrer zuströmten und Kinder übergeben wurden. Auch jetzt war es sein Verhängnis, daß er über der Pflege des Innern die Rücksicht auf das Äußere vernachlässigte. Die Folge war, daß der von Fürsten und Erziehern aller Welt Verehrte in seiner nächsten Umgebung Hohn, Haß, Verleumdung und Streit zu erdulden hatte. „Ich bin durch mein Herz, was ich bin", bekennt er in seinem „Schwanengesang". „Ich stand als Armenvater im Kreise meiner Kinder. Ich hatte in eigentlicher wissenschaftlicher und Kunstbildung nichts, ich hatte nur die Vaterkraft meines Herzens ... Alle äußern Gestaltungen meiner Untersuchungen und Anstalten forderten den höchsten Grad der kraftvollen Regierungsfähigkeit, den je menschliche Unternehmungen erfordern konnten, und ich bin der allerunfähigste Mensch zum Regieren." 1825 mußte er, erstickend unter einem Berge von Zerwürfnissen und Schulden, seine Anstalt in Yverdon auflösen. Am 17. Februar 1827 starb er, ein armer Müdling, in Brugg.

Es ist aufschlußreich, Pestalozzis großen Erziehungsroman „Lienhard und Gertrud" mit „Wilhelm Meisters Lehrjahre" zu vergleichen. Goethe bewegte sich von Anfang an in den Kreisen der höheren Bildung, des wohlhabenden Bürgertums und des Adels. Wo Menschen anderer Stände, Fahrende, Schauspieler, in die Handlung des Romans hineinspielen, dienen sie entweder zur Unterhaltung oder zur Ausbildung der oberen Kreise. Diese Ausbildung ist durchaus eine Frage des Intellektes, der richtigen Einsicht und Lebensführung auf verstandesmäßiger Grundlage. Die Bildung, die Wilhelm erstrebt, ist zuerst eine ästhetisch-künstlerische, nachher wird die Frage der religiösen Bildung erwogen, schließlich vermittelt ihm die Aufnahme in die Gesellschaft der Männer vom Turm die Erkenntnis des Wesens des Schicksals und des Ganges seines Lebens und lehrt ihn sittlich-praktische Gemeinnützigkeit als Inhalt der gesuchten Bildung. Wie diese innere Umwandlung in Wilhelm vorgeht, welche seelischen Kräfte durch sie in Bewegung gesetzt werden und sie bewirken, erfährt man in Goethes Werk nicht. Man lernt nur die geistigen Mächte kennen, die daran beteiligt sind, die Lebensideale, die sie darstellen, und die Ergebnisse, zu denen sie führen. Ob Wilhelm am Schlusse des Romans nun wirklich der innerlich geläuterte Mensch ist, der er sein soll, wissen wir nicht.

Diese innere Umwandlung, ihre Kräfte und Wege darzustellen, ist nun gerade die Frage Pestalozzis. Er ist weniger Dichter als Goethe, dafür mehr Psychologe und Pädagoge. Er hat ein praktisches Ziel vor Augen: die Erziehung des Volkes. „Ich kannte das Volk, wie es um mich her niemand kannte ... Ich sah sein Elend," sagt er in „Wie Gertrud ihre Kinder lehrt". Er beginnt daher seine Erzählung mit ganz einfachen Menschen und Zuständen, in der Hütte eines armen Maurers, mit der Schilderung der Not, der Hilflosigkeit und dem Aberglauben der Dorfbewohner, der Schlechtigkeit, Bosheit und Habsucht derer, die zu ihrer Leitung bestimmt sind und in Wirklichkeit sie ausnützen, vor allem der des Vogtes. Es ist ein dunkles Bild, das er entwirft. Alle diese Schäden und Übelstände haben ihren Grund in der mangelnden Verstandesbildung. Pestalozzi ist als Sohn der Aufklärung im tiefsten von der wohltätigen Macht der Vernunft überzeugt. Der Mensch ist für ihn von Natur gut, weil er die Anlage zum vernünftigen Denken und Handeln in sich besitzt. Aber diese Anlage ist oft verschüttet. Sie muß gesäubert und ausgebildet werden. Man muß den Menschen erziehen, um ihn gut zu machen. Diese Aufgabe in der Familie überträgt Pestalozzi Gertrud, der Frau des Maurers, in deren liebendem Herzen und richtigem Sinn die Vernunft kraft der Natur wirkt. Ihr gelingt es, in ihrem etwas weichen Mann den Glauben an sich und seinen Beruf wieder zu wecken, ihre Kinder zu tüchtigen Menschen zu erziehen und den Wohlstand der Familie zu begründen. Von ihrer Hütte aus ergießt sich die Menschenbildung wie ein reiner Quell in die anderen Hütten des Dorfes. Hier aber tritt, von ihr aufgerufen, der edle und verständige Landesvater Arner ihr zur Seite. Es ist Pestalozzis Ansicht, daß alles Große sich aus Kleinem, das allgemeine Wissen um die Dinge sich aus der erlebten Anschauung des einzelnen entwickeln müsse. So läßt er die Handlung des Romans, die zuerst eine einzelne Familie und ein Dorf umfaßt, sich von hier aus über die ganze Herrschaft Bonnal und zuletzt über das ganze Land erstrecken; die sich ausweitende Größe des Schauplatzes bedingt mehr und mehr eine wissenschaftlich-schematische Darstellung des Stoffes. Nur der erste Teil des Romans mit seiner anschaulichen, aus tiefster Kenntnis geschöpften Schilderung des Dorflebens ist so im eigentlichen Sinne dichterisch. Zu groß war das Maß der erzieherischen, politischen und sozialen Verantwortung, die Pestalozzi in sich trug, als daß er sich der Aufgabe, sie zu dichterischer Einzelschilderung auszumünzen, hätte unterziehen können; zu schwer waren die Pflichten, die der innere und äußere Notzustand seiner Zeit und seines Volkes ihm auferlegte, zu reich seine Ideen, als daß er sich hätte Zeit nehmen dürfen, was er zu sagen hatte, in dichterischer Umkleidung zu sagen.

Nur einmal noch hat er, nach „Lienhard und Gertrud", seine Anliegen in dichterischer Form verkündigt: in den „Figuren zu meinem ABC-Buch", die 1797 erschienen und 1803 als „Fabeln" in zweiter Auflage herauskamen. Sie stellen eine Auseinandersetzung mit der Revolution und ihren Rädelsführern dar. Er war der politisch freieste, sozial verständnisvollste Geist, und er durchschaute die Mängel der aristokratischen Herrschaft, in der er aufgewachsen, klar genug. Er hat so in einer mit Gerichtsprotokollen unterbauten Schrift über Gesetzgebung und Kindermord (1783) gegen die grausame Bestrafung von unehelichen Müttern geeifert und hat in der Schrift über die Gesetzgebung Helvetiens (1802) den freien Geist einer neuen Zeit verkündigt. Aber der Eigennutz, die Kurzsichtigkeit, die Verlogenheit, die Prahlsucht und Hemmungslosigkeit, womit die Führer der Revolution sich vor dem Volke, dem sie helfen wollten, brüsteten, stießen ihn ab. Gegen sie zieht er in den Fabeln mit einer an ihm ungewohnten Schärfe und Bitterkeit zu Felde.

Von Pestalozzi, dem großen Menschenbildner und weisen Erzieher, führt eine Brücke unmittelbar zu Jeremias Gotthelf; sie verbindet den Kämpfer der Revolutions- und Nachrevolutionszeit mit dem Streiter der Regeneration und des beginnenden Liberalismus. Was, vom Strome der Zeit getragen, unter dieser Brücke dahinrauscht — der Lyriker Johann Gaudenz von Salis-Seewis, der Freund Mathissons, die „geistreichen Dilettanten" Johann Martin Usteri, David Hess und Ulrich Hegner, auch der fruchtbare und gescheite Heinrich Zschokke —, reicht alles nicht bis zu der Brücke der beiden Großen empor.

Was Jeremias Gotthelf als ein Geschenk der Geschichte empfing, das ist seine Stellung in Zeit und Land. Er wuchs heran in einer Zeit, die nicht mehr das blutige Wüten der Revolution erlitt, aber auch noch nicht gesättigt war und von der Revolution eine Fülle von geistigen, sittlichen, politischen und sozialen Aufgaben überkommen hatte, deren Lösung den Kräften des Tüchtigen und Fortschrittlichgesinnten ein weites Feld der Betätigung bot. Gotthelf war ein Berner. Die Regierung von Bern hatte es verstanden, im Laufe der Jahrhunderte ein großes, reiches und fruchtbares Gebiet sich zu eigen zu machen, das mit staatsmännischer Weisheit verwaltet wurde. Und Gotthelf war die ganze Zeit seiner Mannesjahre hindurch an einem einzigen Orte seßhaft, mit dem er innerlichst verbunden war, aus dessen Boden heraus er dichtete: dem untern Teile des fruchtbaren und schönen Emmentals. So bildete sich auch seine Persönlichkeit klar aus: ein stämmiger Wuchs mit dem hellen Gesicht und der ehernen Stirne. Dem entspricht ein Wollen, das von Anfang an sein Ziel sicher vor sich sieht und es zu erreichen gewaltige Kräfte einzusetzen hat. So kommt bei Gotthelf, ob seinem Kampfe auch die Tragik nicht fehlt, die das Lebenswerk jedes wahrhaften und reinen Menschen überschattet, doch keine Bitterkeit auf. Bei allem Widerstand, den er fand, wußte Gotthelf doch den Erfolg sich zu erobern, und als seine Landsleute nicht mehr willens waren, ihn ihm zuzugestehen, wurde er ihm um so reichlicher aus dem deutschen Ausland zuteil.

Albert Bitzius, wie Gotthelf mit seinem bürgerlichen Namen heißt, ist als Sprößling einer altbernischen Familie am 4. Oktober 1797 im Pfarrhaus zu Murten geboren worden. Bei Murten hatten 1476 die Eidgenossen einen entscheidenden Sieg über Karl den Kühnen von Burgund erfochten; noch kündete von ihm, als sichtbares Zeichen, das Beinhaus mit den Überresten der Gefallenen. Einen andern Feind galt es in Gotthelfs erstem Lebensjahr abzuwehren: die Franzosen, die 1798 in die Schweiz eindrangen, um ihr die Segnungen der Revolution zu bringen, in Wirklichkeit, sich mit dem bernischen Staatsschatz zu bereichern. Vom siebenten Jahre wuchs der Knabe in Utzendorf auf, in einer der fruchtbarsten Gegenden des Kantons, wohin sich der Vater als Pfarrer hatte wählen lassen. Der landwirtschaftliche Betrieb, der dem Pfarrhaus angegliedert war, führte den Knaben ins Leben und Werken der Bauern ein. So stehen die beiden Mächte, die seine größten Bildnerinnen geworden sind, Geschichte und Natur, von frühester Jugend ihm zur Seite. In Bern studierte er Theologie. Die rein wissenschaftliche Seite des Unterrichts zog ihn wenig an. Es ist bezeichnend, welche Denker der Zeit damals am stärksten auf ihn wirkten: Herder, Jakob Friedrich Fries und Schleiermacher. An Herder zog ihn der feine Sinn für das Einmalige in der Geschichte an, die Idee der Offenbarung Gottes in ihr. Bei Fries, von dem er den philosophischen Roman „Julius und Evagoras" las, die Lehre, daß das wissenschaftlichlogische Denken nur eine mittelbare Erkenntnis der Dinge vermittle, und daß das tiefere Erfassen der Wirklichkeit durch Glaube und Ahndung geschehe. Schleiermacher endlich offenbarte ihm, daß das Wesen der Religion nicht in den Lehrbegriffen, sondern in dem unmittelbar gefühlsmäßigen Erlebnis Gottes bestehe. Von drei Seiten erhielt so seine ursprüngliche Natur, die nicht auf gelehrtes Tun, sondern praktisches Wirken gerichtet war, Nahrung, und schon als Zögling einer Gelehrtenschule erkannte er, daß er Wissen nur erwerben müsse, um dereinst „in der menschlichen Gesellschaft als ein tüchtiges Glied eingreifen, schaffen und wirken zu können". Er wußte, daß es dazu nicht großer wissenschaftlicher Kenntnisse bedurfte, wohl aber Kenntnis der Menschen, ihrer Erscheinung, ihres Mienenspiels, ihrer Arbeitsweise, ihres Redens. Man muß die Menschen studieren, durch und durch begreifen und durchschauen, um mit Glück ihr Bestes fördern zu können, erklärte er.

Im Sommer 1820 machte er seine Pfarrerprüfung, amtete ein halbes Jahr als Vikar bei seinem Vater und studierte darauf noch zwei Semester in Göttingen. Eine Reise nach Hannover, Hamburg und Rügen weitete seine Kenntnis deutschen Lebens und stärkte zugleich sein bernisches Selbstbewußtsein, indem er alles, was er sah, an dem stolzen Maßstab der tüchtigen Heimat maß. Dann trat er endgültig ins Pfarramt ein. Wieder wirkte er als Vikar in Utzendorf, darauf, nach dem Tode des Vaters, von 1824 bis 1829 in Herzogenbuchsee. Leidenschaftliche Sorge für die Kirchenzucht und die Sittlichkeit seiner Pfarrkinder, für die Hebung der Volksbildung und der Stellung und Besoldung der Lehrer kennzeichnet seine Tätigkeit. Sein Eifer für das, was er für richtig hielt, war so groß, daß er sich schließlich mit seiner Gemeinde überwarf und abberufen werden mußte. Eine Zeitlang predigte er in Bern. Aber er taugte nicht in die Stadt, und so ließ er sich auf Neujahr 1831 nach Lützelflüh am Ausgang des Emmentals versetzen, wo er 1832 zum Pfarrer gewählt wurde. Sein Leben ist damit äußerlich zur Ruhe gekommen. Als Pfarrer von Lützelflüh ist er der Schriftsteller Jeremias Gotthelf geworden. In Lützelflüh ist er am 22. Oktober 1854 gestorben.

In seiner geschichtlichen Erzählung „Der Druide" hat Gotthelf den Kampf eines helvetischen Priesters für den Boden und die Götter der Heimat geschildert. Wie die helvetischen Tiguriner unter der Führung von Diviko ihre Heimat verlassen, um sich im südlichen Gallien ein fruchtbares Land zu suchen, bleibt der Druide Schwito allein mit einem Urenkelkind und zwei Hunden im angestammten Lande zurück. Nächtliche Gesichte offenbaren ihm das Schicksal der Ausgewanderten. Er schaut die Besiegung durch Cäsars Heer, das zerspaltene Haupt des Führers, die Vernichtung eines großen Teils der Heimatgenossen. Und bald sieht er sie zurückströmen. Da führt er sie zu dem Heiligtum der Erdgöttin Hertha, deren Priester er immer geblieben ist, und bringt ihr ein Opfer dar. Und sie erscheint über den Opfernden und steckt ihr königliches Szepter in die Erde, daß es in ihr Wurzel faßt und emporwächst wie eine goldene Kette in die Kuppel des Hains, sich droben über das ewige Licht schwingt und in tausend Endchen wieder zur Erde niederfällt, die sich golden und glühend auf die Opfernden niedersenken und sich kronengleich um ihre Häupter winden.

Gotthelf hat durch diesen großartigen Mythos sein Wirken für die Heimat und das Heil ihrer Bewohner, zugleich aber auch das Tiefste seines Gottesglaubens sinnbildlich dargestellt. Sein Gott ist nicht der außerweltliche Gott des christlichen Lehrbegriffs, der von außen stößt und das All am Finger laufen läßt. Er ist — darin wirkt Herders und Schleiermachers Pantheismus nach — in den Kräften der Natur und den Mächten der Geschichte lebendig. Alles ist durch seinen heiligen Willen zu einem sinnvollen Zusammenhang verbunden. Wenn wir diesen Zusammenhang erkennen, so „gesellt sich zu unserm Vergnügen an moralischer Übereinstimmung die erquickende Vorstellung der vollkommenen Zweckmäßigkeit im großen Ganzen der Natur, und die scheinbare Verletzung derselben, welche uns in den einzelnen Fällen Schmerzen erweckte, wird bloß ein Stachel für unsere Vernunft, in allgemeinen Gesetzen eine Rechtfertigung dieses besonderen Falles und den einzelnen Mißlaut der großen Harmonie aufzusuchen".

Der Beruf oder vielmehr die Berufung des Pfarrers ist es, diesen heiligen Willen Gottes in Natur und Geschichte, im Schicksal der Menschen zu deuten und ihm für sein Wirken in den Seelen den Boden vom Unkraut und Gestrüpp des Widergöttlichen freizumachen. Aber weil das Walten dieses göttlichen Willens über dem Begriffsvermögen des Menschen steht, so bedarf es, ihn zu verkündigen. Hierin sah Gotthelf seine Aufgabe als Dichter. Er hat den Theologenstreit seiner Zeit, den Kampf zwischen dem Hegelianischen Rationalismus und dem dogmatischen Theismus der Orthodoxen nach Art des Pfarrers Hengstenberg in Berlin, mit leidenschaftlicher Anteilnahme verfolgt. Er lehnte die eine wie die andere Partei ab. Beide bedeuten ihm Rationalismus, Anspruch der Lösung des göttlichen Geheimnisses durch den haarspalterischen Verstand, wo Deutung durch unmittelbaren Glauben und tiefe Ahnung am Platze war. Gotthelf bleibt konsequent ein Irrationalist, auch gegen den Rationalismus der Mystiker. So hat er auch in „Anne Bäbi Jowäger" den alten Pfarrer gezeichnet, der, ohne Rücksicht auf die gerade geltenden Strömungen und Lehren innerhalb der Theologie, einfach seinem Herzen folgt und aus einem tief innerlichen Glauben Gutes tut und seine Pfarrkinder zum Rechten anleitet. Vor fünfzig Jahren, wie man in Frankreich Gott abschaffte, sollte man weltlich predigen, von allem Nützlichen, von der Stallfütterung und vom Kleebau. Damals hat er die Mode nicht mitgemacht. Jetzt, wie man rechtgläubig und glaubenseifrig ist, macht er auch diese Mode nicht mit. Er geht auf seine Weise und behält seinen Lauf, der ihn zu Gott führen wird. „Ein klein Sternlein will ich sein in Gottes unzählbaren Heeren."

Dieser von Gott bestimmte Sternengang war auch der Weg des Politikers Gotthelf. Er war, hierin Zwingli folgend, einer jener Pfarrer, die leidenschaftlich nicht nur um das himmlische Heil der Seelen besorgt sind, sondern auch um das irdische; aber seine unbeirrbare Selbstsicherheit, die in seinem Gottesbewußtsein gründete, hinderte ihn, ohne Vorbehalt mit einer der politischen Parteien zu gehen. Man kann ihn in den Anfängen seines Wirkens einen Liberalen nennen. Der Liberalismus ist in den schweizerischen Kantonen nach der Julirevolution zum Siege gekommen. Damals hat sich in den meisten das Volk erhoben und hat es erreicht, daß die alten aristokratischen Regierungsformen modernen demokratischen Verfassungen mit Gewerbe- und Pressefreiheit und Rechtsgleichheit für Stadt- und Landbevölkerung weichen mußten. Zehn Jahre später setzte sich die liberale Bewegung im Bunde durch, die 1848 in der Verfassung des Bundesstaates gipfelte.

Im Kanton Bern regte sich, als in Paris die Julirevolution ausbrach, das freidenkende Volk in Stadt und Land. Am 10. Januar 1831 fand in Münsingen bei Bern eine große Volksversammlung statt, die den Auftakt zu der radikalen Verfassungsbewegung bildete. Schon am 18. Oktober 1830 jubelte Gotthelf: „Wir haben ein großes Jahr erlebt. Die frühere französische Revolution war aus den gleichen Ideen entstanden und kämpfte gegen das privilegierte Unrecht; aber sie kämpfte dagegen mit physischer Kraft, darum gelang es auch physischer Kraft, sie zu unterdrücken und den alten Despotismus wieder einzuführen. — Diese Revolution hat hingegen die Vernunft begonnen, durchgeführt und beschlossen; darum wird sie auch beschlossen bleiben. Sie ist ein neuer schlagender Beweis gegen die, welche behaupten wollen, die Welt werde immer schlimmer und die Menschen immer verdorbener. Allenthalben zeigt es sich, daß die Völker majorenn werden." So stark war sein Glaube an den Sieg der Vernunft, daß er auch all den Unrat, den die Revolution aufwühlte und mit sich schleppte, nur für notwendige Begleiterscheinungen hielt. „Das Volk erwacht allmählich, ist aber noch schlafsturm und weiß nicht recht, auf welche Seite es aus seinem vertroleten [zerwühlten] Bette kann." Aber er täuschte sich, wenn er meinte, daß eine „vernünftige, nicht gelehrte, aber menschlich-christliche Bildung" das Anliegen der neuen Zeit sei.

Von Anfang an tut sich so die Kluft zwischen dem freidenkenden Pfarrer und dem liberalen Volk auf. Er will eine christliche Bildung in der Freiheit, den radikalen Parteiführern aber ist es um Befreiung von alten Zwangsordnungen zu tun, zu denen auch die Macht der Geistlichkeit und der Kirche gehörte; denn die neue Zeit bewegte sich einer weltlichen Bildung zu und suchte das Heil in irdischem Wohlstand, nicht mehr in einer sittlich-religiösen Bildung. Man betrachtete die Mitarbeit der Geistlichen von vornherein mit Mißtrauen. Gotthelf mußte das erfahren, noch ehe das Jahr 1831 zu Ende war. „Nun bin ich", klagte er am 5. Dezember Burkhalter, „von den Politikern oder von der Politik selbst verlassen worden und sehe auf einmal mich fast vereinzelt stehen mit offenem Maul. Nachdem die Vernunft, begleitet von der Mäßigkeit, den Sieg errungen, benutzen ihn die Unvernunft und die Unmäßigkeit." Aber noch 1834 glaubt er an den endlichen Sieg der Vernunft. „Eine Menge guter, aber roher Kräfte sind entfaltet und walten jetzt fessellos, weder von einem innern noch äußern Gesetz in Schranken gehalten. Es sind Stürme, die einem Schnee, Regen, Riesel ins Gesicht jagen, die Ohren betäuben, das Umsehen verleiden. Aber nur Geduld, nach dem Regen kommt Sonnenschein, wer es erlebt ... Solches Wetter gehört gerade mit dazu, wie der Horner zum ganzen Jahr" (an Burkhalter 3. April 1834).

Aber ein halbes Jahr später lautet es nicht mehr so zuversichtlich; er hat als Pfarrer schlimme Erfahrungen gemacht: „Man tut auf der einen Seite alles Mögliche, um uns zu lähmen, während man auf der andern uns schiltet, daß wir nicht mehr tun. Das mahnt mich daran, wenn ich einen Jungen an einen kurzen Strick nähme, ihn fest hielte, während ich ihn mit scharfer Geißel zum Laufen treiben wollte. Während wir in jeder Zeitung Spießruten laufen müssen, mutet man uns zu: ‚Freut euch des Lebens' zu singen".

Aber er war nicht gesonnen, sich in dem, was er als seinen Beruf erkannte, lähmen zu lassen. Er schrieb zwar Burkhalter am 5. Dezember 1831, er wolle in philosophischer Ruhe dem Ding zusehen, eine Pfeife rauchend. Aber er fürchtet doch, daß jene Ruhe ihm beschwerlich falle, nur weiß er noch nicht, was geschehen soll. „Ich schwanke zwischen dem Erlernen einer Sprache, der kritischen Erklärung der Bibel, dem Studium der neuen Philosophie oder gar dem Schreiben eines Büchleins, worüber, weiß ich aber noch nicht." Es kam nicht zum Schreiben eines Büchleins, wohl aber vieler großer und kleiner Bücher. Seinem Vetter erzählte er später: „Es sprudelte in mir eine bedeutende Tatkraft. Wo ich zugriff, mußte etwas geschehen; was ich in die Hände kriegte, organisierte ich... Das bedeutende Leben, das sich unwillkürlich in mir regte, laut ward, schien vielen ein unberufenes Zudrängen, ein unbescheiden vorlaut Wesen, und nun stellten sich mir alle die feindlich entgegen, die glaubten, ich wollte mich zudrängen, dahin, wohin sie allein gehörten... So wurde ich von allen Seiten gelähmt, niedergehalten, konnte nirgends ein freies Tun sprudeln lassen, konnte mich nicht einmal ordentlich ausreiten... Begreife nun, daß ein wildes Leben in mir wogte, von dem niemand Ahnung hatte... Dieses Leben mußte sich entweder aufzehren oder losbrechen auf irgendeine Weise. Es tat es in der Schrift. Und daß es nun ein förmlich Losbrechen einer lange verhaltenen Kraft, ich möchte sagen, der Ausbruch eines Bergsees ist, das bedenkt man natürlich nicht. Ein solcher See bricht in wilden Fluten los, bis er sich Bahn gebrochen, und führet Dreck und Steine mit in wildem Graus. Dann läutert er sich und kann ein schönes Wässerchen werden."

So wurde der Dichter in Gotthelf geboren. Aus dem freien Blick in die Not der aufgebrochenen Zeit und aus dem inneren Zwange, zu helfen, die tosenden Wasser in ein festes Bett zu leiten, irdisches Wohlsein zu begründen, das aber nur wahrhaft und dauernd sein konnte, wenn es auf innerer Lauterkeit und christlicher Sittlichkeit ruhte. Es gab keine Not im Leben des einzelnen, der Familie, der Gemeinschaft und des Staates, die er nicht anpackte, der er nicht Abhilfe zu schaffen suchte: die Armenunterstützung, vor allem das Los der Verdingkinder; die Aufgabe der Schule und die Bildung und Stellung des Lehrers; die Dienstbotenfrage; die Kurpfuscherei; das milchwirtschaftliche Genossenschaftswesen; die Branntweinpest; Christentum und Aufklärung; die politischen Machenschaften; der Sozialismus und Kommunismus. Er stellt das ganze große Geschehen der Zeit in farbenreichen, glühenden Gemälden vor uns hin, gezeichnet und gemalt nicht nur von einem gestaltungsmächtigen Meister, sondern auch von einem überlegenen Geist und einem Herzen, das weiß, wo Licht und Schatten im Schicksal eines Volkes sind.

Wandert man in zeitlicher Folge durch die Reihe seiner Werke, so gewahrt man, wie er seine Probleme immer mehr ausweitet. Ursache dessen ist die wachsende Entfernung Gotthelfs von dem, was die leitenden Politiker und die ihnen nachlaufende Masse für das Ziel des Lebens, für das Ideal des Fortschrittes ansehen: man kann den Gegensatz mit groben Schlagwörtern als christliche Bildung und Materialismus bezeichnen. Hat er am Anfang noch die freisinnige Bewegung im ganzen gut geheißen und eine Abhilfe der Schäden nur an einzelnen Stellen, in einzelnen Personen und Berufsverhältnissen für nötig gehalten, so merkt er bald, daß das Übel tiefer sitzt und weiter um sich gegriffen hat. Nun richtet er den Blick auf das Zusammenleben der Menschen und auf die sittliche Grundlage der Familie. Schließlich, wie er gewahrt, daß der fortschreitende Liberalismus die gesamte Gesellschafts- und Staatsordnung entchristlicht, entsittlicht und verweltlicht, wird das Leben der Gesamtheit sein Stoff in Bildung, Wirtschaft und Politik. So läßt sich die Gesamtheit seiner großen Romane in drei zeitlich bestimmte Gruppen ordnen: Menschenbildungsromane, Familienromane, Zeitgemälde.

Man könnte als Motto über alle Erzählungen Gotthelfs den Titel eines seiner schönsten Romane setzen: Geld und Geist, irdisches Glück und himmlische Bereitschaft. Bitzius ist Bauernpfarrer, er sagt sich, daß der Bauer, der die Früchte der Erde zur leiblichen Nahrung des Menschen pflanzt und erntet, einen starken Sinn hat und haben muß für das Materielle, daß er aber auch weiß, wie alle seine Mühe umsonst ist, wenn der Himmel nicht seinen Segen dazu spendet. Das ora et labora, mit starker Betonung des zweiten Imperativs, gilt vielleicht für keinen Stand so sehr wie für den Bauernstand. Auch Gotthelf selber hat in seiner ganzen Lebenshaltung neben dem Geiste die Materie geschätzt; er war viel zu sehr der Sohn einer schönen und fruchtbaren Landschaft, um einseitig einem asketischen Lebensideal zu huldigen. Er weiß, daß ein Mensch zuerst in leiblich tragbaren Verhältnissen leben muß, ehe sich ein seelisches und geistiges Leben rein und gesund entfalten kann. So beschäftigt sich der erste Roman, den er geschrieben hat, „Der Bauernspiegel oder die Lebensgeschichte des Jeremias Gotthelf" (1836), mit einem Thema des leiblichen Wohlseins, dem Schicksal des Verdingkindes.

Man hat bis in seine Zeit die Bauern und Hirten der Schweiz mit den Augen Hallers, Rousseaus und Geßners betrachtet und ihr Leben, bedürfnislos und friedlich, als die Idylle schlechthin dargestellt. Noch in den ersten Jahrzehnten des 19. Jahrhunderts waren in dem verbreitetsten literarischen Jahrbuche der Schweiz, den „Alpenrosen", in Erzählungen, Beschreibungen und Bildern die Landleute der Schweiz, im besonderen Berns, als Muster stillen und harmlosen Glückes im Schoße der Natur geschildert worden. Das Bild, das Gotthelf in dem ersten Bauernroman der deutschen Literatur entwirft, ist ein ganz anderes. Es enthüllt sich ein

Stück Leben wie das anderer Menschen, ein Kampf um mein und dein, nur leidenschaftlicher, zäher, wilder als das durch Sitte und näheres Zusammenleben gemäßigte Leben der Städter. Gewiß, auch Gotthelf ist, wie Pestalozzi, der Ansicht, daß der Mensch im Grunde gut sei; aber das Gute ist verdeckt vom brutalen Streben nach Vorteil. Das Leben des Jeremias Gotthelf, des Verdingbuben (nach dem sich der Schriftsteller Albert Bitzius seinen Namen gegeben hat), ist eine einzige Kette von Mißhandlungen, angefangen von der Bettlergemeinde, dem Jahrmarkt, auf dem die zu verdingenden Kinder ausgestellt, wie das Vieh untersucht und um den geringsten Preis von der Gemeinde den Pflegeeltern zugeschlagen werden, bis zu dem blutigen Tode von Jeremias' Braut, dem Änneli, unter den Händen eines rohen Arztes bei der Geburt ihres Kindes. Wenn Jeremias schließlich doch noch ein tüchtiger Mensch wird, so sind wahrlich nicht die Bauern daran schuld.

Auch im zweiten Werk, den „Leiden und Freuden eines Schulmeisters" (1838/39), handelt es sich um das Schicksal eines armen und im Grunde von den Bauern verachteten Menschen, des Lehrers Peter Käser. Weiter greift Gotthelf diesmal in das Allgemeinleben der Zeit hinaus. Mit der Umwandlung des aristokratischen Standesstaates zum demokratischen Volksstaate ist die Frage der Ausbildung der Massen dringlich geworden. Dazu werden die Lehrer in den Seminaren und Bildungskursen geschult. Gotthelf weiß, daß damit die Schüler und Lehrer bloß einem oberflächlichen Verstandeswissen ausgeliefert werden, und daß darüber oft etwas viel Wichtigeres verkümmert: das Herz, die Liebe, der Charakter. Sein Peter Käser hat erfahren, wie das Verstandeswissen in dem Geiste des jungen Schulmeisters Dünkel und Leichtsinn und Selbstsicherheit erzeugt. In schweren Erfahrungen bricht seine eigene Natur durch die gleißende Hülle des Seminarwissens durch, und nun leitet das Herz seinen Unterricht.

Die beiden ersten Romane bewegen sich am Rande des eigentlichen Bauernlebens, der dritte, „Uli der Knecht" (1841), dringt in sein Herz ein. Das anfängliche Thema ist die Dienstbotenfrage. Aber sie wächst sich rasch aus zu der weiteren Frage nach dem Wesen und Handeln des rechten Bauern. Während in den beiden ersten Büchern kümmerliche Menschenschicksale dargestellt werden, vollzieht sich das Geschehen hier auf einem stattlichen Berner Bauernhofe, und in der Mitte steht ein Bauer, in dem Einsicht, Güte und Tüchtigkeit der Stattlichkeit seines Besitzes entsprechen, der Bodenbauer Johannes. So weiß er auch seinen Uli zum guten Knechte und schließlich zum Pächter eines großen Hofes zu erziehen, indem er ihm nicht nur treffliche Ratschläge gibt, sondern auch menschenwürdige Lebensbedingungen, Selbstachtung in ihn pflanzt und die Freude am Besitz in ihm weckt. Kein Roman Gotthelfs ist so reich mit prachtvollen Lebenswerten gesättigt wie „Uli der Knecht". Es entspricht dem Optimismus dieses Buches, wenn sich hier zum erstenmal Gotthelfs Humor in breitströmender, oft übermütiger Heiterkeit entfaltet.

Ernster und bedenklicher sind die drei Familienromane der zweiten

Stufe: „Geld und Geist" (1843), „Anne Bäbi Jowäger" (1843/44) und der „Geltstag" (1845). In „Geld und Geist" wird der für das Bauernleben bezeichnende Gegensatz: materieller Wohlstand — Pflege der seelisch-geistigen Werte dargestellt. In „Anne Bäbi Jowäger, wie es haushaltet und wie es ihm mit dem Doktern geht" werden wieder in neuer Beleuchtung die Reiche des Geistigen und des Materiellen einander gegenübergestellt. Die Berner Regierung hatte Gotthelf den Auftrag gegeben, die Schäden des Kurpfuschertums aufzudecken, das rings im Lande blühte und viel Unheil stiftete. Er tat es, indem er zeigte, wie durch Dummheit und Aberglauben der Mutter und der Magd der Sohn einer Bauernfamilie bei der quacksalberischen Behandlung der Pocken ein Auge verliert, das Enkelkind Anne Bäbis gar durch die Halsbräune das Leben. Der „Geltstag oder die Wirtschaft nach der neuen Mode" ist ein Bild des Zerfalls infolge des neuen Geistes des Leichtsinns und der Liederlichkeit, den der politische Liberalismus ins Volksleben gebracht hat. Der Schauplatz des Geschehens ist eine jener Wirtschaften, in denen die politischen Machthaber und ihre Gefolgsleute sich treffen, im Gegensatz zu den alten währschaften Gast-höfen, wo die Bauern verkehren. Die Wirtsleute auf der Gnäpfi — so heißt bezeichnenderweise ihre Schenke; gnäpfen bedeutet durch einen Fehltritt straucheln und zu Fall kommen — kommen Stufe um Stufe durch ihren Leichtsinn und ihre Unfähigkeit immer tiefer hinunter, bis zum Geltstag, zum Konkurs, und gehen an ihrem Unglück zugrunde, ihrer Kinder nehmen sich gütige Menschen von alter Art an.

Die Zeitgemälde, zu denen der „Geltstag" überleitet, beginnen in der Mitte der vierziger Jahre und reichen bis zu Gotthelfs Tod. „Jakobs des Handwerksgesellen Wanderungen durch die Schweiz" (1845/46); „Die Käserei in der Vehfreude" (1850); „Zeitgeist und Bernergeist" (1851). Ihnen reihen sich, gleicher Stimmung, zwei Familiengeschichten an; „Käthi die Großmutter" (1846) und „Uli der Pächter" (1848).

Hatte Gotthelf um 1830 den Anbruch der Freiheit aus voller Über-zeugung begrüßt und der Bewegung seine Kräfte zur Verfügung gestellt, so hatte er sich als Pfarrer bald abseits gedrängt gesehen und erkannt, daß die freie christliche Bildung, die er schaffen wollte, etwas anderes war, als die weltliche Herrschaft und die materielle Beglückung, auf die der politische Liberalismus ausging. So vertiefte sich die Kluft zwischen ihm und dem Streben der Zeit. Er mußte wahrnehmen, wie ein unchristlicher Geist sich in immer weitern Kreisen ausbreitete, wie der Staat den Einfluß der Kirche überall zurückdrängte und in den Arbeiter- und Handwerker-kreisen Sozialismus und Kommunismus überhand nahm. 1846 gab sich Bern eine neue Verfassung, die die Volksrechte noch erweiterte. Damals sprach Gotthelf von einem „großen Nationalunglück": „Die Leute taumeln in einem schweren Rausche, und da ist nicht zuzusprechen, nicht abzuwehren, so wenig als besoffenen Nachtbuben." Er eiferte gegen die neue Verfassung. „Unsere Verfassung", erklärte er, „ist doch mehr als 1800 Jahre alt; sie ist nicht von einem halben Ignoranten gemacht, der in dieser Verfassung selber hat lesen lernen, sondern sie stammt von oben."

Er scheint jede Besonnenheit verloren zu haben. Wie soll die Lehre des Christentums für den modernen Staat mit seiner Unzahl von politischen, sozialen, wirtschaftlichen Aufgaben die ausreichende Verfassung sein! Er wettert gegen die humanen Grundsätze der neuen Rechtspflege, die Abschaffung der Prügelstrafe, der Todesstrafe für Kindsmörderinnen. Die Freischarenzüge, die die liberalen Ideen über die Grenzen der Kantone in das Leben des Bundes hineingetragen, sind ihm ein Greuel, der Sonderbundskrieg von 1847, die große Auseinandersetzung zwischen radikalem und konservativem Geiste, ein Nationalunglück. Die Bundesverfassung von 1848, die den losen Staatenbund zum festen Bundesstaat zusammenfügte, bedeutete ihm das Ende der guten alten Zeit. Er war nun völlig zum konservativen Verneiner alles Neuzeitlichen geworden. Immer hatte sich in seinem Schaffen Zeitliches und Ewiges bekämpft. Jetzt, als die Zeit sich immer mehr verweltlichte, zog er sich um so leidenschaftlicher ins Reich des Ewigen zurück, und um so düsterer wurde das Bild, das er von den Errungenschaften und Gründungen der Zeit, der Gesinnung ihrer Menschen entwarf. Wir wissen heute, daß er in vielem, vielleicht im meisten recht hatte. Aber wann hat jemals ein Weiser dem verderbenbringenden Lauf der Geschichte Einhalt gebieten können!

Soll man sich darum wundern, daß Gotthelfs letzte Romane düstere Bilder des Bestehenden und apokalyptische Prophezeiungen nahenden Unterganges aufrollen? In „Jakobs Wanderungen" und der „Käserei in der Vehfreude" setzt er sich mit dem Kommunismus und dem Genossenschaftswesen auseinander. Das eine wie das andere bedeutet ihm ein sinnloses und verderbenbringendes Unterfangen, wenn es bloß auf materieller Grundlage, auf Egoismus und Habsucht aufgebaut und nicht von christlicher Gesinnung getragen und durchwirkt ist.

In „Zeitgeist und Bernergeist" holt Gotthelf zu einem letzten gewaltigen Schlag gegen die Zeit aus. Bernergeist ist ihm alles Altbewährte, Sittlich-Tüchtige und Christliche. Zeitgeist alles Zersetzende, der Radikalismus in Politik, Leben und Weltanschauung. Der Herd dieses Radikalismus war ihm Zürich, dessen Bürgermeister Alfred Escher in Volksversammlungen den neuen Geist verkündete. Man habe ihn gebeten, bekennt Gotthelf im Vorwort, die leidige Politik aus seinen Büchern fallen zu lassen, da man derselben satt und jetzt überall Ruhe sei. Statt diesen Bitten Folge zu leisten, strotze das Buch von Politik, denn die heutige Politik sei überall, und gerade das sei das bezeichnende Merkmal des Radikalismus, daß er sich in allen Lebensverhältnisse aller Stände dränge, das Heiligtum der Familie verwüste, alle christlichen Elemente zersetze. An den Schicksalen zweier Bauern deckt Gotthelf den Gegensatz der Zeiten und ihrer Lebensauffassung auf. Der eine, Ankenbenz, verwaltet in altbernischem Sinn sein Gut und hält sich von aller Politik fern. Der andere, Hunghans, ist von dem Zeitgeist angesteckt, läuft in alle politischen Versammlungen, vernachlässigt so seinen Hof, verschuldet den Tod seiner Frau und seines Sohnes, der das üble Gehaben des Vaters übertreibt, und wäre völlig zugrunde gegangen, wenn Ankenbenz sich seiner nicht angenommen hätte. Den Hintergrund zu diesem Geschehen bildet die düstere Schilderung der politischen Zustände, der Entartung in Bildung, Frömmigkeit und Sittlichkeit durch den Geist der neuen Zeit.

Ein Bild grau in grau, geschaffen von einem Beobachter, dem die Vergangenheit als goldenes Zeitalter vor der Phantasie stand, und der die schöpferischen Kräfte, die fraglos, neben allem Bedenklichen und Zersetzenden, in der Bewegung seiner Zeit wirksam waren, nicht sah oder nicht sehen wollte, weil sein Blick an dem patriarchalischen Regiment des 18. Jahrhunderts hing. Ihm tritt in G o t t f r i e d K e l l e r der Dichter eines jüngeren Geschlechtes gegenüber, der, von der liberalen Bewegung getragen, in ihr den Anbruch einer neuen besseren Zeit sah und sie grundsätzlich auch da billigte, wo er ihre Auswüchse verurteilte.

Er stammte aus andern Verhältnissen, aus einer anders gearteten Bevölkerung und einer andern Landschaft als Gotthelf. Gegensätze in der Bodenbeschaffenheit und dem Klima, in der Art der Bewohner, ihrem politischen Denken und ihrer Bildungsrichtung sind in der Schweiz auf engem Raum vereinigt. Auch der Bundesstaat von 1848, der eine größere Einheit und Festigkeit des politischen Gefüges schuf, hat die Vielgestaltigkeit seiner Bevölkerung nicht beseitigt, die ein eigentliches Lebenselement ist. Der Gegensatz zwischen Bern und Zürich ist bedeutsam. Er prägt sich dem Reisenden als Unterschied der Bodengestaltung schon beim Durchfahren ein. Dementsprechend sind auch die Menschen verschieden. Gegenüber dem behäbigen, selbstbewußten, manchmal etwas schwerfälligen Berner ist der Zürcher beweglicher, weltoffener, auch unruhiger. Bern hat bis zum Ausgang des 18. Jahrhunderts ein patriarchalisch-aristokratisches Regiment gehabt, das erblich in den Händen weniger Familien lag, und dessen Haupt ein Schultheiß mit dem Titel Exzellenz war. In Zürich hat sich schon im Mittelalter eine demokratische Zunftverfassung entwickelt, in der die Gleichheit aller Bürger und ihre Berechtigung zur Teilnahme an den Staatsgeschäften festgesetzt war; das Haupt des Staates hieß darum Bürgermeister. Man begreift, daß hier die liberal-demokratische Bewegung des 19. Jahrhunderts rascher Boden gewann und sich gründlicher durchsetzte als in Bern. Endlich: während Bern ein vorwiegend landwirtschaftlicher Kanton ist, hat man sich in Zürich, mit einer dichteren Bevölkerung auf kargerem Boden, schon früh genötigt gesehen, Handel und Gewerbe zu treiben. Nicht der Boden, sondern der erfinderische und unternehmende Geist hat hier den Wohlstand geschaffen.

Ein Sohn dieses Volkstums ist Gottfried Keller, wobei es ihm zugute kam, daß er, obwohl in der Stadt, am 19. Juli 1819, geboren und dort aufgewachsen, doch vom Lande stammte und dorthin immer wieder zu längeren Aufenthalten zurückkehrte. Sein Vater, der ein kunstgeübter Drechsler war, hatte früh die Heimat, das Dorf Glattfelden, verlassen, hatte sich auf weiten Wanderungen durch Deutschland und Österreich den Geist der neuen Zeit angeeignet und war, als er in einer der engen Gassen Zürichs ein Geschäft eröffnete, in seinen Mußestunden als Wegbereiter des kommenden Liberalismus tätig, bildungseifrig, gemeinnützig, für alles

Gute und Schöne aufgeschlossen. Aber er war wie eine zu rasch aufge-
schossene Pflanze. Schon 1824 starb er an der Schwindsucht, und nun
hatte die tüchtige, nüchterne und haushälterische Mutter die Aufgabe,
mit kärgsten Mitteln ihre beiden Kinder aufzuziehen. Gottfried trat 1833
in die neu eröffnete Industrie- oder Realschule ein. Zürich hatte sich 1831
eine liberale Verfassung gegeben, die das Landvolk an politischen Rechten
den Stadtbürgern gleichstellte. Aber immer noch gärte es zwischen Stadt
und Land, Konservativen und Liberalen, und der Gegensatz wirkte sich
auch im Schulleben in einer harmlosen Auflehnung der Schüler gegen
einen vom Lande stammenden, ungeschickten Lehrer aus. Gottfried Keller,
der mitgemacht hatte, wurde als Rädelsführer betrachtet und von der
täppischen Behörde aus der Schule ausgeschlossen. Das war im Sommer
1834. Nun wollte er Maler werden. Aber es gab in Zürich keine Lehrmeister, die ihn hätten auf den rechten Weg leiten können: der eine seiner
Lehrer war ein Pfuscher, der andere ein Geisteskranker. Unberaten zog er
die Jahre hin und zeichnete, malte und schriftstellerte für sich in verträumten Mußestunden.

Endlich gelang es ihm, im Frühjahr 1840 ein kleines Kapital flüssig zu
machen und nach München zu gehen. Es war eine Fortsetzung des alten
Bummellebens auf neuem Schauplatze. Wieder fehlte ein tüchtiger Lehrer,

169. Gottfried Keller (1819—1890)
Radierung von Karl Stauffer-Bern

*Erst als sich Keller nach unzureichender Ausbildung von seiner Malerei abgewendet
hatte, begann er zu dichten. Seine großen Romane und Novellenzyklen zählen
mit ihrem einsichtsvollen und humoristischen Diesseitsbewußtsein zu den bedeutendsten Leistungen des „Poetischen Realismus".*

170. Kellers Mutter (1787—1864)
Gemälde

*Elisabeth Keller zog als Witwe eines Züricher Drechslermeisters unter großen Ent-
behrungen ihren Sohn allein auf.*

171. Kellers Geburtshaus,
das Haus zum Goldenen Winkel am Neumarkt Nr. 27 in Zürich.

172. Aquarell von Gottfried Keller
Keller malte seine Landschaften in einem heroisch-symbolischen Stil.

173. Jeremias Gotthelf (1797—1854)
Stich nach der Zeichnung von Albert Anker

*Der Pfarrer Albert Bitzius, wie Gotthelf mit bürgerlichem Namen hieß, war ein
vorzüglicher Pädagoge. Aus der Absicht, sein Volk zu erziehen, ihm die Gefahren
einer unverwurzelten Lebensführung vor Augen zu halten und den Glauben zu
stärken, schrieb er seine Romane. Themen und Motive schöpfte er aus seinem engen
Verkehr mit dem Landvolk und seinen genauen Kenntnissen des bäuerlichen
Brauchtums.*

170 *Kellers Mutter (1787 - 1864)*

169 *Gottfried Keller (1819 - 1890)*

171 *Kellers Geburtshaus*

173 *Jeremias Gotthelf (1797 - 1854)*

172 *Aquarell von Gottfried Keller*

174 *Konrad Ferdinand Meyer (1825 - 1898)*

175
Annette von Droste-Hülshoff (1797 - 1848)

176 *Rüschhaus bei Münster*

177
Das Arbeitszimmer der Droste auf Schloß Meersbu

der einen bestimmenden Einfluß auf ihn hätte ausüben können. Bald malte er romantische, sogenannte ossianische Landschaften, deren Quelle eine sehnsüchtige Phantasie und literarische Erinnerungen waren, bald realistische Veduten, für die er die Motive nicht aus der ihn umgebenden Natur, sondern aus dem Heimweh nach Zürich holte. Und dazwischen wurde mit andern Ratlosen die Zeit vertrödelt, bis das bißchen Geld, das er hatte flüssig machen können, und die Sparpfennige, die die Mutter schickte, verbraucht waren und auch der Erlös vom Verkauf seiner künstlerischen Habseligkeiten aufgezehrt war, die Schulden ihm über den Kopf wuchsen und der Hunger ihn in die Heimat zurücktrieb.

Auf den Winter 1842 hauste er wieder in seinem Stübchen im mütterlichen Hause am Rindermarkt, entschlossen, weiterzumalen und mit seinen Arbeiten einen Gönner zu finden, der ihm weiterhalf. In jenem Winter wurde aus dem Maler ein Dichter. Er berichtet aus der Erinnerung: „Allerlei erlebte Not und Sorgen, welche ich der Mutter bereitete, ohne daß ein gutes Ziel in Aussicht stand, beschäftigten meine Gedanken und mein Gewissen, bis sich die Grübelei in den Vorsatz verwandelte, einen traurigen kleinen Roman zu schreiben über den tragischen Abbruch einer jungen Künstlerlaufbahn, an welcher Mutter und Sohn zugrunde gingen... Es schwebte mir das Bild eines elegisch-lyrischen Buches vor, mit heiteren Episoden und einem zypressendunkeln Schlusse, wo alles begraben wurde." Es war der erste, noch sehr unbestimmte Plan des „Grünen Heinrich".

174. Konrad Ferdinand Meyer (1825—1898)
Photographie

Der aus altem Züricher Patriziergeschlecht stammende Meyer war schon als Kind seelisch außerordentlich empfindlich. Zweimal, 1852 und 1892, mußte er in eine Nervenheilanstalt eingeliefert werden. Zwischen den beiden Anstaltsaufenthalten liegt die Zeit seines dichterischen Schaffens. Aus zarter Seele schrieb er eine feinfühlige Lyrik. Indem er aber selbst dem Leben ganz unsicher gegenüber stand, beschäftigte er sich am liebsten mit den lebenskräftigen Epochen des Mittelalters, der Renaissance und des Barock, aus denen seine Romane und Novellen erzählen.

175. Annette von Droste-Hülshoff (1797—1848)
Miniatur von Stahl, 1820

Bei von Kindheit an kränkelndem Leibe bildete sich Geist und Gemüt der Droste umso bedeutender aus. In stillen Betrachtungen hatte sie sich die Fähigkeit zu unvergleichlichen Naturbeschreibungen ebenso erworben wie das Verständnis für die Schwächen der Menschen und den Sinn für das Geheimnisvolle im menschlichen Schicksal.

176. Rüschhaus bei Münster
Radierung

Auf dem Witwensitz der Mutter im Münsterland lebte und dichtete die Droste zwischen 1826 und 1841.

177. Das Arbeitszimmer der Droste auf Schloß Meersburg

Aber noch war die Zeit für die Ausführung nicht gekommen. Zuerst mußte das Temperament des Lyrikers sich ausleben. Der politische Wellenschlag der Zeit weckte es. Im Sommer 1843 las er die elegische Dichtung „Schutt" von Anastasius Grün und Herweghs „Gedichte eines Lebendigen". Sie regten, erzählt er, sein eigenes Dichten auf wie ein Trompetenstoß, der plötzlich ein weites Lager von Heervölkern aufweckt. „Es begann in allen Fibern rhythmisch zu leben, so daß ich genug zu tun hatte, die Masse ungebildeter Verse, welche ich täglich und stündlich hervorwälzte, mit rascher Aneignung einiger Poetik zu bewältigen und in Ordnung zu bringen. Es war gerade die Zeit der ersten Sonderbundskämpfe in der Schweiz; das Pathos der Parteileidenschaft war eine Hauptader meiner Dichterei, und das Herz klopfte mir wirklich, wenn ich die zornigen Verse skandierte."

1846 erschien ein Band Gedichte im Winterschen Verlag in Heidelberg. An der äußern Lage Kellers änderte der Ruhm, den sie ihm eintrugen, zunächst nichts. Immer bestimmten Armut, geistige Unberatenheit und Leidenschaftlichkeit sein Leben, zu gleicher Zeit, da die Schweiz von den Wirren der Freischarenzüge erregt wurde. Wie sehr es damals in ihm gärte, wie er aber auch bestrebt war, sich durch die Gärung zur inneren Klarheit und Lebenssicherheit hindurchzuläutern, zeigt seine Liebe zu Luise Rieter. Als sein Freund, der aus Darmstadt stammende Flüchtling Wilhelm Schulz, im Januar 1847 seine Frau verlor, zog Keller für einige Zeit zu ihm in den zürcherischen Vorort Hottingen. Da lernte er die aus Winterthur stammende Luise Rieter kennen, die damals bei dem Gymnasiallehrer von Orelli, dem Besitzer des Hauses, zu Besuch war. Er verliebte sich leidenschaftlich in das anmutige, geistig bewegliche Mädchen. Seine Leidenschaft, die er den Sommer über verschlossen in sich trug, griff tief in sein ganzes Leben ein. Sie trieb ihn zeitweise in ein wildes Wirtshausgehen, aber sie offenbarte ihm auch die Unfertigkeit seines Wesens und weckte in ihm den Drang nach Selbstbeherrschung. Er richtet die Mahnung an sich: „Studiere dich selbst, jetzt und immer, deine Vergangenheit und Gegenwart! Vergleiche deine strengen Betrachtungen mit dem, was andere, Freunde und Feinde, von dir halten, und du wirst zu zweierlei Resultaten kommen: entweder wirst du milder und friedlicher und umgänglicher, oder freier und strenger und gewinnest an Stärke über die Gedankenlosen, je nach deinem Grundcharakter! In beiden Fällen aber wirst du, wie mich dünkt, nur gewinnen!"

Daneben regt seine Verliebtheit das Phantasieleben des Dichters an, schenkt ihm nachts die lieblichsten Träume und zaubert ihm am Tage in den anmutigsten Gestalten der Natur, in Birken, Blumen und Rehen, das Bild der Geliebten vor die Augen. Im Herbst, als Luise wieder in Zürich erschien, drängte es ihn, ihr seine Liebe zu bekennen. Der Brief den er ihr am 16. Oktober schrieb, ist das seltsamste Zeugnis der Stärke seiner Leidenschaft, der Wahrhaftigkeit seines Wesens, aber auch der Unberatenheit seiner menschlichen Bildung. „Ich bin noch gar nichts!", heißt es darin, „und muß erst werden, was ich werden will, und bin dazu

ein unansehnlicher armer Bursche, also habe ich keine Berechtigung, mein
Herz einer so schönen und ausgezeichneten jungen Dame anzutragen, wie
Sie sind, aber wenn ich einst denken müßte, daß Sie mir doch ernstlich
gut gewesen wären, und ich hätte nichts gesagt, so wäre das ein sehr
großes Unglück für mich, und ich könnte es nicht wohl ertragen. Ich bin
es also mir selbst schuldig, daß ich diesem Zustande ein Ende mache; denn
denken Sie einmal, diese ganze Woche bin ich wegen Ihnen in den Wirts-
häusern herumgestrichen, weil es mir angst und bang ist, wenn ich allein
bin."

Will man es dem neunzehnjährigen Mädchen übelnehmen, wenn es
diesen Brief als einen groben Scherz auffaßte und den ungebärdigen Verehrer kurz abwies? Sie gab damit dem Dichter Gelegenheit, erst jetzt die
ganze Lauterkeit und Tiefe seines Charakters zu zeigen, indem er Luisens
mütterlicher Freundin in Zürich in einem wundervollen Rechtfertigungs-
brief sein Inneres offenbarte: „Eine Menge Eitelkeiten und Oberflächlich-
keiten habe ich in diesen bitteren Tagen abgelegt, und die Erschütterung
hat mich aus einem heillosen Schlendrian herausgerissen. Er liegt etwas so
unerklärlich Heiliges und Seliges in der Liebe, sie macht so nobel und
lauter, daß in demjenigen, der fruchtlos und unglücklich liebt, etwas
Unwahres und Unrechtes sein muß, sei es was es wolle, und dieses in
mir aufzufinden ist jetzt eine Beschäftigung für mich, die mich zugleich
hebt und beunruhigt." Das Bekenntnis bedeutete für ihn selber zugleich
eine Klärung und innere Stärkung. „Obgleich ich recht gut weiß", schrieb
er in einem zweiten Briefe, „daß ich Talent habe, so habe ich doch noch
nichts getan, um mich in der Gesellschaft mit der nötigen Sicherheit
bewegen zu können, wenn in zarteren Dingen Konflikte entstanden sind."
So zog er es denn vor, sich eine Zeitlang zu den Männern zu halten, um
sich an ihrer Härte zu stärken und sich bei ihnen selbst wiederzufinden.
„Die beiden Geschlechter stehen gewissermaßen in einer Urfeindschaft.
Jedes, wenn es verletzt ist, flüchtet sich zu seiner Armee."

Das politische Geschehen der erregten Zeit bot ihm Trost und Kräfti-
gung. Er war in den beiden Freischarenzügen 1844 und 1845 mit dabei
gewesen. 1847, zur gleichen Zeit, da er um seine Liebe rang, fand der
Sonderbundskrieg statt, der den Liberalismus zum Siege brachte. Den
Revolutionsfrühling von 1848 begrüßte der Dichter mit Worten begeisterter Hoffnung. „Ungeheuer ist", schrieb er im März einem Freunde,
„was vorgeht: Wien, Berlin, Paris hinten und vorn; fehlt nur noch Petersburg." Am 1. und 2. Mai berichtet das Tagebuch von dem Geistesfrühling
dieses jungen Jahres. „Das Göttliche ist erwacht auf Erden und bricht in
tausend goldenen Flammen hervor ... Mein Herz zittert vor Freude,
wenn ich daran denke, daß ich ein Genosse dieser Zeit bin ... Wehe einem
jeden, der nicht sein Schicksal an dasjenige der öffentlichen Gemeinschaft
bindet!"

Er sprach damit nur aus, was damals die Besten seiner Heimatgenossen
empfanden. Das Revolutionsjahr 1848 war für die Schweiz ein Jahr der
Beruhigung und Festigung. Die neue Bundesverfassung brachte dem Lande

den dauernden Frieden und schuf den Grund für eine mächtig sich entfaltende Blüte der Wirtschaft. Aus eigner Einsicht und Kraft hatte das Volk den Kampf eines halben Jahrhunderts zu Ende gebracht und sich die Staatsform gegeben, die zu seinem Wesen paßte.

Der liberale Staat vergaß seines Dichters nicht. Im Herbst 1848 fuhr Keller mit einem ansehnlichen Stipendium der Zürcher Regierung nach Deutschland zu seiner weiteren Ausbildung. In Heidelberg hörte er die Vorträge Ludwig Feuerbachs über das Wesen der Religion. Sie gaben ihm die entscheidende Klärung seiner Weltanschauung, die Lösung seines Geistes von den Resten eines unfruchtbar gewordenen christlichen Theismus. „Mein Gott war längst nur eine Art von Präsident oder erstem Konsul, welcher nicht viel Ansehen genoß", bekannte er. Mit dem Begriff des persönlichen Gottes gab er auch die Idee der persönlichen Unsterblichkeit auf. Er hatte, als er die ersten Vorlesungen Feuerbachs hörte, davor gebangt, daß mit der Entgeistung der Natur, dem Aufgeben der religiösen Ideen auch alle Poesie und erhöhte Stimmung aus der Welt verschwinde. So hatte er Feuerbachs Lehre nicht ohne inneren Widerspruch in sich aufgenommen. Was ihn ihr schließlich gewann, war, neben der Hingabe an die Kraft und Schönheit der Natur, die starke Betonung der sittlichen Verantwortung des Menschen, die Feuerbach gerade aus der Verneinung des Unsterblichkeitsglaubens ableitete. Damit hatte Feuerbach den beiden Wesensrichtungen in Kellers Persönlichkeit, der leidenschaftlichen Sinnlichkeit einerseits und der starken Sittlichkeit anderseits, den Weg freigemacht. Er durfte die Schönheit der Welt genießend bejahen, aber er mußte sich auch der sittlichen Ordnung fügen, die aus der Gesetzmäßigkeit der Natur entsprang. Nun sah er selber ein: „Die Welt ist mir unendlich schöner und tiefer geworden, das Leben ist wertvoller und intensiver, der Tod ernster, bedenklicher und fordert mich nun erst mit aller Macht auf, meine Aufgabe zu erfüllen und mein Bewußtsein zu reinigen und zu befriedigen, da ich keine Aussicht habe, das Versäumte in irgendeinem Winkel der Welt nachzuholen." Für den Dichter war diese Selbsterkenntnis das entscheidende Erlebnis. Hatte er, wie seine Gedichte zeigen, bisher immer geschwankt zwischen romantischer Geistigkeit — und Geistreichigkeit — und realistischer Hingabe an die sinnliche Welt, so wurde seine Dichtung nun vergeistigter Realismus, Darstellung der Wirklichkeit aus dem menschlichen Geiste. Er hatte damit als Dichter sich selber gefunden. Nicht als Lyriker, sondern als Erzähler. Jetzt begann sein großer Bekenntnisroman zu wachsen, der „Grüne Heinrich", um den er sich schon seit Jahren umsonst bemüht hatte. Man darf Keller trotzdem nicht als Feuerbachianer bezeichnen, so wenig man Schiller oder Kleist Kantianer nennen darf. Er hat, schon allein in der Frage des Gottesbegriffes, seine eigene Persönlichkeit gegenüber der Lehre des Philosophen gewahrt. Wenn Feuerbach, gegenüber dem christlichen Dogma des persönlichen Gottes, das materialistische Dogma der Nichtexistenz Gottes aufstellte, so lehnte Keller das eine wie das andere ab und lebte in der Luft eines reinen Gottesglaubens.

Er war in der Absicht nach Deutschland gegangen, sich hier zum Dramatiker auszubilden. Dazu taugte das stille Heidelberg nicht, das kein bedeutendes Theater besaß. So ging er im Frühjahr 1850 über Köln nach Berlin. Die fünf Jahre, die er hier bis Ende 1855 zugebracht, sind die entscheidende Zeit seiner Entwicklung als Dichter gewesen. Hier ist der „Grüne Heinrich" geschaffen worden, der 1853 und 1855 erschien, hier der erste Teil der „Leute von Seldwyla" (1856). Daneben gab er 1851 und 1854 die „Neueren Gedichte" heraus und schrieb das heinesierende Gedicht: „Der Apotheker von Chamounix". Auch die Konzeption des „Sinngedichts" und der „Sieben Legenden" geht auf Berlin zurück. Seine Phantasie war in diesen Jahren wie ein blühender Garten, in dem eine Fülle herrlichster Blumen sproßte. Zwar seine dramatischen Pläne verwirklichten sich nicht, weil das Drama wider seine Natur war. Aber sein „Grüner Heinrich" wie seine Gedichte hatten ihm einen ersten Platz im Urteil der Fähigen eingetragen, und er hatte Eingang gefunden ins Haus Varnhagens von Ense und des Verlegers Franz Duncker, dessen schöne und muntere Schwägerin, Betty Tendering, er leidenschaftlich, doch ohne Glück umwarb — sie ist als Dortchen Schönfund in den „Grünen Heinrich" eingegangen. Er schien auf dem Wege zu sein, mit seiner Schriftstellerei auch die äußere Misere zu überwinden, die ihn noch in Berlin verfolgte.

Um so rätselhafter ist es, daß seine Phantasie nach der Rückkehr in die Heimat versiegte. Rund sechs Jahre hat er, von 1855 bis 1861, als freier Schriftsteller in Zürich zugebracht. Sie haben nichts gezeitigt als die „Sieben Legenden", die in erster Niederschrift 1857/58 entstanden, das „Fähnlein der sieben Aufrechten", das er 1860 für Auerbachs Deutschen Volkskalender schrieb, und einige Gedichte und Zeitungsartikel: wenig genug nach dem reichen Segen der Berliner Jahre. Man darf nicht sagen, daß es ihm an Anregung gefehlt habe; denn in dem Zürich der fünfziger Jahre tummelten sich eine Reihe erlauchter Geister: Gottfried Semper, Friedrich Theodor Vischer, Richard Wagner, der Musiker Wilhelm Baumgartner, kurze Zeit auch Jakob Burckhardt. Mit ihnen allen war Keller bekannt oder befreundet, und gelegentlich las er aus seinen Werken im Wesendonckschen Hause vor. War seine Armut das Hemmnis, die er, mitten in dem durch fleißige Arbeit zum Wohlstand aufstrebenden Volke, doppelt bitter empfand? Eher möchte man annehmen, daß ganz einfach die Luft der Heimat ihm nicht bekam; was wußte man in dem dem Materialismus sich ergebenden Volke von dem Dichter, was wollte man von ihm wissen?

Es war eine eigentliche Rettung, als er am 14. Septmeber 1861 zum Staatsschreiber des Kantons Zürich gewählt wurde und damit ein angesehenes und bedeutendes Amt erhielt. Wohl legte es ihm mit seiner Fülle von Verwaltungsaufgaben eine Last auf, die ihm fast zehn Jahre lang alle schriftstellerische Arbeit unmöglich machte. Aber es schenkte ihm, außer dem Selbstbewußtsein, noch etwas anderes: die Pflicht und Kraft, seine Zeit zu zielbewußter Arbeit zusammenzunehmen; denn er war kein nachlässiger Beamter, der dem verlorenen Paradies des Dichters nachtrauerte, sondern einer der besten Staatsschreiber, die der Kanton je gehabt. Aber die öffentliche Feier seines 50. Geburtstages galt doch nicht dem Staatsschreiber, sondern dem Dichter, den sie aufs neue zum Schaffen anregen sollte. Er ließ es sich gesagt sein und nahm die alten Pläne und Entwürfe wieder zur Hand. Zuerst wurden die „Sieben Legenden" umgearbeitet, die 1872 erschienen. Dann folgte 1873/74 die aufs Doppelte erweiterte Neuausgabe der „Leute von Seldwyla", 1877 die „Züricher Novellen", 1879/80 die Neubearbeitung des „Grünen Heinrich", 1881 das „Sinngedicht", 1883 die Sammlung der Gedichte und 1886 endlich der politische Roman „Martin Salander". Er hat sich mit diesen Werken in den vordersten Rang der deutschen Dichter der Zeit gestellt und erfreute sich der Freundschaft der Besten: Freiligrath, Storm, Heyse, Rodenberg, Friedrich Theodor Vischer. Auch die jungen Naturalisten spendeten ihm Verehrung, die ihm gelegentlich eher lästig wurde. Er starb am 15. Juli 1890, als der Schutzgeist der Schweiz vom ganzen Volk betrauert.

Kein Werk Kellers, auch der „Martin Salander" nicht, zeigt so stark das Bewußtsein der Verantwortlichkeit, das ihm eigen war, wie der „Grüne Heinrich". Denn wenn er im „Salander" über das Volk und seine Beamten zu Gericht sitzt, so im „Grünen Heinrich" über den Künstler Gottfried Keller selber und im weitesten Sinne über die ganze Zeit und den Künstler als ihren geistigen Ausdruck. Wie hatte die Romantik in ihrem ästhetischen Rausche den Künstler als den genialen Ausnahmemenschen verhätschelt und den gewöhnlichen Bürger als den Spießer verachtet! Zwar hatte Goethe schon in „Wilhelm Meisters Lehrjahren" über die ästhetische Bildung das gemeinnützige Wirken im Dienste der Gesellschaft gestellt und gar in den „Wanderjahren" gezeigt, wie ernst er die Verpflichtung der Zeit zu nützlicher Arbeit begriff und wertete. Aber den Forcierten Talenten, den Jungdeutschen, stand der Künstler immer noch höher als der arbeitende Bürger, wenn man ihn nun auch mit wehleidiger Eitelkeit als den mit dem Kainsmal gezeichneten Verfehmten beklagte. Erst Gottfried Keller hat — und das ist die Bedeutung des Romans in der Geistesgeschichte des 19. Jahrhunderts — in dem „Grünen Heinrich" ehrlich und ohne Sentimentalität die unzeitgemäße Stellung des Künstlers in der neuen Zeit aufgedeckt. Der Traum von der Lebenswichtigkeit und dem Adeltum des Künstlers ist vorbei, und wichtiger als er ist der Mann, der seine schöpferischen Kräfte als praktisch Wirkender der Allgemeinheit zukommen läßt. So rührend das Kindheitsleben Heinrichs ist, so wundervoll sein Erleben der Natur, so gehaltvoll sein Kampf um Religion und Kunst — all das ist nur ein letztes Aufleuchten einer dahingegangenen Zeit, belastet mit der Schuld eines maßlosen Egoismus. Die vermeintliche Pflicht der geistig-künstlerischen Ausbildung macht den Maler Heinrich Lee gefühllos für die Verpflichtungen gegen die Gemeinschaft, gegen andere Menschen, vor allem seine Mutter, die, von dem Sohne, wie sie meint, vergessen, in Einsamkeit und Armut dahinstirbt. Die Schuld ist so schwer, daß der Dichter seinen Helden oder Nichthelden in der ersten Fassung daran zugrunde gehen läßt. In der zweiten Fassung ist die Selbstverurteilung des Künstlers zum Dienst an der Gemeinschaft ausgewertet. Heinrich ist Angestellter in der Kanzlei eines Oberamtes geworden, und die einstige Jugendgeliebte Judith, die geradezu als die Verkörperung der schlichten Wirklichkeit wieder in sein Leben tritt, spricht ihn von der Schuld frei — aber nicht zum Genusse des Glückes. Sie dürfen nur nebeneinander leben, aber nicht Mann und Frau werden. So herb ist Kellers naturbestimmte Sittlichkeit, daß sie ebenso stark wie das Recht des Genusses die Pflicht des Verzichtes betont. Man denkt an den Schluß von „Wilhelm Meisters Lehrjahre", wo Wilhelm zwar Natoliens Gatte wird, aber ohne das Recht, in seßhafter Ruhe das Glück seiner Ehe mit ihr zu genießen. Wenn die „Wanderjahre", die hier einsetzen, auch „Die Entsagenden" heißen, so könnte man dieses Wort als zweiten Titel auch über den „Grünen Heinrich" setzen. Was er verkündet, ist, daß der Genuß der Erde, zu dem der Materialismus den Menschen befreit, nur dann sittlich ist, wenn er, der Stimme der Natur in ihm gehorchend, zu entsagen weiß. „Wir müssen alle entsagen", sagt die Heldin in Kellers Trauerspielfragment „Therese", das in der Zeit der Arbeit am „Grünen Heinrich" entstanden ist.

Auch in den „Sieben Legenden" steht die Idee der Entsagung als polare Gegenkraft neben der Idee des Lebensgenusses. Wenn in dem ältern Christentum die Entsagung grundsätzlich und durchaus gefordert wird, weil die Welt und ihr Genuß an sich böse ist und die himmlische Seligkeit nur durch Verzicht erworben werden kann, so stellt Keller dieser christlichen Sittlichkeit, wie er sie in den Legenden des Pfarrers Kosegarten gefunden, eine durch die Natur bestimmte, verfeinerte Sittlichkeit entgegen.

In den „Leuten von Seldwyla" geht es um die sittlichen Kräfte, die den Erfolg und das Glück eines Menschen bestimmen. In dem Dichter selber sind, als Erbe seiner Eltern, zwei seelische Grundkräfte wirksam: einerseits eine starke Sinnlichkeit und Phantasie, anderseits eine herbe Wahrhaftigkeit. Jene erfreuen sich am bunten Schein in Wirklichkeit und Dichtung, diese ist geneigt, diesen Schein für Haltlosigkeit und Lüge zu betrachten. Man sieht leicht, wie in dieser polaren Veranlagung geradezu der geistige Grundgegensatz der Zeit, der Kampf zwischen Romantik und Realismus, steckt, wie er schon die Idee des „Grünen Heinrich" bestimmte. Es ist Kellers Auffassung, daß die beiden Mächte in jedem Menschen wirken und wirken müssen. Wo die Phantasie und die Freude an der Sinnenbuntheit fehlt, da wird das Leben ein trockenes Rechenexempel. Das zeigt das Schicksal der drei gerechten Kammacher. Ihre Seele ist so nüchtern und phantasieleer wie die Kämme, in die sie in eintöniger Arbeit vom Morgen bis zum Abend immer die gleiche Reihe gleicher Zähne einschneiden. Die drei Kammachergesellen gönnen sich nichts, arbeiten und sparen, bis sie dem Meister einen so großen Vorrat an Kämmen verfertigt haben, daß er nur noch einen der Burschen behalten kann, nämlich den, der, nachdem sie sein Haus verlassen, zuerst wieder bei ihm einkehrt. So kommt es zu dem wilden Wettlauf der drei Gesellen, der mit dem Untergang der beiden älteren endet, während der jüngste, der noch einen Funken natürlichen Gefühls in sich hat, die Hand der Züs Bünzlin erobert und der Geschäftsnachfolger seines Meisters wird.

Das Gegenstück zu diesem Schicksal bildet das des „Schmieds seines Glücks", John Kabys. Auch dieser weiß nicht, worauf es ankommt im Leben. Aber nicht aus überstrenger Selbstgerechtigkeit, sondern aus törichter Spielerei mit dem Nebensächlichen, aus Freude am bunten Tand.

Zur Lebenssicherheit und zum Glücke aber gelangen die Menschen, in denen die innere Wahrhaftigkeit und sittliche Tüchtigkeit schließlich über Phantastik und Lüge den Sieg davontragen: Wenzel Strapinski und seine Braut Nettchen in „Kleider machen Leute", der Schulmeister und Frau Gritli in den „Mißbrauchten Liebesbriefen", Pankraz der Schmoller und Jukundus und Justine in dem „Verlorenen Lachen", jenem großen und ersten Schlußstück, worin der Dichter sich mit einer von bedenklichen Ausschreitungen nicht freien politischen Bewegung in seiner Heimat und mit der sogenannten Reformrichtung innerhalb der reformierten Kirche auseinandersetzt. Er hat sich nun gegen jeden Wortfanatismus von rechts und links zu einem reinen und sittlichen Gesinnungsglauben durchgerungen, der auf alles theologische und atheistische Belehrenwollen verzichtet.

Über dieser Reihe von bald hellen, bald dunkeln Menschenschicksalen wölbt sich als farbiger Regenbogen die klassische Novelle „Romeo und Julia auf dem Dorfe", die Geschichte der beiden Bauernkinder, die sich lieben, aber wegen der Feindschaft der Eltern nicht heiraten dürfen. So streiten sich in ihrem Schicksal das Recht ihrer Jugend auf den Genuß der Liebe und die Schuld, in die sie die Feindschaft der Familien verwickelt. Sie erliegen der Allmacht ihrer Liebe und gehen freiwillig in den Tod.

Je mehr sich in der Mitte des Jahrhunderts die weltanschauliche Bewegung von dem Glauben der Kirche und der christlichen Sittlichkeit ablöste, um so mehr war sie verpflichtet, auf menschlich natürlichem Grunde eine neue sittliche Ordnung aufzurichten, wenn der Materialismus nicht zu fessellosem Genuß entarten sollte. Keller sah diese Aufgabe klar. Schon die „Leute von Seldwyla" gelten ihr, ebenso die „Züricher Novellen" und vor allem das „Sinngedicht". In den „Züricher Novellen" wird es wieder ausgesprochen, daß nur der klare und gescheite Mensch, der, über alle Halbheit und Haltlosigkeit hinaus, weiß, was das Wesentliche im Leben ist, auch zu dauerndem Erfolg und Glück zu gelangen vermag. Im „Sinngedicht" läßt Keller aus seiner sittlichen Grundüberzeugung einen eigentlichen Ehespiegel erstehen. Er hat in der Lessingischen Ausgabe von Logaus Sinngedichten den Spruch gefunden:

> „Wie willst du weiße Lilien zu roten Rosen machen?
> Küss' eine weiße Galatee: sie wird errötend lachen."

Am Schlusse des „Grünen Heinrich" steht das Gedicht: „Verlornes Recht, verlornes Glück":

> „Recht im Glücke, goldnes Los,
> Land und Leute machst du groß!
> Glück im Rechte, fröhlich Blut,
> Wer dich hat, der treibt es gut."

Im „Verlorenen Lachen" weisen die Namen Jukundus und Justine auf die gleiche Verbindung von Glück und Recht hin. Nun fand Keller in dem „errötend lachen" seine alte Zweieinheit von Glück und Recht, Lust und Sittlichkeit wieder. Das Erröten weist auf die natürliche Schranke der Scham, das Lachen auf die Freiheit des sinnlichen Behagens hin. Beides vereint bildet die sittliche Grundlage der Ehe. Der Naturforscher Reinhard, nachdem er auf der Suche nach einer Gattin Frauen geküßt hat, die entweder bloß erröteten, ohne zu lachen, oder bloß lachten, ohne zu erröten, also entweder bloß sittsam ohne Glück, oder bloß glücklich ohne Sittsamkeit waren, findet in Lucia, der „Lichtvollen", das Weib, das in seinen Armen errötend lacht, das mit überlegenem Urteil menschliche Schicksale betrachtet, aber auch fröhlich zu sein vermag.

Kellers letztes Werk, der politische Roman „Martin Salander", ist wie der „Grüne Heinrich" vor allem ein Buch der Verantwortung. Er hatte 1852 in den „Blättern für literarische Unterhaltung" Gotthelfs „Zeitgeist und Bernergeist" als ein demagogisches und unchristliches Schimpfwerk des polternden Hasses gekennzeichnet, das krankhafte Auswüchse der liberalen Bewegung als ihren Kern betrachtete und mit blindem Fanatismus geißelte. Nun gibt auch er in „Martin Salander" ein großes Zeitbild, das nicht weniger dunkel ist als Gotthelfs Werk, wohl aber besonnener, gerechter und eben darum noch bedenklicher — ganz abgesehen davon, daß die im „Salander" erzählten Ereignisse auf Wirklichkeit beruhen. Salander hat seinen Lehrerberuf an den Nagel gehängt, ist Kaufmann geworden und hat, trotz mehrmaligem Verlust seines Geldes im Ausland, sich als vermöglicher Geschäftsherr in der Heimatstadt niedergelassen. Er ist ein Ehrenmann, demokratischer Idealist, aber in Bildung und Charakter etwas unsicher und schwankend. In seinen beiden Töchtern steigert sich dieses Unsichere. Sie lassen sich von gewissenlosen Zwillingsbrüdern fangen, die sich als eigentliche Gauner und Aktenfälscher entpuppen. So dringt, wenn auch Salander und die Seinigen nach wie vor unantastbar sind, das üble, zum Verbrechen ausartende Geld- und Machtstreben der Zeit in Salanders Familie ein. In seinem Sohne lebt die Redlichkeit des Vaters fort, zur klaren Gescheitheit geschärft, aber ohne die geschäftliche Tatkraft des Vaters. So ist auch Kellers Alterswerk, wie das letzte Buch Gotthelfs, eine Mahnung und Warnung an die mehr und mehr dem rücksichtslosen Geschäftsgeist und Lebensgenuß verfallenden Zeitgenossen. Wenn die Demokratie sich auf die Freiheit ihrer Bürger etwas zugute tut, so muß sie sich, verkündet „Martin Salander", bewußt sein, daß wirkliche Freiheit auf die Dauer ohne die sittliche Verantwortung des einzelnen nicht bestehen kann.

In dem Schaffen Gotthelfs und Kellers erfüllt sich das Grundgesetz des schweizerischen Schrifttums, die natürliche Verbundenheit mit dem öffentlichen Leben. Die besten Werke der beiden sind von den Ideen des Kampfes um die Demokratie, ihre Behauptung und Reinhaltung, erfüllt. Wenn Gotthelf gegen, Keller für den Liberalismus kämpfte, so taten beide es aus der lebendigen Anteilnahme am gegenwärtigen und zukünftigen

Schicksal des Volkes. Neben diesen Kämpfern aber gab es noch eine dritte Stellung zur Demokratie: die des Angehörigen der alten, ihrer Vorrechte und Herrschaftsgewalt entsetzten Aristokratie. Sie konnte, da der Stand und Fortschritt der Zeit einen Kampf um das verlorene Gut von vornherein aussichtslos machte, nur Flucht sein — Flucht in die Zeiten, da die Aristokratie und die absolute Herrschergewalt die Geschicke der Völker leitete, da es, wie man meinte, noch wirkliche Helden gab und noch nicht die Gleichförmigkeit der demokratischen Mittelstandsbürger das öffentliche Leben bestimmte. Die Flucht konnte also nur eine geistige sein, eine Wiederaufweckung von Gestalten und Mächten der geschichtlichen Vergangenheit. Aus dieser gegensätzlichen Haltung gegen die zeitgenössische Demokratie wurde C o n r a d F e r d i n a n d M e y e r zum Dichter. Es ist damit von vornherein gesagt, daß seine Entwicklung, da sie nicht durch den natürlichen Boden von Zeit und Umgebung, sondern eine künstliche Welt bestimmt war, sehr schwer werden mußte, und daß das Dichtertum, das er mühsam aus sich heraus bildete, etwas völlig anderes war als das von Gotthelf und Keller.

Er entstammte einer jener bürgerlichen Familien Zürichs, die zwar nicht ein eigentliches Patriziat bildeten, wie die regimentsfähigen Geschlechter Berns, aber sich durch Handel und Gewerbe emporgearbeitet und seit dem 17. Jahrhundert regelmäßig am Regiment teilgenommen hatten. Als Sohn eines Regierungsrates des konservativen Staates der Restaurationszeit wurde Conrad Meyer — den zweiten Vornamen Ferdinand hat er, um sich von einem zürcherischen Mundartdichter zu unterscheiden, von seinem Vater übernommen — am 11. Oktober 1825 in Zürich geboren. Der Vater war zart, und schon er besaß starke geschichtliche Neigungen, die er schriftstellerisch auswertete: es ist, als ob er bereits gefühlt hätte, daß für seinesgleichen die Zeit gekommen sei, wo er nur noch aus der Vergangenheit und nicht mehr in der Gegenwart wirken könne. Der Sturm von 1831 raubte ihm seine Stelle. Als dann, infolge der unvorsichtigen Berufung des freidenkenden D. Fr. Strauß zum Theologieprofessor, in Zürich eine Volksbewegung entstand, die von den Anhängern des alten Regiments politisch ausgemünzt wurde, und die liberale Regierung zu Fall kam, erhielt auch Ferdinand Meyer wieder einen Regierungsratsessel. Er starb aber schon 1840, und der Mutter fiel nun die Aufgabe zu, den Sohn und die einige Jahre jüngere Tochter Betsy zu erziehen. Sie besaß nicht die rüstige Nüchternheit von Kellers Mutter, sondern war, ebenfalls aus alter Familie stammend, von schwachen Nerven, ängstlich und durch den frühen Verlust des Gatten durchaus der sichern Herrschaft über das Leben beraubt. Sie war, wie es sich bald zeigte, der Leitung eines Sohnes nicht gewachsen, der, von beiden Eltern her belastet, selber eine schwere Entwicklung durchzumachen hatte und ungewöhnliche Ansprüche an den Erzieher stellte. Das ungebärdige Wesen des zur Reife Heranwachsenden erschreckte sie, da es ihren gutbürgerlichen Begriffen der Wohlanständigkeit widersprach. Bedenklicher war, daß der Sohn, der durch die politische Entwicklung der Heimat von der Ämterlaufbahn der Vorfahren ausgeschlossen schien, ratlos in seine Zukunft starrte und nicht wußte, was er werden sollte. Es kam zu einer schweren Nervenkrise, die es ratsam erscheinen ließ, den Sohn in eine andere Luft zu bringen. Man schickte den Achtzehnjährigen nach Lausanne, wo er unter der verständnisvollen Leitung des Gerichtsschreibers Louis Vulliemin sich erholte. Aber als er nach einem Jahre nach Zürich zurückkehrte, setzten Ratlosigkeit und Schwermut aufs neue ein. Der Sohn mühte sich um einen Beruf, und die Mutter, in ihrer Lebensangst, verlor den Glauben an ihn. Im Jahre 1849 schrieb sie an Vulliemin: „Mein armer Sohn ist immer beinahe im gleichen Zustand, eine schwermütige Anlage und eine unbezwingbare Unfähigkeit, eine regelmäßige Arbeit zu übernehmen, beibehaltend. Er ist traurig, oft für seine Gesundheit besorgt, dazu geneigt, sich als Gegenstand des Übelwollens der andern zu glauben, und bisweilen Hirngespinste in der Art seiner Gedanken zu schmieden. Er leidet, daß er kein Ziel und keine Karriere hat und keinen Entschluß fassen kann. Seltene Spaziergänge, Lesen und einige Stunden füllen seine Zeit aus, ohne seinem Leben den geringsten Erfolg zu geben. Auch kann ich sagen, daß ich von ihm nichts mehr in dieser Welt erwarte."

Drei Jahre später war Meyers Zustand so bedenklich, daß er sich entschließen mußte, die neuenburgische Nervenheilanstalt Préfargier aufzusuchen. Wieder bedurfte es nur der Entfernung von der Mutter und aus dem alten Familienhause in Zürich, um ihm das Gefühl der Gesundheit zu geben. Schon als er die weißen Mauern von Préfargier erblickte, fühlte er sich stark; das übrige tat die verständnisvolle Pflege des Arztes. Nach wenigen Monaten konnte er die Anstalt verlassen und sich zu Vulliemin nach Lausanne begeben. Auf den Rat seines Mentors begann er geschichtliche Studien und Übersetzungen aus dem Französischen. Er führte sie fort, als er wieder in Zürich war. Daneben schrieb er Gedichte. Genesen, im freien Besitz seiner geistigen Kräfte war er auch jetzt noch nicht. Die Erlösung setzte erst ein, als 1856 die Mutter starb; sie hatte in einem Anfall von Schwermut ihrem Leben selber ein Ende gemacht.

Spürt man den Wurzeln von Meyers Leiden nach, so sind sie körperlich-seelische — das Erbe der Eltern — und geistig-weltanschauliche — das Rätsel seines Schicksals. Er trug die Erinnerung an seine Vorfahren in sich mit der Verpflichtung zu bedeutender Leistung. Er war keineswegs ohne Leidenschaft und Temperament, wie man gesagt hat. Im Gegenteil. Seinem Arzte von Préfargier bekannte er: „Seit meiner Jugend glaubte ich mich fähig, etwas Eigenes zu leisten, etwas Besonderes und Vollkommenes, sei es in der Literatur, sei es in den Künsten, und um dieses Ziel zu erreichen, habe ich mich angestrengt, in mir das Verständnis und das Gefühl für das Schöne zu entwickeln, die einzigen Güter, die ich auf Erden schätze." Und der Arzt selber bezeugt von dem Kranken, er habe einen übermäßigen Hochmut gehabt: „Der arme junge Mann träumt immer noch von Ehre, Ruhm und Unsterblichkeit auf Erden; er begeistert sich für überragende Geister und verschlingt ihre Schriften leidenschaftlich." Hier sieht man deutlich den Konflikt, unter dem Meyer leidet. Er selber spürt in sich den Willen zum Höchsten, und er traut sich die Kraft zu, es zu erreichen. Aber noch ist ihm der Weg dazu versperrt. Seine Umgebung jedoch schaut nur auf die Ohnmacht des erfolglos Ringenden, traut ihm die Kraft nicht zu, das Ziel zu erreichen, bedauert ihn als den „armen Conrad" und steigert damit die Schwere des Kampfes, der ihm auferlegt ist: immer wieder muß er sich fragen, ob nicht die andern recht haben.

Über diesem Kampfe steht, ihn erklärend und zugleich ins Dunkel hüllend, das Calvinische Wort von der Prädestination des Menschen, seiner göttlichen Vorausbestimmung entweder zum Guten oder zum Bösen, zu Heil oder Verdammnis. Die Gestalt des harten Genfer Reformators dürfte Meyer vor allem durch Vulliemin lebendig gemacht worden sein, der im ersten Band seiner Schweizergeschichte (sie erschien 1842—45 in Zürich in deutscher Übersetzung) ausführlich das Wirken Calvins in Genf schildert. Meyer hat später in seinem Aufsatz über Vulliemin diesen Abschnitt besonders nachdrücklich hervorgehoben. „Ein guter Kenner", heißt es da, „sagt uns: Es wurde in der neuesten Zeit viel Nachteiliges und zum Teil Gehässiges über Calvin aus den Archiven hervorgeholt, aber die Hauptzüge seines Bildnisses, wie Vulliemin dasselbe entworfen hat, bleiben unerschüttert. Er hat eben die durch keine Makel zu beeinträchtigende Seelengröße des Reformators empfunden, wie sie aus jeder hinterlassenen Briefzeile desselben redet." Wenn so einerseits die Gestalt Calvins Meyer durch die Autorität des von ihm verehrten Vulliemin nahegebracht wurde und er, wie anzunehmen ist, bei seiner Vielleserei Calvins Hauptwerk, die „Institutio", damals auch selber gelesen hat, wenn er anderseits die Qual seines vergeblichen Ringens in sich erlitt, so mußte er den Schluß ziehen, daß er zu den Verworfenen gehörte. Von frühester Jugend an war ein fast krankhaftes Gerechtigkeitsgefühl in ihm. Man begreift, daß gerade Calvins Weltformel ihn in die Verzweiflung stürzen mußte. Ein Nachhall dieser Kämpfe ist noch in Meyers erster Novelle, dem „Amulett", wo der Katholik Boccard erklärt, er kenne keine grausamere Religion als den Calvinismus. Daß das Kind schon in der Wiege, eh' es Gutes oder Böses getan, zur ewigen Seligkeit bestimmt oder der Hölle verfallen sei, das sei zu schrecklich, um wahr zu sein. Worauf der Protestant Schadau antwortet: „Und doch ist es wahr, schrecklich oder nicht, es ist logisch."

Diese unerbittliche und grausame Logik in dem Vorausbestimmungsbegriff Calvins zu überwinden, gelang Meyer mit Hilfe Pascals. Pascal sei, bezeugt ein Arzt von Préfargier, sein Liebling gewesen. Bei ihm fand Meyer Trost gegen die steinerne Schicksalsformel Calvins. indem Pascal den Menschen nicht einfach in ein logisches System einzwängte, wie Calvin, sondern ihn in seiner psychologischen Unzulänglichkeit und Widersprüchlichkeit erfaßte. Seine Stellung zu dem allmächtigen Willen Gottes war daher nicht verstandesmäßige und blinde Anerkennung des Unabänderlichen, sondern Glaube an die Liebe Gottes. Der Glaube stand ihm höher als der Verstand und das Wissen. In den „Pensées" sagt er: „Gott meint nicht, daß wir ihm unseren Glauben ohne Vernunftgrund unterwerfen;... aber er erbietet sich auch nicht, uns für alles den Vernunftgrund zu geben. Das Herz hat seine Vernunftgründe, die die Vernunft nicht kennt. Das Herz erlebt Gott, und nicht die Vernunft. Das ist der Glaube: Gott als Erlebnis des Herzens, nicht der Vernunft."

Aber all das, was Meyer sich von Pascals Weisheit sagen ließ, war zuletzt auch nur eine Einsicht des Verstandes, noch nicht eine Erfahrung des Lebens. Es konnte noch nicht in das dichterische Werk gestaltend eindringen. Es dauerte nach Préfargier noch fast zwei Jahrzehnte, bis es ihm nach unablässigen Versuchen gelang, in „Huttens letzten Tagen" ein Werk zu schaffen, das der reine, ursprüngliche und künstlerisch bedeutende Ausdruck seiner Persönlichkeit war. Er hatte in den fünfaktigen, paarweise und männlich gereimten Jamben sozusagen das psychologische Gesetz seiner Persönlichkeit in die rhythmische Gestalt zu gießen verstanden: ausschreitende Tatkraft, die sich freiwillig dem strengen Gesetze unterwirft; Leidenschaft, die sich selber bändigt. Schon der Anfang der Romanzen prägt es scharf aus:

> „Wie nennst du, Schiffer, dort im Wellenblau
> Das Eiland? — Herr, es ist die Ufenau."

Die Prosa, der er sich in der Folge zuwandte, ist durch das nämliche Gesetz geformt. Es bestimmt die geballte Kraft seiner Sprache.

Die Gegenwart und Umwelt, dem demokratischen Zeitgeist unterworfen, war dem Dichtenden verschlossen. Um so rückhaltloser tat sich ihm das Reich der Geschichte auf. Vor allem die Renaissance, die damals durch Jakob Burckhardt eine neue geistvolle Deutung erfuhr, und das Zeitalter des Absolutismus im 17. und 18. Jahrhundert, Epochen der großen, herrischen Persönlichkeiten. Er kannte sie von seinen geschichtlichen Studien her. Er konnte hier, ohne neue Quellenforschung, aus dem Vollen schöpfen. Die fremden Länder, in denen er die Handlungen seiner Novellen vorzugsweise suchte, Deutschland, Italien, Frankreich, auch die Gebirge Graubündens, hatte er auf langen Reisen kennengelernt.

Aber die Idee, die den antiquarischen Gestalten der Geschichte neues Leben einhauchte und ihren Schicksalen die Spannung der Gegenwart schenkte, war die seines eigenen Geistes: der Kampf zwischen Gerechtigkeit und Schicksals- oder Gotteswalten — mit zwei geschichtlichen Namen ausgedrückt: Calvin und Pascal. Die Antwort auf diese Grundfrage ist nicht überall die gleiche. Sie wandelt sich im Fortschreiten seines Schaffens, sie wird tiefer, geistiger, innerlicher. Die Wandlung zeigt, wie stark ihn die Frage bewegt, wie leidenschaftlich er sich um die Antwort bemüht.

Zuerst ist Calvin der Sieger. Die Allmacht hüllt das Warum des Gerechtigkeitsanspruchs ins Dunkel ihres unabänderlichen Willens. Warum siecht Hutten, der tapfere deutsche Freiheitskämpfer, auf einsamer Schweizerinsel an einer unheilbaren Krankheit dahin? Warum rettet das Amulett den ungläubigen Protestanten und bewahrt den gläubigen Katholiken nicht vor den Waffen des Feindes? Warum muß der junge Boufflers in „Leiden eines Knaben" den Mißhandlungen der Jesuiten erliegen? Prädestination.

Eine zweite Stufe seiner Entwicklung wird durch eine Aufhellung bezeichnet. „Jürg Jenatsch", „Der Schuß von der Kanzel", „Plautus im Nonnenkloster" und „Gustav Adolfs Page" stehen auf ihr. Hier wird das Warum beantwortet, der Gerechtigkeitsforderung Genüge getan. Aber noch in allzu äußerlicher, rationaler, gewalttätiger Weise. Jenatsch muß fallen, weil er aus Politik seinen Glauben verraten hat. Gustav Adolf, weil er nicht nur der Retter der deutschen Protestanten sein will, sondern auch die Hand nach der deutschen Königskrone ausstreckt. Beide haben Heiliges mit Weltlichem vermengt.

Tiefer, innerlicher ist die Begründung des Geschehens in dem „Heiligen", der „Richterin" und der „Hochzeit des Mönchs". Meyer hat jetzt selber erkannt, was er im „Heiligen" seinen Thomas Becket zu König Heinrich sagen läßt: „Es regen sich unter dem Tun eines jeglichen unsichtbare Arme. Alles Ding kommt zur Reife, und jeden ereilt zuletzt seine Stunde." Das ist die Antwort: die Gerechtigkeit erfüllt sich, indem das Schicksal langsam aus der Schuld hervorwächst. Thomas Becket, wie der König ihm sein unschuldiges Kind zerstört, nimmt die Rache nicht selber in die Hand, sondern übergibt sie dem Willen Gottes und läßt sie aus ihm heranreifen. Die Richterin geht zu Grunde, weil ihre Jugendverfehlungen die Schicksale ihres Kindes und des Sohnes ihres verstorbenen Gatten tödlich zu verstricken drohen. Der Mönch Astorre muß sterben, weil das weltliche Blut in ihm wider sein Mönchsgelübde gefrevelt hat.

Die beiden Novellen der letzten Stufe, „Die Versuchung des Pescara" und „Angela Borgia", heben die Antwort wieder in den Wolkenschleier des Unergründlichen. Neu aber ist die Stimmung, die von ihrer Verhülltheit ausströmt: der fromme Glaube an die höhere Weisheit Gottes, der den Menschen lehrt, statt trotzig zu fordern, demütig zu lieben. Der Feldherr Pescara, wie er durch einen Lanzenstich in seinem Entschluß, sich für oder wider den Kaiser zu entscheiden, gelähmt ist und statt zur Höhe der Macht, in die Tiefe des Todes steigen muß, sagt zu seinem ehrgeizigen Weibe: „Überlasse mich meinem dunkeln Beschützer! Als ein Knabe glaubte ich mit der Mutter, die eine Heilige war, an das, was die Kirche verheißt; jetzt sehe ich rings das Fluten der Ewigkeit. Der Todesengel war mir nahe, schon in meiner ersten Schlacht ... aber Zeit hat es gebraucht, bis ich den Schnitter lieben lernte." Aus dieser Gesinnung heraus schenkt er dem urnerischen Söldner, der ihm die Todeswunde beigebracht hat, das Leben.

Man sieht in solchen Worten in Meyers eigene Seele. Von 1872 bis 1891 hat er in rastloser Arbeit die Reihe seiner Novellen geschaffen, um, wie er sich einmal ausdrückte, eine unfruchtbare Jugend durch die Leistung der Mannesjahre wettzumachen. Schon die beherrschte Leidenschaft seiner Sprache, wie noch mehr das unablässige Durchdenken der Schicksalsfrage, zeigt, wie gewaltig er mit den Gestalten seiner Phantasie rang. Was Wunder, wenn sie schließlich das zarte Gehäuse seines Geistes sprengten und zerstörend in sein Leben traten! Wahnvorstellungen, die ihn quälend heimsuchten, zwangen ihn, 1892 aufs neue eine Heilanstalt aufzusuchen.

Allmählich gelang es, die drohenden Gespenster zu verscheuchen. Aber die bildende Kraft seines Geistes war gelähmt, und am 28. November 1898 erlöste der Tod ihn von einem Leben der künstlerischen Ohnmacht.

Der dritte der drei wesenhaften Großen, die das dichterische Antlitz der Schweiz im 19. Jahrhundert bestimmten, ist mit ihm dahingegangen. Die Vergangenheit war in seinem Werk über die Gegenwart Herr geworden, die Frage der Staatsbildung als Quelle der Dichtung versiegt.

4. ERZÄHLER DES BÜRGERLICHEN REALISMUS

A. von Droste-Hülshoff / Freytag / Ludwig / Reuter Storm / Fontane

> „Von allem dem, was der Dichter wissen will, wird er wenig oder nichts von den philosophischen Ästhetikern erfahren; ihre Werke werden dem schaffenden Künstler mehr schaden als nützen. Er muß von der unmittelbaren Anschauung der Wirklichkeit ausgehen."
>
> Otto Ludwig

Es war Deutschland, nach seiner ganzen politischen Vergangenheit und Gegenwart, versagt, sich in der organischen Art der Schweiz vom absolutistischen Staate der Restauration zum demokratischen Verfassungsstaate umzubilden. Auch der festere Zusammenschluß der einzelnen Länder und Städte aus den Kräften und nach dem Willen des Volkes scheiterte. Die Vielstaatlichkeit und der Grundsatz der legitimen Herrschergewalt waren, wie es schien, im Denken der Regierenden und der breiten Schichten des Volkes zu tief eingewurzelt. Die revolutionäre Bewegung von 1848 und 1849, mit viel Begeisterung und gutem Willen, aber planlos, ohne einen Mittelpunkt des politischen Lebens und im einzelnen ohne Kenntnis der Erfolgsmöglichkeiten derartiger Handlungen unternommen und durchgeführt, war von vornherein zum Scheitern verurteilt und wurde rasch durch die Kanonen zum Stillstand gebracht. Nach dem Jahre 1850 erlosch in der Masse des deutschen Bürgertums der demokratische Gedanke, wenn er überhaupt ein allgemeines Verlangen gewesen war. Der National-

178. Gustav Freytag (1816—1895)
Gemälde

Der Dozent für deutsche Sprache und Literatur wurde zum meist gelesensten Vertreter der „Professoren-Dichter". Sein Zeitroman „Soll und Haben" (1855) erreichte an fünfhundert Auflagen. Der Erfolg dieses wie seiner anderen umfangreichen Erzählwerke gründet vor allem in der kulturgeschichtlichen Darstellung des deutschen Volkes, dessen Selbstbewußtsein der liberale Freytag auf diese Weise stärkte.

179. Freytags Haus in Gotha-Siebleben,
in dem er von 1854 bis 1894 wohnte.

180. Otto Ludwig (1813—1865)
Gezeichnet und radiert von Theodor Langer

Ludwigs Leben war bestimmt vom Ringen um dramatische Gestaltung. Seine reflektierenden „Shakespeare-Studien" ließen schließlich das eigene dichterische Schaffen gänzlich erlahmen.

178   Gustav Freytag (1816 - 1895)   179   Freytags Haus in Gotha-Siebleben

180
Otto Ludwig
(1813 - 1865)

182
Reuter auf seinem Transport als politischer Gefangener

181
Fritz Reuter, jugendliches Selbstbildnis 1837

183
Fritz Reuter (1810 – 1874)

184
Theodor Storm (1817 – 1888)

verein, 1859 zum Zwecke der Sammlung der politischen Kräfte für die Einigung und freiheitliche Entwicklung Deutschlands gegründet, löste sich nach dem Krieg von 1866 wieder auf. Die Arbeiter aber, in sozialistischen Verbänden zusammengeschlossen, verfolgten weniger politische als gewerkschaftliche und wirtschaftliche Ziele. Was in der Schweiz erst am Schlusse des Jahrhunderts geschah, nachdem der staatliche Zusammenschluß und die neuzeitliche Verfassung längst zustande gekommen war, die Erschöpfung der politischen Leidenschaft, vollzog sich in den bürgerlichen Kreisen Deutschlands ein Menschenalter früher. Man zog sich, nachdem der Kampf auf die politische Walstatt sich als aussichtslos erwiesen hatte, in die Mauern des Privatlebens zurück und schuf durch eine rasch aufblühende Industrie dafür wenigstens materielle Sicherheit, bald Wohlstand und Reichtum.

Damals riß auch der dünne Faden, der die Dichtung in den 30er und 40er Jahren an das allgemeine Leben geknüpft hatte. Sie fand in Familie und Einzelleben der Bürger eine noch unausgeschöpfte Fülle von Fragen und Stoffen: in den Beziehungen der Geschlechter zueinander, vor, in, neben und nach der Ehe; in den sittlichen Formen des Gesellschaftslebens; auch, aber spärlicher, in den Bedingungen der Berufsarbeit. Noch versuchte Karl Gutzkow, in den „Rittern vom Geiste" und dem „Zauberer von Rom", das eine 1850—51, das andere 1858—61 erschienen, in großen Romanen die politischen und kirchlichen Gewalten des Allgemeinlebens zu bändigen, und Friedrich Spielhagen folgte ihm mit den einst berühm-

181. Fritz Reuter (1810—1874)
Jugendliches Selbstbildnis, 1837
Das Bild entstand während der Festungshaft, zu der Reuter 1836 als Student unschuldig verurteilt worden war.

182. Reuter auf seinem Transport als politischer Gefangener
Zeichnung von Hermann Lüders
In seinem Bericht „Ut mine Festungstid" (1862) schildert Reuter auf humoristische Weise, wie er von einem Polizisten bewacht in einem alten Planwagen als abschreckendes Beispiel durch die Dörfer gefahren wurde.

183. Fritz Reuter
Photographie
Reuter begann erst Ende der vierziger Jahre zu schreiben. Den düsteren Grundton seiner plattdeutschen Erzählungen nach erlebten Begebenheiten hellt ein köstlicher Humor auf, der ihn zum beliebtesten niederdeutschen Dichter machte.

184. Theodor Storm (1817—1888)
Photographie
Die Novellen des Juristen aus Husum sind getragen von der elegisch-melancholischen Stimmung der Nordseeküste. Schwermütige Erinnerungsbilder, weissagende Traumerscheinungen und unheimliche Ereignisse aus Geschichte und Sage hat Storm zu ihren Motiven gewählt.

737

ten „Problematischen Naturen" (1861), mit „Hammer und Amboß" (1869), „Sturmflut" (1877) u. a. Aber es waren bloße Konstruktionen begabter Schriftsteller, im einzelnen gescheit, frei im Urteil, aber, zur Verdeckung des gedanklichen Gerüstes, reich an romantisch-abenteuerlichen Geschehnissen und mit mehr effektvoller und spannungskräftiger Technik zurechtgemacht, als inneres und äußeres Leben dichterisch entwickelnd. 1886 erschien Gottfried Kellers „Martin Salander". Aber das zur gleichen Zeit von Gustav Freytag geprägte Wort: „Politische, religiöse und soziale Romane sind, wie ernst auch ihr Inhalt sein möge, nichts Besseres im Reiche der Poesie als Demimonde" — bleibt für die Schriftsteller des Reiches zu Recht bestehen.

In den Werken, die jetzt dem Sinn von Zeit und Volk entsprechen, breitet sich der Alltag des bürgerlichen Lebens aus. Man sucht ihm, wie es zum Teil schon die Aufklärung getan, seine bei aller Trockenheit und Nüchternheit doch vorhandene Poesie abzulauschen, Kämpfe aufzuspüren, die auch hier nicht fehlen. Es ist eine Poesie mehr des Herzens als des Gedankens. Die Menschen, deren Schicksale man darstellt, sind von mittlerer Größe. Wo einer aus dem Durchschnitt herausragt, heftet man ihm gern den Makel des Exzentrischen und Romantischen an, das nun bei dem rechtlich denkenden Bürger kein Lob mehr ist. Man verläßt die traulichen Stuben und schützenden Gassen nicht gern, um auf die Höhen der gedanklichen Betrachtung zu steigen; denn man hat ja auch die Religion, in der sich das geistige Leben des Bürgers in der Regel einzig oder mit Vorliebe sammelt, zugunsten eines aufgeklärten Wissens preisgegeben und mißt auch philosophischen Erörterungen im allgemeinen wenig Glaubenswert mehr zu. Wo man die Weite des Naturlebens in den Bereich der Darstellung einbezieht, ist es nicht die Fülle und Ordnung der schöpferischen Kräfte des Alls, sondern, von der Stadt und dem bürgerlichen Alltag aus gesehen, Landschaft, Landleben, Bauerntum und bäuerliche Berufsarbeit.

Jetzt wird, der neuen Gesinnung und dem neuen Stoffe entsprechend, die Prosa die beliebteste und bald fast allmächtige Darstellungsform. Die politischen Dichter der 40er Jahre haben den Vers als Ausdruck ihrer allgemeinen Zeitforderungen oder -satiren verwendet. Es ist damit etwas Intellektuell-Begriffliches in die gebundene Sprache gekommen. Die brillante Formulierung von Zeitgedanken ist wichtiger geworden als die hauchzarte Schilderung von persönlichen Stimmungen oder Naturvorgängen, wie sie Eichendorff oder Mörike geschaffen hatten. Wo Herwegh und Freiligrath Liebeserleben oder Naturgeschehen schildern, werfen sie ihm den prunkvollen Theatermantel der Rhetorik um. Auch der junge Emanuel Geibel trägt ihn, etwa in seinem bombastischen „Minnelied", zur Schau, und die Münchner Dichter machen fast alle Verse, denen etwas Konventionelles, Allgemein-Begriffliches, Reflektierendes anhaftet. Demgegenüber bildet die Prosa, indem sie zum vornherein auf den rhythmischen Stil der Verse verzichtet, sich zum feinsten Instrument in der Wiedergabe der mannigfachsten Lebensschwingungen der Wirklichkeit aus.

Jenes Ausglättende, das dem gleichmäßig bewegten Verse eigen ist, fehlt ihr. Sie kann, vermöge ihrer gesetzlosen Beweglichkeit, auf alles einzelne eingehen. Sie kann den Menschen nach seiner Sprechweise charakterisieren. Sie kann das Leben in jene Individualisationen aufteilen, aus denen es in Wirklichkeit besteht. Sie kann, wie ein Wasserlauf, allen Windungen und Vertiefungen des Bodens folgen. Sie wird so, indem sie das tägliche Leben darstellt, auch selber die Sprache des täglichen Lebens.

Eine Zwischenstellung zwischen der spätromantischen Begriffsdichtung und der sinnenhaft-individualisierenden Dichtung des Realismus nimmt Annette von Droste-Hülshoff ein. Man wird bei ihr an die Zwiefärbigkeit der Augen des Barons Münchhausen in Immermanns Roman erinnert; auch sie hat ein blaues und ein braunes Auge. Jenes weist zurück in die Geistigkeit der Romantik, dieses vorwärts zur Sinnenfreude des Realismus. Meist stehen in Persönlichkeit und Werk die beiden Farben ohne Übergang nebeneinander. Nur in gewissen erzählenden Gedichten und vor allem in der Novelle „Die Judenbuche" mischen sich die romantischen und die realistischen Elemente.

Ihr Leben ist durch beide bestimmt. In der Landschaft, in der sie aufwuchs und den größten Teil ihres Lebens verbrachte, stehen sie nebeneinander. Das westfälische Münsterland, wo sie am 10. Januar 1797 auf dem Stammsitz Hülshoff, zwei Stunden südwestlich von Münster, geboren wurde, ist echtes Bauernland mit weiten, flachen Heidestrecken, Weiden, Waldungen und viel Wasser in Mooren und Teichen, belebt von einer reichen Vogel- und Insektenwelt. „Die Gegend bietet", schreibt sie selber, „eine lebhafte Einsamkeit, ein fröhliches Alleinsein mit der Natur. Dörfer trifft man alle Stunden Weges höchstens eines, und die zerstreuten Höfe liegen so versteckt hinter Wallhecken und Bäumen, daß nur ein ferner Hahnenschrei oder ein aus seiner Laubperücke winkender Heiligenschrein sie dir andeutete und du dich allein glaubst mit Gras und Vögeln, wie am vierten Tage der Schöpfung."

Aber diese Gegend lädt nicht nur zum scharfen Beobachten der Groß- und Kleinwelt der Natur ein, die Nebel, die, aus den Gewässern und Mooren aufsteigend, die Landschaft abends verhüllen, die tiefschattenden Baumbestände, das Leben der Menschen mit seinen uralten Gebräuchen und Sagen umspinnen auch das menschliche Gemüt mit dunkeln Fäden und wecken das träumende Walten der Phantasie. Unheimliche Gestalten bedrängen sie. Verschollenes Leben quillt aus Wasser, Wald und zerbröckelndem Gemäuer. Geheime Verbrechen rufen nach Sühnung. Hülshoff selber, ein altes Wasserschloß, erfüllte mit seinen verborgenen Gemächern, dunkeln Gängen und Schlupfwinkeln die Phantasie des Kindes mit geheimnisvollen Vorstellungen aus der Nachtseite der Natur, der nachzugehen damals die Wissenschaft eifrig am Werke war. Eine Neigung zum Wunderbaren bildete sich so in ihr: der Hang, hinter der klaren Oberfläche der Dinge etwas drohend Unverständliches zu ahnen und in dem natürlichen Ablauf des Geschehens das Walten unheimlicher Gespenster wahrzunehmen. Der Vater mochte diesem Hange zunächst entgegenwirken. Er hatte aus seiner Militärzeit etwas Soldatisches bewahrt und beschäftigte sich gern mit Kriegsgeschichte. Daneben war er ein kenntnisreicher Botaniker und Vogelzüchter, der in einem Zimmer neben seiner Studierstube das ganze gefiederte Sängervolk des Landes von der Nachtigall bis zur Meise versammelt hielt. Aber auch er hatte einen Zug zum Geheimnisvollen und Wunderbaren und trug in einem Buch sorgfältig alle Berichte über prophetische Gesichte, Weissagungen und Wahrträume ein.

Annette, zu früh geboren und schwächlich bleibend, wuchs ohne erschütternde Erlebnisse unter der Obhut der Eltern im Kreise der Geschwister auf. Mit den Brüdern lernte sie Mathematik und Sprachen, sogar Griechisch. Früh begann sie Verse zu schreiben. Anregung dazu boten ihr Goethe und Voß, Hölty, Matthisson und Salis, die sie die Sprache der Natur lehrten, und Tiedge, der Verfasser eines langatmigen moralisch-religiösen Lehrgedichtes „Urania", der sie zur betrachtenden Dichtung führte. So entstand ein Zyklus von Gedichten auf die katholischen Feiertage, „Das geistliche Jahr", dessen erster Teil 1820 vollendet wurde.

Sie war damals in einem seltsamen Zustande innerer Erregtheit und Hilflosigkeit gegen alle Eindrücke, die von Menschen und Dingen auf sie einströmten. Sie selber schildert sich in einem Briefe an einen älteren Freund, Anton Matthias Sprickmann: „Sie wissen, daß ich eigentlich keine Törin bin; ich habe mein wunderliches, verrücktes Unglück nicht aus Büchern und Romanen geholt, wie ein jeder glauben würde... Es hat immer in mir gelegen. Entfernte Länder, große interessante Menschen, von denen ich habe reden hören, entfernte Kunstwerke u. dergl. mehr haben alle diese traurige Gewalt über mich. Ich bin keinen Augenblick mit meinen Gedanken zu Hause, wo es mir doch so wohl geht... Ein Zeitungsartikel, ein noch so schlecht geschriebenes Buch, das von diesen Dingen handelt, ist imstande, mir die Tränen in die Augen zu treiben... dann ist meine Ruhe und mein Gleichgewicht immer auf längere Zeit zerstört, ich kann dann mehrere Wochen an gar nichts anderes denken, und wenn ich allein bin, besonders des Nachts... kann ich weinen wie ein Kind und dabei glühen und rasen, wie es kaum für einen unglücklich Liebenden passen würde."

In diesem Zustande wehrloser Erregbarkeit überfiel sie eine merkwürdige Doppelliebe. Sie hatte nach ihrem zwanzigsten Jahre August von Arnswaldt, den Sohn eines hannoverschen Ministers, kennengelernt, den Wilhelm Grimm in einem Briefe an Achim von Arnim als einen „feinen, gescheiten und sinnigen Menschen" bezeichnet, und ihr Herz neigte sich ihm zu. Zur gleichen Zeit trat ein bürgerlicher Student der Rechtswissenschaft, Heinrich Straube, in ihr Leben, den Grimm einen kleinen grundhäßlichen Kerl nennt, „der beständigt lacht, dem aber jedermann gut ist". Auch Annettes Herz öffnete sich ihm zur gleichen Zeit, wie Arnswaldt ein tieferes Gefühl in ihr geweckt hatte, in mehr als freundschaftlichem Empfinden, so sehr, daß sie sich verpflichtet fühlte, Arnswaldt die Wandlung ihres Innern und ihre Gefühle zu Straube mitzuteilen. Sie tat es „in

Angst und Verwirrung" so doppelsinnig, daß Arnswaldt den Eindruck bekam, daß sie auch Straube nicht im Ernst liebe, sondern mit ihm nur ein leichtfertiges Spiel treibe, und Straube vor Annette warnte. Nun war diese in einem wirren Netz von Mißverständnissen und Klatsch verstrickt, an dem sie sich selber die Schuld zuschreiben mußte. „Ich hatte", erklärte sie sich gegenüber einer Tante, „Arnswaldt sehr lieb, auf eine andere Art wie Straube. Straubes Liebe verstand ich lange nicht, und dann rührte sie mich unbeschreiblich, und ich hatte ihn wieder so lieb, daß ich ihn hätte aufessen mögen. Aber wenn Arnswaldt mich nur berührte, so fuhr ich zusammen. Ich glaubte, ich war in Arnswaldt verliebt, und in Straube nicht recht, aber das erste ist vergangen, noch eh' er abreiste, da er sich ein paarmal, wohl um mich zu prüfen, etwas unfein ausdrückte... Ich denke Tag und Nacht an Straube. Ich habe ihn so lieb, daß ich keinen Namen dafür habe. Er steht mir so mild und traurig vor Augen, daß ich oft die ganze Nacht weine und ihm immer in Gedanken vielerlei erkläre, was ihm jetzt fürchterlich dunkel sein muß."

1826 zog, als Annettes ältester Bruder Hülshoff übernahm, die Mutter mit den beiden Töchtern auf ihren Witwensitz, das Gut Rüschhaus. Annette lebte hier, da die Mutter mit Jenny, der andern Tochter, oft verreist war, in Gesellschaft einer alten Amme in größter Einsamkeit. Sie ließ sich von der Alten stundenlang Märchen und Geschichten aus dem Volksleben erzählen und konnte dann so sehr in die Welt des Unheimlichen versinken, daß, wenn zufällig die Glocke am Hoftor ertönte, sie schreckhaft zusammenfuhr. Sie streifte in der Gegend umher, beobachtete Insekten, Gräser und Blumen und klopfte Versteinerungen aus einer alten Mergelgrube. Daneben lebte sie ihren dichterischen Arbeiten und schrieb an ihrem „Geistlichen Jahr" weiter. Inzwischen hatte sich ihre Schwester mit dem Germanisten Joseph von Laßberg verheiratet, der damals das Schloß Eppishausen im Kanton Thurgau bewohnte — er nannte sich darnach Sepp von Eppishusen —, und im Sommer 1835 reiste Annette zu einem längeren Aufenthalt in die Schweiz. Die Ärzte hatten der immer Kränkelnden die Luftveränderung angeraten. Die südliche Landschaft mit ihren reicheren Farben, kräftigeren Linien und dem gewaltigen Amphitheater der Alpen entzückte sie, aber bedrängte sie auch; ihre feinnervige Natur war allzu fest mit der stilleren westfälischen Landschaft verwachsen. Als sie zum erstenmal das Alpenglühen sah, das „Brennen im dunkeln Rosenrot", mußte sie den Kopf in die Sofapolster stecken und konnte vorläufig nichts anderes sehen noch hören. Aber abschreckend wirkten die gelehrten Liebhabereien ihres Schwagers auf sie, und sie, die mit zärtlichster Liebe die alten Versteinerungen sammelte und jedes Gräschen betreute, fühlte einen Abscheu vor den Altertümlern, die in ihres Schwagers muffigen Manuskripten wühlten, „langweilig wie der bittere Tod, schimmelig, rostig, prosaisch wie eine Pferdebürste" waren und alle neuere Kunst und Literatur verachteten. „Mir ist zuweilen, als wandle ich zwischen trockenen Bohnenhülsen und höre nichts als das dürre Rappeln und Knistern um mich her."

Etwas länger als ein Jahr weilte sie in Eppishausen. Dann kehrte sie im September 1836 über Bonn nach dem Rüschhaus zurück. In dieser Zeit stellte sie eine erste Sammlung ihrer Gedichte zusammen, die 1838 erschien. Damals kannte sie bereits den Mann, der den bestimmendsten Einfluß auf ihr späteres Leben haben sollte: Levin Schücking. Er war siebzehn Jahre jünger als sie. 1831 hatte sie ihn, nach dem Tode seiner Mutter, mit der sie befreundet gewesen, zu sich gerufen. Noch aber hatte Schücking seine Studien zu beendigen, und erst 1837 kehrte er nach Münster zurück, wo er mit Privatstunden und schriftstellerischen Arbeiten sein Brot verdiente. Damals trat er Annette näher. Wie sie, schwärmte er zu jener Zeit für die Wunderwelt der Spätromantik: Katholizismus, feudales Mittelalter, Hünengräber, Spukgeschichten und alten Burgen mit dunklen Verliesen. Er war mit Freiligrath befreundet, dessen Wüstengedichte eben ungeheures Aufsehen erregt hatten, und suchte auch seine Freundin in dem literarischen Kränzchen, dessen Mitglieder sie beide waren, mit dem rasch Berühmtgewordenen zusammen zu bringen. Aber Annette lehnte, halb aus adligem Hochmut, halb aus ihrer schlichteren dichterischen Art, ab und schrieb sehr zornig an ihre Schwester: „Ich freue mich, ihn nicht gesehen zu haben, er muß ein kompletter Esel sein. So ein Ladenschwengel braucht wahrhaftig nicht zu tun, als ob unser Kränzchen ihm die Schweine hüten müßte. Sein schneller und gigantischer Ruhm hat ihn ganz rapplicht gemacht. Man weiß doch auch bei euch von ihm? Hier in Norddeutschland sind die Leute ganz wie betrunken von seinen Gedichten; schön sind sie auch, aber wüst."

1838 hatte Laßberg das alte Schloß Meersburg am Bodensee gekauft und im September 1841 traf Annette dort zum Besuche ein. Die Schwester hatte ihr ein Turmzimmer eingeräumt, wo sie dichten wollte. Sie bewog ihren Schwager, auch ihren jungen Freund kommen zu lassen und ihn mit der Ordnung seiner Bücherei zu betreuen. Und nun erhitzte sich im täglichen Verkehr die Freundschaft mit Schücking zur spätsommerlichen Liebe. Das Eingesponnensein der beiden Westfalen in der südlichen Landschaft, die gemeinsame Schwärmerei für die Vergangenheit, die Sagen, die Natur, das Volksleben der Heimat, dazu die mittelalterliche Umgebung — alles wirkte zusammen. Es kam wie ein Rausch über sie. Ihre Gesundheit schien sich zu kräftigen, so daß sie imstande war, weite Wanderungen mit dem Freunde zu machen. Wie nahe er ihr damals kam, sagen uns die Briefe, die sie an ihn schrieb, als er im April 1842 die Meersburg wieder verließ, um eine Erzieherstelle anzutreten. „In den ersten acht Tagen", schreibt sie am 4. Mai in ihrem ersten zwanzigseitigen Brief an ihn, „war ich todbetrübt, ich lag wie ein Igel auf meinem Kanapee und fürchtete mich vor den alten Wegen am See wie vor dem Tode ... Ob ich mich freue, nach Hause zu kommen? Nein, Levin, nein — was mir diese Umgebungen vor sechs Wochen noch so traurig machte, macht sie mir jetzt so lieb, daß ich mich nur mit schwerem Herzen von ihnen trennen kann. Hör' Kind! Ich gehe jeden Tag den Weg nach Haltenau, setze mich auf die erste Treppe, wo ich dich zu erwarten pflegte, und sehe, ohne Lorgnette, nach dem Wege bei Vogels Garten hinüber. Kömmt dann jemand, was jeden Tag ein paarmal passiert, so kann ich mir, bei meiner Blindheit, lange einbilden, du wärst es, und du glaubst nicht, wieviel mir das ist. Auch dein Zimmer habe ich hier, wo ich mich stundenlang in deinen Sessel setzen kann, ohne daß mich jemand stört... Solltest du es wohl recht wissen, wie lieb ich dich habe? Ich glaube kaum." Am 5. Mai: „Guten Morgen, Levin! Ich habe schon zwei Stunden wachend gelegen und in einemfort an dich gedacht; ach, ich denke immer an dich, immer. Doch punktum davon, ich darf und will dich nicht weich stimmen, muß mir auch selbst Courage machen und fühle wohl, daß ich mit dem ewigen Tränenweiden-Säuseln sowohl meine Bestimmung verfehlen als auch deine Teilnahme am Ende verlieren würde; denn du bist ein hochmütiges Tier und hast einen doch nur lieb, wenn man was Tüchtiges ist und leistet. Schreib mir nur oft, mein Talent steigt und stirbt mit deiner Liebe... Mich dünkt, könnte ich dich alle Tage nur zwei Minuten sehen — o Gott, nur einen Augenblick! —, dann würde ich jetzt singen, daß die Lachse aus dem Bodensee sprängen und die Möven sich mir auf die Schulter setzten!" Im gleichen Briefe, von einem Ausflug nach Heiligenberg: „Lieber Himmel, warum habe ich einen so schönen Tag ohne dich genießen müssen! Ich habe immer, immer an dich gedacht, und je schöner es war, je betrübter wurde ich, daß du nicht neben mir standest und ich deine gute Hand fassen konnte... Levin, Levin, du bist ein Schlingel und hast meine Seele gestohlen." Aus solch exaltierter Stimmung ist ihr Gedicht „Am Turme" entstanden:

> „Ich steh' auf hohem Balkone am Turm,
> Umstrichen vom schreienden Stare,
> Und lass' gleich einer Mänade den Sturm
> Mir wühlen im flatternden Haare."

Das Verhältnis konnte für Annette nicht anders als tragisch enden. Wenn Schücking anfangs um die Freundschaft der siebzehn Jahre Älteren warb, weil er in seiner Lebensauffassung damals mit ihr eins war und schon ihr Adel seinem Selbstbewußtsein schmeichelte, so muß die in ihr erwachende Leidenschaft ihn bald bedrückt haben. Zeichen davon findet man in ihren Briefen. Einmal schreibt sie von seiner „Brummigkeit". Seine Briefe an sie nehmen es an Länge mit den ihrigen keineswegs auf. Sie sind höfliche Freundschaftsbriefe, oft bloß aus menschlicher Verpflichtung geschrieben, Berichte über sein Ergehen, und häufig verspätet; so wartet er, nachdem er anfangs April die Meersburg verlassen, zehn Tage, ehe er dem „lieben gnädigen Fräulein" ein paar Seiten von gleichgültigen Dingen schreibt. Für sie aber wurde die Dichtung das Gefäß, in das sie ihre Liebe goß, und die Sehnsucht nach Levin und der fernen Heimat, in eins verschmolzen, der Ausdruck ihres Verzichtes. Damals hat sie ihre Schilderungen der heimischen Landschaft und des Volkslebens in Westfalen verfaßt. 1844 gab Cotta ihre Gedichte heraus. Ein Jahr vorher hatte Schücking sich mit der schönen und wohlhabenden Schriftstellerin Luise von

Gall vermählt. Hatte schon dieser Schritt sie aufs tiefste getroffen, so sollte der Freund sie einige Jahre später noch schmerzvoller verwunden.

Bei all ihrer Pflege volkhaften Brauchtums und ihrer Liebe zur Kleinwelt der Natur besaß sie ein starkes Standesbewußtsein. Ihr schroffes Wort über den „Ladenschwengel" Freiligrath ist kennzeichnend. Auch ihre „Bilder aus Westfalen", die 1845 in den Historisch-Politischen Blättern erschienen, zeigten ihren Adelsstolz und erregten dadurch einen Sturm der Entrüstung. Bis dahin war Schücking mit seinen aristokratischen Neigungen bereit gewesen, den Vorrang ihres Standes anzuerkennen. Aber nun wurde auch er, ohnehin durch seine Heirat innerlich und äußerlich ihr entfremdet, von der liberalen Welle der vierziger Jahre mitgerissen. 1846 gab er einen Roman, „Die Ritterbürtigen", heraus, worin er von dem Denken und Leben des westfälischen Adels ein nicht durchaus schmeichelhaftes Bild entwarf. Da Annette ihm durch ihre Schilderungen, ohne es zu ahnen, dazu den Stoff geliefert hatte, machte man sie für den Inhalt des Romans verantwortlich. Erregte sie schon die Ablehnung ihrer „Bilder aus Westfalen" aufs heftigste, so traf sie nun die schriftstellerische Ausbeutung ihres Vertrauens durch ihren Freund um so tiefer. „Schücking", schrieb sie am 13. April 1846 an ihren Freund Schlüter, „hat an mir gehandelt, wie mein grausamster Todfeind, und, was unglaublich scheint, ist sich dessen ohne Zweifel gar nicht bewußt... O Gott, wer kann sich vor einem Hausdiebe hüten... Ich bin wie zerschlagen." Sie war 1844 wieder von der Meersburg nach dem Rüschhaus zurückgekehrt. Aber 1846 veranlaßte die Erschütterung ihrer Gesundheit durch all diese schlimmen Erfahrungen die Ihrigen, sie wiederum nach der Meersburg zu schicken. Schwere Krankheit, fürchterliches Erbrechen und erstickender Husten hinderte die Reise im Sommer. Erst im Oktober langte sie auf der Meersburg an. Dort besserte sich ihr Zustand. Aber ihre Lebenskraft blieb gebrochen, und als im März 1848 auch in Baden die Revolution ausbrach und Freischaren vor dem Schlosse erschienen und Waffen forderten und vor dem Rathaus in Meersburg die Republik ausgerufen wurde, schien ihr das Ende aller Dinge gekommen zu sein. Ihr schwacher Körper war dem Ansturm der neuen Zeit nicht mehr gewachsen. Am 22. Mai wurde sie von einem heftigen Bluthusten befallen, und am 24. Mai verschied sie an einem Herzschlage.

Sucht man nach dem tieferen Grunde des Versagens, so dürfte er doch darin liegen, daß sie der Revolution auch keine geistig gefestigte Persönlichkeit entgegenzusetzen hatte. Der Bruch, der durch ihre Dichtung geht — die begriffliche Betrachtungsdichtung des „Geistlichen Jahres" einerseits, die realistische Beobachtungsdichtung anderseits —, ist im Grunde ein Bruch ihrer Persönlichkeit. In dem „Geistlichen Jahr" selber spürt man ihn. Es ist weniger aus dem Bedürfnis einer im wahren Sinne religiösen Natur entstanden, als aus dem Wunsche einer gewissenhaften und etwas pedantischen Verskünstlerin, auf jeden Festtag des katholischen Kirchenjahres ein Gedicht zu schreiben; Verstand, Wissen und Können sind an diesen Gedichten mehr beteiligt als der Glaube. Friedrich von

Spee und Paul Gerhardt stimmen uns mit ihren geistlichen Liedern zur Andacht, die Gedichte der Droste wirken bloß intellektuell, meist ermüdend. Gelegentlich klafft der Zwiespalt zwischen dem Kirchenglauben und der Aufklärung, die die Naturwissenschaft der Zeit auch ihr gebracht hat, auf. Es scheint eine dramatische Spannung in die Eintönigkeit dieser Gedichte zu kommen. Dasjenige „Am 3. Sonntage nach Ostern" wirft, in der Schilderung eines Gewitters, die Frage auf, „wie Blitz an Blitz durch Schwefelgassen zuckt":

> „Ist's deine Leuchte nicht, gewaltig Wesen?
> Warum denn, ach,
> Warum nur fällt mir ein, was ich gelesen?"

Sie trifft keine Entscheidung zwischen Glauben und Wissenschaft, sondern verschiebt die Antwort auf das Wissen nach dem Tode:

> „Dann wird wie Rauch
> Entschwinden eitler Weisheit Nebelschemen,
> Dann schau' ich auch,
> Und meine Freude wird mir niemand nehmen."

Man hat, vor allem in der Zeit des gesteigerten Realismus, ihre minuziösen Schilderungen des Kleinlebens in der Landschaft bewundert. Aber sind sie wirklich Ausdruck der künstlerischen Stärke und nicht eher Ausfluß seelisch-geistiger Schwäche? Die Naturalisten haben am Schlusse des Jahrhunderts bewiesen, daß man gar kein Dichter zu sein braucht, um auch die feinsten Sinneneindrücke genau wiederzugeben — genau für den nachprüfenden Verstand, nicht anschaulich für die erlebende Phantasie. Alle wirklich künstlerische Naturdarstellung durch den Dichter ist ein Deuten und Ordnen der Naturelemente durch das weltanschauliche Fühlen und Denken des Verfassers. Goethes und Mörikes Naturgedichte sind darum so tief, weil sie die Natur mit ihrem Pantheismus beleben, die Eichendorffs so traumhaft stimmungsvoll, weil er mit seiner Jenseitssehnsucht alles sinnlich Nahe verschwimmen läßt. Die Droste aber vermag die Naturdinge nicht zu deuten und zu ordnen, so daß sie sich zu einer geistigen Welt zusammenschließen; sie vermag sich nur ihnen hinzugeben, sich in die Vielheit der Dinge aufzulösen. Sie verwandelt darum die Natur nicht in den menschlichen Geist. Sie läßt sie in ihrer unerklärlichen Vielfalt, ihrem bloßen Nebeneinander und Wirrwarr bestehen.

Dies ist wohl auch der eigentliche Grund für ihren Hang zum Wunderbaren und Unheimlichen. Sie ist ein Kind, das nachts durch dunkle Gänge eines alten Schlosses, über die einsinkenden Pfade eines dämmernden Moores geht und mit angstvollen Augen um sich schaut. Sie fürchtet sich vor Geistern, weil der Geist ihr zum Gespenst geworden ist. Sie glaubt persönlich nicht an das objektive Walten dieser Geister. Auch der Geisterglauben ihrer Menschen ist daher Einbildung ihrer Schwäche: Wirkung des bösen Gewissens, Angst des dumpfen Gemüts, Furcht aus Unbildung,

Armut, seelischer Verkrampftheit u. dgl. In dieser unheimlichen Atmosphäre wickelt sich das Geschehen in ihrem besten Werke, der „Judenbuche", ab. Stellt man die Fabel in das klare Licht des Verstandes, so überblickt man ihren einfachen Gang leicht. Friedrich Mergel wächst in den schlimmsten Verhältnissen auf. Der Vater ist ein Säufer, der, nicht ohne Schuld der Mutter, nachts im Walde erfriert. Der Sohn ist tückisch und verschlossen. Ein Oheim nimmt sich seiner an. Er wird Mitwisser der großen Holzfrevel, die die Bauern begehen. Ein Förster wird dabei erschlagen, ohne daß man den Mörder entdeckt. An einer Buche wird der Jude Aaron ermordet. Friedrich, der darauf verschwindet, gilt als der Mörder. Mit ihm ist auch ein Doppelgänger von ihm, Johannes, verschwunden. Nach Jahren kommt Johannes zurück. Man findet ihn an der Buche erhängt. Wie man die Leiche abnimmt, erkennt man, daß es Friedrich ist.

Dieses einfache Geschehen mit Schuld und Sühne wird durch ein dichtes und kunstvolles Gespinst von allen möglichen unheimlichen Motiven umwickelt und als das Werk boshaft-furchtbarer Gespenstermächte hingestellt: die rechtsbrecherische Gesinnung der Bauern, die das Holz des Waldes für sich beanspruchen, schafft einen dunkeln Hintergrund. Dazu der betrunkene Vater, die hartherzige Mutter, die den ins Haus begehrenden Mann nicht einläßt. Der Aberglaube des Volkes: der Erfrorene wird zum Gespenst des Brederholzes, das die Leute erschreckt. Alle Menschen haben etwas Sonderbares, Verdrücktes, Unheimliches. Der Oheim Simon zum Beispiel ist „ein kleiner, unruhiger, magerer Mann mit vor dem Kopfe liegenden Fischaugen und überhaupt einem Gesicht wie ein Hecht, ein unheimlicher Geselle". Die hebräische Inschrift, die die Juden nach der Ermordung Aarons an die Buche heften und die dem Täter den Tod ankündigt, wenn er sich dem Orte naht, faßt alle diese Züge zum dunkeln Glauben an eine über dem Menschenwillen waltende Gerechtigkeit zusammen. Man lebt in der atembeklemmenden Luft der alten Schicksalstragödie, nur daß die sozusagen willenlose Hingegebenheit der Dichterin selber an das Geschehen dieses überzeugender gestaltet als etwa die Handlung in Zacharias Werners „24. Februar".

In eine ganz andere Luft trägt uns das Werk Gustav Freytags. Hier ist kein ängstliches Sichducken in unheimlichen Waldgründen, kein gequältes Mitleben mit dumpfen, triebmäßigen und verschlagenen Naturmenschen, sondern ein zielbewußtes und klares Wandern durch frische, helle Luft zur Höhe einer gereinigten Weltanschauung und eines gefestigten Volkstums. Freytag ist kein Träumer und Sinnierer, der sich im Abgründigen gefällt. Er ist ein Mann des saubern Verstandes, um soviel weniger ein Dichter, als er verständiger und lebenssicherer ist als die Droste. So vollzieht sich auch sein Leben auf fester Bahn. Es ist zuerst das Leben eines Gelehrten, dann das eines Politikers und Journalisten, erst zuletzt das eines Dichters, lange Jahre von einem verstandesbeherrschten Willen geleitet und, seltsam, erst zuletzt von einer Welle der Leidenschaft durchstürmt.

Er war als der Sohn eines Arztes, der als Bürgermeister jahrzehntelang die Geschicke der Stadt leitete, in Kreuzburg in Schlesien am 13. Juli 1816 geboren, wuchs hier auf und besuchte das Gymnasium. „Es war ein Haushalt," schreibt er in seinen Lebenserinnerungen, „wie es viele Tausende in Deutschland gab, und es waren Menschen darin, welche vielen tausend anderen ihrer Zeit ähnlich sahen. Es war auch ein Kinderleben, wie es in der Hauptsache allen Zeitgenossen verlief, deren Wachstum von liebenden Erziehern behütet wurde." In Breslau und Berlin studierte er von 1835 an deutsche Literatur und Altertumskunde und schloß sein Studium mit einer Dissertation über die Anfänge der dramatischen Dichtung bei den Deutschen ab. 1839 habilitierte er sich als Privatdozent in Breslau. Seine Antrittsvorlesung galt der Dichterin Hroswitha von Gandersheim. Damals trat er Hoffmann von Fallersleben nahe, der in Breslau als Professor wirkte. Er stand ihm auch zur Seite, als Hoffmann 1843 wegen seiner Gesinnung von seiner Professur weichen mußte. 1844 gab Freytag ein Lustspiel, „Die Brautfahrt oder Kunz von der Rosen", und 1845 eine Sammlung von Gedichten in Breslau heraus, 1846 das Schauspiel „Die Valentine", das folgende Jahr „Graf Waldemar". Einerseits der Erfolg dieses dichterischen Schaffens, anderseits das Verbot einer umfassenden kulturhistorischen Vorlesung, die er plante — sein Lehrauftrag lautete nur auf Germanistik —, bewog Freytag 1847, auf seine akademische Tätigkeit zu verzichten und Breslau zu verlassen. Er ging nach Leipzig und und von da nach Dresden.

Eine neue Tätigkeit hatte sich ihm eröffnet. Die Wahl seines Studiums, das Thema der verbotenen Vorlesung verraten ein tiefes Interesse für das geschichtliche Schicksal des deutschen Volkes. Das Jahr 1848 weckte den politischen Schriftsteller in ihm und gab ihm seine nationale Gegenwartsaufgabe. Im letzten Bande der „Ahnen" schildert er die Märzrevolution. Da läßt er seinen Doppelgänger Viktor König auf die Frage, was der einzelne tun könne, um Regenten und Regierten zu helfen, erklären: „Zuerst sich selbst gesund machen ... Ich tue ab von mir jede andere literarische Tätigkeit und all mein üppiges Schwelgen im Land der Träume. Ich will eine Antwort suchen auf die Frage: Wie uns und unser geliebtes Preußen retten?" Er fand die Antwort im Beruf des Zeitungsschreibers. Das war auch Freytags Weg. 1841 hatte ein österreichischer Flüchtling, Ignaz Kuranda, in Brüssel die Zeitschrift „Die Grenzboten" gegründet. Auf den 1. März 1848 ging sie in den Besitz und die Leitung von Gustav Freytag und seinem Freunde Julian Schmidt über, die sie nach Leipzig verlegten. Hier wirkte Freytag im Sinne der nationalen Einigung Deutschlands zu einem Bundesstaat mit Volksvertretung unter der Führung Preußens. Damals trat er dem Herzog Ernst von Coburg nahe. Er gehörte zu den Gründern des Nationalvereins, dem der Herzog seinen Schutz verlieh. Vierzig Jahre lang haben die Beziehungen zu dem Fürsten gedauert. Man kann sie dem Verhältnis des germanischen Gefolgsmanns zu seinem Herrn vergleichen. War der Bund ursprünglich aus der gleichen politischen Gesinnung entstanden, so vertiefte er sich rasch zu einer menschlichen Freundschaft, über deren Art und Wert der Briefwechsel der beiden Zeugnis ablegt. Er ist nicht nur voll von klugen politischen Gedanken, er ist auch das schönste Denkmal des seltenen Verhältnisses eines Fürsten zu seinem bürgerlichen Freunde. Bewundernswert, wie Freytag die Achtung, die er der hohen Stellung des Herzogs entgegenzubringen hat und entgegenbringt, mit dem Freimut des Mannes verbindet, wie jene nie in Unterwürfigkeit, dieser nie in verletzende Unhöflichkeit ausartet. Der Herzog seinerseits, bei aller Wahrung seiner Stellung, hörte auf die Ratschläge des Freundes, und als Freytag wegen einer journalistischen Kühnheit 1854 von Preußen mit einem Haftbefehl bedroht wurde, schützte er ihn durch die Ernennung zum Hofrat und durch die Verleihung des Coburgischen Staatsbürgertums. Dichterische Arbeiten gingen neben der Politik einher. Er hatte sich 1851 das Landhaus „Die gute Schmiede" in Siebleben bei Gotha gekauft, wo er die Stille zum Schaffen fand. 1852 entstand hier, aus den Erfahrungen des Zeitungsschreibers, sein Lustspiel „Die Journalisten". 1853/54 der Roman „Soll und Haben", 1858 ein letztes Drama, „Die Fabier", 1864 „Die verlorene Handschrift". 1863 folgte, als Ergebnis seiner Theatererfahrungen, das theoretische Rezeptbuch: „Die Technik des Dramas". Daneben veröffentlichte er 1852— 1866 eine Reihe kulturhistorischer Aufsätze und Ouellenschriften, die „Bilder aus der deutschen Vergangenheit".

Als der Krieg von 1870/71 die Einigung Deutschlands schuf, legte er die Redaktion des „Grenzboten" nieder; das Ziel seiner politischen Schriftstellerei war nun erreicht. Den Kaiser selber erlebte er im Hauptquartier des preußischen Kronprinzen. Als das Reich gegründet war, wurde auch der Dichter Geschichtsschreiber und entwarf in der Romanreihe „Die Ahnen" 1872—1880 die dichterisch geschaute Geschichte eines deutschen Geschlechtes von der germanischen Frühzeit bis zur Gegenwart.

Er hatte einmal an Heinrich von Treitschke geschrieben: „Wir gehören zu denen, die ein wenig für sich leben, ein wenig für ihre Freunde, in der Hauptsache für ihr Volk." Seine ganze Tätigkeit als Schriftsteller und Politiker hatte das Wort wahr gemacht. Da erwachte am Schlusse seines Lebens noch der leidenschaftliche Anspruch auf menschliches Glück in ihm. Zwei Frauen waren ihm durch schwere Gemütskrankheit entrissen worden. 1883 lernte der Siebenundsechzigjährige in Wiesbaden die Gattin des ungarischen Vortragsmeisters Alexander Strakosch kennen. Eine späte Leidenschaft erwachte in ihm, die die Frau teilte. Nach siebenjährigem Ringen wurde 1890 die Ehe der Geliebten geschieden, und sie wurde die dritte Frau Freytags. Er genoß noch drei Jahre des Glücks an ihrer Seite. Am 30. April 1895 starb er.

Das Leben Gustav Freytags zeigt einige Ähnlichkeit mit dem Uhlands. In beiden ist die gleiche leidenschaftliche Liebe zum Volke. Bei beiden wirft diese Liebe einen höheren Glanz über die von Natur nüchterne und verständige Anlage der Persönlichkeit. Beide rücken die nationale Vergangenheit durch dichterische und geschichtliche Werke den Zeitgenossen ins Licht des Bewußtseins. Beide arbeiten und kämpfen für die politische Neugestaltung der Nation im Zeichen einer freiheitlichen Demokratie. Was sie, bei dieser Gemeinsamkeit der Gesinnung und des Schaffens, voneinander unterscheidet, ist im Grunde der Gegensatz des Süddeutschen und des Norddeutschen. Uhland steht als Volksmann dem Fürstentum mit kämpferischer Selbständigkeit gegenüber, Freytag, bei allem Freimut, ist im tiefsten Wesen der Monarchie ergeben.

Freytag hat seine „Erinnerungen aus meinem Leben" mit den Worten eröffnet: „Was auf den folgenden Blättern dargestellt wird, ist keine farbenreiche Schilderung ungewöhnlicher Erlebnisse, sondern einfacher Bericht über meine Jugend und über Erfahrungen, welche meinen Arbeiten Inhalt und Farbe gegeben haben. Gewinne ich dafür den Anteil des Lesers, so würde gerade der Umstand dazu helfen, daß, was hier erzählt wird, in der Hauptsache dem Leben und Bildungsgang von vielen Tausenden meiner Zeitgenossen sehr ähnlich sieht. Es ist das Heraufwachsen eines einzelnen in den Jahren von den Freiheitskriegen bis zur Gründung des deutschen Reiches." Das ist eine andere Auffassung vom Dichter, als sie die Romantik hatte. Freytag will nicht mehr der geniale Ausnahmemensch, sei es zum Glück oder zum Unglück, sein, sondern in Reih und Glied mit den andern Bürgern stehen. In einem Dramenfragment von 1844, „Der Gelehrte", stellt er das dar, was man als den Plan seines Lebens bezeichnen kann. Ein Gelehrter, der ein fürstliches Archiv verwaltet, erkennt, daß die Übersättigung mit Geist und Wissen die Ursache der politischen Ratlosigkeit des deutschen Volkes ist, und daß jeder sich dem öffentlichen Leben hingeben muß, wenn es besser kommen soll. Er macht aus seiner Gesinnung kein Hehl, gibt seine Stellung auf und steigt ins Volk nieder, um es zur Tatkraft aufzuwecken.

Freytags Weg war ein anderer als der der Jungdeutschen, vor allem Gutzkows. Er war nüchterner Realist genug, um einzusehen, daß nicht mehr gleißende Schlagworte, wie die „Ritter vom Geiste", und weitgespannte Konstruktionen nach Art der metaphysischen Systeme der alten Philosophie dem deutschen Volk helfen konnten. Er empfand, wenn er an Gutzkow dachte, nichts als Haß „gegen das Gesuchte und Gleißende, gegen ungesunde Weichlichkeit und gegen eine anspruchsvolle Schönseligkeit, welche an den Grundlagen unseres nationalen Gedeihens, an Zucht und Sitte und deutschem Pflichtgefühl rüttelten". Das deutsche Volk hatte, nach dem verfahrenen Getriebe der Revolutionsjahre, den Weg zur tatkräftigen Erwerbsarbeit gefunden. Das war die Wirklichkeit, an der es genesen, durch die es seine Zukunft aufbauen konnte. Sein Freund Julian Schmidt hatte in den „Grenzboten" den Satz geschrieben: „Der Roman soll das deutsche Volk da suchen, wo es in seiner Tüchtigkeit zu finden ist, nämlich bei der Arbeit". Das war auch Freytags Überzeugung. Er stellte den Satz als Leitspruch über seinen Roman „Soll und Haben", der die Ausführung jenes Programms sein will. Denn den Inhalt des Romans bildet der Aufstieg des Sohnes einer kleinen Beamtenfamilie zum angesehenen Großkaufmann. Freytag gibt ihm alle Eigenschaften, die die Tüchtigkeit des deutschen Bürgertums ausmachen: Ehrlichkeit, Gewissenhaftigkeit, Fleiß, Arbeitskraft und Unternehmungslust. Seine einzige Schwäche, die allzu hohe Schätzung des Adels, geht auf das jahrhundertealte Verhältnis des deutschen Bürgertums zum Adel zurück. Indem Freytag dem tüchtigen und aufstrebenden Bürgertum unfähige und liederliche Vertreter des Adels gegenüberstellt, macht er das Bürgertum zum Führer des wirtschaftlichen Fortschrittes. Er hat es, mit Wissen und Willen, damit fraglos idealisiert. Er hängt mit der gradlinigen Verständigkeit von Freytags Wesen zusammen, wenn er seinen Anton Wohlfahrt aus diesem Streben heraus zum Musterknaben macht. Jeremias Gotthelf hat in seinen Darstellungen aufsteigender Lebensläufe, in dem „Bauernspiegel“, „Uli dem Knecht“, das Hin und Her guter und böser, fördernder und hemmender Kräfte mit ganz anders vertiefter Menschlichkeit aufzudecken gewußt.

So tritt Freytag als Erzieher des Volkes zur Wohlfahrt auf. Die Aufklärungsbewegung in der Mitte des 19. Jahrhunderts setzt die des 18. Jahrhunderts fort. Auch jetzt erscheint der Dichter vielfach als Lehrer und Volksbildner. Gustav Freytag war selber einmal Dozent gewesen. Er hatte, vor allem in Leipzig, freundschaftliche Beziehungen zu Professoren, so zu Moritz Haupt, dem klassischen Philologen und Germanisten, unterhalten. So macht er in der „Verlorenen Handschrift“ den deutschen Professor zum Volksbildner großen Stiles. Seltsamerweise — das hängt mit seiner eigenen Berufsrichtung und der seiner Freunde, vor allem Haupts zusammen — einen Philologen und nicht, wie der Gang der Zeit es nahegelegt hätte, einen Naturforscher; denn man muß doch sagen, daß seit der Mitte des Jahrhunderts, etwa seit Büchners „Kraft und Stoff“, die volksbildenden Kräfte von den Naturwissenschaften und nicht mehr, wie in der Zeit der Romantik, von den Geisteswissenschaften ausgegangen sind. Bedenklicher ist, daß ein Bruch besteht zwischen dem weltanschaulichen Bildungsprogramm von Freytags Professor Werner und der eigentlichen Handlung des Romans. Die Weltanschauung Werners berührt sich nahe mit dem naturwissenschaftlich untermauerten Pantheismus, wie ihn ein Jahrzehnt später D. Fr. Strauß in dem „Alten und neuen Glauben“ entwickelt hat. Auch Werner leitet aus den Wahrnehmungen in Natur und Geschichte die Idee eines großen gesetzmäßigen Zusammenhanges her, dem sich der Mensch ehrfurchtsvoll zu unterwerfen hat. Zu der Lehre der Natur tritt die der Geschichte. Jeder Mensch, belehrt der Professor seine Frau, ist ein Kind des Volkes und des Menschengeschlechts. Mannigfache Beziehungen verknüpfen den einzelnen mit der Gesamtheit, das Jetzt mit dem Einst. Aus dieser Verpflichtung gegenüber der Vergangenheit wächst die Verantwortung gegenüber der Zukunft. Das sind sicherlich fruchtbare Gedanken. Aber sie bleiben reine Lehre. Sie treiben nicht die Handlung des Romans aus sich hervor und durchwirken sie nicht als nährender Blutstrom. So schwebt die Idee von der Einheit und dem Zusammenhang allen Lebens, die uns fromm machen soll, nur wie eine farbige Fata Morgana in den Wolken, unter denen das wirkliche Leben nach seinen besonderen irdischen Gesetzen seinen verworrenen Gang geht.

Dagegen ist der Zusammenhang zwischen Idee und Geschehen enger, organischer in der Romanreihe „Die Ahnen". Hier unternimmt es Freytag, jene Verflechtung von Einst und Jetzt, Einzelmensch und Volk, von der er seinen Professor Werner sprechen läßt, an den Schicksalen einer Familie durch die Jahrhunderte seit der Völkerwanderung mit einer Art von Blutgesetzmäßigkeit aufzudecken. Immer wieder treten in den einzelnen Epochen die gleichen Kräfte, die gleichen Bedürfnisse, die gleichen Berufsformen auf, nur jeweils nach den kulturellen Bedingungen der Zeitstufe verschieden gestaltet. Das Leben, das sich aus dieser Charakteranlage entwickelt, ist darum keineswegs, wie das von Anton Wohlfahrt, ein Emporsteigen zu dauerndem und festem Glücke, vielmehr führt es oft genug durch Kampf und Erfolg zu Verlust und Untergang. Man mag vom dichterischen Gesichtspunkte aus gegen die „Ahnen" manches einzuwenden haben; daß Gustav Freytag darin das Wesen des deutschen Volkes und sein geschichtliches Schicksal erfaßt und zur Darstellung gebracht hat, wird niemand bezweifeln.

Gegenüber Freytag, der das Geschehen der Gegenwart wie der Geschichte nach Ideen aufbaut und begründet, ja in der „Verlornen Handschrift" gar eine eigentliche Ordnung natürlich-geschichtlicher Gesetzmäßigkeit aufstellt, will Otto Ludwig sich in Erfindung und Begründung nur an die genau beobachtete Naturwirklichkeit halten. So bemüht er sich auch, den Realismus der Darstellung weit über Freytags Charakterisierungskunst zu entwickeln. Er hat, in der Mitte des Jahrhunderts, den Weg des Realismus am konsequentesten beschritten. Seiner Persönlichkeit fehlte jedes kühn Ausgreifende des Ideenmenschen. Er schwingt sich nicht über die Dinge hinauf, um sie aus der Höhensicht zu ordnen, das Alltäglich-Gewöhnliche zu einem neuen geistigen Reich aufzubauen. Er bleibt in den Dingen. Er lebt und wirkt in ihnen. Er gibt sich ihnen hin. Er belauscht sie mit feinsten Sinnen. Er spürt, wie ein Wasserlauf allen Krümmungen und Tiefen des Bodens folgt, ihren Rinnen nach, achtet, mit Hintansetzung einer eigenen „Weltanschauung", peinlich auf die seelischen und sittlichen Gewalten, die sich objektiv in den Schicksalen der Menschen kundgeben, und bemüht sich, die Handlungen von ihnen, nicht von sich aus zu entwickeln. Es kommt so etwas Zähes, Hartnäckiges, Peinliches, manchmal Kleinliches in sein Werk, wie es auch in seinem Leben ist.

Er ist am 12. Februar 1813 in dem thüringischen Städtchen Eisfeld geboren, das damals etwa 2500 Einwohner zählte und zu dem kleinen Herzogtum Sachsen-Hildburghausen gehörte. Das Leben, in das Ludwig als Knabe hineinwuchs, zeigt die behagliche Gemütlichkeit des deutschen Biedermeierstädtchens mit stillen Gassen, bescheidenen Baudenkmälern und geschichtlichen Erinnerungen, einem sparsamen, tüchtigen, aber wenig ausgreifenden Bürgertum. Die Familie gehörte zu den angeseheneren. Der Vater war Vorstand des Stadtgerichtes und führte den Titel eines Stadtsyndikus und Hofadvokaten. Er hatte in seiner Jugend ein Bändchen Gedichte herausgegeben, ging aber später in den Pflichten eines ernst aufgefaßten Amtes auf. Sein Sohn bezeichnete ihn als einen schroff-ehrlichen, bis zum Eigensinn festen, aber innerlich zarten und weichen Mann. Er hatte das Bestreben, in der Verwaltung der städtischen Gelder alte Mißbräuche zu beseitigen, zog sich aber durch die Art, wie er vorging, den Haß gewisser Kreise der Bürgerschaft zu. Damit verbundene Aufregungen und persönliche Schicksalsschläge, die ihm einen großen Teil seines Vermögens raubten, untergruben seine Gesundheit. Als er 1825 starb, hinterließ er den Seinen nur noch einen bescheidenen Rest des einstigen Wohlstandes. Das wertvollste Stück darunter war ein Garten mit einem hübschen Hause, darin der Sohn einen großen Teil seiner Jugend und ersten Mannesjahre verbrachte. Er war zart, schon früh ein leidenschaftlicher Musiker, aber auch für die Dichter schwärmend. Neben der Mutter, die sich ängstlich um die Gesundheit des Sohnes sorgte, leitete ihr Bruder, Christian Otto, der „dicke Herr", wie ihn der Volksmund nannte, der gemütliche Besitzer eines einträglichen Kaufladens, die Erziehung des Jünglings. Er war Junggeselle und dachte sich den Neffen als Erben seines Geschäftes. Aber Otto Ludwig strebte nach einem höheren Beruf. Auf Ostern 1828 bezog er das Gymnasium in Hildburghausen. Der Besuch der Schule dauerte gerade ein Jahr. Die Mutter, um das Wohl des Sohnes doppelt besorgt, nun er ihrer täglichen Obhut entrückt war, war schließlich durch die Vorstellungen des Oheims mürbe geworden und rief den Sohn zurück, der nun als Lehrling in das Geschäft Ottos eintrat. Er muß ein recht ungeschickter Krämer gewesen sein. Wichtiger als das Kleingeld, das er herauszugeben hatte, und als die Richtigkeit des Gewichtes, waren ihm die Gesichter und Schicksale seiner Kunden, und oft genug mußte ihn die Ladenklingel aus der Nebenstube vom Klavier oder der Shakespearelektüre wegrufen. Als 1831 die Mutter starb und der Oheim eine ungebildete und sinnliche Person ins Haus nahm, verließ der Neffe das Geschäft und nahm am Gymnasium in Saalfeld seine Studien wieder auf. Aber er taugte nicht mehr zum regelmäßigen Schulbesuch. Dichterische Pläne beschäftigten ihn, ohne daß seine Kraft zur Gestaltung reichte. Körperliche Schmerzen, so schrieb er später über diese Zeit, und geistige Erschöpfung seien bis zum Lebensüberdruß gestiegen. Er habe den Glauben an seine Begabung für Poesie verloren, ohne Lust zu gewinnen zu anderer Beschäftigung.

So kehrte er nach wenigen Monaten nach Eisfeld zurück und lebte Jahr um Jahr bald im Hause des Oheims, bald in seinem Gartenhause, rastlos vom Morgen bis zum Abend und oft noch einen Teil der Nacht, bald lesend, bald mit dichterischen, bald mit musikalischen Arbeiten beschäftigt. Er hoffte, auf eine Ausbildung an einer Musikstätte aus Mangel an Mitteln verzichtend, aus eigener Kraft sich in der Kleinstadt zum Künstler heranzubilden. So verstrich in rastlosem Bemühen und dilettantischen Versuchen Jahr um Jahr. Eine Wendung trat ein, als er dem Hofkapellmeister von Meiningen Kompositionen von Goetheschen Balladen einsandte und darauf von dem Herzog ein Stipendium von 300 Gulden für drei Jahre erhielt. 1839 ging er nach Leipzig, um sich unter Mendelssohn-Bartholdy auszubilden.

Der Aufenthalt in Leipzig brachte die Entscheidung. Nicht im Sinne der Vollendung der musikalischen Bildung, sondern, nach dem jahrelangen Doppeltraum von Musiker und Dichter, der Erkenntnis des dichterischen Berufes. Von vornherein war es ein Irrtum gewesen zu glauben, daß er unter Mendelssohns Leitung Musik studieren könne. Die weiche, romantische Musik Mendelssohns sagte Otto Ludwig so wenig zu, wie die Kompositionen des Schülers dem Lehrer gefielen. Den Zug zum volkstümlich Charakteristischen und Realistischen, der darin war, fand er geschmacklos, und er riet Ludwig, sich als Komponist in rein musikalischen Formen auszusprechen. Otto Ludwig seinerseits vermißte an der Musik des Meisters „das Naive, Natürliche, Nächste". Auch mit den Kompositionen der romantischen Schule, vor allem Schumanns, konnte er sich nicht befreunden. Immer klarer bildete sich, in der romantischen Umgebung, seine eigene Persönlichkeit aus: die Richtung auf das Realistische und Charakteristische. Er merkte, daß die Musik überhaupt nicht fähig war, sein Bedürfnis nach Realismus zu befriedigen. „Das Vage in der Musik genügt mir nicht", meinte er. An die Stelle der Musik mußte die Dichtung treten. „Die Poesie ist schon wieder auf dem Wege zur Natur, von der die Musik sich noch entfernt."

So blieb er dem musikalischen Leben Leipzigs mehr und mehr fern und verschloß sich in sein Zimmer. Mitten in der volkreichen Stadt lebte er in der größten Einsamkeit und sehnte sich nach Eisfeld und seinem Garten. Die seelische Qual wurde so groß, daß er erkrankte. Gelenkrheumatismus, Asthma, Herzklopfen, Erbrechen, Brustkrämpfe und Erstickungsanfälle suchten ihn im Frühjahr 1840 heim. Aber immer noch klammert er sich an die Musik an, zur gleichen Zeit, wo er eine humoristische Novelle, „Das Hausgesinde", veröffentlicht. Seine Einsamkeit ist so groß, daß er sich sagt: „Ich weiß kaum mehr, ob ich noch eine Stimme habe." Immer wird er zwischen Musik und Dichtung hin und her gerissen. Wenn die eine versagt, flüchtet er sich zu der andern, und keine befriedigt ihn. Die literarische Zeitmode wird durch das Junge Deutschland bestimmt. „Im allgemeinen", schreibt er einem Freunde am 3. März 1840, „hat mich nun der Ton, der jetzt in der Schriftstellerwelt herrscht, verletzt, dieses von aller Pietät verlassene Wesen ... Tue dir selbst genug, dies ist das wahre innere Gesetz, dem wir möglichst nachkommen sollen." Von hüben und drüben abgestoßen, sucht er den Quell der Erkenntnis und des Schaffens in sich selber. Über die romantische Abstraktion in der Mendelssohnschen Musik, die tendenziöse Begrifflichkeit der jungdeutschen Schriftstellerei steigt immer lockender und bestimmender das Bild seines Gartens in Eisfeld empor, jenes Stückes Erde, wo das Leben der Natur und des Volkes aus ureigenen Kräften wächst. Immer wieder bricht es im Tagebuch hervor, so am 12. Mai 1840: „Nur nicht in der Fremde sterben! Werd' ich denn je wieder meinen Garten sehen? Ich fühl's, nicht eher werd' ich mich wieder ruhig und behaglich fühlen. Jedes Blättchen drin ist mir wie ein Bruder. Ich habe mich so hineingelebt, daß er ein Teil von mir ist. Ich höre ihn rauschen, meine ganze Kindheit, das einzig Schöne

753

in meinem Leben, und was sonst mein Gemüt betroffen, alles bezieht sich auf ihn. Er ist meine ganze Seelengeschichte. Nur in ihm lebe ich ein ganzes Leben. Überall außer ihm bin ich fremd und ungern." Sein Wunsch ist, Kantor in Eisfeld zu werden, mit seinen alten Bekannten zu leben, Schweine zu schlachten und zu verzehren, die paar Jahre, die er noch zu leben hat.

Die Erkenntnis, daß nur die Rückkehr in die altvertrauten Verhältnisse der Heimat ihm Glück und Gesundheit bringen könne, ist eins mit dem Entschlusse, statt Musiker Dichter zu werden. Denn wie nur die Heimat ihm eigentliche Wirklichkeit sein konnte, so vermochte auch nur die Dichtung dem „plastischen Triebe" in ihm, der „das Entschiedenste" in seiner Natur zu sein schien, Genüge zu tun. Im Oktober 1840 kehrte er nach Eisfeld zurück. Es war die Wende in seiner Entwicklung. Rastlos mühte er sich nun um seine Ausbildung als Dichter. Er arbeitete täglich von morgens 10 bis nachts 2 oder 3 Uhr. Ohne Unterbrechung schrieb er, seine langen Haare durch einen Bindfaden zurückgebunden, Bogen um Bogen voll und strich oft nachmittags, was er am Morgen geschrieben, wieder aus. Abends von 8 bis 11, erzählt ein junger Mensch, der ihm damals als Kopist diente, „trieb er Englisch oder vertiefte sich in die Werke Shakespeares und Goethes. Dann konnte er stundenlang lautlos sitzen, ohne zu bemerken, daß der Ofen kalt geworden war und seiner Tabakspfeife kein Wölkchen mehr entstieg. Manchmal hielt er ein Vormitternachtsschläfchen, um nach Mitternacht seine Beschäftigung wieder aufzunehmen."

So entstand Werk um Werk. Er schrieb Erzählungen und versuchte sich in Dramen. Eine „Agnes Bernauer" beschäftigte ihn schon damals, als Vorspiel zu einem Volksstück „Friedrich II." entstand „Die Torgauer Heide". Bereits auch gestaltete sich in ihm der Stoff, der später in dem „Erbförster" bearbeitet wurde. Hatte er am Anfang noch in dem Banne der Romantiker, E. T. A. Hoffmann, Tieck, Jean Paul, gestanden, so machte er sich jetzt in mühsamem Ringen von ihnen frei. Wichtiger als das Spiel der Gedanken wurde ihm mehr und mehr die genaue Darstellung der Menschen, ihres seelischen Lebens, der sinnenhaften Welt, in der sie lebten. Als er, wenigstens als Erkennender, soweit war, verließ er aufs neue die enge Heimat, in deren vertrauter Atmosphäre er zum Realisten geworden war, und ging Ende Juni 1842 zum zweitenmal nach Leipzig, nicht als Musiker, sondern als Schriftsteller. Von Leipzig aus richtete er seinen Blick auf Dresden. Dort lebte die Schauspielerin Caroline Bauer, die eine entfernte Verwandte von ihm war. Sie sollte sein Trauerspiel „Der Engel von Augsburg" Ludwig Tieck unterbreiten, der noch Dramaturg am Hoftheater war. Aber Tieck siedelte damals nach Berlin über, und die Aufführung des Stückes unterblieb. Das hielt Otto Ludwig nicht ab, im Frühjahr 1843 selber nach Dresden zu gehen, um in der Nähe der großen Bühne seine Ausbildung als Dramatiker zu fördern. Ein bescheidenes Erbe, das ihm der damals verstorbene Oheim hinterlassen, sicherte für einige Jahre sein Leben. In unbeirrtem Fleiße arbeitete er bald in Dresden, bald auf dem Lande oder in Meißen, an erzählenden und dramatischen Werken. Er hatte sich von der gedanklichen Dichtung der Spätromantik nun völlig losgelöst und sah sein Ziel klar vor Augen: „Man will jetzt mit dem Verstande Poesie machen, künstliche; nicht mehr die heiligen Verhältnisse der Natur — künstliche Verstandessysteme sollen den Dichter zum Dichten begeistern und den Leser zum Lesen. Ein Stück Zeit, aus der Geschichte herausgeschnitten, soll für das All gelten, aus dem der Dichter die Wahrheit in seine Gebilde hineinträgt ... All das wirkliche, warme Anschauungs- und Gefühlsleben frißt der dürre Verstand und wird nur immer dürrer." In diesen Jahren entstand, in immer neuen Ansätzen und Umformungen, das Werk, das Otto Ludwig berühmt gemacht hat, „Der Erbförster". Es wurde am 4. März 1850 in Dresden zum erstenmal aufgeführt und machte von da aus seinen Weg an die Bühnen.

Glückliche Jahre folgten. Er hatte geheiratet und ein Haus begründet, das bald Kinder bevölkerten. Rastlos ging die Arbeit weiter. Ein neues Trauerspiel entstand, „Die Makkabäer" (1853). Den Dramen folgten Erzählungen: „Die Heiteretei und ihr Widerspiel" (1855), „Zwischen Himmel und Erde" (1856). Da trat eine Stockung seines Schaffens ein. Schon in der Jugend hatte er Shakespeare bewundert und gelesen. Jetzt geriet er völlig in seinen Bann. Unermüdlich arbeitete er Stück um Stück durch und machte sich auf Hunderten von Blättern Aufzeichnungen über die technischen Mittel Shakespeares, die Charaktere, die Stimmungen der Szenen, die Behandlung der Leidenschaft, die Komposition, das Verhältnis von Charakter und Schuld usw. Shakespeare wurde ihm mehr und mehr zum Kanon der dramatischen Dichtung. Er wollte ihm das Geheimnis seiner Kunst ablauschen und versäumte darüber seine eigenen Werke. In den Jahren seines erfolgreichen Schaffens war auch sein Körper gesund und stark gewesen. Jetzt, in der atemlosen Suche nach dem dramatischen Stein der Weisen, traten, wie seinerzeit in der Qual des Schwankens zwischen Musiker und Dichter, nervöse Störungen auf. Seine Augen versagten. Er konnte, wenn er lesen wollte, die Wirkung des weißen Papiers nicht ertragen, da sie die Buchstaben grün machte und übereinander steigen ließ. Er wurde so reizbar, daß er das Anhören von Musik nicht mehr ertrug. Zu Beginn des Jahres 1864 konnte er das Lager nicht mehr verlassen. Am 25. Februar 1865 wurde er von seinen Leiden erlöst.

Man kann das Leben Otto Ludwigs als die Tragödie des reinen Realisten bezeichnen. Er hatte die richtige Erkenntnis, daß die abstrakte Gedankendichtung der Hegelianischen Zeit die Verneinung der eigentlichen Dichtung bedeute, deren Wesen in der anschaulichen, nicht in der begrifflichen Darstellung des Lebens besteht. Die Schriftstellerei der Jungdeutschen, durch Zeitgedanken bestimmt, mußte schließlich völlig aus der Dichtung hinausführen. „Die Luft schwirrt von Seelen, die keinen Leib haben", urteilte er. „Durch die philosophischen Schulsysteme wird das Naturtalent der Dichter beirrt, es hat keinen Nutzen von solcher Lektüre, es muß seine konkrete Richtung verlieren. Ich gehe von keiner Philosophie aus, denn die, auf welche ich meine Untersuchungen gründen wollte, könnte aus der Mode kommen, ehe ich fertig werde. Ich gehe von der menschlichen Natur aus" („Mein Wille und Weg").

So richtig diese Erkenntnis war, Ludwigs Verhängnis war, daß er mit der Philosophie als der wissenschaftlichen Gedankenordnung überhaupt alle geistige Ordnung des Wirklichkeitsstoffes durch den Dichter verwarf. Daß er die Wahrheit als die Erkenntnis der Wirklichkeit durch das Medium des persönlichen Ideerlebnisses mit der Wirklichkeit, das heißt einer außerhalb der persönlichen Geistigkeit gegebenen objektiven Stoffwelt verwechselte. Er war der Ansicht, daß „am Stoffe eine gewisse Idee" sei, die als natürliche Seele in ihm wirke und atme und die in das Jenseits der künstlerischen Behandlung aufgenommen werden müsse. Seine Aufzeichnung: „Mein Verfahren beim poetischen Schaffen" unternimmt es geradezu, den Weg aufzudecken, auf dem er, über Farbempfindung, Wahrnehmung von Figuren, einzelnen Situationen der Handlung, zum Finden der Idee kommt.

Man ist versucht, in diesem Gedanken von der Immanenz einer Idee im Stoffe noch den Einfluß des alten Pantheismus zu sehen. Aber die Werke Ludwigs belehren eines andern. Die immanenten Ideen des Phanteismus sind Ausfluß der Allseele, Vereinzelung des Alldenkens. Die Idee Otto Ludwigs aber sind bloße in und an der einzelnen Lebenserscheinung erkannte geistige Inhalte, soziale und sittliche Richtungsformen, ohne irgendeine Beziehung zu einem metaphysischen Weltgeiste Hegelscher Prägung. Otto Ludwig hat diese geistigen Mächte als die „heiligen Verhältnisse der Natur" bezeichnet. Forscht man ihnen nach, etwa in der „Heiteretei", so sind es die besonderen Lebensbedingungen der thüringischen Kleinstadt: Familie, Erwerbsleben, Stand, Liebe, Klatsch, Glauben und Aberglauben der Leute u. dgl., Dinge, die der Dichter von außen beobachtet hat, vielleicht auch zum Teil in sich trägt, die aber nicht sein persönlicher geistiger Inhalt, seine persönliche Denkrichtung sind — Motive, nicht Ideen. Der „Erbförster" zeigt, wie die Motivierung des Geschehens durch diese objektiven Mächte eine große innere Zersplitterung bedingt: psychologische Motive — Rechthaberei des Försters Ulrich, Hitze des Kaufmanns Stein, Beflissenheit des Buchhalters Möller, Rache eines Wilddiebes usw. — stehen neben Momenten des äußern Zufalls — gleichzeitiges Zusammentreffen der Liebenden Robert und Marie und des alten Försters im Heimlichen Grund — und physiologischen Ursachen — geistige Benommenheit des Försters durch Alkoholgenuß — usw. Der Ausgang der Handlung: die versehentliche Erschießung der Maria durch den eigenen Vater wird so als zufällig, nicht als notwendig empfunden; denn die Summierung von noch so vielen Einzelmotiven ergibt niemals jene Notwendigkeit einer innerlich geschlossenen Handlung, wie sie nur die Idee einer persönlichen Weltanschauung im Dichtwerk erzeugt. Auch die Feinheit der äußeren Charakterisierung, der Technik, die Otto Ludwig aufs höchste gesteigert hat, kann diesen inneren Mangel nicht ersetzen, sie kann ihn bloß verdecken.

Es war das Verhängnis Otto Ludwigs, daß er auf dem Höhepunkt seines realistischen Schaffens und seines Erfolges, mit der unbestechlichen Ehrlichkeit und Schärfe seines Urteils, diesen Mangel selber erkannte. Er schrieb an Emanuel Geibel: „Der Willkür des falschen Idealismus zu entfliehen, war ich dem Naturalismus in die Hände geraten. Die großen Mängel meiner früheren Versuche schrieben sich von einem Fehler her, in den ich geraten war, um einem anderen zu entgehen. Natürlich, daß ich, sobald ich jene Fehler erkannte, sie zu vermeiden strebte. Ich sah aber bald ein, daß mir dies nicht gelingen würde, ehe ich nicht die Ursache derselben entfernt hätte. Da diese nun als bereits in die innerste Natur meines poetischen Erfindens und Schaffens übergegangen sich erwies, blieb mir nur die Wahl, in meinem alten Irrtum fortzugehen, der, wie ich wohl begriff, endlich aus aller Poesie in die gemeinste Wirklichkeit führen mußte, oder meine ganze Natur zu revolutionieren."

Seine endlosen Shakespeare-Studien sollten ihn aus diesem gemeinen Realismus herausführen. Denn bei Shakespeare fand er die Größe und Einfachheit des klassischen Dramas mit der Naturwahrheit in der Zeichnung der Menschen vereinigt. Aber was Shakespeare ihm geben konnte, waren bloß theoretische Erkenntnisse. Wann ist jemals ein Schaffender auf dem Wege auch der tiefsten theoretischen Einsicht zum Werke gekommen? Das ist der Schlüssel zu der Tragödie, die Otto Ludwigs Schaffen darstellte, daß sein Streben nach unbedingtem Realismus einerseits, seine hohe Kunstauffassung anderseits ihn in dieses Labyrinth des Irrtums führte, aus dem er keinen Ausgang fand.

Auch Fritz Reuter kann man als Realisten bezeichnen. Aber er bildet den denkbar größten Gegensatz zu Otto Ludwig. Er muß den Stoff der Wirklichkeit nicht peinlich beobachten, sammeln und aufschichten, er strömt ungehemmt aus dem Reichtum seines Innern hervor, und er muß sich nicht in mühevollem Ringen eine realistische Technik erklügeln, die die Mittel liefern soll, die Wirklichkeit, ihre Menschen und Umstände genau so wiederzugeben, wie sie sind, sondern er besitzt die ursprüngliche Gabe des geborenen Erzählers, den Faden des Geschehens natürlich und ohne viel Nachdenken sich abrollen zu lassen. Seine poetische Begabung ist aber auch nicht gespalten zwischen Erzählung und Drama. Das Erzählen ist die ihm angeborene und notwendige Form des dichterischen Schaffens. Alles was an dichterischen Werten aus ihm hervorströmt, ist episch; er kann gar nicht anders als erzählen, wenn er dichten will. Darum beherrscht er auch die Gesetzmäßigkeit des Erzählens als die angeborene Gabe des Genies.

In dem mecklenburgischen Städtchen Stavenhagen wurde Fritz Reuter am 7. November 1810 geboren. Der Vater, streng gegen sich und andere, von unermüdlicher Arbeitskraft, stand dem Gemeinwesen als Bürgermeister und Stadtrichter vor und erwarb sich daneben durch Landwirtschaft und Viehzucht ein stattliches Vermögen. Der Sohn aber trug mehr die Art der Mutter in sich, die eine stille, sanfte, innige, religiöse Natur war und die Dichter liebte. Da ihm die Schulen Stavenhagens fragwürdig erschienen, ließ der Vater den Sohn, dem die Mutter die Anfangsgründe im Lesen und Schreiben vermittelt hatte, durch allerlei Hauslehrer ausbilden, die freilich noch fragwürdiger waren als die Schulen. Die Folge war, daß der Sohn sich weder gründliche Kenntnisse in den Elementarfächern aneignete, noch sich an eine feste Zucht und regelmäßige Arbeit gewöhnte. Die Mutter, früh durch Krankheit gelähmt, vermochte den wilden, phantasievollen Knaben, der immer zu allerlei lustigen Streichen aufgelegt war, nicht zu zähmen. Sie starb schon 1825. Der Vater, von seinem Amt und seinen eigenen Geschäften in Anspruch genommen, suchte ihn durch Strenge und Ernst in eine rechte Bahn zu lenken, ohne bei seinem pedantischen und humorlosen Wesen den Zugang zu der Seele des Sohnes zu gewinnen; er bewirkte nur, daß sich der Gegensatz zwischen den beiden so verschiedenen Naturen immer mehr vertiefte. Sein Plan war, daß sein einziger Sohn einmal als Amtsnachfolger in seine Fußstapfen treten sollte, und er verfolgte dieses Ziel mit unnachgiebigem Eifer. Die Ausbildung des Sohnes war nun so weit gediehen, daß er 1824 in die Tertia des Gymnasiums in Friedland eintreten konnte. Aber jetzt erwies es sich, daß ihm zum Lernen jegliche Liebe und Selbstzucht fehlte. Die Briefe an den Vater zeigen einen gutgearteten Jungen, der bestrebt scheint, die Mahnungen des Vaters zu befolgen und ihm zu Gefallen zu leben, aber noch öfter bloß verspricht, mit schönen Redensarten sich täuscht und den Vater so beschwichtigen zu können glaubt. So schreibt er am 24. März 1827: „Fern sei es von mir, meine Fehler durch Entschuldigung zu beschönigen, doppelt fern, sie durch Leugnen zu vergrößern. Nein; frei will ich sie gestehen und hierdurch sie deinen Augen weniger verhaßt machen; denn früh schon lehrtet ihr beiden teuren Freunde und Leiter meiner Jugend mich die Wahrheit lieben, und ein freiwilliges Geständnis wie eine halbe Verzeihung ansehen." Immer wieder versichert er den Vater mit flüssigen Worten seines Fleißes und seines guten Betragens. Aber gerade diese beständigen Versicherungen steigerten das Mißtrauen des Vaters, der von anderer Seite ganz andere Berichte über den Sohn erhielt. Der Sohn zeigte Neigung und Begabung zum Zeichnen, aber der Vater, der sich in den Kopf gesetzt hatte, den Sohn zum Juristen zu machen, wollte von einer Ausbildung als Maler nichts wissen, die nur eine Gelegenheit wäre, die Zeit mit Nichtstun zu vergeuden. Da 1826 und 1827 die beiden Lehrer, auf die der Bürgermeister bei der Erziehung seines Sohnes am meisten vertraute, an das Gymnasium von Parchim berufen wurden, so versetzte er den Sohn auf das Frühjahr 1828 ebenfalls dorthin. Aber wiederum begann hier das alte Spiel. Der Sohn versicherte den Vater mit beweglichen und schön gesetzten Worten seines Fleißes und seiner sittlichen Aufführung. Der Vater aber ist nach wie vor mißtrauisch und wendet sich an den Rektor um Auskunft, der, bei aller Schonung von Vater und Sohn, zugestehen muß, daß der Sohn sich lieber außer der Schule herumtreibe, als bei den Büchern sitze, am Morgen nicht gern aufstehe, schlechte Aufsätze schreibe und nicht in Prima versetzt werden könne. Und wiederum bewirkt bei dem Sohne die beständige Nachfrage bei den Lehrern, wie er davon erfährt, nur, daß sein Selbstgefühl aufs neue geschwächt wird und er sich noch mehr gehen läßt. Schließlich besteht er doch im September 1831 die Reifeprüfung.

Er wäre zum Studium gern nach Halle gegangen. Der Vater aber wünschte ihn unter den Augen zu haben und sandte ihn nach dem nahen Rostock. Die Universität bot wenig Anregung, die Vorlesungen waren langweilig, lieber genoß Reuter die Freiheit und die Freuden des Studentenlebens. Wiederum mußte er erfahren, daß der Vater ihn beobachten ließ. Am 28. Januar 1832 schrieb er ihm: „Lieber Vater! Wozu hat mich dein Argwohn schon gemacht; wäre ich alles, was du schon von mir geargwöhnt hast, so wäre es besser, ich hätte längst aufgehört zu sein ... Ja, ich gebe zu, ich habe leichtsinnig, jugendlich gefehlt; aber das meiste ist dir geworden durch deinen eigenen Argwohn und durch andere, die du mir zu Wächtern bestimmt hast. Von Jugend auf haben andere für mich gehandelt, ich bin nie zum Richter meiner Taten gesetzt worden ... Woher war ich beliebt bei meinen Mitschülern, woher bin ich es bei meinen Bekannten unter den Studenten? Ein Schurke und ein Schuft sind das nie. Warum glaubst du nur immer das Böseste und Schlimmste von mir, von dir kann man es doch am wenigsten erwarten." Es muß, als der Sohn in den Osterferien nach Hause kam, zu heftigen Auseinandersetzungen wegen Schulden, Unfleiß und lockeren Lebenswandels gekommen sein. Aber Reuter erreichte doch, daß ihn der Vater nach Jena ziehen ließ.

Es war, wie es sich herausstellte, ein noch größerer Fehlentschluß, als die Wahl von Rostock. Denn Jena war damals ein Hauptsitz der deutschen Burschenschaft. Zwei burschenschaftliche Verbindungen, die gemäßigteren Arminen und die radikalen Germanen, standen einander gegenüber. Reuter, nach seinem ganzen Naturell, trat bei den Germanen ein. Hatte er anfangs fleißig die Vorlesungen besucht, so begannen sie ihn bald zu langweilen. Lieber trieb er sich in der Kneipe und auf dem Fechtboden umher: sein Übername „Bierreuter" kennzeichnet ihn zur Genüge. Von der Politik, die die Germanen eifrig betrieben, hielt er sich fern. Auf dem Burschentag in Frankfurt hatte man 1831 den Beschluß gefaßt, daß jeder Burschenschafter den Zweck des Verbandes, Deutschlands Einheit und Freiheit, selbst mit Gewalt, zu erstreben verpflichtet sei. So kam es auch in Jena zu einem Aufstand. Die beständigen Raufereien zwischen Germanen und Arminen hatten die Polizei zum Einschreiten genötigt. Darauf stürmten in der Neujahrsnacht 1833 die Germanen das Haus des Justizamtmanns. Reuter selber hatte an dem Sturm nicht teilgenommen, sondern hatte in seiner Bude rauchend auf dem Sofa gelegen. Aber er hatte einem am Aufstand beteiligten Vereinsbruder seinen in Jena wohlbekannten weißen Flauschrock geliehen, so daß nachher der Pedell unter Eid aussagte, Reuter sei ebenfalls dabeigewesen. Die Unruhen dauerten fort. Auch Reuter wurde verhaftet, mußte aber aus Mangel an Beweisen wieder freigelassen werden. Am 22. Januar war er aus der Burschenschaft ausgetreten. Der akademische Senat hielt ihn aber trotzdem für verdächtig und wies ihn, wie einer seiner Lehrer dem Vater mitteilte, „als ein durch sein

Beispiel sehr schädliches Glied der Universität" von Jena aus. Er fürchtete den Zorn des Vaters und wagte nicht, nach Hause zurückzukehren. In dem kleinen Camburg bei Naumburg hielt er sich verborgen. Erst als er erfuhr, daß der Vater ihn in den Zeitungen suchen ließ, entschloß er sich, ihm seine Lage auseinanderzusetzen, und bat ihn zugleich, ihn seine Studien in München fortführen zu lassen. Der Vater aber, der den politisch verdächtigen Sohn in Sicherheit bringen wollte, forderte ihn auf, so rasch als möglich nach Hause zu kommen. So brachte der Sohn den Sommer in Stavenhagen zu.

Im Herbst durfte er wieder zur Universität gehen. Aber in Berlin, wo er seine Studien fortsetzen wollte, wurde er nicht immatrikuliert. Zugleich erfuhr er, daß zwei seiner Freunde aus der Germania verhaftet worden seien, und daß man in Preußen mit rücksichtsloser Strenge gegen die demagogischen Verschwörer vorging. Da verließ er Berlin und wandte sich nach Leipzig. Falls er hier nicht angenommen wurde, wollte er in Heidelberg oder Zürich studieren. Der Vater aber, der erfahren hatte, daß man in Süddeutschland „mit einer ungeheuren Aufmerksamkeit auf alle Studenten wache", hieß ihn wieder nach Hause kommen. Und nun beging Reuter die Unklugheit, den Weg über Berlin zu nehmen, und statt möglichst rasch die preußische Hauptstadt wieder zu verlassen, lebte er mit einem Freunde einige Tage in Saus und Braus. Ende Oktober 1833 wollte er endlich nach Hause reisen. Es kam nicht dazu. Die Polizei griff ihn auf und setzte ihn in der Stadtvogtei, dem Polizeiuntersuchungsgefängnis, in Haft. Als sich bei der Untersuchung herausstellte, daß er Mitglied der Germania gewesen war, betrachtete man ihn als einen Schwerverbrecher und führte ihn in die Hausvogtei. Ein Jahr lang wurde er mit Verhören gequält und hatte inzwischen in einer halbdunkeln, engen und feuchten Zelle auszuharren. Am 15. September 1834 fand endlich die Schlußverhandlung des Kammergerichtes statt. Dieses war bereit, ihn als Ausländer seiner Landesregierung auszuliefern; aber der Minister Mühler verfügte seine Aburteilung in Preußen und ließ ihn, bis das Urteil gefällt wurde, nach der Festung Silberberg bringen. Hier hatte er zweieinhalb Jahre zu bleiben. Es war die düsterste Zeit seines Lebens. „Wenn ich", schrieb er dem Vater am 31. Oktober 1836, „dem obigen Dato fluchen sollte, so wäre es mir wenigstens zu verzeihen, und ich würde es tun, wenn ich nicht bedächte, daß der Tag, der mich vor drei Jahren in den Kerker warf, vielleicht eine Menge von Menschen beglückte; mich hat er namenlos unglücklich gemacht, er hat mir Gesundheit und Lebensglück, und was noch schlimmer ist, auch Lebensmut geraubt ... Ich bin auf dem Wege, mir einen passiven Mut zu verschaffen, dessen Höhepunkt völlige Apathie sein wird."

Das ist das verschleierte Bekenntnis, daß er die quälende Ungewißheit und Verzweiflung durch Alkoholgenuß zu betäuben versuchte. In dem Kerker zu Silberberg hat Reuter den Grund gelegt zu der Trunksucht, die ihn von da an sein Leben lang wie ein Naturzwang periodisch alle vier bis sechs Monate überfiel.

Die preußischen Gerichte waren mit Prozessen gegen Demagogen überhäuft. Mehr als 200 Studenten waren wegen Hochverrats angeklagt. So dauerte es noch bis zum 28. Januar 1837, bis, nach dreieinhalb Jahren der Haft, endlich Reuter das Urteil verkündet wurde. Es lautete „wegen Teilnahme an hochverräterischen, burschenschaftlichen Verbindungen in Jena und wegen Majestätsbeleidigung" auf Hinrichtung mit dem Beile. Ein Gnadenerlaß des Königs wandelte das furchtbare Urteil in dreißigjährige Festungshaft um. Der Gefangene wurde nach Glogau, von da nach Magdeburg verbracht. 1838 nahm ihn Graudenz auf. Der unglückliche Vater tat inzwischen immer neue Schritte, um seinem Sohne eine Milderung seines Loses zu erwirken. Er erreichte, daß der preußische König die dreißigjährige Haft auf acht Jahre herabsetzte. Reuters zweiter Roman, „Ut mine Festungstid", gibt ein Bild seines Lebens in der Gefangenschaft. Dunkel und Licht darin hingen von der Härte oder Milde des Festungskommandanten ab. Es gab manche frohe Stunde. Die Gefangenen durften sich mit einer gewissen Freiheit in dem Raume der Festung bewegen. Die Beweglichkeit der Jugend milderte immer wieder die Härte der Haft. Reuters Humor und Phantasie siegten stets aufs neue über den Trübsinn. Dazu kam die Arbeit. Er vertrieb sich die Zeit mit Zeichnen und Porträtieren, und in Silberberg begann er mit dem Studium landwirtschaftlicher Werke. Es ist, als ob er schon hier die Ahnung gehabt hätte, daß das Landleben ihn einmal von allen Verschuldungen und Leiden seiner Prüfungsjahre heilen würde. 1839 endlich gelang es dem Großherzog von Mecklenburg-Schwerin, bei Friedrich Wilhelm III. die Überführung des Gefangenen in die mecklenburgische Festung Dömitz zu erreichen. Als ein Jahr darauf Friedrich Wilhelm IV. nach seiner Thronbesteigung die Freilassung aller wegen politischer Verbrechen in preußischen Festungen Gefangengehaltenen verfügte, wurde Reuter, der nicht mehr in Preußen weilte, vergessen. Da befahl Mecklenburg von sich aus seine Freilassung.

Er war dreißig Jahre alt, als er in die Freiheit kam. Sieben Jahre davon hatte er im Gefängnis verbracht. Als ein dunkles Fragezeichen stand die Zukunft vor ihm. Von Natur reich begabt, voll guten Willens, aber haltlos, war er weder durch die Strenge und mißtrauische Erziehung des Vaters, noch durch die Härte des Staates und die Grausamkeit des Festungslebens in seinem Charakter gestärkt worden. Im Gegenteil, gerade durch die Festungshaft hatte er sich eine furchtbare Krankheit zugezogen. Was Wunder, wenn er sich auch jetzt nicht in der Freiheit zurechtfand. Er nahm das Studium der Rechte in Heidelberg wieder auf. Immer noch hielt der Vater an seinem Plane fest, den Sohn zu seinem Nachfolger zu machen. Aber wieder waren die Versuchungen stärker als sein Wille. Schon auf der Reise fiel er in Quedlinburg in sein altes Übel zurück. Er war selber aufs tiefste betrübt. „Ich bin zum Sterben müde und erschöpft", schrieb er am 14. Oktober von Kassel aus dem Vater, dem der Wirt in Quedlinburg von dem Zustand des Sohnes Nachricht gegeben hatte, „kann aber doch nicht unterlassen, alles anzuwenden, was zu deiner Beruhigung dient. Lieber, guter Vater, ich bin wahrhaft unglücklicher als du; ich mit

Schuld, du ohne Schuld; darin liegt der Unterschied." In Heidelberg nahmen ihn die Studenten als Märtyrer der Freiheit mit Begeisterung auf. Aber gerade die Freundschaft, mit der man ihn umgab, war die Gefahr, der er erlag. Wieder versank er in ein wüstes Bummel- und Zecherleben. In den Briefen an den Vater wechseln reumütige Selbstanklagen und zynische Schuldbekenntnisse mit guten Vorsätzen und Bitten um Geldsendungen. Wer will es dem Vater verdenken, wenn er die Hoffnung auf Besserung aufgab, sich mit dem Gedanken trug, den Sohn einer Anstalt zu überweisen, und ihn nach Hause bringen ließ.

Jetzt war es sein Bruder, Pastor Reuter in Jabel, der ihn bestimmte, mit dem Sohne noch einen letzten Versuch zu machen. Hatte das gelehrte Studium versagt, so sollte die Landwirtschaft ihm körperliche und geistige Genesung bringen. Auf seinen Rat brachte der Bürgermeister Reuter den Sohn bei dem Pächter Rust in Demzin als Lehrling unter. Und wirklich, das Landleben übte die heilende Kraft. Es wurde die hohe Schule seines Charakters und gab ihm neuen Lebensmut und Selbstsicherheit. In dieser Zeit lernte er seine spätere Frau, Luise Kuntze, kennen. Er hatte gehofft, mit der Zeit, wenn seine Ausbildung abgeschlossen sein würde, einen Hof kaufen zu können. Aber der Vater hatte das Vertrauen auf den Sohn völlig verloren und den Verkehr mit ihm eingestellt. Als er 1845 starb, umgab er das Erbteil des Sohnes mit derartigen Klauseln, daß dieser, wenn er Landwirt bleiben wollte, keine andere Aussicht hatte, als sein Leben lang als „Strom", als Angestellter von Hof zu Hof zu wandern. Er tat es noch fünf Jahre lang. Dann ließ er sich als Privatlehrer in Treptow nieder. Er gab Stunden in Englisch, Geographie, Geschichte, Mathematik, Naturwissenschaften, deutscher Literatur, vor allem aber in Zeichnen. Er eröffnete eine Turn- und Schwimmanstalt und verfertigte Porträts. Und allmählich fand er in diesem Vielerlei von Betätigung seinen eigentlichen Beruf. Er hatte schon während seiner Landwirtszeit Schilderungen des mecklenburgischen Bauernlebens entworfen. Jetzt brachte er, zunächst zur Unterhaltung in einem Freundeskreise, allerlei Anekdoten in plattdeutsche Verse, und als er sie 1852 unter dem Titel „Läuschen und Rimels" — Schnurren und Reimereien — gesammelt herausgab, war die erste Auflage in sechs Wochen vergriffen. Nun war ihm sein Weg gegeben. In der Prosaerzählung konnte er seine reiche Natur ausströmen. Er siedelte 1856 nach Neubrandenburg über, und hier und in Eisenach, wo er sich 1863 am Fuße der Wartburg ein Haus baute, entstanden von 1859 bis 1868 die Romane der „Olle Kamellen": Ut de Franzosentid; Ut mine Festungstid; Ut mine Stromtid; Dörchläuchting; De mecklenbörgschen Montecchi und Capuletti oder de Reis nah Konstantinopel. Er war einer der beliebtesten Erzähler Deutschlands geworden, und seine Gestalten, vor allem sein Inspektor Bräsig aus der „Stromtid", lebten wie Personen der alten Dichtung in der Phantasie des Volkes. In Eisenach starb er am 12. Juli 1874.

Wenn Otto Ludwig von den „heiligen Verhältnissen der Natur" gesprochen hat, von denen der Dichter auszugehen habe, so kennzeichnet dieser Ausdruck in noch höherem Maße das Schaffen Reuters. Man hat bei ihm wirklich das Gefühl, daß ein Stück Natur, ohne jede Beihilfe eines denkenden und gestaltenden Verstandes, in jedem seiner Werke Sprache geworden sei. Otto Ludwig hat das philosophische Erbe der Klassik und Romantik mit schroffen Worten ausgeschlagen. Reuter tut noch mehr. Er lehnt überhaupt für sich die allgemeine gelehrte Bildung ab. Sie hatte ja auch bei ihm versagt. Sie war allzu enge verbunden mit dem unglücklichen Wahn des Vaters, ihn zu seinem Nachfolger zu erziehen und die Lehrer des Sohnes in den Dienst dieses Planes zu stellen. Ob auch der Sohn immer wieder guten Willens zu sein versprach und gewiß auch selber an seine Vorsätze glaubte, so war die Kraft nicht in ihm, sie auszuführen, gerade weil die Natur in ihm sich gegen den gelehrten Zwang auflehnte. Erst wie sein Lebensweg nach Verirrung, Schuld und hartem Gewahrsam in die grünende Landschaft der Natur einbog, begann in den Tiefen seines Wesens jene Kraft sich zu regen, die seine Natur war: die Gabe der Erzählung. Er hat selber in der „Festungstid" von der Landwirtschaft gesagt, sie habe ihn gesund gemacht und ihm frischen Mut in die Adern gegossen. „Wenn einer auch nicht soviel dabei lernt wie ein anderer, der an das allergelehrteste Mastfutter auf einer Universität gesetzt ist, so gibt sie doch viel zu beobachten, und wenn einer nur nicht zu faul und zu kurzsichtig ist und ein bißchen über den Zaun des Gewerbes schaut, so findet er auch viel gute Kost für Verstand und Vernunft, und was er findet, ist frische grüne Weide, die unter dem blauen Himmel in Regen und Sonnenschein gewachsen ist und dem Menschen ganz anders bekommt, als das schwere gelehrte Mastfutter auf den Universitäten und die Stallfütterung hinter dem Schreibtisch."

Reuter hat lange ringen und irren müssen, bis er unter schweren Leiden die „Segnungen der Kultur" in sich überwunden und den Weg in die Natur, seine Natur, gefunden hatte. Als er aber soweit war, erblühte sie in seinem Werk mit unvergleichlichem Reichtum. Keiner der Dichter des Jahrhunderts, auch Gotthelf nicht, steht so unbedingt jenseits der geistigen Bewegung der Zeit. Er hat auch den letzten Rest der Romantik, ihrer Weltanschauung und Kunsttheorie, in sich ausgetilgt. Er hat sich aber auch niemals, wie Gottfried Keller, um die erkenntnistheoretische Grundlegung des Materialismus oder Realismus bemüht — das war ihm alles „gelehrtes Mastfutter". Er war so der reinste Realist, von Naturwirklichkeit genährt und durchströmt. Ein Erzähler ohne jegliche Problematik. Er hat selber einmal in der „Franzosentid" das Geheimnis seiner Erzählungskunst mit einem Bild aus dem Ackerbau sehr einfach umschrieben: Wenn einer eine Geschichte richtig erzählen wolle, dann müsse er es gerade so machen wie die Hacker und Pflüger, wenn sie einen Acker bestellen. Er müsse immer gradaus hacken, alles mitnehmen und keinen Ballen — keinen Strich unbearbeitetes Land zwischen den Furchen — stehen lassen. Aber wenn er dies auch alles befolge, so bleibe doch da und dort ein Ende liegen, und dann müsse er wieder umkehren und hier einen Keil ausspitzen und dort ein Ende nachholen. In der Tat ist seine Art zu erzählen die einfachste und natürlichste. Man spürt wenig von kunstvoller Gliederung, von bewußter Technik der Charakteristik. Er ist nur das Medium für das Leben der Natur selber, das sich durch ihn in Worte formt. Daher darf man auch nicht sagen, daß seine Erzählungen gerade so stark wirken würden, wenn er sie in der hochdeutschen Schriftsprache, statt im mecklenburgischen Platt, geschrieben hätte. Er konnte die Leute nicht anders sprechen lassen, als sie von Natur sprachen, und er mußte die ganze Atmosphäre der plattdeutschen Sprache um das Leben und Gehaben der Leute ausbreiten, wenn er natürlich, das heißt wahr sein wollte.

Auch seine ganze Lebensauffassung ist die des Landmanns, der in der Natur wirkt, und dessen Arbeit durch Himmel und Erde bedingt ist. So schwer das Leben ihm mitgespielt hat, die Schuld an dem Leiden trug die Kultur, nicht die Natur; die Natur blieb in ihm lebendig auch hinter den Mauern der Festung, weil sie das Geschenk eines unversieglich reichen Gemütes war. Das ist die Quelle des unbesieglichen Lebensglaubens, der Heiterkeit, des Humors, von dem Reuters Werke voll sind. Gewiß, auch ihm ist Bitterkeit beigemischt. Die fröhlichen Erlebnisse der „staatsverräterischen" Studenten in der „Festungstid" haben Festungsmauern zum Hintergrund, und jenes Werk, in dem der Humor am reichsten strömt, die „Stromtid", beginnt mit der sehr trüben Episode, da Habermann nach dem Tode seiner Frau mit ansehen muß, wie der hartherzige Gutsbesitzer Pomuchelskopp ihm Hab und Gut versteigern läßt. Aber die Bitterkeit, die in Reuters Humor mitschwingt, ist doch etwas anderes als die Herbheit bei Jean Paul oder E. T. A. Hoffmann. Bei diesen ist das Leidvolle und Dunkle an sich dem wirklichen Leben eingewoben. Man kann ihm nicht entfliehen, so lange und so weit man an ihm teil hat; denn das wirkliche Leben als solches ist durchaus mit dem Fluche des Engels am Paradiesestor behaftet. Man kann sich nur vor diesem Fluche in Sicherheit bringen, wenn man sich aus der armseligen Wirklichkeit in die Reinheit und Höhe des Lebens in Geist und Phantasie flüchtet. Nicht so Reuter. Er hat auch hier mit dem Idealismus der Romantik ein Ende gemacht. Die Blüten der Freude, der Erhebung, des Erfolges und des Glückes sprießen bei ihm aus der gleichen Erde, aus der auch Leid und Bitterkeit wachsen. Der Grund, aus dem sie wachsen, ist auch bei ihm dunkel und schwer. Aber der Blüten sind so viele, ein ganzes duftendes, farbiges Meer, daß darunter der dunkle Grund verschwindet. Sein eigenes Schicksal hat ihn gelehrt, daß, wenn nur der Boden und der Samen gesund sind, auch die mißhandeltste Pflanze schließlich gute Früchte trägt, daß auch das größte Leid sich einmal in Freude verwandeln muß und der ärgste Bösewicht bestraft wird. Habermann, der am Anfang der „Stromtid" als ein armer, mißhandelter, verhöhnter Witwer seinen Hof verlassen muß, steht am Schlusse als ein angesehener Inspektor vor uns, indes sein Feind Pomuchelskopp aus Land und Gut vertrieben wird.

Einem verwickelteren, tiefer in die Abgründe des Schicksals hinunterschauenden Geiste mag diese Lebensrechnung manchmal etwas zu einfach vorkommen, und sicherlich sind auch die meist belachten Späße des Onkels

Bräsig oft etwas billig; aber man darf doch nicht vergessen, daß Reuters Werk als Ganzes eine kostbare Bereicherung der deutschen Literatur des 19. Jahrhunderts bedeutet, die an wirklich lebendigen erzählenden Werken nicht allzu reich ist. Gerade er zeigt: was veraltet, ist immer das Werk des Verstandes; was bleibt, ist die Schöpfung des Gemütes.

Der fließend reichen Persönlichkeit Fritz Reuters steht die T h e o d o r S t o r m s gegenüber wie eine saubere, mit schönen alten Häusern bestandene Kleinstadtgasse einer weiten und fruchtbaren Landschaft. Sein Leben ist denn auch nicht von kämpfenden Naturgewalten geformt, sondern von den Mächten und Ereignissen des bürgerlichen Lebens, dem er angehört. Stets ist er geleitet von dem reinlichen Schicklichkeitsgefühl der wohlhabenden altstädtischen Kreise, und wenn er Glück oder Unglück erlebt, so stammt es von da.

Die Familie war, von der mütterlichen Seite her, schon lange in der kleinen Handelsstadt Husum an der Westküste von Schleswig-Holstein beheimatet. Diese war früher bedeutender und regsamer gewesen als zu Storms Zeit. Damals überwucherte die Vergangenheit die Gegenwart. Man lebte gemächlich in alten Häusern, die, mit alten Möbeln und Bildern gefüllt, nicht nur mit dicken Mauern, sondern auch dem Duft der Vergangenheit die Enkel umgaben und ihr Leben in festen, bewährten Formen sicher leiteten. Hier gab den Ausschlag, was man tat und nicht tat. Ehrwürdige Frauen walteten in den stillen Räumen als Trägerinnen der Überlieferung. Die Urgroßmutter lebte, bis Storm dreizehn Jahre alt war, die Großmutter, die bestimmend über seiner Erziehung waltete, noch viel länger. Die Überlieferung war ein bißchen lastend. Sie hemmte die starken Äußerungen des Gefühls; Storm bezeugt selber, daß er niemals von seiner Mutter umarmt und geküßt worden sei. Auf der Familie baute sich das ganze Leben auf. Sie war das, was nach innen und außen das Leben formte. Wobei zu der Familie nicht nur die Eltern und Kinder, die näheren und ferneren Verwandten, sondern auch die Dienstboten und andern Aushilfspersonen aller Art gehörten. Höhepunkte des Familienlebens waren die Feste, zu der die Alten und Jungen, die Nahen und Fernen sich versammelten, und die mit unendlicher Liebe in hergebrachten Formen vorbereitet, mit Andacht begangen wurden. Storm hat selber so bis an den Schluß seines Lebens das Weihnachtsfest mit geradezu religiöser Umständlichkeit vorbereitet und gefeiert, wobei das Religiöse sich nicht nur auf den eigentlichen Sinn des Festes, sondern auch auf das handwerkliche Drum und Dran bezog, die Herbeischaffung des Tannenbaumes und der Zweige, die Vergoldung der Nüsse, den vergoldeten „Märchenzweig“.

In Husum ist Storm am 14. September 1817 geboren. Da wuchs er heran und nahm die bestimmenden Eindrücke für sein Leben in sich auf. Die Gelehrtenschule vermittelte eine bescheidene Bildung, namentlich auch im Deutschen. Man las Schiller und Körner, auch Goethesche Gedichte, aber Uhland hielt Storm noch als Primaner für einen alten Minnesänger, und daß es auch in der Gegenwart noch Dichter gebe, ahnte er nicht. Als

er achtzehn Jahre alt war, trat er in die Prima des Lübecker Gymnasiums
über. Hier wurde ein Freund Geibels, der die Schule eben verlassen hatte,
Ferdinand Röse, sein Leiter durch die deutsche Literatur; vor allem
machte er ihn mit Heines Liedern bekannt. 1837 ging Storm nach Kiel
und begann, ohne Neigung, das Studium der Rechte. Er entbehrte der
genialen Urkraft Reuters und war so sehr im Pflichtgedanken auferzogen,
daß der Gegensatz zwischen seiner Liebe zur Dichtung und dem trockenen
Beruf niemals zerstörend in sein Leben eingriff. Einem ersten Jahr in Kiel
folgten drei Semester in Berlin. Auf den Winter 1839 kehrte er nach Kiel
zurück. Waren die Jahre des Studiums bisher ohne stärkere geistige Anregung gewesen, so fand er jetzt in den Brüdern Theodor und Tycho
Mommsen gleichgestimmte und für die Dichtung begeisterte Freunde. Mit
ihnen gemeinsam gab er 1843 das „Liederbuch dreier Freunde" heraus.
Dann machte er das Examen, ließ sich in seiner Vaterstadt als Rechts-
anwalt nieder und heiratete, so sehr war er in der Familie befangen, im
Herbst 1847 seine schöne Base Constanze Esmarch. Daneben war er
literarisch tätig. In dem von Biernatzki herausgegebenen Volksbuch für
die Herzogtümer Schleswig, Holstein und Lauenburg veröffentlichte er,
mit Theodor Mommsen, plattdeutsche Sprichwörter und Reime und ein-
heimische Sagen und Märchen, bald auch eigene Erzählungen, so 1850
„Immensee". 1851 gab er ein eigenes Bändchen, „Sommergeschichten und
Lieder", heraus.

So ließ er aus dem Boden der Heimat eine Dichtung emporwachsen, die
ihre Eigenart nicht in stark bewegten Handlungen, vielmehr in einer weh-
mütigen Erinnerungsstimmung trugen und damit dem ruhebedürftigen
Leben nach den Revolutionswirren von 1848 entsprachen, als plötzlich
von außen ein Sturm in diese Idylle hineinbrach und alles in Frage stellte,
was Storm teuer war: der Krieg mit Dänemark. Am 2. Juli 1850 wurde
ein Frieden geschlossen, der die Herzogtümer an Dänemark auslieferte.
Noch setzten die Schleswig-Holsteiner den Kampf fort und errangen bei
Idstedt am 25. Juli einen Sieg. Aber schließlich mußten sie der Übermacht
erliegen und sich zu Beginn des Jahres 1851 den Dänen unterwerfen, die
die Aufständischen nun durch Verbannung, Vermögensbeschlagnahmung
und Einkerkerung bestraften.

Storm hatte nicht persönlich am Kampfe teilgenommen, aber mit
Gedichten den Kampf und die Niederlage des Volkes begleitet. Er hatte
als Anwalt sich seiner Volksgenossen angenommen. Dafür wurde er nun
bestraft und, da er sich nicht unterwerfen wollte, 1853 aus der Heimat
verbannt. Er ging nach Preußen, das ihm eine Zuflucht bot. Als Assessor
wirkte er drei Jahre in Potsdam. Er liebte das preußische Wesen nicht,
aber das nahe Berlin bot dem Schriftsteller manche Anregung. Er war
Mitglied des Dichtervereins „Tunnel über der Spree". 1827 von dem
Wiener Witzbold Saphir als Sonntagsverein gegründet, hatte sich der
„Tunnel" zu der bedeutendsten Gesellschaft von Schriftstellern und Kunstfreunden konservativer und königstreuer Gesinnung entwickelt. Dichter
wie Christian Friedrich Scherenberg, einst berühmt durch seine Schlacht-

schilderungen, der Balladendichter Moritz von Strachwitz, Theodor Fontane, Emanuel Geibel, Paul Heyse, Heinrich Seidel, Felix Dahn gehörten dem „Tunnel" an, außerdem Beamte und Offiziere. Die Verfassung des Vereins war eine witzige oder witzelnde Nachahmung monarchischer Einrichtungen. An der Spritze, mit einem langen eulenbekrönten Szepter bewaffnet, stand das „angebetete Haupt". Die schöpferischen Mitglieder waren „Makulaturen", die bloßen Kunstfreunde „Klassiker", die Gäste „Runen". Die neuen Werke, die von den Verfassern an einem besonderen, mit zwei Lichtern erleuchteten Tischchen vorgelesen wurden, hießen „Späne". Sie wurden nach der Vorlesung von den Anwesenden der Reihe nach kritisiert. Man versteht, daß Storm in dem vereinsmäßigen Dichtbetrieb nicht heimisch wurde, so wenig wie sein Altersfreund Gottfried Keller. Lieber verkehrte er in einem kleineren Kreise, der eine Art Auszug aus dem „Tunnel" war, dem „Rütli", an dessen Jahrbuch „Argo" er mitarbeitete.

Nach den drei Potsdamer Lehrjahren wurde er als Kreisrichter nach Heiligenstadt versetzt. Hier wirkte er sieben Jahre, immerfort mit Sehnsucht der Heimat gedenkend. Inzwischen glomm in Schleswig-Holstein der Widerstand im geheimen weiter, und als 1863 Friedrich VII. starb, kam es zu einer neuen Erhebung. Ein preußisch-österreichisches Heer rückte im Januar 1864 in Jütland ein, die Dänen wurden besiegt, und es kam zur Abtrennung der Herzogtümer. Schon im Februar hatte Storm einen Ruf als Landvogt in Husum erhalten und angenommen. Am 12. März verließ er Heiligenstadt. „Gestern Abend", meldete er am 10. März dem Vater, „hielten wir noch Konzert. ‚Die Zerstörung Jerusalems', worauf wir fünfviertel Jahr geübt haben. Als ich zuletzt den vollen prächtigen Chor von über fünfzig Sängern, den ich gestiftet, dirigierte, als so aller Blicke an meinem Stäbchen hingen und die Tonwellen nun zum letzten Mal aus begeisterter Menschenbrust brausend hervorströmten, da mußte ich mein Herz in beide Hände fassen, um nicht in Tränen auszubrechen. Auch ich sang noch und sang aus meinem bewegten Herzen und mit mächtiger Stimme: ‚Du wirst ja dran gedenken, denn meine Seele sagt es mir'."

Innerlich gereift, dichterisch vertieft, kehrte er in die Heimat zurück, aber er mußte das Glück mit dem Verlust seiner Frau bezahlen, die ihm ein Jahr nach der Rückkehr entrissen wurde. Er verheiratete sich im Mai 1866 aufs neue, mit Dorothea Jensen, die zu ihm wie zu seiner verstorbenen Frau in verwandtschaftlichen Beziehungen stand. Er übte sein Amt bis 1880 aus, zuletzt als Amtsgerichtsrat. Dann ließ er sich auf dem Lande, in Hademarschen, ein Haus bauen. In das letzte Jahrzehnt seines Lebens gibt sein Briefwechsel mit Gottfried Keller reizvollen Einblick. Der ehemalige Landvogt von Husum und der einstige Staatsschreiber von Zürich erzählen einander von ihrem dichterischen Schaffen und den Werken der andern, offen, behutsam, von gegenseitiger Achtung und Freundschaft getragen. Auch von dem häuslichen Alltagsleben ist die Rede. Storm spricht lange und ausführlich von seiner Familie, und wenn er liebevoll von dem goldenen Märchenzweig und den anderen Vorbereitungen zum Weihnachtsfeste plaudert, so ist er sich nicht bewußt, wie schmerzlich solche Schilderungen des Familienglücks den fernen Freund treffen mußten, der einsam und wortkarg mit seiner mürrischen Schwester in einer Mietswohnung hauste.

Theodor Storm starb am 4. Juli 1888.

Man ist manchmal versucht, wenn man sein dichterisches Werk überschaut, ihn eher als einen Nachfahren der Romantik, denn als einen Realisten zu bezeichnen. In dem Werk des Realisten steht die sinnenhafte Wirklichkeit fest und farbig vor uns, jedes Ding klar umrissen und sicher an dem Platze, auf den es hingehört. Wie unsicher, fließend und verschwebend ist dagegen das Leben in Storms Erzählungen und Gedichten! Es ist bezeichnend, wie gern er einen andern statt seiner erzählen läßt, so in „Aquis submersus", in „John Riev", in „Ein Bekenntnis", oder wie seine Erzähler das Geschehene tief aus dem Gedächtnis emporheben. Er breitet so einen Schleier darum, rückt es in die blaue Ferne, wo die Farben in einem weichen Dämmerlicht verschwinden. Alles, was uns nahe auf den Leib gerückt ist, weckt unsere Beobachtungsgabe, zwingt unseren Verstand zur Auseinandersetzung, drängt uns sein eigenes Wesen auf und hemmt unser Fühlen. Anders, was uns ferne steht. Das Unbestimmte und für uns Unbestimmbare regt unser Gefühl an, es zu deuten. Die Dinge erscheinen uns reizvoller, geheimnisvoller. Die gleichen Dinge, die uns, in der Nähe betrachtet, kühl lassen, zwingen uns zum Träumen, wenn sie weit abgerückt sind. Storm weiß das. Er besitzt diese Kunst des Fernrückens in höchstem Grade. Er gleicht darin Eichendorff, dem Romantiker, und mit diesem teilt er auch das Gefühl der Unsicherheit alles Lebens. Mitten im Genuß des Besitzes kann ihn der Gedanke des Verlierens überfallen. Wie er im Mai 1856 in Berlin über einen Kirchhof geht und auf so manchem

185. Theodor Fontane (1819—1898)
Jugendbild von Georg Friedrich Kersting
Der Apothekerssohn hugenottischer Abstammung trat mit sechsundzwanzig Jahren als Lehrling in eine Berliner Apotheke ein.

186. Die Rosesche Apotheke in Berlin,
Spandauer Straße 77, in der Fontane seine Lehrjahre begann.

187. Fontane in den sechziger Jahren
Photographie
Nachdem Fontane den Apothekerberuf aufgegeben hatte und seit 1860 als Journalist tätig war, begann er mit Landschaftsschilderungen und Berichten.

188. Der alte Fontane am Schreibtisch seines Arbeitszimmers
Photographie
Fontanes Romane sind sämtlich Alterswerke. Etwa sechzig Jahre hatte Fontane Umwelt und Mitmenschen beobachtet, bevor er anfing, sie und ihre Probleme in seinen Zeit- und Gesellschaftsromanen darzustellen.

186 *Die Rosesche Apotheke in Berlin*   185 *Theodor Fontane (1819—1898)*

187
*Fontane
in den
sechziger Jahren*

188 *Der alte Fontane am Schreibtisch seines Arbeitszimmers*

189 *Das Stifter-Haus in Oberplan im Böhmerwald*

190 *Adalbert Stifter (1805 - 1865)*

191 *Amalie Mohaupt, verh. Stifter*

192 *Adalbert Stifter: Blick ins Tal*

Grabstein die Namen von Mann und Frau liest, denkt er sich einen, worauf einmal stehen wird: Theodor und Constanze Storm. „Das Wort Constanze", schreibt er seiner Frau, „müßte dann vorläufig offengelassen und später hineingeschrieben werden. Dann fiel mir plötzlich ein, es könnte ja vielleicht dann ein anderer Name hinter Constanze gehören, sie hat ja den und jenen gern gehabt, wer weiß, er könnte sich doch noch melden. — Als meine Gedanken sich so weit verirrt hatten, war mir, als wenn die Welt schon jetzt vor mir zusammenbräche, als wenn ich erstickt unter meinem Grabstein läge." Und auch drei Jahre später schreibt er ihr von der leisen Furcht, daß im letzten Grunde doch nichts Bestand habe, worauf unser Herz baut; „die Ahnung, daß man am Ende einsam verweht und verlorengeht; die Angst vor der Nacht des Vergessenwerdens, dem nicht zu entrinnen ist".

Aber gerade solche Äußerungen zeigen, daß das Gefühl der Unsicherheit alles Irdischen bei Storm eine ganz andere Wurzel hat als bei Eichendorff. Bei diesem steht hinter der Betonung der Unsicherheit des Irdischen der unerschütterliche Glaube an die Ewigkeit und Dauer des jenseitigen Daseins. Storm aber glaubt nicht mehr an eine persönliche Unsterblichkeit; man kann ihn nicht im eigentlichen Sinne einen Christen nennen. Er habe, erklärt er einmal, als Kind nie von diesen Dingen reden hören. Seine Mutter sei selten, der Vater nie zur Kirche gegangen. Von ihm habe man es nicht verlangt. So stehe er diesen Dingen unbefangen gegenüber. Er habe keinen Glauben von der Kindheit her. Er teilt aber auch den Glauben des Idealismus an die metaphysische Selbständigkeit des Geistes nicht mehr. Geist ist ihm, wie seinen mit dem Materialismus getauften Zeitgenossen, ein bloß menschlich-psychologischer Wert. Sein Unsicher-

189. Das Stifter-Haus in Oberplan im Böhmerwald,
in dem der Dichter als Sohn eines Webers und Flachshändlers geboren wurde.

190. Adalbert Stifter (1805—1865)
Gemälde von Georg Waldmüller
Stifter hatte sich in seiner Dichtung zu dem von ihm bezeichneten „sanften Gesetz" bekannt: Wie er auf die leisen Regungen der Natur und die feinen Bildungen ihrer Erscheinungen achtete, so beschrieb er als ethisches Ideal eine menschliche Welt der Einfachheit und Selbstbeherrschung, von der er wohl wußte, daß er sie nur erstreben, nicht aber verwirklichen konnte.

191. Amalie Mohaupt, verh. Stifter
Zeichnung von Ferdinand von Lampi, 1837
1837 heiratete Stifter Amalie Mohaupt. Die krisenhafte Ehe festigte eine aus gegenseitiger Nachsicht erwachsene Liebe.

192. Adalbert Stifter: Blick ins Tal
Wie Stifters Dichtungen sind seine Gemälde von der Andacht zur Landschaft geprägt.

769

heitsgefühl ist darum noch stärker als das Eichendorffs, der über die Vergänglichkeit des Irdischen mit tiefen Augen in die Ewigkeit schaut, weil es bei Storm auf der Überzeugung eines endgültigen Verfalls des körperlichen und geistigen Seins beruht: die Lebens- und Genußfreude Kellers ist ihm fremd, weil er, bei aller Verneinung der Selbständigkeit des Geistes, doch nicht nach außen, sondern nach innen gerichtet ist. Und dieses nach innen Gerichtetsein, das mehr gefühls- als verstandesmäßig ist, läßt ihn dann doch wieder, bei aller logischen Verneinung der Unsterblichkeit, mit der Idee sehnsüchtig spielen, bezeichnenderweise aus der Liebe zu Constanze heraus. Er schreibt ihr am 29. Oktober 1863: „Traumloser, das heißt völliger Schlaf ist ein zeitweiliges Aufhören des geistigen Lebens. So wird der Tod ein vollständiges sein. Denn warum sollten wir nicht vollständig aufhören, wenn wir zeitweilig aufhören? Du weißt es ja, ich glaube, daß der Tod das völlige Ende des einzelnen Menschen ist. Trotzdem drängt mich etwas, mich zu einem weiteren Fluge über diese Grenze hinaus zu rüsten, drängt es mich für diesen Flug ins Ungewisse, Grenzenlose mir eine Seele zu vermählen, die bereit, alles mit mir zu teilen bis an die letzte Grenze der Existenz, nur unzertrennlich mir gehören will. Du bist diese Seele, die ich suche." Aber das ist ein vereinzelter Ruf der Sehnsucht. Wie Constanze ihm entrissen wird, weist er den Unsterblichkeitsgedanken, der „gleich jenem Luftgespenst der Wüste" vor ihm gaukelt, von sich:

> „Unerbittliches Licht dringt ein;
> Und vor mir dehnt es sich,
> Öde, voll Entsetzen der Einsamkeit;
> Dort in der Ferne ahn' ich den Abgrund,
> Darin das Nichts."

Gleich seinem Sterbenden in dem so genannten Gedicht gab er niemals die „Vernunft gefangen". Es ist nur folgerichtig, wenn er, bei all seiner tiefen Liebe zu Constanze, doch kaum ein Jahr nach ihrem Tode sich schon wieder vermählte.

Denn an die Stelle des geistigen Weiterlebens tritt ihm das leibliche in der Familie, die ihm nicht nur eine Gemeinschaft der Lebenden, sondern ebensosehr der Lebenden mit den Toten ist. „In allen Winkeln und auf allen Dingen", so schildert er einmal diesen im Familienhause verkörperten Zusammenhang, „lagen die Schatten vergangener Dinge; von allen, die einst darin lebten und starben, war eine Spur zurückgeblieben; uns, die wir ihres Blutes waren, trat sie überall entgegen und gab uns das Gefühl des Zusammenhanges mit einer großen Sippschaft; denn auch die Toten gehörten mit dazu. Ja, einige von uns wollten wissen, daß das Leben jener noch nicht ganz vorüber sei, daß es zuweilen in Nächten oder in einsamer Mittagsstunde sich den Enkeln kundzugeben wisse." Die Familie ist so das Festeste und Heiligste in dem flüchtigen Wandeln aller Dinge. Sie ist auch der unantastbare sittliche Grund des bürgerlichen Daseins. Als Storms Freund Paul Heyse in seinem Roman „Im Paradiese" die Gewissensehe der staatlich und kirchlich sanktionierten Ehe gleichsetzte, erhob Storm Einspruch: „Dies Verhältnis," schrieb er ihm, „das der Träger des Staates ist, darf nicht nach Laune und Willkür des einzelnen aufgehoben werden können, sondern nur unter Bedingungen, die der allgemeine Wille (das Gesetz) als ausreichend anerkannt hat. Die Geschlechtsliebe zwischen Mann und Weib ist nur die Begründerin, keineswegs, ja nur zum kleinsten Teil, der Inhalt der Ehe."

Um das Heil und den Bestand der Familie als sittlicher Grundlage des Staates kreist die gesamte Novellistik Storms. Er ist ein Beamter gewesen wie sein Freund Keller. Aber unähnlich diesem nennt er sich einmal gegenüber Heyse ein Zoon apolitikon, ein unpolitisches Wesen, und er hat den politischen Fragen seiner Zeit nie Eingang in seine Erzählungen gestattet. Am Rande der Familie hörte seine dichterische Welt auf, wie sie an ihm begann. Die Mächte, die die Familie gründen und gewährleisten, aber auch die, die sie zerstören, sind die Probleme seiner Novellen: Die Heiligkeit des Lebens. In „Ein Bekenntnis" versündigt sich ein Arzt, indem er, vorschnell und ohne Kenntnis eines neuen Heilverfahrens, seiner leidenden Frau Gift reicht, um sie von ihren Schmerzen zu erlösen. Die Treue in der Liebe. Elisabeth in „Immensee" verletzt sie und wird daher in ihrer Vernunftehe nicht glücklich. Die Wahrhaftigkeit. In „Schweigen" wird die Ehe erst dann recht glücklich und der Gatte völlig gesund, nachdem er seiner Frau gestanden hat, daß er sie ursprünglich nur aus einem äußern Grund geheiratet hat. Der Stand. Storm bekennt sich im ganzen zu einer festen Standesordnung im bürgerlichen Leben. Aber in „Aquis submersus" zeigt er, wie das Standesvorurteil lebenzerstörend wirken kann. Er weiß, daß Geld und guter Name für das Gedeihen der Familie nötig sind, aber in „Hans und Heinz Kirch" läßt er einen Sohn daran zugrunde gehen, daß der Vater allzu stark an jenen Begriffen festhält. So entfaltet er in seinen Novellen die ganze sittliche Hierarchie der deutschen Familie. Sie ist ihm um so heiliger, als er den christlichen Unterbau des Lebens preisgegeben hat. Er hat sich mit seiner Selbstbeschränkung auf das Eheleben den Ausblick in die Weite und Höhe mehr gedanklich bestimmter Welten versperrt. Er hat sich auch den großen Roman versagt und sich mit der Novelle begnügt. Aber wie er diese zu einer sehr fein durchdachten Kunstform entwickelt hat, so beruht auch die Ordnung in seiner kleinen Welt auf einer bewundernswerten Feinheit und Wahrhaftigkeit des sittlichen Urteils.

Als Storm starb, schrieb T h e o d o r F o n t a n e an seine Tochter: „Heute kam die Nachricht von Storms Tod. Aber mit Blechmusik immer weiter und immer heiter vorwärts, bis man selbst fällt. Nur keine Sentimentalität. Was das Schmerzlichste ist, ist zugleich das Alltäglichste und Gleichgültigste." Er fühlte sich, trotz einer bis in die Tage des „Tunnels über die Spree" zurückreichenden Freundschaft, immer in einem starken Widerspruche gegenüber Storm. Er macht in seinem autobiographischen Werk „Von Zwanzig bis Dreißig" kein Hehl aus dem Gegensatz. Storm habe ihn für frivol gehalten; er selber rechnete Storm zu den „Generalpächtern der großen Liebesweltdomäne: die hier in Frage Kommenden unterscheiden nämlich zwei Küsse: den Himmelskuß und den Höllenkuß, eine Scheidung, die ich gelten lassen will. Aber was ich nicht gelten lassen kann, ist der diesen Erotikern eigene Zug, den von ihnen applizierten Kuß, er sei wie er sei, immer als einen Kuß von oben ... anzusehen. Zu dieser Gruppe der Weihekußmonopolisten gehörte Storm im höchsten Maße."

Für sich selber war Fontane, wie Marcell in „Frau Jenny Treibel", herzlich froh, daß er nicht zu den Feierlichen gehörte. Auf ihn selber paßt weitgehend, was er von den Märkern sagt: „Die Märker sind gesunden Geistes und unbestechlichen Gefühls, nüchtern, charaktervoll und anstellig ..., aber sie sind ohne rechte Begeisterungsfähigkeit und vor allem ohne rechte Liebenswürdigkeit." Immerhin war er von Geburt kein Märker, und das Märkische in ihm war ins Künstlerisch-Geistreiche und Liebenswürdig-Bewegliche aufgelöst. Denn sein Vater, der Nachkomme einer aus der Gascogne stammenden Refugiantenfamilie, seinem Berufe nach Apotheker, hatte das Gascognertum in seinem Blute bewahrt. Er muß ein geistreicher Charmeur gewesen sein, der es meisterhaft verstand, witzige Anekdoten zu erzählen, gelegentlich aufschnitt, den Frauen gern den Hof machte, wenn er wissenschaftliche Kenntnisse zum Besten gab, persönliche Anspielungen einmischte und im ganzen, ein Feind aller Sentimentalität, mit dem Leben spielte und es keinesfalls tragisch nahm, bis es ihm schließlich in lauter Anekdoten zerran. Auch die Mutter war französischen Ursprungs, aber in allem genau das Gegenteil des Vaters: genau und ordentlich, wo er sich gehen ließ, streng mit den Kindern, wo er erklärte, erziehen nütze nichts, peinlich auf die Formen der gesellschaftlichen Sitte achtend, wo er gern ein gewagtes Späßchen zum Besten gab.

Als Sohn dieser Eltern ist Theodor Fontane am 30. Dezember 1819 in Neu-Ruppin geboren, wo der Vater damals die Löwenapotheke innehatte. 1827 übernahm der Vater eine Apotheke in Swinemünde. Es war damals noch eine Kleinstadt von 4000 Einwohnern, ein unschönes Nest, aber von jener eigentümlichen Lebendigkeit, die Handel und Schiffahrt geben, mit einer Bevölkerung, die von ausgesprochen inernationalem Charakter und allem Spießbürgerlichen fremd war. Es gab eine höhere Gesellschaftsschicht darin, an deren Veranstaltungen die Fontanes sich, über ihre Mittel, eifrig beteiligten, während die Kinder sich in übermütigen Spielen mit Altersgenossen herumtrieben. Die Bildung übermittelte die Stadtschule, eine Zeitlang die Eltern, die Mutter planmäßig, der Vater planlos, aber mit persönlichen Bemerkungen und Anekdoten den Unterricht würzend, in der Geographie Historisches einflechtend.

Mit zwölf Jahren kam Fontane ins Gymnasium zu Ruppin und nach zwei Jahren in die Gewerbeschule nach Berlin. Der Unterricht war so, daß er es vorzog, statt zur Schule zu gehen, tagelang im Grunewald und auf der Jungfernheide herumzustreifen und sich zu einem Kryptogamenkenner auszubilden, oder in einer Konditorei die Zeitungen zu lesen. Dann folgten die Jahre als Apothekerlehrling und Gehilfe in Berlin, Leipzig und Dresden. Dazwischen wurde eifrig gedichtet: ein Epos, ein

Roman, Gedichte. Literarische Freundschaften wurden geschlossen. Dichtervereine, ein Lenauklub, ein Platenverein, ein Herweghverein, deren Mitglied er war, kennzeichnen nicht nur die stufenweise Entwicklung seines Geschmackes, sondern ebensosehr das Handwerksmäßige und Betriebsame seines damaligen literarischen Strebens. Ostern 1844 trat er als Einjährig-Freiwilliger ins Kaiser-Franz-Regiment in Berlin ein. Zwischenhinein fiel eine abenteuerliche Reise nach England mit einem Louisdor in der Tasche und sein Eintritt in den „Tunnel über der Spree"; er bekam den Rufnamen Lafontaine. Dann kehrte er wieder zum Beruf zurück und wurde Gehilfe in der Schachtschen Apotheke in Berlin. Während dieser Zeit verlobte er sich mit Emilie Kummer, seiner späteren Frau. Er erzählt in „Von Zwanzig bis Dreißig" das Ereignis ohne jede Sentimentalität: Ein Onkel feiert Geburtstag. Fontane ist durch seinen Dienst verhindert hinzugehen. Emilie findet sich ein. Fontanes Bruder bringt sie nachts bis zu seiner Apotheke, und von da begleitet Fontane sie nach Hause. „Da wir beide plauderhaft und etwas übermütig waren, so war an Verlegenheit nicht zu denken, und diese Verlegenheit kam auch kaum, als sich mir im Laufe des Gespräches mit einemmale die Betrachtung aufdrängte: Ja, nun ist es wohl eigentlich das Beste, dich zu verloben. Es war wenige Schritte vor der Weidendammerbrücke, daß mir der glücklichste Gedanke meines Lebens kam, und als ich die Brücke wieder um ebenso viele Schritte hinter mir hatte, war ich denn auch verlobt. Mir persönlich stand dies fest. Weil sich aber die dabei gesprochenen Worte von manchen früher gesprochenen nicht sehr wesentlich unterschieden, so nahm ich plötzlich, von einer kleinen Angst erfaßt, zum Abschiede noch einmal die Hand des Fräuleins und sagte ihr mit einer mir sonst fremden Herzlichkeit: ‚Wir sind nun aber wirklich verlobt'."

So kam das Revolutionsjahr. Karl Schurz hat in seinen Lebenserinnerungen von der „begeisterten Opferwilligkeit für die große Sache" gesprochen, „die damals mit seltener Allgemeinheit fast alle Bevölkerungsklassen durchdrang ... Es wird mir warm ums Herz, so oft ich mich in jene Tage zurückversetze!" Er habe in seiner Umgebung viele redliche Männer gekannt, die damals jeden Augenblick bereit gewesen wären, Stellung, Besitz, Aussichten, Leben, alles in die Schanze zu schlagen um die Freiheit des Volkes und für die Ehre und Größe des Vaterlandes. Schurz ist durch die Entwicklung des politischen Lebens in Deutschland nach Amerika getrieben worden. Fontane aber spricht von „der traurigen Kinderei", dem „Winkelriedunsinn der Revolution". Noch ließ er sich bei den darauffolgenden Wahlen für den Preußischen Landtag zum Wahlmann ernennen, dann war seine politische Laufbahn zu Ende. Zwei Jahre lang wirkte er in dem Berliner Krankenhause Bethanien als pharmazeutischer Instruktor zweier Diakonissinnen. Immer hatte in ihm die literarische Neigung mit dem bürgerlichen Berufe gestritten. Nun trug sie den Sieg davon. Als seine Tätigkeit im Bethanien abgeschlossen war, ließ er sich im Literarischen Bureau des Ministeriums des Innern als Diätar anstellen und heiratete. Aber das Literarische Bureau wurde nach ein paar Monaten wieder aufgehoben. In den Apothekerberuf wollte er nicht mehr zurückkehren. So wurde er freier Schriftsteller. Es brauchte seine ganze Spannkraft und Beweglichkeit, sich über Wasser zu halten. Zweimal war er in den fünfziger Jahren in England. Das erstemal 1852, um die altenglischen Balladen zu studieren. Das zweitemal, 1855—1859, als eine Art literarischer Attaché der preußischen Gesandtschaft; das Ministerium Manteuffel hatte damals, zur Verständigung mit England, eine deutsch-englische Korrespondenz begründet, deren Leiter Fontane war. Nach dem Sturz von Manteuffel kehrte er nach Berlin zurück und war nun bis 1870 in der Redaktion der Kreuzzeitung tätig. In dieser Zeit entstanden seine „Wanderungen durch die Mark Brandenburg". Auch die Schauplätze der Kriege von 1864 und 1866 besuchte er und verfaßte eine Schilderung des Schleswig-Holsteinischen und des Preußisch-Österreichischen Krieges. Als Berichterstatter im Deutsch-Französischen Kriege erlebte er das Mißgeschick, von den Franzosen gefangengenommen zu werden. Nur die Fürsprache hoher Persönlichkeiten rettete ihn vor dem Schicksal, als Spion erschossen zu werden. Nach dem Kriege war er fast zwei Jahrzehnte lang Theaterrezensent der Vossischen Zeitung. Er hat in dieser Tätigkeit die Entstehung des Naturalismus erlebt und fast als einziger der Alten mit verstehender Liebe das oft ungebärdige Schaffen der jungen Heißsporne verfolgt.

Er hatte, nachdem er 1851 einen Band Gedichte herausgegeben, Ende der siebenziger Jahre sich der erzählenden Prosa zugewendet und 1878 den Roman „Vor dem Sturm" veröffentlicht. Damit hatte er als fast Sechzigjähriger die Form gefunden, die seiner Begabung entsprach. Nun folgte Erzählung auf Erzählung: „L'Adultera" (1882); „Schach von Wuthenow" (1883); „Irrungen, Wirrungen" (1888); „Frau Jenny Treibel" (1892); „Effi Briest" (1895) u. a. Als er 1898 seinen letzten Roman, „Der Stechlin", herausgab, war er neunundsiebzig Jahre alt. Von den Jungen als Schutzgeist der aufstrebenden Literatur gefeiert, von den Älteren um seiner psychologisch unübertroffenen Schilderungen preußischer Art willen geschätzt, starb er am 20. September 1898 in Berlin.

Wenn man die autobiographischen Werke Fontanes betrachtet, „Meine Kinderjahre", „Von Zwanzig bis Dreißig" und die andern, so bildet ihren Inhalt der tatsächliche zeitliche Fortgang des Lebens, verbrämt mit geistreich amüsanten Episoden und Anekdoten zur Charakteristik von Menschen und Umständen. Es wird vermieden, auf Fragen der inneren Bildung, der geistigen Entwicklung direkt einzugehen. Es wird auch nicht aufgedeckt, wie der Mensch durch die Erfahrungen umgewandelt wird, wie ein Wechselverkehr zwischen innen und außen stattfindet. Das alles steht vielmehr zwischen den Zeilen zu lesen. Es geht Fontane nicht darum, eine Weltanschauung zu demonstrieren.

Fontane will überhaupt nichts von geistigen Kräften im Sinne einer weltanschaulichen Auseinandersetzung mehr wissen. Er ist über den Kampf der Meinungen, Idealismus, Materialismus usw. hinaus. Er ist durchaus Positivist. Er nimmt das Geschehen der Welt als gegeben an, macht sich keine Gedanken über seine innere Ursächlichkeit und betrachtet es als die Aufgabe des Dichters, es scharf zu beobachten, den Anteil der Menschen daran festzustellen, den Gang ihres Schicksals durch eigenes und fremdes Verhalten aufzudecken und all das möglichst wirkungsvoll vorzutragen. Die glücklichste Gemütsanlage befähigt ihn, auch den mißlichsten Situationen seines eigenen Lebens mit heiterer Überlegenheit gegenüberzustehen. Er besitzt etwas von jener Lessingischen Kunst, aus etwas Üblem etwas Gutes zu machen. Bezeichnend dafür ist jene Englandreise des Einjährig-Freiwilligen mit einem Louisdor in der Tasche. „Alles machte sich wie von selbst; sie säen nicht, sie ernten nicht, und ihr himmlischer Vater ernährt sie doch." Und er setzt hinzu: Es sei noch öfter so gegangen. Das ist die Lebenshaltung des laisser faire, laisser-aller. Man muß die Dinge gehen lassen, wie sie gehen; man kann ihren Lauf doch nicht ändern. Man steht als Steuermann auf einem Schiffe, das Wellen, Wirbeln und Untiefen ausgesetzt ist. Man kann nur das Steuerrad so drehen, daß das Schiff dennoch heil an sein Ziel kommt. Eine Episode im „Stechlin", in dem diese ironisch abwartende Haltung gegenüber den Dingen am stärksten entwickelt ist, ist hierfür bezeichnend. Bei den Landtagswahlen stehen dem konservativen alten Stechlin ein jüdischer Fortschrittsmann und ein Sozialdemokrat aus Berlin gegenüber. Stechlin unterliegt gegenüber dem Sozialdemokraten. Auf der Heimfahrt sieht er einen alten halbbetrunkenen Tagelöhner auf der Straße liegen und nimmt ihn in den Wagen. Dabei fragt er ihn, für wen er gestimmt habe, ob für den Juden Katzenstein oder den Sozialdemokraten Torgelow. Der Tagelöhner gesteht: Für Torgelow. Und warum? Er will für die armen Leute etwas tun. Sie bekommen ein Stück Kartoffelland, und man sagt auch, er sei klüger als die andern.

„Wird wohl", sagt Stechlin. „Aber er ist schon lange nich so klug wie ihr dumm seid. Habt ihr denn schon gehungert?"

„Nei, dat grad nich."

„Na, das kann aber noch kommen."

„Ach, gnäd'ger Herr, dat wird joa woll nich."

Unterdessen kommen sie zum Dorf, wo der Tagelöhner wohnt. Stechlin läßt ihn absteigen, mahnt ihn, er solle acht geben, daß er nicht falle, wenn die Pferde anrucken. „Und hier habt Ihr was. Aber nich mehr für heut. Für heut habt Ihr genug. Und nu macht, daß Ihr zu Bett kommt, und träumt vom Tüffelland."

Das ist Lebenskunst, die Fontane einmal so umschrieben hat: „Leicht zu leben ohne Leichtsinn, heiter zu sein ohne Ausgelassenheit, Mut zu haben ohne Übermut, Vertrauen und freudige Hingebung zu zeigen ohne türkischen Fatalismus." Aber es ist die Lebenskunst nicht eines jungen, sondern eines alten Menschen. Eines Menschen, der durch die Erfahrungen des Lebens reif und und weise geworden ist. Man versteht nun, warum die eigentliche Tätigkeit des Schriftstellers Fontane erst einsetzen konnte, als er an die Schwelle des Greisenalters gekommen war. Es brauchte die Abgeklärtheit und innere Ruhe des Alters, um solche durch Ironie und Humor geklärte, mit Lebensweisheit gefüllte Romane zu schreiben.

Es sind Romane eines überlegenen und heiteren Zuschauers, nicht eines innerlich beteiligten Kämpfers. Er steht gleichsam am Rande eines Stromes, in dem die Wellen fließen, die Schiffe fahren, Menschen getragen werden und manche ertrinken. Und alles Geschehen vollzieht sich nach Gesetzen, die zu beherrschen der Mensch ohnmächtig ist, nach einer Ordnung, die sich seinem Willen entzieht, und die er darum einfach anerkennen muß. Eine solche Ordnung bestimmt auch das Wesen und den Gang der menschlichen Gesellschaft, und Bildung ist, sich ihr zu fügen. Er hat diese gesellschaftliche Bildung mit ihren Gesetzen aufs höchste geachtet. „Man kann die Menschen vermeiden," sagte er einmal, „aber von dem Augenblick an, wo man mit ihnen verkehrt, hat man auch Verpflichtungen gegen sie. Man muß freundlich sein, sich angenehm zu machen suchen, und erst damit aufhören, wenn man wahrnimmt, daß alle diese Anstrengungen vergeblich sind." Er kann über feine Sitten und gebildeten Ton geradezu in Begeisterung geraten, wenn dieses Wort nicht für ihn zu stark ist. Als die höchste gesellschaftliche Bildung bezeichnet er: „Freiheit und Natürlichkeit bei Zartheit und Rücksichtnahme." Das ist das im besten Sinn Aristokratische in ihm und erklärt seine Vorliebe und sein Verständnis für den Adel, seine Abneigung gegen alles Bourgeoishafte und Spießerische.

Aber er weiß auch, daß es in der Natur des Menschen liegt, sich immer wieder störend gegen diese Ordnung aufzulehnen. Es ist mit dem Begriff der Ordnung gegeben, daß die Gesellschaft in Schichten aufgebaut ist, deren jede ihre besondere Bildung, ihren eigenen Sittenkodex hat, der den Angehörigen der einzelnen Schicht Verpflichtungen auferlegt.

So ist die sittliche Motivierung in Fontanes Erzählungen eine rein menschlich-gesellschaftliche; weder ein göttliches Sittengesetz noch eine allgültige Gesetzmäßigkeit der Natur bestimmt das Geschehen, sondern Brauch und Meinung der jeweiligen gesellschaftlichen Schicht, der die Menschen angehören. Sowohl in „L'Adultera" wie in „Effi Briest" steht im Mittelpunkt der Handlung ein Ehebruch. Aber während in „L'Adultera" sich Melanie nach ihrer Scheidung von dem jüdischen Kaufmann Vanderstraten wieder verheiratet und nach dem Geschäftserfolg ihres zweiten Mannes Rubehn gesellschaftlich wieder anerkannt wird, — ist Effi Briest nach der starren Moral ihrer Gesellschaftskreise selbst von ihren Eltern gemieden; erst auf den Tod krank darf sie zu ihnen zurückkehren.

Ebenso scharf stehen sich in der innern Motivierung des Geschehens „Schach von Wuthenow" und „Irrungen, Wirrungen" gegenüber. Beide stellen das voreheliche Verhältnis eines preußischen Junkers und Offiziers zu einem jungen Mädchen dar. In „Schach von Wuthenow" gehört dieses der gleichen adeligen Gesellschaftsschicht an, wie ihr Geliebter. Der Mann steht vor der Notwendigkeit, das Mädchen zu heiraten, um ihre Ehre zu schützen. Aber da sie pockennarbig ist und er fürchtet, sich durch die Heirat lächerlich zu machen, macht er formell seinen Fehltritt wieder gut, indem er sich mit ihr trauen läßt; hernach erschießt er sich, um der Lächerlichkeit zu entgehen. Dagegen ist in „Irrungen, Wirrungen" die

Geliebte des Offiziers die Tochter einer Glätterin. Für beide ist es, nach den herrschenden Standesbegriffen, die sie beide anerkennen, selbstverständlich, daß ihre Liebe zeitlich beschränkt sein wird, und daß es keine Heirat zwischen dem adeligen Offizier und dem Kind der Glätterin gibt. Sie freuen sich eine Zeitlang miteinander; dann schließt der Mann eine standesgemäße Heirat, und das Mädchen findet einen Mann, der ihr aus christlicher Liebe ihren Fehltritt verzeiht. Beide denken mit Sehnsucht und mit ein wenig Schmerz der schönen Tage ihrer Liebe; aber keines von beiden macht den Versuch, das Band zu zerreißen, das sie in ihrer Ehe geknüpft haben. Beiden steht das Sittengesetz ihres Kreises höher als die Stimme des Blutes.

So gilt im allgemeinen, was Fontane von dem Roman „Vor dem Sturm" im besonderen gesagt hat: „Ohne Mord und Brand und große Leidenschaftsgeschichte, habe ich mir einfach vorgesetzt, eine große Anzahl märkischer ... Figuren aus dem Winter 1812/13 vorzuführen ... Es war mir nicht um Konflikte zu tun, sondern um Schilderungen davon, wie das große Fühlen, das damals geboren wurde, die verschiedenartigsten Menschen vorfand, und wie es auf sie wirkte ... Ich beabsichtige nicht zu erschüttern, kaum stark zu fesseln. Nur liebenswürdige Gestalten sollen den Leser unterhalten, womöglich schließlich seine Liebe gewinnen, aber ohne Lärm und Eclat."

5. STIFTER UND RAABE

„Ist das Göttliche in der Kunst dem größten Realismus als
höchste Krone beigegeben, so steht das vollendete Kunstwerk
da. Wie bloßer Realismus grobe Last ist, so ist bloßer Idealismus unsichtbarer Dunst oder Narrheit."

Adalbert Stifter

Die realistische Dichtung gründet sich bei letzter Folgerichtigkeit auf
die Weltanschauung des Materialismus. Denn nur dem Bekenntnis zum
bloß stofflichen Wesen der Welt entspricht eine künstlerische Ausdrucks-
form, die die Dinge nicht als Geist geistreich wiedergibt, wie es die Romantik getan, sondern stofflich-körperlich, weil sie sie auch stofflich-körperlich erlebt. Geschichtlich betrachtet, vollzieht sich der Übergang von
der blassen romantischen Ideendichtung zum sinnenkräftigen und bunten
Realismus zur gleichen Zeit, wo die Hegelianische Metaphysik, die Konstruktion der Welt aus der Idee, umkippt zu der Auffassung, daß die
Welt als die Mannigfaltigkeit körperlich materieller Dinge von uns sinnlich wahrgenommen werde.

Allein das sind Einseitigkeiten des konstruktiven Verstandes, und die
Wirklichkeit, die nicht rational, sondern dynamisch ist, geht über sie hinweg. Höher als der einseitige Geistes- oder Sinnenmensch steht auch in der
Dichtung der nach beiden Richtungen begabte Vollmensch, bei dem sich
eine starke Sinnenbegabung mit einem ebenso kräftigen Blick für die
geistigen Tiefen der Welt paart. Goethe hat als Pantheist diese Doppel-
begabung besessen; auch der „Idealist" Schiller konnte, wenn er wollte,
wie in „Kabale und Liebe" oder in „Wallensteins Lager", einen Realismus zur Schau bringen, der es mit allen Wirklichkeitsschilderungen seiner
Zeit aufnahm. Sogar unter den Romantikern gibt es Realisten, die, wenn
sie wollen, sich durch scharfe Beobachtung und Wiedergabe der sinnenhaften Wirklichkeit hervortun, wie etwa Jean Paul und E. T. A. Hoffmann; und im beginnenden Realismus erscheint Jeremias Gotthelf als ein
Dichter, dessen Werke eine unerhörte Fülle von sinnenhafter Lebensbunt-
heit ausströmen, der sich zugleich aber mit unbedingter Entschiedenheit
zu dem Idealismus der christlichen Weltanschauung bekennt. Das Urteil
der Wissenschaft vermag höchstens die mittleren und kleineren Existenzen
unter den Dichtern zu erfassen und in seinen Fächern unterzubringen,
weil sie eben von vornherein stark durch die Richtung des Zeitverstandes
bestimmt sind und sich in der Zivilisation bewegen; die großen entziehen
sich ihm, weil sie in der Natur wurzeln und in überklimatische Höhen
emporragen. Auch in der Zeit des Vollrealismus gibt es Dichter, die man,
wie G. Keller und C. F. Meyer, nicht einseitig als Realisten bezeichnen
kann. Ihnen gesellen sich Stifter und Raabe zu. Beide haben in realistischer Umgebung sich das Bekenntnis zum geistigen Inhalt der Welt bewahrt. Es ist bei Raabe so ausdrücklich, daß man ihn überhaupt nicht,
oder nur sehr bedingt, zu den Realisten zählen kann.

Bei Adalbert Stifter ist es nicht belanglos, daß der Marktflecken Oberplan, aus dem er stammt, im Böhmerwald liegt. Es ist in seinem Wesen etwas vom Walde, wo Baum neben Baum tief in dem dunkeln Boden wurzelt, ruhig, fest, knorrig dasteht als etwas Selbstverständliches, von der Natur Gepflanztes, in der Natur Lebendes, wo Lage um Lage das gefallene Laub früherer Sommer den Boden bedeckt als Zeuge jahrzehnte-, ja jahrhundertealten Lebens, das Ganze eine still wachsende, von Gott gesetzte Ordnung der Natur, Vergangenheit und Gegenwart, Erde und Himmel, Ewigkeit und Zeitlichkeit, Jahr und Tag, Tier und Pflanze und Erde, groß und klein, alles mit gleichem Rechte neben-, unter- und übereinander, für- und gegeneinander wesend und webend. Da ist kein Hasten und Rennen, wie bei den Menschen der Stadt, nur stilles, langsames und unmerkliches Wachstum im ruhigen Wechsel der Jahreszeiten, und auch die Menschen, die im Wald oder am Wald arbeiten, haben etwas von dieser stillen Ruhe in ihr Tun und Wesen aufgenommen. In dem Kinde, das besinnlich in diesem Reiche aufwuchs, mußte sich diese große stille Gottesordnung der wachsenden Natur dem eigenen Wesen einbilden, um so mehr, als die Kirche, in deren Hut es lebte, in ihrem Gefüge im Gang der Jahrhunderte die gleiche Ordnung ausgebildet hatte.

In Oberplan ist Stifter am 23. Oktober 1805 geboren, ein Jahr nach Mörike, mit dem er so viel gemein hat. Der Vater, der Leineweber war, starb früh, der Knabe wuchs in der Pflege der Mutter und Großmutter auf. Er war ein Kind, das von früh auf die einfachen Dinge und Vorgänge in sich mit feinem Gemüte aufnahm als große Offenbarungen. Einer seiner frühesten Eindrücke war ein Kornhalm. „Da wächst ein Kornhalm", sagte er zu der Mutter. „Ich sehe den hohen schlanken Kornhalm so deutlich, als ob er neben meinem Schreibtisch stünde", setzt der Mann dazu. Man darf auch, was er in dem „Nachsommer" den Freiherrn von Risach über seine Kindheit erzählen läßt, als eigenes Bekenntnis Stifters auffassen: „Von Kindheit an hatte ich einen Trieb zur Hervorbringung von Dingen, die sinnlich wahrnehmbar sind. Bloße Beziehungen und Verhältnisse, sowie die Abziehung von Begriffen, hatten für mich wenig Wert... Diese sinnliche Regung... wurde bei mir, da ich heranwuchs, immer deutlicher und stärker. Ich hatte Freude an allem, was als Wahrnehmbares hervorgebracht wurde, an dem Keimen des ersten Gräsleins, an dem Knospen der Gesträuche, an dem Blühen der Gewächse, an dem ersten Reif, der ersten Schneeflocke, an dem Sausen des Windes, dem Rauschen des Regens, ja an dem Blitze und Donner, obwohl ich beide fürchtete. Ich ging zuschen, wenn die Zimmerleute Holz aushauten, wenn eine Hütte gezimmert, ein Brett angenagelt wurde. Ja, die Worte, die einen Gegenstand sinnlich vorstellbar bezeichneten, waren mir weit lieber, als die, welche ihn nur allgemein angaben. Ich zeichnete mit einem Rotstifte Hirsche, Reiter, Hunde, Blumen, mit Vorliebe aber Städte... Ich machte aus feuchtem Lehm Paläste, aus Holzrinde Altäre und Kirchen."

Mit dreizehn Jahren trat Stifter in die Schule der Benediktinerabtei Kremsmünster, und hier erschloß sich ihm eine weite Welt der Bildung in Natur und Geschichte: Sammlungen von Gemälden und Kunstwerken, die Geheimnisse des nächtlichen Himmels, in die das Fernrohr einzudringen suchte, die Hochgebirgswelt der Alpen. Gelehrte Männer schlossen ihm das klassische Altertum und die deutsche Literatur auf. Alles Wissen aber war eingebettet in den Glauben an die göttliche Weltregierung. „Das Schöne", so lehrte ihn der Philologe Pater Ignaz Reischl, „sei nichts anderes als das Göttliche in dem Kleide des Reizes dargestellt, das Göttliche aber sei in dem Herrn des Himmels ohne Schranken, im Menschen beschränkt; aber es sei sein eigentliches Wesen und Streben überall und unbedingt nach beglückender Entfaltung als Gutes, Wahres, Schönes in Religion, Wissenschaft, Kunst, Lebenswandel." Bereits begann er selber in Zeichnungen, Aquarellen und Gedichten von dieser Offenbarung des Göttlichen im menschlichen Werk Kunde zu geben.

Dann trat er, 1826, in die Universität zu Wien ein. Er hatte als Studium die Rechtswissenschaft gewählt, und er bestand auch wirklich die Prüfungen in den juristischen Fächern mit bestem Erfolg. Aber die Schlußprüfung zog er immer wieder hinaus, und schließlich verzichtete er darauf. Denn mehr als das Recht zogen ihn die Naturwissenschaft, die Dichtung, die Malerei an. In ihnen konnte er die Wunder der Natur erforschen und nachbilden, indes er zu dem künstlichen System der menschlichen Rechtsordnung kein inneres Verhältnis hatte. So wurde er mit der Fülle von Kenntnissen, die er in sich aufgesammelt, und mit dem Abscheu vor einer staatlichen Prüfung Privatlehrer. Daneben führte er das Leben eines Ästheten und Künstlers. Er glaubte sich damals mit seiner starken Empfindung für das Sinnenhafte der Natur zum Maler berufen. Dazu begann er aber auch zu schriftstellern. So schwankte er, reich begabt auf manchen Gebieten, aber ohne entschiedene Richtung seines schöpferischen Wollens, unschlüssig suchend jahrelang hin und her. Ähnlich ging es ihm in seinem Liebesleben. Er hatte Ende der Zwanzigerjahre ein schönes, gutes und stilles Mädchen, Fanny Greipl, kennengelernt, die Tochter eines begüterten Leinwandhändlers in Friedberg, zu der er eine tiefe Neigung faßte. Aber immer wieder störte er durch seine Unschlüssigkeit und Ungeschicklichkeit sich selber das zarte Verhältnis. So sehr er Fanny liebte, so wenig vermochte er selber an die Verwirklichung seiner Wünsche zu glauben — spricht er doch schon in seinem ersten Briefe an sie von seiner Liebe als „einem lieblichen Phantom, einem Kartenhaus, das der Wind über kurz oder lang umblasen werde" —, und wenn Fanny ihm wegen seiner Unschlüssigkeit Vorwürfe machte, so war er in seiner Umständlichkeit und Zagheit immer um das rechte Wort verlegen, ihre Zweifel an ihm zu zerstreuen. Dazu kam die Unsicherheit seiner äußern Lage. Er bewarb sich damals um mehrere Lehrstellen, hatte aber mit keiner Bewerbung Erfolg. So verstrich Jahr um Jahr, und schließlich wandte sich Fanny von dem ewig zögernden Liebhaber ab und reichte einem andern die Hand. Stifter aber, in der Verzweiflung seines Verlustes, verheiratete sich 1837 mit einer wenig gebildeten und armen Putzmacherin, Amalie Mohaupt. Sie hat ihn durch ihre außergewöhnliche Schönheit angezogen. Beide hatten in der an Konfliktstoff verschiedenster Art reichen Ehe einander viel nachzusehen.

Zufällig, ohne eigenes Zutun, glitt er in die Laufbahn des Schriftstellers hinein. Er hatte, neben seinen übrigen Liebhabereien, viel gelesen: Goethe und Jean Paul, Hoffmann und Tieck, und darüber selber angefangen, kleine Schilderungen und Erzählungen aufzuzeichnen. Eines Tages nun, es war im Jahre 1840, nachdem er im Schwarzenbergschen Garten an einer Novelle geschrieben und dann die Handschrift nachlässig in die Rocktasche gesteckt hatte, machte er einer Bekannten einen Besuch. Deren Töchterchen entdeckte die Papierblätter in der Tasche Stifters, zog sie mutwillig heraus, begann darin zu lesen und reichte sie darauf der Mutter mit dem Ausrufe: „Mama, der Stifter ist ein heimlicher Dichter; hier fliegt ein Mädchen in die Luft." Es war die Studie „Der Kondor", die sie so entdeckt hatte. Die Bekannte, selber schriftstellerisch tätig, vermittelte den Druck in einer Wiener Zeitschrift. Der ersten Studie folgten andere: „Das Heidedorf", „Der Hochwald", „Die Narrenburg", „Abdias", und 1844 erschienen ein erster und zweiter Band der gesammelten „Studien", die er 1850 mit dem sechsten Bande abschloß. Unbeirrt ging er in den aufgeregten vierziger Jahren seinen stillen Weg, mochte der berüchtigte Humorist Saphir ihn auch mit Spott überschütten, der Jungdeutsche Laube ihn angreifen und sogar Hebbel ihn mit dem Epigramm abtun:

> „Wißt ihr, warum euch die Käfer, die Butterblumen so glücken?
> Weil ihr die Menschen nicht kennt, weil ihr die Sterne nicht seht!
> Schauet ihr tief in die Herzen, wie könntet ihr schwärmen für Käfer?
> Säht ihr das Sonnensystem, sagt doch, was wär euch ein Strauß?
> Aber das muß so sein; damit ihr das Kleine vortrefflich
> Liefertet, hat die Natur klug euch das Große entrückt."

Als im März 1848 die Revolution in Österreich ausbrach, gehörte er als ein Mann des Maßes und der Freiheit jener Gruppe von Altliberalen an, die zwischen den starr am Alten festhaltenden Regierungstreuen und den entfesselten Befürwortern der Volksrechte den besinnlichen Weg der Mitte gingen. Sein Leben und Schaffen hatte ihn gelehrt, daß in der Natur alles seinen vorbestimmten, stillen und ruhigen Weg geht, und daß auch der Mensch gut tut, diesem Vorbild zu folgen. Die stürmischen Oktoberereignisse in Wien trafen ihn aufs tiefste. „Wie schrecklich mich die Wiener Ereignisse angegriffen", schrieb er am 21. November seinem Verleger Heckenast, „können Sie sich gar nicht vorstellen... Ich war im Oktober ganz gebrochen. Mögen Vernunft und Menschlichkeit siegen — zwei Dinge, die jetzt fast aus der Welt enflohen zu sein scheinen". „Was uns", hatte er schon am 28. Juni bekannt, „durch das ganze deutsche Land nottut, ist Charakter, ich glaube, daß felsenfeste Ehrenhaftigkeit (die mögen wohl sehr viele haben) und felsenfeste Gründlichkeit (die mögen wenige haben) jetzt mehr und nachhaltiger wirken würden, als Gelehrsamkeit und Kenntnisse. Was aber den allergrößten Schaden bringt, sind die unreifen Politiker, die in Träumen, Deklamationen und Phanta-

sien herumirren." Er beklagt sich über die „Schandliteratur unserer Tage:
Wenn einmal die Welt im Grimm aufstehen wird, um all das Bubenhafte,
das in unseren äußeren Zuständen ist, zu zertrümmern, dann wird die
geschändete Schönheitsgöttin auch wieder mit ihrem reinen Antlitz unter
uns wandeln ... Geschähe das nicht, so wären wir alle ohnehin verloren,
und das Proletariat würde, wie ein anderer Hunnenzug, über den Trümmern der Musen- und Gottheitstempel in trauriger Entmenschung pran-
gen. Das ist aber heute und im heutigen Europa unmöglich — eher bricht
die Knute über uns herein." Damals trat er aus dem stillen Abseits seiner
Studien in die politische Arena und verfaßte, zum Teil im Auftrage der
Regierung, Aufsätze über die Zeitfragen, so „Über das Freiheitsproblem",
„Über unsere gegenwärtige Lage", „Über den sittlichen Verfall der Völker".
Er kannte nur einen Weg, um aus der Verwirrung der Gemüter und Zustände herauszukommen. Das oberste Prinzip müsse sein, schrieb er am
26. April 1849, daß „Erziehung die erste und heiligste Pflicht des Staates
ist; denn darum haben wir ja den Staat, daß wir in ihm Menschen seien,
darum muß er uns zu Menschen machen, daß er Staatsbürger habe und
ein Staat sei, keine Strafanstalt, in der man immer Kanonen braucht, daß
die wilden Tiere nicht losbrechen". In diesem Sinne verfaßte er eine Reihe
von Aufsätzen über die Schule und die Schulbildung, die er im Sommer
und Herbst im „Wienerboten" veröffentlichte.

Es war nur die verdiente Folge dieser Bemühungen, wenn er nun endlich ein Schulamt erhielt und am 24. Oktober 1849 zum Inspektor der
Volksschule des Kronlandes ob der Enns in Linz ernannt wurde. Die
Stelle machte ihn finanziell unabhängig und befriedigte ihn auch durch
die Möglichkeit, wohltätig für die Schule zu wirken. Aber er kam sich in
Linz gegenüber Wien doch wie in der Verbannung vor, und sein Amt
schränkte seine Zeit zum dichterischen Schaffen ein. Er nahm seine Arbeiten wieder auf, aber er fand sie farblos. Überhaupt gefiel es ihm in der
neuen Zeit nicht mehr. Am 8. November 1851 klagte er: „O goldene
Zeit meiner früheren Unabhängigkeit, meines Wirkens, meiner Stellung.
Ich lebe und atme nur in der Klarheit, Reinheit, Ungestörtheit und Erhebung des Geistes und Gemütes — und wo ist all das hin seit 1848?
Meine treue Freundin, die mich so oft erfreut, getröstet, geliebt hat, die
Natur, auch diese hat ihr Antlitz geändert, seit man weiß, daß Menschen
in ihr herumgehen, die so sind, wie sie eben sind. Toren und Schlechte
sind in viel größerer Zahl, als ich je dachte." Aus dieser Stimmung entstand eine neue Sammlung von Erzählungen: „Bunte Steine", die 1853
erschienen. Und wiederum vier Jahre später beendete er den großen Roman „Der Nachsommer", an dem er zehn Jahre gearbeitet, und in dem
er das Tiefste niederlegen wollte, was er zu sagen hatte. Die Zeit, die 1848
nach seiner Ansicht aus den Fugen gegangen war, sollte in dem Roman
„das Kunstwerk eines reinen, einfachen, bewußten und abgeschlossenen
Lebens" erhalten. „Mit Gottes Hilfe glaube ich", schrieb er 1855 mitten
aus der Arbeit an dem Buche an seinen Verleger, „eine Modegeschichte
voll leerer oder schlechter Menschen nicht zu liefern. Einige große, tief-

gehende Gemüter sollen sich auftun und den Leser über sich erheben, wenn er nicht ohnehin größer ist als die Gestalten des Buches; dann wird er wenigstens sein Inneres in einem milden Abglanz außer sich erblicken ... Seit ich alles und jedes beiseitegelegt habe und mich nur in dieses Werk versenkt habe, wird es mir immer teurer, die Tagesstunden, die ich damit verbringe, sind meine schönsten. Ich hoffe hiermit etwas zu „dichten", nicht zu „machen". Die ganze Lage sowie die Charaktere der Menschen sollen nach meiner Meinung etwas Höheres sein, das den Leser über das gewöhnliche Leben hinaushebt und ihm einen Ton gibt, in dem er sich als Mensch reiner und größer empfindet." Damals, 1854/55, wurde der „Grüne Heinrich" vollendet, auch ein Buch tiefsten Bekennens, aber welch anderer Geist spiegelt sich darin! Wo Stifter sich aus der oberflächlichen und verworrenen Zeit in die idyllische Geistesruhe seines „Rosenberges" flüchtet, aus der Abgeklärtheit eines zur Reife gediehenen Lebens seinen Freiherrn von Risach in der schönen Ordnung eines gepflegten und geliebten Gartens seinen jungen Freund Gustav zur wahren innern Bildung erziehen und die Monate und Jahre wie das stille Wachsen der Natur jenseits der Zeit unmerklich dahingleiten läßt, da stellt Keller aus einem viel mehr zeitverpflichteten Gemüte den Kampf eines schöpferischen Menschen dar, der sich vor der politischen Bewegung nicht in das Reich der Bildung flüchtet, sondern die Kunst verläßt, um dem Staate zu dienen, den er, aus tiefer Verantwortlichkeit heraus, als die Aufgabe der neuen Zeit erkannt hat. Wohl hat auch Keller den Landschaftshintergrund mit den leuchtendsten und innigsten Farben gemalt, aber er liegt wie ein schönes Jugendmärchenland hinter dem tätigen Streben Heinrichs, nachdem dieser erkannt hat, daß die Natur dem Menschen nichts gibt, der sich in müßigem Träumen in sie verliert, sondern nur dem, der „selbst etwas ist ihr gegenüber". Der Gegensatz zwischen österreichischer verträumter Besinnlichkeit und schweizerischer Tatkraft stellt sich in den beiden großen Romanen dar.

Nach dem „Nachsommer" unternahm Stifter das noch größere Werk, das Werden eines Volkes zum Staate zu schildern. Es war ein mühsames Schaffen, die Aufgabe, bei aller Schönheit und Weisheit im einzelnen, zu groß für den Menschen, der im Grunde doch jenseits der staatsbildenden Gewalten gelebt hatte. Der „Witiko" erschien 1867. 1865 hatte sich Stifter in den Ruhestand versetzen lassen. Er litt schon, als er noch am „Witiko" arbeitete, an einem schweren Leberleiden. Die wenig freundliche Aufnahme, die sein „Witiko" bei Kritik und Leserschaft erfuhr, versetzte ihn in einen Zustand tiefster Niedergeschlagenheit. Auch Schulden quälten ihn. Schließlich geriet er, von unerträglichen körperlichen Schmerzen gepeinigt und ratlos in seelischer Bedrängnis, in eine derartige Verzweiflung, daß er sich in der Nacht vom 25. zum 26. Januar 1868 mit einem Rasiermesser einen tödlichen Schnitt am Halse beibrachte, an dem er nach zwei Tagen starb.

Man steht erschüttert vor diesem Ausgange des Dichters, der den „Nachsommer" geschrieben hat, und dessen Schaffen immer aufs neue das stille

Glück des einfachen Lebens preist. Sicherlich muß man sich hüten, Stifter als einen bloßen Bastler kleiner Idyllen, als einen harmlosen Darsteller leicht spießerischen Lebens aufzufassen. Wer einen „Nachsommer" schreibt, hat nicht nur die Schönheit und Tiefe wahrhafter und geordneter Bildung erfahren, sondern auch die Kräfte, die die Unbildung aus sich hervortreiben. Hat sein Lebenswerk etwas von dem stillen und geordneten Wachstum des Waldes, darin er aufgewachsen, so muß man sich auch bewußt sein, was für gewaltige Urkräfte tätig sein müssen, die mächtigen Stämme und alles, was sich an Pflanzen um sie herumrankt, aus der dunkeln Erde emporzutreiben. Sie waren auch in Stifter wirksam. Schon sein Äußeres bezeugt es. In dem „Leben und Haushalt dreier Wiener Studenten" hat er sich selber als einen jungen Mann „mit breiten Schultern und dem Ansatz zu einem felsenmäßigen Brustkasten" geschildert. Anderswo schreibt er sich einen „Klotz von einem Körper" zu. Daneben besaß er die feinste Empfindlichkeit der Sinne, eine unendliche Liebe zum Kleinen und Kleinsten, eine weibliche Zartheit des Fühlens. Er hegte, ähnlich wie Mörike, Pflanzen und Tiere mit hingebender Sorgfalt und konnte ganze Nächte aufbleiben, um das Aufblühen eines Kaktus abzuwarten. Einmal rief er mitten in der Nacht Freunde herbei, um das Wunder zu schauen, und als sie kamen, stand der Kaktus allein zwischen zwei brennenden Kerzen auf einem Tischchen. Rührend erzählt er seinem Verleger, wie er ein paar Wochen lang nicht habe arbeiten können, weil sein größerer Hund erkrankt sei. Zuerst sei es nicht bedeutend gewesen. Dann sei es bedenklich geworden. Er sei in Besorgnis gekommen, habe das Tier gepflegt wie einen Menschen. Nach Mitternacht sei er aufgestanden, habe

193. Wilhelm Raabe (1831—1910)
Ölbild von Hans Fechner, 1892

Raabe hat seine Romane stets den Armen und im Leben Benachteiligten gewidmet. Wie pessimistisch sein Grundton auch immer gestimmt sein mochte, so suchte er doch durch feinen, gelegentlich skurrilen Humor seinen Gestalten einen ideellen Ausgleich zu schaffen.

194. Das Berliner Wilhelm-Raabe-Haus in der Sperrlingsgasse
Dort wohnte der Dichter von 1854 bis 1856, als er seinen ersten Roman „Die Chronik der Sperrlingsgasse" unter dem Pseudonym Jacob Corvinus schrieb.

195. Emanuel Geibel (1815—1884)
Stich von August Semmler nach Gustav Quentell

Geibel war um die Mitte des neunzehnten Jahrhunderts einer der gefeiertsten Dichter. Seine problemlos-edlen Motive entsprachen den Idealen der Zeitgenossen.

196. Victor von Scheffel (1828—1886)
Der Rechtspraktikant Scheffel, der frühzeitig den Staatsdienst aufgab, weil er lieber malte und dichtete, ist einer der Lieblinge des problemscheuen Bürgertums der zweiten Hälfte des neunzehnten Jahrhunderts. Seine Butzenscheiben-Dichtungen gehören zur ungeistigen Pseudoromantik der Zeit.

193
Wilhelm Raabe
(1831 - 1910)

194
Das Berliner
Wilhelm-Raabe-Haus
in der Sperlingsgasse

195
Emanuel Geibel
(1815 - 1884)

196
Victor von Scheffel
(1828 - 1886)

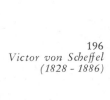

197
Detlev
von Liliencron
(1844—1909)

198
Namenzug
von Detlev
von Liliencron

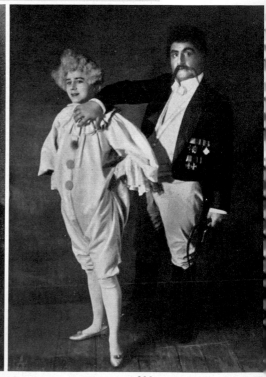

199   Frank Wedekind (1864 - 1918)

200
Frank Wedekind und Gertrud Eyson im „Erdgeis

das Zimmer geheizt, ein Nachtlicht angezündet. Als der Hund trotzdem gestorben sei, habe er ihn begraben.

Gerade diese innerliche Zartheit gab den dämonischen Kräften in ihm um so größere Gewalt und machte den Kampf gegen sie um so furchtbarer. Er wußte, was er sagte, wenn er in der Erzählung „Zuversicht" schreibt: „Wir alle haben eine tigerartige Anlage, wie wir eine himmlische haben, und wenn die tigerartige nicht geweckt wird, so meinen wir, sie sei gar nicht da, und es herrsche bloß die himmlische ... Der größte Mann — ich meine den Tugendhaften darunter — widersteht nur dem geweckten Tiger und läßt ihn nicht reißen, während der Schwache unterliegt und rasend wird. Wir alle können nicht wissen ..., welche unbekannten Tiere durch die schreckliche Gewalt der Tatsachen in uns emporgerufen werden können, so wenig wir wissen, wie wir im Falle eines Nervenfiebers reden oder tun würden ... Ich denke allemal, daß ich meinem Gott danken müsse, der mich so nebenher mit meinen kleinen Stürmen und Leidenschaften fertig werden läßt, da ich nicht ergründen kann, welche fürchterlichen in meinem Herzen schlafen geblieben sein mögen, die mich vielleicht unterjocht und zu Entsetzlichem getrieben hätten."

Betrachtet man Bilder Stifters, so ist man zunächst befangen von der großen plumpen Gestalt, die die eines Bauern ist, und dem breiten Gesichte mit den aufgeschwemmten Wangen. Aber dann fesseln einen der feingeschnittene Mund und der ruhige, klare, stete Blick, und man merkt, daß dieser Mann alles andere ist als ein Bauer. Die Naturwissenschaft hat in seiner Zeit ihren Siegeszug im Reiche der Welterkenntnis angetreten, der sie weit aus der früheren Verehrung des Göttlichen in der Natur hinausführte. Stifter folgte ihr in dem Ernste und der Tiefe des Beob-

197. Detlev von Liliencron (1844—1909)
Photographie
Aus der „Grande Misère" seines Lebens, nachdem er 1875 den Offiziersdienst aufgeben mußte, wuchs Liliencrons Dichtung. Die Erschütterung war stark genug, ihn in seinen Gedichten und Novellen zu einer selbständigen, fast naturalistischen Orientierung seiner Stellung zu Landschaft und Menschen zu nötigen. Aber seine Sehnsucht nach einem ihm gemäßen Leben ließ auch Wunsch- und Traumbilder samt ironischen Wendungen zu.

198. Namenszug von Detlev von Liliencron

199. Frank Wedekind (1864—1918)
Photographie
Wedekind war der Dramatiker der Geschlechtlichkeit. Seit er 1891 die „Kindertragödie" „Frühlingserwachen" geschrieben hatte, mit der er gegen den Moralbegriff des prüden Bürgertums antrat, suchte er immer wieder die hoffnungslose Unterlegenheit des Menschen unter den Sinnentrieb zu zeigen.

200. Frank Wedekind und Gertrud Eyson im „Erdgeist"

785

achtens und Forschens. Aber sein Betrachten führte ihn nicht von Gott weg, sondern immer tiefer in Gott hinein, und während die Wissenschaft seiner Zeit dahin kam, alles Geschehen auf mechanisch wirkende Ursachen zurückzuführen und den Schleier von dem göttlichen Geheimnis der Welt wegzuziehen, lehrte ihn sein Umgang mit den Dingen der Natur erst recht, vor dem Wunderbaren zu staunen, das sich ihm im einzelnen Ding wie im Zusammenhang des Ganzen offenbarte. Seine nichtbeengte Selbstbiographie beginnt er mit den Worten: „Es ist das kleinste Sandkörnchen ein Wunder, dessen Wesenheit man nicht ergründen kann. Daß es ist, daß seine Teile zusammenhängen, daß sie getrennt werden können, daß sie wieder Körner sind, daß die Trennung fortgesetzt werden kann, und wie weit, wird uns hienieden immer ein Geheimnis bleiben. Nur weniges, was unserem Sinne von ihm kund wird, und weniges, was in seiner Wechselwirkung mit anderen Dingen zu unserer Wahrnehmung gelangt, ist unser Eigentum, das andere ruht in Gott. Die großen Massen, davon es getrennt worden ist, und die den Bau unserer Erde bilden, sind uns in ihrer Eigenheit wie Sandkörnchen ... Ich bin oft vor den Erscheinungen meines Lebens, das einfach war, wie ein Halm wächst, in Verwunderung geraten."

Die Naturwissenschaft seiner Zeit hörte auf zu werten und richtete den beobachtenden Blick mit Vorliebe gerade auf die kleinsten und einfachsten Wesen, um aus ihnen Erkenntnis zu gewinnen. Stifter besitzt nicht dieses kühle Interesse, wohl aber die andächtige Liebe für das Kleine und Geringfügigste, das ihm so viel bedeutet wie das Große und Gewaltige. In der Vorrede zu den „Bunten Steinen" sagt er: „Es ist einmal gegen mich bemerkt worden, daß ich nur das Kleine bilde, und daß meine Menschen stets gewöhnliche Menschen seien ... Großes oder Kleines zu bilden hatte ich bei meinen Schriften überhaupt nie im Sinne, ich wurde von ganz anderen Gesetzen geleitet ... Das Wehen der Luft, das Rieseln des Wassers, das Wachsen der Getreide, das Wogen des Meeres, das Grünen der Erde, das Glänzen des Himmels, das Schimmern der Gestirne halte ich für groß; das prächtig einherziehende Gewitter, den Blitz, der Häuser spaltet, den Sturm, der die Brandung treibt, den feuerspeienden Berg, das Erdbeben, welches Länder verschüttet, halte ich nicht für größer als obige Erscheinungen, ja ich halte sie für kleiner, weil sie nur Wirkungen viel höherer Gesetze sind. Sie kommen auf einzelnen Stellen vor und sind die Ergebnisse einseitiger Ursachen. Die Kraft, welche die Milch im Töpfchen der armen Frau emporschwellen und übergehen macht, ist es auch, die die Lava in dem feuerspeienden Berge emportreibt und auf den Flächen der Berge hinabgleiten läßt. Nur augenfälliger sind diese Erscheinungen und reißen den Blick des Unkundigen und Unaufmerksamen mehr auf sich, während der Geisteszug des Forschers vorzüglich auf das Ganze und Allgemeine geht, und nur in ihm allein Großartigkeit zu erkennen vermag, weil es allein das Welterhaltende ist."

Wie in der Natur, so sieht er auch im Menschenleben das Kleine und Gewöhnliche für ebenso wichtig an, wie das Große und Gewaltige, weil auch in ihm sich die allgemeinen Gesetze der Welt kundgeben. „Ein ganzes

Leben voll Gerechtigkeit, Einfachheit, Bezwingung seiner selbst, Verstandesgemäßheit, Wirksamkeit in seinem Kreise, Bewunderung des Schönen, verbunden mit einem heiteren, gelassenen Streben, halte ich für groß; mächtige Bewegungen des Gemütes, furchtbar einherrollenden Zorn, Begier nach Rache, den entzündeten Geist, der nach Tätigkeit strebt, umreißt, ändert, zerstört und in der Erregung oft das eigene Leben hinwirft, halte ich nicht für größer, sondern für kleiner, da diese Dinge so gut nur Hervorbringungen einzelner und einseitiger Kräfte sind, wie Stürme, feuerspeiende Berge, Erdbeben. Wir wollen das sanfte Gesetz zu erblicken suchen, wodurch das menschliche Geschlecht geleitet wird."

Damit spricht Stifter selber Grund und Ziel seines Schaffens aus. Es ist bezeichnend, wie gern Stifter einen Menschen auf einen Berg stellt oder mit einem Luftballon in die Höhe steigen läßt, um von da aus mit bloßem Aug' oder mit einem Fernrohr das Große und das Kleine in der Welt zu betrachten; schon in der ersten Studie, dem „Kondor", ist eine solche Höhenfahrt in einem Ballon beschrieben. In der „Narrenburg" ist Prokopus ein Mann, dessen Geist „weitfliegend, auffordernd, angreifend ist ... ungenügsam in seinem Besitze und prüfend, ob er der rechte sei, eroberungslustig und freudig in Unbestimmtheit und Unendlichkeit, wo große Gewalten spielen, die hereindämmern und vielleicht einmal enthüllt werden müssen".

Aber trotz allem Forschen ist es dem Menschen nicht gegeben, das Geheimnis des göttlichen Waltens in der Welt zu ergründen. Es ist nicht nur ein „sanftes", sondern auch ein furchtbares Gesetz, das in der Natur wirkt. „Es liegt", sagt Stifter zu Beginn der Erzählung „Abdias", „wirklich etwas Schauerndes in der gelassenen Unschuld, womit die Naturgesetze wirken, daß uns ist, als lange ein unsichtbarer Arm aus der Wolke und tue vor unsern Augen das Unbegreifliche. Denn heute kommt mit derselben holden Miene Segen, und morgen geschieht das Entsetzliche. Und ist beides aus, dann ist in der Natur die Unbefangenheit wie früher ... Dieses war den Alten Fatum, furchtbar letzter, starrer Grund des Geschehenden, über den man nicht hinaussieht, und jenseits dessen auch nichts mehr ist, so daß ihm selber die Götter unterworfen sind; uns ist es Schicksal, also ein von einer höheren Macht Gesendetes, das wir empfangen sollen."

Stifter ward die Gnade zuteil, daß er sich immer wieder in sein stilles Reich abseits der Zeit zurückziehen konnte, weil er, der Sohn einer vergangenen Zeit, im sicheren Besitze des inneren Reichtums war und unentrückt an seine Kraft und Beglückung zu glauben vermochte. Dem fast ein Menschenalter jüngeren Wilhelm Raabe war diese Gnade des unangefochtenen Bildungsglückes nicht mehr beschieden. Er glaubte für sich daran, aber zugleich sah er die Entgeistung und Entwertung alles Lebens durch die Begierde nach dem äußeren Besitz drohend immer mehr über alles Menschenwerk Geltung gewinnen. Er kämpfte von dem sicheren Boden des Geistes dagegen, aber ohne die Hoffnung und den Glauben an den Sieg. So kommt, gegenüber der wundervollen Sicherheit und Ruhe

Stifters, etwas Gebrochenes und Zwiespältiges in sein Werk. Es ist in ihm nicht, wie bei Stifter, ein stilles und unberührtes, überzeitliches Reich der Schönheit, sondern Zeitliches und Ewiges, Häßliches und Reines liegt dicht nebeneinander, und indem letzten Endes das Zeitliche und Häßliche in der Wirklichkeit doch über das Ewige und Reine den Sieg davonträgt, ist sein Schaffen, wie sein Leben, von einem tiefen Pessimismus überdunkelt.

Kaum ein Dichterleben ist ärmer an äußeren Ereignissen oder gar spannenden Lagen als das Wilhelm Raabes. Es ist, bis er Schriftsteller wurde, die manchmal mühe- und enttäuschungsreiche Vorbereitung auf den Beruf; als er ihn gefunden, unablässige Arbeit am Schreibtisch. Was ihm Sinn und Inhalt gab, war die innere Geisteswelt, die Raabe in sich aufbaute. Sein eigentliches Leben liegt so in seinen Büchern. Er wurde am 8. September 1831 in dem Braunschweigischen Städtchen Eschershausen geboren als Sohn des Gerichtsaktuars, eines gebildeten, gewissenhaften Beamten und humorvollen Menschen, und seiner zarten, schlanken Gattin. In Holzminden, wohin der Vater bald nach der Geburt des Sohnes als Assessor versetzt wurde, brachte er seine frühe Jugend zu, besuchte die Bürgerschule und wurde ins Gymnasium aufgenommen. Aber schon 1842 wurde diese Ausbildung wieder durch die Versetzung des Vaters als Justizamtmann nach Stadtoldendorf unterbrochen. Etwas mehr als zwei Jahre übte der Amtmann seine Tätigkeit aus, da starb er zu Beginn des Jahres 1845 an einer Blinddarmentzündung; und die Mutter, auf den bescheidenen Ertrag eines kleinen Vermögens und eine noch bescheidenere Pension angewiesen, siedelte mit den Kindern nach Wolfenbüttel über. War Raabes Ausbildung schon durch den immer erneuten Ortswechsel gestört, so hinderten jetzt zeitweise ansteckende Krankheiten der Geschwister den regelmäßigen Schulbesuch und gewährten dem Knaben das Vergnügen, sich auf eigene Faust zu bilden, zu zeichnen, zu lesen und in der Natur herumzuwandern. Seine Leistungen in der Schule waren mäßig; nur im deutschen Aufsatz zeichnete er sich aus. All das wies nicht auf eine gelehrte Laufbahn. Man fand einen Ausweg in einer Buchhändlerlehre in Magdeburg. Von 1849 bis 1853 war er Buchhändler. Hatte er schon als Knabe viel gelesen, so war er nun hier an der Quelle. Er las die zeitgenössischen Erzähler des Auslandes, Eugène Sue, Alexandre Dumas père, Balzac, Walter Scott, Thackeray, Andersen, von den Deutschen E. T. A. Hoffmann, Auerbach, Heine, Freiligrath usw. Dagegen trat Jean Paul, mit dem er so viel Ähnlichkeit hat, zurück.

Inzwischen war, mitten in dieser Welt der Bücher, in ihm der Wunsch erwacht, selber Schriftsteller zu werden und sich dazu noch durch das Studium die geistige Grundlage zu verschaffen. Er kehrte nach Wolfenbüttel zurück und bereitete sich auf den Besuch der Universität vor. Aber die Maturität mißlang, und er konnte nur als Hörer in Berlin einige Vorlesungen besuchen; ein Fachstudium war ausgeschlossen und gar nicht nach seiner Neigung, hatte er doch bisher seine Ausbildung immer nur aus Liebhaberei und nicht als Pflicht betrieben. Dafür begann er zu schreiben, zum Teil im Kolleg. So entstand sein erstes Buch, „Die Chronik der

Sperlingsgasse", die er 1856 unter dem Decknamen Jakob Corvinus herausgab. Die idyllisch harmlose Schilderung kleiner Leute und ihres einfachen Lebens entsprach, nach dem 1848er Sturm, dem Bedürfnis der Deutschen nach Einkehr und Stille. So war das Buch ein Erfolg. Raabe hatte damit seinen Beruf gefunden. Er kehrte nach Wolfenbüttel zurück und heiratete. Er führte von da an das fleißige Leben eines Schriftstellers, das nur manchmal von Reisen und Wohnortsveränderungen äußerlich bewegt wurde. So reiste er 1858 durch Deutschland und Österreich. 1862 bis 1870 lebte er in Stuttgart. Dann ließ er sich in Braunschweig nieder, wo er am 15. November 1910 starb. In der großen Reihe seiner Erzählungen ragen hervor: „Der Hungerpastor" (1864), „Abu Telfan" (1869), „Der Schüdderump" (1870), „Im alten Eisen" (1887), „Akten des Vogelsangs" (1896).

Schon das Bild dieses Lebens, das äußerlich das eines arbeitsamen und gänzlich unromantischen Bürgers mit leicht spießerischen Zügen ist, läßt einen Rückschluß zu auf seine Beurteilung der Werte der Welt. In einem seiner bezeichnendsten Romane, dem „Hungerpastor", ist eine Schilderung, die geradezu als das Zentralsymbol seiner Stellung zum Leben aufgefaßt werden kann. Der Vater des Hungerpastors ist ein Schuster, der den Tag über in seiner dunkeln Werkstatt am niedrigen Arbeitstisch auf dem niedrigen Schemel sitzt, im scharfen Duft des Leders und des Pechs, während eine kleine Öllampe ihm leuchten muß. Aber ihr Licht fällt durch die schwebende Glaskugel auf den Arbeitstisch, und diese Glaskugel ist das Reich phantastischer Geister: „Es füllt die Einbildungskraft während der nachdenklichen Arbeit mit wunderlichen Gestalten und Bildern und gibt den Gedanken eine Färbung, wie sie ihnen keine andere Lampe, patentiert oder nicht patentiert, verleihen kann. Auf allerlei Reime, seltsame Märlein, Wundergeschichten und lustige und traurige Weltbegebenheiten verfällt man dabei ... Oder aber man fängt an, noch tiefer zu grübeln, und „Not" wird uns, „zu entsinnen des Lebens Anfang". Immer tiefer sehen wir in die leuchtende Kugel, und in dem Glase sehen wir das Universum in all seinen Gestalten und Naturen: durch die Pforten aller Himmel treten wir frei und erkennen sie mit all ihren Sternen und Elementen; höchste Ahnungen gehen uns auf." Raabe selber läßt diese Phantasie ausklingen in die Erinnerung an den Schuster Jakob Böhme.

Man sieht: zwei Welten stehen sich gegenüber. Die dunkle, enge, niedrige, scharf duftende und spärlich erleuchtete Schusterwerkstatt und der belichtete Raum der Glaskugel, das weite, hohe, freie und leuchtende Reich der Gedanken, Gesichte und Träume — Wirklichkeit und Geist. Es ist letzten Endes belanglos zu untersuchen, ob Raabe, als er den „Hungerpastor" schrieb, Schopenhauer schon gekannt hat oder nicht (er soll seine Werke erst 1868 gekauft haben, was nicht besagt, daß er sie nicht schon vorher kannte), wesentlich ist die Verwandtschaft dieses Bildes mit der Schopenhauerschen Grundauffassung der Welt. Für Schopenhauer besteht das eigentliche Wesen des Lebens in dem kosmischen Willen, der ohne sittliches Urteil und Gefühl einfach als rohe Kraft die Dinge vorwärtstreibt.

Darüber hinaus erbaut sich der Mensch ein Reich der geistigen Bildung, erschafft sich Vorstellungen des Wahren, Guten, Schönen — Wissenschaft, Sittlichkeit und Religion, Kunst, Güter, mit denen er das Leben lebenswert macht, indem er an sie glaubt als an Ideale. Aber gerade dieser Glaube erweist sich ihm als beständige Quelle des Leids. Denn die Wirklichkeit, in der der nackte Weltwille herrscht, ist weder geneigt noch imstande, seine Ansprüche an die Erfüllung der Ideale zu befriedigen. Er kann dem Leid nur dadurch entrinnen, daß er das Wesen seiner Ideale durchschaut, sie als Illusionen erkennt und auf sie verzichtet. So wird er mit der Zeit dahin gelangen, auch das unselige Walten des Willens in sich abzutöten, in das Nirwana der Weltentsagung eingehen.

Raabe teilt den Pessimismus Schopenhauers. Auch für ihn ist die Wirklichkeit dunkel, unsittlich und gefühllos. „Das Leben", sagt er, „gleicht einem befestigten Kirchhof des Mittelalters... Der Erdenmensch erlebt in einer Minute mehr Elend als das Tier der Erde vom Anfang bis zum Ende." Er spricht von der „verpfuschten Welt" des Herrgotts. Er sieht, und immer mehr, wie der unbändige Wille in seinen Zeitgenossen wühlt und sie hemmungslos antreibt, um jeden Preis Reichtümer anzuhäufen und sich Macht zu verschaffen, und wie unter dieser allmächtigen, allbeherrschenden Gier alle Güter des edeln Lebens im Geiste, an die die Deutschen ein Jahrhundert früher geglaubt und für die sie gelebt hatten, zu Illusionen verblassen. Hier aber tut sich nun die Kluft zwischen Raabe und Schopenhauer auf. Während dieser aus seiner Erkenntnis die letzte Folgerung zieht und auf den täuschenden Glanz der Illusion verzichtet, um, nicht glücklich, aber doch wenigstens leidlos zu sein, erklärt Raabe: „Der Mensch lebt von seinen Illusionen." So bleibt er in ihnen wohnen, weil er sie als die eigentliche Heimat der Seele betrachtet, als eine Welt, die, trotz allen Enttäuschungen und Verwundungen der mitleidlosen Wirklichkeit, den Menschen, der an sie glaubt und mit ihnen sein Leben füllt, stets aufs neue beglückt, weil sie den eigentlichen Inhalt und Wert seines Daseins ausmacht, ihm einen innern Reichtum schenkt, vor dem jeder äußere Erfolg — Geld, Macht, Rang, Ruhm — verblaßt. So ist Raabe ein Idealist wie Stifter. Nur vermag er nicht mehr an die göttliche Ordnung in der Natur zu glauben wie jener. Der Geist, der seinem Idealismus Form und Inhalt gibt, erfüllt nicht mehr die Welt mit seinem Licht, sondern nur noch die Brust des Menschen. Außer derselben herrscht das Dunkel.

Diese zweigeteilte Welt erscheint in allen Werken Raabes. Im „Hungerpastor" hat Hans Unwirrsch das elendeste Leben. Der Vater stirbt früh. Die Mutter erzieht ihn schlecht und recht. Er kann mit kargsten Mitteln Theologie studieren. In Hauslehrerstellen versagt er. Schließlich erhält er eine magere Pfarrei in einem armen Dorf am Meer, wo er seine ebenfalls arme Braut heiraten kann. Sein Gegenspieler ist der Jude Moses Freudenstein. Er wächst in der gleichen Gasse auf wie Unwirrsch. Sein Vater, ein Trödler, hinterläßt ihm einen Haufen Geld zum Studium. Er besteht die Maturität als Erster und studiert. Ein Aufenthalt in Paris gibt seiner

Bildung den letzten Schliff. Er kehrt wieder nach Deutschland zurück, kommt durch den Hauslehrer Unwirrsch in die Familie des Geheimrats Götz und gewinnt das Herz der Tochter des Geheimrats. Da die Eltern von einer Heirat nichts wissen wollen, entführt er sie. Als sie die Tochter enterben und verstoßen, mißhandelt er sie. Sie flieht von ihm und landet bei einem Schiffsbrand in dem Dorfe, wo Hans Unwirrsch Pfarrer ist. Ihr Mann aber lebt als Geheimer Hofrat in Wohlstand weiter.

In den „Drei Federn" ist die Geschichte eines Waisenknaben August Sonntag, dessen Vormund der Notar Hahnenberg wird. Dieser läßt ihn durch seinen Sekretär Pinnemann erziehen nach dem Grundsatz: Quae medicamenta non sanant, ferrum sanat — Was die Arzneimittel nicht heilen, heilt das Eisen. Augusts Vater ist an der Weichheit seines Gemütes früh zugrunde gegangen. Der Sohn soll hart werden, um dem Leben gewachsen zu sein. Der Agent Pinnemann sagt zu seinem Schützling: „Ich sage Ihnen, scharf, scharf sein ist die Parole; alberne Sentimentalität nützt zu nichts." Allen Enthusiasmus, alle Begeisterung, jede schöne Täuschung will dieser Erzieher seinem Pflegling aus der Seele zerren.

Das furchtbarste Symbol dieser harten und dunkeln Wirklichkeit hat Raabe in der Vorstellung des Schüdderump in dem so betitelten Roman geschaffen. Bei einem Reiseaufenthalt in einem langweiligen Städtchen zeigt ihm der Totengräber als einzige Sehenswürdigkeit einen Karren aus dem Pestjahre 1615, auf dem man die Leichen zum Kirchhof führte. Man brauchte nur einen Riegel wegzuschlagen, so tat die Maschine einen Ruck, kippte über und schüttelte die abscheuliche Last in die Grube. Das Knarren dieses Pestkarrens, dieser Schüdderump, tönt durch die ganze Erzählung, in der das traurige Schicksal der Tochter einer Dirne erzählt wird, und gibt zu allem Geschehen den dunkeln Hintergrund: „Wir haben wohl", beginnt ein Kapitel, „den Schüdderump gänzlich vergessen? Das Leben ging uns so leicht und weich ein, die Tage gingen wie auf samtnen Schuhen vorüber: Weshalb auch sollten wir in der guten Stunde selbstquälerisch das aufsuchen, was seinerzeit ohne Einladung nahen und sich nicht abhalten lassen wird! ... Horch, was war das? Vielleicht traf das Rad des widerwärtigen Karrens auf einen Stein am Wege, und so wurde die schauerliche Last ein wenig zusammengerüttelt, und den Ton vernahmen wir mitten im fröhlichen Behagen des Daseins, im Kreise der Freunde, einsam am warmen Ofen in der Winternacht, auf der Höhe des Gelags, unter den Kränzen der Hochzeitsfeier, im Theater, am Wirtshaustisch oder im tiefen traumlosen Schlaf. Das ist's! Und man fährt mit der Hand an die Stirn: so viel Lichter um uns her angezündet sein mögen, so hell die Sonne scheinen mag, auf einmal wissen wir wieder, daß wir aus dem Dunkeln kommen und in das Dunkle gehen, und daß auf Erden kein größeres Wunder ist, als daß wir dieses je für den kürzesten Moment vergessen konnten."

Aber muß man sich nun dieser dunkeln, von dem widerlichen Knarren des Leichenwagens durchtönten Welt mit Körper und Geist zu eigen geben? „Erkenntnis macht frei", sagt Raabe einmal; man könnte das

Wort im Schopenhauerschen Sinne als Verzicht auf die Illusionen auffassen. Aber das ganze Werk Raabes widersetzt sich dieser Auffassung. Die befreiende Erkenntnis ist vielmehr das geistige Darüberstehen — die romantische Ironie, wenn man will, nur daß sie für Raabe nicht die eingebildete Flügelkraft des Euphorion ist, sondern das tragende Schiff über dem bedrohlichen Abgrund des Lebensmeeres. „Das Behagen der Welt ist auf Märchen gestellt", heißt einer seiner Aussprüche. Weisheit ist, dies zu wissen und sich dennoch an den Märchen zu erfreuen. Raabes gesamtes Werk ist aus diesem Behagen entstanden. Das wirkliche Leben hat ihn nicht schonend in die Hand genommen, und auch seine „Märchen" haben ihm keinen goldenen Segen eingetragen. Und dennoch hat er immer wieder sich in ihr Reich geflüchtet, um so lieber und öfter, weil „alles, was wir von der Welt wissen, Umschreibungen unserer Unwissenheit" sind. In „Abu Telfan" hört Leonard Hagebucher, dessen Leben aus einer Kette von Enttäuschung, Unglück, Verkennung und Verachtung besteht, seinen Freund, den närrischen Schneider Täuberich-Pascha, einmal schluchzend fragen, ob das Leben Traum oder Wirklichkeit sei. Da kehrt er ihm den Rücken zu und ruft: „Wer weiß von der Welt, in der er lebt, und von sich selber mehr als dieser Kamerad hier hinter mir? Da lachen sie im Sonnenschein und treiben ihre Spiele, solange sie jung sind ... und alle glauben sie an ihr Spielzeug, nur dieser kluge Gesell hinter mir will nicht an das seinige glauben und nennt sich selber einen Narren! Womit spielt er, was sieht er? Das Meer und die Wüste, Paläste in den Wolken, Palmenwälder, schöne Mädchen und Gärten, so herrlich, wie niemand auf Erden sie pflanzen kann, sind ihm zu unbeschränkter Verfügung gestellt, und — er heult!"

Das ist die Wurzel von Raabes Humor. Er ist eigentlich kaum je das, was man lustig nennt, was einen zum Herauslachen zwingt, wie Reuters oder auch Kellers Humor. Er selber hat einmal gesagt, das, was man seine komische Heiterkeit nenne, sei nichts als das Atemschöpfen eines dem Ertrinken Nahen. Das Lachen Raabes geschieht immer unhörbar im Innern. Es ist jene überlegene Weisheit, mit der er auf die Spiele der Welt niedersieht. Die reine Höhenluft, die er über die dumpfen und häßlichen Dünste der Erde hinwegwehen läßt. Denn es fällt ihm gar nicht ein, die Gestalten und Dinge der alltäglichen Wirklichkeit, die er mit spielerischen Händen bastelt, ernst zu nehmen. Ernst ist nur, daß man mit ihnen spielen kann, daß man über ihnen in einem Reich geistiger Wirklichkeit lebt: dem Reich der tiefen und warmen Gefühle, der Gedanken, der Phantasie, des Wissens

Das scheint, im besten Sinne, romantisches Denken, ein Idealismus, der das Leben im Geiste als das eigentliche Wesen der Dinge betrachtet, demgegenüber die sogenannte Wirklichkeit, die sinnenhaft körperliche Welt, ein Reich der Schatten ist. Diese Wertverteilung bestimmt die besondere Erzählungsart Raabes, die Gleichgültigkeit gegen den regelrechten Fortgang der Handlung, gegen die Gesetze der Spannung, begründet das liebevoll plaudernde Verweilen beim einzelnen, auch wenn es, vom Gesichtspunkt des Erzählens aus, das Unwesentliche ist, das Umspinnen der äußern Geschehnisse und Situationen mit einem dichten und oft schier endlosen Gewebe von Betrachtungen, Einfällen, Gefühlsergüssen, Selbstgesprächen, das breite Anführen von manchmal entlegenen und merkwürdigen alten Büchern, das Einflechten von Ausdrücken aus fremden Sprachen, von geographischen und geschichtlichen Kenntnissen und die Freude an absonderlichen, jenseits der Gewöhnlichkeit des bürgerlichen Alltags dahinwandelnden, äußerlich grauen und abstoßenden, innerlich weichen und gemütstiefen Menschen, deren Anderssein schon komische Namen, wie etwa Schnarrwerk, ausdrücken, an einsam in Dachstuben hausenden verträumten Jünglingen. Sie alle stellen die Welt des geistigen Jenseits dar, das sich über den banalen Alltag ausbreitet, und das die Seelenheimat der wahrhaft guten, weisen und gemütvollen Menschen ist, ein inneres Beglücktsein trotz allem Mißgeschick und aller Mißachtung der Menschen. Romantischer Idealismus, aber durchsäuert und angefressen von dem Materialismus der Zeit, Romantik nicht mehr der Ideen und Ideale, des Glaubens an den weltdurchleuchtenden und weltgestaltenden Geist, sondern eine Pseudoromantik der Illusionen im Schopenhauerschen Sinne. Denn Raabe hat genug teil an seiner Zeit mit ihrer Verachtung des Geistes in Weisheit und Schönheit und mit ihrem unhemmbaren Streben nach irdischem Besitz, um zu wissen, daß die Macht, die das wirkliche Leben schafft und lenkt, kein sittlicher Weltgeist ist, und daß der Riß zwischen der heillosen, verworfenen Welt, darin wir leben müssen, und den geistigen Werten, darin die Besten leben, sich niemals schließen wird. Das gibt auch Raabes reinsten Schilderungen menschlichen Glückes jenen bitteren Beigeschmack, der der letzte Grund seines Humors ist.

Raabe hat sich mit dieser Art zu erzählen mehr und mehr aus dem Lesebedürfnis seiner Zeitgenossen hinausgeschrieben. Denn diese, vom Geld- und Machterwerb wie von einer unheilbaren Krankheit ergriffen, wollten auch im Dichtwerk ihre Welt des rastlosen Treibens und Schaffens für materielle Güter und materielles Glück, äußere Tatkraft und rasch vorschreitendes Leben finden, nicht behaglich plauderndes Verweilen in dem imaginären Reiche des Geistes. Es ging Raabe wie Stifter: sie waren Fremdlinge in ihrer Zeit.

6. DIE FLUCHT IN DIE VERGANGENHEIT

Scheffel / Geibel

> „Auf der Grundlage historischer Studien das
> Schöne und Darstellbare einer Epoche um-
> spannend, darf der Roman auch wohl verlangen,
> als ebenbürtiger Bruder der Geschichte anerkannt
> zu werden."

Joseph Victor von Scheffel

Mächtig haben sich im 19. Jahrhundert die Natur- und die Geschichtswissenschaften entwickelt. Beide strebten danach, frei von philosophischer
Spekulation und religiöser, politischer oder persönlicher Voreingenomen-
heit die reine Wahrheit zu finden, die Naturwissenschaften, Wesen und
Geschehen der Natur auf allgemein gültige und unverbrüchliche Gesetze
zurückzuführen und durch quantitative Meßmethoden zu bestimmen; die
Geschichtswissenschaften, festzustellen, wie es eigentlich gewesen ist. Es ist
die Idee des Positivismus, der reinen Tatsachenforschung, wie sie Auguste
Comte 1824 entwickelt hat, die den Methoden beider Wissenschaftsgrup-
pen zugrunde liegt.

Aber verschieden haben beide auf das Leben und Schaffen der Dichter
und die Geschichte der Dichtung gewirkt. Die Naturwissenschaften haben,
in Verbindung mit der Wendung der nachhegelschen Philosophie zum
Materialismus, einen entscheidenden Einfluß auf das weltanschauliche
Denken ausgeübt. Die Werke Gottfried Kellers, Freiligraths, Storms,
Fontanes und anderer zeigen, wie positivistisch-materialistisches Denken
das von der Aufklärung, der Klassik und Romantik übernommene
Gedankengut auflöst und den Menschen, dessen Schicksale man schildert,
ohne jeden Aufblick auf übermenschlich jenseitige, metaphysische oder
göttliche Mächte im Raum des irdischen Daseins darstellt, sein Leben, wie
das Geschehen auf der Welt überhaupt, als das Ergebnis seelischer Bedingtheit, rein menschlichen Fühlens, Denkens und Wollens zu begreifen sucht,
die sittliche Lebensordnung und das Verhältnis von Schuld und Sühne
mit rein natürlich-menschlichem Maßstabe mißt.

Den Geschichtswissenschaften war diese gedanklich-weltanschauliche
Lenkung des dichterischen Schaffens versagt; denn sie sind in ihrer Erklärung und Begründung des menschlichen Geschehens auf das von außen in
ihren geistigen Raum hereinragende allgemeine Denken der Zeit in
Religion, Philosophie und Wissenschaft angewiesen, so auch diesmal auf
die allgemeine Umlenkung des Zeitdenkens aus der idealistischen in die
materialistische Bahn durch Naturwissenschaft und Philosophie. Was sie

ihrerseits der Dichtung schenkten, war Stoff: Aufschließung bedeutender und an Spannung reicher Zeiträume, äußerlich oder innerlich interessanter Schicksale hervorragender Persönlichkeiten. Das war schon bisher so gewesen, seitdem im 17. Jahrhundert die großen romanhaften Geschichtsklitterungen entstanden. Aber je mehr nun im 19. Jahrhundert auch die Arbeit in den Geschichtswissenschaften sich steigerte, um so reichlicher strömten aus ihren Ergebnissen Stoffmassen in das dichterische Schaffen hinein. Die geschichtliche Dichtung bot, was die Gegenwart mehr und mehr versagte: Größe des Geschehens und der Menschen, Weite der Perspektive, Glanz des Kostüms. Die Geschichte wurde so für manchen Dichter Ersatz für die nüchterne und spießerhafte Gegenwart, ein Reich ruhmvoller Taten, wo die Gegenwart bloß ein öder Fabriksaal oder eine Großstadtstraße war.

Zugleich aber wurde man sich, und immer ernster, je mehr der Begriff der Geschichte im Sinne des Positivismus sich versachlichte, eines innern Widerspruches bewußt, den die Behandlung geschichtlicher Überlieferungen im dichterischen Werke in sich trug: des Widerspruches zwischen Wahrheit und Dichtung. Er bestand für die Dichter des Barocks und der Aufklärung noch nicht. Denn für sie war das Reich der Geschichte ein Jagdgrund fruchtbarer Stoffe, die dem Doppelzweck der Belehrung und Unterhaltung dienen konnten. Ob, was die geschichtliche Überlieferung meldete, und der Dichter übernahm oder umformte, in streng wissenschaftlichem Sinne auch wirklich so geschehen war, das war eine Frage, die aufzuwerfen keinem einfiel, weil die Menschen jener Zeit viel zu viel in der Gegenwart lebten und mit ihren eigenen Anliegen beschäftigt waren, als daß sie das Bedürfnis gehabt hätten, das tatsächliche So-Sein früherer Zeiten und Menschen festzustellen — sie nahmen ja auch die Erzählungen der Bibel für Wahrheit, indem sie an sie glaubten. Eine Schicksalsfrage für die Dichtung wurde das Verhältnis Geschichte und Dichtung erst, als im 19. Jahrhundert die Wissenschaft den Begriff der geschichtlichen Wahrheit zu einer nicht geglaubten, sondern beglaubigten Richtigkeit verfeinerte. Nun konnte man dem Dichter das Recht bestreiten, geschichtliche Stoffe darzustellen; denn wenn er sich in seiner Darstellung genau an die Ergebnisse der Geschichtsforschung hielt, so war, was er gab, keine Dichtung mehr; ließ er dagegen, unbekümmert um die gesicherten Feststellungen der Wissenschaft, seiner Phantasie ihren Lauf, so machte er sich der Fälschung schuldig. Das waren die Szylla und Charybdis, zwischen denen die Dichter den schmalen Paß in die Heimat der Kunst finden mußten.

Es ist klar, daß das schöpferisch freie Gestalten neuen Stoffes einerseits, das deutende Ausmalen geschichtlich gegebener Vorgänge und Personen andererseits zwei grundsätzlich verschiedene seelische Veranlagungen und, wie man schließen darf, Lebensgestaltungen voraussetzt. Die erste Art umfaßt eigentliche Dichter; ihre Persönlichkeit wie ihr Leben sind das Ergebnis von oft unsäglich schweren Irrungen, Stürmen, einem Auf und Ab von Leidenschaften, inneren und äußeren Schicksalsschlägen.

Dieses Leidenschaftlich-Menschliche — man denke an Bürger, Schubart, Goethe, Hölderlin, Kleist — macht das Leben solcher Persönlichkeiten zwar oft sehr schmerzlich, aber seelisch ebenso aufschlußreich wie geistig wertvoll, ganz abgesehen von der dadurch bedingten künstlerischen Verklärung im Werke. Goethe mußte die Gretchentragödie erst leidvoll erleben, bevor er sie im „Faust" zu gestalten vermochte. Ganz anders formt sich die Persönlichkeit des historisierenden Poeten. Er kann Erlebnisdichter sein, wie etwa C. F. Meyer. Meist aber gleicht er in Charakter und Leben dem wissenschaftlichen Arbeiter, und zwar nicht dem Naturforscher und Physiker, dessen Wirken von ungeheuren Spannungen erfüllt sein kann, wenn es sich um die Lösung eines großen Problems handelt, sondern eben dem Geschichtsforscher, der aus Urkunden in fleißiger Kleinarbeit die Gestalt längst vergangenen Lebens erschließt und dabei nur vor Einzelfragen steht — sein Werk greift ja auch nicht einschneidend und umstürzend in das Leben der Zeit ein, wie oft genug das des exakten Forschers, man denke an die X-Strahlen oder neuestens die Atomzertrümmerung. Gleich dem Geschichtsforscher ist auch der historisierende Dichter meist so geartet, daß sein Leben eine ruhige, sozusagen normale Gestalt bekommt; der Intellekt ist so vorherrschend, daß er das Leben in feste Zucht nimmt.

So bewegt sich der Lebensgang Joseph Viktor Scheffels zwischen Wissenschaft und Dichtung. Aber es mischen sich in ihm die beiden Tätigkeiten, die künstlerische und die wissenschaftliche nicht mehr in harmloser Selbstverständlichkeit, wie etwa bei Wilibald Alexis' (eigentlich Wilhelm Häring 1798—1871) Romanen, die Personen und Geschehnisse der märkisch-brandenburgischen Geschichte darstellen („Cabanis" 1832, „Der Roland von Berlin" 1840, „Die Hosen des Herrn von Bredow" 1846). Das Nebeneinander von Dichtung und Wissenschaft, ob Scheffel für ihre Vereinigung auch eine Formel fand, ist doch, wenn man tiefer sieht, der innere Widerspruch gewesen, der sein Schaffen und sein Leben schließlich zersetzte. Er war, jünger als Alexis und ohne das leidenschaftliche Innenleben und die herrisch gestaltende Phantasie eines C. F. Meyer, schon tiefer in das streng wissenschaftliche Denken des Positivismus eingewachsen, das schließlich auf dem Gebiete der Geschichte der dichterischen Phantasie ihr Recht bestritt.

In Scheffels geistiger Entwicklung ist die Mutter der bestimmende Teil, wie er denn auch, als er am 16. Februar 1826 in Karlsruhe geboren wurde, nach ihr, deren Mädchenname Josefine Krederer gewesen war, seinen ersten Vornamen erhielt; sie war dichterisch begabt, verfaßte Gedichte und dramatische Stücke in hochdeutscher Sprache und alemannischer Mundart und war aufgeschlossenen und fröhlichen Gemütes. In einem gebildeten und begüterten Hause — der Vater war Baurat — wuchs Scheffel auf, besuchte das Karlsruher Lyzeum, in dem Hebel und der Konstanzer Bistumsverweser Heinrich von Wessenberg eine freie Bildung begründet hatten, und begann 1843 in München das Studium der Rechte, das ihn aber weniger fesselte als Kunst und Kunstgeschichte; der Kunsthistoriker Friedrich

Eggers wurde sein Freund; Moritz von Schwind, Kaulbach und Cornelius und den Bildhauer Ludwig von Schwanthaler bewunderte er, und seinen Umgang bildeten mehr Künstler als Juristen. Als begabter Zeichner liebäugelte er selber mit der Malerei. Aber zunächst verlangte die Jugend ihr Recht. Denn als er auf das Wintersemester 1844 nach Heidelberg ging, hob ein feuchtfröhliches Studentenleben an. Die Neckarstadt war damals längst nicht mehr der Ort romantischer Schwärmerei wie zu Anfang des Jahrhunderts. Auch die Tage, da die deutschen Studenten in der Burschenschaft für Einheit und Freiheit gekämpft hatten, waren vorbei. Biergemütlichkeit und ausgelassene Fröhlichkeit herrschten, denen Paukereien und landsmannschaftliche Reibereien einen Schein von ernsterem Streben gaben. Die Aufgeregtheit der Zeit spiegelte sich in immer neuen Spaltungen und Gründungen. Scheffel war einer der eifrigsten. War er zuerst in dem Korps Suevia gewesen, so half er bald die Burschenschaft Alemannia gründen. Aus dieser bildete sich die Neue Alemannia, und, als diese einging, die Teutonia, von der sich wiederum die Frankonia abzweigte — Scheffel hatte sich jeweils eifrig an den Neugründungen beteiligt.

Der Aufenthalt in Heidelberg dauerte zwei Semester; dann ging es für ein Jahr nach Berlin. Wieder fesselte ihn hier, diesmal als Mitglied der Germania, das fröhliche Studentenleben. Dem Rechtsstudium ward pflichtmäßiger Fleiß gewidmet. Anregender waren, neben dem Kneipenleben, große Wanderungen in die Umgebung von Berlin, nach Jena und an die Ostsee, auf denen das Skizzenbuch mit Zeichnungen, das Liederbuch mit Gedichten gefüllt wurden. Dann wurde im Herbst 1846 wieder die heimische Universität Heidelberg aufgesucht, wo er aufs neue Teutone wurde. Damals entstanden die Rodensteiner Gedichte. Scheffel machte so ausgelassen wieder in dem studentischen Treiben mit, daß die Eltern ihn 1847 nach Karlsruhe zurückriefen, damit er sich zu Hause auf das Doktorexamen vorbereite. Die Vorbereitung dauerte bis 1849. Aber diesmal waren es nicht die studentischen Allotria, die die Arbeit störten, sondern die revolutionären Vorgänge in Baden. Scheffel besuchte im Februar 1848 die Sitzungen der Ständekammer in Karlsruhe, wo der Abgeordnete Hecker als der „Löwe der Opposition" gegen die Regierung kämpfte, und hoffte für sich selber auf den Anbruch einer freieren Zeit. „Die Pariser Barrikaden", schrieb er am 29. Februar an seinen Studienfreund Schwanitz, „bringen auch uns wenigstens einen Teil der Errungenschaften — in der heutigen Kammersitzung verkündeten die Minister die Vorlage von Gesetzentwürfen über Preßfreiheit, Geschworenengerichte, Volksbewaffnung! Das ganze weitere Programm der Volkswünsche wird mit seiner Erfüllung auch nicht lange auf sich warten lassen." Aber das stürmische Drauflosgehen der Revolutionäre, den Versuch einer bewaffneten Erhebung durch die linksstehenden Abgeordneten Hecker und von Struve und ihre kommunistischen Forderungen lehnte Scheffel ab. „Meine Zuneigung zu einer demokratischen und freien Gestaltung unserer Zustände und mein Haß gegen alle Romantik in der Politik kommen nur der tiefen sittlichen Indignation gegen die Herren gleich, die sich auch als Apostel

797

der Freiheit stempeln wollen, denen sie aber nicht im Herzen, sondern im Magen sitzt" (an Schwanitz 29. Februar 1848). Nun trat er in die Karlsruher Bürgerwehr ein und stand, mit dem alten Landwehrsäbel seines Vaters bewaffnet, Wache vor dem Rathausturm, den die Aufständischen stürmen wollten. Als Legationssekretär begleitete er den badischen Gesandten Welcker zum Bundestag nach Frankfurt, was ihn nicht abhielt, im Sommer das feuchtfröhliche Hildebrandslied abzufassen, das ein Jahr später in den „Fliegenden Blättern" erschien! Im Sommer des Revolutionsjahres machte er in Heidelberg die Staatsprüfung und zu Anfang 1849 das Doktorexamen. Darauf nahm er 1850 eine Stelle als Rechtspraktikant in dem Grenzstädtchen Säckingen am Rhein an, dem Schauplatz seiner späteren Dichtung „Der Trompeter von Säkkingen". Er war auch jetzt nicht mit dem Herzen bei seiner juristischen Berufsarbeit. Nur die Fortsetzung des fröhlichen Studententreibens machte sie erträglich — die Ausgelassenheit ging gelegentlich so weit, daß der Stationshauptmann Scheffel und seine Kumpane wegen Randalmachens verhaften ließ.

Was sich in Scheffel gegen die trockene Arbeit des Beamten auflehnte, war nicht nur überschäumende Jugend, sondern auch künstlerisches Temperament. Seit Jahren stritt zeichnerische und dichterische Begabung gegen den Juristen in ihm. Als die Praktikantenzeit in Säckingen beendet war, kam es zu einer eigentlichen Krise. Im Mai 1852 reiste er nach Italien. „In Rom will er malen", berichtete die Mutter dem Freund Schwanitz. „Was sagen Sie dazu?! Ich meine, sein ihm von der Natur gegebener Pinsel sei die Feder. Was er mit der Feder malte, war immer das Beste." Sie behielt recht. Der Entschluß zur Malerei war nur der Ausbruch der in ihm schlummernden, stark anschauungsbedürftigen Darstellungskraft; ihre Sprache aber war nicht die Malerei, sondern die Dichtung. Auf Capri schrieb er im Spätwinter 1853 in sechs Wochen den „Trompeter von Säkkingen", indem er, wie Paul Heyse berichtet, auf dem flachen Dache der Herberge Paganos unbarmherzig dichtend auf und niederschritt. Der Erfolg des jugendkecken und rotbackigen Gedichtes zeigte ihm, daß er seinen Beruf gefunden hatte. Nun folgen einige Jahre eifriger geschichtlicher Studien und neuer dichterischer Arbeit, aus denen der Roman „Ekkehard, eine Geschichte aus dem 10. Jahrhundert", hervorwuchs. Auch zu einem bürgerlichen Berufe sollte die Beschäftigung mit der Literatur führen. Er bereitete sich im Winter 1853/54 in Heidelberg auf die akademische Laufbahn vor, und als im Herbst 1854 die Professuren für das neugegründete Eidg. Polytechnikum in Zürich ausgeschrieben wurden, bewarb er sich um die Lehrstelle für deutsche Literaturgeschichte. Die Professur erhielt nicht Scheffel, sondern Friedrich Theodor Vischer; die geschichtlichen Studien hatten Scheffel, so mochte man finden, doch zu weit von der Gegenwart weggeführt, in der die jungen Techniker aufwuchsen, und die eigenen dichterischen Werke waren noch kein Ausweis für den lebendigen wissenschaftlichen Vortrag.

Scheffel hat nie ein akademisches Amt innegehabt. Man mag sich mit Recht fragen, ob es seinen Anlagen entsprochen hätte. Er hat aber, nach dem „Trompeter" und dem „Ekkehard", auch nichts Dichterisches mehr von Belang geschaffen, wenn man von den mittelalterlichen Gedichten der „Frau Aventiure" (1863) und den kleinen Novellen „Hugideo" und „Juniperus" absieht. Ende der fünfziger Jahre machte er sich an einen neuen geschichtlichen Stoff. Er hatte dem Großherzog von Weimar versprochen, einen Roman aus den Zeiten Landgraf Hermanns und des alten Wartburgglanzes zu schreiben. Er sollte zwei Handlungen umfassen: Erstens die Geschichte des Nibelungenliedes und seiner Entstehung. Zweitens den Sängerkrieg auf der Wartburg. Er machte, unter anderm in der reichen Bibliothek von Donaueschingen, geschichtliche Studien. Er besuchte die Gegenden, wo sich das Geschehen abspielen sollte. „Da ich", schrieb er Schwanitz am 17. Juli 1863, „mit geschichtlichen Vorarbeiten für meine dichterischen Werke viel zu tun habe und viel durch Ortsanschauung bald da bald dort mir aneignen muß, so bin ich bald hinter Büchern vergraben, bald auf Reisen ... Ich habe in den letzten Jahren reiche Schätze von Anschauungen gesammelt, in Deutschland, Österreich und der Schweiz manchen Winkel ausgekrochen, den kein Tourist kennt. Anders als in der Verbindung der gelehrten Studien mit der eigenen Ergründung von Land und Leuten kommt nichts Gedeihliches zustand." Aber all diese Studien und Wanderungen schlossen sich nicht zu der Gestalt des geplanten Romans zusammen, und das Buch über die Wartburg ist nie erschienen. Man versteht es, wenn man die Art von Scheffels Phantasie kennt. Sie war von Natur nicht reich und auf die starke Befruchtung durch geschichtlichen Stoff angewiesen. Er hatte in dem „Ekkehard" einen tüchtigen Wurf tun können, weil er dafür, vor allem in der Klosterchronik des Mönches Eckehard in den Casus Sancti Galli, eine kulturhistorisch ergiebige und auch an Zügen aus dem Kloster und Volksleben reiche Quelle gehabt hatte. Für das Leben der Ritterzeit aber fehlte eine solche Quelle. Was weiß man von der Entstehung des Nibelungenliedes, von dem Sängerkrieg auf der Wartburg! Aus dem Eigenen aber das dürre Geäst der geschichtlichen Überlieferungen zu einem Baum voll Blüten und Früchte grünen zu machen, wie es etwa Stifter in „Witiko" getan, dafür fehlte es Scheffel am reichlichen Grundstrom eigenen Geistes. „Meine Arbeit ... steht noch wie ein Gespenst vor mir", schrieb er Ende 1862 einem Schweizer Freunde. Sein Werk war ein Vampyr, der ihm das Blut aussog.

Dieses künstlerische Versagen führte zu schwerer Melancholie und Nervenkrisen. Er mußte, an Gehirnentzündung und Verfolgungswahn erkrankt, 1860 die Heilanstalt Brestenberg im Kanton Aargau aufsuchen. Es waren nicht nur Studien, es war auch die innere Unruhe, die ihn immer wieder auf Wanderungen trieb, nach Venedig und dem Tirol, nach Südfrankreich, München und Nordfrankreich, an die Donau und durch Thüringen, in die Schweiz. 1864 verheiratete er sich mit der Tochter des bayrischen Gesandten in Karlsruhe. Aber auch die Ehe mit dem adelsstolzen und nervösen Freifräulein brachte ihm kein Glück. Die Kriege von 1864 und 1866 stimmten ihn trübe, und dem Überhandnehmen des preußischen Einflusses in Deutschland stand er als Süddeutscher ablehnend gegenüber.

„Die schlichte kräftige Ordnung in der Schweiz ist noch nicht so zersetzt von Charakterlosigkeit, byzantinischem Wesen und frivolem Kastengeist, wie die neudeutschen Zustände", schrieb er 1866. Und zwei Jahre später klagte er über die Verpreußung Badens: „Ein preußischer General ist Kriegsminister, die badische Kriegsschule ist aufgehoben und den jungen Leuten der Rat erteilt, in preußische Kriegsschulen einzutreten... Item, alles in fauler Gärung. Es fehlt an reinem Wildwasser und Quellgeriesel in diesen Strömungen, die einen Verwesungsgeruch haben." Auch der Kriegsausbruch im Sommer 1870 hellte seine düstere Stimmung nicht auf. „Ich bin Pessimist", schrieb er am 28. Juli, „und sehe aus dem ganzen Krieg lediglich Unheil für die zivilisatorischen Aufgaben Europas... Ich habe einen eigenen, mit Mißtrauen und Vorsicht gemischten Mut und halte die Ohren steif."

Im Jahre 1873 hatte er sich bei Radolfzell am Bodensee ein Landhaus, die „Seehalde", bauen lassen. Da verbrachte er seinen Lebensabend in ruhiger Abgeschiedenheit, im Angesicht des Hohentwiels, der ihn an das größte Werk seiner Muse erinnerte. Im Vaterhause in Karlsruhe ist er am 9. April 1886 gestorben.

Als Scheffel sich um die Professur am Eidg. Polytechnikum bewarb, führte er unter den Belegen für seine Eignung unter anderem den eben in der Ausarbeitung begriffenen Roman „Ekkehard" an. „Ich möchte", erklärte er, „das Werk einen strengen historischen Roman nennen, der in spielender Weise das Kultur- und Geistesleben einer längst verklungenen Epoche enthält und der, wenn man ihn des psychologischen Rahmens der Geschichte entkleiden wollte, sich mit Leichtigkeit in eine Reihe gelehrter Abhandlungen auflösen ließe." Das ist eine durchaus positivistische Auffassung der geschichtlichen Erzählung. Sie soll nicht Neuschöpfung der Phantasie, sondern Rekonstruktion, Wiederaufweckung der geschichtlichen Wirklichkeit sein. Er selber nennt im Vorwort zum „Ekkehard" den geschichtlichen Roman den ebenbürtigen Bruder der Geschichte, wie das Werk der wissenschaftlichen Geschichtsschreibung eine Zusammen-

201. Arno Holz (1863—1929)
Photographie

Arno Holz, der zunächst in traditionellem Stil Geibel nacheiferte, schwang sich mit seiner Schrift „Die Kunst. Ihr Wesen und Ihre Gesetze" (1891) in radikaler Wendung zum bedeutendsten Theoretiker des Naturalismus auf. Da aber seinen Dichtungen die Theorie allzusehr anhaftete, war ihnen kein bleibender Erfolg beschieden.

202. Richard Dehmel (1863—1920)
Photographie

Eros galt Dehmels einziges und ewiges Sinnen, dem er sich ekstatisch hingab, es auf alle Weise zu bändigen suchte, bis er in der sozialen Verklärung eine gültige Form gefunden hatte.

201
Arno Holz (1863 - 1929)

202
Richard Dehmel (1863 - 1920)

203   *Gerhart Hauptmanns Geburtshaus*

204
Gerhart Hauptmann (1862 - 1946)

205
Gerhart Hauptmann mit seinem Sohn Benvenuto

schmiedung von Wahrem und Falschem, gegenüber dem blassen wissenschaftlichen Werk durch die Fülle sinnenhaften und farbigen Lebens ausgezeichnet. Er war nicht ein Erfinder, sondern ein Nachzeichner. So hat er auch in den Liedern der »Frau Aventiure« nach der Überlieferung Personen und Dinge aus der Zeit Heinrichs von Ofterdingen kulturhistorisch geschildert — seine Gedichte sind das realistische Gegenstück zu dem Roman des Novalis, dem es um nichts weniger als Kulturgeschichte ging. Ebenso bezeichnend für seine Art zu dichten sind die Zechlieder des »Gaudeamus« (1867). Er hatte in Berlin, nachdem er »mit dem Christentum abgerechnet und den Dogmenglauben über Bord geworfen«, das Bedürfnis, »die ganze moderne Wissenschaft und Kritik zu studieren … Es drängt mich auch so nach der Philosophie, um an ihr einen unverlierbaren Ersatz für das Aufgegebene zu finden« (an Schwanitz, 27. März 1846). Man darf füglich bezweifeln, ob dieses Studium mehr als eine oberflächliche Berührung gewesen sei. Die Gaudeamuslieder verraten gewisse Kenntnisse der zeitgenössischen Urweltforschung, aber auch dieser Einfluß der Naturwissenschaften wird nicht weltanschaulich ausgewertet, sondern bleibt rein stofflich: sie müssen ihm komische Motive für seine Gedichte liefern. Das Rhinozeros tanzt Menuett, »die Saurierei« stirbt, »weil sie zu tief in die Kreide« gekommen ist, und der Tazzelwurm wird zum Wirtshausschild; Scheffel hat ja auch den tragischen Kampf zwischen Vater und Sohn im alten Hildebrandsliede in seiner Umdichtung in eine fröhliche Kneipfahrt verharmlost, auf der sich beide einen Riesenbrand antrinken. Schon in Berlin hatte er »kein Bedürfnis« nach dem Studium Hegels gehabt. In dem Gaudeamusliede »Guano« löst sich die ganze Hegelsche Philosophie in einen Bierwitz auf:

> »Gott segn' euch, ihr trefflichen Vögel
> An der fernen Guanoküst' —
> Trotz meinem Landsmann, dem Hegel,
> Schafft ihr den gediegensten Mist!«

203. Gerhart Hauptmanns Geburtshaus
Zeichnung
In Ober-Salzbrunn in Schlesien wurde Hauptmann als Sohn des Besitzers des Hotels „Zur preußischen Krone" geboren.

204. Gerhart Hauptmann (1862—1946)
Photographie
Gerhart Hauptmann verlieh mit seinen Dramen sozialer und familiärer Tragik, mit seinen Zustandsschilderungen voller aussichtslosem Pessimismus und christlich gestimmter Wehmut dem literarischen Naturalismus seine epochale Bedeutung, wofür er 1912 den Nobelpreis erhielt.

205. Gerhart Hauptmann mit seinem Sohn Benvenuto
vor seinem Haus Wiesenstein, das er sich 1901 in Agnetendorf im Riesengebirge errichtete. Photographie.

In dieser Verstofflichung des dichterischen Geistes liegt letzten Endes
der Grund für das Versagen seiner Phantasie. Aber er ist damit nur der
Bedeutendste einer ganzen Gruppe von Dichtern, die man als die Münchener Dichterschule bezeichnet hat. Auch Scheffel hat sich ihnen, nach dem
Erfolg des „Ekkehard", 1856 zugesellt und ist „von allen Repräsentanten
der Kunst und Gelehrtheit wohlwollend und freundlich empfangen, vom
König mit einer Privataudienz beehrt" worden.

Der König war Max II., der, seinem Vater Ludwig I., dem Freunde der
Antike folgend, seine mit klassischen Bauten geschmückte Hauptstadt zu
einem Musenhof, wie es Weimar gewesen, zu erheben trachtete und sich
mit Gelehrten, wie J. Liebig und Heinrich von Sybel, und mit Dichtern
umgab. Die Dichter ihrerseits, die nicht alle der königlichen Tafelrunde
gewürdigt wurden, schlossen sich wieder zu einem Verein zusammen, dem
„Krokodil". Hermann Lingg hatte ihm mit seinem Gedicht „Das Krokodil zu Singapur" den Namen gegeben:

> „Im heil'gen Teich zu Singapur
> Da liegt ein altes Krokodil
> Von äußerst grämlicher Natur
> Und kaut an einem Lotosstiel.
>
> Es ist ganz alt und völlig blind,
> Und wenn es einmal friert des Nachts,
> So weint es wie ein kleines Kind,
> Doch wenn ein schöner Tag ist, lacht's."

Emanuel Geibel war das Haupt des Klubs, außer ihm gehörten ihm an:
Wilhelm Hertz, Graf Schack, Friedrich von Bodenstedt, Julius Grosse,
Felix Dahn, Heinrich Leuthold, Hermann Lingg, Paul Heyse. Diese und
Kunstverwandte, auch Scheffel, stellten sich der literaturfreundlichen Welt
1862 in dem „Münchener Dichterbuch" als lyrische Gesinnungs- und
Artgenossen vor. Sie sind alle irgendwie der Geschichte verpflichtet, sei
es künstlerisch als Epigonen der Klassik und Romantik, sei es mit den
Stoffen ihrer Gedichte, die sie gern aus Altertum und Mittelalter schöpfen. Dies gibt, wie schon das gemeinsame Dichterbuch bekundet, ihrem
Schaffen etwas Gleichförmiges, einen einheitlichen sprachlichen Stil, der
durch den Gegensatz zu der realistischen Gegenwartsdichtung bestimmt
ist, und nicht Wahrheit, sondern Schönheit ausdrücken will, eine Schönheit allerdings, die sich in Glätte und Harmonie erschöpft, da sie aus aller
Rauheit, Grausamkeit und allem Schmutz der Wirklichkeit in ein Reich
der Ideale als Vergeistigungen vergangener Werte flieht. Auch die Gestalt
ihres Lebens hat so etwas Gleichförmiges und Ebenes. Man sucht bei
allen umsonst nach dem bestimmenden Erlebnis. Sie sind Humanisten
oder Traditionspoeten. Denn auch die Reise nach dem Süden, vor allem
nach Italien, die für sie das wichtigste Ereignis ihres Lebens war, entspricht
der alten durch Goethe geschaffenen Tradition. Julius Grosse sagt: „Der
damaligen Generation bedeutete eine Reise nach Italien wirklich noch
eine geistige Wiedergeburt, eine Vertiefung moderner Weltanschauung
nach dem Uralten, aus den Schranken des Nationalen nach dem rein

Menschlichen hin. Dem deutschen Gretchen folgt die Auferstehung der Helena. Diese typische Evolution Goethes im „Faust" muß jeder auf seine Weise erleben... Wer sie erfahren, der zählt zu jener kleinen Gemeinde, die ihre letzten geistigen Weihen in Italien empfangen und gleichsam auf Goethes Namen eingeschworen ist." Man kann das Konventionelle, Traditionsgebundene im dichterischen Schaffen nicht peinlicher ausdrücken.

Man wird also auch darauf verzichten, in der Lebensgestalt dieser Poeten seelisches Neuland entdecken zu wollen. Die wesentlichen Tatsachen aus dem Leben Emanuel Geibels sind sozusagen bezeichnend für alle. Er war am 17. Oktober 1815 in Lübeck als Sohn eines dichterisch begabten Geistlichen geboren, durchlief als Musterschüler das Gymnasium seiner Vaterstadt. Schon damals gab dessen Direktor ihm das Zeugnis, er besitze eine Herrschaft über Sprache und Versbau, wie sie bei keinem andern Dichter, selbst bei Goethe nicht, sich finde! In Bonn begann er, auf den Wunsch des Vaters, das Studium der Theologie, ging dann nach Berlin und wechselte zur klassischen Philologie über, die ihn nicht höher befriedigte. Und nun griff das Schicksal von außen in sein Leben ein, indem es ihm das in den Schoß warf, was seit langem der sehnsüchtige Wunsch seiner Seele gewesen war: Bettine von Arnim verschaffte ihm die Stelle eines Hauslehrers bei dem russischen Gesandten in Athen, dem Fürsten Katakazy. Er weilte vom Mai 1838 bis zum Frühjahr 1840 in dem Lande der Griechen. Die zwei Jahre bedeuteten ihm Bestätigung dessen, was er aus dem Schulunterricht schon lange wußte, und was er schon lange konnte. Als er nach Deutschland zurückkehrte, ließ er ein erstes Bändchen Gedichte erscheinen, die von Anklängen an frühere Dichtung wimmelten, aber Friedrich Wilhelm IV., ebenfalls ein romantischer Traditionsmensch, gab ihm daraufhin ein Ehrengehalt. Nun lebte er bald da, bald dort, in Lübeck, in St. Goar am Rhein, wo er im Sommer 1843 mit Freiligrath zusammen war, schwärmend und sich anschwärmen lassend, ein harmloser Ästhet mitten in den Geburtswehen eines neuen deutschen Vaterlandes, im Grunde unbefriedigt, weil seinem Leben das Ziel und der Mittelpunkt fehlte. Er fand sie oder schien sie zu finden, als König Max ihn 1852 als Honorarprofessor für deutsche Literatur und Metrik nach München berief. Nun umgab ihn der Glanz fürstlicher Huld und dichterischen Ruhmes, denn München war für jenes Geschlecht, was Weimar in den Tagen Goethes und Schillers. An tieferer Befriedigung fehlte es Geibel freilich auch jetzt, weil ihm jenes Glück versagt war, das aus dem Bewußtsein schöpferischer Kraft wächst. Der Tod des Königs im Jahre 1864 lockerte sein Verhältnis zum Hofe. Als er sich 1868 zum Besuch in seiner Vaterstadt befand, besann er sich darauf, daß er als Norddeutscher eigentlich Preußen näher stand, das ja inzwischen durch die Kriege von 1864 und 1866 die Führung in Deutschland an sich gerissen hatte, und er verfertigte ein Huldigungsgedicht auf den König von Preußen. Er war sich, als unpolitischer Ästhet, der tiefen Kluft zwischen München und Berlin kaum bewußt. Nun verlor er seine Stelle in München.

Aber Lübeck nahm den berühmten Sohn mit Begeisterung auf. Die Errichtung des Deutschen Reiches feierte er in seinen „Heroldsrufen". Preußen belohnte ihn dafür mit einem Ehrengehalt. Fortan lebte er in seiner Vaterstadt, von Krankheit viel geplagt. Am 6. April 1884 starb er.

7. NATURALISTEN

Liliencron / Conradi / Wedekind / Dehmel
Holz / Hauptmann

Das 18. Jahrhundert hatte den Satz aufgestellt, daß Kunst Nachahmung der Natur sei, und der Sturm und Drang hatte diese Forderung in unbedingter Geltung aufgefaßt, Goethe gegenüber Sulzers Einengung des Naturbegriffes auf Schönheit und Harmonie auch die „wütenden Stürme, Wasserfluten, Feuerregen und unterirdische Glut und Tod in allen Elementen als ebenso wahre Zeugen ihres ewigen Lebens" verkündigt und in dem „Götz von Berlichingen" wie in den Fastnachtsstücken auch das von dem bürgerlichen Anstandsgefühl bisher gemiedene sinnlich Häßliche in den Kreis seiner naturalistischen Darstellungen hereingezogen. Aber in der Besprechung von Sulzers „Schönen Künsten" hatte er auch den Satz geprägt: „Natur ist Kraft, die Kraft verschlingt", und die Aufzählung der Urgewalten im Naturgeschehen zeigt, wie dies gemeint war. Seine pantheistische Weltanschauung faßte die Natur als die sichtbare Gottheit auf und die Kraft als den gesetzmäßig in ihr wirkenden Geist, dessen Gestalten im einzelnen zu deuten seine morphologischen Untersuchungen bestrebt waren. Dieser sein geistig-lebendiger Naturbegriff bestimmte die Naturauffassung bis weit ins 19. Jahrhundert hinein. Er wurde von der Wissenschaft erst endgültig preisgegeben, als man, wie Feuerbach, die Natur als sinnlich erfaßbare Materie oder Stofflichkeit und den Geist als bloße Hervorbringung des (menschlichen) Gehirns auffaßte und den reinen Materialismus begründete.

Aber die Sätze und Verkündigungen der Wissenschaft bedeuten nicht immer, was sie aussagen; denn die Sprache schließt verschiedene Auffassungsmöglichkeiten in sich, und ihre Wörter sind oft vielsinnig. Das gilt im besonderen in Zeiten des Umschwungs geistiger Werte. Als Nietzsche auftrat, sahen viele in ihm den Begründer eines neuen vertieften Idealismus, während man in ihm heute den eigentlichen Zerdenker des geistigen Bildungsgutes Europas sehen muß. So lebten zunächst auch die alten idealistischen Werte in dem Denken der Materialisten um die Mitte des Jahrhunderts weiter, sie hatten nur einen neuen Namen bekommen. In Gottfried Keller z. B. bringt der „Materialismus" Werke hervor, die in ihrem geistigen Gehalt und ihrer künstlerischen Gestalt in nächster Nähe der Goetheschen stehen, seine reiche und tiefe Symbolsprache erinnert an die Goethesche, und sein Geistbegriff unterscheidet sich von dem Goetheschen nur darin, daß er nicht die ganze Welt, sondern nur das Menschentum umfaßt. Schon sein Lehrer Feuerbach hatte ja von Hegelschem Denken mehr in seinen Materialismus herübergetragen, als er wahr haben wollte.

Erst gegen den Schluß des Jahrhunderts wuchs der Materialismus, mit der Entwicklung der mechanistischen Naturwissenschaft, in die volle und folgerichtige Bedeutung seines Begriffes hinein. Denn jetzt hatte sich die Allgemeinheit des geistigen und praktischen Lebens von einer idealistischen Weltauffassung entfernt. Man kann etwa aus den populärwissenschaftlichen Reden des Physiologen Emil Dubois-Reymond, die 1885 und 1887 in zwei Bänden gesammelt erschienen, die Wandlung des Zeitdenkens zu einem unverhüllten und nüchternen Materialismus erkennen. Während in dem früheren Idealismus — auch in dem Goetheschen Pantheismus — die Vernunfterkenntnis auf den Glauben an den Geist begründet war, kennt Dubois-Reymond nur Erkenntnis rein rationaler Art auch in den Bezirken der Künste und der allgemeinen Kultur. In dem Vortrag „Kulturgeschichte und Naturwissenschaft" führt er den Untergang der alten Welt hauptsächlich auf das Versagen der Griechen und Römer in den Naturwissenschaften zurück. Hätten sie Naturwissenschaft in dem modernen Sinn getrieben, so wären sie nicht von den Barbaren besiegt worden! In dem Vortrag „Goethe und kein Ende" stellt er die Ansicht auf, Faust hätte, statt an den Hof zu gehen, Papiergeld auszugeben und zu den Müttern „in die vierte Dimension" hinunterzusteigen, besser getan, Gretchen zu heiraten, sein Kind ehrlich zu machen und Elektrisiermaschine und Luftpumpe zu erfinden. In „Naturwissenschaft und bildende Kunst" tadelt er die Schöpfer der Gigantomachie auf dem pergamenischen Altar, weil sie die Oberschenkel der Giganten sich in Schlangen verwandelnd bildeten, „die Körper also, statt auf zwei Beine, auf zwei in Köpfe verlaufende Wirbelsäulen" stellten. Einen nicht weniger konsequenten Materialismus verkündete Ernst Haeckel, der in seiner „Natürlichen Schöpfungsgeschichte" (1868) Darwins Vererbungslehre rein physiologisch ausdeutete und in seinen „Welträtseln" (1899), die Linie von Ludwig Büchners „Kraft und Stoff" fortsetzend, auch das menschliche Dasein in den Mechanismus der Natur einbaute, die Ethik entwicklungsgeschichtlich erklärte und das Rätsel der Erkenntnis dadurch löste, daß er den Suchenden auf die allgemeine Übereinstimmung der normalen Menschen in Empfindung und Denken verwies. Die Literaturgeschichte nahm diese Gedanken willig auf. Der 1841 geborene Wilhelm Scherer, damals Professor in Wien, erklärte als Einunddreißigjähriger in einem gegen Julian Schmidt gerichteten Aufsatz über die „neue Generation": »Wir fliegen nicht gleich zu den letzten Dingen empor. Die Weltanschauungen sind in Mißkredit gekommen ... Wir fragen, wo sind die Tatsachen, für welche ein neues Verständnis eröffnet wird? Mit schönen Ansichten, mit geistreichen Worten, mit allgemeinen Redensarten ist uns nicht geholfen. Wir verlangen Einzeluntersuchungen, in denen die sicher erkannte Erscheinung auf die wirkenden Kräfte zurückgeführt wird, die sie ins Dasein riefen. Diesen Maßstab haben wir von den Naturwissenschaften gelernt. Und hiermit sind wir auf den Punkt gelangt, wo sich die eigentliche Signatura temporis ergibt. Dieselbe Macht, welche Eisenbahnen und Telegraphen zum Leben erweckte, dieselbe Macht regiert auch unser geistiges Leben ... Die Naturwissenschaft zieht als Triumphator auf dem Siegeswagen einher, an den wir alle gefesselt sind."

Dazu kommt ein politisches Moment: Denn mit dem Zeitpunkte, da Deutschland mit dem Siege von 1871 zum Gipfel seiner staatlichen und wirtschaftlichen Macht emporstieg, begann der geistige Zerfall. Mit der Errichtung des Kaiserreiches war der politische Tatendrang der Masse, der nach 1850 ohnehin nicht mehr stark gewesen war, erfüllt. Die französischen Milliarden, die als Kriegsentschädigung nach Deutschland strömten, kamen der Wirtschaft zugute, die in den sogenannten Gründerjahren einen gefährlichen Aufschwung erfuhr. Der Berliner Kongreß von 1878, der unter Bismarcks Vorsitz eine kriegerische Auseinandersetzung zwischen England und Rußland über die Abgrenzung der Machtsphären auf dem Balkan verhütete, zeigt Deutschland auf der Höhe seiner politischen Größe. Aber das Sozialistengesetz, das Bismarck im gleichen Jahre durchsetzte, um die Tätigkeit der Sozialdemokraten zu bekämpfen, und das bis 1890 in Kraft stand, deckte eine wachsende Bedrohung der bürgerlichen Politik und Wirtschaftsordnung im Innern auf, und stärkte, statt sie zu schwächen, die Kraft der Linkspartei.

Auch in der Dichtung gewann nun das soziale Problem an Bedeutung. „Es ist, als wären die furchtbaren sozialen Fragen für die deutschen Dichter gar nicht vorhanden. Und doch ist unsere Zeit eine wild erregte, gefahrdrohende. Es liegt wie ein Schatten über dem ganzen neuen Reich, trotz des kurzen blendenden Sonnenscheins. Das ist nicht Spleen, nicht das Ennui der französischen Romantiker, sondern ein moralischer Mißmut lastet wie ein farbloser Nebelschleier über allem Weben und Streben." War diese Anklage, die Karl Bleibtreu 1886 in seiner „Revolution der Literatur" erhob, berechtigt? Hatten die deutschen Dichter wirklich den Blick von den sozialen und auch den politischen und wirtschaftlichen Fragen der Zeit abgewandt? Von dem Kreise der Münchener mochte man es behaupten, aber es gab damals auch in Frankreich Dichter, die Parnassiens, die gleich wie die Münchener Stoffe des Altertums darstellten. In Deutschland hatte neben ihnen unter anderen Friedrich Spielhagen (1829—1911) Zeitfragen in großen Romanen behandelt. So hatte er in „Hammer und Amboß" (1869) das Thema der Industrie und des Sozialismus, in „Sturmflut" (1876) die wilde Zeit der Gründerjahre geschildert. Aber Spielhagen stand diesem erschütternden Geschehen zu sehr mit der überlegenen Ruhe des spinozistischen Zuschauers gegenüber, seine Menschen trugen nicht das Blut leidenschaftlicher Anteilnahme am Zeitgeschehen in sich. Der einzige politische Roman, der Zeitgeschehen mit dichterischer Größe und sittlichem Ernst darstellte, war Kellers „Martin Salander" (1886); aber seine Handlung und seine Menschen waren aus dem Leben der Schweiz, nicht Deutschlands hervorgewachsen.

So muß man den Naturalisten, die mit brennender Anteilnahme in der „modernen" Zeit lebten, schon recht geben, daß die älteren deutschen Dichter in ihrer Gesamtheit den allgemeinen Fragen der Zeit fern gestanden, und daß die eigentliche neue Atmosphäre in ihren Werken nicht zu verspüren war. Wie ganz anders flimmerte und wogte die Gegenwart in den Romanen der französischen Realisten, vor allem Zolas, in denen man den Rauch der Fabriken, den Schweiß der Arbeiter, die Brunst des Geschlechtslebens, den Moder der Armenleutewohnung roch, und in denen man auf Schritt und Tritt die Ergebnisse der modernen Wissenschaft spürte. Oder in Tolstois „Kreutzersonate", „Macht der Finsternis", „Anna Karenina" und vor allem in Ibsens gesellschaftskritischen Dramen. Paul Schlenther hat aus der Erinnerung über die „Stützen der Gesellschaft" berichtet: „Im Zeitalter der genialsten Realpolitik herangebildet, trat uns hier die kräftigste Realpoesie entgegen. Aus Handel und Wandel des alltäglichen Lebens, aus Geschäft und Arbeit sahen wir eine Dichtkunst aufsteigen, die uns um so tiefer ergriff, je weniger uns die Epigonen Schillers oder die vertrocknete Nachromantik genügten. Es war eine Lust zu leben, solange Schiller und Goethe schufen, es war eine Lust zu leben, solange die Romantik blühte — nun war es wieder eine Lust zu leben, denn mit uns lebte ein Dichter, der den Inhalt unserer Zeit in eigene Hände nahm."

Wahrheit und Natur oder, da man beide Begriffe als einen betrachtete, Naturwahrheit war die Losung der Modernen — die Alten hatten sich um Schönheit und Kunst bemüht. Was verstand man unter Wahrheit und was unter Natur? Sicherlich hatte man den Kreis der Schönheit in der Zeit der nachklassischen und nachromantischen Dichtung der fünfziger bis siebziger Jahre meist allzu ängstlich auf das im bürgerlichen Sinne Anständige eingeschränkt; es war jene Zeit, die Wedekind in „Frühlings Erwachen" gegeißelt hat. Die große Dichtung Goethes und Schillers hatte diese Beschränkung nicht gekannt: im „Faust" wie in den „Räubern" bewegt sich der Geist des Dichters über die ganze Weite menschlicher Sittlichkeit und Unsittlichkeit und verschmäht auch die derbste Sinnlichkeit, den Schmutz und die Zote, nicht. Aber Wahrheit war für den einen wie den andern nicht bloßes Abschreiben äußerer Alltagswirklichkeit gewesen, sondern Ordnung des Lebensstoffes zu der sinnvoll gegliederten Einheit einer geistigen Weltschau, in der das Schöne und das Häßliche, das Reine und das Unreine, das Oben und das Unten jedes an seinem Platze stand — ein Orchester, in dem alle Instrumente zusammenstimmen und, wenn es im Plane des Ganzen lag, auch Dissonanzen nicht fehlten. Jetzt aber verstand man unter Wahrheit abschreiben der nächsten Umgebung und des Geschehens der unmittelbaren Gegenwart, und zwar aus Trotz gegen die schöne Gebärde und die aristokratische Historienpoesie der Münchener, mit Vorliebe des Häßlichen und Schmutzigen, des Elends und der Not der Arbeiterhütten und Kellerwohnungen. Die Modernen kannten sie zum Teil aus eigener bedrängter Jugend, zum Teil hatte der Sozialismus ihnen die Augen geöffnet für die dunkle Rückseite des Lebens. Und alles sollte man so schildern, als ob man es selber erlebt hätte. Michael Georg Conrad (1846—1927) gibt in dem Roman „Was die Isar rauscht" einem jungen Dichter den Rat: „Sie sollen alles kontrollieren! Man soll keinem Menschen aufs Wort glauben in Dingen, die man mit eigenen

Sinnen durchforschen und durchprüfen kann... Zunächst gilt es frisch zu wagen und nach eigenen Dokumenten zu arbeiten... Ohne die berühmte Liebe werden wir dabei freilich nicht auskommen... Was nun dazu eigen Erlebtes gehört, das müssen Sie sich selbst erwerben. Auch die wichtige Zutat, warmes rotes Herzblut, können Sie nicht aus zweiter Hand empfangen, das müssen Sie sich heiß dampfend aus der eigenen Brust abzapfen."

Das war die „Wahrheit". Und die Natur? Sicherlich hat noch kein Dichtergeschlecht, das sich auf die Natur berief, an diesem vieldeutigen Begriff so großen Verrat geübt, wie die Jüngstdeutschen Naturalisten. Die „Natur", zu der der junge Goethe sich bekannte, wurzelte im Geiste, in der Inbrunst des Gottwelt-Erlebnisses. Er hatte den Überschwang des Frühlings, das Rieseln der Quellen, das Rauschen der Wälder, die Weite des Himmels und das Grün der Auen, wovon er sang, selber erlebt. Sein Schaffen stammte aus einer reichen, tiefen und gemütvoll-geistigen Überlieferung, in der auch das Christentum noch lebendig war. Die Naturalisten der achtziger und neunziger Jahre aber, wie sie zu einem großen Teil in der Stadt aufgewachsen waren, kannten die Natur vornehmlich oder ausschließlich aus der Wissenschaft und der Zivilisation. Gerhart Hauptmann erzählt, wie er und seine Freunde damals an den unaufhaltsamen Fortschritt der Menschheit geglaubt hätte. „Wir glaubten an den Sieg der Naturwissenschaft und damit an die letzte Entschleierung der Natur. Der Sieg der Wahrheit, so glaubten wir, würde die Wahn- und Truggebilde auch auf den Gebieten religiöser Verblendung zunichte machen. Binnen kurzem, war unser Glaube, würde die Selbstzerfleischung der Menschheit durch Krieg nur noch ein überwundenes Kapitel der Geschichte sein." Man sieht, das Naturerlebnis war diesem Geschlecht in Wahrheit ein Zivilisationserlebnis. Das Wasser, das die Naturalisten tranken, war kein Quellwasser, sondern in Retorte und Probierglas destilliert. Sie waren gar keine Naturmenschen, sondern Intellektuelle und Theoretiker. Die Natur strömte nicht mehr wie auf den Wanderer Goethe mit den Regengüssen eines Gewittersturms von allen Seiten göttlich auf sie ein, sie studierten sie in Hörsälen und Büchern. Sie lernten hier Grundbegriffe der Chemie und Physik, der Psychologie, Physiologie und Medizin, der Vererbungs- und Abstammungslehre, alle im Sinne des Materialismus zurechtgemacht. Sie lernten hier beobachten und experimentieren und kannten keinen Wertunterschied mehr zwischen Hoch und Niedrig, Groß und Klein, wie dem Naturforscher das Aufgußtierchen so wichtig ist wie der Menschenaffe. Ein Kunstwerk, erklärte Cäsar Flaischlen 1892 in der „Freien Bühne", dürfe nicht mit dem, was „unsere Wissenschaft" empirisch festgestellt, in Widerspruch stehen oder in Widerspruch kommen, wenn man es auf exakte Psychologie hin untersuche.

Kein Dichtergeschlecht hat sich mit lauterem Trompetengeschmetter an die Spitze der Zeitgenossen gedrängt als die Naturalisten. Keines pochte so stark auf das schlechthin Neue seines Wollens und Könnens, auf die Eigenart der Individualität, das Einzigartige der Persönlichkeit. „Moderne Dichtercharaktere" nannte der Herausgeber Wilhelm Arent 1885 eine bekenntnismäßige Auslese neuer Lyrik. In der Einleitung erklärt er: „Schrankenlose, unbedingte Ausbildung ihrer künstlerischen Individualität ist ja die Lebensparole dieser Rebellen und Neuerer." Was für ein innerer Widerspruch zu dem weltanschaulichen Geiste, der in ihnen allen lebte, dem Geiste der Naturwissenschaft! Denn dessen Streben ist ja gerade auf Übersehen des Individuellen in der Natur, auf die Herausarbeitung allgemeiner Gesetze gerichtet.

Nach all dem wird man unter den Naturalisten keine großen, geistig ringenden Persönlichkeiten erwarten. Sie sind alle durch die Schwere der Materie, an die sie glauben und von der sie leben, an die Erde gedrückt. Nach zwei Richtungen wirkt sich diese Erdverbundenheit aus: physisch im sinnlichen Genuß und geistig in dem Eifer der Beobachtung. Es gibt unter ihnen Genußmenschen und Beobachtungsmenschen. Zu jenen gehören Liliencron, Conradi, Wedekind, Dehmel; zu diesen Holz und Gerhart Hauptmann.

Detlev (eigentlich Friedrich Adolf Axel) von Liliencron war, als die „Revolution der Literatur" ausbrach, ein Vierziger: er war am 3. Juni 1844 in Kiel geboren. Er gehörte also, kalendermäßig, der Generation der Anzengruber (geboren 1839), Heinrich Seidel (1842), Rosegger (1843) an, Schriftsteller von starker Erdverbundenheit und Wirklichkeitstreue, aber ohne die Aufrührergebärden der Naturalisten. Vielleicht, wenn der Naturalismus nicht gekommen wäre, wäre Liliencron überhaupt kein Schriftsteller geworden. Jedenfalls verdankt er ihm seinen Ruhm. Sein Leben bis in die achtziger Jahre hinein war alles andere gewesen als Vorbereitung auf eine Schriftstellerlaufbahn: Genuß, Soldatenleben, ein bißchen — notgedrungen — Beamtentätigkeit. Als den Auftakt zu seinem Leben hat er selber die Eheschließung seines Großvaters bezeichnet. Dieser war ein genußfreudiger Grandseigneur, der die Gewohnheit hatte, Dirnen, denen er in seinen Dörfern und Höfen begegnete, wenn sie ihm gefielen, sich durch seinen Kammerdiener „ins Bett befehlen zu lassen". Aber als er einst an eine „wunderbar schöne Schweinehirtin" kam, verstand die keinen Spaß, warf sich dem dänischen König zu Füßen, und dieser befahl ihrem Herrn, die Leibeigene zu heiraten. Seinem Großvater verdankt Liliencron daher offenbar seine unentwegte Genußfreudigkeit, aber jener verschuldete auch die Armut der Familie; denn den nicht standesgemäßen Nachkommen der Schweinehirtin wurden die großen Güter entzogen, und Liliencrons Vater mußte eine mittlere Stelle im dänischen Zolldienste annehmen. Die Mutter, Tochter eines amerikanischen Generals, soll aus einer portugiesischen Herzogsfamilie stammen. Sie war, während der Vater einfachen Geistes war, eine kluge und gebildete Frau mit starkem Sinn für die Dichtung.

So wuchs Liliencron in bescheiden-bürgerlichen Verhältnissen auf. Er besuchte in Kiel das Gymnasium, wobei die Geschichte ihn mehr anzog als die Mathematik. Darauf ging er in Erfurt auf die Realschule, wurde Soldat, machte 1863 die Fähnrichsprüfung im preußischen Heer und wurde 1864 Leutnant. Den Dänischen Krieg machte er nicht mit. Das Mainzer Regiment, in dem er stand, wurde damals nach Polen kommandiert, wo Unruhen ausgebrochen waren. Dagegen war er in dem Preußisch-Österreichischen Krieg dabei und erhielt in dem Sommer 1866 bei Nachod in Böhmen einen Schuß in den Unterleib. Nach kurzer Pflege im Lazarett ging es aufs neue in den Krieg. Aber nach Königgrätz regte sich die Wunde wieder. Er mußte sich abermals behandeln lassen, und nach dem Friedensschluß kehrte er nach Mainz zurück. Mädchengeschichten, Trinken, Spielen in Wiesbaden, Baden-Baden und Homburg vertrieben, neben dem Dienst, die Langweile des Garnisonlebens. Der Krieg gegen Frankreich rief ihn am 8. August 1870 wieder ins Feld. Sein Schmerz war, daß er, als Adjutant des Generals von Kummer, zunächst zurückbleiben mußte. Aber am 19. August war er beim Regiment. Er macht die Umklammerung von Metz mit und verteidigt unter anderem den Kirchhof von Charly. Wie er entdeckt, daß sich unter einem Brettergerüst hinter der Kirchhofsmauer ein paar seiner Soldaten versteckt haben, zieht er sie hervor, geht mit ihnen in den dichtesten Kugelregen und läßt sie dort etwa zwei Minuten das Gewehr präsentieren, derweil er mit gesenktem Degen neben ihnen steht. Am 8. Oktober wird er beim Angriff auf Saint Rémy am linken Bein verwundet und muß ins Lazarett. Kaum ist die Wunde notdürftig geschlossen, stürmt er wieder zur Truppe: „Es wird und muß gehen!" und macht bei 18⁰ Kälte am 2. Dezember einen anstrengenden Marsch mit, so daß die Wunde wieder aufbricht. Am 18. März kehrt er nach Deutschland zurück und kommt nach Köthen ins Lazarett.

Der Krieg hat sein Temperament aufs höchste erregt. Es stürzt ihn in neue Abenteuer. Er lernt eine junge Schlesierin kennen, Helene von Bodenhausen. Sie ist zwar erst sechzehn Jahre alt. Sie hat kein Geld, er ist verschuldet. Aber das hindert die Verlobung nicht. Wie ihr Vater die Trennung durchsetzt und seine Tochter zwingt, sich mit einem andern zu verloben, stürzt sich Liliencron in die wildesten Ausschweifungen, macht in einem Jahr zehntausend Taler Schulden, geht neue Schulden ein, um die alten zu bezahlen, wird in verschiedenen Garnisonen umgetrieben, gerät Wucherern in die Hände und muß, dicht vor der Beförderung zum Hauptmann, den Dienst quittieren. Amerika taucht als Rettungsufer für den Gestrandeten auf. Vom September 1875 bis zum Februar 1877 ist er drüben gewesen, meist in New York. Aber Amerika, das so manchem Abenteurer das Glück gebracht hat, tat Liliencron diesen Dienst nicht. Es fordert vorurteilsfreie Hingabe an die Wirklichkeit und zähe Geduld, und beides besaß er nicht. Er versuchte es mit allem möglichen, war Sprachlehrer, gab Klavierstunden, war Stallmeister und malte Stuben aus. „New York p. p. war und ist mir ein Greuel", schrieb er nach der Rückkehr an seinen Freund Seckendorff. „Es ist das Leben da so schnurstraks gegen alle meine Gewohnheiten, Empfindungen, Lebensbetrachtungen, daß mir jetzt mein dortiger Aufenthalt wie eine Hölle vorkommt... Nur Ein großes Grab ist mir mein ganzes bisheriges Leben."

Aber bald tauchte er aus dem Grab wieder ins Leben. Er hat die einstige Braut wiedergesehen. Sie hat ihre Verlobung gelöst. Ist schöner als je. Ihr Vater stirbt. So wird geheiratet. Es war im Oktober 1878. In Hamburg läßt er sich als Gesanglehrer und Schriftsteller nieder. Aber es reicht nicht zum Leben für ihn und seine Frau. Alte Gläubiger melden sich. Neue Schulden drücken. Kaum einen Monat sind sie verheiratet, so droht ihm ein Exekutionsbefehl wegen 100 Mark die Pfändung an. Das Schriftstück kommt seiner Frau in die Hände. Es stürzt sie aus allen Himmeln. Sie macht ihm eine Szene. Sie muß eine silberne Vase opfern, die er ins Pfandhaus trägt. „Es ist wahrhaftig kein Spaß für eine junge, eben erst verheiratete Frau, von ihren Schätzen hergeben zu müssen. So geht es nun Tag um Tag. Wieder mitten im Kampfgewühl." Beamte erscheinen, um die Möbel zu pfänden. „Als verlangt wurde, daß die Frau ihre Ringe vom Finger streifen solle, verweigerte sie es. Man sprach von gerichtlicher Gewalt. So hielt sie denn die Hand hin, und es wurden, ohne daß der Kerl die Hand berührte, die Ringe auf dem Finger taxiert. Meine Frau benahm sich wie eine Königin! Aber als die Menschen wegwaren, fiel sie mir schluchzend um den Hals."

Die einzige Rettung war eine Beamtenstelle. 1882 ließ er sich auf der Nordseeinsel Pellworm zum Hardesvogt ernennen, und nach anderthalb Jahren wurde er in gleicher Eigenschaft nach dem Städtchen Kellinghusen in Schleswig versetzt. Er paßt zum preußischen Beamten wie der Bock zum Gärtner. In der Novelle „Die Mergelgrube" gibt er ein Bild seiner Lage: „Früher, ach, nun lange nicht mehr, schrie ich in die stillen Felder hinein: Ich will! Ja, ich will hinein ins Leben, die Menschen will ich mit mir reißen, sie sollen mir folgen, ein Eroberer will ich sein, die Erde soll mir gehören: die Tage der Faust und dem Schwert, die Nächte der Liebe und dem Becher! Und jämmerlich, jämmerlich hinkte ich dann wieder ins Tor zurück, und die elende Erbärmlichkeit der Kleinstadt hielt mich mit tausend feinen Ketten: ich saß in der Amtsstube, las Verfügungen, erließ Verfügungen und spielte abends zur Erholung Whist, und alle Sehnsucht in die Herrlichkeiten war untergegangen in Kleinlichkeit." In Kellinghusen ging das Gerede, daß er zwei Aktenbündel angelegt habe. Das eine enthielt Rüffel vom Landrat, das andere Rüffel von der Regierung. Natürlich lebte er weit über seine Mittel. So kam er nie aus den Schulden heraus. Schließlich hielt es seine Frau nicht mehr aus. Es kam zur Scheidung. Und zu einer neuen Heirat. Und dann zwangen ihn seine Schulden, den Abschied zu nehmen.

Damals hatte er bereits für sich wenigstens innerlich einen Ausweg aus der Misere gefunden: die Dichtung. Schon als er noch Kirchspielvogt war, hatte er seine Phantasie sich in Versen und Prosa austoben lassen. 1883 gab er die „Adjutantenritte" heraus. Nun kamen die Naturalisten eben recht, um ihn mit sich fortzureißen. „Aber hören Sie", schrieb er am 5. Juli 1885 „an einem blödsinnig heißen Sonntag im Adamskostüm" an einen Bekannten, „das ist ja eine ganz kolossale Revolution in der Dichterwelt zur Zeit. Eine neue Epoche. Ich fühl's in jeder Fiber. Und ich marschiere mit." Die „Modernen Dichtercharaktere" nannte er einen „herrlichen Protest gegen das schändliche Dichterhandwerk der Jetztzeit. Und insofern stürme ich mit ihnen, kämpfe mit ihnen, schreie ihnen Hurra, Hepp, Hepp, Horrido zu. Immer drauf auf den Gartenlaubengreuelkram!"

Im Frühjahr 1890 ging er nach München, wo M. G. Conrad die „Gesellschaft" herausgab, und stürzte sich mit Vehemenz in das Literaten- und Künstlertreiben. München gefiel ihm außerordentlich. Er nannte es die Stadt der Städte. Und fühlte sich auf die Länge doch nicht darin heimisch. Er konnte schon die bayrische Sprache nicht leiden. Und das schwere Essen behagte ihm nicht. Nach dreiviertel Jahren kehrte er wieder nach dem Norden zurück und ließ sich in Altona, dann in Alt Rahlstedt bei Hamburg nieder. Schulden und Sorgen begleiteten ihn bis zu seinem Ende. Er behielt auch in seiner äußerlich kleinbürgerlichen Existenz die Lebensgewohnheiten des feudalen Barons bei, konnte in einer lustigen Nacht mit einem Mädchen Hunderte hinwerfen und am nächsten Tage Bettelbriefe schreiben. 1894 bildeten seine Freunde ein Komitee zur Zahlung seiner Schulden. Er sollte seine Ausgaben aufschreiben und die Quittungen beibringen. Aber er konnte sich doch nicht für jede Kleinigkeit quittieren lassen. „Ich bin seit sieben (!) Jahren für ein verlorenes Vielliebchen einem Mädel einer Papeterie schuldig, dann bin ich einem andern Mädel, wo ich eine Wette verlor, eine Brustnadel (à 20 M.) schuldig. Dann bekommt aus alter Anhänglichkeit die süße, sonderbare Fite jeden Pfingsten einen Sommerhut (à 20 M.) . . . Dann bin ich einer vornehmen jungen Dame 40 M. schuldig. Und bei allen diesen kann ich doch keine Quittung verlangen!" 1888 mußten ihm Freunde seine kleine Bibliothek, die beschlagnahmt worden war, zurückkaufen. Als ihm 1903 der Deutsche Kaiser ein Gnadengehalt von 2000 M. aussetzte, meldeten seine Gläubiger sogleich ihre Forderungen an und klagten ihn ein. „Die ältesten Leute (Gläubiger) erinnerten sich meiner plötzlich liebevoll, obgleich ich alles getan habe, um meine Schulden zu decken. In diesem Wirrwarr sitze ich jetzt. Alles die Folge der kaiserlichen Gnade. Sie können sich vorstellen, wie mir zumute ist. Niemals war ich in scheußlicherer Geldklemme als jetzt, nach dieser Freudenbotschaft." Er mußte um Vorschuß bitten. „Mein Gott, der Kaiser, der in der Tat sehr gütig gewesen ist, will doch nicht meinen Tod!" Am 22. Juli 1909 befreite ihn der Tod von seinen Bedrängern.

Kennt man so Liliencron als genießenden Augenblicksmenschen, so weiß man alles Wesentliche, was über ihn als Menschen zu sagen ist. Denn die geistige Welt, die er in sich gebildet hat, ist die gewöhnlichste, die man sich vorstellen kann, und unterscheidet sich kaum von der des ersten besten preußischen Leutnants seiner Zeit. Wie er sein Leben nicht in eine überlegte Ordnung zu bringen wußte und ihn immer wieder der Augenblick hinriß, ihn auszuschöpfen, so vermochte er auch seine Eindrücke nicht in eine Folge von Gedanken zu vergeistigen und aus diesen etwas Größeres, Zusammenhängendes aufzubauen. Es konnte ihm so ein einzelnes Gedicht gelingen, solange der Atemzug des Eindruckes anhielt, und er hat dafür Formen gefunden, die äußeres, sinnenhaftes Geschehen in anschaulichen Bildern mit geglücktem Impressionismus festhalten, aber man darf in ihnen keine geistigen Inhalte erwarten, und die größeren Formen waren ihm versagt oder zerfallen, wo er sie wagte, wie der Roman „Leben und Lüge" (1908) oder das „Kunterbunte Epos Poggfred" (1896), in eine ungeordnete Masse von Einzelheiten. Schließlich wunderte man sich überhaupt, daß dieser Mensch Dichter geworden ist. Und er wunderte sich nicht weniger. Im Grunde nahm er seine ganze Dichterei so wenig ernst, wie irgend etwas anderes. Als er fünf Jahre vor seinem Tode gefragt wurde, was er von jeher als die Ziele und das Wesen seiner Kunst erkannt habe, antwortete er: „Ich habe nie darüber nachgedacht. Pferdehandel und (zuweilen natürlich nur) Sitzen mit Zigeunern, Bauern usw. in den Wald- und Wegkneipen steht mir höher als „Versemachen". Dies Versemachen scheint mir überhaupt recht ordinär zu sein. Aber der Bien muhhhss."

Die unverwüstliche Genußkraft Liliencrons war Hermann Conradi versagt. Er ist die abstoßendste Erscheinung unter den Naturalisten: ein Mensch, der seine schwache Gesundheit durch Ausschweifungen frühzeitig zugrunde richtete, und ein Schaffender, dessen größenwahnsinnigem Wollen kein Können entsprach. Man könnte ihn einen Georg Büchner fin de siècle nennen, wenn man unter fin de siècle einen völligen Zusammenbruch der deutschen Bildung des 19. Jahrhunderts versteht. Denn in Wirklichkeit ist Büchner ein Riese gegen ihn. Er war am 12. Juli 1862 zu Jeßnitz in Anhalt geboren als Sohn eines kleinen Zigarrenfabrikanten und Kolonialwarenhändlers, der sich in immer neuen geschäftlichen Abenteuern versuchte, es nie auf einen grünen Zweig brachte und mit seiner Derbheit seine zarte und gemütvolle Frau quälte. Der Sohn litt schon in früher Jugend an Asthma. Er besuchte ein paar Jahre das Gymnasium zu Dessau, dann das von Magdeburg. Als er den Ansprüchen der Schule nicht gewachsen schien, versuchte er es als Lehrling in einer Buchhandlung, kehrte dann doch wieder zur Schule zurück und harrte in ihr bis zur Maturität aus. Er hatte früh die Aufklärungswerke von Feuerbach, Strauß, Ludwig Büchner und vielen andern gelesen und den christlichen Glauben über Bord geworfen. Im Gegensatz gegen Schule und Kirche und ständig von der Atemnot seiner kranken Lunge bedrängt, flüchtete er sich in einen wilden Pessimismus. „Krankheit", schreibt er im Februar 1881, „wird uns schon in die Wiege gepackt — das ist eine von den liebenswürdigen Zugaben unseres sonst schon so reizenden Lebens! ... Ich bin nun einmal Pessimist — was anders kann uns über unser Jammertal hinweghelfen? Und wenn ich so weiter philosophiere und folgere — dann möchte ich auch die ganze Welt in meinem Innern zertrümmern! Und das kostet ja nur einen Augenblick. Ein Messer — ja ein lumpiges Taschenmesser tut's — und ein bißchen Courage." Aber der Pessimismus wechselt auch einfach sein Vorzeichen und schlägt in maßlosen Größenwahn um: „Was geht mich die Welt an?" ruft er gleichzeitig aus. „Ich bin ich! Ich bin für mich

die Welt! Und diese Welt muß groß sein — unendlich groß sein und schön
— und erhaben ... Kunst und Wissenschaft — Luxus — Üppigkeit —
prachtvolle Gemälde — erhabene Natur — schöne Weiber mit schwellenden Gliedern — ein Horizont, der golden umstrahlt ist — das soll mein
künftiges Heim sein." Ein halbes Jahr später: „Ich verachte fast alle
Menschen! Das winzige Mückengesindel, das sich in bacchantischem Taumel
im Sonnenlicht zu Tode hetzt und für höhere, idealere Güter zu stumpf-
sinnig ist! ... Die Reichen sind Fresser und Säufer, die Armen sind bo-
denlos dumm, gemein und gefräßig, nichtssagend und gleichgültig! Die
Gelehrten sind entweder Hetzer oder Philister — wahre Charaktere sind
so selten, daß man unter hundert Menschen kaum fünf anständige findet."

In diesem ohnmächtigen nach Atem Ringen seiner kranken Lunge zieht
er aus seinen Erfahrungen mit den Menschen nur einen Schluß: „Ich will
Realist, Naturalist sein bis zum Exzeß!" Denn die Literatur soll das Pferd
sein, das ihn in die Freiheit und auf die sonnigen Höhen von Ruhm und
Reichtum trägt. Seine Vorbilder sind unter den Deutschen vor allem
Heinse und Waiblinger. Aber er übertrifft sie schon früh an Verdorben-
heit der Phantasie. Schon als Gymnasiast lebt er sich in einem uferlosen
Papierbeschreiben aus. Er ist Mitarbeiter von Literaturblättchen. Er
steht schon als Neunzehnjähriger in Julius und Heinrich Harts Literatur-
kalender. Und erst seine Pläne! Romane will er schreiben: „Despoten",
„Die Lebendigen und die Toten", „Die Heimatlosen", „Die Mitleidlosen",
„Die Geister erwachen", „Aus den Fugen (cf. Shakespeares Hamlet: Die
Zeit ist aus den Fugen)", „Perditus", „Die Epigonen" usw. Dazu Dramen,
Lyrik, Epik, „nur große philosophisch-metaphysisch-moderne Stoffe à la
Byrons Kain, Essays, Biographien, Übersetzungen, Skizzen, Feuilletons,
Epigramme usw." Ein ganzer Schwarm von Seifenblasen, die sich von
wirklichen Irisbällen nur dadurch unterscheiden, daß sie nicht farbig in
der Sonne leuchten.

1884 verließ er das Gymnasium, ging nach Berlin und stürzte sich mit
fieberhaftem Eifer in die Literatur und ins Leben. Er selber betrachtete
sich — so groß war die Begriffsverwirrung bei diesen unreifen Dichterlin-
gen — als einen Idealisten. Er träumte von einer „erneuerten, mit neuen
Lebenssäften durchtränkten, großen, allumfassenden, gewaltigen, stark-
geistigen Kunst" und erklärte: „Des bin ich gewiß: die Zeit bricht an —
wir stehen schon im Frührot der großen Bewegung." Zur gleichen Zeit,
da er sich an solchen Phrasen berauschte, stürzte er sich in die Arme
„der üppigen Dirne" Berlin. Später renommierte er, daß er sich in dem
Verkehr mit den Weibern eine Geschlechtskrankheit zugezogen habe.
Dann wieder prahlte er: „Ich trage Welten in mir und Abgründe ... Aber
ich bin herb und brutal. Und ich verachte alles. Auch das Weib, das ich
liebe. Aber noch mehr mich selbst. Und darum steht mir das Weib so
hoch." Gegen diesen abgebrühten Zyniker ist Schillers Karl Moor ein
harmloser deutscher Jüngling. Aus solchen Erfahrungen und Stimmungen
sind die Skizzensammlung: „Brutalitäten" (1886), die Gedichte „Lieder
eines Sünders" (1887) und der Roman „Phrasen" (1887) entstanden. Im

gleichen Jahre schrieb er den Roman „Adam Mensch", der 1889 erschien und ihm eine Anklage wegen Gotteslästerung zuzog.

Damals hatte er Berlin schon verlassen. 1886 war er nach Leipzig gezogen, eine Zeitlang lebte er auch in München und Dresden. 1889 ging er nach Würzburg. Da entstand sein großer Aufsatz „Wilhelm II. und die junge Generation", ein im ganzen verworrener Versuch, seine Zeit zu charakterisieren. Damit war aber auch die Kraft seines Körpers erschöpft. Er brach zusammen wie ein bis auf die Rinde ausgehöhlter Baumstamm. Am 8. März 1890 starb er an einer Lungenentzündung. Er hatte den Tod vorausgesehen und eine Menge Manuskripte verbrannt. Eines seiner letzten Worte war: „Na, ist das Jenseits präpariert, kann man sich's mal ansehen?"

So hat Conradi die Idee des Materialismus bis zuletzt gelebt. Er ist auch als Schriftsteller der konsequenteste aller dieser naturalistischen Brüder. Zwar gebart er sich gern — auch in den „Liedern eines Sünders" — als Idealist; aber sein Idealismus ist nicht Glaube an den weltbeherrschenden Geist, sondern das ohnmächtige Flügelschlagen eines zu Tode verwundeten Vogels, der an der Erde zu kriechen und ihre Dünste einzuatmen verdammt ist. Ein Sonett der „Lieder eines Sünders" ist bezeichnend, „Herbst":

> „Der frischgedüngte Acker stinkt herüber;
> Braunrotes Laub nickt über die Stakete,
> Die letzten Astern kümmern auf dem Beete,
> Und täglich wird der Himmel trüb und trüber.
>
> Aus der Spelunke jagte mich das Fieber
> Und warf auf meine Backen grelle Röte.
> — — — — —
> Wie sie heut wieder brünstig küßte, flehte:
> Ich möchte wiederkommen! Viel, viel lieber
>
> Sei ihr die Nacht!... Denn wär' der Tag zu Rüste,
> Dann sprängen heißer all die süßen Lüste
> Und süßer sei das Indenarmenliegen!...
>
> Der frischgedüngte Acker stinkt empörend, —
> Doch ist sein Stunk nicht grade unbelehrend:
> Nur wer das Leben überstinkt, wird siegen!"

206. Gerhart Hauptmann am Lesepult
in der Bibliothek seines Heimes auf Hiddensee. Photographie.

207. Der alte Gerhart Hauptmann
Photographie
Schon 1907, auf seiner Griechenlandreise, wendete sich Hauptmann der Antike zu. Im Alter suchte er besonders mit seiner Atriden-Tetralogie (1941-1944) einen bewußten klassizistischen Anschluß an Goethe.

208   *Rainer Maria Rilke (1875 - 1926)*

209   *Rainer Maria Rilke in Bad Rippoldsau 1913*

Den Kommentar zu diesem Gedicht und zu Conradis Leben gibt der Roman „Adam Mensch" — das forcierte deutsche Gegenstück zu Zolas „Bête humaine". Adam Mensch ist ein Literat. Im Café trifft er Hedwig Irmer, die Tochter eines Philosophen, dem man wegen der Kühnheit seiner Gedanken die akademische Laufbahn versperrt hat. Er ist ein Schüler Schopenhauers und Hartmanns und hat auch seine Tochter dazu gebracht, die Ideale als Illusionen zu erkennen und auf Glück zu verzichten. Adam Mensch zerstört das künstliche Gebäude, reißt Hedwig an sich, verführt und verläßt sie mit höhnischen Worten auf die unfruchtbare Philosophie des Vaters. Er hat als Ersatz schon wieder zwei andere Verhältnisse gefunden: ein Ladenmädchen und eine reiche Witwe. Mit dem Geld der Witwe meint er sich von Hedwig loskaufen zu können. Er will die Witwe heiraten, wenn er im Informationsbüro erfahren hat, daß sie wirklich so reich ist, wie er es wünscht. Schon diese Skizze der Handlung offenbart die abgründige Gemeinheit dieses Adam Mensch. Conradi hat in ihm den Kaffeehausliteraten seiner Generation gezeichnet. Er schildert ihn so: „Öfter packte ihn ein wahrer Heißhunger auf das gewissenhafte, feierliche Genießen der buntesten, tollsten, seltsamsten, süßesten Lebensreize. Allein dieser Heißhunger war im Grunde sehr gegenstandslos. Wissenschaftlichen Ehrgeiz besaß er nicht. Zur Liebe hatte er nicht Geduld, nicht Ausdauer mehr. Erkenntnisresultate befriedigten ihn nicht ... Unberechenbar in seinen Stimmungen, in seinen Launen und Neigungen; zersplittert in seinen Kräften, unbeständig, flackernd in erotischen Fragen ... Müde, todmüde und begeisterungsfähig wie ein Jüngling, der soeben mannbar geworden; angefressen von dem Skeptizismus seiner Zeit; radikal in seinen Anschauungen und wieder über alles borniert, einseitig, engherzig, intolerant ... Nicht wissend, warum das alles? wozu? wohin mit dem allem, wo hinaus? Oft deklamatorisch, pathetisch, agitatorisch; oft ironisch, zynisch, gezwungen, geistreich, selten „normal", selten schlicht, einfach, gewöhnlich, mittelmäßig, mittelhoch oder mitteltief." Verantwortlichkeit kennt er nicht. Er macht Ernst mit der Auffassung, daß der Mensch eine Maschine ohne freien Willen sei. „Was kann ein Getreideacker dafür, daß ein Gewitter über ihn nieder geht? Er muß die Folgen hinnehmen, muß sich zerstampfen lassen." Wie er Hedwig verläßt, sagt er zu ihr: „Nimm

208. Rainer Maria Rilke (1875—1926)
Gemalt von Oskar Zwintscher, 1902

Rilkes seelisches Leid gründete im Wissen um den Seinsverlust der Dinge für den Menschen des technischen Zeitalters. Angeregt durch Rußlands Weiten und durch die Einsamkeit der Worpsweder Heidelandschaft, suchte Rilke seherisch das Wesenhafte der Dinge wieder aufzutun und ihm wieder Einlaß in das menschliche Bewußtsein zu verschaffen. So dichtete er, einer Maxime gleich, in der Neunten Duineser Elegie: „Erde, ist es nicht dies, was du willst: unsichtbar in uns erstehn? ..."

209. Rainer Maria Rilke in Bad Rippoldsau 1913
Photographie

die Sache nicht so tragisch! Du kamst aus deiner Sphäre, ich aus meiner. Die Lauflinien unseres Lebens haben sich gekreuzt. Haben sich durch einen Zufall gekreuzt." Das Handeln erklärt er ganz im Einklang mit den Vorstellungen einer mechanistischen Psychologie. Wie Adam nach der Begegnung mit Hedwig in seine Wohnung zurückkehrt und, mit schweren Gliedern, die Treppen emporsteigt, fällt es ihm ein, »daß man doch im Grund kaum Herr seiner Handlungen ist. Plötzlich, im wahren Sinne, »unvorbereitet«, hatte er vor einer kleinen Weile vor Fräulein Irmer gestanden. Wie war er an ihre Seite gekommen? Urteil... Vorstellung... Willensimpuls, Koordinationszentren, Muskelkonzentration... alles Blech!"

Das faßte man als Naturalismus auf. Man nannte Natur, was im Grunde nur ein mit Fetzen von Wissenschaft behängtes Gerippe menschlicher Begehrlichkeit und Roheit war.

Der unbehilfliche Versuch von Conradi, die hemmungslose Sinnlichkeit in Beziehung zu wissenschaftlich-philosophischen Theorien zu bringen, erscheint bei F r a n k   W e d e k i n d zu einer Art — contradictio in adiecto — Metaphysik der Geschlechtlichkeit gesteigert. Er war das Erzeugnis einer zwiespältigen Ehe. Der 1816 geborene Vater war Arzt. Er war 1843 in türkische Dienste getreten, war 1847 wieder nach Deutschland zurückgekehrt, hatte die revolutionären Vorgänge mitgemacht und als linksliberaler Zeitungskorrespondent an den Verhandlungen des Deutschen Parlaments in Frankfurt teilgenommen. Die Enttäuschung über das Scheitern der Volksbewegung hatte ihn 1849 erneut ins Ausland getrieben, und er hatte sich in San Francisko wieder als Arzt niedergelassen. Dort hatte der Vierunddreißigjährige die damals zwanzigjährige Sängerin Emilie Kammerer kennengelernt, die Tochter eines schwäbischen Revolutionärs und Erfinders, der unter anderm in Zürich eine Fabrik für Zündhölzer betrieben hatte und schließlich in geistige Umnachtung gesunken war. 1862 heiratete er sie und 1864 kehrten die beiden nach Deutschland zurück, wo sie sich in Hannover niederließen. Hier wurde am 24. Juli 1864 ihr zweiter Sohn geboren, der zur Erinnerung an das freie Amerika den Namen Benjamin Franklin erhielt. Der Vater hatte aus Amerika ein genügend großes Vermögen mitgebracht, um seine Praxis aufzugeben und in Wort und Schrift für eine freie demokratische großdeutsche Politik zu wirken. Er war ein glühender Feind Bismarcks, und als der Krieg von 1870/71 mit dem Siege der Bismarckschen Politik endete, ging er in die Schweiz, kaufte sich in dem aargauischen Städtchen Lenzburg das stattliche Schloß und führte dort das Leben eines feudalen Gutsherrn. Hier wuchs Frank Wedekind auf und erhielt die übliche Ausbildung des jungen Aargauers, der sich dem Studium widmen will, Bezirksschule, d. h. unteres Gymnasium in Lenzburg, oberes Gymnasium in Aarau. Er war ein fauler Schüler, der sich lieber mit seinen Freunden umtrieb, üppigen Phantasien und Gedanken lebte und Blatt um Blatt mit zynisch-pessimistischen Versen füllte, wie etwa dem Gedicht »Ein Lebenslauf«:

> »Früh schwand mein Seelenfriede,
> Ach, ich genoß so heiß!
> Und ward des Lebens müde,
> Ein jugendlicher Greis."

In philosophischen Studien baute sich der achtzehnjährige eine Weltanschauung auf, die den Einfluß von Schopenhauer und Eduard von Hartmann zeigt und als den Haupttrieb des Menschen den Egoismus feststellt. Auch die schöne Tat, die aus Mitleid geschieht, ist Egoismus, denn der Mensch will dadurch nur das ihn quälende Leid beseitigen. Aus dem Egoismus entspringt auch die Geschlechts- und Freundesliebe. Menschenverachtung und Anklage gegen Gott, der schuld ist an der Schlechtigkeit der Welt, vollenden das dunkle Bild. Zwei Auswege gibt es aus dieser Weltverachtung: Selbstmord und Genuß. Aber man nehme diese jugendlichen Ergüsse nicht zu ernst. Sie sind nicht Ergebnis des Lebens, sondern gärender Intellekt eines noch Unreifen. Denn zur gleichen Zeit — Januar 1884 — kann er auch schreiben, er genieße Poesie und Jugend und Jugendpoesie und sei dabei heiter und glücklich. „Von allen Seiten lachen dem Menschen Lust und Freude, Vergnügung und Ausgelassenheit entgegen. Er greife zu, denn die Zeit ist kostbar, er genieße, solange er zu genießen hat."

Dieser Wechsel der Stimmungen ist nicht nur durch Anlage und Lektüre, sondern auch durch die Verhältnisse im Elternhause bedingt. Die Ehe zwischen dem so viel älteren und welterfahrenen Manne und der jüngeren, lebenslustigen Frau erwies sich als ein Fehler, der schwere Zerwürfnisse zur Folge hatte, unter denen auch die Kinder litten — das Bild, das Gerhart Hauptmann im „Friedensfest" von einer zerrütteten Familie entwirft, geht auf die Verhältnisse auf Schloß Lenzburg zurück. So war Wedekind froh, als er im Frühjahr 1884 das Elternhaus und die nahe Kantonsschule verlassen und nach dem entfernteren Lausanne zum Studium übersiedeln konnte. Von da ging er als stud. jur. im November nach München. Aber wenn er sich schon auf den Wunsch des Vaters zu diesem Studium entschlossen hatte, so war er nach seiner ganzen Natur nicht gesonnen, es durchzuführen. In Wirklichkeit führte er im Kreise junger Schriftsteller und Künstler das Leben eines literarischen Bohémien — eine Zeitlang das eines Bettlers. Denn ein schweres Zerwürfnis mit dem Vater hatte diesen veranlaßt, dem Sohne die Mittel zu entziehen. Er war gezwungen, in der Maggifabrik in Kempttal die Stelle eines Reklamechefs anzunehmen. Später zog er mit dem Zirkus Herzog in der Welt herum. 1888 gehörte er in Zürich dem Kreise an, in dem sich die beiden Brüder Carl und Gerhart Hauptmann, Karl Henckell, John Henry Mackay und andere bewegten: das Sozialistengesetz hatte die jungen Freiheitsschwärmer in die Schweiz getrieben. Mit dem Vater hatte er sich ausgesöhnt, aber dieser starb schon im Oktober 1888. Das ansehnliche Vermögen, das er hinterließ, gestattete dem Sohn, das ungeliebte Studium abzubrechen und ganz seinen schriftstellerischen Neigungen zu leben. Er ging zunächst nach Lenzburg, aber er hielt es in dem stillen Städtchen nicht aus. Es zog ihn nach Berlin und München. Immer mehr kam das Zwiespältige, Zersetzte und Zersetzende seines Wesens zum Durchbruch. Er liebte es, sich als Diaboliker aufzuspielen und frisierte sich à la Satan. „Er sieht aus wie Mephistopheles mit seinem Kinnbart und seinen weggewendeten Augen", schildert ihn eine Freundin aus jenen Tagen. Er spielte mit sich und den andern Komödie, er wechselte seine Neigungen wie ein Chamäleon die Farbe, er gab sich als Spaßmacher, wo es ihm ernst war, und setzte eine ernste Miene auf, wo er innerlich lachte. Ein Ölbild von Käthe Junker von 1891 gibt dieses Mephistohafte unübertrefflich wieder: die hagere Gestalt sitzt quer auf dem Stuhl, die linke Schulter höher als die rechte, so daß er wie verwachsen aussieht. Die linke Hand ruht schlaff auf dem Schenkel, der rechte Arm ist auf die Lehne des Stuhles gestützt, und die Hand, die zwischen dem Zeige- und dem Mittelfinger eine Virginiazigarre hält, macht eine halb süffisant überlegene, halb zynisch gleichgültige Bewegung. Der Kopf mit dem leeren Blick hinter dem Zwickerglas, der gebogenen Nase und dem buschigen Schnurr- und Knebelbart steigert das Illusionslose der ganzen Gestalt mit meisterhafter Eindringlichkeit.

Aus dieser Stimmung wuchs die dramatische Satire „Frühlings Erwachen" hervor, die 1891 in Zürich erschien. Erinnerungen an die geordnete Bürgerlichkeit in Lenzburg und Aarau, darin er aufgewachsen, und mephistophelischer Protest der natürlichen Geschlechtlichkeit dagegen haben diese „Kindertragödie" gestaltet. Damit war das Grundproblem seines Schaffens scharf herausgestellt, wie es in immer grellerer Formulierung all seine Stücke bestimmt, den „Erdgeist" (1895), die „Büchse der Pandora" (1904), „Tod und Teufel" („Totentanz") (1905) u. a. Es entsprach ganz der mephistophelischen Verwandlungsfähigkeit seines Wesens, daß er begann, seine Stücke selber zur Aufführung zu inszenieren und in ihnen sich selber spielte. In Berlin, meist aber in München, rollte sich sein Leben ab, in dem Wirklichkeit und Theater wunderlich durcheinander spielten, eines sich an die Stelle des andern setzte, und eines dem andern seine Bedeutung gab. Der Krieg trieb ihn zeitweise wieder in die Schweiz. Aber in München ist er am 9. März 1918 gestorben, unmittelbar bevor jene Welt einstürzte, deren grellster Ausdruck sein Schaffen war.

Es ist ein seltsamer Widerspruch in dem Leben von Wedekinds Vater, daß sich der alte Freiheitsschwärmer nach weltweiten Reisen plötzlich auf der mittelalterlichen Burg des stillen Aargauer Städtchens ansiedelte und seine Kinder, in deren Adern sein Blut und das der von abenteuerlichen Zügen nicht freien Familie seiner Frau rollte, in dem kleinen Lenzburg aufwachsen ließ. Der Widerspruch pflanzte sich in seine Kinder fort und wühlte am leidenschaftlichsten in Frank. Immer bekämpfen sich zwei Welten in ihm in wildem und unversöhnbarem Gegensatze: einerseits die Bürgerlichkeit mit ihren sittlichen Ordnungen, die von Staat und Kirche anerkannt werden, und in deren Geleisen äußerlich das Leben hingleitet, während unter der Decke der Wohlanständigkeit die Begierde lüstern ihre dunkeln Schleichwege geht, und anderseits der tierische Geschlechtstrieb, der unhemmbar in der Tiefe der menschlichen Natur wühlt, um so stärker, je mehr ihn die Wohlanständigkeit in Fesseln legt.

In „Frühlings Erwachen" bricht die tierische Gewalt in das Leben von Gymnasiasten und höheren Töchtern ein, denen durch die scheinheilige Moral der Eltern, der Kirche und Schule ihre eigene Natur versperrt

wird. Gerade diese Absperrung aber steigert ihren Druck und treibt zwei
junge Menschen in den Tod. Das Mädchen stirbt an den Folgen der
Abtreibung, mit der die Eltern die Ehre der Familie wahren wollen, und
der Jüngling begeht Selbstmord. Durch das Geschehen in „Erdgeist" und
„Büchse der Pandora" wandelt als Verkörperung der Sinnlichkeit die
Dirne Lulu. Im „Erdgeist" betrügt sie als Frau des Medizinalrates Doktor
Goll ihren Mann mit dem Maler Schwarz, so daß Goll, als er sie überrascht, der Schlag trifft. Sie heiratet Schwarz, wird aber seiner auch überdrüssig; und er tötet sich mit dem Rasiermesser. Ihren dritten Mann, den
alten Chefredaktor Schön, betrügt sie mit seinem Sohn, so daß der Vater
sich eine Kugel vor den Kopf schießt. In der „Büchse der Pandora" entzündet sie die Liebe der homosexuellen Gräfin Geschwitz und läßt sich
von ihr aus dem Gefängnis befreien. Dann lebt sie unter Hochstaplern
und Artisten, schließlich sinkt sie zur Straßendirne in London hinab und
wird da von dem Aufschlitzer Jack getötet.

Wedekind hat diesen grausigen Kampf der Geschlechtlichkeit als eine
Tragödie aufgefaßt. Im Vorwort zur „Büchse der Pandora" sagt er: „Mich
beseelte der Trieb, die gewaltige menschliche Tragik außergewöhnlich
großer, völlig fruchtloser Seelenkämpfe dem Geschick der Lächerlichkeit
zu entreißen und sie der Teilnahme und der Barmherzigkeit aller nicht
von ihr Betroffenen näherzubringen." Er ist nicht der erste, der den
Kampf der Sinnlichkeit im Drama behandelt. Das Wesentliche aber ist,
daß er die Seelenkämpfe der Begierde als etwas völlig Fruchtloses hinstellt
im Sinne eines Besessenseins von übermenschlichen Gewalten. In dem
Einakter „Die Zensur" (1907) sucht er, nachdem die „Büchse der Pandora" von der Polizei verboten worden war, eine Art moralphilosophi-
scher Rechtfertigung seiner phallischen Weltauffassung zu geben. Seit
Heine und den Jungdeutschen geht das Wort von der Vereinigung sinn-
licher Lebenskunst und sittlicher Heiligkeit durch das Denken des Abendlandes. Es ist ein Ausklang dieser Idee der „Weltheiligkeit", wenn Buridan-
Wedekind dem Beichtvater seine Weltanschauung entwickelt: „Seit frühester Kindheit arbeite ich daran, die Verehrung, die uns die schöne
Natur einflößt, mit der Verehrung auszusöhnen, die uns die ewigen
Weltgesetze abtrotzen. An der Schönheit der Weltgesetze haben wir keine
Freude. Vor den Gesetzen weltlicher Schönheit hegen wir keine Achtung.
Die Wiedervereinigung von Heiligkeit und Schönheit als göttliches Idol
gläubiger Andacht, das ist das Ziel, dem ich mein Leben opfere, dem ich
seit frühester Kindheit zustrebe." Aber ist das nicht eine nachträgliche
und von Sophistik nicht freie Rechtfertigung des erotischen Satanismus?
Jedenfalls zerstört Wedekind selber diesen Zweifel nicht, wenn er im
späteren Verlauf der „Zensur" Buridan gegenüber seiner Geliebten Kadidja
erklären läßt: „Ich trage mich seit geraumer Zeit mit dem Gedanken,
ein Freudenhaus als moralische Erziehungsanstalt ins Leben zu rufen. Ein
Haus, in dem die Zöglinge Jahre hindurch derart durch Freuden über-
müdet werden, daß sie dann fürs ganze Leben ihren höchsten Genuß in
dem erblicken, was man sonst Sorgen und Mühseligkeiten nennt." Worauf

Kadidja mit Recht ihm entgegenhält: „Du scheinst wahrhaftig vom Himmel dazu beauftragt zu sein, deinen Mitmenschen die schönsten Dinge ihres Daseins zu verleiden."

Wenn man Wedekind zu den Naturalisten rechnet, so muß man sich bewußt sein, daß er es nur nach dem gedanklichen Gehalt und dem Stoff, nicht nach der künstlerischen Form seiner Werke ist. Auch Richard Dehmel ist als Künstler nicht Naturalist. Es ist ihm so wenig wie Wedekind gegeben, sie in die zwingende äußere Gestalt im Sinne der letzten Möglichkeiten des Realismus zu kleiden; auch in seinem Werk durchbricht das Intellektuelle, das Gedanklich-Ringende immer wieder die sich bildende Schale der Form und stößt ins Leere und Verstandesmäßige. Aber während Wedekind als gestaltender Dichter, so seltsam es klingt, immer wieder am Gedanklichen scheitert, so ist es bei Dehmel das brütende, schwelende oder lodernde Gefühl, das das Erlebnis nicht zur Klarheit der reinen Gestalt durchdringen läßt. Bei Wedekind ist jenes Mephistophelisch-Verneinende eine Trotzgebärde gegen das Spießerische, von dem er seine Jugend umhegt glaubte. Bei Dehmel ist der Liebesgenuß der ureigenste und tiefste Trieb seiner Natur. Man braucht nur seinen Kopf zu betrachten: den üppigen Urwald seiner dunkeln Haare, die sich wie Schlangen durcheinander rollen, den düster brütenden Blick der Augen, den zum Teil in dem wirr-kräftigen Bart verborgenen starken Mund mit den wulstigen Lippen. Er ist im wendischen Spreewald aufgewachsen, und die uralte Heidenatur dieses Waldes scheint in ihm Mensch geworden zu sein.

In Wendisch-Hermsdorf ist Richard Dehmel als Sohn eines Försters am 18. November 1863 geboren. Der Vater wurde später Revierförster in dem havelländischen Kremmen. „Ich bin", schreibt Dehmel in einer kleinen Autobiographie, „also geborner Märker, nicht Berliner; wir echten Kinder der Mark empfinden Berlin als eine Art fremden Ungetüms inmitten unserer Heimat." Zuerst besucht er die Stadtschule in Kremmen, dann das Sophien-Gymnasium in Berlin. „Ich gehörte immer zu den besten Schülern, in allen Fächern, war aber den meisten Lehrern wegen meines ungebundenen und manchmal wohl auch unbändigen Wesens ein Ärgernis. Dies führte in der Prima zu einem so heftigen Zusammenstoß mit dem orthodoxen Direktor, daß meines Bleibens im Bannkreis der Berliner Schulhierarchen nicht länger war: ich ging nach Danzig und machte dort in einem halben Jahr mein Abiturientenexamen, was man mir in Berlin „wegen sittlicher Unreife" hatte verwehren wollen." Im Herbst 1882 ging er nach Berlin, um Philosophie und Naturwissenschaft zu studieren, war da und dort Hilfsredaktor, und schloß seine Studien, die sich zuletzt auch auf Nationalökonomie erstreckt hatten, mit einer Arbeit über die Gründe für den ausschließlich öffentlichen Betrieb der Feuerversicherung Ostern 1887 in Leipzig ab. Dann war er bis 1895 Sekretär des Verbandes Deutscher Feuerversicherungsgesellschaften. Während dieser Zeit gab er drei Gedichtbücher heraus: „Erlösungen" (1891); „Aber die Liebe" (1893); „Lebensblätter" (1895). „Es ist mir also wie den Singvögeln ergangen, die meist erst im Käfig ihre volle Stimme entwickeln." Er hatte bald nach dem Antritt der Stelle Paula Oppenheimer, die Tochter eines Rabbiners, geheiratet. Aber bald fühlte sich sein maßloser Freiheitsdrang in der Doppelbindung der Ehe und des Amtes in seiner künstlerischen und menschlichen Entfaltung immer mehr gehemmt. Das Amt gab er auf, um fortan als freier Schriftsteller zu leben. Seine Frau war großzügig genug, seine immer neuen Fluchtversuche von ihr zu verstehen. Bis eine andere, Ida oder Isi Coblenz, die Tochter eines Kommerzienrates, ihr den Rang ablief und er sich 1899 mit ihr verheiratete. Nun lebte er mit der zweiten Frau zweieinhalb Jahre lang auf Reisen in Italien, Griechenland, der Schweiz, Holland und England und ließ sich darauf in Blankenese bei Hamburg nieder. Neue Dichtungen waren in diesen Jahren entstanden: das Drama „Der Mitmensch" (1896); die Gedichtsammlung „Weib und Welt" (1896); der Roman in Romanzen „Zwei Menschen" (1903); „Verwandlungen der Venus" (1907) u. a. Als der erste Weltkrieg ausbrach, trat er als einfacher Soldat unter die Waffen. Der Zusammenbruch traf ihn schwer. An den Folgen einer Aderentzündung, die er sich im Kriege zugezogen, starb er am 8. Februar 1920, elf Jahre nach Liliencron, mit dem ihn die aufopferndste und verständnisvollste Freundschaft verbunden.

Ein von der Leidenschaft beherrschtes und geformtes Leben. Der Titel seiner zweiten Gedichtsammlung, „Aber die Liebe", bezeichnet den Inhalt dieser Leidenschaft: „aber" heißt ursprünglich „wieder" — also „Immer wieder die Liebe". „Weib und Welt" und „Verwandlungen der Venus" weisen auf den gleichen Lebensdrang. Dabei ist diese Liebe weder die christliche Caritas noch die mittelalterliche Minne, weder helfende Hingabe noch sinnendes Heimweh nach der Geliebten, sondern Eroberung und Sinnenrausch. Ja, die Liebe erfüllt ihn so ganz, daß er in den „Verwandlungen der Venus" den pedantischen Versuch unternommen hat, die verschiedenen Erscheinungsformen der Liebe in Versen zu schildern, von der „Venus Mystica" und „Metaphysica" bis zur „Venus Bestia" und „Perversa". Das Schlußgedicht, „Venus Una", enthält die heinesierenden Strophen:

> „Dieser Keller: dumpfer Zwinger!
> Auf die dunstbelauf'nen Scheiben
> Will ich breit mit steifem Finger
> Venus Rediviva schreiben!
>
> Denn ich weiß, du bist Astarte,
> Deren wir in Ketten spotten,
> Du von Anbeginn, du harte
> Göttin, die nicht auszurotten."

Was bedeutet diese Liebe in dem Leben und Lebenswerk Dehmels?

In einem Briefe an seinen späteren Schwager Franz Oppenheimer schildert der Zwanzigjährige, wie er „aus seines Alten Waffenschrank" einen alten Offizierssäbel nimmt und mit ihm verhängten Arms auf einen Eckpfahl des Zauns einprügelt, so daß der Vater ihm in Aussicht stellt, er werde von dem Magistrat von Kremmen eine Rechnung für „Verrunje-

nierung städtischen Eigentums" bekommen. Dieses wütend-sinnlose Ein-
hauen auf einen Holzpfahl steht als symbolische Gebärde über seiner
Persönlichkeit. Er hat Goethe, den großen Liebenden, aufs tiefste verehrt,
und es gibt Verse von ihm, die wie ein Abklatsch — oder eine Parodie —
Goethescher Verse anmuten. Aber näher als Goethe stehen ihm Byron und
Grabbe, Heine und Nietzsche. Denn jene Goethesche Gabe, den trüben
Dampf des erlebenden Gefühls zur Kristallklarheit der künstlerischen
Gestalt zu läutern, ist ihm versagt. Wie sein Freund Liliencron stürzt er
sich in den taumelnden Genuß und meint, noch glühend vom Erlebnis,
dessen Wesen in der Dichtung auszudrücken, und ist viel zu stürmisch,
um in der ruhig wartenden Entfernung vom Augenblick das Kunstwerk
zum lichten Eigenleben reifen zu lassen:

> „Das Leben ist des Lebens Lust!
> Hinein, hinein mit blinden Händen,
> Du hast noch nie das Ziel gewußt."

In einem Jugendbriefe spricht er einmal von dem Gegensatz zwischen
Wollen und Können: „Es ist der größte geistige Schmerz, zu wollen und
nicht zu können, ernst zu wollen und doch nicht zu können, Sperling
bleiben zu müssen, wo man Adler sein möchte." Der Grund dafür, daß
er nicht konnte, ist doch wohl das stete Beherrschtsein von Trieb und
Leidenschaft, die dauernde Überhitzung des Motors, die Unmöglichkeit
der inneren Ruhe. In einem seiner ersten Briefe an Paula Oppenheimer
schreibt er im Sommer 1886: „Ich muß Klarheit und Ruhe um mich
haben, wohinein mein eigenes Brausen ungestört fließen und ausebben kann
— oder große Wehren, die es umstürzen oder überstürzen kann." Wie
bezeichnend ist diese Unklarheit in dem Bedürfnis nach Klarheit, dieses
Behaupten der eigenen Unruhe in dem Wunsche nach äußerer Ruhe! Statt
daß er beides in sich selber schafft, will er es um sich herum haben, um
sich nach Herzenslust austoben zu können. Dabei ist in ihm ein geradezu unbändiger Drang nach Klarheit über sich selbst und die Welt. Seine
Briefe und Dichtungen sind dessen Zeugnis. Er bekennt einmal, daß er
infolge orthodoxer Erziehung bis zum fünfzehnten Jahre die Weisheit
eines göttlichen Weltordners angebetet habe, dann hätten ihn die materialistischen Verstandeskonstruktionen durch ihre strengere Geschlossenheit
überzeugt, „bis mich Inneres zur Einkehr zwang, Mechanisches zugleich
und Physisches". Wenn er darauf dem Psychologen Du Prel, an den der
Brief gerichtet ist, seine epileptischen Krampfanfälle schildert, so beweist
dies wiederum nur, wie sehr er dem Triebmäßigen und Physischen in ihm
verfallen ist. Neben diesem Dumpfen aber war jener helle, überhelle
Intellekt in ihm, wie er allen Naturalisten eigen ist. In den Briefen an
Paula Oppenheimer stehen glühende Ergüsse seiner Liebe neben kalten
Zergliederungen seines Gefühls. Einmal deutet er ihr eines seiner Ge-
dichte aus: „Diese organische Einheit, du mit mir, wir beide als Eines mit
Allem, diese natürliche Unlösbarkeit, ins seelisch Unbegreifliche getaucht:
Das wollt' ich dir und allen sagen mit den paar Versen neulich." Einer

andern Geliebten schreibt er: „Fühlst du denn gar nicht, wie ich mich mit
meiner ganzen Seele dagegen wehre, wieder dem Urgesetz zu verfallen?
Denn das bin ja nicht Ich, wenn in übermächtigen Augenblicken einer
Frühlingsnacht die fiebernde Legion der Samentierchen mir auf einmal
alles Blut aus Herz und Gehirn nach unten saugt, daß ich wanke und mit
willenlosen Lippen und Händen nach deinen Reizen taste." Aber es war
das Schicksal seiner Natur, daß Trieb und Verstand nicht zur Einheit
gelangten, daß der Trieb die Klarheit nicht durchglühte und der Verstand
das Gefühl nicht klärte und so jene höhere Geistigkeit entstand, worin
im Kunstwerk beide Welten eine Einheit bilden. Er konnte statt dessen
nur eine trüb wogende Flut schaffen, aus der hie und da eine einzelne
Welle im Sonnenstrahl aufblitzt.

Das war es, was er als Erlösung bezeichnete. Eine pantheistische Idee
scheint ihr zugrunde zu liegen, aber wenn in der pantheistischen Sehnsucht
etwa des jungen Goethe oder Hölderlins das Einzelgefühl sich dem All
geistig zu vereinigen strebt, so bleibt das Ich-Weltverhältnis Dehmels im
Raume des sinnlich Materiellen gefangen: es ist entweder — individuell —
das Gefühl der körperlichen Steigerung in der Vereinigung mit der
Geliebten oder — sozial — das Mitleid mit den Armen und Notleidenden. Dem ersten gelten seine Liebesgedichte, die von rauschender Lust
singen, wie etwa in „Venus Regina" der um seine Gattin trauernde König
ein Fest der Freude veranstaltet, bei dem der Chor der Mädchen singt:

> „Tröstliche Lüste
> Halten im Tode Leben verborgen.
> Wissen macht Sorgen.
> Wenn er sich drückte an meine Brüste,
> Wenn er mich küßte,
> Wußten wir nichts von gestern und morgen."

Und der Chor der Männer:

> „Lust ist Verschwenden.
> Leben heißt lachen mit blutenden Wunden,
> Jahre sind Stunden!
> Wenn sie an deinen beseligten Lenden
> Schien zu verenden,
> Hieltet ihr Höllen mit Himmeln verbunden."

Die Idee der Erlösung durch die soziale Hingabe hat die Arbeitergedichte
geschaffen — „Die Magd", „Der Arbeitsmann" u. a. — und gipfelt in dem
Gedichte von Christus in Gethsemane, der aus Liebe zu den Menschen
sein Leben hingibt, oder in dem „Befreiten Prometheus", der, um den
Menschen zu helfen, wider Zeus frevelt und sich wahrhaft befreit fühlt
erst in dem Augenblick, wo er einen Menschen seinen Todfeind aus den
Wellen retten, eine Tat selbstloser Liebe begehen sieht. Die beiden
gedanklichen Grundrichtungen des Naturalismus, einerseits die Sinnlichkeit, andererseits das soziale Gefühl, finden sich so in Dehmel zusammen.

Neben die Genußmenschen unter den Naturalisten, Liliencron, Conradi, Wedekind, Dehmel, treten die Beobachtungsmenschen. Stürzen sich jene in den Strudel der Zeit, um mit den Wellen der Sinnlichkeit zu ringen, so stehen diese klug und zurückhaltend am Rande, sehen den wimmelnden Strom an sich vorbeiziehen und stellen, womöglich mit Hilfe eines Feldstechers, den Blick auf die Einzelheiten im Wellenkampfe ein. Arno Holz und Gerhart Hauptmann seien als Vertreter herausgegriffen.

Arno Holz ist als Schriftsteller der entschiedenste Antipode der Münchener Schöngeister. Aber als Mensch steht er in ihrer nächsten Nähe, und sein Leben ist genau so wenig interessant und seelisch aufschlußreich wie das eines Geibel oder Heyse, weil es ohne Eigenwert, völlig von dem Papierraschen der Literatur ausgefüllt wird. Am 26. April 1863 zu Rastenburg in Ostpreußen als Sohn eines Apothekers geboren, kam er mit zwölf Jahren nach Berlin, machte da ein Gymnasium durch und konnte, wie Conradi, nicht früh genug als Schriftsteller auftreten. 1882 gab er eine Gedichtsammlung heraus, deren Titel „Klinginsherz" noch recht wenig „modern" tönt. Dann tat er sich mit einem Gleichstrebenden, Oskar Jerschke, zusammen, und die beiden fabrizierten ein gemeinsames Gedichtbuch: „Deutsche Weisen" (1884). Er war damals noch so wenig modern, daß er im gleichen Jahre ein Gedenkbuch auf Geibel veröffentlichte; aber zu jener Zeit hatte er auch den Anschluß an die „Moderne" gefunden, und in Wilhelm Arents „Modernen Dichtercharakteren" erscheint er als einer der Neusüchtigsten, der „Berliner Schnitzel" beisteuert und dem „verruchten Epigonentum, Ägypter- und Teutonentum (Ebers und Dahn) anwünscht, „daß dich der Teufel brate". Und wie es seine Art ist, gleich alles gründlich zu machen und das letzte Tröpfchen aus dem Becher der Erkenntnis herauszusaugen, so gibt er im gleichen Jahre (1885) das „Buch der Zeit, Lieder eines Modernen" heraus. Es sind allerdings keine Lieder, sondern bloße journalistische Reimereien, wie sie Heine gemacht hätte, wenn er ein Jüngstdeutscher gewesen wäre, nur ein bißchen geistreicher und weniger pedantisch. Naturalismus bedeutete ihm damals etwas bloß Stoffliches: Aufgreifen aller möglichen Themen, wie sie die Großstadt ihm in den Weg warf, und ungescheutes Aussprechen auch des von der Schönheitdichtung Gemiedenen. Die Sprache aber war, wo sie nicht einfach gereimte Prosa war, die blühendste Rhetorik, wie man sie seit den Vierzigerjahren in der deutschen Lyrik gewöhnt war. Dann aber lernte er Johannes Schlaf kennen, und die beiden entdeckten zusammen den literarischen Impressionismus als den naturbedingten Stil des Naturalismus. Das war für Holz das bestimmende Erlebnis. In dem späteren Buche „Die Kunst, ihr Wesen und ihre Gesetze" (1890—1892) und in dem Vorwort zu den mit Schlaf verfaßten „Neuen Gleisen" (1892) hat er die Entstehung des ersten impressionistischen Werkleins, der Studiensammlung „Papa Hamlet" (die Hauptstudie erzählt das Ende eines Schmierenkomödianten), im Winter 1887/88 anschaulich geschildert. Sie hatten sich damals zu gemeinsamer Arbeit in Niederschönhausen bei Berlin zusammengefunden; denn das war die erste soziologische Folge der neuen Kunsteinsicht, die Kompaniearbeit, weil vier Augen mehr und vor allem objektiver sehen als nur zwei. „Unsere kleine Bude hing luftig wie ein Vogelbauerchen mitten über einer wunderbaren Winterlandschaft; von unseren Schreibtischen aus, vor denen wir dasaßen, bis an die Nasen eingemummelt in große, rote Wolldecken, konnten wir fern über ein verschneites Stück Heide weg, das von Krähen wimmelte, allabendlich die märchenfarbensten Sonnenuntergänge studieren; aber die Winde bliesen uns durch die schlecht verkitteten kleinen Fenster von allen Seiten an, und die Finger waren uns trotz der 40 dicken Preßkohlen, die wir allmorgendlich in den Ofen schoben, oft so frostverklammt, daß wir gezwungen waren, unsere Arbeiten schon aus diesem Grunde zeitweise einzustellen." Das Ergebnis dieser winterlichen Arbeit an den beiden Schreibtischen war der „Papa Hamlet", erschienen 1889 in Leipzig als das angebliche Werk eines norwegischen Schriftstellers Bjarne P. Holmsen, dessen Bild auf dem Umschlage prangte, und dessen Leben und Bedeutung eine Einleitung des Übersetzers. „Dr. Bruno Franzius", schilderte: Ibsen hatte damals alle Deutschen aus dem Felde geschlagen, und die beiden Verfasser wollten ihren „Papa Hamlet" mit dem norwegischen Schilde ins deutsche Publikum einschmuggeln. 1891 erschien dann, als zweites gemeinsames Werk, das Schauspiel „Die Familie Selicke", das mit Nennung der Namen der Verfasser am 7. April 1890 durch die „Freie Bühne" in Berlin aufgeführt worden war. Zehn Jahre später entdeckte Holz noch das „Naturgesetz" der impressionistischen Lyrik, die „Mittelachsenpoesie", die er in den Heften des „Phantasus" (1898/99) praktisch und in der Kampfschrift „Revolution der Lyrik" (1899) theoretisch verteidigte: eine neue Gedichtform ohne Reim, Versmaß und Strophe, die einzelnen lyrischen Impressionen lediglich auf einer vertikalen Achse aneinandergereiht — das Pedantischste, was je ein Lyriker erfunden und mit verbissenem Selbstbewußtsein durchgeführt hat. Denn von dem Werk von Arno Holz, der am 26. Oktober 1929 gestorben ist, gilt gerade das Gegenteil der Behauptung, mit der er und Schlaf die „Familie Selicke" charakterisieren: „Kein Homunkulus war unserer Retorte entschlüpft, kein schwindsüchtiges, bejammernswertes Etwas, dessen Lebenslicht man nicht erst auszublasen brauchte, weil es von selbst ausging, sondern eine neue Kunstform hatten wir uns erkämpft." Von all den großen Redensarten, die die Naturalisten in die Luft hinauswarfen, ist dieser Satz die überheblichste und leerste. Das einzige wirkliche Verdienst von Holz und Schlaf, geschichtlich gesehen, besteht in der Anregung, die sie einem Begabteren, Gerhart Hauptmann, gegeben.

Gerhart Hauptmann hat die von ihm verfaßte Geschichte seiner Jugend, die er als Fünfundsiebzigjähriger herausgab, als „Das Abenteuer meiner Jugend" bezeichnet. Es mag kaum ein Buch geben, dessen Titel so wenig zum Inhalt zu passen scheint. Abenteuer heißt Wagnis, Heldentat, romantisch-leidenschaftliches Erlebnis. Von all dem ist der Inhalt von Hauptmanns Jugendgeschichte gerade das Gegenteil, und wo der Wellenschlag des Geschehens rascher wird, die meist ebene Flut zu größeren

Höhen und tieferen Tälern aufzupeitschen, glättet der ruhig-gegenständliche Stil des Erzählers alle Unebenheiten aus. Eifrige Verehrer haben Hauptmann manchmal mit Goethe verglichen; das ist nicht verwunderlich in einer Zeit, die aller Maßstäbe bar ist. Er selber hat den Vergleich eher gefördert als zurückgewiesen. Stellt man nun aber das „Abenteuer meiner Jugend" neben „Dichtung und Wahrheit", in denen beiden das Leben der Verfasser bis etwa zum 26. Jahre erzählt wird, so könnte der Unterschied nicht größer sein. Goethe schildert sein inneres und äußeres Werden, Orte und Zeiten, Menschen und Dinge kunstvoll und organisch mit seiner Person verflechtend und das wirkliche Geschehen zum Sinnbild des Bedeutenden erhebend. Sein Leben wird so zu einem Naturvorgang, wie er in der „Metamorphose der Pflanzen" das Wachstum der Pflanzen in seiner Gesetzmäßigkeit aufgedeckt hat, Hauptmann dagegen ist scharf und gewissenhaft beobachtender Zuschauer eines Geschehens, das Schritt für Schritt mit allem Drum und Dran aufgezeichnet wird, echt naturwissenschaftlich ohne Wertung des einzelnen, ohne Unterscheidung von groß und klein, mit Ausbreitung einer verwirrenden Menge von Einzelheiten: man erfährt sogar, daß der Vater ihm das neue Schuhwerk in der Werkstatt des Schusters Bliemel zu Hinterhartau, die neuen Anzüge in der Werkstatt des Schneiders Leo am Ende der Promenade persönlich anmessen ließ. Aber all dieses gewaltige Material wird nur äußerlich um den Helden aufgehäuft, in und um seinen Lebensweg aufgeschüttet, höchstens psychologisch, aber nicht geistig-entwicklungsgeschichtlich mit ihm verbunden. Es wird nur erzählt, was in einem Leben alles passieren kann, nicht, wie ein Leben sich zu einem Schicksal bildet. Erst wenn wir uns dieses Formgesetz klarmachen, begreifen wir den Titel „Abenteuer". Hauptmann betrachtet sein Leben als eine Folge von Ereignissen, die der Zufall zusammenträgt, im ursprünglichen Sinn von adventura: was einem in den Weg kommt. Es ist nicht ein geistig-organischer, sondern ein mechanistisch-materialistischer Schriftsteller, der das Buch geschrieben hat.

Das enthebt auch den Geschichtsschreiber der Pflicht, den Versuch zu machen, eine innere Entwicklungslinie in diesem Leben aufzudecken. Denn auch das Gefühl des Schmerzes, das Hauptmann als erste Bewußtwerdung am Anfang verzeichnet, und die Beobachtung des sozialen Unterschieds von oben und unten geben nur gedankliche Anregungen für sein späteres Schaffen; die Gestalt seines inneren und äußeren Lebens wird durch diese ersten Kindheitserfahrungen nicht bestimmt.

In dem schlesischen Badeorte Obersalzbrunn wurde Hauptmann am 15. November 1862 geboren. Der Vater, dessen Aussehen an Bismarck erinnerte, war eine herrische Natur. Er war Besitzer des vornehmen Hotels „Zur preußischen Krone". Vor allem eng war das Verhältnis des Knaben zur Mutter. Aus der späten Erinnerung erzählt Hauptmann, wie der soziale Unterschied von oben und unten ihm früh zum Bewußtsein gekommen sei, und berichtet von Grübeleien des Knaben über das Wesen der Materie, die ihn dem Kantischen Begriff des Dings an sich nahegebracht haben sollen! Verkehr mit Handwerkern, Lesen von Robinson und Lederstrumpf, Theaterspielen vervollständigen das Bild der Jugend. Wichtig ist die Bekanntschaft mit dem Pietismus, der ja in Schlesien seit langem heimisch war, durch die Schwestern der Mutter. Mit dem Kriege 1870/71, der Deutschland den großen wirtschaftlichen Aufschwung brachte, begannen im Hotel geschäftliche Schwierigkeiten. Der Vater, der selber, namentlich für Pferde, viel Geld brauchte, mußte Verwandte auszahlen, sein Betriebskapital schwand, zugleich ging der Besuch der reicheren Kundschaft zurück. Während dieser Zeit ging der Knabe in die Realschule in Breslau. Er kam bis zur Quarta und wurde darauf einem Onkel anvertraut, durch den er in die Landwirtschaft eingeführt werden sollte. Damals mußte der Gasthof von dem Vater aufgegeben werden, der nun den Betrieb einer Bahnhofswirtschaft übernahm.

Inzwischen hatte sich Gerhart, durch einen Maler bestimmt, zum Beruf des Bildhauers entschlossen. Die Jahre, die er in der Kunstschule in Breslau zubrachte, sind wohl die schwersten seines Lebens gewesen. Von zu Hause erhielt er nicht einmal das Nötigste. Er hatte nichts zu essen noch anzuziehen. Er bildete sich zum Hungerkünstler aus, genoß nur ausnahmsweise ein warmes Mittagsbrot und konnte mehrere Tage von nichts leben. „Ich war zum Desperado geworden. Nicht nur forderte ich zum Beispiel durch mein langes Haar überall ohne Absicht den öffentlichen Hohn heraus, sondern ich wollte ihn herausfordern." Er betonte seine „Persönlichkeit auf jede Weise, mitunter vielleicht recht ungebärdig".

Die Verlobung mit Marie Thienemann, der Tochter eines reichen verstorbenen Kaufmanns, enthob ihn mit einem Schlag seiner Sorgen. Immer noch stand der Plan, Bildhauer zu werden, vor seiner Seele. Aber inzwischen versuchte er es auch mit der Dichtung. Ein Arminiusdrama begann zu entstehen: Richard Wagner und die Meininger, Wilhelm Jordans Nibelungen und Felix Dahns germanische Romane bestimmten ihn. Zugleich aber war er von Griechenland begeistert. Ein Ausflug nach Jena, wo sein älterer Bruder Carl Naturwissenschaft studierte, unterbrach diese Bemühungen um Kunst und Dichtung. Er ließ sich durch Haeckel in das materialistische Denken einführen. Zugleich hörte er idealistische Philosophie bei Rudolf Eucken. „Wieder und wieder wurde noch immer von ihm der erlauchte Name Platon genannt, und der Schwung seiner Rede, die alles mit einem feurigen Element überflutete, drang natürlich auch als ein verwirrender Sturm in meine griechischen Träume ein." Es ist bezeichnend, daß in Hauptmanns Geist Materialismus und Idealismus in brüderlicher Vereinigung wohnten, ohne daß es zunächst zu einer weltanschaulichen Entscheidung kam. Es kam nur zu einer praktischen, nämlich zum Entschluß einer Reise nach Griechenland. Von Hamburg aus fuhr er über Malaga, Marseille, Genua nach Neapel und Capri und von da nach Rom. Von hier kehrte er nach Hause zurück. Die Frucht dieser Reise war nicht das Erlebnis antiker Schönheit, sondern moderner Sittenlosigkeit. Die Eindrücke unter den Prostituierten Malagas waren stärker als die der Kunst und Landschaft des Südens.

Aber im Herbst ging er aufs neue nach Rom, um mit Eifer und Ernst seine Bildhauerpläne zu fördern. Er arbeitete an der Kolossalstatue eines cheruskischen Kriegers. Ihr Einsturz wegen mangelhafter Technik ist bezeichnend für die dilettantische Ratlosigkeit seines Schaffens. Der Besuch der Braut und ihrer Schwestern und darauf ein Typhusanfall rissen ihn aus seiner Arbeit. Er kehrte nach der Genesung im Frühjahr 1884 nach Deutschland zurück und nahm das Bildhauerstudium in Dresden aufs neue auf. Und merkte, daß der Ruf nach der Dichtung stärker war als der der Bildhauerei. Ein Tiberiusdrama entstand — Geibel hat ein berühmtes Gedicht über den Tod des Tiberius geschrieben. Nun ging es nach Berlin. Da brachte ihm eines Tages ein Bekannter ein Reclamheftchen: Ibsens „Nora". „Das Drama wurde uns eine helle Fanfare". Es war das erste „Henrik-Ibsen-Wetterleuchten". Ein „Naturereignis". Noch aber stand er im Banne der alten rhetorischen Versdichtung. Nach seiner Heirat zog er mit seiner jungen Frau nach dem Berliner Vorort Erkner, und da entstand die epische Dichtung „Promethidenlos", die Schilderung seiner Reise nach Italien. Aber bereits drangen die Sporen der neuen Literatur von allen Seiten auf ihn ein. Er ließ sich sagen, daß der Dichter beobachten, nicht träumen müsse, und daß sein Reich von dieser, nicht von jener Welt sei. Als er einmal eine Reise zu den Eltern machte, die sich in Hamburg niedergelassen hatten, unterlag er „den Geboten seines innern Berufes, seiner literarischen Besessenheit" und unternahm Tag für Tag eigentliche Beobachtungswanderungen. „Zu Studienzwecken nahm ich meine Gewohnheit wieder auf, mich vor Tag vom Bett zu erheben und Streifzüge durch die Stadt zu machen. Man wird wissen, welche Ausbeute einem Beobachter und Betrachter eine Seestadt wie Hamburg zu geben vermag." Es war nur folgerichtig, wenn er das Bedürfnis empfand, sein Beobachtungswissen nach der Seite der wissenschaftlichen Psychologie hin zu erweitern. In Zürich studierte sein Bruder Carl unter dem Psychiater Forel. Auch Gerhart ging im Sommer 1886 dorthin, ließ sich von Forel hypnotische Versuche vorführen und besuchte die Irrenheilanstalt Burghölzli. Daneben trieb er seine eigenen Beobachtungen weiter. „Auch außerhalb der Mauern Zürichs bin ich immer mit dem Notizbuch in der Hand, wo ich ging und stand, den psychischen Sonderbarkeiten der Menschen nachgegangen. Andere haben mir später gesagt, ich sei kaum ohne Notizbuch gesehen worden." Die deutschen Naturalisten hatten sich von Zola sagen lassen, man müsse mit dem Notizbuch arbeiten. Sie haben in ihrer Gründlichkeit den Meister übertroffen. Platon war längst von Hauptmann zum alten Eisen geworfen. Auch wo eine Art Idealismus in seinem Kopfe spukte — und er tat das gerade in dem Zürich von 1890 —, hatte er sich mit den Lumpen des Materialismus behängt. Weltverbesserungsphantasien schwirrten durch die Luft. Schüler des Naturmenschen Dieffenbach sah man in den Straßen Zürichs. Forel selbst setzte sich, nicht ohne Fanatismus, für Frauenrecht und Abstinenz ein. „Eine Welt ohne Wein, Bier und Schnaps, so schien es ihm, müsse gesund werden." So weit war die Verblödung durch den Materialismus schon gediehen, daß man allen Ernstes glaubte, die Menschheit zu erlösen, indem man ihr vorschrieb, was sie essen und trinken müsse!

Jetzt lenkte auch Hauptmanns Schaffen in die neue Richtung ein. Die Novellen „Bahnwärter Thiel" und „Der Apostel" sind erste Proben einer psychologistischen Beobachtungskunst. Bahnbrechend wirkte der „Papa Hamlet". Im gleichen Jahre — 1889 — erschien Hauptmanns erstes Drama „Vor Sonnenaufgang"; 1890 „Das Friedensfest"; 1891 „Einsame Menschen"; 1892 „Die Weber"; 1893 „Hannele"; 1896 „Florian Geyer" und „Die versunkene Glocke" usw. Der Katalog soll hier nicht fortgesetzt werden. Hauptmann hat sich durch die Reihe seiner dramatischen und epischen Werke als der weitaus größte Könner unter den Naturalisten erwiesen.

Geistig freilich ragt er keineswegs über die andern hinaus. Auch seine Weltanschauung trägt die Züge des mechanistischen und physiologischen Materialismus, wie er die Zeit um 1900 bestimmte, wozu, ebenfalls zeitbestimmt, ein starkes soziales Gefühl hinzutritt — das soziale Gefühl des zuschauenden Bourgeois, nicht des im Elend lebenden Proletariers. Das aufschlußreichste Zeugnis dieser geistigen Grundhaltung bleibt sein „Promethidenlos". Sein Inhalt ist der Niederschlag seiner Italienreise, Goethe, wenn er auf seiner Italienreise auf den Schmutz und die Armut des Volkes zu reden kommt, nimmt sie als die naturnotwendigen dunkeln Flecken in dem farbigen Bild. Hauptmanns Reisender Selin (= Insel, auf seine Einsamkeit hinweisend) dagegen unternimmt die Fahrt nicht als ein ästhetischer Mensch, den sein Glaube an den welt- und kunstschaffenden Geist über alle Unvollkommenheit des Wirklichen in ein Reich der Schönheit emporhebt, sondern als ein Moralist, der das Schöne übersieht, weil allgewaltig unter ihm das Häßliche hervorbricht und seinen Blick bannt, in dessen Seele das Mitleid mit den armen Opfern von Not und Ausschweifung den Genuß der begnadeten Natur und der Kunst nicht aufkommen läßt.

Selin ist ein Sektenprediger, der die Opfer des Lasters erretten will und dem Schiffsvolk fanatische Reden hält über den „Gott der Wahrheit oder Gott der Tugend", „den Gott des Mitleids oder Gott der Liebe", und da er weder mit seinen Worten noch mit seinen Dichtungen über das Leid der Erde Glauben und Anerkennung findet, stürzt er sich ins Meer, nachdem er seine Laute an einem Felsen zerschlagen hat.

Hauptmann selber aber schöpft aus dem Erlebnis die Stoffe für ein Schaffen, das rastlos bis zu seinem Tode am 6. Juni 1946 Werk um Werk hervorbringt. Wenn die Naturalisten Ibsen als ihren hinreißendsten Führer gepriesen und nachgeahmt haben, so muß man sich des Abgrundes bewußt sein, der zwischen ihm und ihnen gähnt. Ibsens Wahrheitsfanatismus ist Glaube an den schaffenden und umwandelnden Geist. Von diesem Glauben aus, am mächtigsten in seinem „Brand" verkörpert, greift er die verstockte, verhockte und scheinheilige bürgerliche Gesellschaft an. Die Naturalisten aber vermögen sich nicht über die jämmerliche Wirklichkeit zu erheben. Der Glaube an den weltschaffenden Geist ist ihnen ausgetrieben. Der Schmutz und die Ungerechtigkeit der Wirklichkeit hängen sich ihnen in schweren Klumpen an die Flügel, halten sie an der

Erde fest und zwingen sie, durch Elendsgassen zu kriechen. Auch Hauptmanns Dramen und Erzählungen sind dieses Jammers voll. Der Mensch
ist ein Tier, das von Hunger oder Liebe zu Taten der Verzweiflung
getrieben, von bösen Menschen gequält, von niedrigen Lüsten in schändliche Verschuldung geführt wird. In „Vor Sonnenaufgang" geht Helene
Krause zugrunde, weil der Alkohol in ihrer Familie wütet und ein
Abstinenzapostel sie im Wahnglauben seines Fanatismus verläßt. Im „Friedensfest" fauchen die hysterischen Glieder einer Familie sich wie wütende
Katzen an. In den „Webern" stürzen sich die vom Hunger zerrütteten
Volkshaufen in die Gewehre des Militärs. Fuhrmann Henschel geht an
seiner sinnlichen Dumpfheit, Rose Bernd an ihrer hilflosen Liebe zu-
grunde. Emanuel Quint, der schlesische Christus, ist ein Psychopath ...
Hauptmann hat sich später geschichtlichen Stoffen zugewendet („Der arme
Heinrich", 1901; „Kaiser Karls Geisel", 1908). Es ist klar, daß er hier
versagen mußte. Den Gegenwartsdramen bläst das mitschwingende
Bewußtsein der Zeitgenossen den belebenden Atem ein: „Tua res agitur".
In geschichtlichen Werken bedarf es dazu der persönlichen Idee, die die
Schemen einer vergangenen Zeit mit Blut erfüllt. Das Mitleid aber und
die seelische Anteilnahme sind keine Ideen, sondern soziale Gefühle, die
Taten des Helfens hervorrufen, aber nicht tote Gestalten künstlerisch neu
beseelen, zu Fleisch und Blut von unserem Fleisch und Blut machen
können. So bleiben diese Werke, bei aller Feinheit der Mache, innerlich
leer. Es sind Zuschauer-, Beobachterdramen, aus mittelbarem, anteilvollem
Wissen, nicht aus unmittelbarem Erleben geschöpft. Wie ja auch die Werke,
die den Anspruch auf Leidenschaftsdarstellung erheben — „Der Ketzer
von Soana" (1918); „Das Buch der Leidenschaft" (1929) —, hinreißender
Leidenschaft bar sind. Gerade Hauptmann, der bewundernswerte Könner,
offenbart am erschütterndsten das dichterische Versagen des Naturalismus. Dichten heißt: Geist in sprachlichen Gebilden anschaulich gestalten.
Wie sollte das einem Geschlechte gelingen, das nicht an den Geist glaubte?

8. AUSKLANG

> „Wie zerrissen sieht es in der Welt aus — welche
> Unsumme von Elend, von vernichteten Wohl-
> stand, Schlechtigkeit — welcher gänzlicher
> Mangel an der gemeinsten Sicherheit."

Caroline Schelling. 1807

Die deutsche Literatur von 1700 bis 1900 bildet einen in sich geschlossenen und organischen geistigen Ablauf. Um 1700 bricht die Idee des
selbständig-menschlichen Vernunftdenkens in das bisher von dem Glau-
bensgrundsatz beherrschte Leben der Kirche ein, und die Begründung eines
diesseitigen Glückszustandes wird das Ziel und der Maßstab des sittlichen
Verhaltens, das seine Gesetze nicht mehr von der göttlichen Offenbarung,
sondern von der menschlichen Vernunft bezieht. Auch die Dichtung, die
im Barock der Kampfplatz zwischen Weltverdammung und Jenseitssehnsucht gewesen war, erhält nun für mehr als ein halbes Jahrhundert ihr
Formgesetz durch die Vernunft. Lessing, Wieland und auch Klopstock sind
ihr verpflichtet.

Die geschichtliche Aufgabe des Sturms und Drangs war die Unterhöh-
lung des einseitigen und zur Oberflächlichkeit erstarrten Rationalismus.
In den psychologischen, erkenntnistheoretischen, ästhetischen und geschichtsphilosophischen Werken Hamanns und Herders taten sich neue
Tiefen auf, in denen die Mächte der Urnatur aus dem Chaos neues Leben
ballten. Aber unter den Dichtern war nur einer, der die Weisheit der
Mystagogen an der Wurzel erfaßte: Goethe. Denn in ihm war die Klarheit und der Ordnungssinn der Vernunft mit der Glut und Tiefe des
Naturgefühls vereint, und so war es ihm beschieden, über alle Zeitgenossen hinweg die deutsche Dichtung zu klassischer Höhe emporzutragen. Ein
Jahrzehnt später gesellte sich Schiller, von gleicher Erkenntnis bewegt,
ihm zu. Die Dichtung, die sie am Schlusse des Jahrhunderts erkannt
hatten und verwirklichten, barg den Gehalt vernunftvoller Weisheit in
lebendigem Gestalten. Sie war nicht einseitig nach außen gerichtet, als
Nachahmung der sichtbaren Welt; sie war nicht einseitig nach innen
gerichtet, als Verkündigung denkerischer Erkenntnis. Die Natur, als
natura naturans und natura naturata, waltete in ihren Gebilden und verlieh ihnen in schönem Gleichgewicht die unmittelbare Überzeugungskraft
der Wahrheit und die sinnliche Glut des Lebendigen.

Es war das Schicksal der Romantik, daß sie dieses zarte Gleichgewicht
von Geist und Leben zerstörte und bald dem Geist den Vorrang vor dem
Leben gab, bald das Leben über den Geist erhob. Denn ihr Wesen war
die Übertreibung und die Einseitigkeit, weil sie nicht mehr in der Natur
wurzelte, sondern in dem Willen. Hölderlin ging an seiner Ohnmacht
gegenüber der Wirklichkeit zugrunde. Friedrich Schlegel, der in der
romantischen Ironie den Geist selbstherrlich über alle Fesseln von Stoff

und Stimmung triumphieren ließ, unterwarf sich in der „Lucinde" der Willkür freier Sinnlichkeit, und selbst Eichendorff, der edelste und gemütstiefste der Romantiker, vermochte dem lebendigen Tag nicht mehr sein Recht neben dem Lichte der Ewigkeit zuzugestehen. Das Schaffen eines Jean Paul und E. T. A. Hoffmann ist eine einzige Dissonanz zwischen dem Joche der Wirklichkeit und dem Triumph des Geistes. Je mehr die Wirklichkeit in Erkenntnis und Anwendung, in Wirtschaft und Politik das Leben des Volkes durchdrang und formte, um so eigenwilliger zogen sich die Dichter in ihr geistiges Reservat zurück und lebten darin abgesondert und mit dem Anspruche auf eine Kunst um der Kunst willen.

Bis nach 1830 die Wirklichkeit selber die künstlichen Gehege des Geistes einstieß und mit breiten Güssen den Garten der Poesie überschwemmte. Nur wenige, wie Gottfried Keller, waren stark genug, Naturinbrunst und Geisteslicht in schöner Zweieinheit in sich zu tragen. Die meisten wurden dem neuen Rationalismus der naturwissenschaftlichen Aufklärung untertan und mühten sich, im Zeitalter des wachsenden Materialismus, ihre Werke mit Wirklichkeitsstoff zu füllen. Verloren war so jenes holde Gleichgewicht der klassischen Dichtung: Natur, die lebendiges Kleid der Gottheit war, und Geist, der sich in den sichtbaren Gestalten der Natur offenbarte. Beide hatten die sakrale Tiefe des Übermenschlichen verloren und waren säkularisiert: Natur erschien als Stoff und Geist als menschliche Wissenschaft. Diese entgöttlichte Wirklichkeit zu beobachten und in sinnlich anschaulichen, individuell erfaßten und scharf konturierten Gestalten nachzubilden, wurde Ziel der dichterischen Sprache, die man nun Realismus nannte — Darstellung der Sinnenwirklichkeit als Gegenpol gegen die Geistdarstellung der Romantik. Was der Naturalismus wollte und leistete, ist nur die letzte Konsequenz dieses Strebens. Die naturwissenschaftliche Weltanschauung hatte den Geist aus der Natur ausgetrieben und faßte das All als eine ungeheure Maschine auf. So mußte auch das Dichtwerk geist-los werden, Photographie der äußeren sinnenhaften Wirklichkeit: der Naturalismus gipfelte im Impessionismus.

Die Entwicklung war damit, um 1900, für einmal abgeschlossen. Natürlich gibt es auch fortan noch einzelne Nachzügler des Realismus, so vor allem Thomas Mann (1875—1955). Er ist als Schriftsteller hervorgetreten in jener Zeit, die mit dem Fluch des Fin de siècle oder der Décadence belastet war. Er trug ihn in seinem berühmten Erstling „Buddenbrooks" (1901) in das Schicksal des deutschen Bürgertums hinein und stellte von „Tonio Kröger" (1914) an auch den Künstler als Geschöpf des Verfalls dar. An Schopenhauers Pessimismus und Nietzsches Kulturkritik gebildet, setzt er an die Stelle der Weltanschauung das vielschichtige Verstandeswissen der Zeit, an die Stelle des Glaubens die Ironie. In seinem „Doktor Faustus, das Leben des deutschen Tonsetzers Adrian Leverkühn" (1947) ist die Zersetzung bis zur ironisierenden Selbstauflösung aller künstlerischen Form vorgeschritten.

Eine andere Richtung setzt nach dem Jahrhundertanfang mit Bemühungen um eine neue Dichtung aus dem Geiste des Idealismus ein.

In den deutschen idealistischen Dichtern wirkt sich der Gegensatz zu dem naturbedingten Wesen der Zeit in einem ausgesprochen intellektuellen Zuge aus: Beweis dafür ist schon ihr starkes Bedürfnis nach theoretischer Auseinandersetzung. So hat Paul Ernst (1866—1933) gegen den Psychologismus der Naturalisten eine klassische Dichtung aufzubauen unternommen. In seinen Novellen, Zeugnissen einer unerschöpflichen Phantasie, hat er an die geistreiche Fabulistik romanischer Novellendichtung angeknüpft, in seinen Trauerspielen, im Gegensatz zu der bloßen Elends- und Mitleidsdramatik der Naturalisten, die klassische Tragödie als den Kampf des freien Großen gegen die Macht der äußeren Notwendigkeit aufgefaßt. Der tragische Held, so sagt er in einem Aufsatz des „Weges zur Form", „muß handeln mit der Freiheit, welche uns Menschen zugemessen ist, und kann nicht bloß leiden, wie der Proletarier, welcher nur einer Notwendigkeit folgt. Dann haben wir aber neben dem unerbittlichen Schicksal und der Zermalmung auch den Konflikt und die Erhebung."

Stefan George (1868—1933) übertrifft Ernst in der Überbetonung der heldischen Gebärde, aber auch an äußerlicher Pathetik und künstlicher Feierlichkeit. Denn in Wirklichkeit ist sein Ästhetizismus der alten klassizistischen Schönheitsdichtung näher, als seine Anhänger es wahrhaben wollen. Die Münchener, denen er künstlerisch nicht ganz ferne steht, waren nur harmloser, weniger feierlich, und gaben sich nie den Anschein des Mystagogen.

Tiefer haben Christian Morgenstern (1871—1914) und Rainer Maria Rilke (1875—1926) aus dem Brunnen der Mystik geschöpft. Beiden gemeinsam ist das denkende Auflösen der dinglichen Sinnenwelt in die Bedeutung des reinen Gedankens. Hat Morgenstern in seinen „Galgenliedern" den Wahn der Positivisten, das Wesen der Welt in Einzelbegriffen zu fassen, verspottet, so versenkt er sich in seinen ernsten Gedichten geistig schauend in den göttlichen Urgrund der Welt, das „unfaßbare Es oder Selbst".

Auch Rilke wußte um den Verlust des Wesenhaften der Welt durch die Versachlichung des Positivismus. Schon im „Stundenbuch" spricht er vom „Arsenal der ungelebten Dinge". Erst recht beklagt er den Menschen: „Keiner lebt sein Leben". Dieses für das angebrochene Massenzeitalter so typische Merkmal ist eine Erscheinung des Naturalismus, der — indem er sich die bloße Abschilderung des menschlichen Daseins zur Aufgabe machte — nicht mehr in die Welt und das Leben hineinsah, sondern sie nur noch anzustarren vermochte und dadurch eine trostlose Veräußerlichung bewirkte, die eigentlich erst die Voraussetzung für die Hoffnungslosigkeit naturalistischer Elendsschilderung ist. Zur Überwindung dieser Hoffnungslosigkeit ist Rilkes Sinnen fortan darauf gerichtet, den Menschen wieder mit dem Wesen der Dinge vertraut zu machen und ihn auf sich selbst zurückzuführen. Das geschieht am erschütterndsten in der Begegnung mit dem Tode: „O Herr gib jedem seinen eignen Tod" bittet Rilke noch im „Stundenbuch". Und „Die Aufzeichnungen des Malte Laurids Brigge" heben an mit der Klage: „der Wunsch, einen eigenen Tod zu haben, wird immer seltener. Eine Weile noch, und er wird ebenso selten sein wie ein eigenes Leben." Auch diese Befürchtung ist hervorgerufen durch die drohenden Schatten des Massenzeitalters, das als Ausdruck von Materialisierung und Mechanisierung jegliches Eigene — und sei es das Sterben — auslöscht und zur leeren Phrase werden läßt. Rilkes spätere „Sonette an Orpheus" und die „Duineser Elegien" suchen die für den Menschen der Jahrhundertwende erstorbene Welt wieder zu beleben. Wie Orpheus die Welt bezauberte und sie zum Klingen brachte, beschwört sie der Dichter, auf daß ihre äußerliche Wirklichkeit wieder ein „stiller Glanz von innen" erhelle, indem sich das Wesenhafte, das reine Sein auftut.

So weiß sich der Mensch nach seiner seelischen Verarmung durch die Austreibung des Geistes aus der Welt keine andere Rettung als die abermalige Rückkehr zum Ursprünglichen, wo sich ihm Geist und Natur als Einheit aufs neue erquickend offenbaren.

SCHRIFTENVERZEICHNIS

(Es ist nur eine Auswahl wichtigster Werke genannt. Auf Nachweis der Zitate ist verzichtet.)

Einleitung (S. 7)

Der Goethe, Kleist, Hebbel betreffende Schriftennachweis ist unter den entsprechenden Kapiteln zu finden. H. de Boor, Die deutsche Literatur von Karl dem Großen bis zum Beginn der höfischen Dichtung. 2. A. 1955. H. de Boor, Die höfische Literatur, Vorbereitung, Blüte, Ausklang. 2. A. 1955. (Beide Werke: Bd. I u. II von H. de Boor u. R. Newald, Geschichte der deutschen Literatur). Minnesangs Frühling: Neu bearbeitet v. C. Kraus, 30. A. 1950. Walther von der Vogelweide, Die Gedichte: Hrsg. v. H. Paul, 8 A. v. A. Leitzmann 1953. Nibelungenlied: Hrsg. v. K. Bartsch, 1870—80. Gottfried von Straßburg, Tristan und Isolde: Hrsg. v. Fr. Ranke, 1930. Wolfram von Eschenbach, Werke: Hrsg. v. K. Lachmann, 6. A. v. E. Hartl, 1926. J. Rist, P. Fleming: Deutsche Barocklyrik, hrsg. v. M. Wehrli in: Reihe Klosterberg, 1945. Klopstock, Oden. Aechte A. 1787. Fr. Sengle, Zum Problem der modernen Dichter-Biographie. Dt. Vjschr. f. Litwiss. u. Geistesgesch. 26 (1952) S. 100/11.

Erstes Buch: Die Aufklärung (S. 17)

1. *Klopstock und die Empfindsamkeit (S. 17)*

M. Wieser, Der sentimentale Mensch. 1924. W. Mahrholz, D. deutsche Pietismus. 1921. O. Uttendörfer, Zinzendorfs Weltbetrachtung. 1929. Stücke aus Zinzendorfs Autobiographischen Aufzeichnungen in: Deutsche Selbstzeugnisse. Bd. 7. Klopstock: F. Muncker, Klopstock. 1888. H. Wöhlert, D. Weltbild in Klopstocks Messias. 1915. A. Köster, Klopstock u. die Schweiz. 1923.

2. *Wieland und die Ironie (S. 33)*

Chr. L. Liscow: Werke, 3 Bde. 1806. B. Litzmann, Liscow. 1883. G. W. Rabener, Satiren. 4. A. 4 Bde. 1776. Briefe, hrsg. v. Chr. F. Weisse. 1777. Chr. F. Weisse, Selbstbiographie. 1806. J. Fr. W. Zachariä: Bremer Beiträger, 2. hrsg. v. F. Muncker (D. National-Literatur). Wieland: Sämtliche Werke, hrsg. von J. G. Gruber. 1824 ff. (mit Biographie). Kritische Ausgabe d. Preußischen Akademie d. Wissenschaften begründet u. hrsg. v. B. Seuffert. 1910 ff. Von den Briefsammlungen besonders wichtig: Ausgewählte Briefe, hrsg. v. H. Geßner. 1815. Denkwürdige Briefe, hrsg. v. L. Wieland. 1815. E. Ermatinger, W. u. die Schweiz. 1924. V. Michel, C. M. Wieland. 1938. A. Fuchs, Les apports français dans l'oeuvre de Wieland. 1934. Festschrift zum 200. Geburtstag. 1933. Fr. Sengle, C. M. Wieland, 1949 (Biographie).

3. *Lessing (S. 55)*

Sämtliche Schriften, hrsg. v. F. Muncker. 1886—1924. Danzel-Guhrauer, G. E. Lessing. 2. A. hrsg. von Maltzahn u. Boxberger. 1880/81. E. Schmidt, Lessing, 4. A. 1923. H. Leisegang, Lessings Weltanschauung. 1931. G. Fittbogen, Lessings Religion. 1923. K. Aner, Die Theologie der Lessingzeit. 1929. J. Clivio, Lessing u. das Problem der Tragödie. Wege zur Dichtung. 1928. Moses Mendelssohn: Gesammelte Schriften. 1929 ff. Kayserling, M. Mendelssohn. 2. A. 1888. Fr. Nicolai: Autobiographie in Deutsche Selbstzeugnisse 8. Bd. K. Aner, Der Aufklärer F. Nicolai. 1912. M. Sommerfeld, Fr. Nicolai u. der Sturm u. Drang. 1921.

Zweites Buch: G o e t h e (S. 83)

1. Der Kampf gegen den Rationalismus (S. 83)

H. A. Korff, Geist der Goethezeit. 2. A. 1954 ff. W. Lütgert, Die Erschütterung des Optimismus durch das Erdbeben von Lissabon 1755. 1901. Loepers Anmerkungen zu Dichtung u. Wahrheit. Hempelausgabe, Bd. 20, 256 f. J. G. H a m a n n : Schriften, hrgs. v. F. Roth u. G. A. Wiener, 9 Bde. 1821—43. Auswahl, hrsg. v. K. Widmaier. 1921. Smtl. Werke, hist. krit., hrsg. v. J. Nadler. 1949 ff. R. Unger, H. u. die Aufklärung, 2 Bde. 2. A. 1925. J. G. H e r d e r : Sämtl. Werke, hrsg. von B. Suphan. 33 Bde. 1877—1913. R. Haym, Herder. 2 Bde. 1885.

2. Talent und Genie (S. 120)

Der junge Goethe, hrsg. von M. Morris, 6 Bde. 1909—12. G. C h r. L i c h t e n - b e r g : Vermischte Schriften. Neue Ausgabe. 8 Bde. 1843—53. M. Sommerfeld, Fr. Nicolai u. der Sturm u. Drang. 1921. W. H. v o n G e r s t e n b e r g : Neudruck d. Merkwürdigkeiten d. Literatur, hrsg. v. A. von Weilen. 1888. Neudruck d. Rezensionen in der Hamburgischen Neuen Zeitung, hrsg. v. O. Fischer. 1904. A. M. Wagner, H. W. v. Gerstenberg u. d. Sturm u. Drang. 1920/24. J. A. L e i - s e w i t z : Neudruck des Julius von Tarent, hrsg. v. R. M. Werner. 1899. Briefe an die Braut, hrsg. v. H. Mack. 1906. Tagebücher, hrsg. v. H. Mack u. J. Lochner. 1916/20. G. Kutschera von Aichbergen, J. A. Leisewitz 1876.

3. Kraftgenies (S. 137)

S c h u b a r t : Gesammelte Schriften u. Schicksale. 8 Bde. 1839 f. Krit. Ausgabe d. Gedichte, hrsg. von G. Hauff. 1884. D. F. Strauß, Schubarts Leben in seinen Briefen. 1849. B ü r g e r : Sämtliche Werke. Hrsg. von W. von Wurzbach. Gedichte, hrsg. von E. Consentius. Briefe von u. an Bürger, hrsg. von A. Strodtmann. 1874. W. von Wurzbach, Bürger, Sein Leben u. seine Werke. 1900. M a - l e r M ü l l e r : Neue Auswahl seiner Werke von K. Freye. In: Sturm u. Drang. 4. Teil. B. Seuffert, Maler Müller. 1877. H e i n s e : Kritische Gesamtausgabe der Werke, hrsg. v. K. Schüddekopf. 1902—26. Darin: Aphorismen, hrsg. von A. Leitzmann. 1925. R. Rödel, Heinse. Sein Leben u. seine Werke. 1892. W. Brecht, Heinse u. der ästhetische Immoralismus. 1911.

4. Gemütvolles Landleben (S. 168)

C l a u d i u s : Werke, hrsg. von C. Redlich. 1871. W. Stammler, M. Claudius. 1915. G ö t t i n g e r H a i n : Der Göttinger Dichterbund, hrsg. v. A. Sauer (Kürschners Deutsche Nationalliteratur). H ö l t y : Werke. Ausgabe von W. Michael. 1914. V o s s : Auswahl bei Sauer. Dort auch die Aufzeichnungen von Ernestine Voss.

5. Goethes Jugend (S. 188)

Aus dem Meere der Goethe-Literatur sei nur Wichtigstes geschöpft: Auf dem Text der umfassenden Weimarer Ausgabe der Werke, Tagebücher u. Briefe, 1887 bis 1918, beruhen die späteren Ausgaben, z. B. die Cottasche Jubiläumsausgabe, besorgt v. E. von der Hellen u. a. 1902 ff., die der Goldenen Klassikerbibliothek, hrsg. von K. Alt u. a., die Auswahlausgaben von Briefen (von E. von der Hellen. 1901 ff.; Philipp Stein. 1902), das Sammelwerk von H. G. Gräf, Goethe über seine Dichtungen. 1901 ff. Für Goethes Jugendschaffen wichtig ist: M. Morris, Der junge Goethe. 1909 f. (Sammlung von Dichtungen, Briefen u. Zeichnungen usw.). Ausgaben von Goethes Briefwechsel mit Schiller, Karl August, Zelter, den Romantikern usw. Goethe u. s. Freunde im Briefwechsel, hrsg. v. R. M. Meyer. 1909. Goethes Gespräche gab in zweiter Auflage Flodoard von Biedermann heraus. 1909 ff. Wichtig besonders die Gespräche mit J. P. Eckermann, hrsg. von H. H. Houben, 21. A. 1925, dem Kanzler von Müller, dem Prinzenerzieher Soret, hrsg. v. Houben. 1929. Zur Morphologie der inneren Entwicklung Goethes liegt das ausgezeichnete Werk vor: G. Müller, Kleine Goethebiographie. 3. A. 1955. Für das Äußerlich-Geschichtliche mag A. Bielschowsky (zuerst 1896 u. 1903 erschienen) genügen. Die Gedankenwelt untersuchen E. A. Boncke, Goethes Weltanschauung. 1907. H. Siebeck, Goethe als Denker. 4. A. 1922. G. Simmel, Goethe. 1913. Ein Goethe-Handbuch hat J. Zeitler herausgegeben. 1916—19. Von Sonderarbeiten zu einzelnen geistigen u. künstlerischen Fragen wird hier abgesehen.

6. *Goethe und seine Freunde im Sturm und Drang (S. 220)*

Über „Werther": A. Kestner, Goethe u. Werther. 1854. J. W. Appell, Werther u. seine Zeit. 4. A. 1896. J. C. L a v a t e r : Ausgewählte Werke, hrsg. v. E. Staehelin. 1943. J. M. R. L e n z : Werke, hrsg. von F. Blei. 1909—1920. Briefe von u. an Lenz, hrsg. von K. Freye u. W. Stammler. 1918. M. Rosanow. Lenz' Leben. 1901. Übersetzt von Gütschow. 1909. F. M. K l i n g e r : Dramat. Jugendwerke, hrsg. von Hs. Berendt u. K. Wolff. 1912/1913. Biographie von M. Rieger. 1880/96. E. Schmidt, Lenz u. Klinger. 1878. H. L. W a g n e r : Werke, hrsg. von L. Hirschberg. 1923. E. Schmidt, H. L. Wagner. 2. A. 1879.

7. *Goethe in Weimar (S. 254)*

W. Bode, Karl August von Weimar. 1912 ff. Derselbe, Amalia, Herzogin von Weimar. 1907.

8. *Goethe in Italien und Weimar bis zu Schillers Tode (S. 276)*

M. Wundt, Goethes Wilhelm Meister. 1913.

9. *Goethe im Alter (S. 301)*

C. Schüddekopf u. O. Walzel, Goethe u. die Romantiker, Schriften d. Goethe-Gesellschaft. 13/14 Bd. 1898/99. V. Hehn, Gedanken über Goethe (Goethe u. das Publikum). 1888. Ausgabe des Westöstlichen Divans von E. Beutler. 1943. M. Hecker, Goethes Tod. Inselalmanach auf d. Jahr 1932. Von der überreichen Literatur zum Faust sei, außer der vortrefflichen Ausgabe von G. Witkowski, nur W. Hertz' Büchlein: Goethes Naturphilosophie im Faust (1913) genannt.

Drittes Buch: D e r d e u t s c h e I d e a l i s m u s (S. 333)

1. *Die Begründung des deutschen Idealismus (S. 333)*

R. Kroner, Von Kant bis Hegel. 1921/24. Kants Werke. Her. v. K. Vorländer. 1901—24. Fichte, Werke. Auswahl v. F. Medicus. 1908—12 (mit biographischer Einleitung). Schelling, Werke. Her. von M. Schröter. 1927/8. Schleiermacher, Werke. 1835—64. W. Dilthey, Aus Schleiermachers Leben. In Briefen. 1858—63. 2. A. 1922.

2. *Schillers Jugend (S. 350)*

Schillers Werke. Säkularausgabe von E. von der Hellen. 1904/05. Von O. v. Güntter u. G. Witkowski. 1909—11. Briefe Her. von F. Jonas. 1892—96. Briefwechsel mit Körner. Her. von K. Goedeke. 1874. Gespräche. Her. von J. Petersen. 1911. Biographien von J. Minor. 1889/90 (unvollendet). R. Weltrich. 1899 (unvollendet). K. Berger. 1905/09. R. Buchwald. 1937. K. Bauer, Schillers äußere Erscheinung. 3. Marbacher Schillerbuch. 1909. Veröffentlichungen des Schwäbischen Schillervereins. 1905 ff. B. v. Wiese, Friedrich Schiller. 1959.

3. Schillers weltanschauliche und ästhetische Auseinandersetzungen (S. 378)

Briefwechsel mit Körner. Her. v. K. Goedeke. 1874. Über Humboldt: E. Spranger, W. von Humboldt u. die Humanitätsidee. 1909. Deutsche Rundschau 66,230 ff. K. Ph. Moritz, Über die bildende Nachahmung des Schönen. 1786. Neudruck von S. Auerbach. 1888.

4. Schiller in der Freundschaft mit Goethe (S. 398)

Schillers Briefwechsel mit Goethe. Her. von R. Boxberger, und öfter. Goethe, Erste Bekanntschaft mit Schiller. 1794. Goethe und Schiller, in Briefen von Heinrich Voss. Her. von H. G. Gräf.

5. Romantische Revolutionäre (S. 409)

R. Haym, Die romantische Schule. 1870. R. Huch, Die Romantik. 1899/1902. F r i e d r i c h S c h l e g e l. Sämtliche Werke. 2. A. 1846. Prosaische Jugendschriften. Her. von J. Minor. 1882. Neue Philosophische Schriften. Her. von J. Körner. 1935. Briefe an seinen Bruder August Wilhelm. Her. von O. Walzel. 1890. C. Enders, Fr. Schlegel. 1913. A u g u s t W i l h e l m S c h l e g e l. Sämtliche Schriften. 1846/47. C a r o l i n e. Briefe aus der Frühromantik. 2. A. Her. von E. Schmidt. 1913. Goethe und die Romantiker. Briefe. Her. von C. Schüddekopf und O. Walzel. 1898/99. Krisenjahre der Frühromantik (Briefe aus dem Schlegelkreis). 1937.

6. Die altdeutsche Wendung (S. 435)

W. H. W a c k e n r o d e r. Werke u. Briefe, Her. von Fr. von der Leyen. 1910. L. T i e c k. Schriften. 1828—54. Auswahl von E. Berend. R. Köpke, L. T. 1855. Karoline Bauer. Deutsche Selbsterzeugnisse Bd. 12. F r. v o n H a r d e n b e r g (Novalis), Werke. Her. von P. Kluckhohn u. R. Samuel. 1929. J. R. Thierstein, Novalis u. der Pietismus. 1910. A. Carlsson, D. Fragmente des Novalis. 1939.

7. Leben im Ideal (S. 460)

J e a n P a u l. Werke. Gesamtausgabe 1927 ff. Auswahl von K. Freye. Briefe. 1922—26. J. Alt, Jean Paul. 1925. W. Meier, J. Paul. Das Werden s. geistigen Gestalt. 1926. F r i e d r i c h H ö l d e r l i n. Werke, Ausgaben von N. v. Hellingrath, F. Seebass u. L. v. Pigenot. 1913—23. Von F. Zinkernagel. 1914—26. Von F. Beissner. 1943 ff. Gesamtdarstellung: W. Böhm 1928/30. L. Kempter, H. u. die Mythologie. 1929. P. Böckmann, H. u. seine Götter. 1935.

8. Innen- und Außenwelt (S. 496)

H e i n r i c h v o n K l e i s t. Sämtl. Werke. Histor.-kritische Ausg. v. E. Schmidt, R. Steig u. Minde-Ponet. W. Muschg, Kleist. 1923. Fr. Braig, H. v. Kleist. 1925. H. M. Wolff, Heinrich von Kleist als politischer Dichter. 1947. Jahrbuch der Kleistgesellschaft. 1921 ff. E. T. A. H o f f m a n n. Werke. Her. von G. Ellinger. E. T. A. Hoffmann im persönlichen u. brieflichen Verkehr. Her. von H. von Müller. 1912. E. T. A. Hoffmann, Tagebücher u. literarische Entwürfe. Her. von H. von Müller. 1915. W. Harich, E. T. A. Hoffmann. 1920. G. Egli, H. Ewigkeit und Endlichkeit in s. Werk. 1927. K. Ochsner, Hoffmann als Dichter des Unbewußten. 1932. A d e l b e r t v o n C h a m i s s o. Werke. Her. von M. Sydow. U. Baumgartner, A. von Chamissos Peter Schlemihl. 1942.

9. Politische Gegenwart und poetische Vergangenheit (S. 537)

F. Meinecke, Weltbürgertum u. Nationalstaat. 5. A. 1919. E. M. A r n d t, Werke. Auswahl von H. Meisner u. R. Geerds 1909. Arndts Lebensbild in Briefen, her. von Meisner und Geerds. 1898. Arndt, Erinnerungen aus dem äußern Leben. 1840. Briefe an eine Freundin. Her. von E. Langenberg. 1878.

Theodor Körner. Werke. Her. von A. Weldler-Steinberg. 1908. Briefwechsel mit den Seinen. Her. von A. Weldler-Steinberg. 1910. Clemens Brentano. Werke. Gesamtausgabe von K. Schüddekopf u. a. 1909 ff. Auswahl von M. Preitz. 1914. Briefwechsel mit Sophie Mereau. Her. von H. Amelung. 1908. L. Brentano, Cl. Brentanos Liebesleben. 1921. L. Hunkeler, Cl. Brentanos religiöser Entwicklungsgang. 1925. Achim von Arnim. Werke. Auswahl von M. Jacobs. Trösteinsamkeit. Her. von Fr. Pfaff. 2. A. 1890. Hollins Liebesleben. Her. von J. Minor. 1883. Ariels Offenbarungen. Her. von J. Minor. 1912. R. Steig und H. Grimm, A. von Arnim u. die ihm nahestanden. 1894—1913. Des Knaben Wunderhorn. Neuausgabe. 1906. K. Bode, Die Bearbeitung der Vorlagen in „Des Knaben Wunderhorn". 1909. F. Rieser, Des Knaben Wunderhorn u. seine Quellen. 1908. Friedrich de la Motte-Fouqué. Werke. Her. von W. Ziesemer. O. E. Schmitt, Fouqué, Apel, Miltitz. 1908.

10. Das Geheimnis des Gemütes (S. 563)

Joseph von Eichendorff. Sämtliche Werke. Historisch-kritische Ausgabe von W. Kosch u. A. Sauer. 1908 ff (unvollendet). Auswahl A. von Grolmann. 1928. Eichendorff, Vermischte Schriften. 1866. H. Brandenburg, J. v. Eichendorff. S. Leben u. s. Werke. 1922. Johann Peter Hebel. Werke. Her. von A. Sütterlin. Von Wilhelm Altwegg. W. Altwegg. J. P. Hebel. Briefe. Gesamtausgabe von W. Zentner. S. Löffler, J. P. Hebel. Wesen u. Wurzeln seiner dichter. Welt. 1944. Ludwig Uhland. Werke. Auswahl von H. Fischer. 1892. Gedichte. Kritische Ausgabe von E. Schmidt u. J. Hartmann. 1898. Briefwechsel. Her. von J. Hartmann. 1911 ff. H. Schneider, Uhland. Leben, Dichtung, Forschung. 1920. Justinus Kerner. Sämtliche poetische Werke. Her. von J. Gaismaier. J. Kerner, Die Seherin von Prevorst. 3. A. 1838. H. Straumann, J. Kerner u. der Okkultismus in der deutschen Romantik. 1928. Eduard Mörike. Werke. Krit. Ausgabe von H. Maync. 1909/14. Briefe. Her. von R. Fischer u. R. Krauß. 1903. Briefwechsel mit H. Kurz, Th. Storm, M. von Schwind, Luise Rau usw. R. Fischer, E. Mörikes Leben u. Werke. 1901. R. Fischer, E. Mörikes künstler. Schaffen. 1903. H. Vetter, Mörike u. die Romantik. 1920. Mörike als Zeichner. Her. von O. Güntter. 1930. H. Hieber. Mörikes Gedankenwelt. 1923. W. Zemp, Mörike. Elemente u. Anfänge. 1939.

11. Forcierte Talente (S. 598)

Karl Lebrecht Immermann. Werke. Her. von H. Maync. S. von Kempicki, Immermanns Weltanschauung. 1910. H. Maync, Immermann, Der Mann u. sein Werk. 1921. Christian Dietrich Grabbe. Ges. Werke. Her. von E. Grisebach. 1902. O. Nieten, Grabbe. Sein Leben u. seine Werke. 1908. Friedrich Rückert. Werke. Her. von E. Groß u. E. Hertzer.. R. Magon, Der junge Rückert. 1914. Meiser, Fr. Rückert. 1928. F. Golffing, Fr. Rückert als Lyriker. 1935. August von Platen. Sämtliche Werke. Histor.-kritische Ausgabe von M. Koch und E. Petzet. 1910. Briefe. Her. von L. v. Scheffler und P. Bornstein. 1911 ff. Tagebücher. Her. von G. v. Laubmann u. L. von Scheffler. 1896/1900. R. Schlösser, Platen. 1910. Nikolaus Franz Niembsch von Strehlenau. Sämtliche Werke und Briefe. Her. von E. Castle. 1911 ff. Auswahl von C. A. von Bloedau. E. Castle, N. Lenau 1902. W. Alexander, Die Entwicklungslinien der Weltanschauung N. Lenaus. 1914. H. Bischoff, N. Lenaus Lyrik. 1920 f. Heinrich Heine. Werke. Her. von E. Elster. Heines Briefwechsel. Her. von Fr. Hirth. 1914/18. A. Strodtmann, Heines Leben u. Werke. 2. A. 1873. H. Lichtenberger, H. Heine penseur. 1905.

12. Grillparzer und Hebbel (S. 634)

Franz Grillparzer. Werke. Im Auftrag der Stadt Wien her. von A. Sauer. 1909 ff. L. Beriger, Grillparzers Persönlichkeit in seinem Werk. 1928.

J. Volkelt, Grillparzer als Dichter des Tragischen. 1909. E. Reich, Grillparzers Dramen. 1909. F r i e d r i c h H e b b e l. Sämtliche Werke. Historisch-kritische Ausgabe von R. M. Werner. Werke, Tagebücher, Briefe. 1904 ff. R. M. Werner, Hebbel. 1905. E. T. Dosenheimer, Fr. Hebbels Auffassung vom Staat und sein Trauerspiel Agnes Bernauer. 1912. A. Scheunert, Der Pantragismus Fr. Hebbels. 1903. P. Sickel, Hebbels Welt- und Lebensanschauung. 1912.

Viertes Buch: D e r R e a l i s m u s (S. 662)

1. *Das Zeitalter des Materialismus (S. 662)*

L. Feuerbach. Vorlesungen über das Wesen der Religion. Her. von W. Bolin. 1908. Fr. Jodl, L. Feuerbach. 1904. Th. Ziegler, Die geistigen und sozialen Strömungen Deutschlands im 19. u. 20. Jahrh. 1916. F. Überweg, Grundriß d. Geschichte d. Philosophie. 4. Teil: Das 19. Jahrhundert u. die Gegenwart. 11. A., bearbeitet von K. Oesterreich. 1916. E. Eyck, Bismarck. 1941—44. F. Mehring, Geschichte d. deutschen Sozialdemokratie. 1919. F. Muckle, Die großen Sozialisten. 1919. J. Burckhardt, Briefe. Her. von F. Kaphan. 1935. Th. Fontane, Causerien über d. Theater. Her. von P. Schlenther. 2. A. 1905.

2. *Tendenz und Politik (S. 674)*

G. B ü c h n e r. Werke und Briefe. Her. von F. Bergemann. M. Zobel von Zabeltitz, Büchners Leben. 1915. E. Ermatinger, Büchners Persönlichkeit. Jahrb. d. Freien Deutschen Hochstiftes. 1931. J. Strohl, Oken u. Büchner. 1936. J. Proelss, Das junge Deutschland. 1892. H. H. Houben, Jungdeutscher Sturm und Drang. 1911. K. G u t z k o w. Werke, Auswahl. Her. von H. H. Houben. 1908. H. H. Houben, Gutzkow-Funde. 1901. H. L a u b e. Ges. Werke. Her. von A. Hänel u. H. H. Houben. 1908 ff. Auswahl von Houben. 1906. Chr. Petzet, Die Blütezeit der deutschen polit. Lyrik von 1840 bis 1850. 1903. F. F r e i l i g r a t h. Werke. Her. von J. Schwering. 1909.

3. *Die Schweizer (S. 702)*

J. Nadler, Der geistige Aufbau der deutschen Schweiz. 1924. E. Ermatinger, Dichtung und Geistesleben der deutschen Schweiz. 1933. J. G o t t h e l f. Sämtliche Werke. Her. von R. Hunziker und H. Bloesch. 1911 ff. W. Muschg, Gotthelf. 1931. K. Guggisberg, J. G. Christentum u. Leben. 1939. P. Baumgartner, J. Gotthelfs Zeitgeist u. Bernergeist. 1945. G. K e l l e r. Sämtliche Werke Her. von J. Fränkel u. C. Helbling. 1926 ff. E. Ermatinger, G. Kellers Leben, Briefe u. Tagebücher. 5.—7. A. 1924 f. P. Schaffner, G. Keller als Maler. 1923. F. Burri, G. Kellers Glaube. 1944. C. F. M e y e r. Werke. Taschenausgabe. 1922 f. Briefe. Her. von A. Frey. 1908. A. Frey, Leben u. Werke. 2. A. 1905. Fr. F. Baumgarten, Das Werk C. F. Meyers. 1917. W. Köhler, C. F. Meyer als religiöser Charakter. 1911. E. Ermatinger, C. F. Meyers religiöses Ringen u. künstlerischer Durchbruch. Krisen u. Probleme. 1928.

4. *Erzähler des bürgerlichen Realismus (S. 736)*

A. v o n D r o s t e - H ü l s h o f f. Sämtl. Werke. Her. von J. Schwering. Briefwechsel mit L. Schücking. Her. v. R. C. Muschler. 1928. G. F r e y t a g. Ges. Werke. 1926. Briefwechsel mit dem Herzog Ernst von Coburg. Her. von E. Tempeltey. 1904. H. Lindau, G. Freytag. 1907. O t t o L u d w i g. Sämtliche Werke. Her. von P. Merker u. a. (unvollständig). 1913 ff. Auswahl von A. Bartels. 1900. A. Stern, Otto Ludwig. 2. A. 1906. F r i t z R e u t e r. Sämtliche Werke. Her. von C. F. Müller. 1905. Briefe an s. Vater. Her. von F. Engel. 1896. T h e o d o r S t o r m. Sämtliche Werke. Her. von A. Köster. 1919/20. Briefe in die Heimat. Her. von G. Storm. 1907. Briefe an seine Braut. Her. von G. Storm. 1915. Briefe an s. Frau. Her. von G. Storm. 1915. Heyse-Storm-Briefwechsel. Her. von G. Plotke. 1917. Briefwechsel mit Mörike.

Her. von H. W. Rath. P. Schulze u. E. Lange, Storms Leben u. Dichtung.
3. A. 1911. Theodor Fontane. Gesammelte Werke. 1919/20. C. Wandrey, Th. Fontane 1919.

5. *Stifter und Raabe (S. 778)*

Adalbert Stifter. Sämtliche Werke. Her. von F. Hüller, G. Wilhelm
u. a. 1901 ff. Auswahl von R. Fürst. Biographien von Bindtner. 1928; U.
Roedl. 1936; J. Michels. 1941. Wilhelm Raabe. Sämtliche Werke. 1913
ff. W. Heeß, W. Raabe. 1926.

6. *Die Flucht in die Vergangenheit (S. 794)*

J. V. Scheffel. Werke. Auswahl von K. Siegen u. M. Mendheim. 1917. J.
Proelss, Scheffels Leben. 1887. Emanuel Geibel. Werke. Her. von R.
Schacht. 1915. K. Goedeke, E. Geibel. 1. (einziger) Band. 1869.

7. *Naturalisten (S. 805)*

A. von Hanstein, Das jüngste Deutschland. 1905. H. u. J. Hart, Kritische
Waffengänge. 1882—86. Detlev von Liliencron. Sämtliche Werke.
Her. von R. Dehmel. 1911 ff. Ausgewählte Briefe. Her. von R. Dehmel. 1910.
H. Maync, D. v. Liliencron. 1920. Hermann Conradi. Gesammelte
Werke. Her. von P. Ssymank u. G. W. Peters. 1911. Frank Wedekind.
Gesammelte Werke. 1912. A. Kutscher, Fr. Wedekind. 1922 f. Richard
Dehmel Gesammelte Werke. 1913. Ausgewählte Briefe. 1922. Selbstbiographie: Liter. Echo 7, 110 ff. Arno Holz. Das ausgewählte Werk. 1920.
Holz und Schlaf, Neue Gleise. 1892. Revolution der Lyrik. 1899. Gerhart
Hauptmann. Das gesammelte Werk. 1942 ff. Das Abenteuer meiner Jugend. 1937. E. Sulzer-Gebing, G. Hauptmann. 1909.

8. *Ausklang (S. 833)*

Thomas Mann, Betrachtungen eines Unpolitischen. 1918. C. Helbling, Die
Gestalt des Künstlers in der neueren Dichtung. 1922.
Paul Ernst. Jugenderinnerungen. 1930. Jünglingsjahre. 1930. Der Weg zur
Form. 3. A. 1928. Der Zusammenbruch des deutschen Idealismus. 1931. Stefan George. Werke. Gesamtausgabe. 1927—34. Blätter für die Kunst.
Auslese 1909. Jahrbuch für die geistige Bewegung. 1910—12. Christian
Morgenstern. Auf vielen Wegen. 1911. Wir fanden einen Pfad. 1916.
Stufen. 1918. Alle Galgenlieder. 1932. M. Bauer, Morgensterns Weg u. Werk.
1933. Rainer Maria Rilke. Ges. Werke. 1927. Ges. Briefe. 1939—41.
C. Sieber, Die Jugend R. M. Rilkes. 1932. P. Demetz, René Rilkes Prager
Jahre. 1953.

BILDERNACHWEIS

Goethe-Museum, Düsseldorf, Bild Nr.: 57, 78, 109.

Hist. Bildarchiv Handke, Berneck, Bild Nr.: 2, 4, 7, 8, 9, 10, 13, 16, 19, 20, 22, 25, 26, 29, 30, 31, 32, 33, 34, 36, 37, 38, 39, 40, 41, 42, 44, 45, 46, 48, 50, 51, 52, 56, 58, 59, 60, 61, 62, 63, 64, 65, 66, 67, 69, 72, 73, 74, 75, 76, 77, 79, 81, 82, 83, 88, 93, 94, 96, 97, 99, 100, 101, 102, 113, 114, 115, 120, 124, 128, 131, 136, 139, 140, 141, 142, 144, 146, 147, 148, 151, 153, 154, 155, 156, 159, 160, 161, 163, 164, 166, 167, 168, 170, 172, 174, 176, 177, 181, 182, 183, 184, 185, 187, 188, 200, 203, 204, 208.

Historia-Photo, Bad Sachsa, Bild Nr.: 1, 11, 12, 14, 18, 21, 35, 43, 53, 54, 55, 71, 80, 85, 86, 90, 91, 92, 95, 98, 107, 110, 111, 112, 117, 125, 126, 127, 130, 138, 145, 152, 157, 169, 173, 175, 178, 186, 190, 194, 195, 196, 197, 198, 199.

Ullstein-Bilderdienst, Bln.-Tempelhof, Bild Nr.: 3, 5, 6, 15, 17, 23, 24, 27, 28, 47, 49, 68, 70, 84, 87, 89, 103, 104, 105, 106, 108, 116, 118, 119, 121, 122, 123, 129, 132, 133, 134, 135, 137, 143, 149, 150, 158, 162, 165, 171, 179, 180, 189, 191, 192, 193, 201, 202, 205, 206, 207, 209.

NAMENVERZEICHNIS

(Nur die wesentlichen Stellen sind angeführt)